D1278774

BIBLIOGRAFÍA TEMÁTICA DE ESTUDIOS SOBRE EL TEATRO ESPAÑOL ANTIGUO

Bibliografía Temática de

Estudios sobre el

Teatro Español Antiguo

por

WARREN T. McCREADY

MIDDLEBURY COLLEGE
LIBRARY

University of Toronto Press

S
862.016
M13b

3/1967
Span.
(Carr)

© University of Toronto Press 1966

Printed in Canada

PQ
6104
A1
M3

TABLA DEL CONTENIDO

PARTE II: PERÍODO AUREOSECULAR
(Desde Lope de Vega hasta José de Cañizares)

INTRODUCCIÓN

Bosquejo histórico

Triste y lamentable es la historia de los estudios bibliográficos sobre el teatro español antiguo. Comienza en 1860 con la obra monumental de Cayetano Alberto de la Barrera (núm. 1574)*, que contiene bosquejos biográficos de los dramaturgos, inventarios de sus obras, una lista alfabética de títulos y descripciones de tales colecciones de comedias impresas como las llamadas "Escogidas," "Diferentes" y otras de menor extensión. Un catálogo de comedias, ordenado por título y por autor, se encuentra también en la Biblioteca de Autores Españoles, tomos 47 y 49 (publicados por primera vez en 1858-59 y reimpresos varias veces desde entonces), pero nunca se ha corregido y, aunque útil, debe emplearse con cautela. El catálogo de la Barrera, aunque él también es anticuado, todavía queda insuperado y no ha sido reemplazado por ninguna obra semejante.

Durante el resto del siglo XIX se publicaron muchos libros y artículos sobre drama y dramaturgos españoles, pero no se hizo ningún esfuerzo serio por compilar un registro colectivo de ellos. Los escritores se referían en sus notas a obras pertinentes o, de vez en cuando, alguno ponía al final de su libro una bibliografía parcial. La técnica bibliográfica, asimismo, era algo desmañada; vista retrospectivamente, parece no solamente descuidada, sino aun descortés. Considérese, por ejemplo, esta cita y la nota que la acompaña: "Various articles have since appeared from time to time in our leading periodicals, either seeking to take the measure of Calderón's genius, or...." La nota dice: "As one in the Quarterly Review, April 1821. This, with another in Blackwood, Dec. 1839, and a third in the Westminster and Foreign Quarterly, Jan. 1851, are ... the best general articles on Calderón...." Así es, sin mencionar en ninguna parte los nombres de los autores, ni los títulos ni las páginas. Igualmente enfadosa es la costumbre—desapareciendo ya, felizmente, junto con sus practicantes—de indicar la paginación de un artículo, por ejemplo, como "28 ff." o "28 y sigs.," etc., lo cual hace al lector preguntarse si el artículo continúa por dos páginas más, o por doscientas. Sin embargo, a pesar de un estilo que tenía visos de diletantismo, las revistas tenían sus índices anuales, y algunas aun publicaban índices acumulativos que abarcaban períodos de diez o veinte años, o más. Estos índices, junto con tales bibliografías nacionales como el Catalogus van boeken... de Brinkman (Holanda) o Kaysers Bücher-Lexicon (Alemania), etc., y finalmente, bibliografías internacionales producidas anualmente o con más frecuencia—ZRP** (1878--), la Bibliographie hispanique de Foulché-Delbosc (1905-17), RFE (1914--), etc.—ayudaban al investigador a ponerse al corriente de publicaciones nuevas y, a fuerza de recorrer diligentemente tomo tras tomo, año por año, a dar con una obra específica o a compilar una lista tentativa de estudios sobre algún dramaturgo. Tales búsquedas, empero, gastaban tiempo

---

*Los números entre paréntesis indican la colocación en esta bibliografía de las obras citadas.

**Para abreviaturas de títulos de revistas, véase el "Índice de revistas," págs. 2-28.

y energía, y no facilitaban la investigación de un asunto o tema que pudiera aparecer en las obras de varios dramaturgos. La razón es, sencillamente, que todas las bibliografías e índices arreglaban su materia según el orden alfabético de los nombres de autores, o creadores (dramaturgos, novelistas, etc.) o eruditos (autores de estudios críticos).

Había pasado ya un lustro del siglo XX cuando apareció, por fin, una bibliografía definitiva (a la sazón) sobre un dramaturgo español. Esta obra fué Die Calderón-Literatur de Hermann Breymann, publicada en 1905 (núm. 2283). Después de secciones dedicadas a manuscritos, ediciones impresas y traducciones, el compilador divide las obras críticas en diversas categorías: estudios generales sobre la vida y obra de Calderón, estudios sobre comedias individuales, relaciones con literaturas extranjeras, referencias a Calderón en historias de literatura, etc. La materia de cada categoría está ordenada cronológicamente por año, y dentro de cada año alfabéticamente por nombre de autor. Hay un índice de nombres (no solamente de autores críticos, sino también de escritores literarios, como Corneille, Goethe, Shakespeare, etc.), un índice de materias (útil por lo que tiene, pero no bastante comprensivo) y otro de títulos. Esta bibliografía facilitaba investigaciones sobre Calderón, pero los estudios comparativos todavía eran difíciles. El investigador, si quería, podía hallar estudios sobre el tema del honor, digamos, buscando solamente la palabra Ehre en el "Sachverzeichnis" de Breymann, pero el juntar datos semejantes tocante a Lope de Vega, a Guillén de Castro o a cualquier otro dramaturgo del Siglo de Oro, quedaba la misma empresa abrumadora que antes.

Muchos años después, aparecieron bibliografías sobre los otros tres de los cuatro "grandes" entre los dramaturgos aureoseculares. Ermilo Abreu Gómez dió a luz en 1939 una bibliografía crítica de Juan Ruiz de Alarcón (núm. 2643), la cual incluía y aumentaba estudios anteriores de Rangel (núm. 2652), Schons (núm. 2563), Henríquez Ureña (núm. 2558) y Reyes (núm. 2559). En el mismo año se publicó Lope de Vega in Deutschland, de Hermann Tiemann (núm. 3917); es un catálogo de manuscritos y ediciones impresas encontradas en bibliotecas alemanas, seguido de una bibliografía de estudios críticos alemanes, hasta 1935, sobre la vida y obra de Lope de Vega. La materia está dispuesta cronológicamente por decenios, y alfabéticamente por autores dentro de cada año. Hay índices de nombres y de títulos, pero ninguno de materia. Aunque técnicamente excelente, esta obra no constituye más que un monumento de erudición nacionalística, si la yuxtaposición de estos términos fundamentalmente antitéticos tiene alguna significación. Su alcance es demasiado limitado para tratar debidamente el talento y fama del dramaturgo más importante de España, sobre quien se ha escrito tanto en otras partes del mundo, desde Estocolmo hasta Istambul por vía de Tokio y La Laguna de Tenerife. Everett W. Hesse compiló una bibliografía de Tirso de Molina (núm. 2684), que apareció en 1949 en un tomo de la revista Estudios publicado en conmemoración del tercer centenario de la muerte del dramaturgo. Sus cinco secciones tratan de manuscritos, ediciones, estudios críticos, traducciones e imitaciones (exceptuando las de El burlador de Sevilla) y el tema de don Juan (estudios, traducciones e imitaciones de El burlador de Sevilla). Hesse adhiere a un orden rigurosamente alfabético de nombres de autores; por consiguiente, si el lector no conoce más que el título de un libro o de un artículo, tiene que escrutar cada página hasta encontrar la obra. Si recuerda solamente una parte insignificante del título, o sólo el tema general, tiene que buscar con más cuidado aún.

Con respecto al período anterior a Lope de Vega, no hay mucho que

decir. La segunda edición de <u>Spanish Drama Before Lope de Vega</u>, de Crawford (núm. 104), publicada en 1937, contiene una bibliografía selectiva de
diez páginas que abarca los estudios y ediciones más recientes o más importantes de ochenta y ocho escritores dramáticos y obras anónimas. En
1942 la Biblioteca Nacional de Lisboa publicó una bibliografía de Gil Vicente, compilada por L. de Castro e Azevedo (núm. 777), que ordena su materia más competente y concienzudamente que ninguna de las bibliografías
mencionadas arriba. Está repartida en las categorías usuales de manuscritos, ediciones, estudios críticos, etc.; pero tiene, además del índice de
autores, un índice de revistas y otro, único, de materias, títulos de
obras críticas y porciones de títulos, que hace muy fácil el descubrimiento de escritos sobre cualquier autor, obra o tema que tenga relación con
Gil Vicente. Esta bibliografía merece más aplauso del que ha recibido.
El que no sea mejor conocida se deberá al hecho de que se dió a luz durante la guerra y en Portugal.

En tal estado, pues, estuvo la bibliografía del teatro español antiguo a fines del período abarcado por ésta--una bibliografía excelente
sobre un dramaturgo prelopeano, trabajos inadecuados sobre los cuatro mayores y, en cuanto a los demás, una miscelánea de referencias incompletas
e inorganizadas esparcidas en historias de literatura, en revistas y en
libros de diversas clases.

Formación de una bibliografía colectiva

Origen de la obra

Comencé esta bibliografía en 1948, como una lista de artículos
sobre Lope de Vega, a fin de evitar la necesidad de hojear centenares de
páginas de libros cada vez que quería hallar cierta obra crítica a la cual
recordaba haber visto una referencia en alguna que otra nota. No tardé,
empero, en hallar que no era práctico limitar la lista a Lope de Vega.
Mucha materia importante se encontraba también en los escritos sobre otros
dramaturgos, pero, a falta de una bibliografía general, me sería necesario
buscar tales escritos en otros centenares de páginas de aun más libros.
Tal tarea no me parecía menos difícil, ni los resultados más satisfacto-
rios, que examinar las revistas mismas. Por lo tanto, me resolví a em-
prender en persona una investigación de cuantas revistas pudiera, aprove-
chándome de otras bibliografías, no como fuentes copiadas a la letra, sino
más bien como un medio útil de enterarme de títulos de revistas cuya existencia ignoraba.

Alcance de la obra

La obra consta de los estudios (artículos, libros y reseñas) que
se publicaron desde 1850 hasta 1950 inclusive, y que tratan del teatro español desde sus orígenes en la Edad Media hasta el fin del Siglo de Oro y
principios del Neoclasicismo, a mediados del siglo XVIII. Están incluídas
reseñas de libros publicados en 1950, aun cuando las reseñas mismas apare-
cieran muchos años después. También incluídos están artículos que se han
reimpreso después de 1950; tales artículos se encuentran ordinariamente en
colecciones de ensayos, muchas veces sin indicación de haberse escrito y
publicado con mucha anterioridad. No se incluyen en la bibliografía las
reseñas de estas reimpresiones.

La publicación, a mediados del siglo XIX, de los artículos de Mesonero Romanos sobre el teatro del Siglo de Oro, en el Semanario Pintoresco Español, y de los primeros tomos de la Biblioteca de Autores Españoles por Rivadeneyra, me parece representar un resurgimiento de interés por la literatura antigua, y especialmente por la comedia, como una reacción contra el desprecio neoclásico y la apasionada desmesura de los románticos. Por consiguiente, he escogido el año de 1850 como una fecha conveniente en la que comenzar.

Al fin de la Segunda Guerra Mundial, la colección y difusión de datos bibliográficos estaban en condiciones aun peores que antes, aunque no tardaron en mejorarse. En la América del Norte, los especialistas en la comedia--o "comediantes," como nos llamamos ahora--teníamos asequibles la bibliografía anual de PMLA, que abarcaba todos los géneros y períodos de la literatura pero se limitaba a publicaciones norteamericanas, y la de SP, que incluía algunos escritos extranjeros pero se limitaba al Renacimiento (siglos XVI y XVII). Había, por supuesto, otros recursos bibliográficos--por ejemplo, RFE, BRAE, BSS, International Index to Periodicals, NRFH, RFH, etc.--pero su misma diversidad los hacían difíciles de consultar, porque no todos "comediantes" los tenían al alcance de la mano. Lo que nos hacía falta era una sola bibliografía que incluyera los datos que omitían PMLA y SP. En 1951 comenzó a aparecer tal bibliografía, compilada por los profesores Arnold G. Reichenberger y Jack H. Parker y publicada dos veces por año en el Bulletin of the Comediantes, revista fundada dos años antes y cuyo primer director fué el profesor Everett W. Hesse. En vista de que hay, a partir de 1951, una bibliografía corriente bastante adecuada sobre la comedia, termino la mía con el año de 1950.

Límites de la obra

Las publicaciones periódicas que han proporcionado la materia principal de esta bibliografía son de dos clases. La primera se limita, con pocas excepciones, a revistas de índole más o menos erudita--literaria, histórica, crítica. La segunda consta de publicaciones seriales, que son publicadas generalmente por universidades a plazos irregulares, pero numeradas de manera que se puedan recoger en tomos anuales. Está incluída en esta bibliografía toda la materia encontrada en las publicaciones periódicas: no solamente estudios críticos y reseñas de libros, sino también ediciones de comedias--por ejemplo, Rachel Alcock, "La famosa toledana de Juan de Quirós (1591)" (núm. 513). En cambio, se omiten ediciones, colecciones y antologías publicadas como libros, a menos que haya reseña--teniéndose cualquiera reseña por una especie de estudio. Por eso, se hallará (para dar un solo ejemplo) la edición hecha por G. W. Umphrey de Las mocedades del Cid de Guillén de Castro (núm. 2374), pero se ha omitido la de E. Lacroix por no haberse encontrado ninguna reseña de ella. Una excepción a esta regla se ha hecho de la colección Poetas dramáticos valencianos, de Eduardo Juliá Martínez (núm. 1747), a causa de su valiosa introducción. Se excluye toda materia de los periódicos (diarios) por ser de índole generalmente efímera y popular, pero aquí también se han hecho algunas excepciones: el artículo sobre Dante y Lope de Vega (núm. 3140) por la rareza del tema, los artículos aparecidos en la GazWar (núm. 1220) porque se cuentan entre las pocas, y poco conocidas, contribuciones en lengua polaca, y unas cuantas más. También excluídas están las referencias encontradas en enciclopedias, historias de literatura, historias universales del drama (v. g., la de Creizenach)--en suma, cualquiera obra en la que es lógico buscar materia sobre el drama español sin acudir primero a una bibliografía.

Con respecto a la literatura misma, esta bibliografía abarca todas las obras (dramáticas y no dramáticas) de escritores considerados primariamente dramaturgos, pero sólo las obras dramáticas de autores cuya producción principal pertenece a otro género. Para dar un ejemplo, se incluyen estudios sobre la Jerusalén conquistada de Lope de Vega y el Deleytar aprovechando de Tirso de Molina; pero se encuentran estudios sobre el Quijote o las Novelas ejemplares de Cervantes solamente cuando tienen alguna relación con el drama. Como caso indefinido, se han incluído estudios de todas las obras de Vélez de Guevara menos El diablo cojuelo.

Finalidad y organización de la bibliografía

La finalidad de esta bibliografía es reunir en un solo tomo todos los artículos, libros y reseñas que se han publicado desde 1850 hasta 1950 y que tratan del drama español desde sus orígenes hasta el período neoclásico--una tentativa de recompensar más de cien años de descuido y negligencia bibliográficos. Cada obra ha de aparecer una sola vez, pero ha de ordenarse la materia de manera que una persona, aun cuando no sepa el nombre del autor ni el título exacto de una obra, pueda encontrar sin dificultad cualquier estudio que se haya publicado sobre un drama o dramaturgo determinado, o sobre cualquier tópico, tema, aspecto o asunto tocante a un drama o dramaturgo específico o al drama español en general.

Esta finalidad no puede conseguirse estableciendo aprioristicamente una serie de categorías en la que cada obra deba encajarse. En primer lugar, algunas obras pueden caber lógicamente en más de una, lo cual demanda repetición. En segundo lugar, es posible que el que consulta la bibliografía conociendo sólo el título de un artículo no pueda juzgar en qué categoría lo haya puesto el bibliógrafo, quien lo ha leído. Si el bibliógrafo mismo no ha visto el artículo, tiene que juzgar a base del título solo a qué categoría pertenezca. Por ejemplo, ¿cómo se podría colocar correctamente, en una bibliografía dividida en categorías, el título "The Mass as Hero," si no se leyera el artículo? En cuanto a una disposición cronológica, su única virtud parece ser la de mostrar cuántas obras se publicaron sobre un dramaturgo, o sobre todos juntos, en un año o en un decenio determinado.

Para conseguir las sobredichas finalidades, se ha inventado un sistema distinto. Por conveniencia, se ha hecho una suposición básica: Por regla general, los libros se recuerdan por el nombre del autor, y los artículos, o por su título o por su materia. Por consiguiente, los libros y los artículos se ponen automáticamente en secciones distintas, ordenados éstos por palabras significantes del título, y aquéllos por orden alfabético de autores. Muchas veces, empero, se hallan en un título varias palabras significantes. Puesto que cada obra ha de aparecer una sola vez, se requiere un sistema de palabras claves, o frases claves, que indiquen materias, temas y porciones de títulos. Estas claves se referirán tanto a los libros como a los artículos. Ordinariamente, los títulos indican bastante claramente el contenido o tema central de la obra; a los que no sean suficientemente claros se añadirán resúmenes o notas explicadoras, y se emplearán palabras sacadas de tales notas como claves dondequiera que parezcan necesarias.

En títulos, pues, no en categorías, está fundada la organización de la materia, puesto que no ha sido posible encontrar, leer, comprender y resumir todo libro y todo artículo que se ha publicado durante los ciento

un años que abarca esta bibliografía. Los títulos son de tres clases:
1) Generales, en los que no hay mención de ningún dramaturgo u obra dramática en particular; 2) Personales, en los que aparece el nombre de algún
dramaturgo (no modificado por tales términos como "anterior a," "después
de," etc.); 3) Específicos, en los que se menciona el título de alguna
obra. La triple división de títulos, junto con la separación de libros y
artículos, sugiere esencialmente el siguiente esquema lógico y práctico:

A) SECCIÓN GENERAL.

Subsección 1: TEMAS. Esta subsección contiene artículos de índole
general. Las referencias (palabras claves) incluyen palabras
significantes de títulos, materias, temas, apellidos, etc. Esta
subsección sirve también de índice a las otras secciones y subsecciones.

Subsección 2: ANÓNIMAS. Las claves constan de títulos de obras
anónimas; bajo cada una se nombran los artículos y los libros
correspondientes.

Subsección 3: LIBROS. Contiene libros de índole general, ordenados alfabéticamente por nombre de autor.

B) DRAMATURGOS INDIVIDUALES (por apellido: CALDERÓN, etc.).

Subsección 1: TEMAS. Contiene artículos sobre diversas materias
relacionadas con el dramaturgo a quien está dedicada la sección.
Las claves sirven de índice a la materia de esta y de otras subsecciones (OBRAS y LIBROS) e incluyen referencias a estudios
sobre este dramaturgo que se hallan en otras secciones.

Subsección 2: OBRAS. Las claves son títulos de obras. Esta subsección contiene artículos que se refieren a obras específicas y
referencias a estudios en otras secciones y subsecciones en los
cuales se menciona alguna obra específica de este dramaturgo.

Subsección 3: LIBROS. Contiene libros, por orden alfabético de
autores, que tratan exclusivamente de este dramaturgo y sus obras.

Todo artículo y libro está numerado (las claves, o referencias,
quedan sin numerar). Las reseñas se denotan por letras minúsculas (a, b,
c, etc., pero se omiten l y o) y siguen la obra a la que corresponden.
Las publicaciones seriales se tratan como artículos y se colocan, como
éstos, en TEMAS o en OBRAS, pero hay referencias en las subsecciones de
LIBROS para localizar las que se consideran como libros publicados separadamente y que, a veces, se reseñan como si lo fueran. Los anejos (Beihef-
te, supplementi, etc.) de revistas se tratan como artículos (Véanse, por
ejemplo, RFE y ZRP en el "Índice de revistas"); los libros de homenaje
(Festschriften) se consideran como si fueran revistas (Véase Homenajes en
el "Índice de revistas").

La bibliografía en su conjunto se divide en dos partes, que corresponden a la división histórica del drama español en dos períodos--la primera parte se extiende desde los orígenes hasta la escuela de Juan de la
Cueva; la segunda, desde Lope de Vega hasta José de Cañizares. Para las
referencias estrictamente cronológicas, el año de 1600 representa el fin
del primer período. Cervantes, quien pertenece a los dos, está colocado

en el primero. Los libros y artículos que tratan de ambos períodos se han puesto en la segunda parte, con claves de referencia dondequiera que se necesiten.

Cada período, o parte, tiene su sección GENERAL (GENERAL I y GENE-RAL II) y subsecciones de TEMAS, ANÓNIMAS y LIBROS; pero el período I tiene, además, otra subsección, COLECCIONES, en la que se contiene una clase de publicaciones algo compleja: ediciones de varias obras dramáticas escritas por diferentes autores y publicadas todas juntas en un solo artículo. En el período II no hay tal materia. Los libros que versan sobre dos o más dramaturgos se hallan en la sección GENERAL, subsección LIBROS. Los artículos que tratan de dos o más dramaturgos cuyos nombres se mencionan en el título se colocan en la sección de uno, con referencias indicadoras en las de los otros.

Cuando una referencia, en una sección cualquiera, señala otra sección, seguida inmediatamente por una palabra clave (por ejemplo, CASTRO, CORNEILLE; LOPE DE VEGA, MADRID), se entenderá que la subsección no especificada es la de TEMAS. Debido al corto número de estudios dedicados a ciertos dramaturgos, los encabezamientos de algunas subsecciones se han modificado o, a veces, suprimido enteramente, especialmente cuando toda la sección puede verse de un vistazo. Sin embargo, la materia de tales secciones está indicada en las claves de la sección GENERAL.

Los números que denotan años específicos (1550, 1681) no se emplean como claves, pero todos los años que se mencionan en títulos de artículos pueden encontrarse buscando la palabra clave AÑO en la subsección TE-MAS. De igual modo, los siglos que se especifican en títulos (exceptuando el XVI en el período I y el XVII en el período II) se hallan bajo la clave SIGLOS.

Los nombres de santos han de buscarse por el título SAN, SANTA o SANTO. Otros nombres religiosos se ordenan por cualquier apellido o sobrenombre que tengan: Cruz, Sor Juana Inés de la; León, Fray Luis de; Sagrada Familia, Tomás de la (en el índice de autores). Los papas, reyes, etc., se presentan como siempre: Leo X, Carlos V (Charles-Quint), Henry VIII.

Se ha limitado el tema de don Juan a obras que tienen una estrecha relación con el drama español. Una bibliografía de mayor alcance es la de Armand E. Singer, "Bibliography of the Don Juan Theme," West Virginia University Bulletin, Series 54, no. 10-1 (April, 1954), con suplementos posteriores en la misma publicación.

Las doce lenguas representadas en esta bibliografía (el español, catalán, portugués, italiano, francés, inglés, holandés, alemán, sueco, polaco, ruso, húngaro) no han sido gran problema. Por regla general, si no hay más que una obra sobre un tema determinado, la palabra clave está en la lengua en que se escribió la obra, suponiéndose que el buscador de esa obra ya sabe la parte significante del título. Si la palabra clave no es cognada del sinónimo español, éste se usa como clave de referencia. Varias obras que tratan, en lenguas diferentes, de un mismo asunto, tienen ordinariamente una clave española, con otras no cognadas si son necesarias. La existencia, y el uso como claves, de nombres propios (Shakespeare, Góngora, Francia) y de palabras cognadas (religieux, religiös, religioso, religious) elimina innecesarias traducciones múltiples. Fuera de este procedimiento general, no se ha seguido ningún sistema rígido de remisiones, o referencias, las cuales se han puesto, quitado o modificado durante ca-

si diez y ocho años, a fin de enlazar las obras nuevamente recogidas con
las ya incluídas.

Fuentes y guías bibliográficas

Sería imposible nombrar todos los libros y artículos en los que he
encontrado referencias a obras que tratan del teatro español, pero las siguientes bibliografías, o publicaciones que contienen bibliografías, han
sido de la mayor utilidad como fuentes y guías.

A. Índices de revistas.

Colección de índices de publicaciones periódicas. Madrid:
C.S.I.C. Núm. V: Cruz y Raya (1947); núm. VIII: Revista de
Estudios Hispánicos (1947); núm. XIII: Revista Contemporánea
(1950).

"Índice de los cien primeros números de la revista Archivo Hispalense. Prólogo de Francisco López Estrada." Archivo Hispalense,
XXXVII (1962), núms. 114-16. Pp. 288.

Índice general de "Atenea." (Columbus Memorial Library. Biblio-
graphical Series, 44). Washington: Pan-American Union, 1954.
Pp. 205.

Tortajada, A., y C. de Amaniel: Materiales de investigación. Índice de artículos de revistas (1939-49). Madrid: C.S.I.C., 1952.
2 vols.

B. Revistas.

BCom, Bibliotheca Hispana (1943--), BRAE, IAA, NRFH, PMLA, RFE,
RFH, SP, ZRP (Supplementheft: Bibliographie).

C. Bibliografías de la literatura y del drama.

Bertini, G. M.: "Contributo a un repertorio bibliografico italiano di letteratura spagnuola (1890-1940)." Italia e Spagna, págs.
427-518. (Véase el núm. 1669).

Crawford, J. P. W.: Spanish Drama Before Lope de Vega. (Véase el
núm. 104).

Delk, Lois J., y James Neal Greer: Spanish Language and Literature
in the Publications of American Universities. A Bibliography.
("University of Texas Hispanic Studies," IV). Austin, 1952.
Pp. 211.

Donovan, Richard B.: The Liturgical Drama in Medieval Spain.
Toronto: Pontifical Institute of Medieval Studies, 1958. Pp. 229.

Foulché-Delbosc, R.: Bibliographie hispanique. New York: Hispanic Society of America, 1905-17. 13 vols.

Golden, Herbert H., y Seymour O. Simches: Modern Iberian Language
and Literature. A Bibliography of Homage Studies. Cambridge:

Harvard University Press, 1958. Pp. x-184.

Hurtado y J. de la Serna, Juan, y A. González-Palencia: Historia
de la literatura española. 6ª ed.; Madrid: Saeta, 1949.
Pp. xv-1099.

Pfandl, Ludwig: Historia de la literatura nacional española en la
edad de oro. Trad. Jorge Rubió Balaguer. Barcelona: Sucesores
de Juan Gili, 1933. Pp. xv-691.

Stratman, Carl J.: Bibliography of Medieval Drama. Berkeley:
University of California Press, 1954. Pp. x-423.

D. Bibliografías de dramaturgos individuales.

a) Calderón de la Barca.

   Breymann, H.: Die Calderon-Literatur (núm. 2283).

   Sloman, Albert E.: The Dramatic Craftsmanship of Calderón.
   Oxford: Dolphin Book Co., 1958. Pp. 327.

b) Ruiz de Alarcón.

   Abreu Gómez, E.: Bibliografía crítica (núm. 2643).

   Castro Leal, A.: Juan Ruiz de Alarcón (núm. 2644).

c) Tirso de Molina.

   Hesse, Everett W.: "Catálogo bibliográfico de Tirso de Molina
   (1648-1948)" (núm. 2684).

d) Lope de Vega.

   Brown, Robert B.: Bibliografía de las comedias históricas,
   tradicionales y legendarias de Lope de Vega. México: Editorial Academia, 1958. (En la portada: State University of
   Iowa, Iowa City, Iowa, U. S. A.). Pp. xv-151.

   Simón Díaz, José, y Juana de José Prades: Ensayo de una bibliografía de las obras y artículos sobre la vida y escritos de
   Lope de Vega Carpio. Madrid: Centro de Estudios sobre Lope
   de Vega, 1955. Pp. xi-233.

   Tiemann, H.: Lope de Vega in Deutschland (núm. 3917).

e) Gil Vicente.

   Castro e Azevedo, L. de: Bibliografia vicentina (núm. 777).

Para continuar hasta la fecha la lista de bibliografías, señalaré
las demás que han aparecido desde 1950. En el decenio 1951-60 Hesse publicó, en la revista Estudios, siete suplementos a su bibliografía de Tirso de Molina. Desde 1961 se han publicado las siguientes bibliografías,
sobre diversos dramaturgos:

1. Rojas Zorrilla.

   MacCurdy, Raymond R.: Francisco de Rojas Zorrilla: Una bibliografía crítica. ("Cuadernos Bibliográficos," 18). Madrid:
   C.S.I.C., 1965. Pp. 47.

2. Lope de Rueda.

   Abrams, Fred: "Lope de Rueda: Una bibliografía analítica en el
   cuarto centenario de su muerte." Duquesne Hispanic Review, IV,
   no. 1 (Primavera, 1965), págs. 39-55.

   Tusón, Vicente: Lope de Rueda   Bibliografía crítica. ("Cuadernos Bibliográficos," 16). Madrid: C.S.I.C., 1965. Pp. 85.

3. Ruiz de Alarcón.

   Poesse, Walter: Ensayo de una bibliografía de Juan Ruiz de Alarcón y Mendoza. ("Estudios de Hispanófila," 4). Valencia: Castalia, 1964. Pp. 85. [Se publicó primero en Hispanófila, no.
   14 (enero-abril, 1962), págs. 1-21; no. 15 (mayo-agosto), págs.
   29-56; no. 17 (enero-abril, 1963), págs. 35-78].

4. Lope de Vega.

   Parker, Jack H., A. M. Fox, et al.: Lope de Vega Studies, 1937-
   1962: A Critical Survey and Annotated Bibliography. Toronto:
   University of Toronto Press, 1964. Pp. xi-210.

   Plavskin, Z. I., V. G. Kholtsova, et al.: Lope de Vega, biblio-
   grafiia russkikh perevodov i kriticheskoi literatury na russkoi
   iazyke 1735-1961. [Lope de Vega, bibliografía de traducciones
   rusas y de literatura crítica en lengua rusa, 1735-1961]. Mosk-
   va: Izdatel'stvo Vsesoiuznoi Knizhnoi Palaty, 1962. Pp. 139.

El reexaminar independientemente, en vez de aceptar servilmente,
los datos hallados en otras bibliografías ha revelado unos artículos "fantasmas," que no son más que sombras de las obras verdaderas. Conjurándo-
los aquí, espero impedir su aparición en las bibliografías futuras.

     a) Marcos Morínigo, en su América en el teatro de Lope de Vega,
pág. 254, atribuye a Hazañas y la Rúa un artículo titulado "Colón en el
teatro de Lope de Vega." El título verdadero es "El nuevo mundo de Lope
de Vega" (núm. 3754). El error resulta de haber leído mal una nota de
Menéndez y Pelayo (Estudios sobre el teatro de Lope de Vega, V, 325, nota
2).

     b) Pfandl, en su Historia de la literatura..., pág. 653, cita un
artículo de Cotarelo; luego dice, con respecto a otro asunto, "Sobre la
Cueva de Salamanca, véase Revue hispanique, vol. 38 (1916), págs. 400-07."
Esto, debido a una misinterpretación, significa para Castro Leal (núm.
2644), pág. 255, un artículo de Cotarelo. Este error de Castro Leal lo
copió Carmen Olga Brenes en El sentimiento democrático en el teatro de
Juan Ruiz de Alarcón (Valencia: Castalia, 1960), pág. 268. La verdad es
que la nota de Pfandl alude al artículo de Sam M. Waxman, "Chapters on
Magic in Spanish Literature" (núm. 1230), también citado por Castro Leal
y por Brenes.

c) Cotarelo y Mori, en Lope de Rueda y el teatro de su tiempo, pág. 29, nota 1, cita un artículo de C. Fernández Duro como: "El teatro en Zamora," IEA de 1883, 2º semestre. Para los datos correctos, véase el núm. 1144.

d) Otro fantasma es el artículo de Antonio Fabié, "Vindicación apologética de La verdad sospechosa," Revista de España, XVII (Madrid, 10 de enero de 1881), 19. Así aparece en la bibliografía de Poesse (pág. 50), quien lo tomó, sin sospechar la verdad, de la edición de Edouard Barry (París, 1897). Antes de su transfiguración, tenía por título "Cómo nos juzgan los franceses," y se publicó en 1884 (véase el núm. 1087).

e) El artículo de Federico de Onís, "Don Juan," Lectura, t. IX, abril 1909, p. 466, citado por Carlos Ortigoza en Los móviles de la "comedia...," (México: C. U., 1954), pág. 313, no es artículo sino una reseña sin título del libro de Said Armesto (núm. 2938b).

f) El artículo de B. Croce, "La poesia di Lope," que se halla, según J. Simón Díaz y Juana de José Prades (Ensayo de una bibliografía..., su número 310), en Bulletin Linguistique, IV, Bucarest, 1936, págs. 241-255, no está en esa revista, pero sí se halla en las mismas páginas de Crítica, XXXV, 1937 (su número 311, que no muestra la paginación) y también en otra revista (mis núms. 3384-85).

g) Cosa muy rara es el artículo de Walther Küchler, "Esther bei Lope de Vega, Racine und Grillparzer" (núm. 3175), porque ha producido su propio espectro. En la tabla del contenido de la revista misma aparece el nombre Calderón en lugar de Lope de Vega. Esta forma incorrecta se ve en Albert E. Sloman, The Dramatic Craftsmanship of Calderón (pág. 313), donde se ha transformado, de añadidura, bei en bis.

Algunos apuntes misceláneos

La revista Contemporánea (Contemp en el "Índice de revistas") parece ser muy rara. De sus treinta y nueve números mensuales he hallado solamente treinta y siete, repartidos entre Washington, Strasbourg y Roma. Por lo tanto, me complazco en decir que la Biblioteca de la Universidad de Toronto ha adquirido copias en microfilm de estos números.

No me he esforzado a apuntar la primera edición de cada libro registrado en esta bibliografía, ni de averiguar cuántas ediciones se hayan publicado. Basta que haya habido por lo menos una durante el período de 1850 a 1950.

Superfluo sería decir que esta bibliografía no es, ni puede ser, completa. En la bibliografía de Breymann, sin andar más lejos, se encuentran bastantes obras que, por diversas razones, no he querido incluir sin haberlas visto. La mayor parte de ellas pertenece al año centenario de 1881. Debe de haber, también, otros libros y artículos cuya existencia no ha llegado a mi noticia.

Muchas veces he oído quejarse a hispanistas noveles de que el profesor Fulano de Tal ha publicado el mismísimo artículo en dos revistas distintas a un mismo tiempo. Se admiran de que el dicho profesor esté todavía en libertad y tenido por hombre de bien. Tal actitud se debe al hecho de que, en esta parte del mundo, la publicación de una misma obra en dos o más lugares simultáneamente se tiene por inético, y aun ilegal, y puede parar en litigios judiciales. Para corregir esta actitud injusta, quiero afirmar que la publicación múltiple y simultánea es una costumbre arraigada en España, en la América Española, en Italia y en otras naciones, enteramente ética y, por lo visto, legal. Aunque no he leído ningún tratado sobre la cuestión, me parece, después de meditar un rato, que la costumbre tiene sus orígenes en una combinación de regionalismo y malas condiciones económicas. Un día, alguien dedicará tal vez una monografía a la cuestión.

Reconocimientos

Aunque he criticado algunas bibliografías que se han publicado, debo confesar que, sin ellas, la realización de la mía habría sido muy improbable. Utilísima también ha sido una obra que todos conocen y que todos consultan, pero que casi nadie menciona después: es la Union List of Serials, y quisiera hacer constar mi deuda a las bibliotecarias y bibliotecarios que ayudaron a compilar la segunda edición y que han contribuído también a la nueva, recién publicada. Entre las personas individuales a quienes deseo expresar mis reconocimientos sobresale mi amigo y colega Robert R. Bishop, quien, hace varios años, me ayudó recogiendo los datos pertinentes de más de veinte revistas, y quien ha continuado proporcionándome valiosas referencias. Debo gracias también al señor Jean Peeters-Fontainas, quien tuvo la bondad de enviarme desde Bruselas datos bibliográficos que no me eran asequibles en Canadá, y a mis colegas Jack H. Parker, G. L. Stagg y J. A. Molinaro, quienes me han ayudado de tantas maneras, material y espiritualmente, que el enumerarlas sería nunca acabar. También quiero expresar mi agradecimiento por una subvención del "President's Fund" de la Universidad de Toronto, con la que pude buscar en Europa ciertas obras que no había logrado encontrar en la América del Norte. Finalmente, doy las gracias a las señoritas M. J. Houston y B. E. Plewman, de la University of Toronto Press, por su ayuda en ciertos puntos técnicos tocante a la impresión de este libro.

Warren T. McCready

LISTA DE ABREVIATURAS

Acad. Obras de Lope de Vega, publicadas por la Real Academia Española. (V. el núm. 3568).

Ac. N. Obras de Lope de Vega, publicadas por la Real Academia Española (nueva edición). (V. el núm. 3565).

BAE Biblioteca de Autores Españoles. Madrid: Rivadeneyra, 1846-80.

Bd. Band.

col. columna(s).

Jg. Jahrgang.

NBAE Nueva Biblioteca de Autores Españoles. Madrid: Bailly-Bailliere, 1905-18.

no. número (number, etc.).

ns new series (nouvelle série, nueva serie, neue folge).

núm. número (number, etc.).

OS Colección de las obras sueltas de Lope de Vega, assí en prosa como en verso. Madrid: Antonio Sancha, 1776-79.

pág(s). página(s) (individuales o consecutivas).

Pp. páginas (número total).

t. tomo (tome).

vol. volume (volumen, etc.).

V. Véa(n)se.

V.t. Véa(n)se también.

ÍNDICE DE REVISTAS

ÍNDICE DE REVISTAS

En este índice se señalan no solamente la abreviatura y título de cada revista, como en todas las bibliografías del teatro español que se han publicado hasta ahora, sino también el lugar y las fechas de su publicación y, especialmente, el número referente a cada artículo y reseña que se encuentra en ella.

En cuanto a las fechas, un guión (-) indica que la revista se publicaba antes o después de la fecha señalada: "-1850-79," "-1935-."

Dos guiones significan que siguió publicándose la revista hasta 1950 o después: "1866--."

Para indicar hasta qué punto se ha cumplido el escrutinio de las revistas, se emplea un sistema de abreviaturas, indicativas de las bibliotecas en las que se han hallado las obras, el cual ha de interpretarse de esta manera:

1. La abreviatura sola (ICU) significa que se han registrado todos los tomos (hasta 1950, si la revista seguía publicándose).

2. La abreviatura seguida de una x entre corchetes (ICU[x]) significa que el registro ha quedado incompleto.

3. La ausencia de indicación de biblioteca significa que no se ha examinado la revista, y que los datos tocantes a los artículos se han sacado de alguna otra fuente.

Las abreviaturas indicativas de bibliotecas son las siguientes:

BM--British Museum (London).
BN--Biblioteca Nacional (Madrid).
BNPal--Biblioteca Nazionale (Palermo).
BNR--Biblioteca Nazionale (Roma).
BNUS--Bibliothèque Nationale et Universitaire de Strasbourg.
BPC--Biblioteca Provinciale di Cremona (Cremona).
CaM--McGill University (Montreal).
CaO--Library of Parliament (Ottawa).
CaT--Toronto Public Library (Toronto).
CaTU--University of Toronto (Toronto).
CLU--University of California at Los Angeles (Los Angeles).
CU--University of California (Berkeley).
DLC--Library of Congress (Washington).
DNLM--National Library of Medicine (Washington).
Edit.--Editor, Casa editora.
HM--Hemeroteca Municipal (Madrid).
HN--Hemeroteca Nacional (Madrid).
IC--Chicago Public Library (Chicago).
ICAM--Ilustre Colegio de Abogados de Madrid (Madrid).
ICN--Newberry Library (Chicago).
ICU--University of Chicago (Chicago).
InU--Indiana University (Bloomington).

1

IU--University of Illinois (Urbana).
MH--Harvard University (Cambridge, Mass.).
MiU--University of Michigan (Ann Arbor).
NBV--Nationalbibliothek (Viena).
NcU--University of North Carolina (Chapel Hill).
NhD--Dartmouth University (Hanover, New Hampshire).
NIC--Cornell University (Ithaca, New York).
NN--New York Public Library (New York).
NNC--Columbia University (New York).
NNFr--Frick Art Reference Library (New York).
OCU--Ohio State University (Columbus).
PUGR--Pontificia Università Gregoriana (Roma).

Nota: Estas siglas no deben tenerse por indicativas de las pose-
siones de ninguna biblioteca; para más detalles acerca de las revistas que
se hallan en bibliotecas norteamericanas, véase la UNION LIST OF SERIALS.

AAC--Anuario de la Academia Colombiana (Bogotá, 1874-1939. CaTU[x]), 846,
    3069.
AANAL--Anales de la Academia Nacional de Artes y Letras (La Habana, -1950-),
    3046.
ABAW--Abhandlung der philosophische-literaturgeschichtliche Studie der
    bayerischen Akademie der Wissenschaften (München, -1850--. CaTU),
    860, 960.
Abs--Abside (México, 1943--. ICN), 264, 2565, 2583, 2896.
ACCV--Anales del Centro de Cultura Valenciana (Valencia, 1928--. NN),
    529, 2345, 2351; Anejos, 60.
AcEsp--Acción Española (Madrid, -1935-), 2980, 3117, 3119, 3155, 3309, 3318.
ACNSR--Atti del IV Congresso Nazionale di Studi Romani (Roma, 1938. NN),
    3422.
ADA--Anzeiger für deutsches Altertum und deutsche Litteratur (Berlin,
    1876--. ICU[x]), 1115, 1777a.
AEAA--Archivo Español de Arte y Arqueología (Madrid, 1925-37. CaTU), 1231,
    1969, 3879d.
Aev--Aevum (Milano, 1927--. IU[x]), 1393.
AFFE--Anales de la Facultad de Filosofía y Educación, Universidad de Chile
    (Santiago, -1936-), 2881.
Afr--África, revista de acción española (Ceuta, 1944--. NN[x]), 3792.
Aguia--A Aguia (Pôrto, -1915-20-), 601, 622, 701.
AHPort--Archivo Histórico Portuguez (Lisboa, 1903-16. CaTU[x]), 600, 1071.
AIH--Archivo de Investigaciones Históricas (Madrid, 1911. ICU), 495, 2726.
AIIE--Anales del Instituto de Investigaciones Estéticas (México, -1939-),
    2610.
AIPs--Anales del Instituto de Psicología (Buenos Aires, -1941-), 3402.
AJP--American Journal of Philology (Baltimore, 1880--. CaTU), 1287.
Al-And--Al-Andalus (Madrid, 1933--. ICU), 44, 3314.
ALat--Alma Latina (San Juan, Puerto Rico, -1939-), 2795.
ALG--Archiv für Literaturgeschichte (Leipzig, 1870-87. ICU), 936, 2639,
    2724.
Alham--La Alhambra, revista quincenal de artes y letras (Granada, -1915-17-),
    933, 1070, 1111, 1295.
ALib--Argentina Libre (Buenos Aires, 1940--. DLC[x]), 3301.
AlmaC--Alma Cubana (La Habana, 1923-29. NN[x]), 437, 568, 703.
AlmIEA--Almanaque de la Ilustración Española y Americana (Madrid, 1874-1912.
    CaTU), 524, 1136, 1232, 1255, 1453, 1481, 1891, 2538, 2603, 2659, 2812,
    3515.

Alta--Altamira, revista del Centro de Estudios Montañeses (Santander,
    -1935-), 3311.
Alt-Wien--Alt-Wien, Monatsschrift für Wiener Art und Sprache (Wien, -1897-.
    NBV[x]), 1510.
Allgemeines Literaturblatt--V. OLB.
AllRu--Allgemeine Rundschau (München, -1931-), 1924.
AméricaM--América (Madrid, 1857-82. CaTU[x]), 321. 329, 330, 404, 466,
    1430, 1854, 1855, 2811, 3514, 3924.
AmérQ--América, publicación del grupo América (Quito, -1936-), 3164.
AmEsp--América Española (Cartagena, Colombia, 1935--. NN), 1162, 1173,
    3044, 3063, 3071, 3176, 3380, 3524.
AMS--American Musicological Society, Papers... (New York, 1936--. ICU[x]),
    65.
AnaisUB--Anais da Universidade do Brasil (Rio de Janeiro, -1950-), 2421.
ANeo--Archivum Neophilologicum, Polska Akademija Umiejetnosci (Cracovia,
    1930--. ICU, DLC), 1334, 3793.
Angl--Anglia (Halle, 1878--. ICU), 859, 2399b.
Annales de la Faculté des Lettres de Bordeaux--V. RevUM, y AnnFLB.
AnnCF--Annuaire du Collège de France (Paris, -1946-47-), 986, 987, 3406.
AnnFLB--Annales de la Faculté des Lettres de Bordeaux [V.t. RevUM] (Bordeaux,
    1879-97), 2179.
AnnRLGGM--Annuario del R. Liceo-Ginnasio "Giovanni Meli" (Palermo, -1927-33-.
    BNPal[x]), 1317, 3190.
Ant--Antillas (La Habana, 1920-22. DLC), 2825.
ANW--Alte und Neue Welt (Einsiedeln, -1901, 1930-), 1964, 3921b.
APA--American Philological Association, Transactions and Proceedings
    (Middletown, Conn., 1869--. ICU[x]), 336.
ARAF--Anales de la Real Academia de Farmacia (Madrid, 1935--. BN[x]), 802,
    1069.
ARANap--Atti della R. Accademia di Archeologia, Lettere e Belle Arti di
    Napoli (Napoli, 1865--. NN[x]), 43A, 1236, 3244A.
ARAPal--Atti della R. Accademia di Scienze, Lettere e Belle Arti di Palermo,
    3ª serie (Palermo, 1891-. NN[x]), 1128.
Arbor--Arbor (Madrid, 1944--. ICU), 1326, 1413, 1520d, 2193e, 3820b, 3850d.
Arch--El Archivo (Denia, 1886-93. CaTU), 129, 1840, 2666, 3294, 3690.
ArchHisp--Archivo Hispalense (Sevilla, 1886-88. CaTU; 2ª época, 1943--),
    416, 2712.
ArchIA--Archivo Ibero-Americano (Madrid, 1914--. ICN[x]), 1649b, 3889b.
ArchSPN--Archivio Storico per le Provincie Napoletane (Napoli, -1894-), 1185.
ArchSPPar--Archivio Storico per le Provincie Parmensi (Parma, 1892--.
    NNC[x]), 952A.
Aret--Aretusa (Napoli, Roma, 1944--. DLC[x]), 2852.
ArLeon--Archivos Leoneses (León, -1947-), 10, 99.
ArOfHA--Archivos de Oftalmología Hispanoamericanos (Madrid, 1901-136?
    CaM[x]), 1307.
ARom--Archivum Romanicum (Geneva, 1917-41. ICU), 104c, 1055, 2340b, 2376,
    3349, 3467, 3618, 3626f, 3920d.
Artista--El Artista (Madrid, 1934-), 3613.
ASI--Archivio Storico Italiano (Firenze, -1850--. ICU[x]), 1523a.
ASLSL--Atti della Società Ligustica di Scienza e Lettere (Genova, 1922--.
    CaTU[x]), 3372.
ASNSL--Archiv für das Studium der neueren Sprachen und Literatur ["Herrig's
    Archiv..." hasta 1913] (Braunschweig, -1850--. ICU, CaTU), 20e, 95,
    168d, 411, 492, 566, 699, 813, 904b, 995, 1008b, 1036, 1113, 1116,
    1179, 1262, 1263, 1299, 1391, 1416b, 1477, 1646a, 1652b, 1748a, 1754b,
    1773a, 1777c, 2129, 2170a, 2172c, 2186, 2199, 2288b, 2294a, 2298a,
    2322a, 2331a, 2343b, 2448, 3013, 3475c, 3503, 3566d, 3574a, 3595a,

3622d, 3636d, 3640e, 3643e, 3705, 3846e, 3855f, 3877a, 3882a, 3917f, 3920m, 3948e.

ASNSP--Annali della R. Scuola Normale Superiore di Pisa (Lettere, Storia e Filosofia) (Pisa, -1934-), 875.

Asom--Asomante (San Juan, Puerto Rico, 1945--. ICU), 1343, 3322.

Atenea--Atenea, revista mensual de ciencias, letras y artes, Universidad de Concepción (Concepción, Chile, 1924--), 343, 2338b, 2696, 2697, 2716, 2761, 2800, 2824, 2828, 2883, 2905, 3929.

Ateneo--Ateneo (Madrid, 1906-12. CaTU[x]), 2813, 2841, 3296, 3453.

AtenV--Ateneo (Valladolid, -1914-), 2787.

AtenWar--Ateneum, pismo naukowe i literackie (Varsovia, -1879-), 1034.

Ath--Athenaeum (London, -1850-1921. CaTU[x]), 939b, 2098a, 2302a, 2525a.

Atlantis--Atlantis, a register of literature and science (London, 1858-70. ICU), 2149, 2152.

AUCh--Anales de la Universidad de Chile (Santiago, -1850--. ICU[x]), 76, 252, 276, 345, 819, 2377, 2381, 2983, 3270, 3343, 3382, 3548, 3911b.

AufdH--Auf der Höhe (Leipzig, Viena, -1883-), 1844.

AUG--Annuario dell' Università di Genova (Genova, ¿1894?--. CaTU[x]), 1096.

AUGuay--Anales de la Universidad de Guayaquil (Guayaquil, 1949--. CU[x]), 2125.

AUHisp--Anales de la Universidad Hispalense (Sevilla, -1949-), 361.

AUM--Anales de la Universidad de Madrid, Letras (Madrid, 1932-36. CaTU, NNC), 1092, 2353, 3056, 3060, 3215b.

AUMur--Anales de la Universidad de Murcia (Murcia, -1945-46-), 3234.

AUOv--Anales de la Universidad de Oviedo (Oviedo, 1900-. CaTU[x]), 3674.

AUSD--Anales de la Universidad de Santo Domingo (Ciudad Trujillo, Rep. Dom., 1939--. CaTU), 2797.

Aver--El Averiguador (Madrid, 1871-72. ICU), 427, 957, 3165, 3418.

AverUniv--El Averiguador Universal (Madrid, 1879-82. ICU), 1892, 1906, 1907, 1988, 2012, 2038, 2178.

AZJ--Allgemeine Zeitung des Judentums (Leipzig, Berlin, -1900-), 1190.

BAAC--Boletín de la Academia de Ampliación de Cultura (Madrid, Instituto de San Isidro, 1935-), 3063A, 3438A.

BAAL--Boletín de la Academia Argentina de Letras (Buenos Aires, 1933--. ICU), 277, 278, 397, 851, 3232, 3371, 3764.

BABAV--Boletín de la Academia de Bellas Artes de Valladolid (Valladolid, 1930-36. DLC), 391, 2871, 3261.

Babel--Babel (Cambridge, 1940), 3699.

BABLB--Boletín de la Academia de Buenas Letras de Barcelona (Barcelona, 1901--. ICU, NN), 151, 1109, 2397, 2398.

BAbr--Books Abroad (Norman, Oklahoma, 1927--. ICU, CaTU), 104m, 169b, 350d, 387b, 586e, 713c, 713d, 713e, 777c, 790j, 1005e, 1355f, 1560b, 1597b, 1765e, 1792b, 2107a, 2218g, 2468a, 2477a, 2536d, 2549a, 2636a, 2649e, 2664c, 2731, 2910f, 2911b, 2925e, 2931d, 3215d, 3393a, 3570d, 3632b, 3757d, 3768a, 3808g, 3827c, 3839d, 3846h, 3850g, 3854c, 3880d, 3886a, 3886b, 3905a, 3908a, 3920u, 3942c.

BACHT--Boletín de la Real Academia de Bellas Artes y Ciencias Históricas de Toledo (Toledo, 1918-34), 2545, 3148.

BADL--Boletín de la Academia Dominicana de la Lengua (Ciudad Trujillo, 1940--. NN), 2037, 2722, 2745-47.

BAGNCT--Boletín del Archivo General de la Nación (Ciudad Trujillo, 1938--. CaTU[x]), 2832.

BAH--Boletín de la Real Academia de la Historia (Madrid, 1877--. CaTU), 54, 522, 884, 934, 968, 1073, 1074, 1209, 1313, 1324, 1365, 1397, 1408, 1454, 1823, 2435, 2439, 2445, 2563, 3196, 3414.

BASBL--Boletín de la Real Academia Sevillana de Buenas Letras (Sevilla, 1917--. CaTU[x]), 1831, 1834, 3449.

BASLM--Bulletin de l'Académie des Sciences et Lettres de Montpellier (Mont-
    pellier, -1912--. CaTU[x]), 313.
BAVen--Boletín de la Academia Venezolana (Caracas, -1935-), 2244, 2378, 3092
BB--Le Bibliophile Belge (Bruxelles, -1850-79. ICU[x]), 865.
BBCat--Butlletí de la Biblioteca de Catalunya (Barcelona, 1914-27. ICU),
    920, 1465.
BBGE--Boletín Bibliográfico del Centro de Intercambio Intelectual Germano-
    Español (Madrid, -1932-), 2340c.
BBGS--Bayerische Blätter für das Gymnasialschulwesen (Bamberg, München,
    -1933-), 3920i.
BBIF--Bulletin des Bibliothèques de l'Institut Français en Espagne (Madrid,
    -1948-), 2730.
BBMP--Boletín de la Biblioteca Menéndez y Pelayo (Santander, 1919--. ICU),
    488, 1233, 1361, 1521, 2535, 2727, 2872, 2891, 3017, 3018, 3049, 3099,
    3102, 3135, 3181, 3246, 3250, 3251, 3298, 3373, 3417, 3441, 3497, 3525,
    3582, 3583, 3718, 3737.
BBNMéx--Boletín de la Biblioteca Nacional (México, 1904-29. NN[x]), 2561,
    2574.
BCAL--Boletín del Centro Artístico y Literario (Granada, -1915-), 3213.
BCGrad--Boletín del Colegio de Graduados de la Facultad de Filosofía y
    Letras (Buenos Aires, -1936-), 249.
BCMNav--Boletín de la Comisión Provincial de Monumentos Históricos y Artís-
    ticos de Navarra (Pamplona, -1924-), 3454.
BCMOrense--Boletín de la Comisión Provincial de Monumentos Históricos y Ar-
    tísticos de Orense (Orense, -1923, 1936-), 203, 426, 430, 432.
BCMVall--Boletín de la Comisión Provincial de Monumentos Históricos y Ar-
    tísticos de Valladolid (Valladolid, 1925-. NNFr[x]), 531.
BCNSIDAL--Boletín del Colegio Nacional de Secretarios, Interventores y De-
    positarios de Administración Local (Madrid, -1947-), 1426.
BCom--Bulletin of the Comediantes (Chapel Hill, 1949--. ICU), 184.
BCrit--Bulletin Critique (Paris, -1907-), 1619a.
BEP--Bulletin des Etudes Portugaises et de l'Institut Français au Portugal
    (Coimbra, 1943--. CaTU[x]), 581i, 638, 656, 688, 728, 737, 749, 750.
BerLeip--Berichte über die Verhandlung der K. Sächsische Akademie der Wis-
    senschaft zu Leipzig, philosophisch-historische Klasse (Leipzig,
    -1850--. CaTU[x]), 1145.
BET--Boletín de Estudios de Teatro (Buenos Aires, 1943--. NN), 463, 553,
    826, 841, 967, 1215, 1253, 1374, 2833, 2864, 2904.
BFil--Boletim de Filologia (Lisboa, -1936-37-), 615, 652, 721.
BH--Bulletin Hispanique (Bordeaux, 1899--. ICU), 20d, 25d, 36b, 49a, 50,
    88, 104d, 112b, 116, 123a, 168e, 208d, 220, 255f, 265, 275, 370, 408,
    415b, 447, 448, 465, 496, 581k, 588c, 739, 743e, 790f, 792a, 854, 870g,
    904a, 939e, 941, 983, 1005d, 1153, 1167, 1195, 1196, 1197, 1277a, 1280,
    1281, 1283, 1284, 1383, 1412, 1452, 1462, 1489, 1549, 1561b, 1584a,
    1599b, 1602b, 1623a, 1639a, 1640a, 1642a, 1705a, 1715b, 1724a, 1741c,
    1743d, 1753c, 1766b, 1794a, 1815, 1821e, 1839, 2070, 2104b, 2109a,
    2143c, 2147, 2158, 2193d, 2194, 2218c, 2221, 2223c, 2362, 2363a, 2382,
    2394e, 2475d, 2479, 2494b, 2500, 2519a, 2539, 2546b, 2547a, 2590,
    2620b, 2631b, 2662, 2683, 2684a, 2753, 2829, 2830, 2839f, 2868, 2885,
    2908b, 2910b, 2912, 2925d, 3029, 3100, 3131, 3145, 3192-94, 3201a,
    3202, 3254, 3269, 3306, 3344a, 3348, 3374, 3471, 3554, 3566c, 3595,
    3600, 3601b, 3605, 3606b, 3609c, 3614, 3639, 3640f, 3643g, 3682, 3683,
    3686, 3709, 3721a, 3735e, 3751, 3757b, 3767b, 3774, 3781, 3817, 3818,
    3821e, 3829a, 3832a, 3839a, 3859c, 3879c, 3880c, 3885a, 3920p, 3939,
    3943c, 3948f, 3949i. (V.t. 3704b).
BHTP--Bulletin d'Histoire du Théâtre Portugais (Lisboa, 1950--. NN), 605,
    631, 762, 763.

BHVP--Beknopte Handelingen van het XIIIde Vlaamsche Philologencongres [V.t.
    MVP] (Gent, 1936), 3708.
BIA--Boletim do Instituto Alemão (Coimbra, -1935-), 717.
BibHisp--Bibliografía Hispánica (Madrid, 1942--. ICU, CaTU), 1320A, 1495B,
    2882, 2987, 3424, 3637.
Bibl--Biblos (Coimbra, 1925--. ICU), 592, 593, 617, 634, 639, 642, 655,
    658, 673, 674, 716a, 727, 734, 755, 758a, 777b, 790m, 1139, 2780.
BibliofB--Bibliofilia (Barcelona, -1911-), 1025.
BibliofF--La Bibliofilia (Firenze, 1899--. ICU), 316, 1319A, 2520.
Bibliófilo--El Bibliófilo (Madrid, 1945-49. BN[x]), 915.
BiblWar--Bibljoteka Warszawska, pismo miesieczne, poświecone nauce, litera-
    turze, sztukom i sprawom spolecznym (Varsovia, -1850-1914), 1034A,
    1147, 1890, 2072.
BICA--Boletín del Ilustre Colegio de Abogados de Madrid (Madrid, 1932--.
    ICAM[x]), 3233.
BICC--Boletín del Instituto Caro y Cuervo (Bogotá, 1945--. ICU), 183a,
    2252, 2318b, 2835, 2958b.
BICLA--Boletín del Instituto de Cultura Latino-Americana (Buenos Aires,
    1937-. NN[x]), 2558.
BILE--Boletín de la Institución Libre de Enseñanza (Madrid, -1918-), 3722.
BIMMF--Boletín del Instituto Mexicano de Musicología y Folklore (México,
    1940--), 65.
BiScIt--Biblioteca delle Scuole Italiane (¿Roma?, -1905-), 900.
BIt--Bulletin Italien (Bordeaux, 1901-18. CaTU), 1494, 1591a, 2291d.
Black--Blackwood's Magazine (Edinburgh, London, -1850--. CaTU[x]), 1428.
BLU--Blätter für Literarische Unterhaltung (Leipzig, -1850-98. MH[x]),
    3855b.
BMCNM--Bryn Mawr College Notes and Monographs (Bryn Mawr, Pennsylvania,
    1921-40. ICU), 769.
BMPBAZ--Boletín del Museo Provincial de Bellas Artes de Zaragoza (Zaragoza,
    -1942-), 2974.
BNYPL--Bulletin of the New York Public Library (New York, 1897--. CaTU),
    1198.
BolInf--Boletín Informativo (Madrid, -1944-47-), 326, 2710.
BPAU--Bulletin of the Pan-American Union [V.t. BUPan] (Washington, 1893--.
    CaTU[x]), 2956.
BRACord--Boletín de la Real Academia de Ciencias, Bellas Letras y Nobles
    Artes de Córdoba (Córdoba, 1922--. DLC[x]), 1514.
BRAE--Boletín de la Real Academia Española de la Lengua (Madrid, 1914--.
    ICU), 89a, 104f, 210, 270, 364, 395, 403, 405, 436, 459b, 462, 498,
    507, 515, 530, 558, 560a, 680, 847, 866, 871, 922, 1054, 1083, 1127,
    1154, 1166a, 1203, 1251, 1340, 1357, 1376, 1378, 1451, 1482, 1483,
    1488, 1513, 1749b, 1821g, 1835a, 1836, 1882, 2079, 2396, 2431, 2437,
    2440, 2451, 2462, 2468, 2483, 2487, 2509b, 2512a, 2529, 2572, 2597,
    2629, 2654, 2779, 2786, 2971, 2986, 2993, 3034, 3052, 3057, 3101a,
    3141, 3147, 3185, 3187, 3215, 3219, 3276, 3280, 3334, 3450, 3505, 3508,
    3555, 3664, 3727, 3794, 3930, 3948h.
BRAG--Boletín de la Real Academia Gallega (La Coruña, -1916-), 425.
Brot--Brotéria (Lisboa, ¿1926?--. CaTU[x]), 93, 183c, 591, 614, 624, 626,
    654, 691, 738, 740, 761, 777a, 783a, 790k, 790m, 1337, 3608b. (y 704a).
Bruj--Brújula (San Juan, Puerto Rico, -1936-), 2961, 3173.
BRUM--Boletín-Revista de la Universidad de Madrid (Madrid, 1869-70. BN[x]),
    3146.
BSAL--Bolleti de la Societat Arqueologica Lulliana (Palma de Mallorca,
    -1923-), 57, 124, 126, 897.
BSCAS--Boletim de Segunda Classe, Academia das Sciências de Lisboa (Lisboa,
    1898-1919. ICU), 590, 671, 700, 720, 732, 733, 744, 760, 1177.

BSCC—Boletín de la Sociedad Castellonense de Cultura (Castellón, 1920—.
    NN[x]), 110, 134, 1237, 3012, 3338, 3356.
BSCE—Boletín de la Sociedad Castellana de Excursiones (Valladolid, -1912,
    1935-), 3217, 3592.
BSEE—Boletín de la Sociedad Española de Excursiones (Madrid, 1893-1928.
    CaTU), 337.
BSS—Bulletin of Spanish [Hispanic desde 1949] Studies (Liverpool, 1923—.
    ICU), 20b, 85, 350b, 414a, 581h, 609, 719, 887, 972A, 1246a, 1613c,
    1649a, 1715c, 1882a, 2046, 2143e, 2168b, 2218d, 2318e, 2333a, 2394c,
    2482b, 2519b, 2542, 2543, 2643, 2649d, 2760, 2765, 2801, 2807, 2848,
    2908d, 2910c, 2911a, 2927b, 2931a, 2958e, 3083, 3087, 3136, 3267, 3283,
    3326, 3363, 3399, 3557, 3572a, 3573a, 3597, 3611a, 3622a, 3626d, 3632a,
    3667, 3726, 3759, 3796, 3800b, 3827a, 3829b, 3890f, 3910a, 3920c.
BSSI—Bollettino Storico della Svizzera Italiana (Bellinzona, 1879—.
    NN[x]), 795.
BUG—Boletín de la Universidad de Granada (Granada, 1928—. CaTU), 944,
    2432, 3212; Anejos, 864.
BUM—Boletín de la Universidad de Madrid [sucedido por AUM] (Madrid,
    1929-31. CaTU[x], ICU[x]), 1382, 3942b.
BUPan—Boletín de la Unión Panamericana (Washington, -1939-), 2581.
BWelt—Bücherwelt, Zeitschrift für Bibliotheks- und Bücherwesen (Bonn,
    -1931-), 1927.
ByN—Blanco y Negro (Madrid, 1891—. CaTU[x]), 400, 815, 950, 2021, 3166.
CA—Cuadernos Americanos (México, 1942—. ICU), 2587, 2741, 3396.
CanFor—Canadian Forum (Toronto, 1920—. ICU[x]), 3572b.
Cast—Castilla, boletín del seminario de estudios de literatura y filosofía
    (Valladolid, -1940-41-), 992.
Cat—Catalunya (Barcelona, -1914-), 246.
CathUB—Catholic University Bulletin (Washington, 1895-1908; ns, 1932—.
    ICN[x]), 2083.
CBibl—El Consultor Bibliográfico (Barcelona, -1926-), 1229.
CCT—Cuadernos de Cultura Teatral (Buenos Aires, -1937-), 820.
CD—La Ciudad de Dios [RyCult, 1928-35] (Madrid, 1887-1927, 1936—. CaTU),
    3, 4, 5, 9, 89, 323, 827, 828, 829, 1308, 1384, 1439, 2209, 3247, 3350.
CE—Cultura Española [reemplaza RdA] (Madrid, 1906-09. ICU), 386c, 459,
    589b, 1881, 2018, 2813a, 2863, 2869.
CentRev—Centenary Review (Shreveport, Louisiana, 1949—. NN[x]), 1075.
Centro de Intercambio Intelectual Germano-Español, Conferencias—V. los
    núms. 1775, 2267.
Cerv—Cervantes (La Habana, 1925—. CaTU[x]), 342, 2508, 3220.
Cervantes—Cervantes (Madrid, 1916-20. CaTU), 1431.
CFFLM—Cuadernos de la Facultad de Filosofía y Letras de Madrid (Madrid,
    -1936-), 764.
ChrW—Christliche Welt (Marburg, 1886-1935-), 3920t.
Cien—Las Ciencias (Madrid, 1934—. NN), 315, 1135, 2165, 2954, 3157, 3510,
    3526.
CivCat—Civiltà Cattolica (Roma, -1935-. NN[x]), 1669b, 2291f, 3080, 3235.
CivMod—Civiltà Moderna (Firenze, 1929-43. ICU), 421c, 1868.
Clav—Clavileño (Madrid, 1950—. ICU), 268, 911, 1119, 1848, 2193b, 2218b,
    2278, 2927a, 3189, 3490, 3500.
Clío—Clío (Ciudad Trujillo, Academia Dominicana de la Historia, 1933—-),
    2796.
Colombo—Colombo, rivista dell' Istituto Cristoforo Colombo (Roma, 1926-),
    314, 1946, 3195, 3407.
Colon—The Colonnade (New York, 1907-22. NN), 359, 366.
Colu—Columbia (¿Italia?, 1917), 1974.
Columna—Columna (Buenos Aires, -1942-), 1068.

ColuUSt--Columbia University Studies in Romance Philology and Literature
    (New York, 1901-25. ICU), 939.
CompLit--Comparative Literature (Eugene, Oregon, 1949--. ICU), 381.
Concil--Il Conciliatore (Torino, 1914-15. CaTU), 348Aa.
Conducta--Conducta (Buenos Aires, 1938-43), 3501.
Consig--Consigna, revista pedagógica de la sección femenina de la Falange
    Española Tradicionalista y de las Juntas Ofensivas Nacional-Sindica-
    listas (Madrid, 1940-), 157, 2754, 3442.
Contemp--Contemporánea (Valencia, 1933-36. BNUS[x], PUGR[x]), 48, 2247,
    2880, 2969, 2984, 3064, 3065, 3223, 3299, 3412.
ContM--Contemporáneos (México, 1928-31), 2621.
ContR--Contemporary Review (London, 1866--. CaTU[x]), 1018, 1436, 3527.
Controverse et la contemporain--V. UnivCat.
Conv--Convivium (Torino, 1929--. CaTU[x]), 175a, 1104, 3834a.
Cor--Corona (München, 1930-43. ICU), 1517, 1867, 1899, 2817, 3144.
Corr--Le Correspondant (Paris, -1850-), 75.
Correo Catalán, El (Barcelona, 1876--. Edit[x]), 3140.
CorrErud--Correo Erudito (Madrid, 1940-. NN), 135, 972, 1067, 1076, 1402,
    1950, 1951, 1977, 2271, 2486, 2944, 2946, 3016, 3110, 3150, 3183, 3197,
    3221, 3243, 3429, 3478, 3677, 3678, 3700, 3734, 3803.
Crem--Cremona (Cremona, 1929--. BPC[x]), 3151.
Crit--La Critica [reemplazada por QCrit] (Napoli, 1903-44. ICU), 281, 929,
    1903, 2291e, 3384, 3914b.
Criterio--Criterio (Buenos Aires, 1928--. NN[x]), 3346, 3651.
CroLett--Cronache Letterarie (Firenze, 1910-12. MH), 324, 335, 363, 368,
    382.
Cruz--La Cruz (México, 1855-58), 1536.
CT--La Ciencia Tomista (Salamanca, -1935-36-), 2630, 3601a.
CuadDC--Cuadernos Dominicanos de Cultura (Ciudad Trujillo, -1949-), 2976.
CuadHA--Cuadernos Hispanoamericanos (Madrid, 1948--. ICU), 1790a, 2671.
CuadLit--Cuadernos de Literatura (Madrid, 1947--. ICU), 253, 344, 586c,
    977, 1065, 3437, 3710, 3850i, 3854a; Anejos, 1625.
CubaC--Cuba Contemporánea (La Habana, 1913-27. ICU[x]), 505, 1020, 1959.
CuBib--Cultura Bíblica (Segovia, -1945-), 1880.
CulSeg--Cultura Segoviana (Madrid, 1932), 3103.
Cult--La Cultura, rivista mensile di filosofia, lettere, arte (Roma, 1922-24.
    CaTU[x]), 2726A, 3564b, 3566g.
CultHA--Cultura Hispano-Americana (Madrid, 1912-), 2689, 3297.
CurCon--Cursos y Conferencias, revista del Colegio Libre de Estudios Supe-
    riores (Buenos Aires, 1931-), 2607, 3385.
CUSRL--Catholic University of America Studies in Romance Languages and
    Literatures (Washington, 1925-48. ICU), 112, 1866.
CuyAm--Cuba y América (New York, La Habana, 1897-1912. NN[x]), 548a.
CyR--Cruz y Raya (Madrid, 1933-36. ICU, CaTU), 669, 1062, 2040, 3153, 3271,
    3455, 3576, 3736.
DenkWien--Denkschriften der philosophisch-historischen Klasse der K. Akade-
    mie der Wissenschaften in Wien (Wien, 1850--. CaTU), 916.
DeuBei--Deutsche Beiträge (München, 1946--), 1979.
DeutB--Deutsche Bühne [Es distinta de DtB] (Berlin, 1909-35), 1900.
DeutMus--Deutsches Museum, Zeitschrift für Literatur, Kunst und öffentliches
    Leben (Leipzig, 1851-67. BM[x]), 2723.
Dichtung und Volkstum--V. Euph.
DietWar--Dietsche Warande (Amsterdam, 1855-99. MiU[x]), 2024.
DKLV--Deutsche Kultur im Leben der Völker (München, -1937-42-), 705, 3253,
    3917m.
DLdeS--Don Lope de Sosa (Jaén, 1913--. NNFr[x]), 13, 926.
DLZ--Deutsche Literatur Zeitung (Leipzig, 1930--. CaTU[x]), 168b, 208h,

289, 901b, 1008f, 1272, 1667c, 1715a, 1778a, 2031a, 2057b, 2092a, 2093b, 2192a, 2223e, 2283c, 2365b, 2476c, 2655a, 2663d, 2839d, 3004, 3475d, 3573d, 3575j, 3711a, 3839g, 3846b, 3871i, 3872b, 3877d, 3897c, 3914a, 3917g, 3920e, 3931f.

Doce--Doce de Octubre, revista anual, órgano oficial de la Junta de Peregrinaciones a Nuestra Señora del Pilar (Zaragoza, -1949-), 2774.

Drama--Drama Magazine (Chicago, 1911-31. ICU), 1314, 1447.

DramBl--Dramaturgische Blätter, Organ des deutschen Bühnen-Verein (Beiblatt zum Magazin für Litteratur) (Berlin, 1898-99. ICU), 1009.

DRund--Deutsche Rundschau (Berlin, 1874--. CaTU), 1207, 2004, 3920g.

DtB--Deutsche Bühne [Es distinta de DeutB] (Frankfurt, 1917-18. ICU), 812.

DtDrama--Deutsche Dramaturgie (¿?, 1942-), 1425.

DtThZ--Deutsche Theater-Zeitung (¿?, -1942-), 3502.

DubMag--Dublin Magazine (Dublin, -1950-), 1529b.

DubRev--Dublin Review (London, -1850--. CaT[x]), 1103, 2007.

DubUM--Dublin University Magazine (Dublin, -1850-52-. CaT[x]), 2134, 2198.

DVJL--Deutsche Vierteljahrschrift für Literaturwissenschaft und Geistesgeschichte (Halle, 1923--. ICU), 3207, 3559.

DWar--Deutsche Warte-Atalaya Alemana (Barcelona, 1916-31-), 1925.

DZeit--Deutsche Zeitschrift [desde 1925, llamado Kunstwart und Kulturwart] (Dresden, München, 1887-1937. ICU[x], IU[x]), 1976, 2045, 2202, 3536.

DZS--Deutsche Zeitung für Spanien (Barcelona, -1931-42-), 1926, 3544.

Eccl--Ecclesia, órgano de Acción Católica (Madrid, -1944-), 2463.

EETS--Early English Text Society Publications (London, 1864--. CaTU[x]), 962.

EgPK--Egyetemes Philologial Közlöny (Budapest, 1877--. OCU[x]), 1186.

Ejer--Ejército, revista ilustrada de las Armas y Servicios (Madrid, -1943-), 2014.

Emp--Emporium, mensile d'arte e di cultura (Bergamo, 1895--. NN[x]), 3489.

EMRLL--Elliott Monographs in the Romance Languages and Literatures (Princeton, 1914-49. ICU), 208.

EngSt--Englische Studien, Zeitschrift für englische Philologie (Heilbronn, Leipzig, 1877--. ICU), 880, 1345, 1346, 1654c, 3452.

ErudIU--Erudición Ibero-Ultramarina (Madrid, 1930-34. CaTU), 1826, 1934, 3215c.

Esc--Escorial, revista de cultura y letras (Madrid, 1940--. NN), 379, 620, 863, 925, 988, 1333, 1843, 1869, 2085, 2242, 2818, 2888, 2965, 3236, 3335-37, 3365, 3731, 3775.

EscEsp--Escuelas de España (Madrid, 1934-), 3121, 3257, 3319, 3494.

ESeg--Estudios Segovianos (Segovia, 1949--), 501.

Españas--Las Españas (México, 1946--), 2706.

EspEv--España Evangélica (Madrid, 1920-), 2895.

EspMod--La España Moderna (Madrid, 1889-1914. ICU, CaTU), 238, 240, 285, 435, 443, 801, 998, 1137, 1138, 1356, 2146, 2229, 2298d, 2686, 2786A, 3855a, 3918c.

Est--Estudios, revista trimestral publicada por los padres de la Orden de la Merced (Madrid, 1945--. InU), 295, 910, 2532, 2669, 2673, 2680-82, 2684, 2694, 2695, 2698, 2699, 2712a, 2719, 2720, 2732, 2734, 2738-40, 2742, 2748, 2750, 2752, 2762, 2785, 2786b, 2789, 2791, 2792, 2804, 2805, 2822, 2823, 2836, 2842b, 2843b, 2845, 2873, 2898, 2899, 2910e, 2915.

EstAm--Estudios Americanos (Sevilla, 1948--. ICN), 2670.

EstBA--Estudios, Academia Literaria del Plata (Buenos Aires, 1911--. ICU[x]), 1221, 1328, 1336, 1791b.

EstEcl--Estudios Eclesiásticos (Madrid, -1950-), 2810.

EstFran--Estudios Franciscanos [desde 1923, Estudis Franciscans] (Sarria, Barcelona, ¿1909?-¿35? ICU[x]), 239.

GJahr—Goethe-Jahrbuch (Frankfurt, 1880-1913. ICU[x]), 3203.

GMB—Gazeta Musical Barcelonesa (Barcelona, -1863-64-), 3323.

GMCG—Geisteskultur, Monatshefte der Comenius Gesellschaft (Leipzig, 1892-
    1934. ICU[x]), 1471.

Görresgesellschaft—V. Spanische Forschungen.

Goet—Goetheanum (Dornach, Suiza, 1922-37), 2062.

Gral—Der Gral, Monatschrift für schöne Literatur (Ravensburg, 1906-37.
    ICU[x]), 1930, 1961, 2087, 2108a, 2127a, 2208a, 2288h, 3084, 3680a,
    3920h.

Grenz—Die Grenzboten (Leipzig, -1850-1922. CaTU[x]), 1916, 2116.

GRev—La Grande Revue (Paris, 1897—), 3620.

GRM—Germanisch-Romanisch Monatsschrift (Heidelberg, 1909—. CaTU), 46,
    1962, 2632c, 2849a, 3191, 3917n.

GrundRP—Grundriss der Romanischen Philologie (Strassburg, 1888-1902. ICU),
    682.

GSLI—Giornale Storico della Letteratura Italiana (Torino, 1883—. ICU),
    185d, 288, 999, 1596c, 1668d, 1669a, 1797b, 2291b, 3293, 3302, 3440,
    3835a, 3869b; Supplemento, 1311. Ficha adicional: 1346A.

Guía—Guía, Centro Nacional de Orientación del Sindicato Español Universi-
    tario (Madrid, -1945-), 3703.

GymuW—Gymnasium und Wissenschaft. Festgabe zur Hundertjahrfeier des Maxi-
    milians Gymnasium in München. Herausgegeben von A. Schwerd. München,
    1949. Pp. 277. (DLC), 310.

HAHR—Hispanic American Historical Review (Baltimore, 1918—. CaTU[x]),
    512, 2644c, 2649f.

Harm—Harmonia (Madrid, ¿1916?—. Edit[x]), 3324, 3325.

Haz—Haz, revista nacional del Sindicato Español Universitario (Madrid,
    -1944-45-), 67, 707, 3411.

Helios—Helios (Buenos Aires, 1918. NN), 3464.

Herrig's Archiv für neuere Sprachen—V. ASNSL.

HessLD—Hessische Landestheater Darmstadt (Darmstadt, -1939-40-), 2063.

HiPro—El Hijo Pródigo (México, 1943-. ICU[x]), 372a.

Hisp—Hispania, Journal of the American Association of Teachers of Spanish
    and Portuguese (Lawrence, Kansas, 1918—. ICU), 25a, 104h, 121a, 136,
    137, 194a, 208a, 217b, 312, 365, 371, 469, 563a, 586a, 711b 790b 797a,
    805, 870a, 893, 905, 984, 1041, 1089, 1106, 1112, 1114, 1122, 1165,
    1286, 1327, 1373, 1392, 1404, 1440, 1473, 1497, 1501, 1527a, 1597a,
    1765d, 1810a, 1830a, 1866a, 2102a, 2102b, 2111, 2142, 2143a, 2161,
    2218a, 2358, 2364, 2482a, 2505, 2514, 2548a, 2600, 2606, 2634a, 2641,
    2642, 2649a, 2814, 2821, 2884, 2886, 2908a, 2910a, 2923a, 2925b, 2953,
    2991, 3134, 3209, 3210, 3231, 3242a, 3378, 3403, 3428a, 3468-70, 3483,
    3570a, 3604, 3606a, 3617a, 3621, 3626b, 3640a 3643a, 3650a, 3652a,
    3653, 3668a, 3694a, 3704a, 3735a, 3738b, 3785b, 3808b, 3845a, 3856a,
    3880a, 3890a, 3902a, 3903a, 3910b, 3931b, 3937, 3948a, 3949h.

HispF—Hispania (Paris, 1918-22. CaTU), 261, 309, 1017, 1184, 1385, 1898,
    2276, 3123, 3716.

HistZt—Historische Zeitschrift (München, 1859—. CaTU[x]), 3920r.

Hoch—Hochland (München, Kempten, 1903—. ICU[x]), 3472, 3523.

HochOlten—Hochland (Olten, Suiza, -1948-), 1099.

Hochschule und Ausland—V. GdZ.

Homenajes—V.t. GymuW, PortKöln, SilMünch.

HomAltamira—Colección de estudios históricos, jurídicos, pedagógicos y
    literarios (Mélanges Altamira); treinta y dos monografías ... ofrecidas
    a D. Rafael Altamira y Crevea con motivo de su jubilación de catedrá-
    tico y del cumplimiento de sus 70 años de edad. Madrid: C. Bermejo,
    1936. Pp. 507. (ICU), 1484.

HomBallesteros—Homenaje a Antonio Ballesteros Beretta. RevInd, X-XII
    (1949-51). (CaTU), 3106.

HomBasto--Miscelânea de estudos à memória de Cláudio Basto. Porto, 1948.
V. el núm. 718.

HomBonilla--Estudios eruditos im memoriam de Adolfo Bonilla y San Martín
(1875-1926) con un prólogo de Jacinto Benavente; publícalos la Facultad de Filosofía y Letras de la Universidad Central en homenaje a su
ilustre ex decano. Madrid: J. Rates, 1927-30. 2 vols. Pp. xvi-654;
x-755. (ICU), 39, 79, 198, 571, 1204, 1535, 2212, 2253, 3351, 3809.

HomBrown--Essays and Studies in Honor of Carleton Brown. New York: New
York University Press, 1940. Pp. xiii-336. (ICU), 40.

HomCaix-Canello--In memoria di Napoleone Caix e Ugo Canello. Miscellanea
di filologia e linguistica. Firenze: Le Monnier, 1886. Pp. xxxviii-
478. (ICU), 108, 1021.

HomCervantes--Homenaje a Cervantes. Ed. Francisco Sánchez-Castañer y Mena.
Valencia: Mediterráneo, 1950. Pp. 529. (CaTU), 294, 379.

HomCodera--Homenaje a D. Francisco Codera en su jubilación del profesorado.
Zaragoza: M. Escar, 1904. Pp. xxxviii-656. (ICN), 3660.

HomCohen--Mélanges d'histoire du théâtre du moyen âge et de la Renaissance
offerts à Gustave Cohen par ses collègues, ses élèves et ses amis.
Paris: Nizet, 1950. Pp. 294. (ICU), 100, 644.

HomCurtius--Corolla Ludwig Curtius zum sechzigsten Geburtstag dargebracht.
Stuttgart: W. Kohlhammer, 1937. 2 vols. Pp. 224; 72 láms. V. el
núm. 1990.

HomDey--Romance Studies Presented to William Morton Dey. [University of
North Carolina Studies in Romance Languages and Literatures, XII].
Chapel Hill, 1950. Pp. 196. (ICU), 1224, 1996.

HomErnst--Hortulus amicorum. Fritz Ernst zum sechzigsten Geburtstag. Ed.
Fritz Enderlin, Werner Kaegi, Arnald Steiger. Zürich: Fretz und
Wasmuth, 1949. Pp. 210. (NN), 3387.

HomFlügel--Flügel Memorial Volume, containing an unpublished paper by Pro-
fessor Ewald Flügel and Contributions in his Memory by his Colleagues
and Students. [Stanford University Studies, XXI]. Stanford University,
1916. Pp. 232. (ICU), 120.

HomGamoneda--Homenaje a don Francisco Gamoneda. Miscelánea de estudios de
erudición, historia, literatura y arte. México: Imp. Universitaria,
1946. Pp. 581. (ICU), 2422.

HomGaster--Occident and Orient; being Studies in Semitic Philology and
Literature, Jewish History and Philosophy and Folklore in the Widest
Sense. In Honor of Haham Dr. M. Gaster's 80th Birthday. Gaster Anni-
versary Volume. London: Taylor's Foreign Press, 1936. Pp. xviii-570.
(ICU), 1176.

HomGrierson--Seventeenth Century Studies presented to Sir Herbert Grierson.
Oxford: Clarendon Press, 1938. Pp. xv-415. (CaTU), 2047.

HomHauvette--Mélanges de philologie, d'histoire et de littérature offerts à
Henri Hauvette. Paris: Les Presses Françaises, 1934. Pp. xxxix-845.
(ICU), 2499.

HomLancaster--Adventures of a Literary Historian. A Collection of his
Writings Presented to H. Carrington Lancaster. Baltimore: The Johns
Hopkins Press, 1942. Pp. xxxi-392. (ICU), 1014, 1884, 2551, 3765.

HomLeGentil--Mélanges d'études portugaises offerts à M. Georges Le Gentil,
professeur honoraire à la Sorbonne. Lisboa: Instituto para a Alta
Cultura, 1949. Pp. 351. (ICN), 2782.

HomLeite--Miscelânea scientífica e literária dedicada ao Doutor J. Leite de
Vasconcellos. Coimbra: Imprensa da Universidade, 1934. Pp. 530.
(InU), 3481.

HomMackay--A Miscellany presented to John MacDonald Mackay, L.L.D., July
1914. Liverpool: University Press; London: Constable, 1914. PP.
xvi-403. (ICU), 1443.

HomMartinenche--Hommage à Ernest Martinenche; études hispaniques et améri-
    caines. Paris: Editions d'Artrey, 1939. Pp. 537. (ICU), 78, 689,
    1259, 2728, 2995.
HomMenPelayo--Homenaje a Menéndez y Pelayo en el año vigésimo de su profe-
    sorado. Estudios de erudición española con un prólogo de D. Juan Va-
    lera. Madrid: Victoriano Suárez, 1899. 2 vols. Pp. xxxiv-869; 952.
    (ICU), 419, 1006, 1321, 2401, 2940, 3546.
HomMenPidalA--Homenaje ofrecido a Menéndez Pidal. Miscelánea de estudios
    lingüísticos, literarios e históricos. Madrid: Hernando, 1925. 3
    vols. Pp. viii-848; 718; 696. (ICU), 21, 52, 106, 212, 489, 503, 506,
    867, 1235, 1348, 1380, 2000, 2020, 2041, 2080, 2246, 3152, 3522.
HomMenPidalB--Estudios dedicados a Menéndez Pidal. Madrid: C.S.I.C., 1950.
    Vol. I. Pp. x-604. (ICU), 3327.
HomMichaëlis--Miscelânea de estudos em honra de Da. Carolina Michaëlis de
    Vasconcellos, professora da Faculdade de Letras da Universidade de
    Coimbra. [Revista da Universidade de Coimbra, XI]. Coimbra, 1933.
    Pp. xxiv-1156. (ICU), 3493, 3642, 3786.
HomMussafia--Bausteine zur romanische Philologie. Festgabe für Adolfo
    Mussafia zum 15 februar 1905. Halle: Niemeyer, 1905. Pp. xlvii-716.
    (ICU), 2154.
HomPicot--Mélanges offerts à M. Emile Picot, membre de l'Institut, par ses
    amis et ses élèves. Paris: Librairie Damascène Morgand, Edouard
    Rahir Successeur, 1913. 2 vols. Pp. lxxx-558; 648. (ICU), 971, 3043.
HomRenier--Scritti varii di erudizione e di critica in onore di Rodolfo
    Renier. Torino: Fratelli Bocca, 1912. Pp. xxxi-1157. (ICU), 896,
    1042.
HomRoyster--Royster Memorial Studies. [SP, XXVIII (1931), no. 4, págs.
    533-861]. Chapel Hill: University of North Carolina Press, 1931.
    Pp. x-329. (ICU), 1105.
HomRubió--Homenatge a Antoni Rubió i Lluch. Miscellània d'estudis litera-
    ris, històrics i lingüístics. Barcelona, 1936. 3 vols. [Los vols.
    1 y 3 son EUC, XXI y XXII; el vol. 2 es Analecta Sacra Tarraconensis,
    XII]. Pp. xvi-666; viii-566; viii-730. (ICN), 798, 1063, 1160, 2855,
    3766, 3779.
HomSchelling--Schelling Anniversary Papers, by his former students. (Dedi-
    cated to Felix E. Schelling on his thirtieth anniversary as John Welsh
    Centennial Professor of History and English Literature in the Univer-
    sity of Pennsylvania). New York: Century Co., 1923. Pp. x-341.
    (ICU), 82.
HomSchering--Festschrift Arnold Schering. Zum sechzigsten Geburtstag.
    Berlin: A. Glas, 1937. Pp. vii-274. V. el núm. 2136.
HomThomas--Mélanges de philologie et d'histoire offerts à M. Antoine Thomas
    par ses élèves et ses amis. Paris: Champion, 1927. Pp. xcviii-523.
    (ICU), 1130.
HomTobler--Festschrift Adolf Tobler zum siebzigste Geburtstage dargebracht
    von der Berliner Gesellschaft für das Studium der neueren Sprachen.
    Braunschweig: Westermann, 1905. Pp. vi-477. (ICU), 1060, 2978.
HomTodd--Todd Memorial Volumes; Philological Studies. New York: Columbia
    University Press, 1930. 2 vols. Pp. xvi-226; viii-264. (ICU), 3741.
HomTorraca--Studii dedicati a Francesco Torraca nel XXXVI anniversario della
    sua laurea. Napoli: Francesco Perrella, 1912. Pp. xv-557. (ICU),
    293.
HomUrlichs--Festschrift für Ludwig Urlichs zur Feier seines fünfundzwanzig-
    jährigen Wirkens an der Universität Würzburg dargebracht von seinen
    Schülern. Würzburg: Stabel'sche Buch- und Kunsthandlung, 1880.
    Pp. 229. V. el núm. 2054.
HomVarona--Homenaje a Enrique José Varona en el cincuentenario de su primer

curso de filosofía (1880-1930). Miscelánea de estudios literarios,
     históricos y filosóficos. La Habana: Secretaría de Educación, 1935.
     Pp. 591. (CaTU), 2405.
HomVicente--Gil Vicente, vida e obra (Série de conferências realizadas na
     Academia das Ciências de Lisboa, de 8 de abril a 21 de junho de 1937,
     em comemoração do IV centenário da morte do fundador do teatro portu-
     guês). Lisboa: Academia das Ciências, 1939. Pp. 551. (CaTU), 607,
     608, 630, 632, 637, 645, 650, 651, 657, 672, 679, 681, 694, 708, 736.
HomVollmöller--Philologische und volkskundliche Arbeiten. Karl Vollmöller
     zum 16 Oktober 1908. Erlangen: Fr. Junge, 1908. Pp. vii-399. (ICU),
     3755.
HomVossler--Festgabe zum 60. Geburtstag Karl Vosslers (am 6. September 1932)
     überreicht von münchener Romanisten. München: Max Hueber, 1932.
     Pp. 205. (ICU), 248.
HomWahlund--Mélanges de philologie romane dédiés à Carl Wahlund à l'occa-
     sion du cinquantième anniversaire de sa naissance (7 janvier 1896).
     Macon: Protat, 1896. Pp. x-393. V. el núm. 928.
HomWechssler--Philologisch-philosophische Studien. Festschrift für Eduard
     Wechssler zum 19 Oktober 1929. Jena und Leipzig: W. Gronau, 1929.
     Pp. 404. (ICU), 1498.
HomWilmotte--Mélanges de philologie romane et d'histoire littéraire offerts
     à M. Maurice Wilmotte. Paris: Champion, 1910. 2 vols. Pp. xviii,
     1-416; 417-969. (ICU), 2254.
Hospes--Hospes, revista del Sindicato de Hostelería y Similares (Madrid,
     -1943-), 3645.
HR--Hispanic Review (Philadelphia, 1933--. ICU), 25e, 27, 41, 58, 81, 104k,
     112a, 114, 163a, 165b, 167b, 169a, 183b, 191b, 192a, 200, 202, 206,
     208e, 213, 245, 257, 258, 263, 279, 280, 350a, 390, 413, 455, 472, 483,
     540c, 542, 550, 570, 572, 574, 576, 581b, 586d, 588a, 743d, 790a, 803,
     822, 870d, 890, 892, 954, 981, 982, 991, 1012, 1022, 1050, 1057, 1093,
     1223, 1227, 1228, 1239, 1254, 1303, 1306, 1322, 1355d, 1358, 1366,
     1379, 1418a, 1419, 1437A, 1441, 1515, 1520a, 1540, 1544a, 1665c, 1671a,
     1689a, 1690a, 1712b, 1717b, 1741b, 1765f, 1766a, 1786a, 1791c, 1810b,
     1817, 1841, 1866b, 1943, 1960, 1973, 1986, 2028-30, 2035, 2039, 2048a,
     2135, 2143b, 2166, 2167, 2182, 2193a, 2196, 2197a, 2210a, 2211, 2266,
     2303b, 2318g, 2333b, 2352, 2357, 2383, 2389b, 2393, 2394d, 2427a, 2481,
     2482e, 2484, 2488-90, 2496b, 2501, 2511, 2523, 2533, 2536b, 2601, 2613,
     2615, 2628, 2661, 2676, 2701, 2717, 2718, 2736, 2759, 2770, 2776-78,
     2783, 2784, 2806, 2851, 2862, 2908g, 2916, 2923b, 2931c, 2958g, 2973,
     2985, 2998, 3127, 3129, 3130, 3132, 3169, 3204, 3208, 3237, 3242b,
     3258, 3274, 3316, 3398, 3401, 3426, 3428b, 3475b, 3476, 3477, 3499,
     3504, 3540, 3560, 3563a, 3570b, 3573b, 3579, 3581, 3586, 3593, 3594,
     3608d, 3617b, 3635, 3659, 3670, 3673, 3676, 3688, 3693, 3697, 3713,
     3728, 3738a, 3739, 3746, 3747, 3757c, 3770, 3771, 3777a, 3783, 3804a,
     3804d, 3806, 3808f, 3819, 3820a, 3821a, 3821b, 3824a, 3842a, 3850b,
     3853a, 3874, 3890c, 3894a, 3903b, 3904a, 3917p, 3931e, 3932, 3943a,
     3945a, 3950.
HSNPL--Harvard Studies and Notes in Philology and Literature (Cambridge,
     1892-1938. ICU), 994, 2506, 3814.
HumA--Humanidades, publicación de la Facultad de Humanidades y Ciencias de
     la Educación, Universidad Nacional de La Plata (La Plata, 1921--.
     ICU[x]), 255b, 303, 924, 3230, 3633, 3666.
Human--Humanitas (Brescia, 1946--). 2279.
IAA--Ibero Amerikanisches Archiv (Berlin, 1924-44. ICU), 599, 610, 677,
     3058, 3528.
IAR--Ibero-Amerikanische Rundschau (Hamburg, 1935-), 1476, 3143.
Ibérica--Ibérica (Hamburg, 1924-27. ICU), 1421.

IdC--Ilustración del Clero (Madrid, -1935-), 3081.
IdearB--Idearium, revista del Círculo de Bellas Artes y Ateneo de Bilbao
    (Bilbao, 1916-19), 2411.
Ideas--Ideas, revista de ciencias, artes y letras (La Habana, 1929--.
    MH[x]), 2526.
IdPhil--Idealistische Philologie, Jahrbuch für Philologie (München, 1925-28.
    ICU), 320, 3175.
IEA--Ilustración Española y Americana [precedida por MusUniv. V.t. AlmIEA]
    (Madrid, 1870-1915. ICU, CaTU), 70, 84, 298, 331, 449, 467, 504, 594,
    800, 810, 835, 840, 858, 876, 877, 895, 898, 908, 948, 949, 951, 973,
    975, 1046, 1047, 1052, 1078, 1108, 1124, 1144, 1148, 1164, 1199, 1234,
    1241, 1245, 1261, 1342, 1405, 1411, 1463, 1495, 1856, 1857, 1905, 1908,
    1909, 1912, 1919, 1966, 2025, 2o58, 2065, 2118, 2133, 2176, 2348, 2349,
    2406, 2588, 2685, 2865, 2879, 2967, 3031, 3317, 3329, 3357, 3370, 3438,
    3448, 3753, 3811, 3926, 3927.
IJH--Innerschweizerische Jahrbuch für Heimatkunde (Luzern, 1936--), 1968.
IL--Investigaciones Lingüísticas (México, 1933-38. ICU), 2408, 2580.
Ilerda--Ilerda (Lérida, 1943--), 3260.
IlIb--Ilustración Ibérica (Madrid, 1883-98. DLC[x]), 2497.
IlMex--La Ilustración Mexicana (México, 1851), 3115.
Ilus--La Ilustración (Madrid, -1850-57. CaTU[x]), 2342, 2924.
IM--Imprensa Médica (Lisboa, 1935--. DNLM[x]), 651.
ImNR--Im Neuen Reich (Leipzig, 1871-81), 1845.
IMWK--Internationale Monatsschrift [Wochenschrift hasta 1911] für Wissen-
    schaft, Kunst und Technik (München, 1907-21. ICU), 3520.
IndUPH--Indiana University Publications, Humanities Series (Bloomington,
    1939--. ICU), 3242.
IndUSt--Indiana University Studies (Bloomington, 1913-42. ICU), 2498.
INET--Instituto Nacional de Estudios de Teatro (Buenos Aires, -1940-), 1013,
    2241A.
Inst--El Instituto (Madrid, 1928-. HM[x]), 848.
InstC--O Instituto (Coimbra, 1852--. DLC[x]), 1141, 1142, 1150, 1274.
Insula--Insula (Madrid, 1946--. NN, CaTU), 374, 2827.
IntAm--Inter-America (New York, 1917-26. ICU), 1331, 1474.
Interm--Intermezzo, rivista di lettere, arti e scienze (Alessandria, 1890),
    2387a.
Invest--Investigación, revista professional de la policía española (Madrid,
    -1950-), 1201.
InvyPro--Investigación y Progreso (Madrid, 1927-41), 1499, 1920.
IstUn--Istanbul Üniversitesi Edebiyat Fakültesi Yayinlari.   Romanoloji
    Semineri Dergisi (Istanbul, -1937-. ICU[x]), 3602.
Ital--Italica (Evanston, Illinois, 1924--. ICU), 2256.
Jahrbuch der deutschen Shakespeare-Gesellschaft--V. ShaJa.
Jahrbuch für Philologie--V. IdPhil.
Jalapa--Jalapa (Jalapa, Veracruz, México, -1924-), 2638.
Jat--Játiva, revista técnica del papel, prensa y propaganda (Madrid, -1943-),
    325.
JCL--Journal of Comparative Literature (New York, 1903. ICU), 1667a.
JdS--Journal des Savants (Paris, -1850--. NN[x]), 1667d, 2095a, 3561a,
    3585f.
JF--Jewish Forum (New York, -1930-), 233.
JGG--Jahrbuch der Grillparzer Gesellschaft (Wien, 1891--. ICU), 1189, 1192,
    1509, 1516, 1987.
JHSRLL--Johns Hopkins Studies in Romance Literatures and Languages (Balti-
    more, 1923--. ICU), 152, 870.
JR--Journal of Religion (Chicago, 1921--. DLC[x]), 62.
JREL--Jahrbuch für romanische und englische Literatur (Berlin, Leipzig,

1859-71. CaTU), 144, 145, 794, 917, 1708a, 1751a.

JSA--Journal de la Societé des Américanistes (Paris, ns 1904--. CaTU[x]),
    1277, 1278, 1279.

Jud--Judaica (Buenos Aires, 1933--), 1493.

KirchNach--Kirchlicher Nachrichtendienst, Berichte aus dem religiösen Zeit-
    geschehen (Koblenz, -1950-), 2002.

KJrP--Kritischer Jahresbericht über die Fortschritte der romanischen Philo-
    logie (München, Leipzig, 1890-1912. CaTU), 1171, 1172, 1446, 3877c.

Kunstwart und Kulturwart--V. DZeit.

LaMod--Les Langues Modernes (Paris, 1903--. CaTU[x], NN[x]), 2589, 2631a,
    2645a, 2646a, 3201b.

LCUP--Library Chronicle (Philadelphia, University of Pennsylvania, 1933--.
    ICU), 921.

Lect--La Lectura (Madrid, 1901-20. CaTU), 451a, 985, 1098, 2203, 2605,
    2713, 2813b, 2938b, 3521, 3859d.

Lecturas Católicas (Barcelona, -1935-), 3072.

Leipziger romanistischen Studien--V. el núm. 2655.

LeoM--Leonardo, rassegna bibliografica [continuación de Leonardo, rassegna
    mensile della coltura italiana (Roma, 1925-29)] (Milano, 1930-47.
    CaTU), 79a, 421b, 1683a, 3061, 3662d, 3880b.

LeonB--Leonardo (Barcelona, -1945-), 2947.

LetBA--Letras (Buenos Aires, -1936-), 878, 2124, 3416.

LetMex--Letras de México (México, -1939-), 2559, 2578, 2592, 2609, 2617,
    2622, 2640.

Letras--Letras, revista sevillana cultural y apolítica (Sevilla, 1935-36.
    HM), 2816, 3529.

LettCont--Letteratura Contemporanea (Napoli, -1908-), 2771.

Lettura--La Lettura (Milano, 1901--), 3530.

LGRP--Litteraturblatt für germanischen und romanischen Philologie (Leipzig,
    1880-1944. CaTU),49b 104e, 146a, 162a, 166c, 173a, 178b, 192b, 194d,
    208f, 214a, 217a, 218b, 255d, 272a, 383b, 388b, 418a, 424a, 475a, 478b,
    493a, 534a, 580a, 587c, 589c, 726a, 767a, 781a, 839a, 870f, 1008a,
    1096a, 1097a, 1320a, 1355g, 1416a, 1420a, 1553a, 1578a, 1580c, 1601a,
    1643a, 1652a, 1654b, 1657a, 1659a, 1696a, 1715e, 1721a, 1736a, 1738a,
    1750a, 1753d, 1767b, 1770a, 1773b, 1774a, 1798a, 1821f, 1833a, 2057a,
    2096a, 2100a, 2103a, 2114b, 2150a, 2153e, 2170b, 2172d, 2213a, 2217a,
    2223d, 2227b, 2283e, 2288f, 2291c, 2298b, 2300a, 2305a, 2315b, 2322b,
    2343a, 2370b, 2386g, 2452a, 2476d, 2655b, 2658b, 2663c, 2839c, 2874a,
    2925f, 3002a, 3475b, 3566e, 3568e, 3575c, 3575d, 3575h, 3585e, 3601c,
    3622e, 3626g, 3627b, 3636e, 3640c, 3644d, 3661b, 3711d, 3735d, 3744b,
    3810a, 3822a, 3846c, 3870a, 3871d, 3872a, 3873b, 3877b, 3884a, 3897b,
    3899a, 3917c, 3920n, 3948g.

LingP--A Língua Portuguesa (Lisboa, -1938-), 735.

Lit--Die Literatur [sucede a LitEcho] (Berlin, Stuttgart, 1923-41. CaTU[x]),
    2089, 2585, 2674, 3574b, 3920f.

LitArg--La Literatura Argentina (Buenos Aires, -1932-33-), 3665.

LitEcho--Literarische Echo [sucedido por Lit] (Berlin, 1898-1923. CaTU[x]),
    1778c, 3575f.

LitHand--Literarischer Handweiser (Münster, 1862-1931. ICU[x]), 1918, 1958,
    2006.

LitInt--La Literatura Internacional (Moscú, -1943-), 3198A, 3432, 3433.

LitW--Literarische Welt (Berlin, 1925--), 1929.

LitZent--Literarisches Zentralblatt für Deutschland (Leipzig, 1850-1939.
    CaTU[x]), 1008d, 1667f, 1778b, 2283d, 2298g, 3575g, 3644e, 3711c,
    3822c, 3855i, 3882b, 3897d, 3921a.

LMér--Les Langues Méridionales (Paris, -1935-36-), 2188, 3179, 3420, 3474,
    3827b, 3879a.

LR--Lettres Romanes (Louvain, 1947--. ICU), 2371a, 2781, 3850c.

Lucid--Lucidarium (¿Granada?, -1917-), 300.

Lund--Lunds Universitets Årsskrift. Acta Universitatis Lundensis (Lund,
    1864-1904; ns 1905--. ICU, CaTU), 415, 418, 1347.

LuV--Länder und Völker (Berlin, -1936-), 3076.

LWJGG--Literaturwissenschaftliches Jahrbuch der Görres-Gesellschaft (Frei-
    burg i. Br., 1926--), 849.

LyP--El Libro y el Pueblo (México, -1932-), 2415, 2608.

Madrid--Madrid, cuadernos de la Casa de la Cultura (Valencia, -1937-), 1500.

Mag--Das Magazin, Monatschrift für Literatur, Kunst und Kultur (Berlin,
    -1850-1915. CaTU[x]), 1155, 1188, 1917, 1965, 1992.

MagLS--Magasin Littéraire et Scientifique (Gand, Bélgica, 1884-97), 1894.

MAGRP--Hamburgische Universität. Seminar für romanischen Sprachen und Kul-
    tur. Veröffentlichungen des Seminars. Mitteilungen und Abhandlungen
    dem Gebiet der romanischen Philologie (Hamburg, 1911-26. ICU), 873.

MandL--Music and Letters (London, 1920--. CaTU[x]), 94, 133, 442, 770,
    1294.

ManQ--Manchester Quarterly (Manchester, 1882-1940. ICU[x]), 695.

MARB--Mémoires de l'Academie Royale de Belgique, classe des lettres et des
    sciences morales et politiques (Bruxelles, 1906--. CaTU), 970.

Marz--Il Marzocco (Firenze, 1896-1932. CaTU), 1948, 2234, 2576, 2859, 3028,
    3030, 3445a.

MASIBLT--Mémoires de l'Academie des sciences, inscriptions et belles-lettres
    de Toulouse (Toulouse, -1885--. CaTU[x]), 2043, 3634.

Masken--Masken, Zeitschrift für deutsche Theaterkultur (Düsseldorf, 1906-32),
    1901, 1983.

Maur--Mauritania, revista de los Franciscanos Misioneros de Marruecos (Tán-
    ger, -1949-), 1238.

MAWE--Mitteilungen der Akademie zur wissenschaftlichen Erforschung und zur
    Pflege des Deutschtums (München, 1925--. ICU[x]), 3086.

MBo--More Books, the bulletin of the Boston Public Library (Boston, 1926-48.
    CaTU), 338, 1033, 1249, 3383.

MBREP--Münchener Beiträge zur romanischen und englischen Philologie (Leip-
    zig, 1890-1912. ICU), 901, 1354, 1416, 2031.

MCar--El Monte Carmelo (Burgos, -1942-), 2892.

MdelS--Mar del Sur (Lima, 1948--. CaTU), 1216, 1285, 1712c, 1791d, 2675.

Medit--Mediterráneo, guión de literatura (Valencia: Universidad Literaria
    de Valencia, Facultad de Filosofía y Letras, 1943--. CaTU, NN), 236,
    294, 378, 1520b, 1544b, 2737, 3430, 3511, 3631, 3849b, 3851b.

MedMod--A Medicina Moderna (Pôrto, -1921-), 664.

MemBN--Memorias leídas en la Biblioteca Nacional en las sesiones públicas
    de los años 1863 y 1864 (Madrid: Rivadeneyra, 1871), 2115.

MemRA--Memorias de la Real Academia Española (Madrid, 1870-1926. ICU),
    1302, 1368, 1435, 2441, 3312.

MeR--Meridiano di Roma (Roma, 1936-43. ICU[x]), 2996.

Merced--La Merced, revista mensual ilustrada (Madrid, 1944--. HN), 2668,
    2678, 2700, 2715, 2749, 2751, 2793, 2794, 2798, 2799, 2808, 2820, 2837.

MercPer--Mercurio Peruano (Lima, 1918--. ICU[x], CaTU[x]), 1325, 2261,
    2694, 2773, 2854, 2957.

MF--Mercure de France (Paris, -1897-1901-. IU[x], CaTU[x]), 168f, 2104d,
    3568h.

MFem--El Mundo Femenino (Madrid, -1935-), 2943, 3308.

MIILI--Memoria del cuarto congreso del Instituto Internacional de Litera-
    tura Iberoamericana (La Habana, 1949. ICU), 1403.

MLF--Modern Language Forum (Los Angeles, 1915--. ICU), 687, 1064, 1527b,
    1765c, 2478, 2743, 2867, 3364, 3813, 3931d.

MLJ--Modern Language Journal (New York, Chicago, 1916--. ICU, CaTU), 104p,

Neophil--Neophilologus (Amsterdam, 1916--. ICU), 152a, 1349, 1427, 1475,
    2183, 2250, 2386a, 2517, 2620a, 2903, 2970, 3124, 3262, 3585b, 3622c.
NeuAb--Neues Abendland, Zeitschrift für Politik, Kultur und Geschichte
    (Augsburg, 1946--. NN[x]), 1932.
NeuePR--Neue Philologische Rundschau (Gotha, 1881-1908), 939c.
NeuLit--Die Neue Literatur [Die Schöne Literatur hasta 1930] (Leipzig,
    1900--. CaTU[x]), 3920j.
NeuphZeit--Neuphilologische Zeitschrift (Berlin, 1950. ICU), 1985, 3947a.
NeuRei--Neue Reich, Wochenschrift für Kultur, Politik und Volkswirtschaft
    (Innsbruck, Viena, 1918-32), 1922.
NewR--New Review, Society of Jesus in India (Calcutta, -1936-), 704.
NJWJ--Neue Jahrbücher für Wissenschaft und Jugenbildung (Leipzig, Berlin,
    1925-37. CaTU), 306, 1902.
NMFR--New Mexico Folklore Record (Albuquerque, 1947--), 1543.
NMit--Neuphilologische Mitteilungen (Helsinki, 1902--. ICU), 2011, 2866,
    3640d, 3643d, 3871h, 3920k, 3948d.
NMon--Neuphilologische Monatsschrift (Leipzig, 1930-41. ICU), 2061.
Norte--Norte (Buenos Aires, 1935-38), 3082.
Nos--Nosotros (Buenos Aires, ¿1907?--. CaTU[x]), 909, 2056, 2074, 2220,
    3252, 3286, 3491, 3839b. (V.t. 1207A).
NouvLitt--Nouvelles Littéraires (Paris, 1922--. ICU[x]), 3094, 3698.
NouvRev--Nouvelle Revue (Paris, 1879-1940. ICN[x]), 2368.
NQ--Notes and Queries (London, -1850--. ICU[x], CaTU[x]), 1939-42, 2060,
    3200.
NRFH--Nueva Revista de Filología Hispánica (México, 1947--. ICU, CaTU),
    357, 373, 423, 874, 932, 1353, 1414, 1469, 1938, 2218e, 2672, 2842a,
    2843a, 2908e, 2910d, 2918a, 2923c, 2928a, 2931b, 2958f, 3055, 3506,
    3608a, 3654, 3788, 3943b.
NRun--Neue Rundschau (Berlin, 1890--. CaTU[x]), 2084, 2163, 2409.
NSpr--Neueren Sprachen (Marburg, 1893--. CaTU[x]), 287, 1133, 1450, 1480,
    1660a, 2093a, 2225a, 2288c, 2655c, 2850, 3574c, 3575b, 3575e, 3575i,
    3839e, 3846i, 3871e.
NT--Nuestro Tiempo (Madrid, 1901-26), 2702, 2756.
NTC--Nuevo Teatro Crítico (Madrid, 1891-93), 3009.
NuAt--Nueva Atlántida (Rosario, Argentina, 1946-), 2612.
Núm--Número (Montevideo, Uruguay, 1949--. NcU), 221.
NuoCult--Nuova Cultura (Torino, 1913. CaTU), 1797d.
NuoRa--La Nuova Rassegna (Roma, 1893-94. NhD[x]), 1181.
NuS--Nord und Sud (Berlin, 1877-1930), 2187.
Occi--O Occidente, revista ilustrad de Portugal e do estrangeiro (Lisboa,
    1878-1915), 662, 686, 697.
Ocid--Ocidente (Lisboa, 1938--. ICN, CaTU), 598, 627, 643, 666, 683, 722,
    748, 772, 2887, 2922, 3608c.
OLB--Oesterreiches Litteraturblatt [desde 1899, Allgemeines Literaturblatt]
    (Wien, 1892-¿1917? ICU[x]), 3855g.
OoB--Ord och Bild, illustrerad månadsskrift (Stockholm, 1892--), 1947, 3462,
    3578.
OpeGio--Le Opere e i Giorni (Genova, -1936-), 3211.
OSUCL--Ohio State University Contributions in Languages and Literatures
    (Columbus, 1924--. ICU), 20, 1396A, 2475.
PAAS--Proceedings of the American Antiquarian Society (Worcester, Mass.,
    -1850--. CaTU[x]), 821.
Pais--Paisaje (Jaén, -1949-), 886.
PamLit--Pamietnik Literacki (Lwów, 1902-35), 1202, 2005, 2073.
Papers of the New York Shakespeare Society--V. el núm. 1638.
Papyr--Papyrus (Barcelona, 1936-), 1049, 3050.
PAT--Policía Armada y de Tráfico (Madrid, -1948-), 1849.

PEGS--Publications of the English Goethe Society (London, 1886-1939. ICU[x],
   CaTU[x]), 1982.
PhJ--Philosophisches Jahrbuch (Fulda, 1888--. CaTU[x]), 1862.
PismaPom--Pisma Pomniejsze (Varsovia, -1852-), 2042.
PLore--Poet Lore (Philadelphia, 1889--. ICU, NN), 153, 358, 362, 367, 377,
   536, 538, 2637, 3742.
PMLA--Publications of the Modern Language Association of America (New York,
   1886--. ICU), 14, 35, 38, 64, 142, 143, 161, 260, 393, 479, 487, 494,
   549, 556, 678, 857, 1014, 1027, 1056, 1059, 1123, 1131, 1270, 1298,
   1360, 1449, 1824, 1877, 1944, 2034, 2069, 2086, 2090, 2214, 2237, 2273,
   2450, 2531, 2591, 2614, 2677, 2766, 2914, 3368, 3695, 3784, 3810.
PN--Petrus Nonius (Lisboa, -1938-), 756.
Polyb--Polybiblion (Paris, 1868-1939. CaTU[x]), 360a, 579b, 1519d, 1580e,
   1619b, 1634a, 1645c, 1646c, 1667g, 1668e, 1697d, 1710a, 1739a, 1767d,
   2104c, 2297a, 2298e, 2308a, 2311a, 2327a, 2328a, 2329a, 2330b, 2335a,
   2370e, 3663b.
Port--Portucale (Pôrto, 1928-42. NN), 706, 752, 766, 771, 790h.
PortKöln--Portugal 1140-1640. Festschrift der Universität Köln zu den por-
   tugiesischen Staatsfeiern des Jahres 1940. Köln: Balduin Pick, 1940--
   V. el núm. 773.
Posit--O Positivismo (Oporto, 1879-82), 670.
PQ--Philological Quarterly (Iowa City, 1922--. ICU), 122, 128, 230, 231,
   341, 471, 514, 1297, 2036, 2068, 2130, 2508, 3507, 3598.
PRDE--Puerto Rico, Department of Education Bulletin (San Juan, -1917-.
   ICU[x]), 318.
Primer Acto, revista del teatro (Madrid, 1959--. CaTU), 3539.
PrJ--Preussische Jahrbücher (Berlin, 1858-1935. CaTU[x]), 3451, 3855c.
ProBA--Proceedings of the British Academy (London, 1903--. CaTU[x]), 317.
ProtMon--Protestantische Monatshefte (Berlin, -1900-), 2219.
PrzWsp--Przeglad Wspólczesny (Cracovia, Varsovia, 1922-35), 3085, 3093.
Publications de la Faculté des Lettres de l'Université de Strasbourg--V.
   EtLitt.
Puerto Rico--Puerto Rico (San Juan, -1935-. NN[x]), 3035, 3239.
QCrit--Quaderni della Critica [continuación de Crit] (Bari, 1945--. ICU),
   583, 1381a, 2853.
QdP--Quaderns de Poesia (Barcelona, -1935-), 3265.
QIA--Quaderni Ibero-Americani (Torino, ¿1946?--. CaTU[x]), 307, 2857.
QR--Quarterly Review (London, -1850--. CaTU[x]), 3517.
RAAAB--Revista de la Asociación Artístico-Arqueológica Barcelonesa (Barce-
   lona, 1896-1913. MH[x]), 7.
RABA--Revista Americana de Buenos Aires (Buenos Aires, 1924--. CaTU[x]),
   3300, 3858a.
RABM--Revista de Archivos, Bibliotecas y Museos [3ª y 4ª épocas] (Madrid,
   1897--. ICU), 18, 22, 43, 117a, 118, 125, 127, 140, 147, 159, 168a,
   199a, 226, 386b, 415a, 428, 480, 516b, 525, 539, 543b, 560b, 587b,
   818, 845, 979, 1166, 1243, 1519a, 1599a, 1602c, 1737a, 1753b, 1754a,
   1813, 1827, 2112, 2145a, 2223b, 2320b, 2384, 2386e, 2391, 2402, 2476b,
   2524a, 2537, 2598, 2665b, 2763, 2856, 3037, 3040, 3205, 3568c, 3595c,
   3626e, 3629a, 3636b, 3733a, 3918d, 3925, 3934, 3944.
RABraL--Revista da Academia Brasileira de Letras (Rio de Janeiro, 1910--.
   NN[x]), 3392, 3551.
Raíz--Raíz, Facultad de Filosofía y Letras (Madrid, -1948-), 1847.
RAMSP--Revista do Arquivo Municipal (São Paulo, 1934--. ICN[x]), 955, 3393.
RaNa--Rassegna Nazionale (Firenze, 1879--. NN[x]), 3459.
Rass--Rassegna Bibliografica della Letteratura Italiana (Firenze, 1893-1948.
   ICU), 185c, 255c, 421a, 1596b, 2937b, 3466, 3487, 3588, 3732b, 3843a,
   3949g.

RassCrit--Rassegna Critica della Letteratura Italiana (Roma, Firenze,
    1896-1925. ICU), 1000, 1797c, 3467a, 3843b.
RazaBA--La Raza (Buenos Aires, -1922-), 2017.
RazaEsp--La Raza Española (Madrid, 1919-30), 2267, 2690, 2703, 2735, 2826,
    2831.
RB--Revue Bleue [Politique et Littéraire] (Paris, 1864-1939. CaTU), 931,
    937, 1457, 1645b, 2968, 3519.
RBAM--Revista de la Biblioteca, Archivo y Museo del Ayuntamiento de Madrid
    (Madrid, 1924--. ICU), 396, 935, 1053, 1225, 1226, 1258, 1291, 1292,
    1534, 1545, 1549a, 1550, 1792c, 1864, 1874, 1875, 1876, 2000a, 2009,
    2106b, 2128, 2159, 2222a, 2317b, 2457, 2475e, 2485, 2629a, 2691, 2952,
    2977, 3001b, 3215a, 3218, 3238, 3282, 3285, 3305, 3353, 3354, 3369,
    3376, 3379, 3492, 3565f, 3587, 3636c, 3749, 3756, 3804c, 3839c, 3846a,
    3942a.
RBC--Revista Bimestre Cubana (La Habana, 1910--. ICU), 965, 3266, 3668,   ✔
    3724, 3745, 3772.
RBN--Revista de Bibliografía Nacional (Madrid, 1940-46. ICU), 1486, 1689b,
    2492, 2844, 2917, 2990, 3000, 3019, 3090, 3156, 3273, 3404, 3649,
    3679, 3801, 3802, 3821g, 3850h, 3936; Anejos, 1520, 1544.
RBPH--Revue Belge de Philologie et d'Histoire (Bruxelles, 1922--. CaTU), ✔
    970b, 1721c, 2371b, 2594.
RCast--Revista Castellana (Valladolid, 1915-24. CaTU[x]), 429, 830, 832,
    1097A, 2534.
RCC--Revue de Cours et Conférences (Paris, 1892--. CaTU[x]), 616, 2982.
RCEE--Revista del Centro de Estudios Extremeños (Badajoz, 1927-40), 517,
    569, 573, 693.
RCEHG--Revista del Centro de Estudios Históricos de Granada y su Reino
    (Granada, 1911-25), 2467.
RCHLE--Revista Crítica de Historia y Literatura Españolas, Portuguesas e
    Hispanoamericanas (Madrid, 1895-1902. ICU), 499, 533a, 1090, 1318,
    1319, 1519b, 1596a, 1767a, 1779a, 1783a, 2658c, 3568d, 3797.
RCHLP--Revue Critique d'Histoire et Littérature (Paris, 1866-1935. CaTU),
    25f, 186b, 208g, 214b, 351a, 496a, 579a, 811a, 904c, 970a, 1008e, 1580d,
    1602a, 1613e, 1645a, 1668c, 1685a, 1693a, 1697c, 1704a, 1708b, 1763a,
    1767c, 1833b, 2171a, 2227a, 2282a, 2283f, 2322c, 2343c, 2365c, 2370c,
    2386h, 2476e, 2482f, 3562a, 3626h, 3663a, 3711b, 3717a, 3785a, 3822b,
    3839f, 3855d, 3872d, 3882d, 3914c, 3949f.
RCLA--Revista de Ciencias, Literatura y Artes (Sevilla, 1855-60. CaTU,
    ICN), 401, 402, 410, 508, 1434, 2491, 3423, 3463.
RCont--Revista Contemporánea (Madrid, 1875-1907. IC, ICU, NN), 1, 237, 304,
    385, 386, 543a, 587a, 834, 838, 881, 939a, 1156, 1772a, 1910, 1989,
    2104a, 2174, 2184, 2307a, 2312a, 2326a, 2330a, 2341, 2454, 2550, 2757,
    2838c, 2934a, 3568b, 3754, 3776a, 3918b.
RCub--Revista Cubana [sucede a RdCuba] (La Habana, 1885-95; ns, 1935--.
    ICU, NN), 1275, 2075, 2878, 2963, 3188, 3227, 3342, 3381, 3516, 3773.
RdA--Revista de Aragón [sucedida por CE] (Zaragoza, 1900-05. ICU), 3933.
RdAmer--Revista de América (Bogotá, 1945-48. ICU), 2268, 2417, 2733, 2955,
    3244.
RdCuba--Revista de Cuba [sucedida por RCub] (La Habana, 1877-84. ICU), 807,
    1329.
RdE--Revista de España (Madrid, 1868-94. CaTU), 51, 83, 1087, 1143, 1168,
    1174, 1842, 1913, 1953, 1957, 1981, 1993, 1995, 2016, 2059, 2181, 2687,
    3628.
RdeFr--Revue de France (Paris, 1921-39. CaTU), 1004, 1029, 2189.
RdelasEsp--Revista de las Españas (Madrid, 1926-36. ICN), 836, 853, 907,
    3532.
RdelasInd--Revista de las Indias [sucede a Send] (Bogotá, 1936--. ICU),

976, 1005c, 1146, 1178, 1179, 1524, 1937, 2010, 2053, 2164, 2226, 2333e, 3088, 3355, 3409, 3556, 3750, 3917d, 3953.

RGuat--Revista de Guatemala (Guatemala, 1945--), 244.

RGuim--Revista de Guimarães, Sociedade Martins Sarmento (Guimarães, -1902--), 606, 613, 633, 635, 636, 660, 698, 2906.

RHduT--Revue d'Histoire du Théâtre (Paris, 1948--. ICU), 790g, 1790b.

RheinMerk--Rheinischer Merkur, Wochenzeitung für Politik, Kultur und Wirtschaft (Koblenz, 1946--), 2277, 3159, 3616.

RHistL--Revista de História, Sociedade Portuguesa de Estudos Históricos (Lisboa, 1912-), 692, 762, 3730.

RHL--Revista de Historia, Facultad de Filosofía y Letras de La Laguna (La Laguna de Tenerife, -1943-), 1544c.

RHLF--Revue d'Histoire Littéraire de la France (Paris, 1894--. ICU), 1266, 1442, 1667b, 1668b, 1697a, 2013, 2540, 3595b.

RHM--Revista Hispánica Moderna (New York, 1934--. ICU), 282, 485, 711a, 1717a, 2618, 2644b, 3172, 3615.

RHMod--Revue d'Histoire Moderne (Paris, 1926-39. CaTU), 3839h.

RhMus--Rheinisches Museum für Philologie (Bonn, -1850--. CaTU[x]), 2019.

RIE--Revista de Ideas Estéticas (Madrid, 1943--. CaTU), 856, 1061, 1101, 1102, 2981.

RIEV--Revista Internacional de los Estudios Vascos (San Sebastián, 1911--. ICN[x]), 551, 3512, 3513.

RIMus--Revue Internationale de Musique (Paris, 1898-99), 1289.

Rinasc--Il Rinascimento (Milano, 1905-06. ICU), 3105.

RInCon--Revista Intellectual Contemporánea (¿Lisboa?, 1886-), 596.

RIP--Rice Institute Pamphlets (Houston, Texas, 1915--. ICU), 3114.

RIS--Revista Internacional de Sociología (Madrid, -1944-), 2802.

RivCLI--Rivista Critica della Letteratura Italiana (Firenze, Roma, 1884-92. CaTU), 1182.

RivIT--Rivista Italiana del Teatro [del Dramma hasta 1939] (Roma, 1937-¿43? ICN[x]), 894, 906, 1170, 1312, 1936, 2714.

RivLM--Rivista di Letterature Moderne (Firenze, 1946--. ICU), 1702a.

RJav--Revista Javeriana (Bogotá, 1933-), 3533.

RLC--Revue de Littérature Comparée (Paris, 1921--. ICU), 223, 792b, 1118, 1381, 1409, 1879, 1975, 2132, 2265, 2309a, 3023, 3160, 3444.

RLib--Revista de Libros (Madrid, 1913-20. CaTU), 271, 3609d, 3644c.

RLM--Revista de Literatura Mexicana (México, 1940. ICU), 69, 2573.

RLP--Revista de Língua Portuguesa (Rio de Janeiro, -1926-), 676.

RLR--Revue des Langues Romanes (Montpellier, 1870-1927. ICU, ICN), 729a, 946, 1086, 1646b, 1705b, 1812a, 2153d, 2315a, 2346, 2369a, 2938a, 3725.

RLSLA--Rivista Ligure di Scienze, Lettere ed Arti (Genova, 1877-1917. DLC[x]), 1097.

RMEH--Revista Mexicana de Estudios Históricos [Antropológicos] (México, 1927--. ICU), 470.

RMMex--Revista Musical Mexicana (México, 1942--), 1513A.

RNC--Revista Nacional de Cultura (Caracas, 1939--. ICU[x]), 247, 2076, 3671.

RNE--Revista Nacional de Educación (Madrid, 1941--. NN[x]), 45, 855, 1002, 1019, 1032, 1850, 2262, 2693, 2708, 3047, 3118, 3394, 3408.

Rom--Romania (Paris, 1872--. ICU), 97, 143a, 146c, 152c, 173b, 464, 811b, 3882c.

RomJahrb--Romanistisches Jahrbuch (Hamburg, 1947--. ICU), 1163, 1244, 2948.

RomPhil--Romance Philology (Berkeley, 1947--. ICU), 581m, 584, 790d.

RQuin--Revista Quincenal (Madrid, 1917-18), 1971.

RR--Romanic Review (New York, 1910--. ICU), 12, 15, 30, 72, 86, 87, 91, 103, 104g, 113, 115, 141, 148-50, 167a, 197, 273, 348a, 457, 477, 486, 497, 516a, 535a, 540a, 555, 561, 578, 581a, 582, 585, 790e, 891, 942,

943, 953, 1072, 1157, 1169, 1183, 1341, 1355a, 1362, 1387, 1394, 1472,
1537, 1538, 1548a, 1595a, 1755a, 1765a, 1820, 1837, 1956, 2033, 2153b,
2204, 2218f, 2280, 2461, 2470-73, 2521, 2536a, 2679, 2711, 2758, 2767,
2860, 2908h, 2925a, 2958a, 3107, 3128, 3154, 3360, 3457, 3461, 3479,
3565b, 3609b, 3624, 3646, 3740, 3757a, 3808a, 3869a, 3871a, 3890b,
3931a, 3949a, 3956.

RRAL--Rendiconti della Real Accademia Nazionale dei Lincei (Roma, -1931-).
   CaTU[x]), 219, 750A.
RSE--Revista de Segunda Enseñanza (Madrid, 1925-27), 438, 473.
RSH--Revue de Synthèse Historique (Paris, 1900--. CaTU[x]), 1460.
RTI--Rivista Teatrale Italiana (Firenze, Napoli, 1901-15. ICU), 42, 388a,
   901a, 1797a, 2375, 2771, 2839a.
RUBA--Revista de la Universidad de Buenos Aires (Buenos Aires, 1904--.
   ICU), 77, 255e, 1791a, 2233, 2239, 2241, 2269, 2344, 2582, 3706.
RUM--Revista de la Universidad de Madrid (Madrid, -1942-43-), 267, 2692.
RUO--Revista de la Universidad de Oviedo (Oviedo, -1944-), 441, 2251.
RUSC--Revista de la Universidad de San Carlos (Guatemala, 1945--. CaTU[x]),
   2255, 2721.
Ruta--Ruta (México, 1938-39), 3791.
RyCult--Religión y Cultura [V.t. CD] (Madrid, 1928-35. CaTU), 484, 1865,
   2249, 3458, 3862a.
RyF--Razón y Fe (Madrid, 1901--. NN, CaTU), 8, 334, 565, 825, 1367, 1406,
   1429, 1861, 1883, 1980, 2245, 2359, 2838d, 2889, 2893, 2897, 2988,
   2989, 3021, 3161, 3226, 3229, 3241, 3249, 3375, 3434, 3555a, 3603,
   3850e, 3920v.
SatRev--Saturday Review (London, 1855--. CaTU[x]), 3104.
Scene--Die Scene, Blätter für Bühnenkunst (Berlin, 1911-33), 1194.
Schöne Literatur--V. NeuLit.
SchRAl--Schweizer Reise-Almanach (¿?, -1939-), 2160.
SchRd--Schweizerische Rundschau (Stans, Suiza, 1900-), 1967.
SeC--Scuola e Cultura, annali della istruzione media (Firenze, -1936-.
   BPC[x]), 3062.
SemPintEsp--Semanario Pintoresco Español (Madrid, -1850-57. CaTU), 92, 434,
   833, 837, 964, 1339, 1455, 1525, 1825, 1832, 1853, 2077, 2360, 2433,
   2436, 2446, 2447, 2449, 2455, 2459, 2469, 2493, 2516, 2544, 2616, 2660,
   2809, 2921, 3116, 3488, 3580, 3687, 3940, 3955, 3957.
Send--Senderos [sucedido por RdelasInd] (Bogotá, 1932-35. ICU), 3534.
SfmW--Signale für die Musikalische Welt (Leipzig, -1931-), 3748.
ShaJa--Jahrbuch der deutschen Shakespeare-Gesellschaft [llamado comúnmente
   Shakespeare-Jahrbuch] (Berlin, 1865--. ICU), 256, 1180, 1395, 1437,
   1508, 2138, 2139, 3619a.
SigMed--El Siglo Médico (Madrid, 1854-¿1936? BN[x]), 262, 3162.
SilMünch--Silvae Monacenses, Festschrift zur 50-jährigen Gründungsfeier des
   Philologisch-historischen Vereins an der Universität München (München,
   Berlin: R. Oldenbourg, 1926), 1878.
SIMG--Sammelbände der Internationalen Musikgesellschaft (Leipzig, 1899-1914.
   CaTU), 130, 1290, 3807.
SitzMün--Sitzungsberichte der philosophische-historischer Abteilung der
   bayerischen Akademie der Wissenschaft zu München (München, -1862-.
   CaTU[x]), 1031, 1039.
SitzPreuss--Sitzungsberichte der preussischen Akademie der Wissenschaft.
   Philosophisch-historische Klasse (Berlin, 1882--. CaTU[x]), 1506.
SitzWien--Sitzungsberichte der Wiener Akademie der Wissenschaften (Wien,
   1850--. CaTU[x]), 28, 959, 3789.
SmithCS--Smith College Studies in Modern Languages (Northampton, Mass.,
   1919--. ICU), 1005, 1242, 1547, 2482.
SP--Studies in Philology (Chapel Hill, 1904--. ICU), 409, 412, 1105, 1120.

Spanien--Spanien, Zeitschrift für Auslandskunde (Hamburg, 1919-21. ICU),
    1001, 1309, 1851, 2839b, 3397, 3498, 3644b.
Spanische Forschungen der Görresgesellschaft, l. Reihe: Gesammelte Auf-
    sätze zur Kulturgeschichte Spaniens (Bonn, -1937-), 1954.
Spec--Speculum (Boston, 1926--. ICU), 102, 111.
SPSU--Spanische Philologie und spanischer Unterricht (Hamburg, 1923-26.
    ICU), 1852.
SR--Spanish Review (New York, 1934-37. ICU), 340, 3091, 3163, 3482.
Stanford University Studies--V. HomFlügel.
StdZ--Stimmen der Zeit [Stimmen aus Maria-Laach hasta 1914] (Freiburg i.B.,
    1871--. ICU[x]), 1858, 1915, 1963, 2022, 2092b, 2093c, 2126a, 2191,
    2298f, 3846g, 3920s.
StPau--Saint Paul's Magazine (London, 1868-74. CaT[x]), 2207.
Stud--Studies, an Irish quarterly (Dublin, 1913--. ICU), 1351, 1352.
StudFilMod--Studi di Filologia Moderna (Catania, 1908-14. ICU), 2248,
    2322e.
StudFilRom--Studi di Filologia Romanza (Roma, 1885-1903. ICU), 839, 918.
Studia--Studia, revista mensual de cultura religiosa (Palma de Mallorca,
    -1950-), 1872.
SuF--Sinn und Form, Beiträge zur Literatur (Potsdam, 1949--. ICU), 1955.
Sur--Sur (Buenos Aires, 1931--. ICU), 2270, 2318f, 2586, 3495, 3650c.
Sust--Sustancia, revista de cultura superior (Tucumán, Argentina, -1943-),
    3177.
SVL--Studien zur Vergleichenden Literaturgeschichte (Berlin, 1901-09. ICU),
    814, 1026, 1271, 2055, 2078.
Sym--Symposium (Syracuse, New York, 1946--. ICU), 2333d, 2908f.
SZuk--Schönere Zukunft, katolische Wochenschrift für Religion (Wien,
    -1931-40-), 1923, 1928, 1931.
Tall--Taller (México, 1939-), 667A, 2554, 2556, 2596, 2619.
TAM--Theatre Arts Monthly (New York, 1916--. CaTU), 41A, 668, 824, 1252,
    1459, 3008, 3098, 3120, 3137, 3138, 3366, 3431, 3485, 3657.
TAnn--Theatre Annual (New York, 1942--. ICU), 101.
TDR--Tulane Drama Review (New Orleans, 1956--. CaTU), 3369, 3702.
ThW--Theatre Workshop (New York, 1936-38. DLC), 1448.
TijdNTL--Tijdschrift voor Nederlandsche Taal- en Letter-kunde (Leyden,
    1881--. IU[x]), 1315, 3712.
TiNus--Tiempos Nuevos, revista de sociología, arte y economía (Barcelona,
    -1935-), 2964.
TiPres--El Tiempo Presente (Madrid, 1935. CLU[x]), 3109.
TN--Tierra Nueva (México, 1940-42), 154.
Tol--Toledo, revista de arte (Toledo, 1915-30. NN[x]), 2709.
Trimestre--Trimestre (La Habana, 1947--. ICU), 2729.
TRSC--Transactions of the Royal Society of Canada (Ottawa, 1882--.
    CaTU[x]), 296.
TRSL--Transactions of the Royal Society of Literature of the United Kingdom
    (London, -1850--. CaTU[x]), 640, 1038, 1043, 1396, 2067.
UAHB--University of Arizona Humanities Bulletin (Tucson, 1934-49. ICU),
    3738.
UCC--University of California Chronicle (Berkeley, 1898-1933. ICU), 2788.
UCLALL--University of California at Los Angeles Publications in Language
    and Literature (Los Angeles, 1933-38. CaTU), 1511.
UColSt--University of Colorado Studies, Series A: General (Boulder, 1902--.
    ICU), 1260.
UCPMP--University of California Publications in Modern Philology (Berkeley,
    1909--. ICU), 25, 2620, 3644, 3761, 3785, 3931.
UHA--Unión Hispano-Americana (Madrid, 1916-23. NN[x]), 3558, 3630.
UISSL--University of Iowa Studies in Spanish Language and Literature (Iowa

City, 1928--. ICU), 105, 163, 169, 232, 563. (V.t. 121).
UKHS--University of Kansas Bulletin, Humanistic Studies (Lawrence, 1912--.
    ICU), 2210, 2218.
Ultra--Ultra (La Habana, 1936-45. ICU[x]), 68, 823, 1296.
UMCMP--University of Michigan Contributions in Modern Philology (Ann Arbor,
    1947--. ICU), 3435.
UMHAS--University of Miami Hispanic American Studies (Miami, Florida,
    1939-49. ICU), 1205.
UnCaBo--Universidad Católica Bolivariana (Medellín, 1937--. ICU), 387a,
    2420a.
UNCEB--University of North Carolina Extension Bulletin, 1921--. ICU[x]),
    1335.
UnIA--Unión Ibero-Americana (Madrid, 1887-1926. NN[x]), 399, 831, 1829,
    2560.
UnivAnt--Universidad de Antioquía (Medellín, 1935--. ICU), 2071, 3108.
UnivCat--L'Université Catholique [sucede a Controverse et le contemporain]
    (Lyon, 1899-1914), 963.
Univer--Universitas, Zeitschrift für Wissenschaft, Kunst und Literatur
    (Stuttgart, 1946--. CaTU), 2306a, 2427b, 2429a.
University of North Carolina Studies in Romance Languages and Literatures--
    V. HomDey.
UnivHab--Universidad de La Habana (La Habana, 1934--. ICU, CaTU), 327,
    3171, 3225, 3486.
UnivL--Universitárias, revista de cultura (Lisboa, -1949-), 2772.
UnivM--Universidad [sucede a UnivMex] (México, 1936-38. CaTU), 940, 1015,
    2407, 3456.
UnivMex--Universidad de México (México, 1930-33. CaTU), 842, 850, 2404,
    2410, 2419, 3763.
UnivZ--Universidad, revista de cultura y vida universitaria (Zaragoza,
    1924--. NN[x]), 1323, 1512, 1520c, 1871, 2595, 2803, 3857a.
UNMLS--University of New Mexico Language Series (Albuquerque, 1907-42.
    ICU), 1370, 1371.
UNSLLC--University of Nebraska Studies in Language, Literature and Criticism
    (Lincoln, 1917-40. ICU), 2048.
UPL--University of Pennsylvania Lectures (Philadelphia, 1913-21. ICU),
    3214.
UPRLL--University of Pennsylvania Publications, Series in Romance Languages
    and Literatures (Philadelphia, 1907--. ICU), 36, 49, 104, 139, 209,
    424, 475, 1320, 1355, 1548, 1821, 2153, 3428, 3609.
UPSPL--University of Pennsylvania Series in Philology and Literature (Phila-
    delphia, 1891-1917. ICU), 2365, 2400, 2658.
UTM--University of Toronto Monthly (Toronto, 1900-17. CaTU[x]), 843.
UTQ--University of Toronto Quarterly (Toronto, 1931--. CaTU), 3535.
UTSt--University of Toronto Studies, Philological Series (Toronto, 1903-41.
    ICU), 3122.
UWSLL--University of Wisconsin Studies of Language and Literature (Madison,
    1918-36. ICU), 2026.
VBlad--De Vrije Bladen (Amsterdam, 1924--. NNC[x]), 3198.
Verbum--Verbum (Buenos Aires, -1923-), 3101.
Vert--Vértice, revista nacional de la Falange Española Tradicionalista y de
    las Juntas Ofensivas Nacional-Sindicalistas (Madrid, -1943-44-), 1972,
    2975, 2999.
VfLG--Vierteljahrschrift für Litteraturgeschichte (Weimar, 1888-93. CaTU),
    1210, 1212.
ViCri--Vida Cristiana (Barcelona, 1914-33), 34, 98.
VKR--Volkstum und Kultur der Romanen (Hamburg, 1928-44. ICU), 659, 724,
    746, 757a, 3626i, 3917b.

VV--Verdad y Vida (Madrid, -1944-), 3410.

VVas--Vida Vasca (Vitoria, Bilbao, -1948-), 2834.

VyL--Virtud y Letras, revista trimestral de ciencias eclesiásticas (Mani-
    zales, Facultades Eclesiásticas Claretianas de Colombia, 1942--), 2819.

WaUH--Washington University Studies, Humanistic Series (St. Louis, 1913-26.
    ICU), 1276, 3816.

WdD--Weltwacht der Deutschen, Zeitung für das Deutschtum der Erde (Dresden,
    ¿1934?-), 3446.

WestR--Westminster Review (London, -1850-1914. CaT[x]), 1686a, 2064.

WIDM--Westermanns Illustrierte Deutsche Monatshafte (Braunschweig, 1856--.
    ICU, NN), 1507, 2175.

WVUS--West Virginia University Series, Philological Papers (Morgantown,
    1936-49. ICU), 369.

YURS--Yale University Romanic Studies (New Haven, Conn., 1930-44. ICU), 966.

ZAAK--Zeitschrift für Aesthetik und allgemeine Kunstwissenschaft (Stuttgart,
    1906--. CaTU[x]), 1479.

ZBib--Zentralblatt für Bibliothekswesen (Leipzig, 1884--. ICU[x], CaTU[x]),
    1418, 1420, 3917i.

ZDG--Zeitschrift für deutsche Geisteswissenschaft (Jena, 1938-43), 3413,
    3917j.

ZdPh--Zeitschrift für deutsche Philologie (Stuttgart, 1869--. CaTU), 1211,
    3855h.

ZfB--Zeitschrift für Bücherfreunde (Leipzig, 1897-1936. ICU), 1363, 2173a.

ZFSL--Zeitschrift für französische Sprache und Litteratur (Leipzig, 1879--.
    CaTU), 63, 939d, 1008g, 1267, 1268, 1269, 1399, 1400, 1401, 1416d,
    1417, 1667e, 2322d, 2370d, 3915a.

ZIPF--Zapiski Istoriko-Philologischeskavo Fakulteta Imperatorskavo S.-Peter-
    burgskavo Universiteta (San Petersburgo, -1901-. ICU[x]), 3344, 3733.

ZLKW--Zeitung für Literatur, Kunst und Wissenschaft, Beilage des Hambur-
    gischen Korrespondenten (Hamburg, -1904-), 2050.

ZNU--Zeitschrift für neusprachlichen [französischen und englischen, hasta
    1934] Unterricht (Berlin, 1902--. ICU[x]), 301, 351b, 380a, 2122,
    2288d, 2632a, 2949, 3097, 3846f, 3871f, 3917k.

ZOG--Zeitschrift für Oesterreichischen Gymnasien (Wien, 1850-. CaTU[x]),
    1045, 1117.

ZRP--Zeitschrift für romanische Philologie (Halle, 1877--. ICU), 20c, 25c,
    104j, 146b, 152b, 166b, 201, 208b, 222, 241, 407, 478a, 519, 532, 589a,
    743c, 869, 879, 1005b, 1350, 1407, 1422, 1539, 1654d, 1715f, 1753a,
    1768a, 1819, 1821d, 1904, 2003, 2123, 2144, 2153a, 2155, 2172b, 2243,
    2258, 2283b, 2320a, 2340a, 2370a, 2372a, 2380, 2386d, 2395, 2475b,
    2482c, 2524b, 2553a, 2663b, 2664b, 2665a, 2838b, 3002, 3268, 3284,
    3307, 3331, 3565d, 3568a, 3575a, 3609a, 3622f, 3629, 3636a, 3640b,
    3643c, 3643f, 3714, 3715, 3735c, 3743b, 3859b, 3871c, 3873a, 3874a,
    3896b, 3897a, 3917a, 3948c; Beihefte, 904, 1008, 1224A, 3475.

ZVL--Zeitschrift für vergleichende Literaturgeschichte (Berlin, 1888-1910.
    CaTU), 811, 815, 902, 1028, 1132, 1175, 1354a, 1773c, 1777b, 1808a,
    1809a, 1846, 2114a, 2298c, 3199, 3855e, 3882e.

ZWT--Zeitschrift für wissenschaftliche Theologie (Leipzig, -1903-), 1191.

Zycie--Zycie, tygodnik literacko-naukowy, poświecony przewaznie sprawom
    literatury pieknej (Varsovia, Cracovia, 1887-99), 2201.

PARTE I: PERÍODO FORMATIVO

(Desde los Orígenes hasta Juan de la Cueva)

"A Cristo crucificado".
V. GIL VICENTE, Soneto (684).

Actores.
V. Actrices, Ganasa; LIBROS, núm.
184; GENERAL II: Actores, Schauspielerschicksale.

Actrices.
1. Díaz de Escovar, N.: "Siluetas
del pasado. Actrices españolas del
siglo XVI."
RCont, CXXIV (en-jun, 1902), 729-36.
[Señala la escasez de datos. Menciona a Micaela de Luján].

Achard, Paul.
V. CELESTINA, núm. 220.

Alcahuetería.
V. WITCHCRAFT.

Alcalá de Henares.
V. ANÓNIMAS, núm. 116.

Alcázar, Baltasar del.
V. JUAN DE LA CUEVA, núm. 410.

Alegoría.
V. PETRARCA.

Alemán, Mateo.
V. JUAN DE LA CUEVA, LIBROS, 422.

Alexius, Leyenda de.
V. CELESTINA, 222.

Alfonso X.
V. CELESTINA, 236.

Amalfi, Duquesa de.
V. GENERAL II: Bandello.

América.
V. Asunción (6), Misterios (62);
ANÓNIMAS, 135; CUEVA, 399; GONZÁ-
LEZ DE ESLAVA, 469; LLERENA, 482.

Amoureux.
2. Martinenche, E.: "Les premiers
amoureux du théâtre moderne."
RevLat, I (1902), 281-91.
[Calisto y Melibea].

"Amphitrion".
V. MOLIERE (63).

Anales.
V.t. GENERAL II, LIBROS, 1614.

——.
3. Díaz de Escovar, N.: "Anales del
teatro español anteriores al año
1550."
CD, LXXX (1909), 649-57; LXXXI (1910),
29-38, 127-31, 216-22.
[También publicado separadamente:
Madrid: Imp. Helénica, 1910. Pp. 35.
a) E. Juliá Martínez, RFE, II (1915),
66].

——.
4. Díaz de Escovar, N.: "Anales de
la escena española correspondientes
a los años 1551 a 1580."
CD, LXXXI (1910), 398-405, 470-79,
564-76.

——.
5. Díaz de Escovar, N.: "Anales del
teatro español correspondientes a
los años 1581 a 1599."
CD, LXXXII (1910), 432-40, 789-96;
LXXXIII (1910), 146-56, 209-24.
[V.t. GENERAL II, LIBROS, 1614].

Años (aparecidos en títulos).
 1524: HISTÓRICO (47).
 1550: ANALES (3).
 1551-80: ANALES (4).
 1555: STAGING (105), TOLEDO (109).
 1581-99: ANALES (5).
 1589: AUTO (9).

Astrología, Astronomía.
V. GIL VICENTE, 592.

Asunción.
6. Caillet-Bois, J.: "El teatro en la
Asunción a mediados del siglo XVI."
RFH, IV (1942), 72-76.

AUTO, AUTO SACRAMENTAL.
V.t. MÉXICO (60), MISTERIOS (61),
PETRARCA (79), RELIGIOSO; COLEC-
CIONES (163, 165); GENERAL II, AUTO
SACRAMENTAL (844), HUESCA, CATEDRAL
DE (1166).

7. Pié, Joan: "Autos sagramentals del sigle XIV."
RAAAB, II (1898), no. 9 (jul-ag), 673-86; no. 10 (sept-oct), 726-44.

———.

8. Aicardo, José M.; "Autos anteriores a Lope."
RyF, V (1903), 312-26; VI (1903), 20-33, 201-14, 446-58; VII (1903), 163-76.

———.

9. Miguélez, Manuel: "Un auto sacramental inédito (1589)."
CD, CXXIII (1920), 208-20, 298-304, 321-30, 401-13; CXXIV (1921), 19-39, 161-76, 241-56, 321-36; CXXV (1921), 17-32, 81-96, 161-76, 275-93.
["Fiestas Reales de justa y torneo," de Fr. Miguel de Madrid, en cinco actos; el texto está presentado. Hay una reseña de la obra en BRAE, VIII (1921), 294-98].

———.

10. López Santes: "Autos del Nacimiento leoneses."
ArLeon, I (jul-dic, 1947), 7-32.

BANDELLO, MATTEO.
V. CERVANTES.

BARNARD COLLEGE.
V. el núm. 485.

BIBBIENA, CARDENAL.
V. DOVIZI DA BIBBIENA.

BIBLIOGRAFÍA.
V. LIBROS, COTARELO (177).

BLANCO-WHITE, JOSÉ MARÍA.
V. CELESTINA, núm. 229.

BOBO.
V. RELIGIOSO (91).

BOCCACCIO, GIOVANNI.
V.t. CUESTIÓN DE AMOR; TIMONEDA,

OBRAS, AMPHITRION (559).

———.

11. Giannini, Alfredo: "Una creduta fonte boccaccesca di un intermezzo spagnolo anonimo del secolo XVI."
RevHisp, LXXXI(1), (1933), 526-29.
["Entremés de un viejo que es casado con una mujer moza"].

BOISROBERT, FRANÇOIS LE MÉTEL DE.
12. Eyer, Cortland: "Boisrobert's La Vraye Didon ou la Didon chaste."
RR, XXXII (1941), 329-38.
[Boisrobert fue influenciado por dramaturgos españoles del sig. XVI].

BONILLA Y SAN MARTÍN, ADOLFO.
13. Cruz Rueda, A.: "Un libro del Dr. Bonilla y San Martín."
DLdeS, XI (1923), 236-40.
[Sobre Las bacantes o del origen del teatro. V. LIBROS, núm. 172].

BOY BISHOP.
V. OBISPILLO

BRAGGART.
14. Boughner, Daniel C.: "The Braggart in Italian Renaissance Comedy."
PMLA, LVIII (1943), 42-83.

———.

15. Crawford, J. P. W.: "The Braggart Soldier and the Rufián in the Spanish Drama of the XVIth Century."
RR, II (1911), 186-208.

CABALLERESCO.
V. GENERAL II, LIBROS, núm. 1718.

"CALANDRIA, LA"
V. TORRES NAHARRO, núm. 577.

"CALBI ORABI"
V. CANCIÓN (17).

CAMILOTE.
16. Alonso, Dámaso: "El hidalgo Camilote y el hidalgo don Quijote."
RFE, XX (1933), 391-97; XXI (1934), 283-84.
[Un personaje del Primaleón, que aparece también en Don Duardos de Gil Vicente. Reimpreso en Del siglo de oro a este siglo de siglas, págs. 20-28. V. GENERAL II, LIBROS (1555).

Canción.

17. Michaëlis de Vasconcellos, C.: "Notas sobre a canção perdida 'Este es calbi orabi'."
RevLus, XVIII (1915), 1-15.
[Sobre la canción árabe que aparece en la comedia Don Duardos de Gil Vicente].

Catalán, Cataluña.
V. Litúrgico (56), Orígenes (74).

Cautivos.
18. Serrano y Sanz, Manuel: "Literatos españoles cautivos."
RABM I (1897), 498-506.
[Trata de Díaz Tanco en las págs. 500-01].

Celos.
V. Orígenes (75); GENERAL II, Jealousy.

Celta.
V. Latín.

Cervera.
19. Durán i Sanpere, Agustí: "Un misteri de la Passió a Cervera."
EUC, VII (1913), 241-90.
[El texto comienza en la pág. 246].

Cetina, Gutierre de.
V. JUAN DE LA CUEVA.

Cid, El.
V. GENERAL II, núm. 904.

Colegio.
V. ANÓNIMAS, "Ate relegata" (116); JUAN PÉREZ, núm. 503; LIBROS (186).

Comediantes.
V. Actores.

Comentarios a algunos textos.
V. GENERAL II, Comentarios (927).

Comic types.
V.t. Braggart (15), Religioso (91).

————.
20. Hendrix, William S.: "Some Native Comic Types in the Early Spanish Drama."
OSUCL, I (1924), no. 3. Pp. 115.

a) J.P.W. Crawford, ModPhil, XXIII (1925-26), 251-52.
b) E. C., BSS, II (1924-25), 108.
c) L. Pfandl, ZRP, LVII (1937), 123-24.
d) G. Cirot, BH, XXVII (1925), 361-62.
e) Mulertt, Werner, ASNSL, CL (1926), 140-41.

————.
21. Hendrix, William S.: "Sancho Panza and the Comic Types of the Sixteenth Century."
HomMenPidalA (1925), II, 485-94.

Consueta.
V.t. Litúrgico; ANÓNIMAS, 124-27.

22. Llabrés, Gabriel: "Repertorio de consuetas representadas en las iglesias de Mallorca."
RABM, V (1901), 920-27.
[Descripción de un manuscrito de piezas dramáticas antiguas. V.t. LLABRÉS, MANUSCRITO DE].

Corpus Christi.
V.t. Orígenes (74); GENERAL II, Lima (1215-17), LIBROS, núm. 1770.

————.
23. Gestoso y Pérez, J.: "La fiesta del Corpus en el convento de Madre de Dios."
En sus Curiosidades antiguas sevillanas, págs. 217-29. [V. LIBROS, núm. 182].

————.
24. Gestoso y Pérez, J.: "La fiesta del Corpus Christi en Sevilla en los siglos XV y XVI."
En sus Curiosidades antiguas sevillanas, págs. 91-125. [V. LIBROS, núm. 182].

————.
25. Corbató, Hermenegildo: "Los misterios del Corpus de Valencia."
UCPMP, XVI (1932), no. 1. Pp. 172.
a) S.L.M. Rosenberg, Hisp, XVI (1933), 104.
b) E. Juliá Martínez, RFE, XX (1933), 86.
c) E. Werner, ZRP, LIX (1939), 126.

d) A.B., BH, XXXVI (1934), 103-04.
e) J.E. Gillet, HR, I (1933), 260-63.
f) G. Le Gentil, RCHLP, ns. C(1933),
   462-64.

COSTUMBRES SOCIALES.
   V. GENERAL II, LIBROS, CRANE (1606).

CUESTIÓN DE AMOR.
   V.t. TIMONEDA, núm. 559.

⸗⸗⸗⸗.

26. Casalduero, J.: "Parodia de una
cuestión de amor y queja de las fre-
gonas."
RFE, XIX (1932), 181-87.
   [Cervantes, en La entretenida, parodia el tema de Boccaccio. Reimpreso en sus Estudios sobre el teatro español, págs. 73-81. V. GENE-
RAL II, LIBROS, núm. 1592].

⸗⸗⸗⸗.

27. Crawford, J.P.W.: "Again the
Cuestión de amor in the Early Spa-
nish Drama."
HR, I (1933), 319-22.
   [En Timoneda y en Cervantes].

"DANZA DE LA MUERTE".
   V.t. GIL VICENTE, DANSA MACABRA;
GENERAL II.

⸗⸗⸗⸗.

28. Wolf, Ferdinand: "Ein spanisches
Frohnleichnamsspiel vom Todtentanz.
Nach einem alten Druck wieder her-
ausgegeben."
SitzWien, VIII (1852), 114-50.
   [Farsa llamada Danza de la muerte
de Juan de Pedraza].

⸗⸗⸗⸗.

29. Mulertt, W.: "Les danses maca-
bres en Castille et en Catalogne."
RevHisp, LXXXI (1933), pte. 1, págs.
443-55.

DANZAS.
   V. ORÍGENES (74).

DÉBUTS.
   V. ORÍGENES (78).

DEMONIO, DEVIL.
   V. DIABLO.

DIABLO.
   V.t. CELESTINA, DEMONÍACO; GIL VI-
CENTE, OBRAS, AUTO DAS FADAS (749).

⸗⸗⸗⸗.

30. Crawford, J.P.W.: "The Devil as
a Dramatic Figure in the Spanish
Religious Drama before Lope de Vega."
RR, I (1910), 302-12, 374-83.

DIDO.
   V. BOISROBERT; JUAN CIRNE (393-94).

DISPARATES.
31. Gauthier, Marcel: "De quelques
jeux d'esprit. I: Les disparates."
RevHisp, XXXIII (1915), 385-445.
   [Sobre Juan del Encina].

"DOLOTECHNE, COMEDIA".
   V. TORRES NAHARRO, núm. 577.

DON JUAN.
   V. CELESTINA, JUANDE LA CUEVA.

DOVIZI DA BIBBIENA, BERNARDO.
   V. TORRES NAHARRO, núm. 577.

DREIKÖNIGSSPIEL.
   V. ANÓNIMAS, REYES MAGOS.

"DUE FELICI RIVALI, I".
   V. CELESTINA, núm. 259.

EDAD ANTIGUA.
   V. POESÍA LÍRICA (83).

EDAD MEDIA.
   V. "LIBER PANPHILI," RELIGIOSO,
SAGRADO.

ELIZABETHAN DRAMA.
   V. ORIENTAL (73).

ENEAS.
   V. JUAN CIRNE (393-94).

ENTREMÉS.
   V.t. BOCCACCIO, ORÍGENES (74), ANÓ-
NIMAS.

⸗⸗⸗⸗.

32. Cotarelo y Mori, E.: "El primer
entrmés del teatro español."
RELHA, I (1901), 21-23.
   [Entremés de las esteras, ¿1530-
1550?].

33. Lincoln, G. L.: "An Unpublished
XVIth Century entremés."
RevHisp, XXII (1910), 427-36.
   [Texto del Entremés de un viejo
que es casado con una mujer moza].

34. Girbal, Enrich Claudio: "Els
entremesos o oratoris pasquals."
ViCri, I (1914), 237-40.

35. Jack, William S.: "Development
of the entremés before Lope de Rueda."
PMLA, XXXVII (1922), 187-207.

36. Jack, W. S.: "The Early entremés
in Spain: The Rise of a Dramatic
Form."
UPRLL, no. 8 (1923). Pp. 136.
a) J.E. Gillet, ModPhil, XXII (1924-
25), 217-20.
b) G. Cirot, BH, XXVII (1925),
362-63.

ERASMO, DESIDERIO.
   V. GIL VICENTE, núms. 624-627.

ESCENARIO.
   V. STAGE.

ESCENIFICACIÓN.
   V. STAGING; LIBROS: SCHMIDT, SHOE-
MAKER.

ESCOLAR, TEATRO.
   V. JUAN PÉREZ, núm. 503.

ESTROFAS.
   V. STROPHES.

EURÍPIDES.
   V. PÉREZ DE OLIVA, núm. 510.

FARSA.
37. Cotarelo y Mori, E.: "Fragmentos
de una farsa rarísima de principios
del siglo XVI."
RELHA, I (1901), 140-42.
   ["Pudiera ser la Farsa luterana
de Yanguas."].

38. Crawford, J.P.W.: "A Spanish

Farce of the Sixteenth Century."
PMLA, XXIV (1909), 1-31.
   [Presenta el texto del Coloquio
delas damas valencianas, de Juan
Fernández de Heredia].

"FATAL DOWRY, THE".
   V. CERVANTES, núm. 312.

FERNÁN GONZÁLEZ.
39. Hämel, A.: "Das älteste Drama
vom Conde Fernán González."
HomBonilla (1930), II, 383-96.
   [La libertad de Castilla por el
Conde Fernán González, atribuída a
Hurtado de Velarde, es anterior a
la comedia de Lope, El Conde Fernán
González. Lope no empleó aquélla
por fuente, sino que los dos autores se aprovecharon de fuentes co-
munes: la Crónica y los romances].

FERNÁNDEZ VALLEJO, FELIPE.
40. Gillet, J. E.: "The 'Memorias'
of Felipe Fernández Vallejo and the
History of the Early Spanish Drama."
HomBrown (1940), págs. 264-80.

FERREIRA, ANTONIO.
   V. BERMÚDEZ, núm. 204.

FLÉRIDA.
41. Spaulding, R. K.: "And Who is
Flérida?"
HR, VI (1938), 76-77.
   [Señala la mención de este nombre
por Garcilaso de la Vega, Góngora,
Leonardo de Argensola y Gil Vicente,
y se pregunta si quizá sea una alu-
sión clásica].

FOLK PLAYS.
41A. Austin, Mary.: "Folk Plays of
the Southwest."
TAM, XVII (1933), 599-606.
   [Sobre el desarrollo en América
de obras españolas, como el Auto de
los Reyes Magos, Los pastores, comedias de "moros y cristianos,"
etc.].

FONDATORE.
42. Levi, Cesare: "Il fondatore del
teatro spagnuolo."
RTI, I (1901), 121-28.
   [Reimpreso en sus Studi di teatro,

págs. 51-62 (GENERAL II, LIBROS,
núm. 1682B). Trata de Lope de Rue-
da].

FONOLOGÍA.
V. PHONOLOGY.

FONTE.
V. BOCCACCIO.

FRAGMENTOS.
V. FARSA.

FRANCIA.
V. CELESTINA, GIL VICENTE.

FROHNLEICHNAMSSPIEL.
V. "DANZA DE LA MUERTE".

GANASA, ALBERTO.
V.t. GENERAL II, LIBROS, núm. 1770.

——.
43. Cotarelo y Mori, E.: "Noticias
biográficas de Alberto Ganasa, cómico famoso del siglo XVI."
RABM, XIX (1908), 42-61.

——.
43A. Baffi, Mariano: "Una figura
del teatro dell'Arte: Ganassa."
ARANap, XVIII (1938), 159-73.

GARCILASO DE LA VEGA.
V. el núm. 41.

GARÍN, JUAN.
V.t. LIBROS, MIQUEL Y PLANAS (187).

——.
44. González Palencia, A.: "Precedentes islámicos de la leyenda de
Garín."
Al-And, I (1933), 335-54.
[Es el asunto de El Monserrate
de Virués].

——.
45. Cossío, Francisco de: "La leyenda de Juan Guarín y el monstruo
de Cataluña."
RNE, (1942), no. 24, págs. 31-56.
[El Monserrate de Virués y las
versiones sucesivas. Estudio del
drama de fines del siglo XVI o de
principios del XVII].

GAYFEROS, ROMANCES DE.
V. ANÓNIMAS, "Comedia que trata
del rescate del alma" (120).

GÉNESIS.
V. IRANZO (50), ORÍGENES (76).

GERONA.
V. LITÚRGICO (55).

GITANOS.
V. GENERAL II, GITANERÍA.

GÓNGORA, LUIS DE.
V. el núm. 41.

GRACIOSO.
V. COMIC TYPES; CERVANTES; LOPE DE
VEGA, núm. 3873.

GRUNDZÜGE.
46. Pfandl, Ludwig: "Grundzüge des
spanischen Dramas vor Lope de Vega."
GRM, XIV (1926), 201-21.
[En la RBAM, IV (1927), 241, se
pone von en vez de vor. El error
se repite en el Ensayo de una bibliografía ... de Lope de Vega, de José
Simón Díaz y Juana de José Prades,
y en la bibliografía de Homero Se-
rís].

GUARÍN, JUAN.
V. GARÍN, JUAN.

HALLAZGO LITERARIO.
V. LLABRÉS, MANUSCRITO DE.

HISTÓRICO.
47. Fernández-Guerra, Aureliano:
"Primer drama histórico español de
asunto nacional, representado en
1524, hoy completamente desconocido."
RevHA, III (1881), 179-93; IV (1882),
21-43, 499-521; VI (1882), 5-25,
321-37; VII (1882), 172-91, 481-500;
VIII (1882), 321-40; IX (1882),
339-56, 613-24.
[Historia de Santa Orosia de Bartolomé Palau. El texto principia
en VII, 172. Reimpreso en su libro
Caída y ruina del imperio visigótico ... V. LIBROS, núm. 181].

——.
48. Arroyo, Isaías: "El teatro histórico español antes de Lope de Vega."

Contemp, VII, no. 26 (feb, 1935),
230-36.
  [V.t. LOPE DE VEGA, núm. 3223].

HISTRIONISMO.
  V. GENERAL II, HISTRIONISMO.

HONOR.
  V. ORÍGENES (75); CERVANTES; GENE-
RAL II.

HUERTA DE DOÑA ELVIRA.
  V. GENERAL II, CORRAL DE DOÑA EL-
VIRA.

HUESCA, CATEDRAL DE.
  V. GENERAL II.

"INEZ DE CASTRO".
  V. BERMÚDEZ, núm. 204.

INQUISICIÓN.
  V. CELESTINA; GIL VICENTE.

INTERMEZZO.
  V. BOCCACCIO.

INTROITO.
49. Meredith, Joseph A.: "Introito
and Loa in the Spanish Drama of the
Sixteenth Century."
UPRLL, no. 16 (1925). Pp. 134.
a) G. Cirot, BH, XXXIII (1931),60-62.
b)E. Fey, LGRP, LII (1931), 451-52.
c) G.T. Northup, ModPhil, XXVIII
   (1930-31), 500.

IRANZO, MIGUEL LUCAS DE.
50. Aubrun, C. V.: "La chronique de
Miguel Lucas de Iranzo. I: Quelques
  clartés sur la genèse du théâtre
en Espagne."
BH, XLIV (1942), 40-60.

ISLÁMICO.
  V. GARÍN, JUAN (44).

ITALIA.
  V. BRAGGART; LIBROS, MAZZEI (185);
CELESTINA; LOPE DE RUEDA; GIL VICEN-
TE.

JEUX D'ESPRIT.
  V. DISPARATES.

KÖNEN, ADOLF VON.
  V. NUMANCIA.

LACUNES.
  V. RELIGIOSO (88).

LAFONTAINE, JEAN DE.
  V. GIL VICENTE.

LATÍN, OBRAS EN.
  V.t. "LIBER PANPHILI"; ANÓNIMAS,
núm. 116; CELESTINA, núm. 224.

———.
51. Costa, Joaquín: "Poesía dramática hispano-latina, y forma de la
poesía celto-hispana."
RdE, LXXIX (1881), 229-45.
  [La dramática termina en la pág.
236].

LAZARILLO DE TORMES.
  V. GENERAL II, COMENTARIOS (927).

LENGUAJE.
  V.t. PHONOLOGY; LUCAS FERNÁNDEZ;
TORRES NAHARRO; GIL VICENTE, TEMAS;
LINGUAGEM; OBRAS: "FARÇA DE INÊS
PEREIRA" (759), "CÔRTES DE JÚPITER"
(741).

———.
52. Gillet, J. E.: "Notes on the
Language of the Rustics in the Drama of the Sixteenth Century."
HomMenPidalA (1925), I, 443-53.

LENGUAS.
  V. PICARDO, SIBILA (97), VALENCIANO.

LEO X, EL PAPA.
53. Gabotto, Ferdinando: "Un comme-
diografo spagnuolo alla corte di
Leone X."
GazLett, XIII (1889), 130-31.
  [Torres Naharro].

LEÓN, CATEDRAL DE.
  V. SIBILA (99).

LEÓN, FRAY LUIS DE.
  V. CELESTINA, núm. 278.

"LIBER PANPHILI".
54. Bonilla y San Martín, Adolfo:
"Una comedia latina de la Edad Media
(El "Liber Panphili"). Reproducción
de un manuscrito inédito, y versión
castellana."
BAH, LXX (1917), 395-467.

LÍRICA.
V. POESÍA LÍRICA.

LITÚRGICO, TEATRO.
V.t. CONSUETA, PASCUAL; DIEGO DE
SAN PEDRO; GIL VICENTE, OBRAS,"AUTO
DA CANANEIA" (737).

———.
55. Girbal, Enrich Claudio: "Noticias de las antiguas representaciones litúrgicas o autos sacramentales
en Gerona."
RevGer, V (1881), 182-91.

———.
56. Gérold, Th.: "Les Drames litur-
giques médiévaux en Catalogne."
RevHPR, XVIe année (1936), 429-44.

LOA.
V. INTROITO.

LUCENA, JUAN DE.
V. CELESTINA, núm. 226.

LUJÁN, MICAELA DE.
V. ACTRICES.

LLABRÉS, MANUSCRITO DE.
V.t. CONSUETA (22); ANÓNIMAS, núms.
124-27.

———.
57. Llabrés, Gabriel: "Un hallazgo
literario interesante."
BSAL, Año II, tomo III (1887),53-55.
[Anuncio de su descubrimiento de
un manuscrito de piezas dramáticas
antiguas. Incluye el texto de "Co-
bles del deuallament de la creu,
ques fa cade any en la seu de Ma-
lorca"].

———.
58. Shoemaker, W. H.: "The Llabrés
Manuscript and its Castilian Plays."
HR, IV (1936), 239-55.
[Descripción de su contenido, que
incluye una versión variante de la
Obra del pecador de Aparicio, el
Auto de la quinta angustia, Auto de
la oveja perdida y Auto del Nasci-
miento de Timoneda].

MADRE DE DIOS, CONVENTO DE.
V. CORPUS CHRISTI (23).

MAERLANT, JACOB VAN.
V. ANÓNIMAS, "MASCARÓN".

MALLORCA.
V. CONSUETA, ORÍGENES (74), SIBILA
(100).

MANRIQUE, GÓMEZ.
V. RELIGIOSO (88).

MANRIQUE, JORGE.
V. CELESTINA, núm. 268.

MANUSCRITO.
V. "LIBER PANPHILI", LLABRÉS.

MARY BALDWIN COLLEGE.
V. el núm. 537.

MASSINGER, PHILIP.
V. CERVANTES.

"MEASURE FOR MEASURE".
V. SHAKESPEARE.

MEDICINA, MÉDICOS.
V. CELESTINA; GIL VICENTE.

MEDIEVAL.
V. LITÚRGICO (56), RELIGIOSO (89
y 90); LIBROS: CONTINI, CHAMBERS,
YOUNG.

"MEMORIAS".
V. FERNÁNDEZ VALLEJO, FELIPE.

MEMORIAS DE ULTRATUMBA.
V. REPRESENTACIÓN (92).

"MERLIJN".
V. ANÓNIMAS, "MASCARÓN".

MEXÍA, PERO.
V. CERVANTES, núm. 355.

MÉXICO. (V.t. COLECCIONES, núm. 167).
59. Caillet-Bois, Julio: "Las primeras representaciones teatrales
mexicanas."
RFH, I (1939), 376-78.

———.
60. Corbató, Hermenegildo: "Misterios y autos del teatro misionero
en Méjico durante el siglo XVI y
sus relaciones con los de Valencia."
ACCV, Anejo I (1949). Pp. 23.

MIGAJAS LITERARIAS.
V. DÍAZ TANCO, núm. 429.

MILES GLORIOSUS.
V. BRAGGART.

MISIONERO, TEATRO.
V. MÉXICO (60).

MISTERIOS.
V.t. CERVERA, MÉXICO, ORÍGENES (74);
GENERAL II, núm. 1166.

————.
61. Graf, Arturo: "Il Mistero e le
prime forme dell' Auto sacro in
Ispagna."
En sus Studii drammatici, págs. 251
a 325 [V. GENERAL II, LIBROS (1653).

————.
62. Garrison, W. E.: "A Surviving
Mystery Play: Primitive Religious
Drama on the American Frontier."
JR, VII (1927), 225-43.
[Sobre una pieza llamada Los pastores, que se presentaba por varias
noches antes de Navidad en Santa Fe,
Las Vegas y otros lugares. Es posible que haya sobrevivido desde el
siglo XVI. Garrison presenta también su traducción del drama].

MOLIÈRE.
V.t. GIL VICENTE, núm. 674.

————.
63. Bock, N.: "Molière's Amphitrion
im Verhältnis zu seinen Vorgängern."
ZFSL, X (1888), 41-92.
[El de Pérez de Oliva en las págs.
86-88].

MONTEMÔR (MONTEMAYOR), JORGE DE.
V. GIL VICENTE.

MONTSERRAT.
V. LIBROS, los núms. 187 y 193.

MOORISH JARGON.
V. PHONOLOGY.

MORATÍN, LEANDRO FERNÁNDEZ DE.
V.t. CASTILLEJO, núm. 211.

————.
64. Spaulding, R. K.: "The Text of

Moratín's Orígenes del teatro español."
PMLA, XLVII (1932), 981-91.

MOROS.
V. PHONOLOGY.

"MOROS Y CRISTIANOS," COMEDIAS DE.
V. el núm. 41A.

MOSCHUS.
V. GENERAL II, núm. 1287.

MULTIPLE STAGE.
V. LIBROS, núm. 194.

MÚSICA.
V.t. CELESTINA (223); JUAN DEL
ENCINA; GIL VICENTE.

————.
65. Salazar, Adolfo: "Music in the
Primitive Spanish Theatre before
Lope de Vega."
AMS, (1938), 94-108.
[Reproducido, en español, en
BIMMF, I (1940), no. 1, págs. 21-34].

NADIE.
66. Schevill, Rudolph: "Cuatro palabras sobre 'Nadie'."
RevCritHisp, I (1915), 30-37.
[V.t. LOPE DE RUEDA, núm. 541].

NARDI, JACOPO.
V. CELESTINA, ITALIA (259).

NAVIDAD.
V.t. SIBILA; GIL VICENTE, NATAL.

————.
67. Gil Álvarez, Felipe: "Navidad
en el teatro de Castilla."
Haz, no. 9 (dic, 1943), 24-25.
[Estudia el autor los comienzos
del teatro en Castilla y los primeros dramaturgos: Gómez Manrique,
Juan del Encina, Lucas Fernández,
Gil Vicente].

NEGROS.
V.t. PHONOLOGY; GIL VICENTE, PRETOS.

————.
68. Marquina, R.: "El negro en el
teatro español antes de Lope de
Vega."
Ultra, IV (1938), 555-68.

NOËL, NUIT DE
V. SIBILA (100).

NUEVA ESPAÑA.
V.t. COLECCIONES, núm. 167.

———.

69. Rojas Garcidueñas, José: "Piezas
teatrales y representaciones en Nueva España en el siglo XVI."
RLM, I (1940), 148-54.

NUMANCIA.
70. Vera, Vicente: "Numancia."
IEA, XLIX (1905), t. 2, págs. 154-55.
   [Inauguración del monumento; ex-
cavaciones hechas por Schulten y
Kónen, etc.].

OBISPILLO.
V.t. LIBROS, núms. 180 y 193;
GENERAL II, LIBROS, núm. 1770.

———.

71. Girbal, Enrich Claudio: "El
obispillo de Inocentes."
RevGer, V (1881), 459-64.

72. Crawford, J.P.W.: "A Note on
the Boy Bishop in Spain."
RR, XII (1921), 146-54.

ONOMATOPEYA.
V. GIL VICENTE, OBRAS, "CÔRTES DE
JÚPITER" (742).

"ORABI, ESTE ES CALBI".
V. CANCIÓN.

ORIENTAL.
V.t. ORÍGENES (75).

———.

73. Wann, Louis: "The Oriental in
Elizabethan Drama."
ModPhil, XII (1914-15), 423-47.
   [Menciona a Cervantes].

ORÍGENES.
V.t. IRANZO, NAVIDAD, RELIGIOSO
(88-90), SIGLOS XII Y XIII; LIBROS,
BONILLA, CHAMBERS, MÉRIMÉE, MORATÍN,
YOUNG; JUAN DE LA CUEVA, LIBROS,
núm. 421; JUAN DEL ENCINA (443-44);
LLERENA (482); GENERAL II, LIBROS,
LISTA (1687).

ORÍGENES (cont.).
74. Milá y Fontanals, M.: "Orígenes
del teatro catalán."
En sus Obras completas, VI, 203-311;
con 7 apéndices, págs. 315-79.
   [Contenido: 1) Misterios, 205;
2) Representaciones profanas, 232;
3) Entremeses, 245; 4) Danzas, 256;
5) El canto de la Sibila en lengua
de oc, 294; Apéndices (reimpresos
de diversos periódicos): I) J. M.
Quadrado, "Un misterio catalán del
siglo XIV," pág. 315; II) C. Vidal
y Valenciano, "El Tránsito y la
Asunción de la Virgen, drama litúrgico," 324; III) "Texto del Misterio de Elche," 341; IV) "Un milacre
de San Vicente Ferrer," 348; V) J.M.
Quadrado, "Fragmento de un misterio
Castellano representado en Mallorca," 360; VI) Andréu Balaguer, "De
las antigas representacions dramáticas y en especial dels entremesos
catalans," 362; VII) "Orden de la
procesión del Corpus en Barcelona
en el siglo XV," 374. V. GENERAL
II, LIBROS, núm. 1709].

———.

75. Dieulafoy, M.: "Les origines
orientales du drame espagnol. L'a-
mour, la jalousie, l'honneur, le
point d'honneur."
Corr, CCXXIII (1906), 880-908.

———.

76. Eyzaguirre Rouse, G.: "Génesis
del teatro español."
AUCh, CXXIV (1909), 1ª serie, págs.
163-79.
   [Celestina, Juan del Encina, gene-
ralidades].

———.

77. Toro y Gómez, M. de: "Orígenes
del teatro español."
RUBA, XXXI (1915), 425-32.

———.

78. Aubrun, Charles V.: "Sur les
débuts du théâtre en Espagne."
HomMartinenche (1939), págs. 293-314.

"OXTE".
V. GIL VICENTE, núm. 643.

PANPHILI.
V. "LIBER PANPHILI" (54).

PASCUAL.
V. ENTREMÉS (34).

PASIÓN.
V. CERVERA (19), SEVILLA (95).

PASTOR.
V. RELIGIOSO (91).

PASTORAL.
V. GENERAL II, núm. 1320.

PAVÍA, BATALLA DE.
V. ORTIZ, núm. 494.

PETRARCA, FRANCESCO.
V.t. CERVANTES, "ESCONDIG" (307).

————.
79. Sorrento, Luigi: "I 'Trionfi'
del Petrarca 'a lo divino' e l'alle-
goria religiosa negli 'Autos'."
HomBonilla (1930), II, págs. 397-435.
a) G. Montagna, LeoM, III (1932),
352-53.

PHONOLOGY.
80. Sloman, Albert E.: "The Phonology of Moorish Jargon in the Works
of Early Spanish Dramatists and
Lope de Vega."
MLR, XLIV (1949), 207-17.
[V.t. GIL VICENTE, núm. 741].

————.
81. Chasca, E. V. de: "The Phonology
of the Speech of the Negroes in
Early Spanish Drama."
HR, XIV (1946), 322-39.

PICARDO.
V. GIL VICENTE, OBRAS, AUTO DAS
FADAS.

PICARESCO.
V. GENERAL II, LIBROS, núm. 1718.

PÍCARO.
82. Crawford, J.P.W.: "The Pícaro
in the Spanish Drama of the Sixteenth Century."
HomSchelling (1923), págs. 107-16.

PLAUTO.
V. LIBROS, GRISMER (183); PÉREZ DE
OLIVA, TEATRO (510); TORRES NAHARRO
(575-76).

POESÍA LÍRICA.
83. Costa, Joaquín: "La poesía lírica y dramática en España durante la
Edad Antigua."
RdE, LXXIX (1881), 88-104.
[La dramática principia en la pág.
97].

POETA.
84. Flores García, Francisco: "La
vida literaria. Poeta y sacerdote."
IEA, LIV (1910), t. 1, págs. 254-55,
258.
[Acerca de Juan del Encina].

PORTUGUESE DRAMA.
V. GIL VICENTE, núm. 695.

PRE-LOPEAN.
85. Bell, Aubrey F. G.: "Pre-Lopean
Spanish Drama."
BSS, XV (1938), 49-52.
[Sobre la segunda edición de Spanish Drama Before Lope de Vega (V.
núm. 104)].

"PRIMALEÓN".
V. GENERAL II, DRAMATIZACIÓN.

PRIMER TEATRO.
V. VALENCIA.

"PROCESSION DES PROPHÈTES".
V. SIBILA (100).

PROVERBIOS.
V. GIL VICENTE.

PULLAS.
86. Crawford, J.P.W.: " 'Echarse
pullas'. A Popular Form of Tenzone."
RR, VI (1915), 150-64.

RARE.
87. Heaton, H. C.: "A Volume of
Rare 16th Century Spanish Dramatic
Works. "
RR, XVIII (1927), 339-45.
[Contiene obras de Encina, Hurtado de Toledo, Salazar, Torres Naharro y Uceda de Sepúlveda. V.t. el
núm. 164].

RELIGIOSO, DRAMA.
V.t. DIABLO (30), PETRARCA, SAGRA-
DO; LIBROS (175,196), ENCINA (447-48).

RELIGIOSO, DRAMA (cont.).

88. Cirot, Georges: "Pour combler les lacunes de l'histoire du drame religieux en Espagne avant Gómez Manrique."
BH, XLV (1943), 55-62.

———.

89. González, Raimundo: "El teatro religioso en la Edad Media."
CD, CXV (1918), 177-85; CXVI (1919), 5-14; CXVII (1919), 89-100; CXIX (1919), 365-73; CXX (1920), 331-38; CXXII (1920), 41-48; CXXIII (1920), 443-54.
[1] "Las representaciones escolares," t. CXVI; 2) "Los misterios franceses," t. CXVII-CXX; 3) "Los misterios cíclicos," t. CXXII-CXXIII].
a) BRAE, VII (1920), 548-51.

———.

90. Parker, A. A.: "Notes on the Religious Drama in Mediaeval Spain and the Origins of the Auto Sacramental."
MLR, XXX (1935), 170-82.

———.

91. Crawford, J.P.W.: "The Pastor and Bobo in Spanish Religious Drama of the Sixteenth Century."
RR, II (1911), 376-401.

REPRESENTACIÓN.
V.t. MÉXICO (59), NUEVA ESPAÑA, ORÍGENES (74), STAGING; LIBROS, SCHMIDT (192); MANRIQUE, núm. 485.

———.

92. Rúa Figueroa, Juan: "Otras memorias de ultratumba. Una representación dramática en el siglo XVI."
SemPintEsp, (1852), 39-40.

RISE OF A DRAMATIC FORM.
V. ENTREMÉS (36).

RUFIÁN.
V. BRAGGART (15).

RUIZ, JUAN.
V. CELESTINA, núm. 287.

RUSTICS.
V. LENGUAJE.

SACERDOTE.
V. POETA.

SAFO.
V. CELESTINA, núm. 278.

SAGRADO.
93. Martins, Mário: "Teatro sagrado na nossa idade-média."
Brot, L (1950), 140-53. [V. 1697B].

SALAMANCA.
V. PÉREZ DE OLIVA, núms. 506-07.

SALAS BARBADILLO, ALONSO JERÓNIMO DE.
V. CELESTINA, núm. 279.

SAN GREGORIO.
V. GIL VICENTE, núm. 724.

SAN VICENTE FERRER.
V. ORÍGENES (74).

SANCHO PANZA.
V. COMIC TYPES, núm. 21.

SANTA CATALINA DE SIENA.
V. GIL VICENTE, SONETO (684).

SANTA OROSIA.
V. HISTÓRICO (47).

SÁTIRA.
V. GIL VICENTE, núm. 616.

SAVONAROLA, GIROLAMO.
V. GIL VICENTE, núm. 656.

SAYAGUÉS.
V. LUCAS FERNÁNDEZ, núm. 464; GENERAL II, SAYAGUÉS. (V.t. núm. 52).

SCHULTEN, ADOLF.
V. NUMANCIA (70).

SEISES.
V.t. GENERAL II, LIBROS, MORALEDA Y ESTEBAN (1720), ROSA Y LÓPEZ (1766B).

———.

94. Trend, J. B.: "The Dance of the Seises at Seville."
MandL, II (1921), 10-28.

SÉNECA.
V. BERMÚDEZ (204), CELESTINA (280),

JUAN DE LA CUEVA (409), VIRUÉS (798).

SEVILLA.
V.t. CORPUS CHRISTI (24), SEISES (94); LIBROS, LÓPEZ MARTÍNEZ (184).

————.
95. Pfandl, L.: "Ein Passionsspiel in Sevilla."
ASNSL, CXLIX (1926), 84.
[Referencia a una pieza dramática de 1579].

SHAKESPEARE, WILLIAM.
V.t. CERVANTES (316-19).

————.
96. Crawford, J.P.W.: "A Sixteenth Century Analogue of Measure for Measure."
MLN, XXXV (1920), 330-34.
[El degollado de Juan de la Cueva].

SIBILA.
V.t. ORÍGENES (74); GIL VICENTE, OBRAS, "SIBILA CASSANDRA".

————.
97. Milá y Fontanals, M.: "El Canto de la Sibila en lengua de oc."
Rom, IX (1880), 353-65.
[Reimpreso en sus Obras completas, VI, 294-308; "Adiciones," págs, 308 a 311. V. ORÍGENES (74) y GENERAL II, LIBROS (1709)].

————.
98. Anglès, H.: "El Cant de la Sibila."
ViCri, IV (1917), 65-72.

————.
99. Rodríguez, Raimundo: "El Canto de la Sibila en la catedral de León."
ArLeon, I (1947), 9-29.

————.
100. Aebischer, Paul: "Un ultime écho de la 'Procession des prophètes': Le Cant de la Sibil·la de la Nuit de Noël à Majorque."
HomCohen (1950), págs. 261-70.

SIGLOS (menos el XVI) ESPECIFICADOS

EN TÍTULOS.
XII-XIII: V. los núms. 101-03.
XIV: AUTO (7), ORÍGENES (74).
XV: CORPUS CHRISTI (24), ORÍGENES (74), TESTO (108).

SIGLOS XII-XIII.
101. Loomis, Roger S.: "Some evidence for Secular Theatres in the XIIth and XIIIth Centuries."
TAnn, IV (1945), 33-43.

————.
102. Loomis, R. S. y Cohen, Gustave: "Were There Theatres in the 12th and 13th Centuries?"
Spec, XX (1945), 92-98.

————.
103. Bigongiari, Dino: "Were There Theaters in the 12th and 13th Centuries?"
RR, XXXVII (1946), 201-24.

SILUETAS ESCÉNICAS DEL PASADO.
V. ACTRICES.

SINALEFA.
V. ANÓNIMAS, REYES MAGOS (150).

SOBRENATURAL.
V. CUEVA, SUPERNATURAL (412).

SOCIAL CUSTOMS.
V. GENERAL II, LIBROS, CRANE (1606).

SÓFOCLES.
V. PÉREZ DE OLIVA, núm. 510.

SOLDADO FANFARRÓN.
V. BRAGGART.

SOUTHWEST (EE. UU.).
V. FOLK PLAYS (41A).

SPANISH DRAMA.
V.t. PRE-LOPEAN.

————.
104. Crawford, J.P.W.: "Spanish Drama Before Lope de Vega."
UPRLL, Extra no. 7 (1922). Pp. 198.
a) S.G. Morley, MLN, XXXVIII (1923), 295-99.
b) W. Entwistle, MLR, XIX (1924), 248-49.
c) A.H. Krappe, ARom, VIII (1924), 178-80.

Spanish Drama (cont.).
d) G. Cirot, BH, XXVII (1925),
   358-61.
e) W. von Wurzbach, LGRP, XLVI
   (1925), 372-74.
f) Se presenta la tabla del contenido en "Notas bibliográficas,"
   BRAE, XI (1924), 101.
2ª edición, 1937; pp. x-211.
g) J.E. Gillet, RR, XXX (1939), 80.
h) J.T. Reid, Hisp, XX (1937), 296.
i) Frida Weber, RFH, V (1943), 180
   a 182.
j) A. Kuhn, ZRP, LX (1940), 319-20.
k) R.E. House, HR, VI (1938),270-71.
m) W.K. Jones, BAbr, XII (1938),
   113-14.
n) A.A. Parker, MLR, XXXIII (1938),
   465.
p) H.G. Doyle, MLJ, XXII (1937),149.

STAGE.
V. LIBROS, CHAMBERS, SHOEMAKER.

STAGING.
105. Williams, Ronald B.: "The Staging of Plays in the Spanish Peninsula prior to 1555."
UISSL, no. 5 (1935). Pp. 142.
a) W.H. Shoemaker, MLN, LI (1936),
   59-61.
b) E.B. Place, MLJ, XX (1935-36),
   371-72.

STROPHES.
106. Morley, S. G.: "Strophes in the
Spanish Drama before Lope de Vega."
HomMenPidalA (1925), I, 505-31.

———.

107. Morley, S. G.: "Strophes in the
Spanish Drama before Lope de Vega.
Postscript."
RFE, XII (1925), 398-99.

SUPERNATURAL.
V. JUAN DE LA CUEVA, núm. 412.

TALAVERA DE LA REINA.
V. CELESTINA, núm. 282.

TEBALDEO, ANTONIO.
V. ENCINA, núms. 454-55; FIGUEROA,
núm. 468.

TELEGRAFÍA.
V. PÉREZ DE OLIVA, núm. 508.

TENZONE.
V. PULLAS.

TERENCIO.
V. TORRES NAHARRO, núm. 574.

TESTO.
108. Miola, A.: "Un testo drammatico spagnuolo del XV secolo."
HomCaix-Canelle (1886), págs.175-89.
[Texto del "Diálogo entre el amor
y un viejo" de Rodrigo Cota].

TOLEDO.
V.t. GENERAL II, LIBROS, MILEGO.

———.

109. Álvarez Gamero, Santiago: "Las
fiestas de Toledo en 1555."
RevHisp, XXXI (1914), 392-485.

TOTENTANZ.
V. "DANZA DE LA MUERTE".

"TRIONFI, I"
V. PETRARCA (79).

ULTRATUMBA.
V. REPRESENTACIÓN (92).

"UXTIX".
V. GIL VICENTE, núm. 643.

VALENCIA.
V.t. CORPUS CHRISTI (25), MÉXICO
(60); ANÓNIMAS, ELCHE, MISTERIO DE
(136); LIBROS, MÉRIMÉE (186); LOPE
DE RUEDA, núm. 529.

———.

110. Rubió Balaguer, Jordi: "Sobre
el primer teatre valencià."
BSCC, XXV, t. 2 (1949), 367-77.
[No trata de ningún teatro espe-
cífico].

VALENCIANO.
V. TORRES NAHARRO, núm. 584.

VALLADOLID.
V. LOPE DE RUEDA, núms. 530-31.

VEGA, LOPE DE.
V. AUTO (8), DIABLO (30), GRUND-
ZÜGE (46), HISTÓRICO (48), MÚSICA
(65), NEGROS (68), PHONOLOGY (80),
PRE-LOPEAN (85), SPANISH DRAMA
(104), STROPHES (106-07).

VERSIFICACIÓN.
 V. STROPHES (106-07), ANÓNIMAS,
REYES MAGOS (148-49), CUEVA (413).

VICE.
111. Allison, Temple E: "The 'Vice'
in Early Spanish Drama."
Spec, XII (1937), 104-09.

VILLANCICO.
 V.t. CELESTINA (288), ENCINA (449-
450), VICENTE (709).

———.

112. St. Amour, Mary Paulina: "A
Study of the Villancico up to Lope
de Vega: Its Evolution from Profane to Sacred Themes and Specifi-
cally to the Christmas Carol."
CUSRL, XX (1940). Pp. x-131.
a) J.E. Gillet, HR, IX (1941), 410
   a 411.
b) G. Cirot, BH, XLII (1940), 253-58.

VIRGEN MARÍA.
 V. VICENTE (710).

VIRGEN MARÍA, TRÁNSITO Y ASUNCIÓN.
 V. ORÍGENES (74); ANÓNIMAS (130-32).

"VRAYE DIDÓN, LA"
 V. BOISROBERT.

WEDDING.
113. Crawford, J.P.W.: "Early Spanish Wedding Plays."
RR, XII (1921), 370-84.

WINDOWS.
114. Shoemaker, W. H.: "Windows on
the Spanish Stage in the Sixteenth
Century."
HR, II (1934), 303-18.

WIRSUNG, CHRISTOF.
 V. CELESTINA, LIBROS, FEHSE (289).

WITCHCRAFT.
115. Berzunza, Julius: "Notes on
Witchcraft and Alcahuetería."
RR, XIX (1928), 141-50.
 [Se refiere especialmente a Celes-
tina].

ZAMBERTI, BARTOLOMEO.
 V. TORRES NAHARRO, núm. 577.

ANÓNIMAS

"AMORES DEL ALMA CON EL PRÍNCIPE DE
LA LUZ, LOS".
 V. COLECCIONES, KEMP.

"ATE RELEGATA ET MINERVA RESTITUTA".
116. Morel-Fatio, A.: "Ate relegata
et Minerva restituta. Comédie de
collège représentée à Alcalá de Henares en 1539 ou 1540."
BH, V (1903), 9-24.
 [Atribuída a Juan Pérez. Reimpreso en sus Etudes sur l'Espagne
(Troisième série), págs, 109-37.
 V. GENERAL II, LIBROS, núm. 1722].

"AUTO DE LA HUÍDA DE EGIPTO".
117. Auto de la huída de Egipto.
Ed. Justo García Morales. Madrid:
Tall. Gráf. "Marsiega," 1948. Pp.
xxxiv-36.
a) J.A. Pérez-Rioja, RABM, LVI
   (1950), 734-36.

"AUTO DE LA OVEJA PERDIDA".
 V. TEMAS, LLABRÉS (58); TIMONEDA,
OBRAS.

"AUTO DE LA QUINTA ANGUSTIA".
 V. TEMAS, LLABRÉS (58); TIMONEDA,
OBRAS.

"AUTO DE LA SOBERANA VIRGEN DE GUA-
DALUPE".
 V. GENERAL II: TEMAS, GUADALUPE;
LIBROS, SÁNCHEZ ARJONA (1770).

"AUTO DE LOS REYES MAGOS".
 V. "REYES MAGOS, AUTO DE LOS".

"CASTILLO DE LA FEE, EL".
 V. COLECCIONES, BUCK.

"CAUTIVOS, LOS".
118. Paz y Melia, A.: "Los cautivos."
RABM, XXI (1909), 536-54.
 [Comedia de cuatro jornadas, anterior a Lope de Rueda].

"COMEDIA A LO PASTORIL PARA LA NOCHE
DE NAVIDAD".
119. Crawford, J.P.W.: "Comedia a
lo pastoril para la noche de Navidad. A Spanish Religious Play of
the Sixteenth Century."

"COMEDIA A LO PASTORIL... (cont.).
RevHisp, XXIV (1911), 497-541.
[El texto está incluído].

"COMEDIA DE BUENA Y SANTA DOCTRINA".
V. COLECCIONES, TYRE.

"COMEDIA DELNACIMIENTO Y VIDA DE
JUDAS".
V. COLECCIONES, TYRE.

"COMEDIA DOLERIA".
V. FARIA, núm. 461; GENERAL II,
BÉLGICA.

"COMEDIA FENISA".
V. COLECCIONES, BONILLA Y SAN MAR-
TÍN.

"COMEDIA QUE TRATA DEL RESCATE DEL
ALMA".
120. Allen, Clifford G.: "The Comedia que trata del rescate del alma
and the 'Gayferos' Ballads."
HomFlügel (1916), págs. 52-58.

"COMEDIA YNTITULADA DEL TIRANO RREY
CORBANTO".
121. Laas, Ilsa G. Probst (ed.):
"Comedia yntitulada del Tirano Rrey
Corbanto."
UISSL, no. 2 (1931). Pp. 111.
a) E.B. Place, Hisp, XV (1932),
413-14.
b) M.G., RFE, XVIII (1931), 397.

————.
122. Marinoni, A.: "Some Notes on
La comedia del Tirano Rey Corbanto."
PQ, XII (1933), 310-14.
[Sobre la edición de Laas].

"COMEDIA YPOLITA".
123. Douglass, Philip Earle: The
Comedia Ypolita, edited with introduction and notes. Philadelphia,
1929. Pp. 98.
a) G. Cirot, BH, XXXII (1930),
420-21.

"CONSUETA DE LA NIT DE NADAL".
124. Llabrés, Gabriel: "Consueta de
la Nit de Nadal."
BSAL, Años XXX-XXXI, tomo XV (1914-
1915), 38-46.
[Texto sacado del manuscrito descubierto por Llabrés].

"CONSUETA DE LA REPRESENTATIO DE LA
TENTACIÓ..."
125. Llabrés, Gabriel: "Consueta de
la representatio de la tentació que
fonch feta a nro. sr. Xpt. ara nova-
ment feta per lo reverend para fra
Cardils, mestre en theologia."
RABM, XIII (1905), 127-34.
[Texto reproducido del manuscrito
descubierto por Llabrés].

"CONSUETA DE SANT JORDI".
126. Llabrés, Gabriel: "Consueta de
Sant Jordi."
BSAL, Año V, tomo III (1889), 57-63.
[Texto reproducido del manuscrito
descubierto por Llabrés].

"CONSUETA DEL JUY".
127. Llabrés, Gabriel: "Consueta del
Juy."
RABM, VI (1902), 456-66.
[Del manuscrito descubierto por
Llabrés].

"CONVERSIÓN DE SANT PABLO".
V. COLECCIONES, BUCK; GENERAL II,
núm. 932.

"DEGOLLACIÓN DE SANT JHOAN, LA".
V. COLECCIONES, KEMP.

"DISPUTA DEL ALMA Y EL CUERPO".
V. REYES MAGOS (147).

"ÉGLOGA DE LA RESURRECCIÓN".
V. "TRES PASOS DE LA PASIÓN" (161).

"ÉGLOGA INTERLOCUTORIA".
V. COLECCIONES, KOHLER; ENCINA,
OBRAS.

"ÉGLOGA PASTORIL".
V. COLECCIONES, KOHLER.

"ÉGLOGA SOBREL MOLINO DE VASCALON".
128. Gillet, J.E.: "The Egloga sobrel molino de Vascalon."
PQ, V (1926), 87-89.
[Presenta el texto].

"ELCHE, EL MISTERIO DE".
V.t. TEMAS, ORÍGENES (74).

————.
129. Chabás, Roque: "El drama sacro
de la Virgen de Elche."

"ELCHE, EL MISTERIO DE (cont.).
Arch, IV (1890), 203-14.
   [1) El texto, en valenciano (de un manuscrito de 1639); 2) Precedentes del
drama; 3) Antigüedad del drama].

———.
130. Pedrell, Felipe: "La festa d'Elche,
ou le drame lyrique liturgique La Mort
et l'Assomption de la Vierge."
SIMG, II (1900-01), 203-52.
   [V.t. el número siguiente].
a) Léo Rouanet, RevHisp, VIII (1901),
   540-42.

———.
131. Pedrell, Felipe: La festa d'Elche,
ou le drame lyrique liturgique espagnol.
Le Trépas et l'Assomption de la Vierge.
Conférence composée pour les Fêtes musicales et populaires de la Schola à Montpellier. Paris: Au Bureau de la "Schola," 1906. Pp. 51.
   [Reimpresión de su artículo aparecido
en SIMG].

———.
132. Pedrell, Felipe: La Festa de Elche,
o el drama lírico-litúrgico. La Muerte
y la Asunción de la Virgen. Traducida
por A. A. S. Elche: Librería Atenea,
1951. Pp. 131, con 16 transcripciones
musicales.
   [Traducción del número 130].

———.
133. Trend, J. B.: "The Mystery of Elche."
MandL, I (1920), 145-57.

———.
134. Pérez Dolz, F.: "El 'Misterio' de
Elche."
BSCC, VI (1925), 13-27.

———.
135. Guillén, J.: "América y el Misteri
de Elche."
CorrErud, II (1941), 47-48.
   [Referencias a "les indies"].

———.
136. Corbató, Hermenegildo: "Notas sobre
El misterio de Elche y otros dramas sa-
grados de Valencia."
Hisp, XV (1932), 103-08.

———.
137. Ratcliff, Dillwyn F.: "The
Mystery of Elche in 1931."
Hisp, XV (1932), 109-66.

"ENTREMÉS DE LOS ROMANCES".
   V. CERVANTES, núms. 309 y 375.

"ENTREMÉS DE REFRANES".
   V. CERVANTES, OBRAS, núm. 360;
GENERAL II, LIBROS, NORTHUP (1727).

"ENTREMÉS DE UN VIEJO QUE ES CASADO
CON UNA MUJER MOZA".
   V. TEMAS: BOCCACCIO (11), ENTRE-
MÉS (33).

"ESTERAS, ENTREMÉS DE LAS".
   V. TEMAS, ENTREMÉS (32).

"FARÇA A MANERA DE TRAGEDIA".
138. Rennert, Hugo A.: "Farça a manera de tragedia (1537)."
RevHisp, XXV (1911), 283-316.

———.
139. Rennert, Hugo A.: "Farça a manera de tragedia."
UPRLL, Extra no. 3 (1914). Pp. 63.

"FARSA SACRAMENTAL..."
140. Serrano y Sanz, M.: "Farsa sacramental compuesta en el año 1521."
RABM, X (1904), 67-71, 447-50.

"GOLONDRINO Y CALANDRIA".
141. Lincoln, George L.: "Golondrino y Calandria: an Inedited Entremés of the Sixteenth Century."
RR, I (1910), 41-49.
   [Incluye el texto].

"HABLADORES, LOS".
   V. CERVANTES, OBRAS (346 y 359);
GENERAL II, LIBROS, NORTHUP (1727).

"HIJO QUE NEGÓ A SU PADRE, UN".
142. Crawford, J.P.W.: "Un hijo que
negó a su padre."
PMLA, XXV (1910), 268-74.
   [Es un entremés del siglo XVI].

"MASCARÓN".
143. Crawford, J.P.W.: "The Catalan
Mascarón and an Episode in Jacob
van Maerlant's Merlijn."

"MASCARÓN" (cont.).
PMLA, XXVI (1911), 31-50.
a) G. Huet, Rom, XLII (1913), 474-75.

"PASTORES, LOS".
V. los núms. 41A y 62.

"REFRANES, ENTREMÉS DE".
V. "ENTREMÉS DE REFRANES".

"RESCATE DEL ALMA, EL".
V. el núm. 120 y COLECCIONES (165).

"REYES MAGOS, AUTO DE LOS".
V.t. TEMAS, núm. 41A; COLECCIONES, TYRE (169), LIBROS, CONTINI (175).

144. Mussafia, Adolfo: "Zum altspanischen Dreikönigsspiel."
JREL, VI (1865), 220-22.

145. Lidforss, V. Eduard: "El Misterio de los Reyes Magos."
JREL, XII (1871), 44-59.
[Está presentado el texto].

146. Hartmann, K. A. Martin: Über das altspanische Dreikönigsspiel.
Bautzen: Kayser, 1879. Pp. 50.
a) V.E. Lidforss, LGRP, I (1880), col. 461-65.
b) G. Baist, ZRP, IV (1880), 443-55.
c) A. Morel-Fatio, Rom, IX (1880), 464-69.

147. Menéndez Pidal, R.: "Disputa del alma y el cuerpo, y Auto de los Reyes Magos."
RABM, IV (1900), 449-62.
[Está presentado el texto].

148. Espinosa, Aurelio M.: "Notes on the Versification of El misterio de los Reyes Magos."
RR, VI (1915), 378-401.

149. Lang, Henry R.: "A Correction on the 'Versification of El misterio de los Reyes Magos' by Aurelio M. Espinosa."
RR, VII (1916), 345-49.

"REYES MAGOS..." (cont.).
150. Espinosa, A. M.: "Synalepha in Old Spanish Poetry; a Reply to Mr. Lang."
RR, VIII (1917), 88-98.

150A. Diez-Canedo, Enrique: "Los Reyes Magos."
En sus Conversaciones literarias, págs. 69-72.
[V. GENERAL II, LIBROS (1620)].

151. Mestres, Apeles: "Els Reys Magos."
BABLB, XI (1923-24), 222-42.

152. Sturdevant, Winifred: "The Misterio de los Reyes Magos: Its Position in the Development of the Medieval Legend of the Three Kings."
JHSRLL, no. 10 (1927). Pp. 130.
a) K. Sneyders de Vogel, Neophil, XIV (1928-29), 217.
b) W. Mulertt, ZRP, LVIII (1938), 428-29.
c) Herbert K. Stone, Rom, LIV (1928), 540-43.

153. Jones, Willis K.: "Auto de los Reyes Magos."
PLore, XXXIX (1928), 306-09.
[Es una traducción inglesa].

154. Giner de los Ríos, F.: "El auto de los Reyes Magos."
TN, I (1940), 242-51.

155. Izquierdo, Juliana: "Auto de los Reyes Magos."
RDTP, I (1945), 731-33.

156. Teresa León, Tomás: "Auto de los Reyes Magos, Paredes de Nava."
RDTP, III (1947), 579-87.

157. González Palencia, Ángel: "Los Reyes Magos en la literatura española."
Consig, no. 96 (enero, 1949), 13-15.

"Reyes Magos..." (cont.).
158. Fernández, J. M.: "Un 'auto'
popular de los Reyes Magos."
RDTP, V (1949), 551-621.

"Romances, Entremés de los".
V. "Entremés de los Romances".

"Sacramento de la Eucaristía".
V. COLECCIONES, Buck (163).

"Segundo Entremés del testamento de
los ladrones".
159. Paz y Melia, A.: "Segundo entremés del testamento de los ladrones (S. XVI)."
RABM, VII (1902), 371-75.

"Testamento de Cristo, El".
V. COLECCIONES, Buck (163).

"Testamento de los ladrones".
V. "Segundo Entremés del..." (159).

"Tirano Rrey Corbanto, El".
V. "Comedia yntitulada..." (121-22).

"Tragedia de los amores de Eneas y
de la Reyna Dido".
V. CIRNE, núm. 393.

"Tragicomedia alegórica del Parayso
y del Infierno".
V.t. VICENTE, núms. 729-30.

———.
160. Hendrix, William S.: "Two
Sources of the Tragicomedia alegórica del parayso y del infierno."
MLN, XXXI (1916), 432-34.

"Tres pasos de la Pasión".
161. Gillet, J. E.: "Tres pasos de
la pasión y una Égloga de la Resurrección (Burgos, 1520)."
PMLA, XLVII (1932), 949-80.
[Juan de Melgar, impresor].

COLECCIONES

162. Bonilla y San Martín, Adolfo:
"Cinco obras dramáticas anteriores
a Lope de Vega."
RevHisp, XXVII (1912), 390-498.
[1] Comedia Florisea, de Francisco de Avendaño, págs. 398-422; 2)
Comedia de Sancta Susaña, de Juan

Rodrigo Alonso de Pedraza, págs.
423-36; 3) Farsa de Lucrecia, de
Juan Pastor, págs. 437-54; 4) Auto
de Clarindo, de Antonio Diez, págs.
455-87; 5) Comedia Fenisa, ¿de Juan
de Melgar?, págs. 488-97].
a) L. Pfandl, LGRP, XXXVII (1916),
col. 318-20.

163. Buck, Vera: "Four Autos Sacramentales of 1590."
UISSL, no. 7 (1937). Pp. 98.
[1] Sacramento de la Eucaristía,
2) La conversión de Sant Pablo, 3)
El castillo de la fee, 4) El testamento de Cristo].
a) J. E. Gillet, HR, VI (1938),
174-75.

164. Heaton, Harry Clifton: "Two
Sixteenth Century Dramatic Works."
RevHisp, LXXII (1928), 1-101.
[1] Comedia llamada Grassandora,
de Juan Uceda de Sepúlveda; 2) Égloga de Breno, de Salazar. V.t. el
núm. 87].

165. Kemp, Alice Boudoin: Three
Autos Sacramentales of 1590. Toronto: University of Toronto Press,
1936. Pp. 134.
[1] La degollación de Sant Jhoan,
2) El rescate del alma, 3) Los amores del alma con el Príncipe de la
Luz].
a) María Braña, RFE, XXIV (1937),
96-97.
b) J. E. Gillet, HR, V (1937),
365-67.

166. Kohler, Eugen: Sieben spanische dramatische Eklogen. (Gesellschaft für romanische Literatur, 27).
Dresden, 1911. Pp. xiv-365.
[Contiene: Égloga interlocutoria
de Diego de Ávila; Farsa nuevamente
trobada de Fernando Díaz; Égloga
nueva de Diego Durán; Égloga pastoril, anónima; Égloga en loor de la
Natividad de Nuestro Señor de Hernán López de Yanguas; Égloga de
Juan de París; Égloga Real del Bachiller de la Pradilla].
a) M.A. Buchanan, MLN, XXVII (1912),
200.
b) M.A. Buchanan, ZRP, XXXVII
(1913), 503-05.

KOHLER, EUGEN (cont.).
c) A. Hämel, LGRP, XXXIV (1913), col. 32-34.

167. ROJAS GARCIDUEÑAS, JOSÉ: Autos y coloquios del siglo XVI. México: Ediciones de la Universidad Nacional Autónoma, 1939. Pp. xxiii_175.
[Contiene cuatro obras americanas y un estudio sobre el teatro mexicano del siglo XVI].
a) H.L. Johnson, RR, XXXII (1941), 310-11.
b) A. Torres-Rioseco, HR, VIII (1940), 274-75.

168. ROUANET, LÉO: Colección de autos, farsas y coloquios del siglo XVI. Macon: Protat, 1901. 4 vols.
a) R. Menéndez Pidal, RABM, V (1901), 259-61, 753-54.
b) A. Farinelli, DLZ, XXIII (1902), 606-14 [Esta reseña se reimprimió en sus Neue Reden und Aufsätze, págs. 417-27 (V. el núm. 1632)].
c) E. Cotarelo, RELHA, I (1901), 191 [Solamente el primer vol.].
d) A. Tobler, ASMSL, CVII (1901), 225.
e) A. Morel-Fatio, BH, III (1901), 295-96.
f) Ephrem Vincent, MF, XXXVIII (abr-jun, 1901), 565-66; XXXIX (jul-sept, 1901), 545-46; XLI (en-mar, 1902), 553 [Vols. 1-3].

169. TYRE, CARL ALLEN: "Religious Plays of 1590."
UISSL, no. 8 (1938). Pp. 112.
[1) Comedia de la historia y adoración de los tres Rreyes Magos, 2) Cómedia de buena y santa doctrina, 3) Comedia del nacimiento y vida de Judas].
a) J. E. Gillet, HR, VIII (1940), 69-72.
b) Calvert J. Winter, BAbr, XIV (1940), 426-27.

LIBROS

170. ALONSO, DÁMASO: De los siglos oscuros al de oro. Madrid: Gredos, 1958. Pp. 275.
V. VICENTE, núms. 647 y 679.

171. BATAILLON, MARCEL: Etudes sur le Portugal au temps de l'humanisme. Coimbra: Por ordem da Universidade, 1952. Pp. xii-307.
V. VICENTE, MONTEMÔR (656).

172. BONILLA Y SAN MARTÍN, ADOLFO: Las Bacantes, o del orígen del teatro. Madrid: Rivadeneyra, 1921. Pp. 163.
a) --, RFE, VIII (1921), 308-09.
b) J.E. Gillet, MLN, XL (1925), 98 a 105.
V.t. TEMAS, núm. 13.

173. CAÑETE, MANUEL: Teatro español del siglo XVI. Estudios histórico-literarios. Madrid: M. Tello, 1885. Pp. viii-360.
a) A.L. Stiefel, LGRP, IX (1888), col. 128-40.
b) A. Morel-Fatio, Rom, XV (1886), 462-68.

174. CARVALHO, JOAQUIN DE: Estudos sobre a cultura portuguesa do século XVI. Coimbra: Universidade de Coimbra, 1947-48. 2 vols.
V. VICENTE, SERMÕES (693).

175. CONTINI, GIANFRANCO: Teatro religioso del Medioevo fuori d'Italia. Raccolta di testi dal secolo VII al secolo XV. Milano: Bompiani, 1949. Pp. 556.
[Trata en parte de los Reyes Magos, de Juan del Encina, Miguel de Carvajal y Juan Timoneda].
a) "Conv.", Conv (1950), 468-69.

CORBATÓ, H.: Los misterios del Corpus de Valencia.
V. TEMAS, CORPUS (25).

CORBATÓ, H.: Misterios y autos...
V. TEMAS, MÉXICO (60).

176. COTARELO Y MORI, EMILIO: Estudios de historia literaria de España. Madrid: Imp. de la "Revista española," 1901. Pp. 406.
V. ENCINA, núm. 443; RUEDA, núms. 521 y 525.

177. COTARELO Y MORI, EMILIO: Teatro español anterior a Lope de Vega. Catálogo de obras dramáticas impre-

sas pero no conocidas hasta el presente, con un apéndice sobre algunas piezas raras o no conocidas de los antiguos teatros francés e italiano. Madrid: Imp. de Felipe Marqués, 1902. Pp. 46.
a) A. Bonilla y San Martín, en sus Anales de la literatura española, págs. 236-42 [V. el núm. 1581].

CRAWFORD, J. P. W.: Spanish Drama Before Lope de Vega.
V. TEMAS, núm. 104.

178. CRONAN, URBAN: Teatro español del siglo XVI. Tomo I. Madrid: Fortanet, 1913. Pp. x-542.
a) R.E. House, MLN, XXX (1915), 121-23.
b) L. Pfandl, LGRP, XXXVI (1915), col. 225-27.

179. CHAMBERS, EDMUND K.: The Medieval Stage. Oxford: Clarendon Press, 1903. 2 vols.

DÍAZ DE ESCOVAR, NARCISO: Anales del teatro español.
V. TEMAS, núm. 3.

180. FARANDO DE ST. GERMAIN, LLUIS (ed.): Sermódel Bisbetó compost en lo XVen segle. ("Recull de textes catalans antichs," XIII). Barcelona: "L'Avenç," 1910. Pp. 41.
a) A. y D., EUC, IV (1910), 511-12.

181. FERNÁNDEZ-GUERRA Y ORBE, AURELIANO: Caída y ruina del imperio visigótico español. Primer drama que las representó en nuestro teatro. Estudio histórico-crítico. Madrid: Manuel G. Hernández, 1883. Pp. 204.
[Historia de Santa Orosia de Bartolomé Palau. V. TEMAS, núm. 47].

182. GESTOSO YPÉREZ, JOSÉ: Curiosidades antiguas sevillanas. (Serie segunda). Sevilla: El Correo de Andalucía, 1910. Pp. 319.
V. TEMAS, CORPUS CHRISTI (23-24).

183. GRISMER, RAYMOND L.: The Influence of Plautus in Spain before Lope de Vega (together with chapters on the Dramatic Technique of Plautus and the Revival of Plautus in Italy). New York: Instituto de las Españas, 1944. Pp. 210.
a) L. Florez, BICC, II (1946), 558-59.
b) J.E. Gillet, HR, XIII (1945), 352-55.
c) M. d'Almeida, Brot, LXV (1957), 514-15.

HENDRIX, WILLIAM S.: Some Native Comic Types...
V. TEMAS, núm. 20.

JACK, WILLIAM S.: The Early Entremés in Spain.
V. TEMAS, núm. 36.

LAAS, ILSA G. PROBST: Comedia yntitulada del Tirano Rrey Corbanto.
V. ANÓNIMAS, núm. 121.

184. LÓPEZ MARTÍNEZ, CELESTINO: Teatros y comediantes sevillanos del siglo XVI: Estudios documentales. Sevilla: Imprenta Provincial, 1940. Pp. 106.
[Trata también de Lope de Rueda y de Lope de Vega en Sevilla].
a) Descrito por C. Bruerton en su artículo "More on Lopean Chronology," BCom, V (1953), 30-31.

185. MAZZEI, PILADE: Contributo allo studio delle fonti italiane del teatro di Juan del Enzina e Torres Naharro. Lucca: Tip. Amedei, 1922. Pp. 124.
a) —, RFE, IX (1922), 418.
b) J.E. Gillet, MedPhil, XXI (1923-1924), 101-02.
c) S. C., Rass, XXXII (1924), 66-67.
d) G. Bertoni, GSLI, LXXXIV (1924), 194-95.

MEREDITH, JOSEPH A.: Introito and Loa in the Spanish Drama...
V. TEMAS, núm. 49.

186. MÉRIMÉE, HENRI: L'Art dramatique à Valencia depuis les origines jusqu'au commencement du XVIIe siècle. Toulouse: Privat, 1913. Pp. 734.
[Cap. I: Les origines du théâtre religieux; II: Les origines du thé-

MÉRIMÉE (cont.).
être laïque (Juan Fernández de Heredia, influencia de Encina, Torres Naharro, etc.); III: Le théâtre profane vers 1560 (Timoneda); IV: Le théâtre religieux dans la seconde moitié du seizième siècle (Timoneda, Ferruz, Palau); V: Le théâtre universitaire (Lorenzo Palmyreno, comedias latinas); VI: La tragédie pseudo-classique (Rey de Artieda, Virués); VII: Le milieu valencien; VIII: L'apparition de la comedia (Lope de Vega, Turia, Boyl); IX: Tárrega et Aguilar; X: La vie et les oeuvres de D. Guillén de Castro. V.t. GENERAL II, núm. 1704].
a) --, RFE, I (1914), 347-51.
b) Charles Déjob, RCHLP, ns LXXVII (1914), 34-36.
c) M.A. Buchanan, MLR, XI (1916), 104-06.

187. MIQUEL Y PLANAS, RAMÓN: La leyenda de Fray Juan Garín, ermitaño de Montserrat. Estudio sobre sus orígenes y formación. Barcelona: Orbis, 1940. Pp. 134.
[La leyenda forma el asunto del poema El Monserrate de Virués].

188. MITJANA, RAFAEL: Estudios sobre algunos músicos españoles del siglo XVI. Madrid: Hernando, 1918. Pp. vii-247.
V. ENCINA, núms. 439 y 460.

189. MORATÍN, LEANDRO FERNÁNDEZ DE: Orígenes del teatro español. Paris: Garnier, 1914. Pp. 500.
a) E. Juliá Martínez, RFE, II (1915), 66.

190. MORATÍN, LEANDRO FERNÁNDEZ DE: Orígenes del teatro español, con una reseña histórica sobre el teatro español en el siglo XVIII y principios del XIX. Buenos Aires: Editorial Schapire, 1946. Pp. 415.
V.t. TEMAS, núm. 64.

191. ROJAS GARCIDUEÑAS, JOSÉ: El teatro de Nueva España en el siglo XVI. México: Luis Álvarez, 1935. Pp. 221.
a) J. Caillet-Bois, RFH, II (1940), 75-78.

b) J.E. Gillet, HR, V (1937), 87-92.

St. AMOUR, MARY PAULINA: A Study of the Villancico...
V. TEMAS, VILLANCICO (112).

192. SCHMIDT, ERICH: Die Darstellung des spanischen Dramas vor Lope de Rueda. Berlin: Hanns Michel, 1935. Pp. ii-90.
a) W.H. Shoemaker, HR, VI (1938), 84-87.
b) Edgar Glässer, LGRP, LIX (1938), col. 337-40.

193. SERRA Y PAGÈS, ROSSEND: La festa del Bisbetó a Montserrat y origens de la meteixa. Barcelona: "L'Avenç," 1910. Pp. 47.
a) A. y D., EUC, IV (1910), 511-12.

194. SHOEMAKER, WILLIAM H.: The Multiple Stage in Spain During the XV and XVI Centuries. Princeton: Princeton University Press, 1935. Pp. xi-150.
a) R. J. Michels, Hisp, XVIII (1935), 495.
b) W.C. Atkinson, MLR, XXXII (1937), 315.
c) E.B. Place, MLJ, XX (1935-36), 371-72.
d) E. Werner, LGRP, LVII (1936), col. 270-72.

195. SHOEMAKER, WILLIAM H.: Los escenarios múltiples en el teatro español de los siglos XV y XVI. (Estudios Escénicos; Cuadernos del Instituto del Teatro, 2). Barcelona: Diputación Provincial de Barcelona, 1957. Pp. 154.
[Es traducción del número precedente. Le falta a esta versión la "Bibliografía de todas las obras mencionadas" (cf. la pág. 11, nota 2); además, en las notas que se refieren a otras partes de la misma obra, la paginación, que debiera haberse cambiado, todavía corresponde a la edición original más bien que a ésta. Por ejemplo, en la nota 16 de la Introducción, se lee: "Véase más adelante, págs. 116-118." Debiera leerse "144-146". Así en la nota 19; Cap. I, notas 4, 25, 32, 51, 52, 56, 67; etc., etc.].

WILLIAMS, R. B.: The Staging of
Plays in the Spanish Peninsula...
V. TEMAS, núm. 105.

196. YOUNG, KARL: The Drama of the
Medieval Church. Oxford: Clarendon
Press, 1933. 2 vols. Pp. xx-708,
611.

[Aunque no trata específicamente
de España, este libro es muy importante para un conocimiento de los
orígenes del drama].
a) A.W. Reed, MLR, XXX (1935), 222-
225.
b) Grace Frank, MLN, XLIX (1934),
112-14.

ALONSO DE PEDRAZA, JUAN RODRIGO
V. PEDRAZA, JUAN RODRIGO ALONSO DE.

ALTAMIRA (o ALTAMIRANDO), PEDRO

197. Gillet, J. E.: "Auto de la
aparición que nuestro señor Jesu
Cristo hizo... An Early Sixteenth
Century Play."
RR, XIII (1922), 228-51.

ÁLVAREZ DE AYLLÓN, PEDRO

198. Serís, Homero: "Comedia de
Preteo y Tibaldo, por Perálvarez de
Ayllón y Luis Hurtado de Toledo:
Estudio comparativo de la edición
príncipe."
HomBonilla (1930), II, 507-33.

199. Comedia Tibalda, de Perálvarez
de Ayllón y Luis Hurtado de Toledo.
Ed. A. Bonilla y San Martín. Barcelona: "L'Avenç," 1903. Pp. xi-
77.
a) M. Serrano y Sanz, RABM, IX
(1903), 387.

APARICIO, BARTOLOMÉ
V.t. GENERAL, LLABRÉS (58).

200. Gillet, J. E.: "A Note on Bartolomé Aparicio."
HR, IV (1936), 272-76; V (1937),
180-81.
[Sobre su Obra del pecador].

ARGENSOLA, LUPERCIO LEONARDO DE
V. LEONARDO DE ARGENSOLA, LUPERCIO

AVENDAÑO, FRANCISCO DE
V.t. COLECCIONES, BONILLA (162);
GENERAL II, LIBROS, LISTA (1687).

201. Pfandl, L.: "Die Comedia Flo-
risea von 1551."
ZRP, XXXIX (1917-19), 182-99.
[Presenta el texto de la obra].

ÁVILA, DIEGO DE
V. COLECCIONES, KOHLER (166).

BASURTO, FERNANDO DE

202. Shoemaker, W. H.: "Fernando de
Basurto's 'Lost Play' on the Martyr-
dom of Santa Engracia."
HR, VI (1938), 35-45.

BERMÚDEZ, JERÓNIMO
V.t. los núms. 1687 y 3901.

203. Pardo Villar, Aureliano: "El
poeta Fray Jerónimo Bermúdez. (Estudio crítico-biográfico)."
BCMOrense, XI (1936-38), 272-87.

204. Crawford, J.P.W.: "The Influence of Seneca's Tragedies on Ferreira's Castro and Bermúdez' Nise
lastimosa and Nise laureada."
ModPhil, XII (1914-15), 171-86.

CARDILS, FRA
V. GENERAL, ANÓNIMAS, núm. 125.

CARVAJAL, MIGUEL DE
V.t. GENERAL, LIBROS, Contini (175).

205. Paredes, Vicente: "Micael de
Carvajal el Trágico."
RevExt, I (1899), 366-72.

206. Alonso Cortés, Narciso: "Miguel de Carvajal."
HR, I (1933), 141-48.

206 (cont.).
[Reimpreso en sus **Artículos históricos-literarios**, págs. 116-26. **V**. GENERAL II, LIBROS, núm. 1558].

207. Dale, George I.: "Las Cortes de la Muerte."
MLN, XL (1925), 276-81.
[De Carvajal y Luis Hurtado de Toledo].

208. "**Tragedia Josephina**." Ed. J.E. Gillet.
EMRLL, no. 28 (1932). Pp. lxiv-205.
a) Florence Whyte, Hisp, XVI (1933), 114-15.
b) L. Pfandl, ZRP, LVII (1937), 767-69.
c) W.J. Entwistle, MLR, XXIX (1934), 234-35.
d) G. Cirot, BH, XXXVI (1934), 106-108.
e) R.E. House, HR, I (1933), 253-54.
f) G. Moldenhauer, LGRP, LVI (1935), col. 524-25.
g) G. Le Gentil, RCHLP, ns XCIX (1932), 254-55.
h) A. Hämel, DLZ, LIII (1932), col. 1884-86.

CASTILLEJO, CRISTÓBAL DE

209. Nicolay, Clara L.: "The Life and Works of Cristóbal de Castillejo."
UPRLL, no. 4 (1910). Pp. vii-126.

210. Menéndez Pidal, Juan: "Datos para la biografía de Castillejo."
BRAE, II (1915), 3-20.

211. Foulché-Delbosc, R.: "Deux oeuvres de Cristóbal de Castillejo."
RevHisp, XXXVI (1916), 489-620.
[**La farsa de Constanza** y **Sermón de amores**; versión completa de la descripción y **extractos** hechos por Moratín, publicados antes solamente en forma censurada].

212. Domínguez Bordona, J.: "Cuatro notas sobre Cristóbal de Castillejo."
HomMenPidalA (1925), III, 545-49.

213. Crawford, J.P.W.: "The Relationship of Castillejo's **Farsa de la Constanza** and the **Sermón de amores**."
HR, IV (1936), 373-75.

LA CELESTINA

V.t. GENERAL, AMOUREUX (2), WITCH-CRAFT (115); CIRNE, núm. 390; GENERAL II: TEMAS, ELIZABETHAN LITERATURE (1043), "TEATRO ESPAÑOL" (1454); LIBROS, FÉE (1634), LISTA (1687), MAEZTU (1693); LOPE DE VEGA, TEMAS, CELESTINA.

EDICIONES Y TRADUCCIONES

214. FOULCHÉ-DELBOSC, R.: Comedia de Calisto y Melibea. Barcelona: "L'Avenç"; Madrid: M. Murillo, 1900. PP. vi-180.
[Reimpresión de la edición de 1501].
a) C. Michaëlis de Vasconcellos, LGRP, XXII (1901), col. 19-32.
b) Léo Rouanet, RCHLP, LI (1901), 283-84.

215. GERMOND DE LAVIGNE, A.: La Célestine, tragédie-comédie de Calixte et Mélibée. Trad. de A. Germond de Lavigne. Intro. de Ernest Martinenche. Paris: "La Renaissance du Livre," 1920.
[**V**. el núm. 261].

216. HENRÍQUEZ UREÑA, P.: La Celestina. ("Las cien obras maestras de la literatura y del pensamiento universal"). Buenos Aires: Editorial Losada, 1938.
[La introducción de Henríquez Ureña está reimpresa en su **Plenitud de España**, págs. 139-43. **V**. GENERAL II, LIBROS, núm. 1661].

217. MABBE, JAMES: Celestina, or The Tragicke-Comedy of Calisto and Melibea. Englished by James Mabbe, anno 1631. With an Introduction by J. Fitzmaurice-Kelly. London: David Nutt, 1894. Pp. xxxvi-287.
a) K.D. Bülbring, LGRP, XVI (1895), col. 265-66.
b) R. Schevill, Hisp, VII (1924),

412-13 [sobre la 2ª edición, 1923].

218. MENÉNDEZ Y PELAYO, MARCELINO:
La Celestina. Ed. con introducción
de M. Menéndez y Pelayo. Vigo:
Eugenio Krapf, 1899-1900. 2 vols.
[La introducción de Menéndez y
Pelayo está reimpresa en sus Estudios y discursos de crítica histórica y literaria, II, 237-58. V.
GENERAL II, LIBROS, núm. 1701].
a) R. Foulché-Delbosc, RevHisp, VII
(1900), 539-46.
b) C. Michaëlis de Vasconcellos,
LGRP, XXII (1901), col. 32-38.

ESTUDIOS

ABWECHSLUNG.
V. LIBROS, REISCHMANN (291).

ACCENNO.
219. Mazzoni, G.: "Qualche accenno
italiano alla Celestina."
RRAL, 6ª serie, vol. VII (1931),
249-52.

ACHARD, PAUL.
220. Verdevoye, Paul: "La Celestina
et l'adaption de Paul Achard."
BH, XLV (1943), 198-201.

ADAPTACIÓN.
221. Sorondo, Jorge Augusto: "Un
problema de adaptación. A propósito de La Celestina."
Núm, I (1949), 356-58.

ALEXIUS.
222. Rösler, Margarete: "Beziehungen
der Celestina zur Alexiuslegende."
ZRP, LVIII (1938), 365-67.

ALFONSO X, EL SABIO.
V. "CANTIGAS DE SANTA MARÍA" (236).

AMOR.
V.t. LIBROS, ORTEGA (290).

———.
223. Carayon, Marcel: "L'amour et
la musique. Sur un passage de La
Celestina."
RLC, III (1923), 419-21.

ANTECEDENTES.
V.t. el núm. 236.

———.
224. Bonilla y San Martín, A.: "Antecedentes del tipo celestinesco en
la literatura latina."
RevHisp, XV (1906), 372-86.

———.
225. Alonso, Amado: "Sobre antec-
dentes de La Celestina."
RFH, IV (1942), 266-68.

AUTOR.
V.t. los núms. 245, 250, 269, 282.

———.
226. Serrano y Sanz, M.: "Noticias
biográficas de Fernando de Rojas,
autor de La Celestina y del impresor Juan de Lucena."
RABM, VII (1902), 245-99.

———.
227. Bonilla y San Martín, A.: "Algunas consideraciones acerca de la
Tragicomedia de Calisto y Melibea y
sus autores."
En sus Anales de la literatura española, págs. 7-24. [V. GENERAL II,
LIBROS, núm. 1581].

———.
228. Cejador y Frauca, J.: "El Bachiller Hernando de Rojas, verdadero autor de la Celestina. Documentos decisivos."
RevCritHisp, II (1916), 85-86.

———.
229. Buceta, Erasmo: "La opinión de
Blanco White acerca del autor de La
Celestina."
RFE, VII (1920), 372-74.

———.
230. House, Ralph E.: "Present Sta-
tus of the Problem of Authorship of
the Celestina."
PQ, II (1923), 38-47.

———.
231. House, R.E., Mulroney, M., y
Probst [Laas], I.G.: "Notes on the
Authorship of the Celestina."
PQ, III (1924), 81-91.

AUTOR (cont.).

232. Davis, Ruth: "New Data on the
Authorship of Act I of the Comedia
de Calisto y Melibea."
UISSL, no. 3 (1928). Pp. 58.

———.

233. Zelson, L. G.: "The Celestina
and its Jewish Authorship."
JF, XIII (1930), 459-66.

BEMERKUNGEN.
234. Haebler, Konrad: "Bemerkungen
zur Celestina."
RevHisp, IX (1901), 139-70.

BIBLIOGRAFÍA.
V.t. GENERAL II, BÉLGICA (865).

———.

235. Givanel Más, Juan: "Contribución al estudio bibliográfico de La
Celestina y descripción de un rarí-
simo ejemplar de dicha obra."
RevCritHisp, V (1919), 77-121.
a) X., RFE, XI (1924), 82.

BLANCO-WHITE, JOSÉ MARÍA.
V. el núm. 229.

"CANTIGAS DE SANTA MARÍA".
236. Sánchez Castañer, Francisco:
"Antecedentes celestinescos en las
Cantigas de Santa María."
Medit, nos. 1-4 (1943), 33-90.

"CELESTINA, LA"
237. Soravilla, Javier: "La Celestina."
RCont, XCIII (1894), 43-50, 177-82,
245-52, 389-94, 474-84, 574-82;
XCIV (1894), 21-33, 158-68, 264-74,
383-94, 638-48; XCV (1894), 75-82,
191-201, 313-20, 399-408, 492-98,
619-30; XCVI (1894), 170-83, 277-84,
513-20; XCVII (1895), 70-80, 165-76,
416-21; XCVIII (1895), 85-89, 203-
206, 531-38; XCIX (1895), 81-86,
315-22.
[Análisis, máximas y sentencias,
variantes de las mejores ediciones
antiguas y modernas, glosario de
palabras obscuras y desusadas, palabras de índole germánica, etc.].

———.

238. González Agejas, Lorenzo: "La

Celestina."
EspMod, Año 6, tomo LXVII (julio de
1894), 78-103.

———.

239. Echalar, P. B. de: "Fernando
de Rojas: La Celestina."
EstFran, XII (1914), 96-109.

———.

240. Wolf, Ferdinand: "Sobre La Celestina."
EspMod, Año 7, tomo LXXX (agosto de
1895), 99-123.

———.

241. Spitzer, Leo: "Zur Celestina."
ZRP, L (1930), 236-40.

CIRNE, JUAN.
V. CIRNE, CELESTINA (390).

COLOCACIÓN.
242. Macaya Lahmann, Enrique: "La
colocación local española de La Celestina."
En sus Estudios hispánicos, II,
31-40. [V. GENERAL II, LIBROS, núm.
1692].

COMEDIA.
243. Anderson Imbert, E.: "Comedia
de Calisto y Melibea."
Real, V (1949), 301-08.

CONCEPTO.
V. RENACENTISTA.

CONCIENCIA.
244. García Bacca, J. D.: "Sobre el
sentido de 'conciencia' en la Celestina."
RGuat, Año II, vol. 6 (oct-dic,
1946), 52-66.

CONVERSO.
245. Green, O. H.: "Fernando de Rojas, converso and hidalgo".
HR, XV (1947), 384-87.

CRÍTICA.
246. Fornell, J.: "El mestre Pedrell.
La Celestina i la crítica."
Cat, CCCI (1914), 151-53.

CUANTIFICACIÓN.
247. Montesino Samperio, J.V.: "So-

bre la cuantificación del estilo literario: Una contribución al estudio de la unidad del autor en La Celestina de Fernando de Rojas." RNC, VII (1946), no. 55 (mar-abr), págs. 94-115; no. 56 (mayo-jun), págs. 63-88.

DEMONÍACO.
248. Rauhut, F.: "Das Dämonische in der Celestina."
HomVossler (1932), págs. 117-48.

———.
249. R. L.: "Lo demoníaco en la Celestina."
BCGrad, no. 18 (sept, 1936), 1-4.

DOCUMENTOS.
V.t. AUTOR (228).

———.
250. Valle Lersundi, F. del: "Documentos referentes a Fernando de Rojas."
RFE, XII (1925), 385-96.

DON JUAN.
V.t. GENERAL II, MAEZTU (1229); LIBROS, núm. 1693.

———.
251. Arciniega, Rosa: "La Celestina, antelación del Don Juan."
RdelasInd, II (1939), 258-77.

"DOROTEA" (de Lope).
V. TROTACONVENTOS.

ENSAYO.
252. Garro, J. E.: "Ensayo psicológico sobre la Celestina."
AUCh, año XCII, 3ª serie (1934), no. 13, págs. 5-16.

ESCENARIO.
253. Morales, Rafael: "Otro escenario para La Celestina."
CuadLit, VII (1950), 221-31.
[Quizá fuera Talavera].

ESTILO.
V. LIBROS, REISCHMANN (291).

ETIMOLOGÍA.
V. CELESTINA (237), NOTA (267).

FORTUNA.
V. ITALIA.

FRANCIA.
V.t. MARTINENCHE (261), NOVELA (271).

———.
254. E. S.: "La Celestina de nuevo en Francia."
Finis, II (1948), 206.

FUENTES.
255. Castro Guisasola, F.: "Observaciones sobre las fuentes literarias de La Celestina."
RFE, Anejo V (1924). Pp. 194.
a) M. Fernández Almagro, RdO, VIII (1925), 139-40.
b) A. Marasso, HumA, X (1925), 474-476.
c) U. G., Rass, XXXIII (1925), 151.
d) L. Pfandl, LGRP, XLVIII (1927), col. 384-86.
e) A.J. Battistessa, RUBA, 2ª serie, II (1925), 242-44.
f) G. Cirot, BH, XXVIII (1926), 288-89.

GÉNERO LITERARIO.
V. TIEMPO (284).

GÉNESIS.
V. GENERAL II, MISCELÁNEA ERUDITA, 1ª SERIE (1256).

GERARDA.
V. TROTACONVENTOS.

HIDALGO.
V. CONVERSO.

INFLUENCIA.
V.t. ITALIA (259), NOTA (268).

———.
256. Rosenbach, A.S.W.: "The Influence of the Celestina in the Early English Drama."
ShaJa, XXXIX (1903), 43-61.

INQUISICIÓN.
257. Green, O. H.: "The Celestina and the Inquisition."
HR, XV (1947), 211-16.

———.
258. Green, O. H.: "Additional Note

on the Celestina and the Inquisition."
HR, XVI (1948), 70-71.

ITALIA, ITALIANO.
 V.t. los núms. 219 y 288.

———.
259. Mazzei, P.: "Per la fortuna di
due opere spagnole in Italia: La
Celestina. Pepita Jiménez."
RFE, IX (1922), 384-89.
 [Págs. 384-86: sobre la influencia
de la Celestina en I due felici
rivali de Jacopo Nardi].

LEÓN, FRAY LUIS DE.
 V. SAFO (278).

LUCENA, JUAN DE.
 V. AUTOR (226).

MABBE, JAMES.
 V.t. el núm. 217.

———.
260. Houck, Helen P.: "Mabbe's Paganization of the Celestina."
PMLA, LIV (1939), 422-31.

MANRIQUE, JORGE.
 V. NOTA (268).

MARTINENCHE, ERNEST.
261. André, Marius: "M. Martinenche
et La Célestine."
HispF, III (1920), 289-94.
 [Sobre una reciente traducción
francesa con una introducción de
Martinenche. V. el núm. 215].

MEDICINA.
262. Martí Ibáñez, Félix: "El arte
médica de la Celestina."
SigMed, XCVI (1935), 133.
 [Algunas observaciones generales].

MELIBEA.
263. Green, O. H.: "On Rojas' Des-
cription of Melibea."
HR, XIV (1946), 254-56.

MORALIDAD.
264. Ricard, Robert: "Sobre la moralidad de La Celestina."
Abs, IV (1940), no. 5, págs. 15-18.

MOTS.
265. Martinenche, E.: "Quelques mots
sur la Celestina."
BH, IV (1902), 95-103.

MÚSICA.
 V. AMOR (223).

NARDI, JACOPO.
 V. ITALIA (259).

NOMBRES.
 V. NOTA (267).

NOTA.
266. Menéndez Pidal, R.: "Una nota
a La Celestina."
RFE, IV (1917), 50-51.
 [En el Auto IX dice tres en vez
de treze].

———.
267. Hurtado, J.: "Una nota acerca
de la Celestina."
RUM (1943), fasc. 1 (Letras), págs.
134-39.
 [Demuestra cómo la etimología de
los nombres de los personajes concuerda exactamente con la genuina
expresión y el sentido estético de
la figura respectiva].

———.
268. Bayo, Manuel José: "Nota sobre
La Celestina."
Clav, I (1950), no. 5, págs. 48-53.
 [Estudia la influencia de las Coplas de Jorge Manrique en el autor
de La Celestina].

———.
269. Vallejo, J., F. Castro Guisasola, y M. Herrero García: "Notas
sobre La Celestina."
RFE, XI (1924), 402-12.
 [1) Resumen del artículo de House,
Mulroney y Probst, y adiciones a
sus datos (V. núm. 231); 2) Fuentes
literarias; 3) Localización de la
fábula (Toledo) y una nota sobre la
dualidad de autor].

———.
270. Espinosa Maeso, Ricardo: "Dos
notas para la Celestina."
BRAE, XIII (1926), 178-85.

NOVELA.
271. González-Blanco, Andrés: "La
Celestina y la novela realista
francesa."
RLib, II (1914), no. 10, págs. 14-18.

OBSERVACIONES.
V.t. FUENTES (255).

———.
272. Foulché-Delbosc, R.: "Observations sur la Celestina."
RevHisp, VII (1900), 28-80, 510; IX
(1902), 171-99; LXXVIII (1930),
544-99.
a) C. Michaëlis de Vasconcellos,
   LGRP, XXII (1901), col. 19-32.

PAGANIZATION.
V. MABBE (260).

PARADOXES.
273. Frank, Rachel: "Four paradoxes
in the Celestina."
RR, XXXVIII (1947), 53-68.

PEDRELL, EL MESTRE.
V. CRÍTICA (246).

PICARESCO.
V. GENERAL II, LIBROS, MONTOLIU
(1718).

PROBLEMA.
274. Castro, Américo: "El problema
histórico de La Celestina."
En su Santa Teresa y otros ensayos,
págs. 195-215. [V. GENERAL II, LI-
BROS, núm. 1594].

PROFANATIONS.
275. Delpy, G.: "Les profanations
du texte de La Celestina."
BH, XLIX (1947), 261-75.

PSICOLOGÍA.
V. ENSAYO.

RENACENTISTA.
276. Castro, Américo: "La Celestina
de Fernando de Rojas, como representación del concepto renacentista de
la vida."
AUCh, 2ª serie, año II (1924), 386-
411.

———.
277. Giusti, Roberto F.: "Fernando
de Rojas. Su obra de humanidad española y de arte renacentista."
BAAL, XII (1943), 121-42.

RUIZ, JUAN.
V. TROTACONVENTOS.

SAFO.
278. Miranda, Edelmira Esther: "Safo en La Celestina y en la Invita-
ción de diversos de Fray Luís de
León."
BAAL, VII (1939), 577-84.

SALAS BARBADILLO, ALONSO JERÓNIMO DE.
279. LaGrone, Gregory G.: "Salas
Barbadillo and the Celestina."
HR, IX (1941), 440-58.

SENECA.
280. Heller, J.L., y Grismer, R.L.:
"Seneca in the Celestinesque Novel."
HR, XII (1944), 29-48.

STUDI.
281. Croce, B.: "Studi su poesie
antiche e moderne. XIV. Antica
poesia spagnuola. I: La Celestina."
Crit, XXXVII (1939), 81-91.
[Reproducido en su Poesia antica
e moderna, págs. 209-22. V. GENE-
RAL II, LIBROS, núm. 1608].

TALAVERA DE LA REINA.
V.t. ESCENARIO (253).

———.
282. Careaga, L.: "Investigaciones
referentes a Fernando de Rojas en
Talavera de la Reina."
RHM, IV (1938), 193-208.

TESTAMENTO.
283. Valle Lersundi, F. del: "Testamento de Fernando de Rojas, autor
de La Celestina."
RFE, XVI (1929), 366-88.
[Es el texto, copiado por Valle
Lersundi].

TIEMPO.
284. Gilman, Stephen: "El tiempo y
el género literario en la Celestina."
RFH, VII (1945), 147-59.

TOLEDO.
V. NOTA (269).

TRADUCCIONES.
V.t. LIBROS, FEHSE.

———.
285. Wolf, F.: "Sobre el drama español. La Celestina y sus traducciones."
EspMod, VII (1895), tomo LXXX, págs. 99-123.

———.
286. Bonilla y San Martín, A.: "Sobre la traducción latina de la Tragicomedia de Calisto y Melibea."
En sus Anales de la literatura española, págs. 167-72.

TROTACONVENTOS.
287. Petriconi, Helmut: "Trotaconventos, Celestina, Gerarda."
NSpr, XXXII (1924), 232-39.
[Personajes del Libro de buen amor de Juan Ruiz y de la Dorotea de Lope de Vega].

VILLANCICO.
288. Mele, E.: "Un villancico della Celestina popolare in Italia nel Cinquecento."
GSLI, CVI (1935), 288-91.

LIBROS

CASTRO GUISASOLA, F.: Observaciones sobre las fuentes...
V. el núm. 255.

289. FEHSE, WILHELM: Christof Wirsungs deutsche Celestinaübersetzungen. Halle, 1902. Pp. xi-73.
[Christof Wirsung (1500-1571) escribió el primer soneto en lengua alemana].
a) A. Farinelli, DLZ, XXIII (1902), col. 2786-94.

FOULCHÉ-DELBOSC, R.: Observaciones sur la Celestina.
V. el núm. 272.

GIVANEL MAS, JUAN: Contribución al estudio bibliográfico...
V. BIBLIOGRAFÍA (235).

290. ORTEGA, TEÓFILO: El amor y el dolor en la "Tragicomedia de Calisto y Melibea" (Notas al margen de "La Celestina"). Valladolid: Imprenta Castellana, 1927. Pp. 144.

291. REISCHMANN, KARL: Die stilistische Abwechslung in der spanischen Tragikomödie "La Celestina." Bonn: L. Neuendorff, 1928. Pp. 85.

CERVANTES, TEMAS

TEMAS

V.t. GENERAL I, ORIENTAL (73); GENERAL II: TEMAS, GITANERÍA (1098), GRAN TEATRO DEL MUNDO (1109), NOTICIAS (1302); LIBROS, DIEULAFOY (1619), LISTA (1687).

"ALGARROBILLAS".
V. GENERAL II, COMENTARIOS (927).

ARGEL.
292. Astrana Marín, Luis: "El Argel que conoció Cervantes."
Finis, III (1948), 291-309.

BANDELLO, MATTEO.
V. OBRAS, LOS BAÑOS DE ARGEL (355).

BIBLIOGRAFÍA.
V. LIBROS, DÍAZ DE ESCOVAR (384).

CAUTIVERIO.
V. CORSO.

COMEDIA.
293. Savj-Lopez, Paolo: "La commedia divina di Cervantes."
HomTorraca (1912), págs. 255-61.
[Sobre El Rufián dichoso].

———.
294. Valbuena Prat, A.: "Las Ocho comedias de Cervantes."
Medit, V (1947), 402-09.
[Reimpreso en HomCervantes (1950), págs. 257-66].

CORSO.
295. Vázquez Pájaro, Manuel: "Corso y cautiverio en Cervantes."
Est, IV (1948), 96-144.

CRONOLOGÍA.
V. DATES.

CUESTIÓN DE AMOR.
V. GENERAL, núms. 26, 27.

CUEVA, JUAN DE LA.
V. CUEVA, LIBROS, ICAZA (422).

DATES.
296. Buchanan, M. A.: "The Works of Cervantes and their Dates of Composition."
TRSC, Sec. II, Vol. XXXII (1938), 23-39.

"DESECHAR".
V. GENERAL II, COMENTARIOS (927).

DRAMA, DRAMÁTICO.
297. Mew, James: "Drama of Cervantes."
Gent, XXIII (1879), 446-70.

298. Lasso de la Vega, Ángel: "Cervantes, autor dramático."
IEA, XXVII (1883), t. 1, págs. 250-251.

299. Buchanan, M. A.: "Cervantes as a Dramatist. I: The Interludes."
MLN, XXIII (1908), 183-86.

300. Señán y Alonso, Eloy: "Cervantes, autor dramático."
Lucid, nos. 2-3 (1917), 7-18.

301. Depta, Max V.: "Cervantes als Dramatiker."
ZNU, XXIV (1925), 339-52.

DULCINEA.
V. VEGA, LOPE DE (342).

EDICIONES.
V. VEGA, LOPE DE (338).

ENTREMESES.
V.t. el núm. 299, y el 324.

302. Mew, James: "Cervantes. Entremeses."
Gent, XXV (1881), 451-69.

302A. Garrone, M. A.: "Gli intermezzi del Cervantes, ora, per la prima volta, italiani."
Fanfu, XXXVII (1915), no. 15 (11 de abril), pág. 2.
[Sobre la traducción de Giannini (348A)].

302B. Manacorda, Guido: "Intermezzi cervantini."
Fanfu, XXXVII (1915), no. 27 (4 de julio), págs. 1-2.
[Artículo crítico. Menciona al final la traducción de Giannini].

303. Vázquez Cey, Arturo: "Cervantes y el entremés."
HumA, XXVII (1939), 143-55.

304. Álvarez Espino, Romualdo: "Un entremés de Cervantes."
RCont, LXXI (1888), 628-45.
[El Rufián viudo].

305. Balbín Lucas, R. de: "La construcción temática de los entremeses de Cervantes."
RFE, XXXII (1948), 415-28.

306. Pfandl, L.: "Die Zwischenspiele des Cervantes."
NJWJ, III (1927), 301-23.

"ESCONDIG".
307. Todesco, V.: "Un escondig del Cervantes."
QIA, no. 9 (jul 1948-jul 1950), 4-5.
[La defensa de Clemente contra los reproches de Clemencia en Pedro de Urdemalas, Acto I ("Clemencia, si yo he dicho cosa alguna..." Ed. Aguilar de las Ob. com., pág. 538) es un escondig provenzal, y muestra

"ESCONDIG" (cont.).
una posible influencia de Petrarca,
Canzone XVII].

ESTUDIO.
308. Juliá Martínez, E.: "Estudio y
técnica de las comedias de Cervantes."
RFE, XXXII (1948), 339-65.

"FARCE DU ROMANCERO".
309. Saix, Guillot de: "La Farce du
Romancero ou le Premier Don Qui-
chotte d'après l'Interlude fameux
des Romances de Cervantes."
HispF, III (1920), 53-82.
[Traducción o adaptación del Entremés de los Romances].

"FATAL DOWRY, THE".
V. MASSINGER.

FAVORITO.
V. VEGA, LOPE DE (343).

GRACIOSO.
310. Werner, Ernst: "Der Spassmacher
(Gracioso) in den Dramen des Cervantes und in Lope de Vegas Jugendstücken."
GymuW, págs. 196-230.
[i) Der Gracioso in den Dramen
des Cervantes, 196-219; ii) Der
Gracioso in den Jugendstücken des
Lope de Vega (bis etwa 1600), 220-
230].

GUADALUPE, VIRGEN DE.
V. GENERAL II, núm. 1125.

HONOR.
311. Northup, G. T.: "Cervantes'
Attitude toward Honor."
ModPhil, XXI (1923-24), 397-421.

LEMOS, CONDE DE.
V. GENERAL II, LIBROS, núm. 1736.

MASSINGER, PHILIP.
312. Lister, John T.: "A Comparison
of Two Works of Cervantes with a
Play by Massinger."
Hisp, V (1922), 133-40.
[El celoso extremeño, El viejo
celoso y The Fatal Dowry].

MEXÍA, PERO.
V. OBRAS, LOS BAÑOS DE ARGEL (355).

MYSTIQUE.
313. Amade, M.: "Un drame mystique
de Cervantes."
BASLM, LXVII (1937), 66-68.
[El Rufián dichoso].

NOTERELLE.
314. Gasparetti, A.: "Noterelle
cervantine. Un episodio di una comedia di Lope de Vega. I: Rincone-
te. II: Un episodio de La señora
Cornelia, del Cervantes, e il Caballero de Illescas, di Lope de Vega."
Colombo, IV (1929), 124-35.

"OXTE".
V. VICENTE, LINGUAGEM (643).

PAGEANTRY.
V. GENERAL II, núm. 1314.

PASSO.
315. Mello de Mattos, Gastão de:
"Sôbre um passo de Cervantes."
Cien, XI (1946), 632-44.
[En La Guarda cuidadosa: "Han
visto la desvergüenza deste vella-
co ... tiros mayores que el de Dio,
que está en Lisboa." Se trata de
una pieza de artillería, "bôca de
fôgo"].

PERSONAJES.
V. GENERAL II, RÉVOLTE (1381).

PERÚ, EL.
V. GENERAL II, LIBROS, MIRÓ QUE-
SADA (1712).

PETRARCA, FRANCESCO.
V. "ESCONDIG" (307).

PHILADELPHIA.
V. GENERAL II, núm. 1322.

POSTULANTE.
V. VEGA, LOPE DE (343).

RÉVOLTE DES PERSONNAGES.
V. GENERAL II, RÉVOLTE (1381).

SAN FRANCISCO, TERCERA ORDEN DE.
V. VEGA, LOPE DE (337).

SCHWAB, RAYMOND.
  V. GENERAL II, RÉVOLTE (1381).

SECRETARIOS.
  V. GENERAL II, SECRETARIOS (1426).

SHAKESPEARE.
316. Boinet, A.: "Exposition Paris,
Comédie Française à l'occasion du
tricentenaire de Shakespeare et
Cervantes."
BibliofF, XVIII (1916), 157-59.

———.
317. Fitzmaurice-Kelly, J.: "Cervantes and Shakespeare."
ProBA, VII (1916), 297-317.

———.
318. Miller, Paul G., y Padín, José:
"Cervantes-Shakespeare. Tercentenary 1616-1916. Biographical notes,
selections, and appreciations."
PRDE, no. 2 (1916). Pp. 126.

———.
319. Nicolau d'Olwer, Lluis: "El
centenari Shakespeare-Cervantes."
Revista, III (1917), 102-04.

SPÄTRENAISSANCE.
320. Pfandl, L.: "Cervantes und der
spanische Spätrenaissance-Roman."
IdPhil, I (1925), 373-92. [Incluye
El peregrino en su patria, de Lope].
SPASSMACHER.
  V. GRACIOSO.

TEATRO.
321. Álvarez Espino, R.: "El teatro
de Cervantes."
AméricaM, XVIII (1874), no. 17 (13
sept.), págs. 5-6.

———.
322. Massarani, Tullo: "Michele
Cervantes Saavedra e il teatro spagnuolo del suo tempo."
NA, CLXXIV (1900), 681-97.

———.
323. González Manuel, Raimundo: "El
teatro de Cervantes."
CD, LXVII (1905), 42-50, 633-41.

———.
324. Giannini, Alfredo: "Il teatro

del Cervantes. (Gli entremeses)."
CroLett, I, no. 21 (11 sept, 1910),
pág. 3.

———.
325. Astrana Marín, L.: "El teatro
de Cervantes."
Jat, nos. 12-13 (mayo-jun, 1943),
34-36.

———.
326. Astrana Marín, L.: "El teatro
de Cervantes."
BolInf, no. 68 (sept, 1947), 65-71.

———.
✓ 327. Baralt, Luis A.: "Cervantes y
el teatro."
UnivHab, no. 58 (1948), 136-54.

✓TÉCNICA.
  V. ESTUDIO.

TIRSO DE MOLINA.
  V. TIRSO DE MOLINA, CERVANTES.

TOLERANCIA.
  V. GENERAL II, núm. 1471.

TRISTEZA.
  V. VEGA, LOPE (344).

VEGA, LOPE DE. ✓
  V.t. GRACIOSO (310), NOTERELLE
(314), SPÄTRENAISSANCE (320); GENE
RAL II, LIBROS, MENÉNDEZ PIDAL
(1702).

———.
328. Hartzenbusch, J. E.: "Cervantes y Lope de Vega en 1605. Citas
y aplicaciones relativas a estos
dos esclarecidos ingenios."
RevEsp, I (1862), 169-86.

———.
329. Hartzenbusch, J. E.: "Cervantes y Lope en 1605."
AméricaM, X (1866), no. 17 (12 sept),
págs. 5-6.

———.
330. Díaz Benjumea, Nicolás: "Cuatro
palabras en respuesta al artículo
del señor Hartzenbusch sobre Cervantes y Lope."
AméricaM, X, no. 22 (27 nov, 1866),
págs. 11-12.

VEGA, LOPE DE (cont.).

331. Asensio y Toledo, José M.: "Desavenencias entre Miguel de Cervantes y Lope de Vega."
IEA, XXVI (1882), t. 2, págs. 7, 10, 22-23.

———.

332. [Vinson, Julien]: "Querelle poétique de Cervantes et de Lope de Vega."
RdLing, XXIV (1891), 97-98.
[El soneto "Hermano Lope, bórrame el soné-," atribuído a Cervantes (es de Góngora), y la respuesta de Lope "Pues nunca de la Biblia digo lé-." Estos poemas están copiados del artículo de Asensio (331)].

———.

333. Forster, Joseph: "Lope de Vega and Cervantes."
En su libro Some French and Spanish Men of Genius, págs. 271-310.
[Hay un resumen de El perro del hortelano, de Lope, y una traducción inglesa del Paso séptimo ("Las aceitunas") de Lope de Rueda. V. GENERAL II, LIBROS, núm. 1637].

———.

334. Aicardo, José M.: "Miguel de Cervantes y Lope de Vega, o el Quijote y su época literaria."
RyF, XII (1905), 5-27, 158-80, 281-294, 450-60.

———.

335. Giannini, Alfredo: "Cervantes e Lope de Vega."
CroLett, II, no. 39 (15 en., 1911), pág. 3.

———.

336. Bransby, Carlos: "The Personal and Literary Relations between Cervantes and Lope de Vega."
APA, XLIII (1912), lxvii-lxviii.
[Abstracto de un discurso].

———.

337. Castrillo, José M.: "Documentos sobre Cervantes y Lope de Vega."
BSEE, XXVIII (1920), 106-07.
[Su profesión en la Tercera Orden de San Francisco: Lope, el 16 de sept., 1610; Cervantes, el 2 de abril de 1616].

———.

338. [Anon.]: "Cervantes and Lope de Vega. First and Other Rare Editions of their Works."
MBo, I (1926), 321-28.

———.

339. Jiménez Salas, María: "Nuevo encuentro de Lope y Cervantes."
Fénix, no. 6 (1935), 687-706.

———.

340. Schevill, R.: "Cervantes and Lope de Vega: A Contrast of Two Master Spirits of the Golden Age in Spain."
SR, III (1936), 1-15.

———.

341. Buchanan, M. A.: "Cervantes and Lope de Vega: Their Literary Relations. A Preliminary Survey."
PQ, XXI (1942), 54-64.

———.

342. Sos Gautreau, C.: "Dulcinea, reina del Toboso, y Lucinda, princesa de la Farándula."
Cerv, XVIII (1943), nos. 3-5 (mar-mayo), págs. 12-14, 69.
[Sobre la enemistad que existía entre Lope y Cervantes].

———.

343. Torre, Guillermo de: "El postulante y el favorito. (Cervantes y Lope de Vega)."
Atenea, XXIV (1947), no. 268, págs. 41-50.

———.

344. Juliá Martínez, E.: "La alegria de Lope y la tristeza de Cervantes."
CuadLit, I (1947), 7-39.

———.

345. Entrambasaguas, J. de: "Cervantes y Lope—El tiempo y el momento."
AUCh, año CVIII (1950), no. 80, págs. 235-44.

VIGNY, ALFRED DE.
V. GENERAL II, VIGNY (1494).

VIZCAÍNOS.
V. GENERAL II, SECRETARIOS (1426).

ZWISCHENSPIELE.
V. ENTREMESES (306).

OBRAS

COLECCIONES

346. ALONSO, DÁMASO: El Hospital de
los podridos y otros entremeses, al-
guna vez atribuídos a Cervantes.
Madrid: Signo, 1936. Pp. 161.
[Contiene también Los Habladores,
La Cárcel de Sevilla, Los Mirones y
Los Romances].
a) E. A., RFE, XXIII (1936), 316.

347. BONILLA Y SAN MARTÍN, ADOLFO:
Entremeses. Madrid: Asociación de
La Librería de España, 1916. Pp.
xl-257.
a) J. Gómez Ocerín, RFE, V (1918),
301-03.

348. BONILLA Y SAN MARTÍN, ADOLFO:
Comedias y entremeses de Cervantes.
[Tomo VI de las Obras completas].
Madrid: Gráficas Reunidas, 1922.
a) J.P.W. Crawford, RR, XVI (1925),
274.

348A. GIANNINI, ALFREDO: Gl'Intermezzi, tradotti e illustrati. Lan-
ciano: Carabba, 1915. Pp. 156.
a) P. Savj-Lopez, Concil, II (1915),
110-14.

349. HERRERO GARCÍA, M.: Entremeses
de Cervantes. (Clásicos Castellanos, 125). Madrid: Espasa-Calpe,
1945. Pp. 244.
a) E. Terzano de Gatti, Filol, I
(1949), 97-100.

350. MORLEY, S. G.: The Interludes
of Cervantes. Princeton: Princeton
University Press, 1948. Pp. xii-223.
a) J.E. Gillet, HR, XVII (1949),
167-69.
b) E.A. Peers, BSS, XXVI (1949),
184-85.
c) G.E. Wade, MLJ, XXXII (1948),
553-55.
d) A.F.G. Bell, BAbr, XXIII (1949),
40-41.

351. PFANDL, LUDWIG: Drei Zwischenspiele. Übersetzt von... (Sammlung romanischer Uebungstexte, XI).
Halle: Niemeyer, 1926. Pp. xvi-72.
[Contiene El Rufián viudo, La
Guarda cuidadosa y El Retablo de
las maravillas].
a) A. Jeanroy, RCHLP, ns XCV (1928),
36-37.
b) M.V. Depta, ZNU, XXVIII (1929),
159-60.

352. ROYER, ALPHONSE: Théâtre de
Michel Cervantes, traduit pour la
première fois par M. A. Royer.
Paris: Michel Levy, 1862. Pp. 421.
a) Ch. de Mazade, RDM, XXXII (1862),
tome 38 (mar-abr), págs. 255-56.

353. SCHEVILL, R. y BONILLA Y SAN
MARTÍN, A.: Comedias y entremeses
de Cervantes. [Tomos I y II de las
Obras completas]. Madrid: B. Rodríguez, 1915-16. 2 vols. Pp. 381 y
383.
a) J. Gómez Ocerín, RFE, V (1918),
65-67.

354. VIADA Y LLUCH, L. C.: Entremeses de Cervantes. Barcelona:
Editorial Ibérica, 1914. Pp. xii-320.
a) --, RFE, V (1918), 307.

OBRAS SUELTAS

LOS BAÑOS DE ARGEL.
355. Alonso, Dámaso: "Una fuente de
Los Baños de Argel."
RFE, XIV (1927), 275-82.
[Pero Mexía, Silva de varia lección, Parte II, Capítulo 15. Este
artículo y el siguiente están reimpresos, con el título "Maraña de
hilos (Un tema de cautiverio entre
Fulgosio, Pero Mexia, Bandello,
Juan de la Cueva y Cervantes)", en
su libro Del siglo de oro a este
siglo de siglas, págs. 29-42. V.
GENERAL II, LIBROS, núm. 1555].

———.

356. Alonso, Dámaso: "Los Baños de
Argel y La Comedia del degollado."
RFE, XXIV (1937), 213-18.
[La Comedia del degollado es de
Juan de la Cueva. V. el núm. 355].

LA CÁRCEL DE SEVILLA.
  V. el núm. 346.

LA CASA DE LOS CELOS.
357. Silverman, Joseph H: " 'Jornada' (La casa de los celos, II)."
NRFH, III (1949), 274-75.

EL CELOSO EXTREMEÑO.
  V. TEMAS, MASSINGER (312).

LA CUEVA DE SALAMANCA.
  V.t. GENERAL II: TEMAS, ENTREMÉS
(1046), SALAMANCA, CUEVA DE (1405);
LIBROS, NORTHUP (1727).

——————.

358. Jones, Willis K.: "The Cave of
Salamanca."
PLore, XXXIX (1928), 120-31.
  [Es una traducción].

LOS DOS HABLADORES.
  V.t. GENERAL II, LIBROS, núm. 1727.

——————.

359. Fahnestock, E., y White, F.D.:
"The Talkers. A Farce Attributed
to Cervantes."
Colon, XII (1916), 12-19.
  [Es una traducción].

ENTREMÉS DE LOS ROMANCES.
  V. TEMAS, "FARCE DU ROMANCERO";
OBRAS, QUIJOTE (375).

ENTREMÉS DE REFRANES.
  V.t. GENERAL II, LIBROS, núm. 1727.

360. Vidal y Valenciano, Cayetano:
El Entremés de refranes, ¿es de
Cervantes? Ensayo de su traducción;
estudio crítico-literario. Barce-
lona: Bastinos; Madrid: Fe, 1883.
Pp. 78.
  [El autor lo traduce al catalán;
cree que es de Quevedo].
a) A. Savine, Polyb, 2ª serie, tome
XX (jul-dic, 1884), 357.

LA ENTRETENIDA.
  V. GENERAL I, CUESTIÓN DE AMOR,
núms. 26-27.

EL GALLARDO ESPAÑOL.
361. Revuelta, Luisa: "Una jerezana

en El gallardo español."
AUHisp, X (1949), no. 1. págs. 33-39.
  [La protagonista "resume un aspecto de mujer que tiene calidades universales y a la vez cierto sello ...
andaluz"].

LA GUARDA CUIDADOSA.
  V.t. TEMAS, PASSO (315).

——————.

362. Flores, Ángel, y Liss, Joseph:
"The Faithful Dog."
PLore, XLVI (1940), 195-207.
  [Es una traducción].

——————.

363. Giannini, Alfredo: "La Guardia
vigilante (Intermezzo di M. Cervantes)."
CroLett, I, no. 28 (30 de oct, de
1910), pág. 3.
  [Traducción italiana].

LOS HABLADORES.
  V. LOS DOS HABLADORES.

LA ILUSTRE FREGONA.
364. Oliver Asín, J.: "Sobre los
orígenes de La ilustre fregona.
Notas a propósito de una comedia
de Lope."
BRAE, XV (1928), 224-31.
  [Trata de El mesón de la corte.
V.t. el núm. 365].

——————.

365. Anibal, C. E.: "La ilustre
fregona."
Hisp, XII (1929), 323-25.
  [Sobre el artículo de Oliver Asín,
núm. 364].

EL JUEZ DE LOS DIVORCIOS.
366. Fahnestock, E., y White, F.D.:
"The Judge of the Divorce Court."
Colon, XIII (1917), 136-43.
  [Traducción inglesa].

——————.

367. Jones, Willis K.: "The Judge
of the Divorce Court."
PLore, XLV (1939), 117-26.
  [Otra traducción inglesa].

——————.

368. Giannini, Alfredo: "Il giudice

dei divorzi, intermezzo di Michele
Cervantes."
CroLett, II, no. 53 (23 abril, 1911),
pág. 3.
    [Traducción italiana].

EL LICENCIADO VIDRIERA.
    V.t. TIRSO DE MOLINA, CERVANTES
(2708).

369. Singer, Armand E.: "The Literary Progeny of Cervantes' El licenciado Vidriera."
WVUS, V (1947), 59-72.
    [Entre otras obras, trata de la
comedia de Moreto del mismo título].

LOS MIRONES.
    V. el núm. 346.

LA NUMANCIA.
    V.t. GENERAL I, NUMANCIA (70).

370. Pitollet, C.: "La Numancia au
Théâtre Antoine."
BH, XXXIX (1937), 405-10.

371. Houck, Helen P.: "Revival of
Cervantes' Numancia."
Hisp, XXI (1938), 225-26.
    [Resumen de artículos de Max Aub
y de "Azorín" en Nuestra España
(Paris, mayo de 1937) y La Prensa
(Buenos Aires, 11 de agosto, 1937)].

372. Alberti, Rafael: La Numancia.
Versión modernizada de Rafael Alberti. Buenos Aires: Losada, 1943.
a) E. Diez-Canedo, HiPro, II (1943),
219-20.

373. Casalduero, Joaquín: "La Numancia."
NRFH, II (1948), 71-87.

374. Valbuena Prat, A.: "Una realización de La Numancia en Sagunto."
Insula, III, no. 33 (15 sept, 1948),
pág. 8.

PEDRO DE URDEMALAS.
    V. TEMAS, "ESCONDIG" (307).

EL QUIJOTE.
    V.t. TEMAS, núms. 309, 334, 342;
GENERAL I, CAMILOTE (16); GENERAL
II, EL "QUIJOTE".

375. Menéndez Pidal, R.: "Un aspec-
to en la elaboración del Quijote."
En su libro De Cervantes y Lope de
Vega, págs. 9-58.
    [Se incluyen consideraciones so-
bre el Entremés de los romances. V.
GENERAL II, LIBROS, núm. 1702].

376. Garrone, M. A.: "Don Chisciotte
nelle prime commedie spagnuole e
nelle ultime francesi (1605-1910)."
Fanfu, XXXII (1910), no. 26 (26 de
junio), pág. 3; no. 27 (3 de julio),
págs. 3-4.

REFRANES, ENTREMÉS DE.
    V. ENTREMÉS DE REFRANES.

EL RETABLO DE LAS MARAVILLAS.
    V.t. GENERAL II, COMENTARIOS (927).

377. Fahnestock, E., y White, F.D.:
"The Magic Theater."
PLore, XXXII (1921), 234-43.
    [Traducción inglesa].

378. Entrambasaguas, J. de: "Un aspecto interpretativo de El retablo
de las maravillas (picaresca, papan-
cia, discreción)."
Medit, V (1947), 308-19.
    [V. el número siguiente].

379. Entrambasaguas, J. de: "Un aspecto interpretativo de El retablo
de las maravillas (picaresca, papan-
cia, discreción)."
Esc, XXI (1950), no. 65, págs. 21-
32.
    [Aparece también en HomCervantes
(1950), págs. 153-66. "Interpreta
este artículo en el plano psicológico, y aplicándolo ... estudia ...
los pícaros, el público y el soldado"].

ROMANCES, ENTREMÉS DE LOS.
V. ENTREMÉS DE LOS ROMANCES.

EL RUFIÁN DICHOSO.
  V. TEMAS, COMEDIA (293), MYSTIQUE
(313).

EL RUFIÁN VIUDO.
  V. TEMAS, ENTREMESES (304).

LA SEÑORA CORNELIA.
  V. TEMAS, NOTERELLE; TIRSO DE MO-
LINA, OBRAS, EL BURLADOR DE SEVILLA
(2867).

LOS TRATOS DE ARGEL.
380. Los tratos de Argel. Ed. Ludwig Pfandl. (Freytags Sammlung
fremdsprachlicher Schriftwerke).
Leipzig: Freytag, 1925.
a) M.V. Depta, ZNU, XXV (1926),
   479-80.

─────.
381. Casalduero, Joaquín: "Los tratos de Argel."
CompLit, II (1950), 31-63.

EL VIAJE DEL PARNASO.
  V. GENERAL II, CLOAK EPISODE (914).

EL VIEJO CELOSO.
  V.t. TEMAS, MASSINGER (312).

─────.
382. Giannini, Alfredo: "Intorno al
Vecchio geloso."
CroLett, II, no. 69 (13 agosto de
1911), pág. 3.

EL VIZCAÍNO FINGIDO.
  V. LIBROS, GARCÍA (385).

LIBROS

383. COTARELO Y VALLEDOR, ARMANDO:
El teatro de Cervantes. Madrid:
"Revista de Archivos," 1915. Pp. 770.
a) J. Gómez Ocerín, RFE, V (1918),
   188-91.
b) L. Pfandl, LGRP, XLI (1920), col.
   121-23.

384. DÍAZ DE ESCOVAR, NARCISO: Apuntes escénicos cervantinos; o sea,
Un estudio histórico, bibliográfico

y biográfico de las comedias y entremeses escritos por Miguel de
Cervantes. Madrid: Viuda de Rico,
1905. Pp. 79.

DIEULAFOY, MARCEL: Le Théâtre édifiant.
  V. GENERAL II, LIBROS, núm. 1619.

385. GARCÍA, MANUEL JOSÉ: Estudio
crítico acerca del entremés "El
Vizcaíno fingido" de Miguel de Cervantes Saavedra. Madrid: Sucs. de
Rivadeneyra, 1905. Pp. 184.
a) ──, RCont, CXXXI (1905), 635.

386. HAZAÑAS Y LA RÚA, J.: Los ru-
fianes de Cervantes: "El rufián
dichoso" y "El rufián viudo." Sevilla: Izquierdo, 1906. Pp. 273.
a) ──, RCont, CXXXII (en-mar, 1906),
   638.
b) A. Paz y Melia, RABM, XV (1906),
   460-61.
c) ──, CE, I (1906), 781.

387. MARÍA Y CAMPOS, ARMANDO DE:
Treinta crónicas y una conferencia
sobre el teatro de Cervantes. México: Ediciones Populares, 1948.
Pp. 160.
a) A. Lopera, UnCaBo, XIV (1949),
   437-38.
b) Aubrey F. G. Bell, BAbr, XXIII
   (1949), 39-40.

MIRÓ QUESADA Y SOSA, AURELIO: Cervantes, Tirso y el Perú.
  V. GENERAL II, LIBROS, núm. 1712.

388. SAVJ-LÓPEZ, PAOLO: Cervantes.
Napoli: Riccardo Riccardi, 1913.
Pp. 247.
a) ──, RTI, XVIII (1914), 233-35.
b) Adalbert Hämel, LGRP, XXXVI
   (1915), col. 230.

389. SAVJ-LÓPEZ, PAOLO: Cervantes.
Traducción de Antonio García Solalinde. Madrid: Editorial "Saturnino Calleja," 1917. Pp. 263.

*****
****
***
**
*

CIRNE, JUAN

390. Eyer, Cortland: "Juan Cirne
and the Celestina."
HR, V (1937), 265-68.

391. Alonso Cortés, Narciso: "Juan
Cyrne."
BABAV, II (1932), no. 6, págs. 357-
358.

392. Serís, Homero: "Unos documentos sobre Juan Cirne."
RFE, XVIII (1931), 252-54.

393. Gillet, J.E., y Williams, E.B.:
"Tragedia de los amores de Eneas y
de la Reyna Dido."
PMLA, XLVI (1931), 353-431.
  [Se presenta todo el texto].

394. Alonso Cortés, N.: "El autor
de la Tragedia de los amores de
Eneas y de la reyna Dido."
RFE, XVIII (1931), 162-64.
  [El nombre del autor aparece en
un acróstico].

COTA, RODRIGO

395. Cotarelo y Mori, E.: "Algunas
noticias nuevas acerca de Rodrigo
Cota."
BRAE, XIII (1926), 11-17, 140-43.

396. Cortina, Augusto: "Rodrigo
Cota."
RBAM, VI (1929), 151-65.

DIÁLOGO ENTRE EL AMOR Y UN VIEJO.
  V.t. GENERAL I, TESTO (108).

———.

397. Cortina, Augusto: "El Diálogo
entr' el amor y vn viejo."
BAAL, I (1933), 319-71 [estudio];
IV (1936), 219-47 [edición crítica].

CUEBAS, FRANCISCO DE LAS

398. Crawford, J.P.W.: "Representa-
ción de los mártires Justo y Pastor."
RevHisp, XIX (1908), 428-53.
  [Es una edición de la obra].

CUEVA, JUAN DE LA

  V.t. GENERAL II, LIBROS, LISTA
(1687), PÉREZ DE AYALA (1742).

TEMAS

AMÉRICA.
399. Méndez Bejarano, M.: "Los grandes poetas españoles que vivieron
en América. IV: Juan de la Cueva
de Garoza."
UnIA, XXXVIII, no. 3 (mayo-junio,
1924), págs. 9-17.
  [Reimpreso en su libro Poetas españoles que vivieron en América,
págs. 96-113. V. GENERAL II, LI-
BROS, núm. 1700].

BIOGRAFÍA.
  V.t. CUEVA, JUAN DE LA; GENERAL II,
BIOGRAFÍA (871).

———.

400. Montoto, Santiago: "Juan de la
Cueva. Aparece la partida de bau-
tismo del gran dramático."
ByN, (21 feb, 1932), págs. 89-90.
  [Nació en 1543. Su madre se lla-
maba Juana de las Cuevas].

CANCIÓN.
401. "Canción inédita de Juan de la
Cueva."
RCLA, II (1856), 703-05.
  ["Sutiles hebras de oro, _ Donde
amor ..." Nota: "Copiada de un
Códice de la Biblioteca Colombina."].

———.

402. ""A la muerte de doña Inés de
la Paz,' canción inédita de Juan de
la Cueva."
RCLA, III (1856), 179-82.
  ["Aquí, donde en tu nombre." Nota:
"Tomada de un Códice de la Biblioteca Colombina."].

CERVANTES, MIGUEL DE.
  V. LIBROS, ICAZA (422).

CETINA, GUTIERRE DE.
  V.t. LIBROS, ICAZA (422).

———.

403. Icaza, Francisco A. de: "Gutierre de Cetina y Juan de la Cueva."
BRAE, III (1916), 315-35.

Cueva, Juan de la.

404. Núñez de Prado, Manuel: "Juan
de la Cueva."
AméricaM, XVI (1872), no. 18 (28 de
sept.), págs. 3-4.

————.

405. Icaza, Francisco A. de: "Juan
de la Cueva."
BRAE, IV (1917), 469-83, 612-26.

Don Juan.
V. OBRAS, El Infamador (417).

Edición.
406. Hämel, Adalbert: "Sobre la
primera edición de las obras de
Juan de la Cueva."
RFE, X (1923), 182-84.

————.

407. Hämel, Adalbert: "Juan de la
Cueva und die Erstausgabe seiner
Comedias y tragedias."
ZRP, XLIII (1923), 134-53.

Réflexions.
408. Bataillon, M.: "Simples réflexions sur Juan de la Cueva."
BH, XXXVII (1935), 329-36. [V.t. 1574A].

Séneca.
409. Morby, Edwin S.: "The Influence
of Senecan Tragedy in the Plays of
Juan de la Cueva."
SP, XXXIV (1937), 383-91.

Soneto.
410. "Soneto inédito de Juan de la
Cueva a Baltasar del Alcázar."
RCLA, IV (1857), 318.
["Cuál cometa fugáz pasan mis
años."].

Studien.
411. Pfandl, Ludwig: "Studien zu
Juan de la Cueva."
ASNSL, CLIX (1931), 231-53.

Supernatural.
412. Barrett, Linton L.: "The Supernatural in Juan de la Cueva's Drama."
SP, XXXVI (1939), 147-68.

Versificación.
413. Morby, E.S.: "Notes on Juan de
la Cueva: Versification and Drama-

tic Theory."
HR, VIII (1940), 213-18.

OBRAS

Colecciones

414. Icaza, Francisco A. de: El
Infamador, Los siete Infantes de
Lara y el Exemplar poético. (Clá-
sicos castellanos, 60). Madrid:
"La Lectura," 1924. Pp. 246.
a) A.Y.D., BSS, II (1924-25), 142-43.

Obras Sueltas

El Degollado.
V. GENERAL I, Shakespeare (96);
CERVANTES, OBRAS, núms. 355-56.

Exemplar poético.
415. Walberg, E.: "Juan de la Cueva
et son Exemplar poético."
Lund, XXXIX (1904), no. 2. Pp. 118.
a) A. Paz y Melia, RABM, XI (1904),
461-62.
b) E. Mérimée, BH, VII (1905),
78-81.

Historia y sucesión de la Cueva.
416. "Historia y sucesión de la
Cueva."
ArchHisp, I (1886), 261-72, 290-309;
II (1886), 17-24, 41-48, 65-72,
87-96.
[Poema en dos Libros, el primero
de 79 octavas reales, el segundo de
93. No hay introducción ni nombre
de redactor; sólo el prefacio del
autor, en que dedica la obra a doña
Ana Téllez Girón, Marquesa de Tari-
fa, con fecha del 15 de septiembre
de 1604].

El Infamador.
417. Gillet, J. E.: "Cueva's Comedia del Infamador and the Don Juan
Legend."
MLN, XXXVII (1922), 206-12.

La Muerte de Virginia y Apio Claudio.
V. GENERAL II, Virginia (1496).

Poemas.
418. Wulff, F. A.: "Poèmes inédits
de Juan de la Cueva."

Lund, XXIII (1886-87), no. 2. Pp.
c-64.
 [Contiene también El viaje de
Sannio].
a) M. Goldschmidt, LGRP, X (1889),
 col. 225-26.

RIMAS.
419. Wulff, F. A.: "De las Rimas de
Juan de la Cueva."
HomMenPelayo (1899), II, 143-48.

EL SACO DE ROMA.
420. Crawford, J.P.W.: "The 1603
Edition of La Cueva's Saco de Roma."
MLN, XLIV (1929), 389.

EL VIAJE DE SANNIO.
 V. POEMAS.

                LIBROS

421. GUERRIERI CROCETTI, CAMILLO:
Juan de la Cueva e le origini del
teatro nazionale spagnolo. Torino:
G. Gambino, 1936. Pp. 224.
a) G. Bufalini, Rass, XLVI (1938),
 6-8.
b) A. Giannini, LeoM, IX (1938),
 194-95.
c) G. Bufalini, CivMod, IX (1937),
 80-83.

422. ICAZA, FRANCISCO A. DE: Sucesos reales que parecen imaginados
de Gutierre de Cetina, Juan de la
Cueva y Mateo Alemán. Madrid:
Hernando, 1919. Pp. 267.
 ["Cueva y sus biógrafos," págs.
83-120; "Cueva a través de sus versos," 121-38; "El teatro de Juan de
la Cueva," 139-59; "Juan de la Cueva y Miguel de Cervantes," 243-52.
Reimpreso—V. LOPE DE VEGA, núm. 3875A].

    CUEVA Y SILVA, FRANCISCO DE LA

 V.t. LOPE DE VEGA, OBRAS, ELLAUREL
DE APOLO (3731).

423. Catalán Menéndez Pidal, Diego:
"Don Francisco de la Cueva y Silva
y los orígenes del teatro nacional."
NRFH, III (1949), 130-40.

———.
424. Crawford, J.P.W.: "Francisco
de la Cueva y Silva. Tragedia de
Narciso."
UPRLL, no. 3 (1909). Pp. 78.
a) A. L. Stiefel, LGRP, XXXIII
 (1912), col. 120-21.

        DÍAZ, FERNANDO

 V. GENERAL I, COLECCIONES, KOHLER
(166).

    DÍAZ TANCO DE FREGENAL, VASCO

 V.t. GENERAL I, CAUTIVOS (18).

425. Carré Aldao, Eugenio: "Vasco
Díaz Tanco de Fregenal (1544-1547)."
BRAG, XI (1916), 83-85.

426. Macías, M.: "Vasco Díaz Tanco
de Fregenal. 'La Palinodia'. Sino-
dales del Obispado de Orense. Su
testamento."
BCMOrense, VII (1923), 113-34.

NACIMIENTO Y OBRAS.
427. "[Preguntas y respuestas]."
Aver, I (1871), 37, 55, 70, 210,
324, 341; II (1872), 36, 55.

428. Gillet, J. E.: "Apuntes sobre
las obras dramáticas de Vasco Díaz
Tanco de Fregenal."
RABM, XLIV (1923), 352-56.

429. Moreno García, C.: "Migajas
literarias. Vasco Díaz Tanco."
RCast, II (1916), 7-13.

430. Rodríguez Cid, C.: "Testamento
y codicilo de Vasco Díaz Tanco de
Fregenal."
BCMOrense, VII (1923), 89-105.

431. Rodríguez Moñino, A.: "Los
Triunfos canarios de Vasco Díaz
Tanco."
MusCan, II (1935), no. 4, págs.
11-35.
 [Es una edición].

432. López, Atanasio: "Los Veinte
triunphos hechos por Vasco Díaz de

Fregenal."
BCMOrense, X (1935), 371-90.

DIEZ, ANTONIO

V. GENERAL I, COLECCIONES, BONILLA
(162).

DURÁN, DIEGO

V. GENERAL I, COLECCIONES, KOHLER
(166).

ENCINA, JUAN DEL

V.t. GENERAL I: TEMAS, NAVIDAD
(67), POETA (84), RARE (87); LIBROS,
CONTINI (175), MÉRIMÉE (186); GENE-
RAL II, LIBROS, MÉRIMÉE (1705).

TEMAS

APELLIDO.
433. Cañete, Manuel: "Noticias que
pueden servir para averiguar el
verdadero apellido de Juan del Encina, poeta dramático español del
siglo XV."
RevHA, I (1881), 355-64.
[Puede ser Juan de Tamayo. V.t.
núm. 446].

BIOGRAFÍA.
434. Ortiz Gallardo, Juan: "Juan de
la Encina."
SemPintEsp, (1852), 169-70.

435. Wolf, Fernando: "Sobre Juan
del Encina."
EspMod, VII (1895), tomo 80, págs.
91-98.

436. Espinosa Maeso, Ricardo: "Nue-
vos datos biográficos de Juan del
Encina."
BRAE, VIII (1921), 640-56.

437. Armas, Guillermina de: "Juan
del Enzina."
AlmaC, IV (1926), 94-100.

438. Díaz-Jiménez y Molleda, Eloy:
"En torno a Juan del Encina."
RSE, V (1927), 398-401.

CANTARES.
V, VILLANCICOS.

DISPARATES.
V. GENERAL I, DISPARATES (31).

DOCUMENTOS.
439. Mitjana, Rafael: "Nuevos docu-
mentos relativos a Juan del Encina."
RFE, I (1914), 275-88.
[Reimpreso en sus Estudios sobre
algunos músicos españoles del siglo
XVI, págs. 37-51. V. GENERAL I,
LIBROS, núm. 188].

FUENTES.
V. GENERAL I, LIBROS, MAZZEI (185).

LEYENDO LIBROS VIEJOS.
440. Corral, José M.: "Leyendo libros viejos. Juan del Encina."
RevCat, XXXIV (1918), 446-52.

LÍRICO.
441. García Blanco, Manuel: "Juan
del Encina, poeta lírico."
RUO, XIX-XX (en-mar, 1944), 5-36.

MÚSICO.
V.t. LIBROS, MITJANA (460).

442. Chase, Gilbert: "Juan del Encina, poet and musician."
MandL, XX (1939), 420-30.

ORÍGENES.
443. Cotarelo y Mori, E.: "Juan del
Encina y los orígenes del teatro español."
EspMod, VI (1894), tomo 64 (abril),
págs. 24-52; tomo 65 (mayo), 24-60.
[Reimpreso, "corregido y amplia-
do," en sus Estudios de historia
literaria de España, págs. 103-81.
V. GENERAL I, LIBROS, núm. 176].

444. Wyzewa, T. de: "Juan del Encina y los orígenes del teatro español."
RDM, LXIVe année (1894), 3me période

tome CXXVI (nov-dic), págs. 456-59.
[Crítica del número precedente].

PERFIL.
445. Battistessa, Ángel José: "Trazos para un perfil de Juan de la Encina."
En su libro Poetas y prosistas españoles, págs. 173-232. [V. GENERAL II, LIBROS, núm. 1575].

PICARESCO.
V. GENERAL II, LIBROS, MONTOLIU (1718).

PROBLEMA.
446. Giménez Caballero, E.: "Hipótesis a un problema de Juan del Encina."
RFE, XIV (1927), 59-69.
[Sobre su verdadero apellido y el lugar de su nacimiento. V.t. el núm. 433].

RELIGIEUX.
447. Cirot, Georges: "Le théâtre religieux d'Encina."
BH, XLIII (1941), 5-35.

———.
448. Cirot, Georges: "A propos d'Encina. Coup d'oeil sur notre vieux drame religieux."
BH, XLIII (1941), 123-53.

TORRES NAHARRO.
V. GENERAL I, LIBROS, MAZZEI (185).

VILLANCICOS.
449. Encina, Juan del: "Villancicos."
IEA, XLIX (1905), t. 2, pág. 382.
["Ya no quiero tener fe"].

———.
450. Michaëlis de Vasconcellos, C.: "Nótulas sobre cantares e vilhancicos peninsulares e a respeito de Juan del Enzina."
RFE, V (1918), 337-66.

OBRAS

AUTO DEL REPELÓN.
451. Alvaréz de la Villa, A.: El Aucto del Repelón, publicado con un estudio crítico-biográfico, glosa-

rio y notas. Paris: Ollendorff, 1910. Pp. 336.
a) J. Juderías, Lect, XIII (1913), tomo 3, págs. 445-52.

CANCIONES.
452. Canciones. Edición, introducción y notas de Ángel J. Battistessa. (Colección "Fábula y Canto"). Buenos Aires, 1941. Pp. xcv-203.
a) José F. Gatti y Amado Alonso, RFH, IV (1942), 182-85.

ÉGLOGA SEGUNDA.
453. Boussagol, G.: "La deuxième Eglogue de Juan del Encina."
RELV, XLVI (1929), 193-98.

ÉGLOGA DE FILENO Y ZAMBARDO.
454. Crawford, J.P.W.: "The Source of Juan del Encina's Égloga de Fileno y Zambardo."
RevHisp, XXXVIII (1916), 218-31.
[Es Antonio Tebaldeo. V.t. el número siguiente].

———.
455. Crawford, J.P.W.: "Encina's Égloga de Fileno, Zambardo y Cardonio and Antonio Tebaldeo's Second Eclogue."
HR, II (1934), 327-33.

ÉGLOGA INTERLOCUTORIA.
456. Cronan, U.: "Égloga interlocutoria."
RevHisp, XXXVI (1916), 475-88.

———.
457. House, R. E.: "A Study of Encina and the Égloga interlocutoria."
RR, VII (1916), 458-69.

ÉGLOGAS TROBADAS DE VIRGILIO.
458. Macandrew, Ronald M.: "Notes on Juan del Encina's Églogas trobadas de Virgilio."
MLR, XXIV (1929), 454-58.

LIBROS
459. DÍAZ-JIMÉNEZ Y MOLLEDA, ELOY: Juan del Encina en León. Madrid: Fortanet, 1909. Pp. 40.
a) Elías Tormo, CE, IV (1909), 915-16.
b) ——, BRAE, VIII (1921), 599-600.

MAZZEI, P.: Contributo allo studio...
V. GENERAL I, LIBROS, núm. 185.

460. MITJANA, RAFAEL: Sobre Juan
del Encina, músico y poeta (Nuevos
datos para su biografía). Málaga:
Tip. de "Las Noticias," 1895. Pp.
60.
   [Reimpreso en sus Estudios sobre
algunos músicos españoles del siglo
XVI, págs. 3-36. V. GENERAL I,
LIBROS, núm. 188].

FARIA, PEDRO DE

V.t. GENERAL II, BÉLGICA (865).

461. Alonso Cortés, N.: "El autor
de la Comedia Dolería."
RFE, VIII (1921), 291-95.
   [El nombre del autor se halla en
un acróstico. Reimpreso en sus
Anotaciones literarias, págs. 19-23.
V. GENERAL II, LIBROS, núm. 1557].

FERNÁNDEZ, LUCAS

V.t. GENERAL I, NAVIDAD (67).

462. Espinosa Maeso, R.: "Ensayo
biográfico del maestro Lucas Fernández (1474?-1542)."
BRAE, X (1923), 386-424, 567-603.

463. Ortiz Behety, Luis: "El teatro
de Lucas Fernández."
BET, VII (1949), 37-39.

464. Morel-Fatio, A.: "Notes sur la
langue des Farsas y églogas de Lucas Fernández."
Rom, X (1881), 239-44.
   [Sobre el sayagués empleado por
los pastores].

465. Cirot, Georges: "L' Auto de la
Pasión de Lucas Fernández."
BH, XLII (1940), 285-91.

FERNÁNDEZ DE HEREDIA, JUAN

V. GENERAL I: TEMAS, FARSA (38);
LIBROS, MÉRIMÉE (186).

FERRUZ, JAIME

V.t. GENERAL I, LIBROS, núm. 186.

466. Cañete, Manuel: "Teatro español del siglo XVI. El Maestro Jaime Ferruz y su Auto de Caín y Abel."
AméricaM, XVI (1872), no. 17 (13 de
sept.), págs. 5-6. [V. el núm. 467].

467. Cañete, Manuel: "Teatro español del siglo XVI. El Maestro Jaime Ferruz y su Auto de Caín y Abel."
IEA, XVI (1872), 486-87, 534-35,
582-86. [Igual a 466, más 2 partes].

FIGUEROA, FRANCISCO DE

468. Crawford, J.P.W.: "The Source
of a Pastoral Eclogue Attributed to
Francisco de Figueroa."
MLN, XXXV (1920), 438-39.
   [Antonio Tebaldeo].

GONZÁLEZ DE ESLAVA, FERNÁN

469. Torres Rioseco, A.: "El primer
dramaturgo americano—Fernán González de Eslava."
Hisp, XXIV (1941), 161-70.

469A. Alonso, Amado: "Biografía de
Fernán González de Eslava."
RFH, II (1940), 213-321.

470. Jiménez Rueda, Julio: "La edad
de Fernán González de Eslava."
RMEH, II (1928), 102-06.

GÜETE, JAIME DE

471. House, Ralph E.: "Some Verse
of Jayme de Güete."
PQ, X (1931), 1-9.

HERNÁNDEZ, DIEGO

472. Gillet, J. E.: "Hernández-San-
tillana, Obra nuevamente compuesta
sobre el Nacimiento del Príncipe
Don Felipe (1527?)."
HR, IX (1941), 48-64.

HUETE, JAIME DE
V. GÜETE, JAIME DE.

HURTADO DE LA VERA, PEDRO

V. GENERAL II, BELGICA (865).

HURTADO DE TOLEDO, LUIS

V.t. GENERAL I, RARE (87); ÁLVAREZ
DE AYLLÓN, núm. 198-99; CARVAJAL,
núm. 207.

473. Vegue y Goldoni, A.: "Apuntaciones para la biografía del escri-
tor Luis Hurtado de Toledo."
RSE, IV (1926), 265-68.
[Reimpreso en sus Temas de arte y
de literatura, págs. 57-61. V. GE-
NERAL II, LIBROS, núm. 1795].

HURTADO DE VELARDE, ALFONSO

V. GENERAL I, FERNÁN GONZÁLEZ (39).

IZQUIERDO ZEBRERO, AUSÍAS

474. Gillet, J. E.: "The Sources of
Izquierdo's Lucero de nuestra sal-
vación."
MLN, XXXVIII (1923), 287-90.

LEONARDO DE ARGENSOLA, LUPERCIO

V.t. GENERAL I, FLÉRIDA (41); GE-
NERAL II, LIBROS, LISTA (1687),
VALENCY (1792A).

475. Green, Otis H.: "The Life and
Works of Lupercio Leonardo de Argensola."
UPRLL, no. 21 (1927). Pp. 203.
a) W. von Wurzbach, LGRP, L (1929),
col. 124-26.

476. Green, Otis H.: Vida y obras
de Lupercio Leonardo de Argensola.
Trad. de Francisco Yndurain. Zaragoza: Institución "Fernando el Ca-
tólico," 1945. Pp. 194.

LEMOS, CONDE DE.
V. GENERAL II, LIBROS, núm. 1736.

477. Crawford, J.P.W.: "Notes on
the Tragedies of Lupercio Leonardo
de Argensola."
RR, V (1914), 31-44.

LÓPEZ DE CASTRO, DIEGO

478. Rennert, H. A.: "Marco Antonio
y Cleopatra. A Tragedy by Diego
López de Castro (1582)."
RevHisp, XIX (1908), 184-237.
[Es edición].
a) A. L. Stiefel, ZRP, XXXVI (1912),
635-36.
b) A. L. Stiefel, LGRP, XXXII
(1911), col. 22-23.

LÓPEZ RANJEL, PERO

479. Gillet, J. E.: "Pero López
Ranjel, Farça a honor y reuerencia
del glorioso nascimiento de Nuestro
Redemptor Jesuchristo y de la Vir-
gen gloriosa madre suya."
PMLA, XLI (1926), 860-90.

LÓPEZ DE YANGUAS, HERNÁN

V.t. GENERAL I, COLECCIONES, KOH-
LER (166).

480. Cotarelo y Mori, E.: "El primer auto sacramental del teatro español y noticia de su autor el Bachiller Hernán López de Yanguas:
I) El auto sacramental. II) Hernán
López de Yanguas. III) El Bachiller de la Pradilla ¿es Hernán López de Yanguas?"
RABM, VII (1902), 251-72.

481. Bonilla y San Martín, A.:
"Fernán López de Yanguas y el Ba-
chiller de la Pradilla."
RevCritHisp, I (1915), 44-51.

LLERENA, CRISTOBAL DE

482. Icaza, Francisco A. de: "Cristóbal de Llerena y los orígenes del

teatro en la América española."
RFE, VIII (1921), 121-30.

MADRID, FRANCISCO DE

483. Gillet, J. E.: "Égloga hecha
por Francisco de Madrid (1495?)."
HR, XI (1943), 275-303.
[Égloga en la cual se introducen
tres pastores].

MADRID, MIGUEL DE

V. GENERAL I, Auto (9).

MAL LARA (o MALARA), JUAN DE

V. GENERAL II, LIBROS, Latour
(1682), Lista (1687).

MANRIQUE, GÓMEZ

V.t. GENERAL I, Navidad (67), Religioso (88).

484. Rodríguez, Conrado: "El teatro
religioso de Gómez Manrique."
RyCult, XXVIII (1934), 327-42; XXIX
(1935), 68-95.

485. "Representación del nacimiento
de nuestro Señor."
RHM, II (1935-36), Sección escolar,
págs. 25-27.
[Obra de Gómez Manrique, representada por estudiantes de Barnard
College].

MARTÍN (o MARTÍNEZ), ESTEBAN

486. Gillet, J. E.: "Esteban Martín
(or Martínez), Auto cómo San Juan
fué concebido."
RR, XVII (1926), 41-64.

MELGAR, JUAN DE

V. GENERAL I: ANÓNIMAS, núm. 161;
COLECCIONES, Bonilla (162).

MIRANDA, LUIS DE

V. GENERAL II, LIBROS, núm. 1687.

MONTEMAYOR, JORGE DE

V.t. VICENTE, Montemòr (656).

487. Whyte, Florence: "Three Autos
of Jorge de Montemayor."
PMLA, XLIII (1928), 953-89.
[Se incluye el texto].

MUÑÓN, SANCHO DE

488. Huarte, Amalio: "Sancho de
Muñón. Documentos para su biogra-
fía."
BBMP, I (1919), 235-53.

489. Icaza, F. A. de: "Los dos Sancho de Muñón. El autor de la Tercera Celestina y su homónimo."
HomMenPidalA (1925), III, 309-17.

NATAS, FRANCISCO DE LAS

490. Romera-Navarro, M.: "Observaciones sobre la Comedia Tidea."
ModPhil, XIX (1921-22), 187-98.

NAVARRO, PEDRO

491. Bourland, Caroline B.: "La
comedia muy exemplar de la Marquesa
de Saluzia llamada Griselda, de Pedro Navarro."
RevHisp, IX (1902), 331-54.
[Se incluye el texto].

NEGUERUELA, DIEGO DE

492. Farsa llamada Ardamisa. Réim-
pression publiée par Léo Rouanet.
Madrid: Murillo, 1901. Pp. 77.
a) Adolf Tobler, ASNSL, CVII (1901),
   224-25.

ORTIZ, AGUSTÍN

493. House, Ralph E.: "The Comedia

Radiana of Agustín Ortiz."
ModPhil, VII (1909-10), 507-56.
[Se presenta el texto].
a) A. L. Stiefel, LGRP, XXXIII
(1912), col. 120.

ORTIZ, ANDRÉS

494. Gillet, J. E.: "A Spanish Play
on the Battle of Pavía."
PMLA, XLV (1930), 516-31.
[Coplas sobre la prisión del rey
de Francia. Se presenta el texto].

PALAU, BARTOLOMÉ

V.t. GENERAL I, LIBROS, MÉRIMÉE.

495. Rouanet, Léo: "Bartolomé Palau
y sus obras. Farsa llamada Custo-
dia del hombre."
AIH, I (1911), 267-303, 357-90,
535-64; II (1911), 93-154.

496. Morel-Fatio, A.: "La Farsa
llamada Salamantina de Bartolomé
Palau."
BH, II (1900), 237-304.
[Es edición].
a) Léo Rouanet, RCHLP, LI (1901),
177-79.

497. House, R. E.: "Sources of Bartolomé Palau's Farsa Salamantina."
RR, IV (1913), 311-22.

498. Serrano y Sanz, M.: "Bartolomé
Palau y su historia de Santa Libra-
da."
BRAE, IX (1922), 301-10.

SANTA OROSIA, HISTORIA DE.
V. GENERAL I, HISTÓRICO (47).

499. Rouanet, Léo: "Una edición
desconocida de la Victoria de Cristo del Bachiller Bartolomé Palau."
RCHLE, IV (1899), 430-35.
[Es una descripción bibliográfica,
no un texto].

PALMYRENO, JUAN LORENZO

V. GENERAL I, LIBROS, MÉRIMÉE.

PARÍS, JUAN DE

V.t. GENERAL I, COLECCIONES, KOHLER.

500. House, R. E.: "The 1536 Text
of the Égloga of Juan de París."
MLN, XXVIII (1913), 28-29.

PASTOR, JUAN

V. GENERAL I, COLECCIONES, BONILLA
(162).

PEDRAZA, JUAN RODRIGO ALONSO DE

V.t. GENERAL I, COLECCIONES, núm.
162; GENERAL II, LIBROS, núm. 1687.

501. Lede, Marqués de: "Auto sacramental desconocido de Juan de Pedraza."
ESeg, I (1949), 493-95.

502. Gillet, J. E.: "An Easter Play
of Juan de Pedraza."
RevHisp, LXXXI (1933), pte. I, págs.
550-607.
[Auto que trata primeramente cómo
el ánima de Christo decendió al infierno... Se incluye el texto].

FARSA LLAMADA DANZA DE LA MUERTE.
V. GENERAL I, DANZA DE LA MUERTE
(28).

PÉREZ, JUAN

V.t. GENERAL I, ANÓNIMAS, ATE RE-
LEGATA... (116).

503. Bonilla y San Martín, A.: "El
teatro escolar en el Renacimiento
español y un fragmento inédito del
toledano Juan Pérez."
HomMenPidalA (1925), III, 143-55.

PÉREZ DE OLIVA, HERNÁN

V.t. GENERAL II, LIBROS, núm. 1687.

504. Menéndez y Pelayo, M.: "Páginas de un libro inédito. Pérez de
Oliva (El Maestre Fernán)."

IEA, XIX (1875), t. 1, págs. 154-55, 174-75.

[Reimpreso en sus Estudios y discursos de crítica histórica y literaria, II, 39-58. V. GENERAL II, LIBROS, núm. 1701].

505. Henríquez Ureña, Pedro: "Estudios sobre el Renacimiento en España: El Maestro Hernán Pérez de Oliva."
CubaC, VI (1914), 19-55.
[Hay tirada aparte (La Habana: "El Siglo XX," 1914. Pp. 44), y también se encuentra en su Plenitud de España, págs. 51-84. V. GENERAL II, LIBROS, núm. 1661].

506. Alonso Cortés, N.: "Datos acerca de varios maestros salmantinos. I: El maestro Hernán Pérez de Oliva."
HomMenPidalA (1925), I, 779-83.

507. Espinosa Maeso, Ricardo: "Pérez de Oliva en Salamanca."
BRAE, XIII (1926), 433-73, 572-90.

508. Barrera, Cayetano A. de la: "El Maestro Fernán Pérez de Oliva, sabio cordobés, inició en el primer tercio del siglo XVI el descubrimiento de la Telegrafía electromagnética."
RCLA, V (1859), 348-50.
["por la piedra Iman halló como se pudiesen hablar dos absentes"].

509. Atkinson, William C.: "Hernán Pérez de Oliva. A Biographical and Critical Study."
RevHisp, LXXI (1927), 309-484.

510. Atkinson, William C.: "Hernán Pérez de Oliva (1494?-1531). Teatro. A Critical Edition."
RevHisp, LXIX (1927), 521-659.
[Tres dramas de temas grecolatinos: La venganza de Agamenón, basado en la Electra de Sófocles; Hécuba triste, imitación de la Hécuba de Eurípides; Anfitrión, arreglo del de Plauto].

AMPHITRION.
V.t. GENERAL I, MOLIÈRE (63).

511. Reinhardstoettner, Karl von: Der spanische Amphitrion des Fernán Pérez de Oliva, wortgetreuer Textabdruck. (Sammlung spanischer Neudrucke des XV. und XVI. Jahrhunderts, 1). München: P. Zipperer, 1886. Pp. 75.

512. Olschki, Leonardo: "Hernán Pérez de Oliva's Ystoria de Colón."
HAHR, XXIII (1943), 165-96.

PRADILLA, BACHILLER DE LA

V. GENERAL I, COLECCIONES, KOHLER (166); LÓPEZ DE YANGUAS, núms. 480, 481.

QUIRÓS, JUAN DE

513. Alcock, Rachel: "La famosa toledana de Juan de Quirós (1591)."
RevHisp, XLI (1917), 336-562.
[La comedia, de tres jornadas, comienza en la pág. 455].

REYNOSA, RODRIGO DE

514. Gillet, J. E.: "Coplas de unos tres pastores attributed to Rodrigo de Reynosa."
PQ, XXI (1942), 23-46.

REY DE ARTIEDA, ANDRÉS

V.t. GENERAL I, LIBROS, MÉRIMÉE (186); GENERAL II: TEMAS, AMANTES DE TERUEL (818), BIOGRAFÍA (871); LIBROS, LISTA (1687), POETAS DRAMÁTICOS VALENCIANOS (1747).

515. Juliá Martínez, E.: "Nuevos datos sobre Micer Andrés Rey de Artieda."
BRAE, XX (1933), 667-86.

516. Los Amantes, tragedia original de Andrés Rey de Artieda, precedida de una noticia biográfica y bibliográfica del autor por Francisco Martí Grajales. Publícala nuevamente Francisco Carreres y Vallo. Valencia: Imp. Manuel Pau, 1908.

Pp. xxxiv-80.
a) M. A. Buchanan, RR, I (1910), 94-96.
b) L. H., RABM, XVIII (1908), 304.

ROMERO DE CEPEDA, JOAQUÍN

517. Rodríguez Moñino, Antonio: "Joaquín Romero de Cepeda, poeta extremeño del siglo dieciséis. Estudio bibliográfico (1577-1590)." RCEE, XIV (1940), 167-92.

RUEDA, LOPE DE

V.t. GENERAL I: TEMAS, ENTREMÉS (35), FONDATORE (42); LIBROS, SCHMIDT (192); GENERAL II: TEMAS, GITANERÍA (1098); LIBROS, LISTA (1687), MÉRIMÉE (1705), SÁNCHEZ-ARJONA (1769).

BIOGRAFÍA.
V.t. GENERAL II, BIOGRAFÍA.

------.

518. Serrano Fatigati, E.: "Lope de Rueda."
MusUniv, VII (1863), 99-102.

------.

518A. Rodríguez Marín, F.: "Lope de Rueda."
En su Burla burlando, págs. 356-60.
[V. GENERAL II, LIBROS, núm. 1764A].

FONDATORE.
V. GENERAL I, núm. 42.

ITALIA.
519. Stiefel, A. L.: "Lope de Rueda und das italienische Lustspiel."
ZRP, XV (1891), 183-216, 318-43.

JUEGOS IDIOMÁTICOS.
520. Veres d'Ocón, Ernesto: "Juegos idiomáticos en las obras de Lope de Rueda."
RFE, XXXIV (1950), 195-237.

OBRA.
521. Cotarelo y Mori, E.: "Una nueva obra de Lope de Rueda."
RELHA, I (1901), 278-80.

[Auto de Naval y Abigail. Reimpreso en sus Estudios de historia literaria de España, págs. 286-90. V.t. el núm. 525].

PICARESCO.
V. GENERAL II, LIBROS, MONTOLIU (1718).

PLAUTO.
V. GENERAL II, núm. 1329.

PLEITO.
522. Laurencín, Marqués de: "Un pleito de Lope de Rueda."
BAH, XLV (1904), 12-15.
[Sobre el libro de N. Alonso Cortés (543)].

RIÑA.
523. Warshaw, J.: "The Popular Riña in Lope de Rueda."
MLN, LI (1936), 363-69.

SEVILLA.
V. GENERAL I, LIBROS, núm. 184.

TEATRO.
524. Cañete, Manuel: "Lope de Rueda y el teatro español del siglo XVI."
AlmIEA, XI (1884), 32-42.

------.

525. Cotarelo y Mori, E.: "Lope de Rueda y el teatro español de su tiempo."
RABM, II (1898), 150-75, 466-502.
[Reimpreso, con adiciones, en sus Estudios de historia literaria de España, págs. 183-285 (V. GENERAL I, LIBROS, núm. 176). También publicado junto con el núm. 521, sirviendo éste de apéndice (Madrid: Imp. de "La Revista Española," 1901. Pp. 116). Finalmente, la misma obra constituye el prólogo de su edición de las obras de Lope de Rueda (V. OBRAS, núm. 532)].

------.

526. García Moré, Mireille: "Lope de Rueda y su teatro."
RFLCHab, XV (1912), 45-88.

TESTAMENTO.
527. Ramírez de Arellano, Rafael: "Lope de Rueda y su testamento."
RELHA, I (1901), 9-12.

TESTAMENTO (cont.).

528. Díaz de Escovar, N.: "Algunos datos sobre personas citadas en el testamento de Lope de Rueda."
RELHA, I (1901), 67-69.

VALENCIA.

529. Carreres y de Calatayud, F.: "Lope de Rueda y Valencia."
ACCV, 2ª serie, año VII, tomo XIV (1946), 128-38.

VALLADOLID.

530. Alonso Cortés, N.: "Lope de Rueda en Valladolid."
BRAE, III (1916), 219-220.

————.

531. Alonso Cortés, N.: "Lope de Rueda en Valladolid."
BCMVall, V (1929), 97-112, 161-68, 201-14.
[Este artículo es una reimpresión, con datos adicionales, de su folleto Un pleito de Lope de Rueda (núm. 543). Se reimprimió en su Miscelánea vallisoletana (Quinta serie), págs. 27-63 (V. GENERAL II, LIBROS, núm. 1559)].

OBRAS

COLECCIONES

532. Cotarelo y Mori, E.: Obras de Lope de Rueda. Madrid: Sucs. de Hernando, 1908. 2 vols. Pp. cxi-328; 459. [V.t. el núm. 525].
a) P. de Mugica, ZRP, XXXV (1911), 110-14.

533. Fuensanta del Valle, Marqués de la: Obras de Lope de Rueda. (Colección de libros españoles raros o curiosos, 23 y 24). Madrid: José Perales y Martínez, 1895-96. 2 vols. Pp. xii-331; x-294.
a) E. Cotarelo y Mori, RCHLE, I (1895-96), 267-70.

534. Germond de Lavigne, Alfred: La Comédie espagnole de Lope de Rueda. Paris: L. Michaud, 1883. Pp. xvi-207.
[Contiene traducción francesa de La carátula, El convidado, Cornudo

y contento, Pagar y no pagar, Las aceitunas, El rufián cobarde, la comedia Eufemia, y el Paso de dos ciegos y un mozo—éste de Timoneda].
a) A. L. Stiefel, LGRP, VI (1885), col. 124-25.

535. Moreno Villa, J.: Teatro. (Clásicos castellanos, 59). Madrid: Edit. "La Lectura," 1924. Pp. 272.
[Contiene las comedias Eufemia y Armelina y los 7 pasos de El deleitoso].
a) F. de Onís, RR, XVII (1926), 76-77.

OBRAS SUELTAS

LAS ACEITUNAS (PASO SÉPTIMO).
V.t. CERVANTES, VEGA (333); GENERAL II, LIBROS, NORTHUP (1727).

————.

536. Jones, Willis K.: "The Olives."
PLore, XXXIX (1928), 310-13.
[Traducción inglesa].

————.

537. Snow, Frank: "An English Version and Performance of Lope de Rueda's Las Aceitunas."
MLJ, XXXI (1947), 98-102.
[Representada en Mary Baldwin College; el texto está incluido].

AUTO DE NAVAL Y ABIGAIL.
V. TEMAS, OBRA (521).

CORNUDO Y CONTENTO (PASO TERCERO).
538. Flores, Ángel y Liss, Joseph: "Cuckolds Go to Heaven."
PLore, XLVI (1940), 208-12.
[Traducción inglesa].

DISCORDIA Y CUESTIÓN DE AMOR.
539. Uhagón, Francisco R. de: "Discordia y question de amor, comedia de Lope de Rueda."
RABM, VI (1902), 341-54.
[Se incluye el texto de la obra].

LOS ENGAÑADOS.
V.t. GENERAL II, PLAUTO (1329).

————.

540. Chasca, Edmund V. de: Los En-

gañados. An Edition. Chicago:
Private Edition, Distributed by
University of Chicago Libraries,
1941. Pp. iv-192.
a) H. Corbató, RR, XXXIV (1943),
84-86.
b) W. E. Wilson, MLQ, III (1942),
350.
c) W. S. Jack, HR, XI (1943), 88-91.

ENTREMÉS DEL MUNDO Y NO NADIE.
V.t. GENERAL I, NADIE (66).

———.
541. Foulché-Delbosc, R.: "Entremés
del mundo y no nadie, por Lope de
Rueda."
RevHisp, VII (1900), 251-55.
[Se presenta el texto].

PASO TERCERO.
V. CORNUDO Y CONTENTO.

PASO SEXTO.
542. Stephenson, R. C.: "A Note on
Lope de Rueda's Paso sexto."
HR, VI (1938), 265-68.
[El título dado a este paso es
Pagar y no pagar. La nota trata de
la interpretación de unas frases no
castellanas. Sobre esta nota debe
consultarse también HR, XXI (1953),
215-18].

PASO SÉPTIMO.
V. LAS ACEITUNAS.

LIBROS

543. ALONSO CORTÉS, NARCISO: Un
pleito de Lope de Rueda. Valladolid: J. R. Hernando, 1903. Pp. 45.
[V. TEMAS, núm. 531].
a) J. Deleito y Piñuela, RCont,
CXXVI (1903), 501.
b) A. Paz y Melia, RABM, VIII
(1903), 314.

544. [Bonilla y San Martín, Adolfo
y Puyol y Alonso, Julio]: Sepan
cuantos... coroza crítica puesta a
la execrable edición que de las
Obras de Lope de Rueda perpetró don
Emilio Cotarelo y Mori ya del todo
colocada en la picota después de la
Satisfacción a la Real Academia Es-

pañola, que el mismo felibre tuvo
la desgracia de concebir y dar a
luz, por el Bachiller ALONSO DE SAN
MARTÍN. Madrid: Fortanet, 1910.
Pp. 140.

545. [Bonilla y San Martín, Adolfo
y Puyol y Alonso, Julio]: Silba de
varia lección, función de desagra-
vios en honor del insigne Lope de
Rueda desaforadamente comentado en
la edición que de sus Obras publicó
la Real Academia Española valiéndo-
se de la péñola de D. Emilio Cotarelo y Mori, celébrala el bachiller
ALONSO DE SAN MARTÍN. Madrid: Biblioteca "Ateneo," 1909. Pp. xv-100.

546. COTARELO Y MORI, EMILIO: Satisfacción a la Real Academia Española y defensa del vocabulario
puesto a las obras de Lope de Rueda.
Madrid: Revista de Archivos, 1909.
Pp. 85.

547. FERRER E IZQUIERDO, MARIANO:
Lope de Rueda: Estudio histórico-
crítico de la vida y obras de este
autor. Madrid: Poveda, 1899.
Pp. viii-113.

LÓPEZ MARTÍNEZ, CELESTINO: Teatros
y comediantes sevillanos...
V. GENERAL I, LIBROS, núm. 184.

548. SALAZAR Y ROIG, SALVADOR: Lope
de Rueda y su teatro. La Habana:
Impr. de "Cuba y América," 1911.
Pp. 93.
a) Adrián del Valle, CuyAm, Año XV
(1912), 21 de enero, págs. 20-21;
1ro de febrero, págs. 12-13.

SAN MARTIN, ALONSO DE.
V. Bonilla y San Martín (núms. 544
y 545).

SALAYA, ALONSO DE

549. Gillet, J. E.: "Farsa hecha
por Alonso de Salaya."
PMLA, LII (1937), 16-67.
[Es una edición de la obra].

SALAZAR

V.t. GENERAL I: TEMAS, RARE (87);
COLECCIONES, HEATON (164).

550. Crawford, J.P.W.: "The Date of
Salazar's Égloga de Breno."
HR, IV (1936), 280-82.

SAN PEDRO, DIEGO DE

551. Urquijo, Julio de: "Del teatro
litúrgico en el país vasco. La pas-
sión trobada de Diego de San Pedro."
RIEV, Año XXV (1931), t. XXII, págs.
150-208.
[Está incluído el texto].

SÁNCHEZ DE BADAJOZ, DIEGO

552. López Prudencio, José: Diego
Sánchez de Badajoz, estudio crítico,
biográfico y bibliográfico. Madrid:
Revista de Archivos, 1915. Pp. 283.

FARSA DEL MATRIMONIO.
553. "Farsa del matrimonio. Restau-
rada y adaptada para su interpretación en los tiempos modernos por
Luis Ortiz Behety."
BET, VIII (1950), 52-62.

FARSA DE SANTA SUSANA.
V. CALDERÓN, OBRAS, núm. 2275.

SEPÚLVEDA, LORENZO DE

554. Cotarelo y Mori, E.: "Comedia
de Sepúlveda, publicada según el
manuscrito que posée D. Marcelino
Menéndez y Pelayo."
RELHA, I (1901), 79-85, 115-20,
151-55, 175-79, 216-17, 249-52,
280-82, 310-15, 353-59.

555. Crawford, J.P.W.: "Notes on
the Sixteenth Century Comedia de
Sepúlveda."
RR, XI (1920), 76-81.

SÚAREZ DE ROBLES, PEDRO

556. Gillet, J. E.: "Danza del San-
tíssimo Nascimiento de Nuestro Señor Jesucristo."
PMLA, XLIII (1928), 614-34.
[Una edición].

TIMONEDA, JUAN DE

V.t. GENERAL I, LIBROS, CONTINI
(175), MÉRIMÉE (186); GENERAL II,
LIBROS, LISTA (1687); LOPE DE VEGA,
OBRAS, núm. 3714.

557. Gillet, J. E.: "A Note on Timoneda."
MLN, XLIV (1929), 385-89.
[Sobre dramas religiosos poco co-
nocidos].

558. Torre, Lucas de: "Varias poesías de Juan de Timoneda."
BRAE, III (1916), 564-70; V (1918),
506-10; VII (1920), 86-95.

OBRAS

AMPHITRION.
V.t. GENERAL I, CUESTIÓN DE AMOR
(27).

─────.
559. Crawford, J.P.W.: "Notes on
the Amphitrion and Los Menemnos of
Juan de Timoneda."
MLR, IX (1914), 248-51.
[El prólogo del Amphitrion contiene la primera "questione d'amore"
del Filocolo de Boccaccio; en el
prólogo de Los Menemnos se encuentra la tercera "questione"].

AUTO DE LA OVEJA PERDIDA.
V.t. TERNARIO (565); GENERAL I,
LLABRES (58).

560. La oveja perdida. Auto sacramental de Juan de Timoneda, representado en Salamanca el día 9 de
junio de 1920, con ocasión de la
solemnísima Asamblea Eucarística.
Publícalo con una introducción, notas y glosario, el Dr. D. Antonio
García Boiza, profesor de la Universidad de Salamanca, Correspon-
diente de la Real Academia de la
Historia. Año 1921. Salamanca:

M. Pérez Criado, 1921. Pp. 86.
a) —, BRAE, IX (1922), 583.
b) A. González Palencia, RABM, XLIII (1922), 666.
c) P. M. San Román, EyA, XIX (1921), t. 3 (jul-sept), págs, 303-04.

AUTO DE LA QUINTA ANGUSTIA.
V.t. TERNARIO (565); GENERAL I, LLABRÉS (58).

———.
561. Crawford, J.P.W.: "Auto de la quinta angustia que Nuestra Señora passó al pie de la Cruz."
RR, III (1912), 280-300.

———.
562. Gillet, J. E.: "Timoneda's (?) Aucto de la quinta angustia."
MLN, XLVII (1932), 7-8.

AUTO DEL CASTILLO DE EMAUS.
563. "The Aucto del castillo de Emaus and the Aucto de la iglesia of Juan Timoneda." Edited with Introduction, Notes and Translation into English by Mildred Edith Johnson.
UISSL, no. 4 (1933). Pp. 83.
a) E. B. Place, Hisp, XVII (1934), 239-42.
b) E. Juliá Martínez, RFE, XXI (1934), 77-78.

AUTO DEL NACIMIENTO.
V. TERNARIO (565); GENERAL I, LLABRÉS (58).

LOS MENEMNOS.
V. AMPHITRION (559); GENERAL I, CUESTIÓN DE AMOR (27).

PASO DE DOS CIEGOS Y UN MOZO.
V. LOPE DE RUEDA, OBRAS, núm. 534.

SOBREMESA Y ALIVIO DE CAMINANTES.
V. LOPE DE VEGA, OBRAS, EL HONRADO HERMANO (3714).

TERNARIO.
V.t. GENERAL I, LLABRÉS (58).

———.
564. Ternario espiritual. Reproducción del ejemplar único, cuidada y prologada por Eloy Díaz-Jiménez y

Molleda. Valencia: Imp. Diana, 1944. Pp. 79, más 111 sin numerar.
a) E. Juliá Martínez, RFE, XXIX (1945), 354-56.

———.
565. Olmedo, Félix G.: "Un nuevo ternario de Juan de Timoneda."
RyF, XLVII (1917), 277-96, 483-97; XLVIII (1917), 219-27, 489-96.
[Ternario Spiritual, 1558. Contiene: 1) Aucto de la oveja perdida, XLVII, 485-97; 2) Aucto del nascimiento, XLVIII, 219-27; 3) Aucto de la quinta angustia, XLVIII, 489-96].

TORRES NAHARRO, BARTOLOMÉ DE

V.t. GENERAL I: TEMAS, LEO X (53), RARE (87); LIBROS, MÉRIMÉE (186); GENERAL II, LIBROS, LISTA (1687), MÉRIMÉE (1705).

TEMAS

BIBLIOGRAFÍA.
566. Stiefel, A. L.: "Zur Bibliographie des Torres Naharro."
ASNSL, CXIX (1907), 195-96.
[Sobre una edición de la Soldadesca anterior a 1517].

———.
567. Rodríguez Moñino, A.: "El teatro de Torres Naharro (1517-1936) (Indicaciones bibliográficas)."
RFE, XXIV (1937), 37-82.

BIOGRAFÍA.
568. Quirós Barreau, Josefina: "Bartolomé de Torres Naharro."
AlmaC, IV (1926), 106-10.

———.
569. López Prudencio, J.: "Los Naharros de la Torre de Miguel Sesmero."
RCEE, VIII (1934), 161-67.

———.
570. Gillet, J. E.: "The Date of Torres Naharro's Death."
HR, IV (1936), 41-46.

"DIVINA".
V. NOTES (574).

DRAMA.
571. Gillet, J. E.: "Torres Naharro
and the Spanish Drama of the Sixteenth Century."
HomBonilla (1930), II, 437-68.

———.
572. Gillet, J. E.: "Torres Naharro
and the Spanish Drama of the Sixteenth Century, II."
HR, V (1937), 193-207.
    [Continuación del núm. 571].

ENCINA, JUAN DEL.
V. GENERAL I, LIBROS, MAZZEI (185).

FLAMENCO.
V. GENERAL II, FLAMENCO (1079).

FUENTES.
V. GENERAL I, LIBROS, MAZZEI (185).

LENGUAJE.
V.t. OBRAS, PROPALLADIA (584).

———.
573. Segura Covarsí, E.: "Aporta-
ciones al estudio del lenguaje de
Torres Naharro."
RCEE, VIII (1934), 211-41.

NOTES.
574. Crawford, J.P.W.: "Two Notes
on the Plays of Torres Naharro.
I: Who is the Character of Divina
in the Comedia Jacinta? II: Te-
rence's Andria and the Comedia Serafina."
HR, V (1937), 76-78.

PICARESCO.
V. GENERAL II, LIBROS, MONTOLIU
(1718).

PLAUTO.
575. Lenz, A.: "Torres Naharro et
Plaute."
RevHisp, LVII (1923), 99-107.

———.
576. Grismer, Raymond L.: "Another
Reminiscence of Plautus in the Comedias of Torres Naharro."
HR, VIII (1940), 57-58.

OBRAS

CALAMITA.
577. Crawford, J.P.W.: "A Note on
the Comedia Calamita of Torres Naharro."
MLN, XXXVI (1921), 15-17.
    [Sobre su semejanza a la Comedia
Dolotechne de Bartolomeo Zamberti,
y a La Calandria de Bernardo Dovizi
da Bibbiena].

HIMENEA.
578. Romera-Navarro, M.: "Estudio
de la Comedia Himenea de Torres Naharro."
RR, XII (1921), 50-72.

JACINTA.
V. TEMAS, NOTES (574).

PROPALLADIA.
579. Propaladia. Ed. Manuel Cañete.
("Libros de antaño," IX). Madrid:
Librería de los Bibliófilos, 1880.
Pp. x-431.
a) A. Morel-Fatio, RCHLP, ns XI
   (1881), 48-51.
b) G. B., Polyb, 2ª ser., tome XIII
   (en-jun, 1881), 424-26.

———.
580. Propaladia. Ed. Manuel Cañete,
con un estudio crítico de don M.
Menéndez y Pelayo. ("Libros de antaño," X). Madrid: Librería de
los Bibliófilos, 1900.
    [El estudio de Menéndez y Pelayo
está reimpreso en sus Estudios y
discursos de crítica histórica y
literaria, II, 269-377. V. GENERAL
II, LIBROS, núm. 1701].
a) A. L. Stiefel, LGRP, XXIV (1903),
   col. 119-26.

———.
581. The Propalladia of Torres Naharro. Ed. Joseph E. Gillet. Vols.
I y II. Menasha, Wisconsin: George
Banta, 1943-46. Pp. xv-292; 565.
a) H. C. Heaton, RR, XXXVI (1945),
   329-34.
b) W. H. Shoemaker, HR, XIII (1945),
   263-66; XV (1947), 236-39.
c) E. V. de Chasca, ModPhil, XLIII
   (1945-46), 142-46. [Vol. I].
d) G. T. Northup, MLQ, VII (1946),
   241-42.

PROPALLADIA (cont.).
e) A. F. G. Bell, MLN, LXI (1946),
   557-59.
f) W. J. Entwistle, MLR, XL (1945),
   228-29; XLI (1946), 340.
g) Frida Weber de Kurlat, RFH, VII
   (1945), 169-71.
h) E. A. Peers, BSS, XXIII (1946),
   149-50. [Vol. I].
i) --, BEP, XIII (1949), 241.
j) F. Schalk, RFor, LXII (1950),
   456-57.
k) C. V. Aubrun, BH, XLIX (1947),
   92-97.
m) M. Bataillon, RomPhil, III
   (1949-50), 213-14.

------.
582. Gillet, J. E.: "Une édition
inconnue de la Propalladia de Torres
Naharro."
RR, XI (1920), 26-36.

------.
583. Croce, B.: "La Propalladia del
Torres Naharro."
QCrit, V (1949), no. 15, págs. 79-87.

------.
584. Corbató, H.: "El valenciano en
la Propalladia de Torres Naharro."
RomPhil, III (1949-50), 262-70.

SERAFINA.
V. TEMAS, NOTES (574).

SOLDADESCA.
V. TEMAS, BIBLIOGRAFIA (566).

TINELLARIA.
585. Gillet, J. E.: "The Original
Version of Torres Naharro's Comedia
Tinellaria."
RR, XIV (1923), 265-75.

TROFEA.
586. Comedia Trofea. Reimpressão
prefaciada por Fidelino de Figueiredo. (Boletins da Faculdade de
Filosofia, Ciências e Letras, XXVII).
São Paulo: Universidade de São
Paulo, 1942. Pp. 122.
a) G. M. Moser, Hisp, XXVI (1943),
   496-97.
b) Frida Weber, RFH, VI (1944),
   200-02.

c) J. de Entrambasaguas, CuadLit, I
   (1947), 301.
d) J. E. Gillet, HR, XII (1944),
   354-55.
e) Consuelo Howatt, BAbr, XVIII
   (1944), 380.

LIBROS

MAZZEI, P.: Contributo allo studio
delle fonti italiane...
V. GENERAL I, LIBROS, núm. 185.

587. MENÉNDEZ Y PELAYO, M.: Bartolomé de Torres Naharro y su Propaladia. Madrid: Imp. de Fe, 1900.
Pp. 153.
a) E., RCont, CXVIII (en-abr, 1900),
   665-67.
b) E. Cotarelo y Mori, RABM, IV
   (1900), 559-62.
c) A. L. Stiefel, LGRP, XXIV (1903),
   col. 119-26.

UCEDA DE SEPÚLVEDA, JUAN

V. GENERAL I: TEMAS, RARE (87);
COLECCIONES, HEATON (164).

URREA, PEDRO MANUEL DE

588. Églogas dramáticas. Edición y
prólogo de Eugenio Asensio. (Colección Joyas Bibliográficas, 5). Madrid, 1950. Pp. liii-96.
a) J. E. Gillet, HR, XX (1952),
   166-67.
b) E. Veres d'Ocón, RFE, XXXVI
   (1952), 140-43.
c) M. Bataillon, BH, LIII (1951),
   439-40.

VEGA, ALONSO DE LA

589. Tres comedias de Alonso de la
Vega. Con un prólogo de D. Marcelino Menéndez y Pelayo. (Gesellschaft für romanische Literatur, Bd.
6). Dresden: Ges. f. rom. Lit.,
1905. Pp. xxx-110.
a) W. von Wurzbach, ZRP, XXX (1906),
   597-98.

589. Tres comedias... (cont.).
b) --, CE, I (1906), 467-68.

c) A. L. Stiefel, LGRP, XXX (1909), col. 66-68.

GIL VICENTE, TEMAS

TEMAS

"A ALGÁLEA DA ARRUDA".
V. OBRAS, O CLÉRIGO DA BEIRA (740).

A PROPÓSITO.
590. Brito Rebêlo, Jacinto Inácio de: "A propósito de Gil Vicente."
BSCAS, X (1916), 315-18.
[Un documento en el que se hace mención de un hijo de Gil Vicente].

ACTIVIDADE DRAMÁTICA.
V. OBRAS, INÊS PEREIRA (758).

ACTUALIDADE.
591. Maurício, Domingos: "Actuali-dade vicentina."
Brot, XVIII (1934), 197-200.

AFRONEGRISMO.
V. PRETOS (675).

ASTROLOGÍA, ASTRONOMÍA.
592. Gersão Ventura, Augusta Faria: "Estudos vicentinos. I: Astronomia, Astrologia."
Bibl, XIII (1937), 1-152.

ATTRIBUTION.
V. AUTOS (593), JUBILÉ D'AMOURS (638); OBRAS, OBRA DA GERAÇÃO HUMA-NA (762).

AUTOS.
593. Costa Pimpão, Álvaro Júlio de: "A propósito da atribução de dois autos de autor ou autores desconhe-cidos a Gil Vicente."
Bibl, XXVI (1950), 520-36.
[V. el núm. 762].

594. Calvo Asensio, Gonzalo: "Autos de Gil Vicente."
IEA, XVI (1872), 543-44.

595. Ducarme, Charles: "Les Autos de Gil Vicente."
Muséon, IV (1885), 369-74, 649-56;

V (1886), 120-30, 155-62.
[Traducción francesa de los autos].

596. Cunha, Alfredo da: "Os autos de Gil Vicente."
RInCon, I (1886), no. 3 (mayo), págs. 21-24.
[Sobre la traducción de Ducarme (595)].

597. Alves de Oliveira, Manuel: "Os autos de Mestre Gil."
GilVic, I (1925), 174-76.

598. Parreira, Carlos: "Mestre Gil 'o que fazia os autos a El-rei'."
Ocid, VI (1939), 61-64.

BETRACHTUNGEN.
599. Campos, Agostinho C. A. de: "Betrachtungen über Gil Vicente."
IAA, XI (1937-38), 315-26.

BIBLIOGRAFÍA.
V. LIBROS, BIBLIOTECA NACIONAL (777).

BIOGRAFÍA.
V.t. VICENTE (696-707).

600. Sousa Viterbo, F. M. de: "Gil Vicente: dois traços para a sua biografia."
AHPort, I (1903), 219-28.

601. Braamcamp Freire, Anselmo: "Gil Vicente. Dados biográficos—primór-dios indecisos. 1460(?)-1502."
Aguia, XVIII (1920), 85-99.

602. Vieira Braga, Alberto: "Drama-turgos e comediógrafos vimaranenses. Gil Vicente, filho de Gil Fernandes e Joana Vicente."
GilVic, XII (1936), 218-28.

BIOGRAFÍA (cont.).

603. Braamcamp Freire, Anselmo:
"Vida e obras de Gil Vicente."
Ocid, V (1939), 5-16, 224-56; VI
(1939), 65-80, 225-40, 401-16; VII
(1939), 33-48, 225-40, 353-68; VIII
(1939-40), 49-64, 385-400, 545-60;
IX (1940), 65-80, 193-208, 433-48;
X (1940), 49-64, 209-24, 365-80; XI
(1940), 49-64, 209-24, 345-60; XII
(1941), 37-52, 213-28, 357-72; XIII
(1941), 33-48, 225-40, 429-44; XIV
(1941), 49-64, 225-40, 361-76; XV
(1941), 65-80, 177-92, 369-85; XXII
(1944), 5-8 (Prólogo).
[V. LIBROS, núm. 778].

CAMILOTE.
V. GENERAL I, CAMILOTE (16).

CANCIÓN PERDIDA
V. GENERAL I, CANCIÓN (17).

CANTIGAS.
604. Nunes, José Joaquim: "As cantigas parallelísticas de Gil Vicente."
RevLus, XII (1909), 241-67.

CAR(R)O.
V. OBRAS, BARCA DO INFERNO (731-36).

CENSURA. (V.t. el núm. 744).
605. Révah, I. S.: "La censure in-
quisitoriale et les oeuvres de Gil
Vicente."
BHTP, I (1950), 117-19.

CENTENARIO.
606. Caldas, Braulio: "Gilvicenti-
nas. Canções populares. No Centenário da fundação do theatro nacional. 1502—8 de Junho, 1902."
RGuim, XIX (1902), 68-70.

———.
607. Leitão, Joaquim: "Didascália
vicentina lida na sessão solene
inaugural do IV Centenário da morte
de Gil Vicente, na noite de 8 de
abril de 1937."
HomVicente (1939), págs. 43-47.

———.
608. Dantas, Júlio: "Discurso pro-
ferido, na noite de 8 de abril de
1937, na sessão solene inaugural do

IV Centenário da morte de Gil Vicente."
HomVicente (1939), págs, 31-39.

———.
609. Bell, A. F. G.: "The Gil Vicente Centenary."
BSS, XIV (1937), 137-39.

———.
610. Richert, Gertrud: "Zu Gil Vi-
centes Centenarium."
IAA, XI (1937-38), 122.

———.
611. Cardoso, Mário: "Guimarães na
comemoração do 4º Centenário Gilvi-
centino."
GilVic, XIII (1937), 97-102.

———.
612. Faria, Jorge de: "O quarto
centenário da morte de Gil Vicente."
GilVic, XII (1936), 63-66.

———.
613. "O IV Centenário de Gil Vicente."
RGuim, XLVII (1937), 147-77.

CLÉRIGOS.
614. Abreu Freire, Donaciano de: "A
comunidade dos frades e clérigos
vicentinos (tentativa de exegese
literaria)."
Brot, XXV (1937), 134-60.

COMÉDIAS.
615. Atkinson, W. C.: "Comédias,
Tragicomédias and Farças in Gil Vicente."
BFil, XI (1950), 268-80.

COMIQUE.
616. Campos, Agostinho C. de A.:
"Le comique et la satire dans le
théâtre de Gil Vicente."
RCC, XXXIX (1937-38), t. 2, págs.
481-98.

"COMPILAÇÃO".
V. TIPOGRAFÍA (690).

COROGRAFIA.
617. Amorim Girão, Aristides de: "A
corografia portuguesa nas obras de
Gil Vicente."
Bibl, XII (1936), 473-97.

DANSA MACABRA.
618. Sousa Monteiro, José de: "A
dansa macabra. (Nota preliminar a
tres autos de Gil Vicente)."
RevdPort, I (1889), 233-50.

DETERMINANTES.
ɣ. GENIO (633).

DIABLO.
ɣ. OBRAS, AUTO DAS FADAS (749).

DIDASCÁLIA.
ɣ. CENTENARIO (607)

DISCURSO.
V. CENTENARIO (608)

DRAMATIZACIÓN.
ɣ. GENERAL II, núm. 1032.

EDICIÓN.
V.t. NOTAS (665-66); OBRAS, núms.
718, 722, 748, 772.

———.
619. Leite de Vasconcellos, José:
"Observações sôbre o valor philolo-
gico da edição das Obras de Gil Vicente feita em Hamburgo."
RevLus, VIII (1903), 63-65.

———.
620. Ferreres, Rafael: "Una edición
de Gil Vicente."
Esc, VII (1942), no. 20, págs. 456-
462.
    [Sobre la edición de Dom Duardos
de Dámaso Alonso (743)].

———.
621. Bell, A. F. G.: "Notes for an
Edition of Gil Vicente."
RevHisp, LXXVII (1929), 382-408.

ENIGMA.
V. OBRAS, AUTO PASTORIL CASTELHANO
(721).

ENSINO.
622. Coelho de Magalhães, A.: "A
obra vicentina no ensino secundário."
Aguia, XII (1917), 5-16; XIII
(1918), 130-40.

EPOPEIA.
623. Chaves Lopes, Luiz Rufino: "A

epopeia de além-mar em Gil Vicente."
GilVic, XII (1936), 198-209.

EQUÍVOCO.
V. OBRAS, AUTO DA ALMA (719).

ERASMO, DESIDERIO.
624. Mendes, João R.: "Do erasmismo
de Gil Vicente."
Brot, XXIII (1936), 303-19.

———.
625. Pimenta, Alfredo Augusto Lopes:
"Gil Vicente e Erasmo."
GilVic, XII (1936), 185-90.

———.
626. "Ainda Erasmo e Gil Vicente.
(Textos e comentários)."
Brot, XXV (1937), 215-17.

———.
627. Sampaio Ribeiro, Mário de:
"Erasmo, antipoda espiritual de Gil
Vicente. (Excerpto do estudo inédi-
to 'Quem era Gil Vicente.')."
Ocid, V (1939), 17-19.

ESPÍRITU.
V. INDEPENDENCIA (636).

"ESTE ES CALBI ORABI".
V. GENERAL I, CANCIÓN (17).

ESTÉTICA.
628. Saraiva, A. J.: "Estética dos
autos de devoção."
RFLUL, V (1938), 272-98.

ESTUDOS.
V.t. ASTROLOGIA (592).

———.
629. Pestana, Sebastião: "Estudos
gilvicentinos:
I."   RdPort, VIII (1945), 49-60.
II."   "   IX (1946), 32-35.
III."   "   XII (1947), 34-38.
IV."   "   XII (1947), 75-78.
V."   "   XIII (1948), 159-63.
VI."   "   XIV (1949), 250-53.
VII-VIII.""   XV (1950), 48-54.
IX."   "   XV (1950), 139-41.

ETIMOLOGÍA.
V. MISCELÁNEA (655).

ETNOGRÁFICO.
630. Quirino da Fonseca, Henrique:
"A obra de Gil Vicente, sob o ponto
de vista etnográfico."
HomVicente (1939), págs. 259-313.

EVORA.
V. LIBROS, BARATA (774).

FALA.
V. OBRAS, CÔRTES DE JÚPITER (741);
LIBROS, GOMES (783).

FARÇAS.
V. COMÉDIAS (615).

FERNÁNDEZ, GIL.
V. BIOGRAFÍA (602).

FILOLOGÍA.
V. EDIÇÃO (619), LINGUAGEM (642-43),
MISCELÂNEA (655).

FLÉRIDA.
V. GENERAL I, FLÉRIDA (41).

FONDATEUR.
631. Révah, I. S.: "Gil Vicente a-
t-il été le fondateur du théâtre
portugais?"
BHTP, I (1950), 153-85.

FÔRO, HOMENS DO.
632. Cunha Gonçalves, Luiz da: "Gil
Vicente e os homens do fôro."
HomVicente (1939), págs. 207-55.

FRADES.
V. CLÉRIGOS (614).

FRANCIA.
V. INFLUÊNCIA (637), THÊMES (689).

GENIO.
633. Malheiro Dias, Carlos: "Gil
Vicente. Algumas determinantes do
seu genio literário."
RGuim, XIX (1902), 57-66.

GESCHICHTE.
V. OBRAS, COMÉDIA DO VIUVO (773).

GLOSSÁRIO.
634. Campos, Agostinho C. de A.:
"Nótulas para um glossário vicentino."
Bibl, XI (1935), 46-53.

GUIMARÃES.
V.t. BIOGRAFÍA (602), CENTENARIO
(611).

———.
635. Vieira Braga, Alberto: "Gil
Vicente. (Curiosidades de Guimarães. Dramaturgos e comediógrafos)."
RGuim, XLVII (1937), 46-48.

HAMBURGO.
V. EDIÇÃO (619).

HIJO.
V. A PROPÓSITO (590), BIOGRAFÍA
(602).

HONOR.
V. GENERAL II, LIBROS, MEIER (1699).

INDEPENDENCIA.
636. Abreu, Gaspar de: "Gil Vicente.
A independência do seu espírito."
RGuim, XIX (1902), 84-96.

INFLUENCIA.
637. Teixeira Botelho, General: "A
influência estrangeira, especialmente a castelhana e a francesa, na
obra de Gil Vicente."
HomVicente (1939), págs. 161-203.

INQUISICIÓN.
V. CENSURA (605).

ITALIA.
V. LIBROS, MAZZONI (787A).

"JUAN DOMADO".
V. OBRAS, AUTO PASTORIL CASTELHANO
(720).

"JUBILEU DE AMOR".
638. Révah, I. S.: "L'Attribution
du Jubilé d'amours à Gil Vicente."
BEP, XII (1948), 273-78.

JURISTA.
639. Queiroz, Francisco de: "A obra
de Gil Vicente vista por um jurista."
Bibl, XIV (1938), 146-72.

LAFONTAINE, JEAN DE.
640. Axon, W. E. A.: "Gil Vicente
and Lafontaine: A Portuguese Para-
llel of 'La laitière et le pot au
lait'."

LAFONTAINE, 640 (cont.).
TRSL, 2ª serie, XXIII (1902), 215-27.
[En Mofina Mendes. V.t. núm. 1207A].

LEXICOGRAFÍA.
V. MISCELÁNEA (655).

LINGUAGEM.
641. Leite de Vasconcellos, José:
"Nota sôbre a linguagem de Gil Vicente."
RevLus, II (1891-92), 340-43.

———.

642. Pires de Lima, J. A.: "A linguagem anatómica de Gil Vicente."
Bibl, XII (1936), 529-72.

———.

643. Capela e Silva: "A linguagem
rústica. A propósito das interjei-
ções uxtix, de Gil Vicente, e oxte,
de Cervantes."
Ocid, XXXIV (1948), 115-19.

LÍRICA.
V.t. POESÍA (669).

———.

644. Le Gentil, Pierre: "Notes sur
les compositions lyriques du théâtre
de Gil Vicente."
HomCohen (1950), págs, 249-60.

———.

645. Campos, Agostinho C. de A.: "O
elemento lírico nos autos de Gil
Vicente."
HomVicente (1939), págs. 125-57.

LIRISMO.
646. Dória, António Álvaro: "O lirismo vicentino."
GilVic, XII (1936), 192-97.

LUSISMO.
647. Alonso, Dámaso: "Un lusismo de
Gil Vicente."
RFE, XXIV (1937), 208-13.
["La sobra de una sílaba en muchos
versos en los que figura el pronom-
bre yo." Reimpreso en su libro De
los siglos oscuros al de oro, págs.
158-64. V. GENERAL I, LIBROS, núm.
170].

MARAVILHOSO.
648. Zaluar Nunes, Maria Arminda:
"O maravilhoso popular em Gil Vicente."
RFLUL, V (1938), 174-87.

MARGEM.
649. Rodrigues Cavalheiro, A.: "À
margem da obra de Gil Vicente."
GilVic, I (1925), 166-71.

MARÍTIMO.
V.t. NÁUTICO.

———.

650. Gago Coutinho, Carlos V. de:
"Panorama marítimo das obras de Gil
Vicente."
HomVicente (1939), págs. 93-121.

MEDICINA, MÉDICOS.
V.t. OBRAS, AUTO DOS FÍSICOS (755,
756); LIBROS, LEMOS (785).

———.

651. Egas Moniz, António C. de A.F.:
"Os médicos no teatro vicentino."
IM, III (1937), 138-48.
[Reimpreso en HomVicente (1939),
págs. 51-90].

MEDIEVAL.
V.t. LIBROS, SARAIVA (792).

———.

652. Beau, Albin Edouard: "Gil Vicente. O aspecto 'medieval' e 'renascentista' da sua obra. Ensaio
de interpretação."
BFil, IV (1936), 358-80; V (1937),
93-114, 257-76.

———.

653. Fiuza, Mário: "Gil Vicente e o
pensamento medieval."
RFLUL, V (1938), 250-72.

———.

654. Santos, Gomes dos: "Gil Vicen-
te e o fim do teatro medieval."
Brot, XXXVIII (1944), 308-18.
[Sobre el libro de Saraiva (792)].

MESTRE DE BALANÇA.
V. TROVADOR (692).

MISCELÂNEA.
655. Piel, Joseph M.: "Miscelânea
vicentina. Notas lexicográficas e
etimológicas.
Bibl, XIV (1938), 39-69.

MOCIDADE.
V. LIBROS, CASTILHO (782).

MOLIÈRE.
V. PRÉCURSEUR.

MONTEMÔR, JORGE DE.
656. Bataillon, Marcel: "Une source
de Gil Vicente et de Montemôr. La
Méditation de Savonarole sur Le Mi-
serere."
BEP, III (1936), 1-16.
[Reimpreso en sus Etudes sur le
Portugal au temps de l'humanisme,
págs. 197-217. V. GENERAL I, LI-
BROS (171)].

MOSCHUS.
V. GENERAL II, MOSCHUS (1287).

MOTIFS.
V. OBRAS, BARCAS (725), BARCA DA
GLÓRIA (728).

MULHER.
657. Leitão, Joaquim: "A mulher na
obra de Gil Vicente."
HomVicente (1939), págs. 413-69.
a) E. N., Ocid, VIII (1939-40),
   470-71.

MÚSICA.
658. Beau, Albin Edouard: "A música
na obra de Gil Vicente."
Bibl, XIV (1938), 329-35.
[Es traducción del núm. 659].

———.
659. Beau, Albin Edouard: "Die Musik im Werk des Gil Vicente."
VKR, IX (1936), 177-201.

NACIONALISMO.
660. Braga, Joaquim Teófilo Fernandes: "Gil Vicente e o nacionalismo."
RGuim, XIX (1902), 53-55.

———.
661. Galvão de Carvalho, Rui: "Gil
Vicente, apóstolo da exaltação nacional."
GilVic, XII (1936), 216-17.

NATAL.
V.t. GENERAL I, NAVIDAD (67).

———.
662. Câmara, João de: "O Natal e
Gil Vicente."
Occi, XIX (1896), 282-85.

NATUREZA.
663. Caratão Soromenho, P.: "A natureza nos autos de Gil Vicente."
RFLUL, V (1938), 210-21.

NATURALISTA.
664. Lemos, Maximiano A. d'O.: "Gil
Vicente, naturalista."
MedMod, X (1921), 1-4, 12-14, 31-33,
48-50, 119-22, 145-47, 185-88, 200-
202, 232-33, 238-40.

NÁUTICO, TÊRMO
V. OBRAS, BARCA DO INFERNO (733).

NEGROS.
V. PRETOS (675).

"NO ME MUEVE, MI DIOS..."
V. SONETO (684).

NOTAS. (V.t. el núm. 792A).
665. Michaëlis de Vasconcellos, C.:
"Notas vicentinas—Preliminares
duma edição crítica das obras de
Gil Vicente."
RevdaUnivCoimbra, I (1912), 205-93;
VI (1918), 263-303; VII (1919), 25-
61; IX (1925), 5-394.
[V.t. el número siguiente].

———.

666. Michaëlis de Vasconcellos, C.:
"Notas vicentinas. Preliminares
duma edição crítica das obras de
Gil Vicente."
Ocid, XXII (1944), 17-32, 265-96,
393-400; XXIII (1944), 33-48, 174-
176, 257-88, 369-84; XXIV (1944),
33-47, 129-44, 225-40, 321-36; XXV
(1945), 33-48, 129-44, 185-200,
281-96; XXVI (1945), Suplemento con
paginación propia, 261-324; XXVII
(1945), Supl., 325-88; XXVIII (1946),
Supl., 389-452; XXIX (1946), Supl.,
453-84; XXX (1946), Supl., 485-516;
XXXI (1947), Supl., 517-64; XXXII
(1947), Supl., 565-609.
[Es reimpresión del núm. 665; publicado como libro en 1949. V. 667].

NOTAS (cont.).

667. Coelho de Magalhães, A.: "Notas vicentinas de D. Carolina Michaëlis de Vasconcellos."
RdPort, XV (1950), 196-201.
[Artículo crítico sobre el libro (Lisboa: Ediçães de "Ocidente" e da "Revista de Portugal," 1949). V. el núm. 666].

ONOMATOPEYA.
V. OBRAS, CÔRTES DE JÚPITER (742).

OPORTUNIDAD.
667A. Herrera Petere, José: "Oportunidad de Gil Vicente."
Tall, II (1940), no. 10, págs. 53-54.
[Sobre la edición de las poesías, por Dámaso Alonso (núm. 711)].

"ORA VENHA O CA(R)RO À RÉ".
V. OBRAS, BARCA DO INFERNO (731-36).

OURIVES.
V. POETA (670-72).

PENSAMIENTO.
V. MEDIEVAL (653).

PICARD.
V. OBRAS, AUTO DAS FADAS (749-50).

PLAYWRIGHT.
668. Adams, Mildred: "Gil Vicente, Pioneer Playwright."
TAM, XXVI (1942), 275-78.

POESÍA.
V.t. PROBEN (677).

———.
669. Alonso, Dámaso: "Gil Vicente. Poesías líricas castellanas. Selección y notas de D. A."
CyR, no. 10 (1934), 115-56.
[El prólogo (págs. 115-18) está reimpreso, con el título "Poesías de Gil Vicente," en su libro De los siglos oscuros al de oro, págs. 148 a 152. V. GENERAL I, LIBROS (170)].

POETA.
670. Braga, Joaquim Teófilo Fernandes: "Gil Vicente, ourives e poeta."
Posit, II (1880), 348-76; III (1881), 129-39.

———.
671. Braamcamp Freire, Anselmo: "Gil Vicente, poeta-ourives (Notas)."
BSCAS, VII (1912-13), 53-67.

———.
672. Queiroz Veloso, José M.: "Gil Vicente, poeta e ourives."
HomVicente (1939), págs. 343-69.

POPULAR.
V. MARAVILHOSO (648).

PORTADA.
673. Costa Pimpão, Álvaro J. da: "Em torno de uma portada."
Bibl, XXV (1949), 439-44.
[Sobre la atribución a Gil Vicente de la Obra da geração humana. V. los núms. 593 y 762].

PORTUGUESE DRAMA.
V. VICENTE (695).

PRÉCURSEUR.
674. Campos, Agostinho C. de A.: "Gil Vicente, un précurseur de Lope de Vega et de Molière."
Bibl, XII (1936), 421-35.

PRETOS.
675. Faria, Jorge de: "Gil Vicente e os pretos. (Notas para um estudo sôbre o afronegrismo no teatro português)."
GilVic, XII (1936), 210-15.

"PRIMALEÓN".
V. GENERAL II, DRAMATIZACIÓN (1032).

PRISÃO.
676. Ribeiro, Joaquim Bras: "A prisão de Gil Vicente. Á memória de Carolina Michaëlis."
RLP, VII (1926), no. 42, págs. 99-108.

PROBEN.
677. Richert, Gertrud: "Zwei kleine Proben aus den Dichtungen von Gil Vicente."
IAA, XI (1937-38), 243-44.

PROVERBS.
678. Joiner, Virginia, y Gates, Eunice J.: "Proverbs in the Works of Gil Vicente."
PMLA, LVII (1942), 57-73.

PSICOLOGÍA, PSIQUIATRÍA.

679. Bettencourt Ferreira, J. G.:
"Gil Vicente, observador psiquiatra
(Estudo de psicologia artística)."
HomVicente (1939), págs. 475-84.

REFORMA.

680. Dantas, Júlio: "O spirito da
reforma religiosa na obra de Gil
Vicente."
BRAE, XXIII (1936), 267-81.

———.

681. Dantas, Júlio: "Gil Vicente e
a Reforma."
HomVicente (1939), 385-409.
[El mismo artículo que el precedente, con algunas variantes en el
texto].

RENASCENTISTA.
V. MEDIEVAL (652).

RÚSTICO.
V. LINGUAGEM (643).

SAN GREGORIO.
V. OBRAS, BARCAS (724).

SANTA CATALINA.
V. SONETO (684).

SÁTIRA.
V. COMIQUE (616).

SAVONAROLA, GIROLAMO.
V. MONTEMÔR (656).

SCHÖPFER
682. Michaëlis de Vasconcellos, C.:
"Gil Vicente, der Schöpfer des portugiesischen Dramas (1502-1536)."
GrundRP, II (1897), 2. Abteilung,
págs. 280-87.

SERMÕES.
V.t. LIBROS, RÉVAH (790).

———.

683. Carvalho, Joaquim de: "Os sermões de Gil Vicente e a arte de
pregar."
Ocid, XXXV (1948), suplementos a
los núms. 124-26 (ag-oct). Pp. 88.
[Se encuentra también en sus Estudos sobre a cultura portuguesa do
século XVI, II, 205-344. V. núm.174].

"SIMPLES E DROGAS".
V. OBRAS, AUTO DOS FÍSICOS (756).

SONETO.
684. Asensio, Eugenio: "El soneto
'No me mueve, mi Dios...'" y un auto
vicentino inspirados en Santa Catalina de Siena."
RFE, XXXIV (1950), 125-36.
[El Auto de Deus Padre].

TEATRO.
V.t. GENERAL I, NAVIDAD (67).

———.

685. Cidade, Hernani: "Aspecto geral
do teatro vicentino."
RFLUL, V (1938), 157-74.

———.

686. Damasceno Nunes, A. J.: "Gil
Vicente e o theatro nacional."
Occi, XXV (1902), 127-28.

———.

687. Zeitlin, Marion: "Gil Vicente
e o teatro português."
MLF, XXIX (1944), 85-87.

———.

688. Carvalho, Alfredo de: "Gil Vicente et son théâtre."
BEP, VI (1939), 47-65.

THÈMES.
689. Le Gentil, Georges: "Les thèmes
de Gil Vicente dans les moralités,
sotties et farces françaises."
HomMartinenche (1939), págs. 156-74.

TIPOGRAFÍA.
690. Pratt, Óscar de: "Algumas par-
ticularidades dos caracteres tipográficos que serviram à 'Compilação'
das Obras de Gil Vicente."
RevLus, XXX (1932), 305-07.

TRAGICOMÉDIAS.
V. COMÉDIAS (615).

TROVADOR.
691. Sampaio Ribeiro, Mário de: "Gil
Vicente, trovador..."
Brot, XXV (1937), 17-23.

———.

692. Braamcamp Freire, Anselmo: "Gil

TROVADOR, 692 (cont.).
Vicente, trovador, mestre de balança."
RHistL, VI (1917), 1-46, 121-88,
289-346; VII (1918), 1-46, 109-48.
[V. LIBROS, núm. 778].

UNIDAD.
693. Santos Coco, Francisco: "La
unidad hispánica y Gil Vicente. Homenaje a Portugal."
RCEE, XI (1937), 315-21.

UNIVERSALIDADE.
694. Matos Sequeira, Gustavo de: "A
universalidade de Gil Vicente."
HomVicente (1939), págs. 317-39.

"UXTIX".
V. LINGUAGEM (643).

VEGA, LOPE DE.
V. PRÉCURSEUR (674)

VERSO.
V. OBRAS, BARCA DO INFERNO (731-36).

VICENTE, GIL.
V.t. GENERAL II, GITANERÍA (1098).

——.
695. Prestage, Edgar: "The Portuguese Drama in the Sixteenth Century: Gil Vicente."
ManQ, XVI (1897), 235-64, 377-99.
[Descripción breve de cada obra].

——.
696. Annunciada, João da: "Gil Vicente."
RevLus, VI (1900-01), 59-63.

——.
697. Brito Rebêlo, J. I.: "Gil Vicente."
Occi, XXV (1902), 122-23.

——.
698. Hermano Mendes de Carvalho, A.:
"Gil Vicente."
RGuim, XIX (1902), 71-83.

——.
699. Stiefel, A. L.: "Zu Gil Vicente."
ASNSL, CXIX (1907), 192-95.

——.
700. Bell, A.F.G.: "Gil Vicente."
BSCAS, IX (1914), 149-83.

——.
701. Bell, A.F.G.: "Gil Vicente."
Aguia, VIII (1915), 124-30, 161-67,
229-38.

——.
702. Bell, A.F.G.: "Gil Vicente."
RHistL, V (1916), 138-60.
[Traducido por Mário de Alemquer].

——.
703. González Martínez, Ofelia:
"Gil Vicente."
AlmaC, IV (1926), 101-05.

——.
704. Prestage, Edgar: "Gil Vicente."
NewR, II (1935), 442-54.
a) —, Brot, XXII (1936), 83-84.

——.
705. Beau, Albin Edouard: "Gil Vicente."
DKLV, XII (1937), 228-29.

——.
706. Carvalho, Amorim de: "Gil Vicente."
Port, X (1937), 60-62.

——.
707. Gil Álvarez, Felipe: "Gil Vicente."
Haz, no. 18 (en-feb, 1945), 95-98.
[Noticias biográficas. Ojeada al
teatro vicentino. Humanismo y popularismo en su teatro].

VICENTE, JOANA.
V. BIOGRAFÍA (602).

VICENTISTAS.
708. Baião, António: "Os vicentistas."
HomVicente (1939), págs. 373-81.

VIDA ES SUEÑO, LA.
V. CALDERÓN, OBRAS, núm. 2275.

VILLANCICO.
709. Gillet, J. E.: "A villancico
in Gil Vicente."
ModPhil, XXIV (1926-27), 405-07.

VILLANCICO, 709 (cont.).
[Sobre el verso "Quien ma ora ca
mi sayo?" del Triumpho do inverno.
Gillet propone la corrección: "Quién
me a(h)oraca mi sayo?"].

VIRGEM MARIA.
710. Múrias de Freitas, Maria: "A
Virgem Maria na obra de Gil Vicente."
RFLUL, V (1938), 203-10.

OBRAS

COLECCIONES

711. ALONSO, DÁMASO: Poesías de Gil
Vicente. Madrid, 1934; México: Edit.
Séneca, 1940. Pp. 85.
a) J. Mañach, RHM, II (1936), 108-09.
b) L. B. Simpson, Hisp, XXIII (1940),
300.
V.t. núm. 667A.

712. BELL, AUBREY F. G.: Four Plays
by Gil Vicente. Edited from the
editio princeps (1562) with Introduction and Notes. Cambridge: Cambridge University Press, 1920. Pp.
liii-98.
a) George Young, MLR, XVI (1921),
186-87.

713. MARQUES BRAGA, M.: Obras completas de Gil Vicente. Lisboa: Sá
da Costa, 1942-44. 6 vols.
a) A.F.G. Bell, RFE, XX (1933), 413
a 414. [V.1, Univ. de Coimbra, 1933].
b) M. Muñoz Cortés, RFE, XXIX (1945),
366.
c) A.F.G. Bell, BAbr, XX (1946), 85
a 86 [vol. VI].
d) Calvert J. Winter, BAbr, XVIII
(1944), 92 [vol. II], 300 [v. I].
e) Consuelo Howatt, BAbr, XIX (1945),
94 [vols. III y IV].

714. REMEDIOS, MENDES DOS: Obras de
Gil Vicente. Coimbra: França Amado,
1907-14. 3 vols.
a) J. J. Nunes, RevLus, X (1907-08),
344-48 [vol. I].

OBRAS SUELTAS

ALMA, AUTO DA.
V.t. OBRA DA GERAÇÃO HUMANA.

715. Bell, A.F.G.: "Gil Vicente's
Auto da Alma."
MLR, XIII (1918), 58-77.
[El texto acompañado de una tra-
ducción inglesa].

716. Pires de Lima, Augusto César:
Auto da Alma. Com um prefácio, notas e glossário. 3a ed.; Pôrto:
Domingos Barreira, 1940. Pp. 80.
a) V. A. Ferreira, Bibl, XVII (1941),
375-77.

717. Kühne, Margarete: "Das Spiel
von der Seele. Deutsche Übertra-
gung von M. Kühne."
BIA, V (1935), 56-82.

718. Pestana, Sebastião: "Subsídios
para uma edição do Auto da Alma de
Gil Vicente."
HomBasto (1948), págs. 355-66.

719. Pinto de Carvalho, António:
"Um equívoco de Gil Vicente. Análi-
se de um passo do Auto da Alma."
BSS, XXVII (1950), 33-36.
[Hacia el final: "Alto Deus maravilhoso, - Que o mundo visitaste,"
y doce versos más. Se trata de su
manera de indicar la Trinidad].

AUTO PASTORIL CASTELHANO.
720. Sousa Monteiro, José de: "Estudo sôbre o Auto pastoril castelhano de Gil Vicente."
BSCAS, III (1910), 235-41.
[Sobre el nombre 'Domado' en el
verso: "Conociste a Juan Domado."
Dice que debe ser 'Damado'].

721. Campos, Agostinho C. de A.:
"Enigma vicentino. 'Juan Domado'."
BFil, IV (1936), 323-40.
[Sobre el verso: "Conociste a
Juan Domado"].

AUTO PASTORIL PORTUGUÊS.
722. Almeida Lucas, João de: "Notas
para um edição de Gil Vicente. Auto
pastoril português."
Ocid, XVI (1942), 455-64.

Las Barcas

723. Beau, Albin E.: "Die Barcas des
Gil Vicente."
RFor, LIII (1939), 300-55.

_____.

724. Mulertt, Werner: "Volkstümlich-
katholisches bei Gil Vicente. Die
St. Gregorsmesse in der Barken-
Trilogie."
VKR, XIV (1941), 149-68.

_____.

725. Quintela, Paulo: "Motivge-
schichtliche Betrachtungen zu den
Barcas des Gil Vicente."
RFor, LVI (1942), 359-63.

Barca da Glória.
726. Quintela, Paulo: Auto da Embarcação da Glória. Coimbra, 1941.
a) W. Mulertt, LGRP, LXIV (1943),
col. 307-09.

_____.

727. Quintela, Paulo: "A barca da
Glória de Gil Vicente (versão por-
tuguesa)."
Bibl, XVII (1941), 37-84.

_____.

728. David, Pierre: "Notes sur deux
motifs introduits par Gil Vicente
dans l'Auto da embarcação da Glória."
BEP, X (1945), 189-203.
["... d'où lui vient l'idée d'une
barque du salut, d'une barque cé-
leste en parallèle avec la barque
qui mène à la damnation? d'où lui
vient l'idée que le sort des âmes
n'est pas fixé par la mort et
qu'elles peuvent encore être sau-
vées ...?"].

Barca do Inferno.
729. Quintela, Paulo: Auto de Moralidade da Embarcação do Inferno ...
apêndice que contém Tragicomedia
alegórica del Paraíso y del Infierno. Coimbra: Atlântida, 1946.
Pp. 341.
a) J.-B. Aquarone, RLR, LXX (1948),
51-53.

_____.

730. Hendrix, W. S.: "The Auto da

barca do Inferno of Gil Vicente and
the Spanish Tragicomedia alegórica
del Parayso y del Infierno."
ModPhil, XIII (1915-16), 669-80.

_____.

731. Lopes de Mendonça, Henrique,
C. Michaëlis de Vasconcellos, Óscar
de Pratt y Afonso Lopes Vieira:
"Sôbre um verso de Gil Vicente."
RevLus, XV (1912), 268-89.
["Ora venha a car(r)o à ré"].

732. Gonçalves Viana, Anacleto dos
Reis: "Um verso de Gil Vicente:
'Ora venha o car(r)o à ré'."
BSCAS, VI (1912), 267-69.

_____.

733. Lopes de Mendonça, Henrique:
"Sôbre o têrmo náutico 'carro'."
BSCAS, VI (1912), 270-73.

_____.

734. Rocha Madahil, A. G. da: "Em
refôrço da interpretação dada a um
verso de Gil Vicente."
Bibl, VI (1930), 60-73.

_____.

735. Sousa Gomes, Armando de: "Gil
Vicente e o caro."
LingP, V (1938), 185-98.

_____.

736. Quirino da Fonseca, Henrique:
"Comentário ao verso 'Ora venha ho
caro a ree', do Auto de moralidade
de Gil Vicente, edição de 1516 ou
1517 (Auto da Barca do Inferno)."
HomVicente (1939), págs. 487-547.

Barca do Purgatório.
V. Calderón, OBRAS, núm. 2275.

Cananeia, Auto da.
737. David, Pierre: "L' Auto de la
Cananéenne de Gil Vicente et sa
place dans l'année liturgique."
BEP, XII (1948), 265-72.

_____.

738. Sampayo Ribeiro, Mário de:
"Sôbre o fecho do Auto da Cananeia."
Brot, XXVII (1938), 321-37, 384-91.
[Investigación de la fuente de las
palabras "Clamabat autem"].

——.
739. Le Gentil, Georges: "La Cananeia de Gil Vicente et les mystères
français."
BH, L (1948), 353-69.

CLÉRIGO DA BEIRA, O.
740. Sampayo Ribeiro, Mário de:
"Uma nótula vicentina. 'A algálea
da arruda'."
Brot, XXIV (1937), 319-24.
    [Sobre el significado de este
verso].

CÔRTES DE JÚPITER, As.
741. Machado, José P.: "A fala da
moura das Côrtes de Júpiter."
RFLUL, V (1938), 221-50.

——.
742. Zaluar Nunes, Maria Arminda:
"Marginália: O simbolismo das côres
nas Côrtes de Júpiter. A onomato-
peia nas obras de Gil Vicente."
RFLUL, V (1938), 187-93.

DEUS PADRE, AUTO DE.
V. TEMAS, SONETO (684).

DON DUARDOS, TRAGICOMEDIA DE.
  V.t. GENERAL I, CAMILOTE (16);
GENERAL II, DRAMATIZACIÓN (1032).

——.
743. Tragicomedia de Don Duardos,
ed. Dámaso Alonso. Madrid: C.S.I.C.,
1942. Pp. 329.
a) W. J. Entwistle, MLR, XXXVIII
   (1943), 163-65.
b) A. Alonso, RFH, IV (1942), 282-
   285.
c) W., ZRP, LXIII (1943), 434-36.
d) M. Romera-Navarro, HR, XI (1943),
   355-59.
e) M. Bataillon, BH, XLV (1943),
   211-14.
   V.t. TEMAS, EDICIÓN (620).

744. Braamcamp Freire, A.: "A censura e o Dom Duardos de Gil Vicente."
BSCAS, XII (1917-18), 561-64.

——.
745. Fernandes Paxeco, Elza: "Da
Tragicomedia de dom Duardos."
RFLUL, V (1938), 193-203.

EXHORTAÇÃO DA GUERRA.
746. Exhortação da guerra, ed. Augusto C. Pires de Lima. Pôrto: Autor, 1932. Pp. 68.
a) F. Krüger, VKR, V (1932), 273.

——.
747. Oliveira, César A. de: "Exortação da guerra."
GilVic, I (1925), 154-63, 185-94.
    [Es un estudio de la obra].

——.
748. Almeida Lucas, João de: "Notas
para uma edição de Gil Vicente.
Tragicomedia da exortação da guerra."
Ocid, XX (1943), 49-60.

FADAS, AUTO DAS.
749. Girodon, Jean: "Le diable picard de l'Auto das Fadas."
BEP, XIV (1950), 246-70.

——.
750. Teyssier, Paul: "Essai d'ex-
plication du passage en 'picard' de
l'Auto das Fadas de Gil Vicente."
BEP, XIV (1950), 223-45.

FAMA, AUTO DA.
750A. Mazzoni, Guido: "L'Italia
nell' Auto da Fama di Gil Vicente."
RRAL, 6ª serie, vol. IX (1933),
738-57.

FEIRA, AUTO DA.
751. Auto chamado da Feyra, ed.
Marques Braga. Lisboa: Junta de
Educação Nacional. Centro de Estudos Filológicos, 1936. Pp. 56.
a) A. R. Rodríguez Moñino, RFE,
   XXIII (1936), 307-09.

——.
752. Almeida Lucas, João de: "Notas
para uma edição de Gil Vicente.
Auto da Feira."
Port, XV (1942), 83-100.

FESTA, AUTO DA.
753. Auto da Festa, ed. Conde de
Sabugosa. Lisboa: Imprensa Nacional, 1906. Pp. 129.
a) Edgar Prestage, MLR, III
   (1907-08), 88-91.

FESTA, AUTO DA (cont.).
754. Pratt, Óscar de: "O Auto da Festa de Gil Vicente."
RevLus, XIV (1911), 238-46.

FÍSICOS, AUTO (FARSA) DOS.
V.t. LIBROS, LEMOS (785).

———.
755. Rocha Brito, Alberto da: "A Farsa dos Físicos de Gil Vicente vista por um médico."
Bibl, XII (1936), 336-421.

———.
756. Gersão Ventura, Augusta Faria: "Notas acerca de alguns 'simples e drogas' do Auto dos Físicos de Gil Vicente."
PN, II (1938), 9-20.

FRÁGUA DE AMOR.
V. GENERAL II, MOSCHUS (1287).

INÊS PEREIRA, FARSA DE.
757. Farsa de Inez Pereira, ed. Francisco Torrinha y Augusto C. Pires de Lima. Pôrto, 1932. Pp. 89.
a) F. Krüger, VKR, V (1932), 273.

———.
758. Marques Braga, M.: Actividade dramática de Gil Vicente e "Farsa de Inês Pereira." Lisboa: Cosmos, 1941. Pp. 127.
a) P. Quintela, Bibl, XVII (1941), 786-90.

———.
759. Artola, G. T. y Eichengreen, W. A.: "A Judeo-Portuguese Passage in the Farça de Inês Pereira of Gil Vicente."
MLN, LXIII (1948), 342-46.

MOFINA MENDES, AUTO DE.
V.t. TEMAS, LAFONTAINE (640).

———.
760. Esteves Pereira, F. M.: "A Mofina Mendes de Gil Vicente. Estudo de história literária."
BSCAS, XIV (1919-20), 122-43.

———.
761. Dias de Magalhães, A.: "O significado do auto vicentino da Mofi-na Mendes."
Brot, XXXIX (1945), 173-95, 303-24.

OBRA DA GERAÇÃO HUMANA.
762. Révah, I. S.: "L'attribution à Gil Vicente de la Obra da geração humana. (Examen des objections du Prof. Álvaro Júlio da Costa Pimpão)."
BHTP, I (1950), 93-116.
[V. los núms. 593 y 673].

———.
763. Révah, I. S.: "La source de la Obra da geração humana et de l'Auto da Alma."
BHTP, I (1950), 1-32.

QUATRO TEMPOS, AUTO DOS.
764. Auto de los cuatro tiempos. Publicado por Arturo del Hoyo.
CFFLM, no. 3 (1936), 63-88.

———.
765. Asensio, Eugenio: "El Auto dos Quatro tempos de Gil Vicente."
RFE, XXXIII (1949), 350-75.

QUEM TEM FARELOS?
766. Vieira, Higino: "Crítica social de Gil Vicente através da farsa Quem tem farelos?"
Port, XIII (1940), 86-94, 142-52, 199-202; XIV (1941), 26-28, 82-85, 147-52.

SERRA DE ESTRÊLA, TRAGICOMÉDIA DA.
767. Tragicomédia da Serra de Estrêla, ed. de Álvaro Júlio da Costa Pimpão. Coimbra, 1941.
a) W. Mulertt, LGRP, LXIII (1942), col. 328.

SIBILA CASSANDRA, AUTO DA.
768. Auto de la Sibila Casandra, conforme a la edición de 1562; con prólogo y notas de Álvaro Giráldez [seudónimo de A.F.G. Bell]. Madrid: V. Suárez, 1921. Pp. 47.
a) A. Millares Carlo, RFE, X (1923), 326-27.

———.
769. King, Georgianna G.: "The Play of the Sibyl Cassandra."
BMCNM, II (1921). Pp. 55.
a) J.P.W. Crawford, ModPhil, XX (1922-23), 439-40.

———.
770. Trend, J. B.: "The Mystery of
the Sibyl Cassandra."
MandL, X (1928), 124-40.

TRIUMPHO DO INVERNO, O.
V.t. TEMAS, VILLANCICO (709).

———.
771. Battelli, Guido: "Il Trionfo
dell'inverno, da Gil Vicente."
Port, IX (1936), 200-02.
[Es una traducción de la obra].

VELHO DA HORTA, O.
772. Almeida Lucas, João de: "Notas
para uma edição de Gil Vicente. O
Velho da horta."
Ocid, XVII (1942), 325-34.

VIUVO, COMÉDIA DO.
773. Meier, Harri: "Gil Vicente als
Dichter der portugiesischen Geschichte. (Die Comédia do Viuvo)."
PortKöln (1940), págs. 140-49.

LIBROS

ACADEMIA DAS CIÊNCIAS DE LISBOA:
Gil Vicente, vida e obra.
V. ÍNDICE DE REVISTAS, HomVicente.

774. BARATA, ANTÓNIO FRANCISCO: Gil
Vicente e Évora. Évora: Minerva
Commercial, 1902. Pp. 11.

775. BELL, AUBREY F. G.: Estudos
vicentinos. Trad. António Álvaro
Dória. Lisboa: Imprensa Nacional,
1940. Pp. xvi-222.

776. BELL, AUBREY F. G.: Gil Vicente. ("Hispanic Notes and Monographs"). Oxford: Oxford University Press, 1921. Pp. 70.
a) J.P.W. Crawford, ModPhil, XX
(1922-23), 437-39.
777.
BIBLIOTECA NACIONAL: Bibliografia
vicentina. Compilada por L. de
Castro e Azevedo. Lisboa: Biblioteca Nacional, 1942. Pp. xii-1002.
a) Domingos Maurício, Brot, XXXVII
(1943), 470.
b) A. J. da Costa Pimpão, Bibl, XIX
(1943), 578-81

c) Manoel da S. S. Cardozo, BAbr,
XIX (1945), 202.

778. BRAAMCAMP FREIRE, ANSELMO:
Vida e obras de Gil Vicente, "trovador, mestre da balança." Lisboa:
Revista "Ocidente," 1944. Pp. 634.
[Este libro es una reimpresión del
núm. 603, con la adición de un "novo
Prólogo, minuciosos Índices e nume-
rosas Gravuras." Las dos obras son
refundiciones de un artículo publicado años antes: el núm. 692].

779. BRAGA, JOAQUIM TEÓFILO FERNAN-
DES: Eschola de Gil Vicente e des-
envolvimento do theatro nacional.
[El tomo 8-A de su História da litte-
ratura portuguesa]. Pôrto: Livra-
ria Chardron, Successores Lello e
Irmão, 1898. Pp. 586.
[Es continuación del núm. 780].

780. BRAGA, JOAQUIM TEÓFILO FERNAN-
DES: Gil Vicente e as origens do
theatro nacional. [El tomo 8 de su
História da litteratura portuguesa].
Pôrto: Livraria Chardron, Successores Lello e Irmão, 1898. Pp.
viii-544.

781. BRITO REBÊLO, JACINTO INÁCIO DE:
Gil Vicente (1470?-1540?). Lisboa:
Livraria Ferin, Baptista, Torres,
1912. Pp. 169.

782. CASTILHO, JÚLIO DE: Mocidade
de Gil Vicente (o poeta). Quadros
da vida portuguesa nos séculos XV e
XVI. Lisboa: Typographia, Rua da
Barroca, 1896. Pp. 291.

783. GOMES, TORQUATO: Uma fala de
Gil Vicente. Leiria, 1950. Pp. 23.
a) João Maia, Brot, LII (1951), 380.

784. GONÇALVES VIANA, MÁRIO: Gil
Vicente. Pôrto: Edit. Educação
Nacional, 1937. Pp. 151.

785. LEMOS, MAXIMIANO A. D'O.: O
"Auto dos Físicos" de Gil Vicente:
comentário médico. Pôrto: "Enci-
clopedia Portuguesa," 1921. Pp. 55.

786. LOPES VIEIRA, A. X.: Gil Vicente. Conferencia realizada no Serão

LOPES VIEIRA (cont.).
Vicentino do Teatro da República em
13 de janeiro de 1912. Lisboa:
Ferreira, 1912. Pp. 50.

787. MARQUES, APOLINO AUGUSTO: Gil
Vicente e as suas obras. Portalegre:
Typ. de Thiago H. Morgado, 1917.
Pp. 52.
a) --, RFE, VI (1919), 72-73.

MARQUES BRAGA, M.: Actividade dramática...
V. OBRAS, núm. 758.

MICHAËLIS DE VASCONCELLOS, C.: Notas vicentinas.
V. TEMAS, núm. 666.

788. PRATT, ÓSCAR DE: Gil Vicente.
Notas e comentários. Lisboa: A. M.
Teixeira, 1931. Pp. 288.
a) A.F.G. Bell, RFE, XIX (1932),
84-85.

789. QUEIROZ VELOSO, JOSÉ MARIA DE:
Gil Vicente e a sua obra. Conferência realisada no serão vicentino
do Theatro Nacional Almeida Garrett,
em 23 de maio de 1913 (com notas
justificativas). Lisboa: Teixeira,
1914. Pp. 80.

790. RÉVAH, I. S.: (1) Deux 'Autos'
de Gil Vicente restitués à leur au-
teur. Lisboa: Academia das Ciências de Lisboa, 1948. Pp. 79.
(2) Deux Autos méconnus de Gil Vicente. Lisboa, 1948. Pp. 92.
(3) Les Sermons de Gil Vicente: en
marge d'un opuscule du professeur
Joaquim de Carvalho. Lisboa, 1949.
Pp. 62.
Reseñas de las 3 obras juntas:
a) A.F.G. Bell, HR, XVIII (1950),
348-50.

VILLALÓN, EL BACHILLER

793. Foulché-Delbosc, R.: "Tragedia
de Mirrha, compuesta por el Bachiller Villalón (1536)."
RevHisp, XIX (1908), 159-83.

VIRUES, CRISTOBAL DE

V.t. GENERAL I, LIBROS, MERIMÉE

b) U.T. Holmes, Hisp, XXXIII (1950),
182-83.
c) A. R. Nykl, MLN, LXV (1950),
275-76.
d) M. Bataillon, RomPhil, III (1950),
319-22.
e) J. E. Gillet, RR, XLI (1950),
216-18.
f) G. Le Gentil, BH, LI (1949),
63-66.
g) R. Ricard, RHduT, II (1950), 94-95.
h) A. J. Saraiva, Port, XXII (1949),
277-80.
Reseñas de 1 y 2:
i) E. Asensio, RFE, XXXIII (1949),
409-14.
j) A.F.G. Bell, BAbr, XXIV (1950), 47.
k) Gomes de Zurara, Brot, L (1950),
591-92.
m) A.J. da Costa Pimpão, Bibl, XXIV
(1948), 571-74.
Reseña del núm. 3 solo:
n) Domingos Maurício, Brot, L (1950),
163.

791. SANCHES DE BAÊNA, A. R. SANCHES
DE BAÊNA E FARINHA, VISCONDE DE:
Gil Vicente. Marinha Grande: Empre-
za Typographica, 1894. Pp. xxv-168.

792. SARAIVA, ANTONIO JOSÉ: Gil
Vicente e o fim do teatro medieval.
Lisboa: 1942. Pp. 134.
a) C. V. Aubrun, BH, XLIX (1947),
467-68.
b) M. Bataillon, RLC, XXII (1948),
135.
V.t. núm. 654.

ADDENDUM

792A. Bell, A. F. G.: "Notes for
an Edition of Gil Vicente."
RevHisp, LXXVII (1929), 382-408.

(186); GENERAL II: TEMAS, BIOGRAFÍA
(871); LIBROS, LISTA (1687), POETAS
DRAMÁTICOS (1747).

794. Münch-Bellinghausen, Eligius
von: "Virues' Leben und Werke."
JREL, II (1860), 139-63.

795. Farinelli, A.: "Un passaggio
di truppe spagnuole pel Gottardo

nel 1650 e l'Epistola poetica del Capitano Cristoval de Virués."
BSSI, XIV (1892), 209-19.

796. Farinelli, A.: Una epistola poetica del capitano Don Cristóbal de Virués. Bellinzona, 1892.
[Reimpresa en su Italia e Spagna, II, 417-35. V. GENERAL II, LIBROS, núm. 1631].

"MONSERRATE, EL".
V. GENERAL I, GARÍN, JUAN (44-45).

797. Sargent, Cecilia V.: A Study of the Dramatic Works of Cristóbal de Virués. New York: Instituto de las Españas, 1930. Pp. ix-161.
a) E. B. Place, Hisp, XIV (1931), 326.
b) E. Juliá Martínez, RFE, XXI (1934), 78-79.

798. Atkinson, W. C.: "Séneca, Virués, Lope de Vega."
HomRubió (1936), I, 111-31.

YANGUAS

V. GENERAL I, FARSA (37).

PARTE II: PERÍODO AUREOSECULAR

(Desde Lope de Vega hasta José de Cañizares)

GENERAL II

TEMAS

ABELARDO Y HELOÍSA.
V. LIBROS, RODRIGUEZ CARBALLEIRO (1764).

ABENCERRAJE.
V. CALDERÓN (2204); LOPE DE VEGA (3625).

ACADEMIAS LITERARIAS.
V.t. LIBROS, núms. 1584, 1658; CALDERÓN, núm. 1914.

———.
799. Serrano y Morales, José E.: "Noticia de algunas academias que existieron en Valencia durante el siglo XVII."
RevVal, I (1880-81), 441-52.

———.
800. Pérez de Guzmán, Juan: "Bajo los Austrias. El círculo literario de los Toledos."
IEA, XXXIV (1890), t. 2, págs. 86-87, 90.
[Trata de las academias literarias].

———.
801. Pérez de Guzmán, Juan: "Bajo los Austrias. Academias literarias de ingenios y señores."
EspMod, Año VI (1894), t. LXXI, págs. 68-107.

———.
802. Blasi, F.: "La Academia de los Nocturnos."
ARom, XIII (1929), 333-57.
[V.t. LIBROS, núm. 1584].

———.
803. Romera-Navarro, M.: "Querellas y rivalidades en las academias del siglo XVII."
HR, IX (1941), 494-99.

ACERO (MEDICINAL).
V. LOPE DE VEGA, OBRAS, EL ACERO DE MADRID (3579).

ACEVEDO FAXARDO, ANTONIO.
V. FAXARDO Y ACEVEDO.

ACTORES.
V.t. AT A SPANISH THEATRE (843), CÓMICOS (929-30), CÓRDOBA, MARÍA DE (933-35), FAXARDO Y ACEVEDO (1070), FERNÁNDEZ, MARÍA ANTONIA (1073), FERNÁNDEZ CABREDO (1074), FRANCIA (1088), GRANADOS (1111), LADVENANT Y QUIRANTE (1203), NAVARRETE (1295), OLMEDO (1308), ORTIZ DE VILLAZÁN (1313), PINEDO (1324), PRADO (1339-40), RÍOS (1384), ROSA (1397), SÁNCHEZ DE VARGAS (1408), SCHAUSPIELERSCHICKSALE (1421), SILUETAS ESCÉNICAS (1439), "TIRANA" (1461), VACA, JUSEPA (1481); LIBROS, CROCE (1609), DÍAZ DE ESCOVAR (1615, 1616, 1618), FLORES GARCÍA (1636), RENNERT (1753).

———.
804. Rennert, H. A.: "Spanish Actors and Actresses Between 1560 and 1680."
RevHisp, XVI (1907), 334-538.
[Reimpreso en forma enmendada y corregida en su libro The Spanish Stage in the Time of Lope de Vega, págs. 411-635. V. LIBROS, núm. 1753].

ACHILLINI, CLAUDIO.
V. CARTEGGIO (896).

ADDRESS, DEROGATORY,
805. Wilson, W. E.: "Some Forms of Derogatory Address During the Golden Age."
Hisp, XXXII (1949), 297-99.
[Los ejemplos son, en gran parte, de la comedia].

ADDRESS, DIRECT.
V. EL Y ELLA (1041).

"ADVENTURES OF FIVE HOURS, THE".
V. COELLO, núm. 2399.

AGRICULTURA.
V. CAMPO.

AGUDEZAS.
V. LIBROS, BUSTILLO (1582).

AGUDO, VERSO.
V. ESDRÚJULO (1056).

AGÜEROS.
V.t. CASTRO, OMEN (2358).

——.
806. Herrero García, M., y Cardenal,
M.: "Sobre los agüeros en la literatura española del Siglo de Oro."
RFE, XXVI (1942), 15-41.

ALARCOS, EL CONDE.
V.t. HISTORIA (1149), SCHLEGEL,
FRIEDRICH (1424).

——.
807. Hartzenbusch, Juan Eugenio:
"Crítica literaria._El Conde Alarcos.--José Jacinto Milanés."
RdCuba, VIII (1880), 337-39.

——.
808. Rosenbaum, Richard: "Zur Romanze vom Grafen Alarcos."
Euph, V (1898), 108-09.
[Sobre el traductor alemán de La
fuerza lastimosa de Lope de Vega:
no fué Rambach, sino un tal "B. v.
S."].

——.
809. Porterfield, A. W.: "The Alarcos Theme in German and English."
GermR, VI (1931), 125-43.

ALBA DE TORMES.
V. LOPE DE VEGA, núm. 2944.

ALBANIA.
810. Pérez y González, Felipe: "La
'cuestión' de Albania en el teatro
antiguo español."
IEA, XLVII (1903), t. 1, págs. 95,
98-99, 118-19.
[Sobre Juan Castrioto en la come-
dia].

ALBRICIO.
V. LOPE DE VEGA, núm. 3497.

ALCÁZAR, ACADEMIA DEL.
V. CALDERÓN, núm. 1914.

ALCIATI, ANDREA.
V. LOPE DE VEGA, núm. 3338.

ALEGORÍA.
V. TIREURS À L'ARC (1462); CALDE-
RÓN, núm. 1843.

ALEMÁN (EL IDIOMA).
V. FLAMENCO (1080).

ALEMÁN, ALEMANIA.
V.t. LIBROS, SCHNEIDER, ADAM (1777),
SCHWERING (1779); CALDERÓN, ALEMANIA.

——.
811. Farinelli, A.: "Spanien und
die spanische Literatur im Lichte
der deutschen Kritik und Poesie."
ZVL, V (1892), 135-206, 276-332;
VIII (1895), 318-70.
a) A. Morel-Fatio, RCHLP, XXXIV
(1892), 111-12.
b) --, Rom, XXII (1893), 174.

——.
812. Friedwagner, Matthias: "Spanisches Drama in Deutschland."
DtB, I (1917-18), 163-76.

——.
813. Ludwig, Albert: "Spanische
Drama auf der deutschen Bühne in
den Jahren 1816 bis 1834."
ASNSL, CXXIII (1909), 387-96.

——.
814. Dessoff, Albert: "Über englische, italienische, und spanische
Dramen in den Spielverzeichnissen
deutscher Wandertruppen."
SVL, I (1901), 420-44.

——.
815. Dessoff, Albert: "Über spanische, italienische und französische
Dramen in den Spielverzeichnissen
deutscher Wandertruppen."
ZVL, IV (1891), 1-16.

ALFONSO VIII.
V. JUDÍA DE TOLEDO (1195-96).

ALFONSO X, EL SABIO.
V. LIBROS, COTARELO Y VALLEDOR (1604).

"ALFREDA".
V. LOPE DE VEGA, OBRAS, núm. 3712.

"ALGARROBILLAS".
V. COMENTARIOS (927).

ALMAZÁN.
V. TIRSO DE MOLINA, ALMAZÁN.

ALMELLA, JUAN JERÓNIMO.
V. ELENCO (1042).

ALMUDENA, VIRGEN DE LA.
816. Bermejo, Luis: "La Virgen de
la Almudena."
ByN, VII (1897), no. 315, pp. [3-4].
 [Es una descripción. Se menciona
la obra de Lope de Vega del mismo
título].

ALVA, BARTOLOMÉ DE.
V. LOPE DE VEGA, núm. 2960.

"ALLÁ VAN LEYS..."
817. Solalinde, A. G.: "Allá van
leys o mandan reys."
RFE, III (1916), 298-300.
 [De este tema tratan las comedias
de Castro (Allá van leyes donde
quieren reyes) y de Lanini (Allá
van leyes do quieren reyes)].

AMALFI, DUQUESA DE.
V. BANDELLO.

AMANTES DE TERUEL.
V.t. LIBROS, núm. 1764.

——.
818. Cotarelo y Mori, E.: "Sobre el
origen y desarrollo de la leyenda
de los amantes de Teruel."
RABM, VIII (1903), 347-77.
 [Referencias a Rey de Artieda,
Tirso de Molina, Pérez de Montalván].

"AMARILIS".
V. CÓRDÓBA, MARIA DE (933-35).

"AMARILIS INDIANA".
V. LOPE DE VEGA.

"AMAZONEN, DIE".
V. SCHLEGEL, AUGUST W. (1423).

AMÉRICA.
V.t. AMÉRICA DEL NORTE, AMÉRICA
ESPAÑOLA, AUTO SACRAMENTAL (850-52);
ANÓNIMAS, núm. 1543; LIBROS, 1698 y
1700; BELMONTE (1829); TIRSO; LOPE.

819. Medina, José Toribio: "La historia de América, fuente del antiguo teatro español."
AUCh, CXLI (1917), 609-18, 745-97,
1039-1193.
 [Es el prólogo de su libro Dos
comedias... V. LIBROS, núm. 1698].

——.
820. Torre Revello, J.: "Orígenes
del teatro en América (1538 a 1804)."
CCT, VIII (1937), 37-64.

——.
821. Rosenbach, A.S.W.: "The First
Theatrical Company of America."
PAAS, XLVIII (1938), 300-10.
 [Actuó en el Callao en 1599].

——.
822. Romera-Navarro, M.: [Resumen
del núm. 821].
HR, VIII (1940), 184.

——.
823. Brooks, Philip: "La primera
compañía teatral de América."
Ultra, VIII (1940), 265-66.
 [Del New York Times].

——.
824. Austin, Mary: "Spanish Drama
in Colonial America."
TAM, XIX (1935), 705.
 [Excerpto de su "Folk Plays of
the Southwest." V. núm. 41A].

——.
825. Bayle, Constantino: "El teatro
indígena en América."
RyF, CXXXIII (1946), 21-41, 126-44.

AMÉRICA DEL NORTE.
V. MISTERIOS (1260), PHILADELPHIA
(1322), RELIGIOSO (1370-71).

AMÉRICA ESPAÑOLA.
V.t. ARGENTINA, ASUNCIÓN, BOGOTÁ,
BUENOS AIRES, COLEGIO (923), COLO-
NIA, CUBA, ENTREMÉS (1048), GUATE-
MALA, HISPANOAMERICANO, HISTORIO-
GRAFÍA (1151), LATIN AMERICA, LIMA,
MÉXICO, NUEVA ESPAÑA, PLATA (RÍO DE
LA), PORTEÑO, POTOSÍ, PUERTO RICO,
RELIGIOSO (1367), REPERTORIO, SAI-
NETES, SHIPMENT; LIBROS, ARROM

AMÉRICA ESPAÑOLA (cont.).
(1570), LOHMANN VILLENA (1688-90),
MIRÓ QUESADA (1712), MONTERDE (1717),
TRENTI ROCAMORA (1790-91).

———.
826. Henríquez Ureña, Pedro: "El
teatro de la América Española en
la América colonial."
BET, VII (1949), 161-83.

"AMOUR MÉDECIN, L'".
V. MOLIÈRE (1263).

AMSTERDAM.
V. JUDÍOS (1197).

"ANA BOLENA".
V. CALDERÓN, OBRAS, núm. 2140.

ANALES.
V.t. DÉCADAS (979); LIBROS, DÍAZ
DE ESCOVAR (1614).

———.
827. Díaz de Escovar, N.: "Anales
de la escena española correspondientes a los años 1600 a 1613."
CD, LXXXIII (1910), 307-15; LXXXIV
(1911), 211-19, 313-21, 395-402,
482-86; LXXXV (1911), 107-11, 194-
198, 278-81, 369-72; LXXXVI (1911),
106-15, 195-202.

———.
828. Díaz de Escovar, N.: "Anales
de la escena española correspondientes a los años 1614 a 1625."
CD, LXXXVII (1911), 279-88, 366-74,
438-42; LXXXVIII (1912), 104-08,
288-97, 364-72; LXXXIX (1912), 280-
284; XC (1912), 43-47, 233-40; XCI
(1912), 116-27, 276-81, 352-56.

———.
829. Díaz de Escovar, N.: "Anales
de la escena española."
CD, XCI (1912), 427-36; XCII (1913),
35-43, 97-108, 213-20, 274-84, 456-
462; XCIII (1913), 255-61, 417-30;
XCIV (1913), 207-17, 291-98, 359-75;
XCV (1913), 129-40, 209-13, 445-50.
[el período 1626-1680].

———.
830. Díaz de Escovar, N.: "Anales
del teatro español (1681-1700)."

RCast, I (1915), 123-25, 146-50,
181-85; II (1916), 79-80, 128-30,
160-64, 193-94, 235-40, 273-74,
303-07, 346-53.

———.
831. Díaz de Escovar, N.: "Anales
de la escena española desde 1701 a
1750."
UnIA, XXIX (1915), no. 1, págs. 14-
15; no. 2, págs. 29-31; no. 8, págs.
19-22; XXX (1916), no. 3, págs. 15-
16; no. 4, págs. 19-20; no. 5, págs.
22-24; no. 6, págs. 12-13; no. 7,
págs. 21-22; XXXI (1917), no. 3,
págs. 26-27; no. 4, pág. 38; no. 5,
págs. 37-38; no. 6, pág. 30; no. 7,
pág. 38; no. 8, págs. 28-29; XXXII
(1918), no. 2, págs. 33-35; no. 3,
págs. 41-42; XXXIII (1919), no. 4,
págs. 31-32.

———.
832. Díaz de Escovar, N.: "Anales
de la escena española (1751-1780)."
RCast, III (1917), 193-95; IV (1918),
95-96, 122-25; V (1919), 13-15,
132-33, 190-92, 206-08, 275-78.

ANALOGÍAS.
V. INGLATERRA (1174).

ANDOLFATI, PIETRO.
V. ITALIA (1182).

ANÉCDOTAS.
V. SHORT STORIES.

ANEDDOTI DI STORIA.
V. CÓMICOS (929).

ANTEQUERA.
V. LOPE DE VEGA, núm. 2972.

"ANTIGONE".
V. SELF-DEVOTION (1428).

ANTIGUO, TEATRO.
V.t. CRONOLOGÍA (957); CLÁSICO,
TEATRO (908-11).

———.
833. ——: "El teatro antiguo."
SemPintEsp, (1855), 201.

———.
834. Amador y Andreu, Mariano: "Re-

ANTIGUO, TEATRO (cont.).
seña crítica del teatro en algunos
pueblos antiguos y modernos."
RCont, XLVIII (nov-dic, 1883), 257-
280; XLIX (en-feb, 1884), 430-46;
LI (mayo-jun, 1884), 165-80.

———.

835. Mélida, José Ramón: "Los teatros antiguos vistos por dentro."
IEA, XLV (1901), t. 1, págs. 31, 34,
47-48, 50.
    [Trata de la acústica, el coro,
el escenario, las acotaciones, los
bastidores, etc.].

———.

836. Benavente, Jacinto: "El teatro
antiguo español."
RdelasEsp, VI (1931), 24-30.

———.

837. ——: "Estudios literarios. Teatro antiguo."
SemPintEsp, (1855), 25-27, 50-51,
58-59.

———.

838. Díaz y Pérez, N.: "El teatro
español en los tiempos antiguos."
RCont, LXXIX (jul-sept, 1890), 337-
353; LXXX (oct-dic, 1890), 251-64.

AÑOS (APARECIDOS EN TÍTULOS EN LAS
SECCIONES DE TEMAS Y ANÓNIMAS).
   1512-1776: CUBA (965).
   1529: WIEN (1510).
   1538-1804: AMÉRICA (820).
   1560-1680: ACTORES (804).
   1600: EXCESOS (1067).
   1600-1613: ANALES (827).
   1605: ANÓNIMAS, AUTO SAC... (1519).
   1613: SEVILLA (1434).
   1614-1625: ANALES (828).
   1618: BOGOTÁ (874).
   1620: "GUÍA Y AVISOS DE FORASTEROS"
         (1127).
   1620-1681: AUTO SACRAMENTAL (845).
   1624-1637: GAGE, THOMAS (1091).
   1628: ELENCO (1042).
   1630: DON JUAN (1014).
   1630-1640: VALENCIA (1483).
   1635-1636: LIMA (1215-17).
   1639: CID (905).
   1650: ANÓNIMAS, TRIUNFO... (1548).
   1652-1681: "ESCOGIDAS" (1055).
   1652-1704: "ESCOGIDAS" (1054).

   1654: GUISA, DUQUE DE (1128).
   1661-1819: BIBLIOGRAFÍA (870).
   1663: POTOSÍ (1338).
   1680: MOLIÈRE (1265).
   1681-1700: ANALES (830).
   1701-1750: ANALES (831).
   1717: LOA (1221).
   1751-1780: ANALES (832).
   1762-1776: TOLEDO (1470).
   1800: CAROLINGIAN (891), MOSCHUS
         (1287), SPANISCHES DRAMA
         (1446).
   1800-1824: REFUNDICIONES (1366).
   1805-1806: MÉXICO (1254).
   1808-1818: MADRID (1227).
   1816-1834: ALEMANIA (813).
   1820-1850: MADRID (1228).

APOLO Y DAFNE.
   V. LOPE DE VEGA, APOLLO AND DAPHNE.

APPEAL.
   V. POPULAR APPEAL (1335).

APPUNTI.
839. Restori, A.: "Appunti teatrali
spagnoli."
StudFilRom, VII (1899), 403-45.
    [Es reseña de la edición de Rennert
de las comedias de Miguel Sánchez
(2658)].
a) A. L. Stiefel, LGRP, XXV (1904),
   col. 203-05.

APULEYO.
   V. LIBROS, LATOUR (1682).

ARAGONESES.
840. Lasso de la Vega, A.: "Autores
aragoneses del teatro antiguo español."
IEA, XXXIV (1890), t. 2, págs. 383,
386, 398-99, 402.

"ARAUCANA, LA".
   V. LIBROS, MEDINA (1698).

ARCHIVO.
   V. ARGENTINO (841).

ARCHIVO DE LAS INDIAS.
   V. TIRSO DE MOLINA, núm. 2726A.

AREITO ANTILLANO.
   V. LOPE DE VEGA, núm. 2976.

ARENAL DE SEVILLA.
V. LIBROS, MONTOTO DE SEDAS (1719).

ARGENTINA, LA.
V. BUENOS AIRES, PLATA (RÍO DE LA), PORTEÑO.

ARGENTINO.
841. —: "Índice del archivo del teatro argentino."
BET, I (1943), no. 1, págs. 40-44; no. 3, págs. 37-42; II (1944), 151-156; III (1945), 91-96; IV (1946), 180-85, 248-52; V (1947), 56-58; VI (1948), 48-54.
[Se incluyen comedias del Siglo de Oro].

ARGUIJO, JUAN DE.
V. LOPE DE VEGA.

ARIAS DE QUINTANADUEÑAS, JACINTO.
V. CALDERÓN, núm. 1950.

ARIOSTO, LUDOVICO.
V. "ORLANDO FURIOSO"; LOPE DE VEGA.

ARISTIDES.
V. LOPE DE VEGA, OBRAS, núm. 3603.

ARISTÓFANES.
V. TIRSO DE MOLINA, núm. 2674.

"ARRABAL".
V. COMENTARIOS (927).

ARSENAL.
V. MANUSCRITOS (1234).

ARTÍSTICO, ELEMENTO.
V. HONOR.

ASPECTOS.
842. Jiménez Rueda, Julio: "Aspectos del teatro español de los siglos de oro."
UnivMex, I (1930-31), 454-61.

"ASSIGNATION, THE".
V. DRYDEN, JOHN (1035).

ASTROLOGÍA, ASTRONOMÍA.
V. TIRSO DE MOLINA, LOPE DE VEGA.

AT A SPANISH THEATRE.
843. Buchanan, M. A.: "At a Spanish Theatre in the Seventeenth Century."

UTM, VIII (1908), 204-09, 230-36.
[Descripción general de actores, representaciones, etc.].

AUSTRIAS, BAJO LOS.
V. ACADEMIAS LITERARIAS (800-01).

AUTO SACRAMENTAL.
V.t. CARRIÓN DE LOS CONDES (895), CORPUS CHRISTI (947), HUESCA (1166), PILAR (1323); LIBROS, MARISCAL DE GANTE (1696), PÉREZ DE AYALA (1742), SÁNCHEZ ARJONA (1770).

844. Vassall, Armand de: "La poésie eucharistique en Espagne, aux XVIe et XVIIe siècles. L'auto sacramental."
EtudesPCJ, 6ª serie, CXXVII (1911), 769-89.

845. Latorre y Badillo, M.: "Representación de los autos sacramentales en el período de su mayor florecimiento (1620 a 1681)."
RABM, XXV (1911), 189-211, 342-67; XXVI (1912), 72-89, 236-62.

846. Gómez Restrepo, A.: "Los autos sacramentales."
AAC, III (1914), 247-54.
["Palabras pronunciadas como introducción a un auto de Calderón, representado por los alumnos del Colegio de San Bartolomé."].

847. Alenda, Jenaro: "Catálogo de autos sacramentales, historiales y alegóricos."
BRAE, III (1916), 226-39, 366-91, 576-90, 669-84; IV (1917), 224-41, 350-76, 494-516, 643-63; V (1918), 97-112, 214-22, 365-83, 492-505, 668-78; VI (1919), 441-54, 755-73; VII (1920), 496-512, 663-74; VIII (1921), 94-108, 264-78; IX (1922), 271-84, 387-403, 488-99, 666-82; X (1923), 224-39.

848. Sosa y Gallego, E. de: "Los autos sacramentales."
Inst, I (1928), 169-75.

849. Schmidt, Expeditus: "Das spa-
nische Fronleichnamsspiel und seine
Bedeutung für den gesamten Theater-
betrieb seiner Zeit."
LWJGG, VI (1931), 82-94.
   [Publicado también en español. V.
LIBROS, núm. 1775].

850. Reyes, Alfonso: "Notas de literatura española. II: Los autos
sacramentales."
UnivMex, IV (1932), 29-34.
   [Reimpreso, con algunas adiciones,
en los núms. 851, 852 y en sus Capítulos de literatura española (Segunda serie), págs. 117-28].

851. Reyes, A.: "Los autos sacra-
mentales en España y América."
BAAL, V (1937), 349-60.
   [V. el núm. 850].

852. Reyes, A.: "Los autos sacra-
mentales en España y América."
ND, XXVII (1947), no. 3, págs. 16-23.
   [V. el núm. 850].

853. Espinós, Víctor: "El auto sacramental, flor preciada de nuestra
dramática."
RdelasEsp, XI (1936), 38-41.

854. Bataillon, M.: "Essai d'expli-
cation de l' 'Auto sacramental'."
BH, XLII (1940), 193-212. [V.t. 1574A].

855. Lluch, Felipe: "El auto sacra-
mental."
RNE, III, no. 35 (nov, 1943), 7-17.
   [Trata de los de Calderón].

856. Corrales Egea, J.: "Relaciones
entre el auto sacramental y la Contrarreforma."
RIEst, III (1945), 511-14.

857. Wardropper, B. W.: "The Search
for a Dramatic Formula for the auto

sacramental."
PMLA, LXV (1950), 1196-1211.

AUTOR.
858. Zancada, Práxedes: "Un autor
dramático del siglo XVII."
IEA, XLVIII (1904), t. 2, pág. 186.
   [Francisco de Leiva y Ramírez de
Arellano].

AUTORES DE TERCER ORDEN.
   V. TERCER ORDEN (1455).

"AVARE, L'".
   V. LOPE DE VEGA, núm. 3160.

AVELLANEDA, ALONSO FERNÁNDEZ DE.
   V. "QUIJOTE" DE AVELLANEDA.

BAILES.
   V. LIBROS, COTARELO Y MORI (1601).

BALBÍN, DOMINGO.
   V. SEVILLA (1434).

"BALDUS".
   V. LOPE DE VEGA, FONTI (3190).

BALTASAR CARLOS, EL PRÍNCIPE.
   V. CUBILLO DE ARAGÓN (2432); RUIZ
DE ALARCÓN (2557).

BALTASARA, FRANCISCA.
   V. LIBROS, FLORES GARCÍA (1636).

BANDELLO, MATTEO MARIA.
   V.t. WEBSTER, JOHN (1508); LOPE DE
VEGA, BANDELLO.

859. Kiesow, Karl: "Die verschiede-
nen Bearbeitungen der Novelle von
der Herzogin von Amalfi des Bandello
in den Literaturen des 16. und 17.
Jahrhunderts."
Angl, XVII (1895), 199-258.
   [Hay referencia a La Duquesa de
Amalfi de Lope de Vega].

BANDITEN.
   V. SANTOS Y BANDOLEROS (1413); LI-
BROS, MÖLLER (1714).

BANDO SOBRE REPRESENTACIÓN.
   V. REPRESENTACIÓN (1380).

BANDOLEROS.
V. BANDITEN.

BARCELONA.
V. COLECCIÓN (920), REPRESENTACIO-
NES (1378).

BARLAÁN Y JOSAFAT.
V.t. ANÓNIMAS, DOS LUCEROS DE
ORIENTE (1524); LIBROS, MOLDENHAUER
(1715); LOPE DE VEGA, OBRAS, BAR-
LAAN Y JOSAFAT.

⸺.
860. Kuhn, Ernst: "Barlaam und Joasaph. Eine bibliographisch-litera-
turgeschichtliche Studie."
ABAW, XX (1893), 1. Abteilung, págs.
1-88.

⸺.
861. Haan, Fonger de: "Barlaam and
Joasaph in Spain."
MLN, X (1895), col. 22-34, 137-46.
[Adiciones al estudio de Kuhn].

⸺.
862. Menéndez y Pelayo, M.: "Barlaam y Josafat en España, por Haan."
En sus Estudios y discursos de crítica histórica y literaria, V, 389-
392.
[V. LIBROS, núm. 1701. Es comentario sobre el artículo de Haan].

BARRERA Y LEIRADO, CAYETANO A. DE LA.
V. FELIPE II (1071); LOPE DE VEGA.

BARROCO.
V.t. COLOR (925), UNIDADES (1479);
CALDERÓN; TIRSO DE MOLINA; LOPE DE
VEGA.

⸺.
863. Valbuena Prat, A.: "Sobre el
teatro europeo en la época barroca."
Esc, XIV (1944), no. 43, págs. 353-
368.
[1) Época de Lope y Shakespeare,
2) época de Calderón, 3) época de
Racine, 4) época de Bances Candamo
y Marivaux].

⸺.
864. Orozco Díaz, Emilio: "Temas
del barroco de poesía y pintura."
BUG, Anejo 3 (1947). Pp. lxii-190.
[V. COLOR (925), POESÍA (1333)].

BATUECAS, LAS.
V. INGLATERRA (1176).

BEATRIZ, EL MILAGRO DE.
V. LIBROS, COTARELO Y VALLEDOR
(1604), GUIETTE (1657).

"BEATUS ILLE..."
V. LOPE DE VEGA, SIMPLE LIFE (3457).

BEAUMONT Y FLETCHER.
V. QUELLEN-STUDIEN (1354).

BEDEUTENDSTE DRAMATIKER.
V. LIBROS, SCHMIDT, LEOPOLD (1776).

BÉLGICA.
865. Hoffmann, F. L.: "La presse
espagnole en Belgique."
BB, VII (1850), 171-74.
[Este artículo forma una parte
(los números 153-158) de una bibliografía de obras en español publicadas en Bélgica en los siglos XVI y
XVII. Otras partes habían aparecido
en cada tomo desde el primero (en
1844). En este tomo se describen
Flor de Apolo de Miguel de Barrios
(núm. 155) y la comedia La reina de
las flores, de Jacinto de Herrera y
Sotomayor, pero atribuida aquí a
Barrios (núm. 158). En tomos anteriores se hallan las obras siguientes: en III (1846), 249-50 (núms.
33-38), las comedias Querer la propia desdicha, El vaquero de Moraña,
La vengadora de las mujeres, De cosario a cosario, Lo cierto por lo
dudoso y Del mal lo menos de Lope
de Vega, todas de Brusselas, Velpio,
1649; pág. 252 (núms. 44-45): La
Celestina, ediciones de Amberes,
Martin Nucio, 1545 y de Plantino,
1595; págs. 367-68 (núms. 53-56):
Comedia intitulada Doleria de Pedro
Hurtado de la Vera, Amberes, 1595;
La primera parte de Lope, Amberes,
1607; Segunda parte de Lope, Brusselas, 1611; Comedias humanas y divinas, y rimas morales de Diego Mu-
xet de Solis, Brusselas, 1624; IV
(1847), 28-29 (núms. 65 y 69): El
peregrino en su patria de Lope de
Vega, Brusselas, 1608; La Celestina,
Amberes, 1590 (error por 1599); pág.
30 (núm. 79): Pastores de Belem de
Lope, Brusselas, 1614; pág. 308

(núm. 121): Segunda parte de Lope, Amberes, 1611; V (1848), (núm. 132), La Arcadia de Lope, Amberes, 1605].

BELLEFOREST, FRANÇOIS DE.
V. ROJAS ZORRILLA, núm. 2540.

BELLEZA FEMENINA.
V. VIRGEN (1495A).

BERBEZILH, RICHART DE.
V. LOPE DE VEGA, núm. 3000.

BERTAUT, FRANÇOIS.
V. CALDERON, núm. 1879.

BEYS, CHARLES DE.
V. LOPE DE VEGA, OBRAS, núm. 3765.

BEZÓN, FRANCISCA.
V. LIBROS, núm. 1636.

BIBLIA.
V. VIEJO TESTAMENTO (1493); CALDE-RÓN; TIRSO DE MOLINA.

BIBLIOGRAFÍA.
V.t. ARGENTINO, AUTO SACRAMENTAL (847), BÉLGICA, COLECCIÓN, ELENCO, "ESCOGIDAS", FRAGMENTS, MANUSCRITOS, MEDEL DEL CASTILLO, MÉXICO (1247), MONOGRAFÍA, RARISSIMUM, SCHAEFFER, SCHALLENBERG, TOLEDO, TRADUCCIONES (1472-74); LIBROS, BARRERA, GUIETTE, MOREL-FATIO Y ROUANET (1724), PAZ Y MELIA, RESTORI (1755), SPANISCHES THEATER (1785).

———.
866. Juliá Martínez, E.: "Aporta-ciones bibliográficas: Comedias raras existentes en la Biblioteca Provincial de Toledo."
BRAE, XIX (1932), 566-83; XX (1933), 252-70.
[Una colección facticia de 605 comedias de los siglos XVII y XVIII].

———.
867. Hämel, Adalbert: "Beiträge zur Geschichte und Bibliographie des spanischen Dramas."
HomMenPidalA (1925), I, 571-75.

———.
868. Schevill, Rudolph: "On the Bi-bliography of the Spanish Comedia."

RFor, XXIII (1907), 321-37.
[Los problemas que se presentarán al organizar la tarea bibliográfica].

———.
869. Stiefel, A. L.: "Notizen zur Geschichte und Bibliographie des spanischen Dramas."
ZRP, XV (1891), 217-27, 589; XXX (1906), 540-55; XXXI (1907), 352-70, 473-93.
[Sobre la colección de comedias en la Hof- und Staatsbibliothek de Munich].

———.
870. Coe, Ada M.: "Catálogo biblio-gráfico y crítico de las comedias anunciadas en los periódicos de Ma-drid desde 1661 hasta 1819."
JHSRLL, Extra vol. IX (1934). Pp. xii-270.
a) R. J. Michels, Hisp, XVIII (1935), 494-95.
b) E. Juliá Martínez, RFE, XXII (1935), 419-21.
c) S. A. Stoudemire, MLN, LI (1936), 400-01.
d) N. B. Adams, HR, IV (1936), 296-298.
e) W. C. Atkinson, MLR, XXXII (1937), 315.
f) A. Hämel, LGRP, LVIII (1937), col. 272.
g) P. Mérimée, BH, XL (1938), 218-23.
h) A. del Río, RFH, I (1939), 181.

BIBLIOTECA PROVINCIAL Y UNIVERSI-TARIA DE BARCELONA.
V. COLECCIÓN (920).

BIBLIOTECA DE LA UNIVERSIDAD DE BOLOGNA.
V. COLECCIÓN (917).

BIBLIOTECA DE CATALUÑA.
V. TÍTULOS DE COMEDIAS (1465).

BIBLIOTECA MENÉNDEZ Y PELAYO.
V. MANUSCRITOS (1233).

BIBLIOTECA MUNICIPAL DE MADRID.
V. CALDERÓN, AUTÓGRAFOS (1876).

BIBLIOTECA NACIONAL (MADRID).
V. MANUSCRITOS (1234); LIBROS, PAZ Y MELIA (1738).

BIBLIOTECA DE MUNICH.
V. BIBLIOGRAFÍA (869), MANUSCRITOS (1235).

BIBLIOTECA PALATINA-PARMESE.
V. COLECCIÓN (918).

BIBLIOTECA PROVINCIAL DE TOLEDO.
V. BIBLIOGRAFÍA (866).

BILD.
V. MENSCHEN (1244).

BIOGRAFÍA.
871. Rodríguez Marín, F.: "Nuevos datos para las biografías de algunos escritores españoles de los siglos XVI y XVII."
BRAE, V (1918), 192-213, 312-32, 435-68, 618-47; VI (1919), 54-115, 235-60, 386-420, 568-626; VII (1920), 368-423, 513-33; VIII (1921), 64-93, 199-225; IX (1922), 77-117, 237-61, 500-02; X (1923), 294-329.
[Publicado también como libro, con cien en vez de algunos en el título: Madrid: "Rev. de Archivos, 1923. Pp. 523. Datos sobre dramaturgos: Cueva: X, 322-25. Rey de Artieda: X, 300-04. Rueda: VIII, 199-200. Virués: IX, 103-04. Castro: X, 294-95. Jiménez de Enciso: IX, 80-85. Mira de Amescua: V, 321-32. Tirso de Molina: VIII, 89-91. Lope de Vega: V, 461; IX, 254-61, 501].

BLAIR, HUGO.
V. LOPE DE VEGA, núm. 3011.

"BOCA DE LA HERIDA".
V. MISCELÁNEA HISPÁNICA (1259).

BOCCACCIO, GIOVANNI.
V.t. CUESTIÓN DE AMOR (969); LOPE DE VEGA.

————.
872. Bourland, Caroline B.: "Boccaccio and the Decameron in Castilian and Catalan Literature."
RevHisp, XII (1905), 1-232.

BOCCALINI, TRAIANO.
V. LOPE DE VEGA, núm. 3012.

BODART, EUGEN.
V. LOPE DE VEGA, núm. 3748.

BÖHL VON FABER, JOHAN NIKOLAS.
V.t. THÈSES (1460); CALDERÓN, LIBROS, PITOLLET (2322).

————.
873. Dornhof, Johannes: "Johan Nikolas Böhl von Faber, ein Vorkämpfer der Romantik in Spanien."
MAGRP, VII (1925). Pp. 46.
[Representaciones de comedias en Cádiz de 1811 a 1813].

Bogotá.
874. Johnson, Harvey L.: "Una compañía teatral en Bogotá en 1618."
NRFH, II (1948), 377-80.

BOIARDO, MATTEO MARIA.
V.t. LOPE DE VEGA.

————.
875. Parducci, Amos: "L'Orlando innamorato nel teatro spagnolo."
ASNSP, 2a serie, III (1934), 235-57.

BOISROBERT, FRANÇOIS LE MÉTEL DE.
V. LIBROS, SORKIN (1784), TENNER (1788); CALDERÓN, OBRAS, núm. 2265; LOPE DE VEGA, OBRAS, núm. 3739.

BOLOGNA.
V. COLECCIÓN (917).

BONFINIUS, ANTOINE.
V. LOPE DE VEGA, OBRAS, núm. 3793.

"BOURGEOIS GENTILHOMME, LE".
V. MOLIÈRE (1265).

BOURSAULT, EDME.
V. CALDERÓN, núms. 1884-87.

BRASIL, EL.
V. MOROS Y CRISTIANOS (1284).

BROWNING, ROBERT.
V. LOPE DE VEGA, núm. 3013.

BUEN RETIRO.
V.t. LIBROS, FLORES GARCÍA (1636).

————.
876. Monreal, Julio: "Costumbres del siglo XVII. Una comedia en el Buen Retiro."
IEA, XVI (1872), 571-74, 586-87.
[Ninguna comedia específica].

877. Monreal, Julio: "Las fiestas
del Buen Retiro."
IEA, XXIV (1880), t. 2, págs. 223,
226, 238-39, 242-43, 274-76, 278,
307, 309-10.

BUENOS AIRES.
V.t. PORTEÑO (1336); MORETO, núm.
2504.

878. Sierra, Francisco: "Reseña
histórica del teatro en Buenos Aires."
LetBA, (1936), Número oficial de la
Comisión Oficial del IV Centenario,
págs. 108-11, 141.

BURCHIELLO (Domenico di Giovanni).
879. Spitzer, Leo: "Zur Nachwirkung
von Burchiellos Priameldichtung."
ZRP, LII (1932), 484-89.
[El soneto de Lope: "No tiene
tanta miel Ática hermosa"].

BURLA.
V. CALDERÓN, OBRAS, núm. 2130;
TIRSO DE MOLINA, OBRAS, núm. 2701.

BYRON, GEORGE GORDON NOEL, LORD.
880. Wurzbach, Wolfgang von: "Lord
Byron's Parisina und ihre Vorgänge-
rinnen."
EngSt, XXV (1898), 458-64.
[El castigo sin venganza de Lope
de Vega].

CABALLERESCO.
V. LIBROS, MONTOLIU (1718).

CABALLERO DE OLMEDO, El.
881. Romero y Gilsanz, Felipe: "El
Caballero de Olmedo."
RCont, CVII (jul-sept, 1897), 82-94.
[Sobre la leyenda].

882. Rada y Delgado, Juan de Dios
de la: "El Caballero de Olmedo."
MusUniv, VI (1862), 22-23.
[Sobre la leyenda].

883. Rada y Delgado, Juan de Dios
de la: "Tradiciones castellanas. El
Caballero de Olmedo."

MusUniv, XIII (1869), 262-63.

884. Fita, Fidel: "El Caballero de
Olmedo y la Orden de Santiago ."
BAH, XLVI (1905), 398-422.
[Sobre don Juan de Vívero, el ca-
ballero de Olmedo histórico].

CÁDIZ.
V. BÖHL VON FABER (873).

CALATRAVA, ORDEN DE.
V. LOPE DE VEGA, TEMAS, FUENTE OBE-
JUNA (3196).

CALDERÓN, MARÍA.
V.t. LIBROS, FLORES GARCÍA (1636).

885. Biedma, J. S.: "La Calderona.
Apuntes sobre las costumbres tea-
trales de España en el siglo XVII."
MusUniv, XIII (1869), 107-10.
[La actriz María Calderón].

CALDERÓN Y BELTRÁN, FERNANDO.
V. CALDERÓN, núm. 2140.

CALDERONA, LA.
V. el núm. 885.

CALVO, RAFAEL.
V. CALDERÓN; TIRSO DE MOLINA.

CALLAO, EL.
V. AMÉRICA (821).

CAMÕES, LUIS DE.
V. LOPE DE VEGA.

CAMPO.
886. Vega Gutiérrez, José de la:
"El campo y la agricultura en el
teatro del Siglo de Oro."
Pais, VI, nos. 64-65 (sept-oct,
1949), pág. 1745.

CANARIAS.
V. LOPE DE VEGA.

"CANCIONERO GENERAL".
V. JUANA DE NÁPOLES (1185).

CAPA, CUENTO DE LA.
V. CLOAK EPISODE.

CAPA Y ESPADA.
887. Atkinson, W. C.: "Studies in Literary Decadence: II. La comedia de capa y espada."
BSS, IV (1927), 80-89.

CARACTERES.
V. FILOSÓFICOS (1077).

CARACTERÍSTICA
V. LIBROS, AHRENS (1553).

"CARAMBA, LA".
V. FERNÁNDEZ, MARÍA ANTONIA (1073).

CARAMUEL DE LOBKOWITZ, JUAN.
V. LOPE DE VEGA, OBRAS, núm. 3598.

CÁRDENAS Y ÁNGULO, PEDRO DE.
V. "CARDENIO" (889).

"CARDENIO".
888. Hill, John M.: "Cinco poesías de 'Cardenio'."
RevHisp, LVI (1922), 405-22.

889. Bell, Aubrey F. G.: "Who was Cardenio?"
MLR, XXIV (1929), 67-72.
[Trata del autor de La estrella de Sevilla; cree que es Pedro de Cárdenas y Ángulo].

CARLOMAGNO.
V. CAROLINGIAN (890-91); LOPE DE VEGA, LIBROS, núm. 3882.

CARLOS V.
V. CHARLES-QUINT (970).

CAROLINGIAN.
890. Templin, E. H.: "Carolingian Heroes and Ballad Lines in Non-Carolingian Dramatic Literature."
HR, VII (1939), 35-47.

891. Templin, E. H.: "Carolingian Titles in the Spanish Drama Before 1800: Corrections and Additions."
RR, XXVI (1935), 345-49.
[Se refiere al libro de Albert Ludwig (núm. 3882)].

CARPIO, BERNARDO DEL.
V.t. UHLAND (1477); LIBROS (1660 y 1713); LOPE DE VEGA, LIBROS (3888).

892. Franklin, Albert B.: "A Study of the Origins of the Legend of Bernardo del Carpio."
HR, V (1937), 286-303.

893. Langford, William M.: "Bernardo del Carpio."
Hisp, XX (1937), 253-64.
[Desarrollo de la leyenda y sus diversas versiones literarias].

894. Lombardi, O.: "Un motivo eroico del teatro spagnolo: Bernardo del Carpio."
RivIT, VI (1942), vol. 1, págs. 268-79.

CARRIÓN DE LOS CONDES.
895. Mínguez, Bernardino Martín: "Los autos sacramentales en la fiesta del santísimo Corpus Christi en Carrión de los Condes, siglos XVI y XVII."
IEA, XLVIII (1904), t. 1, págs. 338-39.

CARTAGENA (COLOMBIA).
V. LOPE DE VEGA, núm. 3044.

CARTEGGIO.
896. Fassò, Luigi: "Dal carteggio di un ignoto lirico fiorentino (Lettere inedite di F. Testi, G. B. Marino, C. Achillini, ecc.)."
HomRenier (1912), págs. 401-18.
[En la pág. 405, un soneto "probabilmente autografo" de Lope de Vega, "Al señor Nicolo Strozzi," que empieza: "El verde monte adonde el Tajo beve."].

CASA DE COMEDIAS.
897. Oleza, J. de: "Noticias antiguas sobre la Casa de Comedias."
BSAL, XXI (1923), 284-85.
[De Palma de Mallorca].

CASTELLAMMARE.
V. GUISA, DUQUE DE (1128).

CASTELLÓN.
V. REPRESENTACIÓN (1376).

CASTIDAD, DEFENSA DE LA.
V. LOPE DE VEGA, núm. 3642.

CASTRIOTO, JUAN.
   V. ALBANIA (810).

CASTRO, INÉS DE.
   V.t. LÁGRIMAS POÉTICAS (1204); LI-
BROS, APRAIZ (1567), HEINERMANN
(1659); LOPE DE VEGA, núm. 3049.

─────.
898.   Sánchez Moguel, A.: "La coro-
nación de doña Inés de Castro."
IEA, XXXVII (1893), t. 1, pág. 390.
   [Se mencionan diversas obras que
tratan del tema, entre ellas las
comedias de Bermúdez, Mexía de la
Cerda y Vélez de Guevara. El artículo está reimpreso en sus Reparaciones históricas, págs. 131-43,
con datos adicionales acerca del
teatro de cordel portugués. V. LI-
BROS, núm. 1770B].

─────.
899.   Kok, A. S.: "Inés de Castro op
het tooneel."
MenZ, XVI (1893), 555-59.

CASTRO Y ANAYA, PEDRO DE.
   V. CALDERÓN, núm. 1951.

CATÁLOGO.
   V. AUTO SACRAMENTAL (847), BIBLIO-
GRAFÍA (870), MANUSCRITOS (1233 y
1235); LIBROS, núms. 1574, 1600 y
1738.

CATALUÑA.
   V. TIRSO DE MOLINA; LOPE DE VEGA.

"CAVALIERE TRASCURATO, IL".
   V. TIRSO DE MOLINA, PASCA (2771).

CAZOTTE, JACQUES.
   V. GRILLPARZER (1118).

"CAZUELA," LA.
   V. LIBROS, FLORES GARCÍA (1636),
RENNERT (1753).

CELANO, CARLO.
   V. LOPE DE VEGA, LIBROS, núm. 3892.

"CÉLIANE".
   V. LOPE DE VEGA, OBRAS, núm. 3765.

CELOS.
   V. JEALOUSY (1183).

CENSURA.
   V. PÉREZ DE MONTALVÁN, INQUISICIÓN;
LOPE DE VEGA, CENSURA, INQUISICIÓN.

CEPEDA Y GUZMÁN, CARLOS ALBERTO DE.
   V. CALDERÓN, núm. 2051.

CICOGNINI, GIACINTO ANDREA.
   V.t. ITALIA (1181-82); LIBROS,
VERDE (1797); TIRSO DE MOLINA, núm.
2855; LOPE DE VEGA, núm. 3407.

─────.
900.   Gobbi, Guelfo: "Le fonti spagnole del teatro drammatico di G.A.
Cicognini. Contributo alla storia
delle relazioni tra il teatro italiano e lo spagnolo nel Seicento."
BiScIt, (1905), 218-22, 229-30,
240-42.

─────.
901.   Grashey, Ludwig: "Giacinto Andrea Cicogninis Leben und Werke.
Unter besonderer Berücksichtigung
seines Dramas La Marienne ovvero Il
Maggior Mostro del Mondo."
MBREP, XLIII (1909). Pp. xiii-138.
   [Se refiere a El mayor monstruo
del mundo de Calderón].
a) ──, RTI, XIV (1910), 348-50.
b) A. Farinelli, DLZ, XXX (1909),
   col. 1637-41.

CID, EL.
   V.t. COURTLY CID (953), HIJOS VEN-
GADORES (1136); LIBROS, núms. 1578
y 1634.

─────.
902.   Bormann, Walter: "Der Cid im
Drama. Beitrag zur vergleichenden
Litteraturgeschichte und Ästhetik."
ZVL, VI (1893), 5-33.

─────.
903.   Rigal, Eugène: "Le Cid et la
formation de la tragédie idéaliste."
RevUM, XIX (1897), 357-83.
   [Se refiere también a Las mocedades del Cid de Guillén de Castro].

─────.
904.   Hämel, Adalbert: "Der Cid im
spanischen Drama des XVI und XVII
Jahrhunderts."
ZRP, Beiheft 25 (1910). Pp. 169.

CID, 904 (cont.).
a) E. Mérimée, BH, XIII (1911), 240-47.
b) L. Pfandl, ASNSL, CXXVI (1911), 473-75.
c) H. Léonardon, RCHLP, ns. LXXI (1911), 94.

———.
905. Bushee, Alice H.: "A Cid Drama of 1639."
Hisp, XII (1929), 339-46.
[L'Ombre du Comte de Gormas, et la mort du Cid de Timothée de Chillac].

906. Lombardi, O.: "Un motivo eroico del teatro spagnolo: Il Cid."
RivIT, VII (1943), vol. 2, págs. 103-13.

CIGARRALES DE TOLEDO.
907. Vegue y Goldoni, A.: "Los Cigarrales de Toledo en el siglo de oro, datos para su historia."
RdelasEsp, II (1927), 508-18.

CÍRCULO LITERARIO.
V. ACADEMIAS LITERARIAS (800).

CISMA DE INGLATERRA.
V. CALDERÓN.

CISNEROS, ALONSO DE.
V. SILUETAS ESCÉNICAS (1439).

CLÁSICO, TEATRO.
V.t. ANTIGUO, EXTRANJERO, "TEATRO ESPAÑOL."

———.
908. Martínez Sierra, Gregorio: "Nuestro teatro clásico."
IEA, XLIX (1905), t. 1, págs. 246-47.
[Apreciación de El alcalde de Zalamea].

———.
909. Castro Américo: "Sobre el teatro clásico español."
Nos, XLIV (1923), 549-59.

———.
910. "Valor formativo del teatro clásico-histórico español."
Est, IV (1948), 403-07.

911. Díez Crespo, M.: "El teatro clásico en nuestros escenarios actuales."
Clav, I (1950), no. 2, págs. 47-51.

CLÁSICOS, TEMAS.
V. DIDO (989-90), GREEK AND ROMAN (1114), STRATONICE (1449), VIRGINIA (1496); LIBROS, LATOUR (1682); LOPE DE VEGA, APOLLO AND DAPHNE (2973).

CLASIFICACIÓN.
912. Milá y Fontanals, M.: "Teatro español. Bosquejo de clasificación."
En sus Obras completas, IV, 399-406.
[V. LIBROS, núm. 1709].

CLAUDIANO.
V. LOPE DE VEGA, núm. 3101.

"CLAVIJO".
V. GOETHE (1101).

CLAVIJO FAJARDO, JOSÉ.
V. LIBROS, PÉREZ DE AYALA (1742).

CLÉRIGOS.
V. EXCESOS (1067).

CLOAK EPISODE.
V.t. NOTES ON THE SPANISH DRAMA (1301); LOPE DE VEGA, OBRAS, núm. 3714.

———.
913. Northup, George T.: "The Cloak Episode in Spanish."
MLN, XXIII (1908), 92.
[Se encuentra en Judas Macabeo de Calderón].

———.
914. Gómez Ocerín, J.: "El cuento de la capa."
RFE, IV (1917), 51-54.
[Aparece en El palacio confuso y en El viaje del Parnaso de Cervantes].

CODDE, P. A.
V. LOPE DE VEGA, OBRAS, núm. 3712.

CÓDICE.
915. Sainz de Robles, F. C.: "Un códice interesante y desconocido."
Bibliófilo, 2ª serie, (1945), no. 2,

págs. 1-4.
[Contiene dramas manuscritos del siglo XVII, inclusive de cuatro de Calderón].

COLECCIÓN.
V.t. ELENCO (1042), FRAGMENTS (1086), HISTORIA (1146); LIBROS, COTARELO (1600-01), ROGERS (1765-66).

——.
916. Münch-Bellinghausen, Eligius von: "Über die älteren Sammlungen spanischer Dramen."
DenkWien, III (1852), 113-58.

——.
917. Teza, Emilio: "La collezione bolognese dei drammi spagnoli."
JREL, XI (1870), 281-90.
[Sobre Partes de Lope, "Diferentes," "Escogidas," etc., en la Universidad de Bologna].

——.
918. Restori, A.: "La collezione CC*IV.28033 della Biblioteca Palatina-Parmese."
StudFilRom, VI (1893), 1-156.
[Sobre comedias del siglo de oro].

——.
919. Crawford, J.P.W.: "A Rare Collection of Spanish Entremeses."
MLN, XXII (1907), 52-54.
[Migajas del ingenio, libro de entremeses no visto por Barrera (V. su catálogo, pág. 716)].

——.
920. Clavería, C. M. y Batllorí, M.: "Una colección de ediciones de teatro antiguo español en la Biblioteca Provincial y Universitaria de Barcelona."
BBCat, VII (1923-27), 213-331.

——.
921. Crawford, J.P.W.: "The Spanish and Italian Collections."
LCUP, I (1933), 15-21.
[Descripción breve de la colección Rennert].

COLEGIO.
V.t. LIBROS, GARCÍA SORIANO (1641).

——.
922. García Soriano, J.: "El teatro de colegio en España."
BRAE, XIV (1927), 235-77, 374-411, 535-65, 620-50; XV (1928), 62-93, 145-87, 396-446, 651-69; XVI (1929), 80-106, 223-43; XIX (1930), 485-98, 608-24.

——.
923. Moglia, Raúl: "Una representación de colegio en la Colonia."
RFH, VI (1944), 83.
[Tragedia de San Hermenegildo, de autor desconocido].

COLMENARES, DIEGO DE.
V. LOPE DE VEGA, núm. 3103.

COLÓN, CRISTÓBAL.
V. LOPE DE VEGA.

COLONIA, LA.
V.t. COLEGIO (923).

——.
924. Torre Revello, José: "El teatro en la Colonia. (Con apéndice documental)."
HumA, XXIII (1933), 145-59.

COLOR.
925. Orozco Díaz, Emilio: "El sentido pictórico del color en la poesía barroca."
Esc, V, no. 13 (nov, 1941), 169-213.
[Reimpreso en su libro Temas del barroco de poesía y pintura, págs. 71-109. V. núm. 864].

COLOR SYMBOLISM.
V. TIRSO DE MOLINA, núm. 2711; LOPE DE VEGA, núm. 3107.

COLORADO (ESTADO DE LOS EE. UU.).
V. MISTERIOS (1260).

"COLUMBUS".
V. LOPE DE VEGA, OBRAS, núm. 3752A.

COMEDIANTA.
926. Díaz de Escovar, N.: "Una comedianta del siglo XVII natural de Úbeda."
DLdeS, IV (1916), 246-48.
[Mariana de Velasco].

COMEDIANTES.
V. ACTORES, y además: COMPAÑÍA,
WANDERKOMÖDIANTEN (1506); LIBROS,
MÉRIMÉE (1704).

COMENTARIOS.
927. Herrero García, M.: "Comentarios a algunos textos de los siglos
XVI y XVII."
RFE, XII (1925), 30-42.
   [Sobre las palabras desechar y
Algarrobillas (en El retablo de las
maravillas de Cervantes), arrabal
(El burlador de Sevilla de Tirso de
Molina) y pringar (Lazarillo de
Tormes)].

"COMER BARRO".
928. Morel-Fatio, A.: "Comer barro."
HomWahlund (1896), págs. 41-49.

CÓMICO, LO.
V. LIBROS, ECHEGARAY Y EIZAGUIRRE
(1624).

CÓMICOS.
929. Croce, B.: "Aneddoti di storia
civile e letteraria. L: Comici
spagnuoli in Italia nel Seicento."
Crit, XXXVIII (1940), 378-80.

―――――.
930. Alonso Cortés, N.: "De cómicos."
En su Miscelánea vallisoletana (Primera serie), págs. 109-29.
   [Acerca de algunos cómicos que
estuvieron en Valladolid. V. LIBROS,
núm. 1559].

COMPAÑÍA.
V. ALEMANIA (814-15), AMÉRICA (821,
823), BOGOTÁ (874), SEVILLA (1434).

COMPARAISON.
931. Büchner, A.: "Comparaison des
théâtres de l'Espagne et de l'Angleterre."
RB, VII (1870), 490-96.
   [Lope, Calderón, Shakespeare, etc.].

CONSEJO DE INDIAS.
V. LOPE DE VEGA, núm. 3677.

CONTI, GIOVAMBATTISTA.
V. LIBROS, CIAN (1596).

CONTRARREFORMA.
V. AUTO SACRAMENTAL (856).

CONTRERAS, ALONSO DE.
V. LOPE DE VEGA, núm. 3110.

CONTROVERSIA.
V. CRUZADA (964), GRANADA (1110),
NEOCLÁSICO (1297); LIBROS, COTARELO
(1599); CALDERÓN, núms. 1937-38.

CONVENTOS, COMEDIAS EN.
V. MADRID (1226).

"CONVERSIÓN DE SAN PABLO, LA".
V.t. GENERAL I, COLECCIONES, BUCK
(163).

―――――.
932. Johnson, Harvey L.: "La historia de la conbersión de San Pablo,
drama guatemalteco del siglo XVIII."
NRFH, IV (1950), 115-60.

"COPA DE MARFIL, LA."
V. ROSAMUNDA (1398).

CORDEL, TEATRO DE.
V. CASTRO, INÉS DE (898).

CÓRDOBA (CIUDAD).
V. LIBROS, RAMÍREZ DE ARELLANO
(1750).

CÓRDOBA, MARÍA DE.
V.t. LIBROS, FLORES GARCÍA (1636).

―――――.
933. Díaz de Escovar, N.: "La bella
Amarilis. Estudio biográfico de la
eminente comedianta María de Córdoba."
Alham, XIX (1916), 532-35, 555-58;
XX (1917), 4-7, 28-31, 51-54, 78-81,
100-03, 125-29.

―――――.
934. Díaz de Escovar, N.: "Comediantes de otros siglos. La bella
Amarilis."
BAH, XCVIII (1931), 323-62.

―――――.
935. Cotarelo y Mori, E.: "Actores
famosos del siglo XVII. María de
Córdoba, "Amarilis," y su marido
Andrés de la Vega."
RBAM, X (1933), 1-33.

CORNEILLE, PIERRE.
V.t. CID (903), MISCELÁNEA HISPÁ-
NICA (1259), STREIFZÜGE (1450); LI-
BROS, BERNARD (1578), PÉE (1634),
HUSZAR (1667), LATOUR (1680), SOR-
KIN (1784); CALDERÓN; CASTRO; RUIZ
DE ALARCÓN; LOPE DE VEGA.

——.
936. Schmid, Ernst: "Corneille, Le
Menteur, La Suite du Menteur."
ALG, IV (1875), 166-84.
[Estudio comparativo de La verdad
sospechosa de Ruiz de Alarcón].

——.
937. Hémon, Félix: "Don Sanche d'A-
ragon: De quoi est faite une comédie héroïque de Corneille."
RB, 33e année (1896), 4e série,
tome VI (2e semetre), págs. 134-37.
[Sus fuentes son El palacio confuso, atribuída a Lope, y la novela
Dom Pélage ou l'entrée des maures
en Espagne (1645) de Félix de Juve-
nel].

——.
938. Brunetière, F.: "Corneille et
le théâtre espagnol."
RDM, LXXIIIe année (1903), 5e période, vol. XIII (en-feb), págs. 189-
216.
[Trata de los libros de Huszar
(1667), de Lanson (1678) y de Martinenche (1697)].

——.
939. Segall, J. B.: "Corneille and
the Spanish Drama."
ColuUSt, II (1902). Pp. 147.
a) J. Deleito y Piñuela, RCont,
CXXV (jul-dic, 1902), 763-64.
b) —, Ath, no. 3905 (30 ag, 1902),
296.
c) Goerbing, NeuePR, (1903), 233.
d) R. Mahrenholtz, ZFSL, XXVI (1904),
pte. 2 ("Ref. u. Rez."), págs.
230-31.
e) E. Martinenche, BH, V (1903), 195.

——.
940. Jourdain, Eleanor F.: "Corneille y el drama español."
UnivM, I (1936), no. 3, págs. 3-8.
[Traducción del cap. III (págs.
60-75) de su libro (V. núm. 1673)].

——.
941. Martinenche, E.: "P. Corneille
jugé par un hongrois."
BH, V (1903), 158-65.
[Sobre el libro de Huszar (1667)].

——.
942. Qualia, Charles B.: "Corneille
in Spain in The Eighteenth Century."
RR, XXIV (1933), 21-29.

——.
943. Coe, Ada M.: "Additional Notes
on Corneille in Spain in the Eighteenth Century."
RR, XXIV (1933), 233-35.

——.
944. Valle Abad, Federico del: "Influencia española sobre la literatura francesa: Pedro Corneille
(1606-1684). Ensayo crítico."
BUG, XVII (1945), 137-241.
[Relaciones de las obras de Corneille con las de Castro, Lope de
Vega, Ruiz de Alarcón y Calderón].

——.
945. Gillet, J. E.: "Voltaire's
Original Letter to Mayans about
Corneille's Héraclius."
MLN, XLV (1930), 34-36.
[Su influencia sobre En esta vida
todo es verdad y todo mentira de
Calderón].

——.
946. Martinenche, E.: "Les sources
espagnoles d'Horace et d'Héraclius."
RLR, XLIII (1900), 262-68.
[El honrado hermano de Lope de
Vega, y En esta vida todo es verdad
y todo mentira de Calderón].

CORNEILLE, THOMAS.
V. LIBROS, MICHAELIS (1707), SOR-
KIN (1784).

CORPUS CHRISTI.
V.t. CARRIÓN DE LOS CONDES (895),
LIMA (1215-17), SEVILLA (1434-35).

——.
947. Monreal, Julio: "El día del
Corpus y sus autos sacramentales."
En sus Cuadros viejos, págs. 203-
244. [V. LIBROS, núm. 1716].

CORRAL.
V.t. MÉXICO (1248); LIBROS, REN-
NERT (1753), SÁNCHEZ ARJONA (1770).

CORRAL DE DOÑA ELVIRA.
948. Más y Prat, Benito: "El Corral
de doña Elvira (Sevilla)."
IEA, XXXIII (1889), t. 2, págs. 155,
156, 158.
    [Descripción del corral tal como
era en el siglo XVII, el cual se
había llamado anteriormente "Huerta
de doña Elvira" y donde se habían
representado comedias de Juan de la
Cueva].

CORRAL DE LA PACHECA.
V.t. LIBROS, RENNERT (1753), SEPÚL-
VEDA (1781).

———.
949. Sepúlveda, Ricardo: "El Corral
de la Pacheca."
IEA, XXXII (1888), págs. 215, 218.
    [Famoso corral de comedias de Ma-
drid].

———.
950. Contreras y Camargo, E.: "Del
Corral de la Pacheca al Teatro Español."
ByN, X (1900), no. 495 (27 de oct.),
págs. [7-9].

CORRAL DE LAS COMEDIAS.
951. Monreal, Julio: "Costumbres
del siglo XVII: El Corral de las
comedias."
IEA, XXV (1881), t. 2, págs. 26-27,
30, 39, 42, 58-59, 71, 74-75, 94,
110-11, 124, 126-27, 138-39, 141.

CORTE.
V. CALDERÓN, núms. 1943-44; MORETO,
núm. 2501.

CORTÉS, HERNÁN.
952. Campos, Jorge: "Hernán Cortés
en la dramática española."
RevInd, IX (1948), 171-97.

COSMA E DAMIANO.
952A. Restori, Antonio: "Cosma e
Damiano."
ArchSPPar, XXII (1922), vol. 2,
págs. 527-33.
    [Trata de un ejemplar de la come-
dia Los médicos divinos, y luzeros
de la Iglesia San Cosme y San Damián, de Juan de Madrid. Es una
edición suelta de la colección de
Parma. Aunque no hay indicación de
lugar, impresor ni año, Restori
cree que es de la Viuda de Francisco de Leefdael (Sevilla) "nel primo
trentennio del secolo XVIII." En
cuanto al autor, había un Carmeli-
tano, el Padre Juan de la Concepción, quien se sirvió del seudónimo
Juan de Madrid en un poema, Parma
gozosa, publicado en 1737; Restori
cree que éste escribió la comedia.
Sin embargo, tal atribución no es
verdad, porque en la biblioteca de
la Universidad de Toronto hay una
edición de la misma comedia que
tiene en la portada la fecha 1695;
y el Padre Juan de la Concepción no
nació hasta 1702].

COSROÈS.
V. ROTROU (1400).

COSTUMBRES DEL SIGLO XVII.
V. BUEN RETIRO, CORRAL DE LAS CO-
MEDIAS, DAMAS, JUEGO, MANTO, MODAS,
SANTIAGO EL VERDE; LIBROS, CRANE
(1606), MONREAL (1716); CALDERÓN,
LIBROS, CASTRO Y ROSSI (2285), SO-
LER Y ARQUÉS (2335); LOPE DE VEGA,
COSTUMBRES.

COSTUMBRES TEATRALES.
V. CALDERÓN (MARÍA), TIRANA; LI-
BROS, DÍAZ DE ESCOVAR (1616), FLO-
RES GARCÍA (1636).

COURTLY CID.
V.t. CALDERÓN, OBRAS, núm. 2111.

———.
953. Matulka, B.: "The Courtly Cid
Theme in the Primaleón."
RR, XXV (1934), 298-313.
    [El adeudo de Guillén de Castro
al Primaleón].

CRITERIO.
954. Morley, S. G.: "Objective Cri-
teria for Judging Authorship and
Chronology in the Comedia."
HR, V (1937), 281-85.

CRITERIO (cont.).

955. Morley, S. G.: "Criterio obje-
tivo para determinar a autoria e a
cronologia na dramática espanhola."
RAMSP, Ano VI (1939), vol. LVII
(mayo), págs. 115-22.
    [Es traducción del núm. 954. En
las págs. 123-30 se halla una bibliografía de las obras de Morley].

CRÍTICA.
    V.t. ALEMANIA (811), GRACIOSO
(1105), GREATEST (1112), HISTORIA
(1143), PLAYWRIGHTS (1330-31).

———.

956. Cornejo, Salvador: "Observaciones a la crítica de un libro."
RevHisp, LX (1924), 532-45.
    [Defensa de la edición de El al-
calde de Zalamea de J. Geddes contra la crítica de F. O. Reed (V.
el núm. 2113a)].

CRONOLOGÍA.
    V.t. ANALES (827-32), CRITERIO
(954-55), DÉCADAS (979); CALDERÓN;
CASTRO; SOLÍS Y RIVADENEYRA; TIRSO
DE MOLINA; LOPE DE VEGA.

———.

957. Cruzada Villaamil, G.: "Teatro
antiguo español. Datos inéditos
que dan a conocer la cronología de
las comedias representadas en el
reinado de Felipe IV, en los sitios
reales, en el Alcázar de Madrid,
Buen Retiro y otras partes, sacados
de los libros de gastos y cuadernos
de nóminas de aquella época que se
conservan en el archivo del Palacio
de Madrid."
Aver, I (1871), 7-11, 25-27, 73-75,
106-08, 123-25, 170-72, 201-02.

———.

958. Rennert, H. A.: "Notes on the
Chronology of the Spanish Drama."
MLR, II (1906-07), 331-41; III
(1907-08), 43-55.
    [Presenta los datos de Villaamil
(957)].

CRUZ, INVENCIÓN DE LA.
959. Mussafia, Adolfo: "Sulla leggenda del legno della Croce."
SitzWien, LXIII (1869), 165-216.

    [Se refiere al auto de Calderón
El árbol del mejor fruto y a su comedia La Sibila del Oriente. En un
apéndice (págs. 197-216) se presenta un fragmento de una versión latina de la leyenda].

———.

960. Meyer, Wilhelm: "Die Geschichte
des Kreuzholzes vor Christus."
ABAW, XVI (1881), 2. Abteilung,
págs. 103-65.

———.

961. Koehler, Reinhold: "Die Legende von der Königin von Saba oder
die Sibylla mit dem Kreuzholze."
Germ, XXIX (1884), 53-59.

———.

962. Napier, Arthur S.: "History of
the Holy Rood-tree, a Twelfth Century Version of the Cross-legend."
EETS, CIII (1894). Pp. lix-86.

———.

963. Combes, L. de: "La légende du
bois de la croix."
UnivCat, ns XXXVI (1901), 425-35.

CRUZ, RAMÓN DE LA.
    V. CALDERÓN, ENTREMÉS (1966).

CRUZADA.
964. Barrantes, Vicente: "Cruzada
contra el teatro en el siglo XVII."
SemPintEsp, (1852), 353-56.

CUBA.
    V.t. REPRESENTACIONES (1379).

———.

965. Arrom, José Juan: "Primeras
manifestaciones dramáticas en Cuba
(1512-1776)."
RBC, XLVIII (1941), 274-84.

———.

966. Arrom, José Juan: "Historia de
la literatura dramática cubana."
YURS, XXIII (1944). Pp. 132.

———.

967. Arrom, José Juan: "Historia de
la literatura dramática cubana. —
Primeras manifestaciones dramáticas,
1512-1776."
BET, V (1947), 89-93.

124 GENERAL II. TEMAS

CUENCA.
V. TIRSO DE MOLINA, BIOGRAFÍA, núm. 2698.

CUENTAS DEL GRAN CAPITÁN.
968. Rodríguez Villa, A.: "Las cuentas del Gran Capitán."
BAH, LVI (1910), 281-86.
[Descripción del cuaderno que las contiene].

CUENTO.
V. SHORT STORIES (1438); LIBROS, BUSTILLO (1582), JIMENEZ Y HURTADO (1672).

CUENTO DE LA CAPA.
V. CLOAK EPISODE.

CUESTIÓN DE AMOR.
V.t. GENERAL I.

———.
969. Montesinos, José F.: "Una cuestión de amor en comedias antiguas españolas."
RFE, XIII (1926), 280-83.
[Trata de la cuestión primera del Filocolo IV: las dos guirnaldas. No menciona la comedia de Timoneda; sólo El premio riguroso de Lope y Doña Beatriz de Silva de Tirso. Reimpreso en sus Estudios sobre Lope, págs. 115-18. V. LOPE DE VEGA, LIBROS, núm. 3887].

CUEVA, SALVADOR DE LA.
V. LIBROS, FLORES GARCÍA (1636).

CULTERANISMO.
V. LYRISME (1224A); CALDERÓN; LOPE.

CURIOUS PHENOMENON.
V. VERSE (1489).

CHARACTERISTIK.
V. LIBROS, AHRENS (1553).

CHARACTERLUSTSPIEL.
V. RUIZ DE ALARCÓN, OBRAS (2639).

CHARLES-QUINT.
970. Gossart, Ernest: "Charles_Quint et Philippe II dans l'ancien drame historique espagnol."
MARB, XVIII (1923), fasc. 4, págs. 1-62.

a) G. Cirot, RCHLP, ns XCII (1925), 212-13.
b) L.-P. Thomas, RBPH, IV (1925), 166-68.

CHÂTEAUX EN ESPAGNE.
V.t."PUEBLOS EN FRANCIA" (1342).

———.
971. Morel-Fatio, A.: "Châteaux en Espagne."
HomPicot (1913), I, 335-42.
[Reimpreso en sus Etudes sur l'Espagne (Quatrième série), págs. 119-130. V. LIBROS, núm. 1723. El artículo trata del significado de la frase].

"CHATELAINE DE VERGY, LA".
V. LOPE DE VEGA, OBRAS, EL PERSEGUIDO (3778).

CHIABRERA, GABRIELLO.
V. LOPE DE VEGA, núm. 3139.

CHILE.
V. TIRSO DE MOLINA.

CHILLAC, TIMOTHÉE DE.
V. CID (905).

CHOCOLATE.
972. García Blanco, M.: "Alusiones al chocolate en el teatro español clásico."
CorrErud, IV (1946-57), 176-77.
[En Tirso: Amazonas en las Indias, Jorn. III, esc. 7; Villana de Vallecas, Acto II, esc. 9].

CHORLEY, JOHN RUTTER.
V.t. LOPE DE VEGA, BIBLIOGRAFÍA (3003), CATÁLOGO (3051).

———.
972A. Metford, J. C. J.: "An Early Liverpool Hispanist: John Rutter Chorley."
BSS, XXV (1948), 247-59.
[Datos muy interesantes sobre la vida y obra del gran hispanista inglés].

CHUANG TSE.
V. CALDERÓN.

CHURCH AND STAGE.
  V. GRANADA (1110).

DAMAS.
973. Monreal, Julio: "Costumbres
del siglo XVII: Las damas al uso."
IEA, XXVI (1882), t. 1, págs. 154-
155, 186-87, 226-27, 319, 322, 382-
83, 394-95, 407, 410.
  [Pasajes de comedias en los que
hay referencias a vestidos, etc. de
las damas].

DANTE ALIGHIERI.
  V. CALDERÓN, WAGNER (2087); RUIZ
DE ALARCÓN, OBRAS, LAS PAREDES OYEN
(2628); LOPE DE VEGA, DANTE (3140).

DANZA DE LA MUERTE.
  V.t. LIBROS, GUAL (1655), WHYTE
(1810).

———.
974. Fernández Merino, A.: "La danza macabre."
RevHA, V (1882), 442-57.
  [Trata de los orígenes de la danza. El artículo quedó sin terminar].

———.
975. Más y Prat, Benito: "Costumbres andaluzas: La danza macabra en
las campiñas."
IEA, XXIX (1885), t. 2, págs. 367,
370, 383, 386.

———.
976. Vossler, Karl: "Ein spanischer
Totentanz aus dem Anfang des 17.
Jahrhunderts."
RFor, LIII (1939), 257-61.
  [En La Ninfa del cielo, de Tirso
de Molina. Reimpreso en su libro
Aus der romanischen Welt, II, 104-
111. V. LIBROS, núm. 1801].

———.
977. Segura Covarsí, E.: "Sentido
dramático y contenido litúrgico de
las danzas de la muerte."
CuadLit, V (1949), 251-71.
  [i) La muerte en la Edad Media;
ii) Las primitivas danzas de la
muerte; iii) Derivaciones de las
danzas de la muerte; iv) El tema de
la danza de la muerte en el Barroco;
v) Continuidad en el siglo XVIII].

"DATOS INÉDITOS QUE DAN...".
  V. CRONOLOGÍA (957).

"DATOS, NUEVOS...".
  V. BIOGRAFÍA (871), HISTRIONISMO
(1152-53).

D'AVENANT, WILLIAM.
978. Rundle, James U.: "D'Avenant's
The Man's the Master and the Spanish
Source."
MLN, LXV (1950), 194-96.
  [Donde hay agravios no hay celos
de Rojas Zorrilla.].

DÉCADAS.
  V.t. ANALES.

———.
979. Díaz de Escovar, N.: "Décadas
del teatro antiguo español."
RABM, XIX (1908), 380-91; XX (1909),
263-76; XXI (1909), 120-38; XXII
(1910), 107-15; XXIII (1910), 457-
466; XXVII (1912), 489-511.

DECADENCIA.
  V. CAPA Y ESPADA (887), FIN DE SI-
GLO (1078); BANCES CANDAMO (1824).

"DECAMERONE".
  V. BOCCACCIO (872).

DECEIVING WITH THE TRUTH.
980. Northup, George T.: "The Rhetorical Device of Deceiving with
the Truth."
ModPhil, XXVII (1929-30), 487-93.

DÉCIMA.
981. Millé y Giménez, Juan: "Sobre
la fecha de la invención de la décima o espinela."
HR, V (1937), 40-51.

———.
982. Clarke, Dorothy C.: "A Note on
the Décima or Espinela."
HR, VI (1938), 155-58.

DÉFENSEURS.
983. Morel-Fatio, A.: "Les défenseurs de la Comedia."
BH, IV (1902), 30-62.
  [Tirso, Ricardo de Turia y Carlos
Boyl. Está incluído el Apologético
de Turia].

"DELINCUENTE HONRADO, EL"
V. CALDERÓN, OBRAS, núm. 2256.

DEMETRIO, EL FALSO.
V. LIBROS, POPEK (1748).

DEMOCRATIC TENDENCIES.
984. Peebles, Waldo C.: "Democratic
Tendencies in the Spanish Literature of the Golden Age."
Hisp, XV (1932), 317-26.

DERECHO.
V.t. JUSTICIA (1201); LIBROS, IZ-
QUIERDO Y MARTÍNEZ (1670); MORETO
(2505); RUIZ DE ALARCÓN (2572); LO-
PE DE VEGA, DERECHO.

─────.
985. Izquierdo y Martínez, J. M.:
"El derecho y el arte. Introducción a un estudio sobre El derecho
en el teatro español."
Lect, XIII (1913), t. 3, págs. 117-
134.

DESARROLLO.
V.t. LIBROS, CILLEY (1597).

─────.
986. Bataillon, M.: "Recherches sur
le développement du théâtre espagnol. Comedia d'ambiance rustique."
AnnCF, XLVI (1946), 168-72.

─────.
987. Bataillon, M.: "Recherches sur
le développement du théâtre espagnol. Comedia et Romancero."
AnnCF, XLVII (1947), 182-86.

"DESECHAR".
V. COMENTARIOS (927).

DESUSO.
V. "FILICIDA" (1076).

DEUTSCH (Adjetivo).
V. ALEMANIA.

DEUTSCH (Idioma).
V. FLAMENCO (1080).

DEUTSCHLAND.
V. ALEMANIA.

DÉVELOPPEMENT.
V. DESARROLLO.

DIÁLOGO.
988. Castillo, Luis: "Del diálogo y
la acción en el teatro."
Esc, XV (1944), no. 44, págs. 130-
139.
[Hay tres funciones del diálogo:
1) Appell o Auslösung, 2) Expresión,
3) Representación. El autor cita
a Lope (Peribáñez) y a Calderón
(El alcalde de Zalamea)].

DIDO.
989. Lida, María Rosa: "Dido y su
defensa en la literatura española."
RFH, IV (1942), 209-52, 313-82.

─────.
990. Lida, María Rosa: "Dido y su
defensa en la literatura español:
adiciones."
RFH, V (1943), 45-50.

"DIFERENTES"
V. COLECCIÓN (917).

DIFUNTA PLEITEADA, TEMA DE LA.
V. ZAYAS, MARÍA DE (1515); LOPE DE
VEGA, LIBROS, núm. 3869.

DISCURSOS LEÍDOS EN LA REAL ACADE-
MIA ESPAÑOLA.
V. LIBROS, CANO Y MASAS (1585),
ECHEGARAY Y EIZAGUIRRE (1624), PI-
DAL Y MON (1746); CALDERÓN, 1855,
2286A ; RUIZ DE ALARCÓN, CARÁCTER
(2564); TIRSO DE MOLINA, LIBROS,
HERRANZ (2930), MENÉNDEZ PIDAL
(2933); LOPE DE VEGA, LIBROS, DIEGO
(3847).

DISFRAZ.
V.t. LOPE DE VEGA, núm. 3145.

─────.
991. Romera-Navarro, M.: "Las dis-
frazadas de varón en la comedia."
HR, II (1934), 269-86.
[También en su libro La preceptiva dramática de Lope de Vega, págs.
109-39. V. LOPE DE VEGA, LIBROS,
núm. 3904].

DOCUMENTOS.
V.t. BIOGRAFÍA (871), HISTRIONISMO

(1152-54), Noticias (1302).

EspMod, I (1889), t. 12, págs. 5-31.

---.

992. García Chico, E.: "Documentos referentes al teatro en los siglos XVI y XVII."
Cast, (1940-41), 339-64.

DODSLEY, ROBERT.
993. Lundeberg, O. K.: "The True Sources of Robert Dodsley's The King and the Miller of Mansfield."
MLN, XXXIX (1924), 394-97.
[Influencia de El Alcalde de Zalamea].

"DON PÉLAGE".
V. CORNEILLE (937).

DON CARLOS.
V.t. LIBROS, LEVI (1684-85).

---.

994. Lieder, Frederick W. C.: "The Don Carlos Theme."
HSNPL, XII (1930), 3-73.
[105 tratamientos del tema: 30 franceses, 27 alemanes, 17 ingleses, 13 italianos, 9 españoles, 8 holandeses, 1 portugués].

---.

995. Herzfeld, Georg: "Ein englisches Don Carlos-Drama."
ASNSL, CXXII (1909), 301-09.
[Persecution or Don Carlos, de Lord John Russell].

---.

996. Buceta, Erasmo: "El Don Carlos de Lord John Russell."
RFE, XIII (1926), 290-93.

---.

997. Levi, Ezio: "La leggenda di Don Carlos nel teatro spagnuolo del Seicento."
RdIt, anno XVI (1913), vol. 1, págs. 855-913; vol. 2, págs. 578-98.

DON JUAN.
V.t. LIBROS, AUSTEN (1571A), GENDARME DE BÉVOTTE (1645-46), MAEZTU (1693), SIMONE BROUWER (1783).

---.

998. Ríos, Blanca de los: "Don Juan."

999. Farinelli, A.: "Don Giovanni, note critiche."
GSLI, XXVII (1896), 1-77, 254-326.

---.

1000. Simone Brouwer, F. de: "Ancora Don Giovanni."
RassCrit, II (1897), 56-66, 145-65.

---.

1001. Hämel, Adalbert: "Das älteste spanische Don Juan-Drama."
Spanien, I (1919), 39-45.

---.

1002. Ríos, Blanca de los: "Don Juan y sus avatares."
RNE, VIII (1948), no. 77, págs. 37-41.
[Orígenes del mito de Don Juan en la literatura. Panorama del Don Juan literario. El Don Juan de Tirso y su sentido romántico].

---.

1003. Marañón, Gregorio: "Notas para la biología de Don Juan."
RdO, III (1924), 15-53.

---.

1004. Olivier, Paul: "La canonisation de don Juan."
RdeFr, I (1921), no. 1 (mar-abr), págs. 214-22.
[Sobre don Miguel Mañara Vicentelo de Leca].

---.

1005. Casalduero, Joaquín: "Contribución al estudio del tema de Don Juan en el teatro español."
SmithCS, XIX (1938), nos. 3-4. Pp. 108.
a) V. G. Domblide, RFH, I (1939), 391-93.
b) Otto Jörder, ZRP, LXIV (1944), 192.
c) K. Vossler, RFor, LIII (1939), 133-34.
d) G. Cirot, BH, XLII (1940), 173-75.
e) A. E. Le Vey, BAbr, XIII (1939), 453-54.
V.t. el núm. 1022.

Don Juan (cont.).

1006. Farinelli, A.: "Cuatro palabras sobre Don Juan y la literatura donjuanesca del porvenir."
HomMenPelayo (1899), I, 205-22.
[Reimpreso en sus Ensayos y discursos de crítica literaria hispanoeuropea, II, 655-82; también en sus Divagaciones hispánicas, II, 217-35. V. LIBROS, núms. 1629-30].

―――.

1007. González Ruiz, Nicolás: "Definición de don Juan."
RielasInd, XXXV (1949), 417-27.

―――.

1008. Schroeder, Theodor: "Die dramatischen Bearbeitungen des Don Juan-Sage in Spanien, Italien und Frankreich bis auf Molière einschliesslich."
ZRP, Beiheft 36 (1912). Pp. xv-215.
a) A. Hämel, LGRP, XXXVI (1915), col. 227-29.
b) M. J. Wolff, ASNSL, CXXXII (1914), 190-91.
c) C., RFE, I (1914), 410-11.
d) M. K., LitZent, LXIV (1913), 16.
e) L. Roustan, RCHLP, ns LXXIV (1912), 133-35.
f) A. Farinelli, DLZ, XXXIV (1913), col. 2215-17.
g) P. A. Becker, ZFSL, XLI (1913), 52-54.

―――.

1009. Michel, Hermann: "Das erste Don Juan-Drama."
DramBl, II (1899), col. 105-10.

―――.

1010. Gerothwohl, Maurice A.: "The Ethics of Don Juan."
FortR, ns LXXVII (en-jun, 1905), 1061-74.

―――.

1011. Menéndez Vives, Ángel: "Estudio psicológico de la figura de Don Juan."
REEP, V (1949), no. 50, págs. 40-46.
[Comparación del de Tirso con el de Zorrilla].

―――.

1012. Denslow, Stewart: "Don Juan

and Faust."
HR, X (1942), 215-22.

―――.

1013. Oria, J. A.: "Don Juan en el teatro francés."
INET, no. 9 (1940), 9-39.

―――.

1014. Lancaster, H. C.: "Don Juan in a French Play of 1630."
PMLA, XXXVIII (1923), 471-78.
[Reimpreso en HomLancaster (1942), págs. 226-32].

―――.

1015. Jiménez Rueda, Julio: "La hora de don Juan."
UnivM, I (1936), no. 4, págs. 19-20.

―――.

1016. Martinenche, E.: "La légende de don Juan."
RevLat, VI (1907), 441-46.
[Sobre el libro de Gendarme de Bévotte (LIBROS, núm. 1645)].

―――.

1017. Altermann, Jean-Pierre: "La leyenda de Don Juan."
HispF, IV (1921), 169-75.
[Sobre Don Juan y Miguel de Mañara].

―――.

1018. Joubert, M.: "Don Juan in Literature and Music."
ContR, CXLIX (1936), 216-22.

―――.

1019. Orico, Osvaldo: "La influencia de Don Juan sobre Mefistófeles."
RNE, X (1950), no. 97, págs. 29-33.
[Tirso y Goethe].

―――.

1020. Balseiro, José A.: "Don Juan Tenorio y don Luis Mejía."
CubaC, XXXVIII (1925), 213-43.

―――.

1021. Gaspary, A.: "Molière's Don Juan."
HomCaix-Canello (1886), págs. 57-69.

―――.

1022. Green, Otis H.: "New Light on

Don Juan. A Review Article."
HR, VII (1939), 117-24.
[Sobre Casalduero (núm. 1005)].

―――.

1023. Davids, William: "De oorsprong
van de Don Juan-legende."
Gids, (1915), III, pág. 54.

―――.

1024. Reynier, Gustave: "Les origines de la légende de Don Juan."
RdP, XIIIe année (1906), tome 3
(mayo-jun), págs. 314-38.

―――.

1025. Miquel y Planas, Ramón: "Influencia del Purgatori di Sant Pa-
trici en la llegenda de Don Juan."
BibliofB, I (1914), col. 583-97.

―――.

1026. Klapper, Josef: "Eine Quelle
der Don Juan-Sage."
SVL, IX (1909), 190-92.

―――.

1027. Manning, C. A.: "Russian Versions of Don Juan."
PMLA, XXXVIII (1923), 479-93.

―――.

1028. Bolte, Johannes: "Über der
Ursprung der Don Juan-Sage."
ZVL, XIII (1899), 374-98.

―――.

1029. Bradi, Lorenzo de: "Le vrai
don Juan: Don Miguel de Mañara Vin-
centelo di Leca."
RieFr, IX (1929), no. 3 (mayo-jun),
págs. 698-730.

"DON SANCHE D'ARAGON".
V. CORNEILLE (937).

DONAIRE.
V.t. LOPE DE VEGA, núms. 3152-53.

―――.

1030. Herrero García, M.: "Génesis
de la figura del donaire."
RFE, XXV (1941), 46-78.

DONCELLA TEODOR, LA.
1031. Müller, M. J.: "Ueber die
Doncella Teodor."

SitzMün, Jg. 1863, Bd. II, págs.
38-40.
[Trata de una fuente oriental de
la leyenda; menciona de paso la comedia de Lope de Vega].

"DOUBLE MÉPRISE, LA".
V. PARÍS (1319).

D'OUVILLE, ANTOINE LE METEL, SIEUR.
V. MOLIÈRE (1269); LIBROS, SORKIN
(1784).

"DOZE COMEDIAS LAS MAS GRANDIOSAS.."
V. RARISSIMUM (1363).

DRAKE, SIR FRANCIS.
V. LIBROS, RAY (1752).

"DRAMAS Y DRAMATURGOS".
V. PLAYWRIGHTS (1331).

DRAMATIZACIÓN.
V.t. HUESCA, CAMPANA DE (1165).

―――.

1032. Alonso, Dámaso: "Tres procesos de dramatización."
RNE, no. 35 (1943), 34-37.
[Fragmento del estudio inédito
Del Primaleón al Don Duardos. Los
procesos de dramatización: simple
transcripción, proyección amplifi-
cativa y proyección reductiva.
Ejemplos de estos procesos en Lope
y en Gil Vicente].

DRAMATURGOS.
V.t. GREATEST (1112-13), PLAY-
WRIGHTS (1331).

―――.

1033. Sylvia, Esther: "A Dramatist
of Spain's Golden Age."
MBo, XIII (1938), 467-71.
[Juan Pérez de Montalván].

―――.

1034. Świecicki, Juljan Adolf: "
"Najznakomitsi komedjopisarse hisz-
pańscy." ["Los dramaturgos españoles más famosos"].
AtenWar, (1879), II, 430-64; III,
23-58, 232-54, 515-37.
[Sobre Lope de Vega, Tirso de Molina y Ruiz de Alarcón].

DRAMATURGOS (cont.).

1034A. Świecicki, Juljan Adolf:
"Najznakomitsi komedjopisarze hisz-
pańscy." ["Los dramaturgos españoles
más famosos"].
BiblWar, (1881), II, 317-51; III,
49-74.
   [Sobre Calderón].

DRYDEN, JOHN.
   V.t. COELLO, OBRAS, LOS EMPEÑOS DE
SEIS HORAS (2400).

––––––.

1035. Rundle, James U.: "The Source
of Dryden's 'Comic Plot' in The Assignation."
ModPhil, XLV (1947-48), 104-11.
   [Con quien vengo, vengo de Calde-
rón].

DUBRAVIUS, JANUS.
   V. ROJAS ZORRILLA, OBRAS, NO HAY
SER PADRE SIENDO REY (2551).

"DUCHESS OF MALFI, THE".
   V. WEBSTER (1508).

DUELO.
   V. HONRA (1163).

DUPERRON DE CASTERA, LOUIS ADRIEN.
   V.t. LIBROS, PÉREZ DE AYALA (1742);
LOPE DE VEGA, OBRAS, EL NUEVO PITÁ-
GORAS (3755).

––––––.

1036. Stiefel, Arthur L.: "Duperron
de Castera und das Théâtre espagnol.
ASNSL, CXXII (1909), 387-92.

DURACIÓN.
1037. Romera-Navarro, M.: "Sobre la
duración de la comedia."
RFE, XIX (1932), 417-21.
   El número de horas que dura una
función, o representación, de una
comedia. Reimpreso en su libro La
preceptiva dramática de Lope de
Vega, págs. 141-46. V. LOPE DE
VEGA, LIBROS, núm. 3904].

DZIEJÓW.
   V. HISTORIA (1147).

"ECATOMMITI".
   V. LOPE DE VEGA, GIRALDI CINTIO.

"ECOLE DES MARIS, L'".
   V. MOLIÈRE (1263, 1266, 1273).

ECONOMICAL BACKGROUND.
   V. FIGURÓN (1075).

EDUCACIÓN. (V.t. núm. 1480).
1038. Altamira, Rafael: "The Spanish
Drama as an Element of Moral Education."
TRSL, 3ª serie, V (1925), 43-61.
   [Se refiere a El Alcalde de Zalamea de Calderón, Las mocedades del
Cid de Castro y a diversos dramas
modernos].

EHRE UND ADEL.
   V. ZABALETA, núm. 3951.

EICHENDORFF, JOSEPH FREIHERR VON.
   V. CALDERÓN.

EINFLUSS.
   V. INFLUENCIA.

EINHEIT.
   V. UNIDADES.

EINSAMKEIT.
   V.t. SOLEDAD.

––––––.

1039. Vossler, Karl: "Poesie der
Einsamkeit in Spanien."
SitzMün, (1935), Heft VII, pp. 174;
(1936), Heft I, pp. 103; (1938),
Heft I, pp. 138.
   [V.t. el núm. 1040 y LIBROS, núm.
1803].

––––––.

1040. Wais, Kurt: "Herkunft der
Einsamkeitsdichtung."
GArb, III (1936), no. 7 (5 de abril),
pág. 8.
   [Sobre el libro de Vossler (1039)].

ÉL Y ELLA.
   V.t. "USTED".

––––––.

1041. Wilson, William E.: "Él y ella
as Pronouns of Address."
Hisp, XXIII (1940), 336-40.
   [Ejemplos de su uso en comedias].

ELENCO.
1042. Restori, A.: "Un elenco di
"comedias" del 1628."
HomRenier (1912), págs. 827-38.
   [De Juan Jerónimo Almella].

ELISABETHANISCHES DRAMA.
   V. LIBROS, GROSSMANN (1654).

ELIZABETHAN LITERATURE.
1043. Hume, Martin: "Some Spanish
Influences in Elizabethan Litera-
ture."
TRSL, 2ª serie, XXIX (1909), 1-34.
   [La Celestina, el drama, etc.].

"EN LISANT..."
   V. TIRSO DE MOLINA, núm. 2866;
LOPE DE VEGA, núm. 3160.

"EN TORNO..."
   V.t. núm. 1221; RUIZ DE ALARCÓN,
OBRAS, núm. 2630; TIRSO DE MOLINA,
núm. 2855 ("intorno"); LOPE DE VEGA,
núms. 3030 ("intorno"), 3161, 3490.

────.

1044. Bolando e Isla, Armando: "En
torno al teatro español del siglo
de oro."
FyL, XII (1946), no. 24, págs. 303-
314.
   [Sobre El arte nuevo, de Lope de
Vega].

"ENEIDA, LA".
   V. ROMA (1386).

ENGAÑAR CON LA VERDAD.
   V. DECEIVING WITH THE TRUTH (980).

ENGLAND, ENGLISH.
   V. INGLATERRA.

ENK VON DER BURG, MICHAEL.
1045. "Michael Enk von der Burg an
Ferdinand Wolf. Ein Beitrag zur
Geschichte der deutschen Literatur."
ZÖG, XLII (1891), 577-87.
   [Trata de los estudios de Enk
sobre Lope de Vega].

"ENTRE BOBOS ANDA EL JUEGO".
   V. JUEGO (1199).

ENTREMÉS.
   V.t. COLECCIÓN (919); LIBROS, COTA-

RELO (1601), MONTOLIU (1718), PÉREZ
DE AYALA (1742), ROUANET (1767).

────.

1046. Pérez y González, Felipe:
"Teatralerías. Un entremés español
a través de los siglos."
IEA, XLIII (1899), t. 2, págs. 36,
38-39, 55, 58.
   [Sobre el plagio de La cueva de
Salamanca, de Cervantes, por Calderón en su entremés El dragoncillo,
y sobre la costumbre de imitar o
plagiar en el siglo de oro].

────.

1047. Pérez y González, Felipe: "El
entremés y la tonadilla, o sea el
'género ínfimo' de antaño."
IEA, L (1906), t. 1, págs. 147,
150-51.

────.

1048. Arrom, José Juan: "Entremeses
coloniales."
En sus Estudios de literatura hispanoamericana, págs. 71-91.
   [V. LIBROS, núm. 1670].

────.

1049. Cotarelo y Mori, E.: "Sobre
un tomo antiguo de entremeses desconocidos."
Papyr, I (1936), 11-13.

────.

1050. Nicholson, Helen S.: "An
Eighteenth Century 'Entremés de
costumbres'."
HR, VII (1939), 295-309.
   [Entremés de la buena gloria, ci-
tada en Escenas montañesas de Pereda].

"ENTREMESES Y FLOR DE SAYNETES".
   V. HISTORIA (1146).

EPÍCTETO.
   V. CALDERÓN, OBRAS, núm. 2159.

EPOPEYA Y EL DRAMA, LA.
   V. LIBROS, PIDAL Y MON (1746).

"ERA EL REMEDIO OLVIDAR".
1051. Foulché-Delbosc, R.: "Era el
remedio olvidar, - Y olvidóseme el
remedio."
RevHisp, XIV (1906), 607-10.

ERASMO, DESIDERIO.
V. GRAN TEATRO DEL MUNDO (1109).

ERAUSO, CATALINA DE.
V.t. PÉREZ DE MONTALVÁN, LIBROS,
FITZMAURICE-KELLY (2525).

——.

1052. Sánchez Moguel, Antonio: "El
alférez doña Catalina de Erauso."
IEA, XXXVI (1892), t. 2, págs. 6-7.
[Reimpreso en su libro España y
América, págs. 179-97. V. LIBROS,
núm. 1770A].

ERCILLA Y ZÚÑIGA, ALONSO DE.
V. LIBROS, MEDINA (1698).

ESCAMILLA, MANUELA.
V. LIBROS, FLORES GARCÍA (1636).

ESCENIFICACIÓN.
V. STAGING (1448).

ESCENOGRAFÍA.
V.t. AT A SPANISH THEATRE (843);
LIBROS, GUAL (1655), MÉRIMÉE (1704),
MUÑOZ MORILLEJO (1726); CALDERÓN,
núm. 1969.

——.

1053. Trend, J. B.: "Escenografía
madrileña en el siglo XVII."
RBAM, III (1926), 269-81.

ESCLAVITUD, ESCLAVOS.
V. LOPE DE VEGA, núm. 3461.

"ESCOGIDAS".
V.t. COLECCIÓN (917).

——.

1054. Cotarelo y Mori, E.: "Catálogo
descriptivo de la gran colección de
'Comedias escogidas' que consta de
cuarenta y ocho volúmenes, impresos
de 1652 a 1704."
BRAE, XVIII (1931), 232-80, 418-68,
583-636, 772-826; XIX (1932), 161-218.

——.

1055. Gasparetti, A.: "La collezione
di 'Comedias nuevas escogidas' (Madrid, 1652-1681)."
ARom, XV (1931), 541-87; XXII (1938),
99-117.

ESCOLAR, TEATRO.
V. COLEGIO; ANÓNIMAS, TRIUNFO DE
LOS SANTOS (1548).

ESDRÚJULO.
1056. Clarke, Dorothy Clotelle:
"Agudos and Esdrújulos in Italianate
Verse of the Golden Age."
PMLA, LIV (1939), 678-84.

——.

1057. Reid, John T.: "Notes on the
History of the verso esdrújulo."
HR, VII (1939), 277-94.

ESLAVA, ANTONIO DE.
V. LOPE DE VEGA, núm. 3454.

ESPAÑOLISMO.
V. SENTIDO (1429).

ESPINA, JUAN DE.
V. RUIZ DE ALARCÓN, núm. 2571.

ESPINEL, VICENTE.
V. TIRSO DE MOLINA, núm. 2903.

ESPINELA.
V.t. DÉCIMA (981-82).

——.

1058. Clarke, Dorothy Clotelle:
"Sobre la espinela."
RFE, XXIII (1936), 293-304.

ESPÍRITU NACIONAL.
V. SENTIDO (1429).

ESQUILO.
V. LIBROS, OWEN (1729); CALDERÓN,
núm. 1971.

ESSEX, EARL OF.
1059. Smith, Winifred: "The Earl of
Essex on the Stage."
PMLA, XXXIX (1924), 147-73.
[El Conde de Sex de Coello].

"ESTEBANILLO GONZÁLEZ".
V. LOPE DE VEGA, OBRAS, EL CORDOBÉS
VALEROSO (3637).

ESTEFANÍA, LA DESDICHADA.
V. LIBROS, COTARELO Y VALLEDOR, núm.
1605.

ESTER.
V.t. LIBROS, SCHWARTZ (1778A); LOPE
DE VEGA, núm. 3175.

——.

1060. Rosenberg, Felix: "Der Esther-

stoff in der germanischen und ro-
manischen Literatur."
HomTobler (1905), págs. 333-54.
[Sobre La hermosa Ester de Lope
de Vega y el fragmento de Esther de
Grillparzer].

ESTÉTICA.
V.t. ÉTICA.

———.

1061. Herrero García, M.: "Ideas
estéticas del teatro clásico español."
RIEst, II (1944), no. 5, págs. 79-
109.

ESTILO.
1062. Zambrano, María: "Por el estilo de España."
CyR, no. 12 (1934), 111-15.
[Sobre el libro de Vossler, Lope
de Vega y su tiempo (3920)].

———.

1063. Valbuena Prat, A.: "Sobre el
tono menor y el estilo en la escuela
de Calderón."
HomRubió (1936), I, 627-49.
[Sobre temas y elementos estilísticos en Moreto, Cáncer, Cubillo,
Bances Candamo y otros].

ESTOICISMO.
V. LIBROS, Montoliu (1718).

ESTUDIANTE.
1064. Nemtzow, Sarah: "El estudiante
en la comedia del siglo de oro."
MLF, XXXI (1946), 60-81.

ÉTICA.
1065. Miranda, Leonor de: "De Lope
a Calderón. Ética y estética en el
teatro del siglo de oro."
CuadLit, II (1947), 215-47.
[V. el número siguiente].

———.

1066. Miranda, Leonor de: "De Lope
a Calderón. Ética y estética en el
teatro del siglo de oro."
RevNac, XXXVII (1948), 60-86.
[Bosquejo del teatro. Secciones
sobre Lope, Calderón, Ruiz de Alarcón y "continuadores" de Lope de
Vega].

"EUSTORGIO Y CLORILENE".
V. SUÁREZ DE MENDOZA (1451-52);
CALDERÓN, OBRAS, núm. 2250.

EXCESOS.
1067. Pérez Bustamante, C.: "Excesos histriónicos en 1600."
CorrErud, I (1940-41), 51.
[Sobre acciones irreverentes de
los que hacen papeles de clérigos,
etc.].

EXTRANJERO.
1068. Arconada, César M.: "El teatro clásico español en los escenarios extranjeros."
Columna, IV (1942), 8-10.

"FAIR FOUL ONE, THE".
V. INGLATERRA (1180).

FAMOSOS, LOS DRAMATURGOS MÁS.
V. GREATEST.

FARMACIA.
1069. Fúster Forteza, Gabriel: "Ensayo sobre la farmacia a través de
las obras de los clásicos teatrales
españoles de los siglos XV, XVI y
XVII."
ARAF, XV (1949), 129-260.
[Al final hay un vocabulario de
palabras técnicas con sus defini-
ciones, y un índice de los autores
y obras que se han citado].

FAUST.
V. GOETHE, LESSING (1210); LIBROS,
OWEN (1729); RUIZ DE ALARCÓN, núm.
2576.

FAUSTMOTIV.
V. LOPE DE VEGA, GOETHE (3203).

FAXARDO Y ACEVEDO, ANTONIO.
1070. Díaz de Escovar, N.: "El maestro Antonio Faxardo y Acevedo."
Alham, XVIII (1915), 371-74.
[Rennert menciona un tal Antonio
Acevedo Faxardo (The Spanish Stage,
... núm. 1753). ¿Será el mismo?].

FEIJOO Y MONTENEGRO, BENITO J.
V. LOPE DE VEGA, núm. 3183.

FELIPE II.
V.t. CHARLES-QUINT (970).

FELIPE II (cont.).
1071. Sousa Viterbo, F. M. de: "O theatro na côrte de D. Filippe II." AHPort, I (1903), 1-7.
[Se trata de una farsa basada en la historia de don Rogel de Grecia y presentada en palacio. No la menciona Barrera, según Sousa Viterbo].

FELIPE III.
V. MISCELÁNEA ERUDITA (1256).

FEMENINO.
V. LOPE DE VEGA, núms. 3184-85.

FEMINISMO.
V.t. VIRGEN (1495A); SOR JUANA INÉS DE LA CRUZ, núm. 2410.

————.
1072. Matulka, Barbara: "The Feminist Theme in the Drama of the Siglo de Oro."
RR, XXVI (1935), 191-231.
[Publicado también en Columbia University, Institute of French Studies, Comparative Literature Series (1936)].

"FEMMES SAVANTES, LES".
V. MOLIÈRE, núms. 1262-63.

"FENIX".
V. LESSING, núm. 1212.

FERNÁNDEZ, MARÍA ANTONIA.
1073. Díaz de Escovar, N.: "Comediantes de otros siglos. María Antonia Fernández, 'La Caramba'."
BAH, XCVI (1930), 774-84.
[Sus fechas: 1751-1787].

FERNÁNDEZ, MARÍA DEL ROSARIO.
V. TIRANA, LA.

FERNÁNDEZ DE AVELLANEDA, ALONSO.
V. "QUIJOTE DE AVELLANEDA".

FERNÁNDEZ CABREDO, TOMÁS.
1074. Díaz de Escovar, N.: "Comediantes del siglo XVIII [sic]. Tomás Fernández Cabredo."
BAH, LXXXVII (1925), 60-77.
[Fernández Cabredo murió antes del 7 de enero de 1641].

FERNÁNDEZ DE OVIEDO, GONZALO.
V. LOPE DE VEGA, OBRAS, núm. 3637.

FERREIRA, ANTONIO.
V. LOPE DE VEGA, LIBROS, núm. 3901.

FIGURÓN, COMEDIA DE.
V.t. GROTESCO (1122-23), SCARRON (1417).

————.
1075. White, Ralph E.: "The Social and Economical Background of the Comedia de figurón."
CentRev, I (1949), 46-51.

"FILICIDA".
1076. Ríos, Blanca de los: "De una palabra en desuso."
CorrErud, I (1940-41), 26.
[La palabra filicida, hallada en Tirso de Molina].

"FILOCOLO".
V. CUESTIÓN DE AMOR (969).

FILOSÓFICOS.
1077. Morón, Fermín Gonzalo: "Caracteres filosóficos del antiguo teatro español."
MusUniv, X (1866), 30-31.

FIN DE SIGLO.
1078. Bustillo, Eduardo: "Tres fines de siglo del teatro español."
IEA, XLIII (1899), t. 2, págs. 103, 106.
[Sobre la decadencia del teatro desde el siglo de oro].

FIORENTINO.
V. CARTEGGIO (896).

FLAMENCO (EL IDIOMA).
V.t. LOPE DE VEGA, NEERLANDÉS (3330).

————.
1079. Gillet, Joseph E.: "El flamenco en algunos textos españoles."
RFE, XV (1928), 384-88.
[Ejemplos de Torres Naharro, Lope de Vega y Vélez de Guevara].

————.
1080. Spitzer, Leo: "Allemand et

flamand d'Espagne."
RFE, XVI (1929), 176.
[Otro ejemplo de Lope de Vega].

FLANDES.
V. PAÍSES BAJOS.

FLETCHER, JOHN.
V. QUELLEN-STUDIEN (1354).

"FLOS SANCTORUM".
V. PURGATORIO DE SAN PATRICIO,
núm. 1350; CALDERÓN, OBRAS, LA LE-
PRA DE CONSTANTINO (2167).

FOLKTHEATRE.
V. AMÉRICA (824), RELIGIOSO (1370,
1371).

"FOLLE GAGEURE, LA".
V. LOPE DE VEGA, OBRAS, EL MAYOR
IMPOSIBLE (3739).

"FONDO EN".
1081. Morley, S. G.: "Fondo en...
A Rare Spanish Idiom."
MLN, XXXII (1917), 501-03.

————.

1082. Wagner, Charles Philip: "A-
propos of fondo en."
MLN, XXXIV (1919), 309-10.

————.

1083. "Notas bibliográficas."
BRAE, VIII (1921), 125-29.
[Resumen de los artículos precedentes sobre fondo en, con ejemplos adicionales].

————.

1084. Gillet, Joseph E.: "The Spanish Idiom fondo en."
MLN, XL (1925), 220-23.

————.

1085. Dale, George Irving: "Spanish
fondo en Once More."
MLN, XLII (1927), 319-21.

FONSECA SOARES, ANTÓNIO DA.
V. CALDERÓN, núm. 1973.

FÓRMULA DRAMÁTICA.
V. AUTO SACRAMENTAL (857).

FORTUNA ESPAÑOLA DE UN VERSO.
V. VERSO ITALIANO.

"FRA LIPPO LIPPI".
V. LOPE DE VEGA, BROWNING (3013).

FRAGMENTS.
1086. Restori, Antonio: "Fragments
de théâtre espagnol."
RLR, 5ª serie, I (1898), 133-64.
[1) Une liste de comédies de l'an
1666; 2) Un baile pastoral (Baile
de quién más ama, el que dice su
afecto o el que lo calla); 3) Deux
intermèdes de Perote (Pleyto del
mochuelo y Desafío de Perote), hallados todos en colecciones manu-
scritas].

FRANCHI, FABIO.
V. LOPE DE VEGA, LIBROS, NAVARRA
(3892).

FRANCIA.
V.t. LIBROS, MARTINENCHE (1697),
VALLE ABAD (1793); CALDERÓN; RUIZ
DE ALARCÓN; LOPE DE VEGA.

————.

1087. Fabié, Antonio María: "Cómo
nos juzgan los franceses."
RdE, Año XVII, tomo XCVI (en-feb,
1884), 19-31.
[Defensa de la superioridad de
los dramas españoles sobre las imitaciones francesas de Corneille,
Molière, etc., especialmente con
respecto a La Verdad sospechosa de
Ruiz de Alarcón. Este artículo se
encuentra en la edición de Barry de
dicha comedia y en otros lugares
con el título "Vindicación apologética de La Verdad sospechosa," el
cual es más bien resumen que título.
Barry equivocó también el año].

————.

1088. Fournier, Edouard: "L'Espagne
et ses comédiens en France au XVIIe
siècle."
RevHisp, XXV (1911), 19-46.

————.

1089. Rogers, Paul Patrick: "Spa-
nish Influence on the Literature of
France."
Hisp, IX (1926), 205-35.

————.

1090. "El teatro clásico en Francia."
RCHLE, II (1897), 181-82. [Sobre

1090 (cont.).
la representación francesa, por
Hipólito Lucas, de comedias espa-
ñolas].

FRENZI, G. DE.
V. TIRSO DE MOLINA, núm. 2870.

FREUD, SIGMUND.
V. LOPE DE VEGA, núm. 3369.

FRONLEICHNAMSSPIEL.
V. AUTO SACRAMENTAL (849).

FUCHS, GEORG.
V. CALDERÓN, FUCHS.

FUENTE OBEJUNA.
V. LOPE DE VEGA, núm. 3196.

"GABACHO".
V. GAVACHS (1095).

GAGE, THOMAS.
1091. Johnson, Harvey L.: "Noticias
dadas por Tomás Gage, a propósito
del teatro en España, México y Guatemala (1624-1637)."
RevIbAmer, VIII (1944), 257-73.

"GALAND DOUBLE, LE".
V. LIBROS, MICHAELIS, GEORG (1707).

GALIANA, PALACIOS DE.
V. GALIENE (1092).

GALICIA.
V. LIBROS, REY SOTO (1757); LOPE
DE VEGA, LIBROS, núm. 3901.

GALIENE.
1092. Menéndez Pidal, R.: "'Galiene
la Belle' y los palacios de Galiana
en Toledo."
AUM, I (1932), 1-14.

"GALLERIA, LA".
V. LOPE DE VEGA, OBRAS, LA ARCADIA
(3592).

GAMES.
V.t. JUEGO (1199).

———.
1093. Dale, George I.: "Games and
Social Pastimes in the Spanish Drama of the Golden Age."
HR, VIII (1940), 219-41.

GARCIA, EL REY.
1094. Northup, George T., y Morley,
S. G.: "The Imprisonment of King
García."
ModPhil, XVII (1919-20), 393-413.
[Págs. 405-13: "La lindona de Ga-
licia"].

GARCÍA GUTIÉRREZ, ANTONIO.
V. HUESCA (1165).

GARCILASO DE LA VEGA.
V. LOPE DE VEGA, núm. 3457.

GATTICI, GIROLAMO.
V. ITALIA (1181).

GAVACHS.
1095. Levrat, Étienne: "Au pays des
gavachs."
RevPyr, XXVI (1914), 54-78.
[Sobre el "gabacho" de los comediógrafos. i) Qu'est-ce qu'un gavach? ii) L'immigration gavache;
iii) Topographie de la gavacherie;
iv) Ethnographie du gavach; v) L'i-
diome gavach].

"GÉNERO ÍNFIMO".
V. ENTREMÉS (1047).

GENOVA, GENOVESES.
1096. Restori, Antonio: "Genova nel
teatro classico di Spagna."
AUG, (1911-12), 21-63.
a) A. Hämel, LGRP, XXXVI (1915),
col. 158-59.

———.
1097. Restori, Antonio: "Ancora di
Genova nel teatro classico di Spagna."
RLSLA, XL (1913), 154-75.
a) A. Hämel, LGRP, XL (1915),
col. 159.

———.
1097A. Mele, Eugenio: "Los genoveses
pintados por los españoles."
RCast, II (1916), 133-40.
[Contiene citas de varias comedias]

———.
1097B. Mele, Eugenio: "Postille ispano-italiane. I.—I genovesi des-
critti dagli spagnuoli."
Fanfu, XXXVII (1915), no. 23 (6 de
jun.), págs. 1-3.
[Versión italiana del núm. 1097A].

GEORGE, STEFAN.
V. CALDERÓN, HOFMANNSTHAL (1991).

GESCHICHTE.
V. BIBLIOGRAFÍA (867), HISTORIA
(1145-46).

"GIGANTOMAQUIA"
V. CALDERÓN, OBRAS, LA VIDA ES
SUEÑO (2251).

GIRALDI CINTIO, GIOVAN BATTISTA.
V. LOPE DE VEGA.

GIRÓN.
V. OSUNA, DUQUE DE.

GITANERÍA.
1098. Romera-Navarro, M.: "La andan-
te gitanería."
Lect, XVII (1917), t. 3, págs. 389-
407.
  [Sobre los gitanos en la literatura. Trata principalmente de Cervantes, pero nombra varias obras
dramáticas de los siglos XVI y XVII
en las que aparecen gitanos: obras
de Gil Vicente, Lope de Rueda, Pérez
de Montalván, Antonio Solís, Cáncer,
Zamora, etc.].

GLAUBEN UND GNADE.
1099. Vossler, Karl: "Ein spanisches
Drama von Glauben und Gnade."
HochOlten, XL (1948), Heft 3, págs.
290-93.
  [Sobre El Condenado por desconfiado de Tirso de Molina].

GLOSA.
V.t. LIBROS, JANNER (1671).

————.
1100. Janner, Hans: "La glosa española. Estudio histórico de su métrica y de sus temas."
RFE, XXVII (1943), 181-232.

GLOVE, LEGEND OF THE.
V. GUANTE, LEYENDA DEL (1125A-B).

GOETHE, JOHANN WOLFGANG VON.
V.t. DON JUAN (1012, 1019); CALDE-
RÓN; RUIZ DE ALARCÓN; LOPE DE VEGA.

————.
1101. Bertrand, J. J. A.: "El mayor

amigo de España: Goethe."
RIEst, VIII (1950), 169-95.
  [Se rastrean ... las huellas es-
pañolas a través de toda la obra de
Goethe, desde el drama Clavijo has-
ta la influencia de los dramas de
Calderón. El autor hace un análi-
sis comparativo entre el Fausto y
El Mágico prodigioso de Calderón].

————.
1102. Clavería, Carlos M.: "Goethe
y la literatura española."
RIEst, VIII (1950), 143-67.
  [Trata de Calderón en las págs.
152-67].

————.
1103. Casartelli, L. C.: "The Three
Fausts."
DubRev, 3a serie, X (1883), 245-59.
  [Los de Marlowe, Calderón y Goe-
the].

GOGOL, NIKOLAI.
V. TIRSO DE MOLINA, ARTGENOSSEN
(2674).

GOLDEN AGE.
V. DRAMATURGOS (1033).

GOLDONI, CARLO.
V. LOPE DE VEGA, REINALDOS DE MON-
TALVÁN (3407).

GÓMEZ DE GUZMÁN, FERNÁN.
V. LOPE DE VEGA, FUENTE OBEJUNA
(3196).

GÓMEZ DE PASTRANA, BARTOLOMÉ.
V. GUADALUPE, VIRGEN DE (1125).

GONGORISMO.
V. LYRISME (1224A).

GOZZI, CARLO.
V.t. LIBROS, CARRARA (1591); MORE-
TO, núm. 2499.

————.
1104. Bobbio, A.: "Studi sui drammi
spagnoli di Carlo Gozzi."
Conv, (1948), 722-71.
  [Menciona varios comediógrafos y
comedias: Calderón, Moreto, etc.].

GRACIÁN, BALTASAR.
  V. CALDERÓN, SEGISMUNDO (2056).

GRACIOSO.
  V.t. DONAIRE (1030); LIBROS, MON-
  TOLIU (1718); CERVANTES, núm. 310;
  CALDERÓN, BAUERNFIGUREN (1878);
  RUIZ DE ALARCÓN, núm. 2580; LOPE DE
  VEGA, GRACIOSO.

──────.
1105. Leavitt, Sturgis E.: "Notes on
  the Gracioso as a Dramatic Critic."
  SP, XXVIII (1931), 847-50.
    [También en HomRoyster, págs.
  315-18].

──────.
1106. Delano, Lucile K.: "The gracioso Continues to Ridicule the
  Sonnet."
  Hisp, XVIII (1935), 383-400.
    [V.t. LOPE DE VEGA, núm. 3210].

──────.
1107. Bravo-Villasante, Carmen: "La
  realidad de la ficción negada por
  el gracioso."
  RFE, XXVIII (1944), 264-68.

GRADAS DE SAN FELIPE.
1108. Sepúlveda, Ricardo: "Las Gradas de San Felipe (Mentidero de Madrid)."
  IEA, XXXI (1887), t. 2, págs. 302-03.
    [También se encuentra en su libro
  Madrid viejo, págs. 1-17. V. LIBROS,
  núm. 1782].

GRAN CAPITÁN.
  V. CUENTAS DEL GRAN CAPITÁN (968).

GRAN TEATRO DEL MUNDO.
1109. Vilanova, Antonio: "El tema
  del gran teatro del mundo."
  BABLB, XXIII (1950), 153-88.
    [1) La idea de la vida-comedia en
  la antigüedad grecolatina, 153-;
  2) La idea de la vida-comedia en
  Erasmo y en los erasmistas españoles, 159-; 3) La idea de la vida-
  comedia en el Quijote de Cervantes,
  165-; 4) La idea de la vida-comedia
  en la poesía española de los siglos
  XVI y XVII, 170-; 5) La idea del
  gran teatro del mundo en la prosa
  del Barroco, 175-; 6) Calderón y el

gran teatro del mundo, 181-; 7) El
tema del gran teatro del mundo después de Calderón, 185-.].

GRANADA.
  V.t. NAVARRETE (1295); MIRA DE
  AMESCUA, SILUETAS (2467).

──────.
1110. Gillet, Joseph E.: "Church
and Stage Controversy in Granada."
MLN, XXXVII (1922), 284-89.

GRANADOS, ANTONIO.
1111. Díaz de Es covar, N.: "Los
primitivos comediantes españoles.
Antonio Granados. Notas para su
biografía."
Alham, XVIII (1915), 250-54, 275-79.

"GRAND CYRUS, LE".
  V. SESOSTRIS ET TIMARÈTE (1433).

GREATEST.
  V.t. DRAMATURGOS (1034, 1034A).

──────.
1112. Bushee, Alice H.: "The Greatest Spanish Dramatists."
Hisp, XVII (1934), 51-58.
  [La actitud crítica hacia los
dramaturgos aureoseculares hasta
los tiempos modernos. Reimpreso en
su libro Three Centuries of Tirso
de Molina, págs. 45-53 (V. TIRSO DE
MOLINA, LIBROS, núm. 2925). Para
la traducción de este artículo por
Millé y Giménez, V. TIRSO DE MOLINA,
núm. 2752].

──────.
1113. Altschul, Arthur: "Wer war
der grösste spanische Dramatiker?"
ASNSL, CLVI (1929), 95-100.
  [Sobre Lope y Calderón].

GREEK AND ROMAN.
  V.t. CLÁSICOS, TEMAS.

──────.
1114. Colburn, Guy B.: "Greek and
Roman Themes in the Spanish Drama."
Hisp, XXII (1939), 153-58.

GREFLINGER, GEORG.
  V.t. HISTORIA (1145).

GREFLINGER (cont.).

1115. Bolte, Johannes: "Zu Georg Greflinger."
ADA, XIII (1887), 103-14.
[Su Verwirrter Hof y El Palacio confuso; La Fuerza lastimosa, Laura perseguida de Lope].

GRIES, J. D.
V. CALDERÓN, SCHREYVOGEL (2055).

GRILLPARZER, FRANZ.
V.t. ESTER (1060), JUDÍA DE TOLEDO, WIEN (1509); CALDERÓN, GRILLPARZER (1987); LOPE DE VEGA, ESTER (3175).

1116. Mahrenholtz, Richard: "Franz Grillparzer und das spanische Drama."
ASNSL, LVIII (1891), 369-82.

1117. Duschinsky, W.: "Über die Quellen und die Zeit der Abfassung von Grillparzers Esther."
ZOG, L (1899), 961-73.
[La Hermosa Ester de Lope de Vega].

1118. Lambert, Elie: "La Juive de Tolède de Grillparzer. Étude sur la composition et les sources de la pièce."
RLC, II (1922), 238-79.
[La fuente principal puede ser Rachel ou la belle juive de Cazotte más bien que Las Paces de los reyes de Lope de Vega].

1119. Gorlich, E. J.: "Grillparzer y el teatro español."
EstyEn, IV (1942), 76-80.
[Reproducido en Clav, II (1951), no. 11, págs. 1-3].

GRISELDA.
V.t. LIBROS, WANNENMACHER (1808), WESTENHOLZ (1809).

1120. Cate, Wirt Armistead: "The Problem of the Origin of the Griselda Story."
SP, XXIX (1932), 389-405.

1121. Wurzbach, Wolfgang von: "Zur dramatischen Behandlung der Grisel-dissage."
Euph, IV (1897), 447-57.
[El Ejemplo de casadas de Lope].

GRÖSSTE DRAMATIKER.
V. GREATEST (1113).

GROTESCO.
V.t. LIBROS, FLÖGEL (1635A).

1122. Leavitt, Sturgis E.: "Some Aspects of the Grotesque in the Drama of the Siglo de Oro."
Hisp, XVIII (1935), 77-86.

1123. Place, Edwin B.: "Notes on the Grotesque: The comedia de figurón at Home and Abroad."
PMLA, LIV (1939), 412-21.

GUADALUPE, VIRGEN DE.

1124. Barrantes, Vicente: "Una comedia inédita de la Virgen de Guadalupe."
IEA, XXXIX (1895), t. 1, págs. 46-47.
[De Fray Diego de Prades. "Representada en la ciudad de la Plata (Chuquisaca) en Enero de 1602."].

1125. María y Campos, Armando de: "La Virgen de Guadalupe en el teatro y en la obra de Cervantes."
RdelasInd, XXXII, no. 100 (oct-dic, 1947), 61-66.
[Trata de la Comedia de la soberana Virgen de Guadalupe y sus milagros y grandeza de España, editada por Bartolomé Gómez de Pastrana en 1617, y antes, por los años de 1605 y 1615, y que se ha atribuido a Cervantes].

GUANTE, LEYENDA DEL.

1125A. Perott, José de: "El guante de la dama."
RFE, VI (1919), 63-64.
[Otro ejemplo de la leyenda (Durán, Romancero, núm. 1131), de la cual una variante se encuentra en El Guante de doña Blanca de Lope].

GUANTE, LEYENDA DEL (cont.).
1125B. Krappe, Alexander H.: "The Legend of the Glove."
MLN, XXXIV (1919), 16-23.

GUATEMALA.
V.t. "CONVERSIÓN DE SAN PABLO" (932), GAGE, THOMAS (1091).

————.
1126. Pellegrini, Alessandro: "Rabinal, antico dramma degli indi quiché del Guatemala."
NA, CDXLV (1949), 52-63.

GUERRERO, MARÍA.
V. PARÍS (1318); TIRSO DE MOLINA, núm. 2735.

"GUÍA Y AVISOS DE FORASTEROS"
1127. Zarco Cuevas, Julián: "¿Quién fué el verdadero autor de la Guía y avisos de forasteros impresa en Madrid en el año 1620?"
BRAE, XVI (1929), 185-98.
[Cree que fué Alonso Remón. Hay bibliografía de sus obras].

GUIMERÁ, ÁNGEL.
V. HUESCA (1165).

GUISA, DUQUE DE.
1128. Gasparetti, A.: "La spedizione del Duca di Guisa a Castellammare nel 1654 in due antiche commedie spagnuole. (Con un testo inedito in appendice)."
ARAPal, XVII (1932), 353-405.
[Pocos bastan si son buenos y el crisol de la lealtad de Matos Fragoso; Comedia burlesca de la venida del Duque de Guisa y su armada a Castelamar de Martín Lozano. La comedia de Matos se halla en Escogidas 34; la de Lozano es un manuscrito de la Biblioteca Nazionale di Napoli, y está impresa aquí como apéndice. Tiene 1267 versos].

GUTIÉRREZ, TOMÁS DE.
V. PÉREZ DE MONTALVÁN, núm. 2511.

GUZMÁN EL BUENO.
1129. Millé y Giménez, Isabel: "Guzmán el Bueno en la historia y en la literatura."
RevHisp, LXXVIII (1930), 311-488.

[Comedias de Vélez de Guevara, Hoz y Mota, Zamora, Valladares de Sotomayor].

HAAN, FONGER DE.
V. BARLAAN Y JOSAFAT (862).

"HACER LA SALVA".
1130. Castro, Américo: "Hacer la salva."
HomThomas (1927), 89-94.

HALM, FRIEDRICH (seud. de ELIGIUS FREIHERR VON MÜNCH-BELLINGHAUSEN).
V. WIEN (1509); LIBROS, SCHNEIDER, HERMANN (1778).

HAMBURG.
V. LOPE DE VEGA, CENTENARIO (3077).

HAMLET.
V. HIJOS VENGADORES (1136-37), MEN AND ANGELS (1242); LIBROS, OWEN (1729); CALDERÓN, núms. 1948, 2255.

HANDSCHRIFTEN.
V. MANUSCRITOS (1235).

HARDY, ALEXANDRE.
V. LIBROS, MARTINENCHE (1697); LOPE DE VEGA, OBRAS, núm. 3765.

HARSDÖRFER, GEORG PHILIPP.
V. SCHLEGEL, FRIEDRICH (1424).

HARTZENBUSCH, JUAN EUGENIO.
V. LIBROS, LATOUR (1682).

HECHIZO.
V. VILLEGAS, ANTONIO DE (1495A).

HENRY VIII.
V. CALDERÓN, HENRY VIII.

"HÉRACLIUS".
V. CORNEILLE (945-46).

HEREDIA, GONZALO DE.
V. RUIZ DE ALARCÓN, DÉCIMAS (2571).

HERMIT.
1131. Gerould, G. Hall: "The Hermit and the Saint."
PMLA, XX (1905), 529-45.
[Trata de El condenado por desconfiado de Tirso de Molina].

HERODES.
V.t. LIBROS, VALENCY (1792A).

———.

1132. Landau, Marcus: "Die Dramen
von Herodes und Mariamne."
ZVL, ns VIII (1895), 175-212, 279-
317; IX (1896), 185-223.
[Trata de La vida de Herodes de
Tirso, El mayor monstruo los celos
de Calderón y de otras comedias].

———.

1133. Beckmann, Emmy: "Die Moti-
vierung des Konflicts in den be-
deutenderen Herodes- und Mariamne-
dramen."
NSpr, XXIII (1915-16), 449-71.
[Se refiere a El mayor monstruo
los celos de Calderón].

———.

1134. Praag, J. A. van: "Herodes
en Mariamne in de Spaansche too-
neelletterkunde van de XVIIde eeuw."
MVP, (1947), 131-35.

HERRERA, ANTONIO DE.
V. LOPE DE VEGA, OBRAS, LA DRAGON-
TEA (3677-78).

HESPERIDES, APPLES OF.
V. ANÓNIMAS, ESTRELLA DE SEVILLA
(1530-31).

HIDALGO, EL.
V. LIBROS, GARCÍA VALDECASAS
(1642).

HIDALGO, JUAN.
V.t. CALDERÓN, núm. 2136.

———.

1135. Subirá, José: "El operista
español don Juan Hidalgo."
Cien, I (1934), 615-22.

HIJOS VENGADORES.
1136. Cueto, Leopoldo Augusto de
(Marqués de Valmar): "Los hijos
vengadores en la literatura dramática. Estudio de crítica e historia literaria."
AlmIEA, IX (1882), 11-40.
[Orestes, el Cid y Hamlet. V. el
número siguiente].

1137. Cueto, Leopoldo Augusto de:
"Los hijos vengadores en la literatura dramática. Orestes, el Cid,
Hamlet."
EspMod, XII (1900), tomo CXXXVIII,
págs. 54-89; tomo CXXXIX, págs. 77-
117.
[Reimpreso en sus Estudios de
historia y de crítica literaria,
págs. 12-155. V. LIBROS, núm. 1610].

HISPANOAMERICANO.
V.t. HISTORIOGRAFÍA (1151), REPER-
TORIO (1374); LIBROS, TRENTI ROCA-
MORA (1790), y además, AMÉRICA ES-
PAÑOLA.

———.

1138. Pérez de Guzmán, Juan: "El
teatro hispanoamericano."
EspMod, XII (1900), tomo CXLI, págs.
114-34.
[Referencias a comedias del Siglo
de Oro].

———.

1139. Grossmann, Rudolf: "O teatro
clássico hispanoamericano e as suas
relações com o teatro espanhol do
século XIX."
Bibl, IV (1928), 143-55.

HISPANOITALIANAS.
V.t. GENOVESES (1097B).

———.

1140. Fucilla, Joseph G.: "Relacio-
nes hispanoitalianas."
RFE, Anejo LIX (1953). Pp. 238.
V. CALDERÓN, núm. 2256; LOPE DE
VEGA, núms. 3289, 3656.

HISPANO-PORTUGUESA.
1141. Castillo y Alba, Enrique del:
"La literatura dramática hispano-
portuguesa desde el siglo XV hasta
mediados del XVIII."
InstC, XXI (1875), 137-41, 188-96;
XXII (1876), 248-50; XXIII (1876),
36-40, 81-88, 135-40.

HISTORIA.
V.t. ORIGEN (1310); LIBROS, ÁLVAREZ
ESPINO (1563), BERTINI (1579), CIL-
LEY (1597), COTARELO (1602), DÍAZ DE
ESCOVAR (1614-18), GASSIER (1643),

HISTORIA (cont.).
HERRÁN (1663), LEWES (1686), MUÑOZ
(1725), RENNERT (1753), SAINZ DE
ROBLES (1768), SCHACK (1772),
SCHAEFFER (1773), SEPÚLVEDA (1781),
VELILLA Y RODRÍGUEZ (1796).

———.
1142. Castillo y Alba, Enrique del:
"Rápida reseña histórica de la literatura dramática española."
InstC, XV (1872), 282-88.

———.
1143. Escosura, Patricio de: "Introducción a la crítica teatral.
Consideraciones generales sobre el
teatro y su historia."
RdE, XLIII (1875), 314-31.
   [Hay referencias a obras aureo-
seculares].

———.
1144. Fernández Duro, Cesáreo:
"Apuntes para la historia del teatro."
IEA, XXVII (1883), t. 2, págs. 234-
235, 315, 317-18, 350-51.

———.
1145. Creizenach, Wilhelm: "Studien
zur Geschichte der dramatischen
Poesie im 17. Jahrhunderte."
BerLeip, XXXVIII (1886), 93-118.
   [Traducciones de Greflinger de
comedias de Lope de Vega: La Fuerza
lastimosa, Laura perseguida y El
palacio confuso].

———.
1146. Vollmöller, Karl: "Zur Geschichte des spanischen Theaters."
RFor, II (1886), 632-38.
   [Sobre dos colecciones: Entremeses y Flor de Saynetes de varios
autores (Madrid: Impr. Real, 1657);
Verdores del Parnaso en veinte y
seis entremeses, bailes y sainetes
(Madrid: Domingo García Morrás,
1668)].

———.
1147. Świecicki, Juljan Adolf: "Z
dziejów teatru hiszpańskiego."
[Historia del teatro español].
BiblWar, (1887), II, 192-214, 404-34.
   [Sobre Rojas Zorrilla y Moreto].

1148. Pérez de Guzmán, Juan: "La
historia inédita. De teatros."
IEA, XLIII (1899), t. 2, págs. 134-
135.
   [Bosquejo cronológico].

———.
1149. Salazar, Salvador: "Estudios
de literatura histórica. Historia
de un drama."
RFLCHab, XXXV (1925), 42-51, 327-60.
   [Trata de la comedia El Conde de
Alarcos, de José Jacinto Milanés,
derivada de La Fuerza lastimosa de
Lope de Vega].

HISTORIADORES.
1150. Abreu, José María de: "Literatura dramática espanhola e seus
historiadores."
InstC, III (1855), 217-19, 257-59,
313-14.

HISTORIOGRAFÍA.
1151. Trenti Rocamora, J. Luis: "La
historiografía del teatro hispanoamericano."
RevBibyDoc, IV (1950), 291-97.

HISTRIONISMO.
1152. Pérez Pastor, Cristóbal:
"Nuevos datos acerca del histrionismo en España en los siglos XVI
y XVII."
RELHA, I (1901), 166-68, 208-12,
240-44, 282-84, 303-06, 359-66,
387-95.
   [Desde 21 agosto 1570 hasta 21
marzo 1612. Se incluyen los datos
en su libro del mismo título (V.
LIBROS, núm. 1743)].

———.
1153. Pérez Pastor, Cristóbal:
"Nuevos datos acerca del histrionismo español en los siglos XVI y
XVII (Segunda serie)."
BH, VIII (1906), 71-78, 148-53,
363-73; IX (1907), 360-85; X (1908),
243-58; XII (1910), 303-16; XIII
(1911), 47-60, 306-15; XIV (1912),
300-17, 408-32; XV (1913), 300-15,
428-44; XVI (1914), 209-24, 458-87.
Índices (por Georges Cirot), XVII
(1915), 36-53. [Para la reseña y
adiciones, V. el núm. 1743c].

1154. Rodríguez Marín, F.: "Nuevas
aportaciones para la historia del
histrionismo español en los siglos
XVI y XVII."
BRAE, I (1914), 60-66, 171-82,
321-49.

HOLBERG, LUDWIG.
1155. Dorer, Edmund: "Ludwig Holberg und das spanische Theater."
Mag, LV (1886), Bd. CIX, págs.
68-71.
  [Die Reise zum Brunnen de Holberg,
El Acero de Madrid y el entremés La
Endemoniada de Lope de Vega. Artículo reimpreso en Dorer, Nachgelassene Schriften, I, 91-95 (V. LI-
BROS, núm. 1622)].

HOLY-ROOD.
  V. CRUZ, INVENCIÓN DE LA (962).

HOMERO.
  V. LOPE DE VEGA, CENSURA (3057).

HONOR.
  V.t. LIBROS, GARCÍA VALDECASAS
(1642), MEIER (1699), MONTOLIU
(1718); CALDERÓN; TIRSO DE MOLINA,
núm. 2739; LOPE DE VEGA, núm. 3792;
ZABALETA, núm. 3951.

1156. Muñoz Peña, Pedro: "La idea
del honor como elemento artístico
en la literatura castellana."
RCont, LV (1885), 456-74; LVI
(1885), 42-54.

1157. Stuart, Donald C.: "Honor in
the Spanish Drama."
RR, I (1910), 247-58, 357-66.

1158. Castro, Américo: "Algunas observaciones acerca del concepto del
honor en los siglos XVI y XVII."
RFE, III (1916), 1-50, 357-86.

1159. Menéndez Pidal, R.: "Del ho-
nor en el teatro español."
En su libro De Cervantes y Lope de
Vega, págs. 139-66.
  [V. LIBROS, núm. 1702].

1160. Menéndez Pidal, R.: "Del honor en nuestro teatro clásico."
HomRubió (1936), I, 537-43.

1161. Sánchez, Galo: "Datos jurídi-
cos acerca de la venganza del honor."
RFE, IV (1917), 292-95.
  [Las leyes antiguas].

1162. Porras Troconis, Gabriel:
"Del honor y la lealtad castellanos
en la literatura clásica."
AmEsp, I (1935), 351-63.

HONOR CONYUGAL.
  V. LIBROS, MEIER (1699); LOPE DE
VEGA, núm. 3622.

HONRA.
1163. Entwistle, W. J.: "Honra y
duelo."
RomJahrb, III (1950), 404-20.
  [Sobre estos temas en la comedia].

"HÔPITAL DES FOUS, L'".
  V. LOPE DE VEGA, núm. 3765.

HORACIO.
  V. LOPE DE VEGA, SIMPLE LIFE (3457).

HUERTA DE DOÑA ELVIRA.
  V. CORRAL DE DOÑA ELVIRA (948).

HUERTA DE JUAN FERNÁNDEZ.
1164. Sepúlveda, Ricardo: "La huerta
de Juan Fernández."
IEA, XXXIII (1889), t. 1, págs.
83-84, 86.
  [Descripción histórica de la huerta sobre la que Tirso de Molina escribió una comedia. El artículo se
encuentra también en su libro Anti-
guallas, págs. 59-71 (V. LIBROS,
núm. 1780)].

HUESCA, CAMPANA DE.
1165. Osma, J. M. de: "Tres etapas
en la dramatización de una leyenda
(La campana de Huesca)."
Hisp, XXIV (1941), 180-92.
  [La Campana de Aragón de Lope de
Vega, El Rey monje de García Gutié-
rrez y Rey y monje de Ángel Guimerá].

HUESCA, CATEDRAL DE.
1166. Arco, Ricardo del: "Misterios, autos sacramentales y otras fiestas en la Catedral de Huesca."
RABM, XLI (1920), 263-74.
[Se incluyen piezas del siglo XVI].
a) --, BRAE, VIII (1921), 285-87.

HUMANÍSTICO.
V. LIBROS, GARCÍA SORIANO (1641).

HUNGRÍA.
V.t. LIBROS, KARL (1675); LOPE DE VEGA, OBRAS, núm. 3639. En húngaro está escrito el núm. 1186.

———.

1167. Brachfeld, Olivier: "Note sur la fortune du théâtre espagnol en Hongrie."
BH, XXXIV (1932), 311-23.

IBERISMO.
V.t. LOPE DE VEGA, LIBROS, BOEDO (3833).

———.

1168. Blanco, Ramiro: "El iberismo en la literatura moderna de España y de Portugal."
RdE, LXXXIII (1881), 367-91.
[Sobre El album calderoniano (V. el núm. 2281)].

ICONOGRAFÍA.
V. VIRGEN, núm. 1495A.

IMITACIONES, IMITADORES.
V. ENTREMÉS (1046), INGLATERRA (1179), ITALIA (1181), MOLIÈRE (1269), QUIJOTE (1355); LIBROS, BERNARD (1578), TENNER (1788), VERDE (1797).

IMPERIO.
V. LIBROS, MONTOLIU (1718).

INDIAS.
V. SHIPMENT (1437A); TIRSO DE MOLINA; LOPE DE VEGA.

ÍNDICE.
V. ARGENTINO (841), MEDEL DEL CASTILLO (1240).

INÉDITA, COMEDIA.
V. GUADALUPE, VIRGEN DE (1124),

PARMA (1319A); ANÓNIMAS, LA ESCARCELA Y EL PUÑAL (1525).

INFANTES DE LARA.
V.t. LOPE DE VEGA, SCENARIO (3445).

———.

1169. Espinosa, Aurelio M.: "Sobre la leyenda de los Infantes de Lara."
RR, XII (1921), 135-45.
[Hay referencias a El Bastardo Mudarra y a Los Porceles de Murcia, de Lope de Vega, y a Los Siete infantes de Lara de Hurtado de Velarde].

———.

1170. Lombardi, O.: "Un motivo eroico del teatro spagnole. (Gli infanti di Lara)."
RivIT, V (1941), vol. II, págs. 212-22.

INFILTRAÇÃO DA LITERATURA ESPANHOLA.
V. INGLATERRA, núm. 1177.

INFLUENCIA.
V.t. CORNEILLE (944), DON JUAN (1019), FRANCIA (1089), INGLATERRA (1178), SCARRON (1416); LIBROS, VALLE ABAD (1793); LOPE DE VEGA, ALEMANIA (2949).

———.

1171. Stiefel, Arthur L.: "Einfluss des italienischen Dramas auf die anderer Länder (1890-94)".
KJrP, IV (1895-96), Teil II, págs. 555-58.
[El español en la pág. 557].

———.

1172. Stiefel, Arthur L.: "Einfluss des spanischen Dramas auf die anderer Länder."
KJrP, IV (1895-96), Teil II, págs. 549-55.

———.

1173. Ander, Levi: "La influencia del espíritu."
AmEsp, I (1935), 348-50.
[Sobre Lope de Vega].

INGLATERRA, INGLÉS.
V.t. COMPARAISON (931); LIBROS, GROSSMANN (1654).

1174. Asquerino, Eusebio: "Analogías
de la literatura dramática de España
y de Inglaterra."
RdE, CIX (1886), 408-18.
  [Se refiere a los dramaturgos del
siglo XVII].

1175. Bahlsen, Leo: "Spanische Quellen der dramatischen Litteratur Eng-
lands, besonders zu Shakespeares
Zeit."
ZVL, VI (1893), 151-59.

1176. Ward, H. Gordon: "A Spanish
Legend in English Literature."
HomGaster (1936), págs. 526-31.
  [Sobre las Batuecas. Menciona la
comedia de Lope de Vega].

1177. Costa, Fernandes: "Infiltração da literatura espanhola mormen-
te a dramática, nas letras inglesas,
desde o século XV até hoje."
BSCAS, XII (1917-18), 565-86.

1178. Schevill, Rudolph: "On the
Influence of Spanish Literature
upon English in the Early Seven-
teenth Century."
RFor, XX (1907), 604-34.
  [Menciona comedias del siglo
XVII].

1179. Stiefel, Arthur L.: "Die Nach-
ahmung spanischer Komödien in Eng-
land unter den ersten Stuarts."
RFor, V (1890), 193-220 [Parte I];
ASNSL, XCIX (1897), 271-310 [Parte
II]; ASNSL, CXIX (1907), 309-50
[Parte III].

1180. Becker, Gustav: "Spanisches
und englisches Drama."
ShaJa, XLVI (1910), 126-28.
  [The Fair Foul One, de William
Smith, es una traducción de La hermosa fea de Lope de Vega; con ésta
también tiene relación A Very Woman
de Philip Massinger].

INQUISICIÓN.
  V. PÉREZ DE MONTALVÁN, núms. 2522,
2523; LOPE DE VEGA, núm. 3240.

ITALIA, ITALIANO.
  V.t. CÓMICOS (929), INFLUENCIA
(1171), MOLIÈRE (1264, 1269); LI-
BROS, ITALIA E SPAGNA (1669); CAL-
DERÓN; CASTRO; MIRA DE AMESCUA;
TIRSO DE MOLINA; LOPE DE VEGA.

1181. Lisoni, Alberto: "Gli imita-
tori del teatro spagnuolo in Italia."
NuoRa, II (1894), 535-39, 564-68.
  [Trata principalmente de Giacinto
Andrea Cicognini y se refiere a más
de cuarenta comedias suyas; pero
también hace mención de Girolamo
Gattici, Giambattista Leoni, Giovan
Battista Pasca, Andrea Perrucci y
otros imitadores del teatro de Lope,
Tirso, Calderón, etc.].

1182. Teza, Emilio: "Italiani e
spagnoli. Appunti bibliografici."
RivCLI, II (1885), no. 6, cols.
183-87.
  [Cols. 183-84: Sobre una traducción de El Alcalde de Zalamea de
Calderón hecha por Pietro Andolfati
(Venecia, 1799); col. 184: sobre Il
maggior mostro del mondo de Cicognini y El mayor monstruo del mundo
de Calderón].

JÁCARAS.
  V. ANÓNIMAS (1550); LIBROS (1601).

JÁUREGUI, JUAN DE.
  V. MISCELÁNEA ERUDITA, 3ª SERIE
(1258); LOPE DE VEGA.

JEALOUSY.
1183. Alpern, Hymen: "Jealousy as a
Dramatic Motive in the Spanish co-
media."
RR, XIV (1923), 276-85.
  [Siglos XVI y XVII].

JEANNE D'ARC.
1184. Saix, Guillot de: "Jeanne
d'Arc dans la littérature espagnole."
HispF, II (1919), 209-17.
  [Representación en París de una
versión francesa de La poncella de

JEANNE D'ARC (cont.).
Orleans de Zamora. El autor cree
que la comedia debe de ser una refundición de la perdida Poncella de
Francia de Lope de Vega. Da un análisis y excerptos].

JESUITAS.
V. ANÓNIMAS, TRIUNFO DE LOS SANTOS
(1548); LOPE DE VEGA.

JEU DE SCÈNE.
V. MOLIÈRE (1273).

JEUX D'ESPRIT.
V. SONETO DEL SONETO (1444).

"JOB".
V. LIBROS, OWEN (1729).

"JODELET DUELLISTE".
V. SCARRON (1416).

JONSON, BEN.
V. QUELLEN-STUDIEN (1354).

JOVELLANOS, GASPAR MELCHOR DE.
V. CALDERÓN, OBRAS, núm. 2256.

JUANA DE NÁPOLES.
1185. Croce, Benedetto: "La corte
delle tristi regine a Napoli, dal
Cancionero general."
ArchSPN, XIX (1894), 354-75.
a) A. Farinelli, Rass, III (1895),
    37-40.
[Farinelli se refiere en especial
a tres comedias escritas sobre el
tema: La reina de Nápoles de Lope
de Vega; El monstruo de la fortuna,
la lavandera de Nápoles, Felipa Catanea de Calderón, Rojas y Montalván; y la del mismo título atribuída a Rojas, Antonio Coello y Mon-
talván].

———.
1186. Hankiss, János: "Endre és Jo-
hanna a provençal és a spanyol iro-
dalomban." ["Andrés y Juana en las
literaturas provenzal y española"].
EgPK, XLVII (1923), no. 7-10, págs.
245-47.
[Se refiere a La reina Juana de
Nápoles de Lope de Vega].

JUANELO.
1187. Murguía, Manuel: "El artifi-
cio de Juanelo."
MusUniv, II (1858), 51-52.

"JUDÍA DE TOLEDO, LA".
V.t. GRILLPARZER (1118); DIAMANTE,
núm. 2438.

———.
1188. Karpeles, Gustav: "Die Jüdin
von Toledo."
Mag, LVIII (1889), 422-24.
[Las paces de los reyes, de Lope
de Vega, y otras comedias compara-
das con la de Grillparzer].

———.
1189. Wurzbach, Wolfgang von: "Die
'Jüdin von Toledo' in Geschichte
und Dichtung."
JGG, IX (1899), 86-127.

———.
1190. Geiger, Ludwig: "Die Jüdin
von Toledo."
AZJ, LXIV (1900), 45-47.

———.
1191. Görres, F.: "Die Jüdin von
Toledo."
ZWT, XLVI (1903), 606-07.

———.
1192. Lambert, Elie: "Eine Unter-
suchung der Quellen der Jüdin von
Toledo."
JGG, XIX (1910), 61-84.
[La de Grillparzer].

———.
1193. Aschner, S.: "Zur Quellen-
frage der Jüdin von Toledo."
Euph, XIX (1912), 297-301.
[La de Grillparzer].

———.
1194. Holz, Herbert Johann: "Zum
Problem der Jüdin von Toledo."
Scene, XI (1921), no. 6-7, págs.
107-11.

———.
1195. Cirot, Georges: "Alphonse le
Noble et la Juive de Tolède."
BH, XXIV (1922), 289-306.

"Judía de Toledo, La" (cont.).
1196. Lambert, Elie: "Alphonse de
Castille et la Juive de Tolède."
BH, XXV (1923), 371-94.

Judíos.
1197. Besso, Henry V.: "Dramatic
Literature of the Spanish and Portuguese Jews of Amsterdam in the
XVIIth and XVIIIth Centuries."
BH, XXXIX (1937), 215-38; XL (1938),
33-47, 158-75; XLI (1939), 316-44.

———.
1198. Freidus, A. S.: "List of Dra-
mas in the New York Public Library
Relating to the Jews and of Dramas
in Hebrew, Judeo-Spanish, and Judeo-
German; together with Essays on the
Jewish Stage."
BNYPL, XI (1907), 18-51.

Juego.
V.t. Games (1093).

———.
1199. Monreal, Julio: "Costumbres
del siglo XVII. Entre bobos anda el
juego."
IEA, XVII (1873), 202-03, 218-19.
[Trata de los términos empleados
en el juego (naipes, etc.). Reimpreso en sus Cuadros viejos, págs.
315-45. V. LIBROS, núm. 1716].

"Juez protector".
V. Jurisdiction (1200).

Jurídica, Antología.
V. LIBROS, Izquierdo y Martínez
(1670).

Jurisdiction.
1200. Kany, C. E.: "Theatrical
Jurisdiction of the Juez protector
in XVIIIth-Century Madrid."
RevHisp, LXXXI (1933), pte. 2, págs.
382-93.

Justicia.
V.t. Castro, núm. 2364.

———.
1201. Pérez y Pérez, J.: "El ideal
de justicia en la dramática española."
Invest, no. 264 (1950), 17-19.

Juvenel, Félix de.
V. Corneille (937).

Juviles (Granada).
V. "Moros y Cristianos" (1283).

Kaminski, Jan Nepomucen.
1202. Hahn, Victor: "Tłumaczenia
J. N. Kamińskiego z języka hisz-
panskiego." ["Traducciones de la
lengua española debidas a J. N.
Kaminski"].
PamLit, XIX (1920), 93-141.
[Sobre El secreto a voces y El
médico de su honra de Calderón, y
El desdén con el desdén de Moreto].

Kemble, Fanny.
V. ANÓNIMAS, La Estrella de Sevilla (1535).

Kenning.
V. CALDERÓN, núm. 2003.

"King and the Miller of Mansfield,
The".
V. Dodsley (993).

Köln.
V. CALDERÓN, OBRAS, núm. 2191.

"König und Bauer".
V. Wien (1509).

"König Wamba".
V. Wien (1509).

Komedjopisarze.
V. Dramaturgos (1034).

Kreuzholz.
V. Cruz, Invención de la (960-61).

Kritik.
V. Alemania (811).

Laberinto teatral.
V. LIBROS, Bergamín (1577).

Ladislao, El Príncipe.
V. CALDERÓN, núm. 2005.

Ladvenant y Quirante, Francisca.
V. el número 1203.

Ladvenant y Quirante, María.
V.t. LIBROS, Cotarelo (1602).

LADVENANT Y QUIRANTE (cont.).
1203. Juliá Martínez, E.: "María y
Francisca Ladvenant."
BRAE, I (1914), 468-69.
[Partidas de bautismo y de defunción de las célebres actrices del
siglo XVIII].

"LÁGRIMAS POÉTICAS".
1204. Méndez Bejarano, Mario: "Lágrimas poéticas."
HomBonilla (1930), II, 601-13.
[Bibliografía de obras literarias
que tratan del tema de doña Inés de
Castro].

LAITIÈRE.
V. LECHERA.

LARRA, MARIANO JOSÉ DE.
V. LOPE DE VEGA, núm. 3254.

LATIN AMÉRICA.
1205. Baralt, Luis A.: "The Theater
in Latin America."
UMHAS, V (1948), 9-26.

LATINISMOS.
V. SAYAGUÉS (1414).

LATINO, JUAN.
V.t. LIBROS, SPRATLIN (1786).

———.
1206. Rubio, Carlos: "Juan Latino
(El Negro)."
MusUniv, I (1857), 65-66.
[Estudio biográfico del personaje
cuya vida es asunto de la comedia
de Jiménez de Enciso].

———.
1207. Langegg, F. A. Junker von:
"Juan Latino (Jeannes Latinus)."
DRund, LXXV (1893), 107-16.
[Relato histórico; menciona la
comedia de Jiménez de Enciso].

"LAZARILLO DE TORMES".
V. COMENTARIOS (927).

LEALTAD.
V. HONOR (1162).

LECHERA.
V.t. GIL VICENTE, núm. 640.

———.
1207A. Millé y Giménez, Juan: "La
fábula de la lechera al través de
las diversas literaturas."
Nos, XLVIII (1924), 203-25.
[Reimpreso en sus Estudios de
literatura española, págs. 1-32.
V. LIBROS, núm. 1711].

LEGANÉS, JUAN DE.
V.t. MISCELÁNEA ERUDITA, 3ª SERIE
(1258).

———.
1208. Millé y Giménez, Juan: "Juan
de Leganés (una rectificación al
texto de la Vida del Buscón)."
RevAtHA, I, no. 3 (ag-oct, 1918),
150-57.
[Reimpreso en sus Estudios de literatura española, págs. 285-98]

LEGNO DELLA CROCE.
V. CRUZ, INVENCIÓN DE LA (959).

LEMOS, CONDE DE.
1209. Fernández de Béthencourt, F.:
"Un mecenas español del siglo XVII.
El Conde de Lemos."
BAH, LXI (1912), 117-22.
[Sobre el libro de Pardo Manuel
de Villena (V. LIBROS, núm. 1736)].

LENGUAS.
V. FLAMENCO (1079-80); LOPE DE
VEGA, LENGUAS.

LEÓN, FRAY LUIS DE.
V. LOPE DE VEGA, SIMPLE LIFE (3457).

LEONI, GIAMBATTISTA.
V. ITALIA (1181).

LÉRIDA.
V. LOPE DE VEGA, LERIDANAS (3260).

LESSING, GOTTHOLD EPHRAIM.
V.t. THÈSES (1460); CALDERÓN, LIBROS, núm. 2322.

———.
1210. Sauer, August: "Das Phantom
in Lessing's Faust."
VfLG, I (1888), 13-27.
[Sobre la influencia de La vida
es sueño, El mágico prodigioso y En
esta vida... de Calderón].

———.
1211. Minor, Jakob: "Zum Philotas."
ZdPh, XIX (1887), 239-40.
[Sobre la influencia de El prín-
cipe constante de Calderón en el
Philotas de Lessing].

———.
1212. Roethe, Gustav: "Fenix und
Philotas."
VfLG, II (1889), 529-32.
[La relación de las dos piezas de
Lessing con El príncipe constante
de Calderón].

LEYENDAS.
V. BATUECAS (1176), BEATRIZ (1604,
1657), CRUZ, INVENCIÓN DE LA (959-
963), DON CARLOS (994-97), DON JUAN
(998-1029), ESTEFANÍA LA DESDICHADA
(1605), GUANTE (1125A-B), HUESCA
(1165), INFANTES DE LARA (1169-70),
PURGATORIO DE SAN PATRICIO (1344-53),
RAMIRO, EL REY (1363), ROSAMUNDA
(1398), SCHILLER (1422), VIRGINIA
(1496), WAMBA (1332, 1505).

LICITUD.
V. CRUZADA (964), GRANADA (1110);
LIBROS, COTARELO (1599), FLORES
GARCÍA (1636).

"LIFE IS A DREAM", THE THEME.
V. CALDERÓN, OBRAS, núm. 2275.

LIMA.
V.t. LIBROS, LOHMANN VILLENA
(1688-90).

———.
1213. Valle, Rafael Heliodoro: "Teatro en la Lima virreinal."
ND, XXIII (1942), no. 9 (sept.),
pág. 22.
[Sobre el libro de Lohmann Villena, Apuntaciones sobre el arte dramático en Lima... (V. núm. 1688)].

———.
1214. Lohmann Villena, G. y Moglia,
Raúl: "Repertorio de las representaciones teatrales en Lima hasta el
siglo XVIII."
RFH, V (1943), 313-43.

———.
1215. Lohmann Villena, G.: "Las co-

medias del Corpus Christi en Lima,
en los años 1635 y 1636."
BET, VIII (1950), 145-47.

———.
1216. Lohmann Villena, G.: "Las comedias del Corpus Christi en Lima
en 1635 y 1636."
MdelS, IV, no. 11 (mayo-jun, 1950),
21-23.

———.
1217. Lohmann Villena, G.: "Las comedias del Corpus Christi en Lima
en 1635 y 1636."
RevInd, X (1950), 865-68.

"LINDO DON DIEGO" (frase).
V. MIRA DE AMESCUA, núm. 2466.

LIÑÁN DE RIAZA, PEDRO.
V.t. LOPE DE VEGA, núm. 3263.

———.
1218. Montesinos, José F.: "Sobre
unos versos de Pedro Liñán de
Riaza."
RFE, XII (1925), 68-70.
[Unos versos atribuidos a Liñán
en Los Ramilletes de Madrid, de
Lope de Vega].

LÍRICA.
V. POESÍA LÍRICA.

"LISARDO".
V.t. MIRA DE AMESCUA, núm. 2475.

———.
1219. Hill, John M.: "Some Verse of
or about 'Lisardo'."
RevHisp, LXXII (1928), 504-26.

LISTAS DE COMEDIAS.
V. ALEMANIA (814-15), FRAGMENTS
(1066), MANUSCRITOS (1234), REPER-
TORIO; TÍTULOS DE...; TOLEDO (1470).

LITERATURA DRAMATYCZNA.
1220. Rettel, Leonard: "Literatura
dramatyczna hiszpańska."
GazWar, (1858), nos. 192-201 [sobre
los precursores de Lope de Vega];
nos. 218, 220, 224-25, 227 [Lope de
Vega]; nos. 328-30, 334, 341-42,
344; (1859), no. 2 [Tárrega y G. de
Castro]; (1859), nos. 135, 137-39,

141, 143, 149, 187, 191, 194-95, 241-43, 245-46 [sobre Claramonte, Salucio del Poyo, Mira de Amescua, Vélez de Guevara, Belmonte, Montalván y Tirso de Molina].

LOA.
V.t. LIBROS, COTARELO (1601).

————.
1221. Trenti Rocamora, J. Luis: "En torno a la loa santafecina de 1717." EstBA, LXXIX (1948), 204-11.

LOBKOWITZ.
V. CARAMUEL DE LOBKOWITZ.

LÓPEZ DE ÚBEDA, FRANCISCO.
1222. Sánchez Castañer, F.: "Alusiones a la Pícara Justina en el teatro."
RFE, XXV (1941), 225-44.

LÓPEZ DE ZÁRATE, FRANCISCO.
V. MISCELANEA ERUDITA, 1A SERIE (1256).

"LORENZACCIO".
V. JIMÉNEZ DE ENCISO, núm. 2452.

LOTTI, COSME.
V. CALDERÓN, núm. 1873.

"LOVE IN A WOOD".
V. CALDERÓN, núm. 2090.

LUCAS, HIPÓLITO.
V. FRANCIA (1090).

LUCIANO.
V. LOPE DE VEGA, núms. 3302, 3338.

"LUCRÈCE".
V. LOPE DE VEGA, núm. 3765.

LUCRECIA.
1223. Gillet, J. E.: "Lucrecia-Necia."
HR, XV (1947), 120-36.

LUIS XIV DE FRANCIA.
V. CALDERÓN, CORNEILLE (1939).

LUNA, JUAN DE.
V. LOPE DE VEGA, PEAR-TREE STORY (3362).

"LUPO LIVERANI".
V. SAND, GEORGE (1408-10).

LUZÁN, IGNACIO DE.
1224. Banner, J. Worth: "A Comment on Luzán's Observations on the Spanish Comedia."
HomDey (1950), págs. 29-31.

LYRIC THEATRE.
V. MÚSICA (1293).

LYRISME.
1224A. Thomas, Lucien-Paul: "Le Lyrisme et la préciosité cultistes en Espagne. Étude historique et analytique."
ZRP, Beiheft XVIII (1909). Pp. 191. [Sobre el cultismo, anti-cultismo, Góngora, Lope, Jáuregui, etc.].

MACÍAS EL ENAMORADO.
V. LOPE DE VEGA, LARRA (3254).

MACHIAVELLI, NICCOLÒ
V. LIBROS, MEIER (1699).

MADRID.
V.t. JURISDICTION (1200), MÚSICA (1291-92); LIBROS, SEPÚLVEDA (1782); CALDERÓN; RUIZ DE ALARCÓN; TIRSO DE MOLINA; LOPE DE VEGA.

————.
1225. Herrero García, Miguel: "El Madrid de Calderón."
RBAM, II (1925), 110-40 [Loa en metáfora de la piadosa Hermandad del Refugio de Calderón]; 273-301 [Sainete de las calles de Madrid de Quirós]; 482-514 [Baile de las calles de Madrid de Moreto o Calderón; Sainete del Callejón del Infierno, anónimo]; III (1926), 282-329 [Baile de las puertas de Madrid de Moreto o Calderón; Mojiganga de las casas de Madrid de Juan Francisco Tejera; Baile de las casas de Moreto o Calderón]; V (1928), 1-27 [Baile de las posadas de Madrid, anónimo; Baile de los mesones de Lanini].
[Reimpreso en forma ampliada en su libro Madrid en el teatro (1664)].

————.
1226. Cotarelo y Mori, E.: "Las co-

medias en los conventos de Madrid
en el siglo XVII."
RBAM, II (1925), 461-70.

———.

1227. Lorenz, Charlotte M.: "Seventeenth Century Plays in Madrid from
1808-1818."
HR, VI (1938), 324-31.

———.

1228. Adams, Nicholson B.: "Siglo
de Oro Plays in Madrid, 1820-50."
HR, IV (1936), 342-57.

MAEZTU, RAMIRO DE.
1229. Detor y Municio, A.: "Un li-
bro de Maeztu."
CBibl, III (1926), 62-66.
   [Sobre Don Quijote, Don Juan y La
Celestina. V. LIBROS, núm. 1693].

"MAGGIOR MOSTRO DEL MONDO, IL".
   V. ITALIA (1182).

MAGIC.
1230. Waxman, Samuel M.: "Chapters
on Magic in Spanish Literature."
RevHisp, XXXVIII (1916), 325-463.

MÍQUEZ, ISIDORO.
   V. LIBROS, COTARELO (1602).

MAIRENA DEL ALCOR.
   V. CALDERÓN, OBRAS, núm. 2124.

MÁLAGA.
   V. LIBROS, DÍAZ DE ESCOVAR (1617).

"MANDRAGOLA, LA".
   V. LIBROS, MEIER (1699).

MANETTI, ANTONIO.
   V. LOPE DE VEGA, núm. 3140.

MANO AL PECHO.
1231. [Navarro Tomás, Tomás]: "La
mano al pecho."
AEAA, II (1926), 292.
   [Señala un pasaje de Santiago el
verde, de Lope, en el que se refiere a la costumbre de pintar así a
los hombres].

"MAN'S THE MASTER, THE".
   V. D'AVENANT (978).

MANTO.
1232. Monreal, Julio: "Costumbres
del siglo XVII. Lo que tapaba un
manto."
AlmIEA, IX (1882), 134-42.
   [Citas de varias comedias].

MANUSCRITOS.
1233. Artigas, Miguel: "Catálogo de
los manuscritos de la biblioteca."
BBMP, X (1928), 164-92, 267-88,
375-410.
   [Manuscritos de comedias, la mayoría del siglo XVII, en la Biblioteca Menéndez y Pelayo].

———.

1234. Pérez de Guzmán, Juan: "El
arsenal manuscrito del Teatro Español."
IEA, XLIX (1905), t. 1, págs. 35-36,
38.
   [La colección de 4307 obras dramáticas del Teatro Español, ahora
en la Biblioteca Nacional].

———.

1235. Pfandl, Ludwig: "Über einige
spanische Handschriften der Münche-
ner Staatsbibliothek. II) Ein
handschriftlicher Dramenkatalog."
HomMenPidalA (1925), II, 544-49.

MANZONI, ALESSANDRO.
   V.t. LOPE DE VEGA, LIBROS, COTRONEI
(3843), LEVI (3880).

———.

1236. Levi, Ezio: "Il dramma spagnuolo preludio dei Promessi Sposi."
ARAMap, XIII (1933-34), 157-92.
   ["Il tema dei Promessi Sposi ...
si revela con profilo più nitido in
quattro drammi: Peribáñez, El mejor
alcalde el rey, Fuente Ovejuna e El
Alcalde de Zalamea". V. núm. 3880].

MAÑARA, MIGUEL DE.
   V. DON JUAN (1004, 1017, 1029);
CALDERÓN, OBRAS, EL MÁGICO PRODI-
GIOSO (2178).

MARÉCHAL DE BIRON.
   V. PÉREZ DE MONTALVÁN, núm. 2518.

"MARGARITA LA TORNERA".
   V. LIBROS, núms. 1604 y 1657.

MARGUERITE, VICTOR.
V. PARÍS (1319).

MARIANNE.
V. HERODES.

MARINO, GIAMBATTISTA.
V.t. CARTEGGIO (896); LOPE DE VEGA,
MARINO.

———.
1237. Gasparetti, A.: "Ancora un
plaggio del Marino."
BSCC, XVI (1935), 327-37.
[El soneto de Marino, "Esca por-
gea di propria mano un giorno...",
deriva del de Lope de Vega, "Daba
sustento a un pajarillo un día..."].

MARIVAUX, PIERRE DE.
V. BARROCO (863).

MARLOWE, CHRISTOPHER.
V. GOETHE (1103).

"MARQUIS RIDICULE, LE".
V. SCARRON (1417).

MARRUECOS.
1238. García y García, José A.:
"Presencia de Marruecos en el teatro hispánico."
Maur, XXII (1949), no. 260, págs.
154-55; no. 261, págs. 172-74.
[Comienza por estudiar la realidad del hecho histórico sobre el
que está tejido el argumento de El
Príncipe constante de Calderón, y
hace después un somero análisis de
la obra].

MARSTON, JOHN.
V. QUELLEN-STUDIEN (1354).

MARTINI, G. M.
V. TIRSO DE MOLINA, núm. 2870.

MARULLO, MICHELE.
V. MISCELÁNEA ERUDITA, 2ª SERIE
(1257); LOPE DE VEGA, núm. 3293.

MASS.
1239. Wolfe, Bertram D.: "The Mass
as Hero."
MM, VII (1933), 99-104.
[Trata de Fuenteovejuna, de Lope
de Vega, en que el protagonista es

todo un pueblo. V. la breve nota de
F. Sánchez y Escribano en HR, III
(1935), 266].

MASSINGER, PHILIP.
V. INGLATERRA (1180).

MASTERS OF DRAMATIC COMEDY.
V. LIBROS, PERRY (1744).

MAYANS Y SISCAR, GREGORIO.
V. CORNEILLE (945).

MAYORES DRAMATURGOS.
V. GREATEST.

MECENAS.
V. LEMOS, CONDE DE (1209).

"MÉDECIN MALGRÉ LUI, LE".
V. MOLIÈRE (1267).

"MÉDECIN VOLANT, LE".
V. MOLIÈRE (1264, 1268).

MEDEL DEL CASTILLO, FRANCISCO.
1240. Hill, John M.: "Índice general alfabético de todos los títulos
de comedias, de Medel del Castillo."
RevHisp, LXXV (1929), 144-369.

MÉDICO DE SU HONRA.
1241. Cánovas y Vallejo, José: "El
médico de su honra (Estudio crítico)."
IEA, XLIX (1905), t. 2, págs. 290-
291, 294, 314-15.
[Sobre comedias de este tema: El
castigo sin venganza de Lope, El
pintor de su deshonra de Calderón,
etc.].

MEDINILLA, BALTASAR ELISIO DE.
V. LOPE DE VEGA, núms. 3295, 3372.

MEDRANO, JULIÁN [IÑIGUEZ] DE.
V. LOPE DE VEGA, núm. 3454.

MEFISTÓFELES
V. DON JUAN (1019).

MELODRAMA.
V. LIBROS, PÉREZ DE AYALA (1742).

MEN AND ANGELS.
1242. Bourland, Caroline B.: "Of
Men and Angels."

SmithCS, XXI (1939-40), 6-9.
[Sobre los versos 1468-71 de Las
paredes oyen de Ruiz de Alarcón:
"No es, Celia, mi corazón - ángel
en aprehender..." La misma idea,
procedente de Santo Tomás, se halla
en Hamlet (II, 2): "...how like an
angel! in apprehension, how like a
god!"--cuya puntuación, según Bourland, no parece correcta].

MENAECHMI, MENECHMOS (EL TEMA DE).
V. PLAUTO.

MENÉNDEZ Y PELAYO, MARCELINO.
V.t. LOPE DE VEGA, núms. 3296-3300,
3791.

———.

1243. Ríos de Lampérez, Blanca de
los: "Menéndez y Pelayo y la dramática nacional."
RABM, XXVII (1912), 114-207.

MENÉNDEZ PIDAL, RAMÓN.
V. LOPE DE VEGA, núm. 3301.

MENSCHEN.
1244. Köhler, Walther: "Vom Bild
des Menschen in der comedia."
RomJahrb, II (1949), 196-220.

"MENTEUR, LE".
V. CORNEILLE (936).

MENTIDERO.
V.t. GRADAS DE SAN FELIPE (1108).

———.

1245. Sepúlveda, Ricardo: "El Mentidero de Comediantes."
IEA, XXXI (1887), t. 1, págs. 130-
131.
[También en su libro Madrid viejo,
págs. 335-52 (V. LIBROS, núm. 1782)].

MERCED, ORDEN DE LA.
V. TIRSO DE MOLINA.

MERLÍN COCAI.
V. LOPE DE VEGA, núms. 3190, 3302.

MÉTRICA.
1246. Díez Echarri, Emiliano: "Teorías métricas del Siglo de Oro (A-
puntes para la historia del verso
español."

RFE, Anejo XLVII (1949). Pp. 336.
a) Audrey Lumsden, BSS, XXVII
(1950), 62-63.

MÉXICO.
V.t. GAGE, THOMAS (1091), MOROS Y
CRISTIANOS (1277-79); ANÓNIMAS,
DESTRUCCIÓN DE JERUSALEM (1523),
TRIUNFO DE LOS SANTOS (1548); LI-
BROS, MONTERDE (1717).

———.

1247. Millares Carlo, Agustín: "Dos
notas de bibliografía colonial mexicana."
FyL, no. 7 (jul-sept, 1942), 105-07.
[Sobre una obra ajena en la que
aparece una décima de Ruiz de Alar-
cón].

———.

1248. Johnson, Harvey L.: "Notas
relativas a los corrales de la Ciudad de México."
RevIbAmer, III (1941), 133-38.

———.

1249. Sylvia, Esther B.: "The Tenth
Mexican Muse."
MBo, XIV (1939), 443-56.
[Sobre Sor Juana Inés de la Cruz].

———.

1250. Johnson, Harvey L.: "Nuevos
datos para el teatro mexicano en la
primera mitad del siglo XVII: referencias a dramaturgos, comediantes
y representaciones dramáticas."
RFH, IV (1942), 127-51.
[Menciona algunos autos desconocidos de Lope de Vega].

———.

1251. Icaza, Francisco A. de: "Orígenes del teatro en México."
BRAE, II (1915), 57-76.

———.

1252. Monterde, Francisco: "Pasto-
rals and Popular Performances: The
Drama of Viceregal Mexico."
TAM, XXII (1938), 597-606.
[Referencias a Ruiz de Alarcón y
a Sor Juana Inés de la Cruz].

———.

1253. María y Campos, Armando de:

México (cont.).
"El teatro en México antes de Eusebio Vela."
BET, V (1947), 40-48.
[Vela nació 1688, murió 1737].

———.

1254. Spell, J. R.: "The Theater in Mexico City, 1805-1806."
HR, I (1933), 55-65.
[Muchos títulos de comedias aureoseculares].

"MIGAJAS DEL INGENIO".
V. COLECCIÓN (919).

"MIL Y UNA NOCHES, LAS".
V. LOPE DE VEGA, OBRAS, LA DONCELLA TEODOR (3660).

MILAGRO DE BEATRIZ.
V. LIBROS, COTARELO Y VALLEDOR (1604), GUIETTE (1657).

MILANÉS, JOSÉ JACINTO.
V.t. ALARCOS, EL CONDE (807), HISTORIA (1149), SCHLEGEL, FRIEDRICH (1424).

———.

1255. Cañete, Manuel: "Poetas de la Isla de Cuba: José Jacinto Milanés."
AlmIEA, XV (1888), 101-12.

MILTON, JOHN.
V. CALDERÓN, núm. 2050.

"MISANTHROPE, LE".
V. LOPE DE VEGA, EN LISANT (3160).

MISCELÁNEA ERUDITA, 1ª SERIE.
1256. Millé y Giménez, Juan: "Miscelánea erudita. 1ª serie."
RevHisp, LXV (1925), 140-49.
[i) Acerca de la génesis de la Celestina, 140-41; ii) Un memorial de Lope de Vega a Felipe III, 141-144; iii) Una nota a La vida es sueño, 144-45; iv) Poesías de López de Zárate atribuídas a Lope de Vega, 145-49].

MISCELÁNEA ERUDITA, 2ª SERIE.
1257. Millé y Giménez, Juan: "Miscelánea erudita. 2ª serie."
RevHisp, LXVIII (1926), 193-206.
[vii) Lope de Vega y Marullo,

200-01; viii) La fecha de Don Gil de las calzas verdes, 201].

MISCELÁNEA ERUDITA, 3ª SERIE.
1258. Millé y Giménez, Juan: "Miscelánea erudita. 3ª serie."
RBAM, IX (1932), 302-13.
[i) El Comendador Zapata, 302-03 (la zapatilla de la Dorotea [IV, 1] y La niña de plata [Acad. IX, 328b; BAE XXIV, 277a]); iii) Otro ataque de Lope contra Jáuregui, 305 (en El premio del bien hablar, BAE XXIV, 496b); iv) Montalbán, imitador de El buscón, 305-06 (No hay vida como la honra, III, 1, describe un personaje como el Licenciado Cabra); vi) El pretendido viaje a Italia de Lope de Vega, 309-11 (Bances, Schack, etc., misinterpretaron ciertas alusiones); vii) Sobre un pasaje de La Perinola, 311 (Parecido a uno de la Dorotea, IV, 2); viii) Otra mención de Juan de Leganés, 312-13 (en El ingrato arrepentido, Ac. N., VI, 516b].

MISCELÁNEA HISPÁNICA.
1259. Boussagol, Gabriel: "Miscelánea hispánica. III) Por la boca de la herida."
HomMartinenche (1939), págs. 51-52.
[Metáfora empleada por Castro (El amor constante, Las mocedades del Cid, Piedad en la justicia), Corneille (Le Cid) y Shakespeare (Julius Caesar)].

MISTERIOS.
V.t. HUESCA, CATEDRAL DE (1166).

———.

1260. Place, Edwin B.: "A Group of Mystery Plays Found in a Spanish-speaking Region of Southern Colorado."
UColSt, XVIII (1930), 1-8.

MISTICISMO.
V. CALDERÓN; LOPE DE VEGA.

MITOLOGÍA.
V. CALDERÓN; LOPE DE VEGA.

MODAS.
1261. Puiggarí, José: "Modas estrafalarias de tiempo de Calderón."
IEA, XXV (1881), t. 1, pág. 343.

Mojigangas.

Y. LIBROS, Cotarelo (1601).

Molière.

Y.t. Don Juan (1008, 1021); LIBROS, Meier (1699); HURTADO DE MENDOZA, núm. 2448; RUIZ DE ALARCÓN, núm. 2650; TIRSO DE MOLINA, núms. 2723-24, 2728, 2730; LOPE DE VEGA, núm. 3160; ZABALETA, núm. 3952.

1262. Humbert, C.: "Das Urteil des Herrn von Schack über Molière's Femmes savantes."
ASNSL, XXIII (1858), 63-99.
[No hay burlas con el amor de Calderón].

1263. Mahrenholtz, Richard: "Molière in seinem Verhältniss zur spanischen Komödie."
ASNSL, LX (1878), 284-94.
[L'École des maris - La Discreta enamorada; L'Amour médecin - El acero de Madrid; Les Femmes savantes - Los Melindres de Belisa (las tres comedias son de Lope de Vega)].

1264. Delamp, C.: "Les sources de Molière. Deux canevas italiens.— Origines du Médecin volant."
Molier, III (1881-82), 311-14.
[El acero de Madrid, de Lope].

1265. Morel-Fatio, A.: "Le Bourgeois gentilhomme à Madrid en 1680."
Molier, VIII (1886-87), 129-34.
[Sobre el entremés El labrador gentilhombre, que acompañó la representación de El hado y divisa de Leonido y Marfisa de Calderón ante la reina Marie Louise d'Orléans, el 3 de marzo de 1680. Y. Cotarelo, Colección de entremeses... (núm. 1601), I, pág. cxxxiii, y Comedias de Calderón, IV (BAE, XIV), 393-94].

1266. Martinenche, Ernest: "Les sources de L'École des maris."
RHLF, V (1898), 110-16.
[El marido hace mujer de Antonio Hurtado de Mendoza, entre otras].

1267. Kugel, August: "Untersuchungen zu Molière's Médecin malgré lui."
ZFSL, XX (1898), 1-71.
[La fuente es El acero de Madrid de Lope de Vega].

1268. Young, M. V.: "Molière's Stegreifkomödien, im besonderen Le médecin volant."
ZFSL, XXII (1900), 190-229.
[El acero de Madrid no es su fuente; las dos comedias son de una fuente común].

1269. Stiefel, Arthur L.: "Die Nachahmung italienischer Dramen bei einigen Vorläufern Molières."
ZFSL, XXVII (1904), 189-265.
[Los muertos vivos de Lope de Vega no es fuente de I morti vivi de Oddi ni de Les morts vivants de D'Ouville].

1270. Morley, S. G.: "Notes on Spanish Sources of Molière."
PMLA, XIX (1904), 270-90.

1271. Stiefel, Arthur L.: "Über angebliche Beziehungen Molières und Tristan L'Hermites zum spanischen Drama."
SVL, VI (1906), 234-37.
[El Marqués de Alfarache, entremés atribuido a Lope de Vega].

1272. Becker, Philipp August: "Neue Molière-Literatur."
DLZ, XXIX (1908), col. 1029-39.
[Artículo crítico sobre el libro de G. Huszar, Molière et l'Espagne (núm. 1668)].

1273. Parker, J. H.: "A Possible Source of a jeu de scène in Molière's École des maris."
MLN, LV (1940), 453-54.
[No hay vida como la honra, de Pérez de Montalván].

MONOGRAFÍA.

1274. Castillo y Alba, Enrique del:
"Ensayo de una monografía de obras,
así nacionales como estrangeras,
referentes a literatura dramática y
a teatros, y de periódicos españoles exclusivamente teatrales."
InstC, XXVIII (1881), 39-45.
[Una lista de autores por orden
alfabético, desde Alcalá Galiano,
Don José, hasta Arteaga, Padre Es-
teban].

MORA, JOSÉ JOAQUÍN DE.
V. THÈSES (1460).

MORAL.
V. EDUCACIÓN (1038); LIBROS, CUETO
(1611); CALDERÓN, MORAL, Moralista;
RUIZ DE ALARCÓN, MORAL.

MORATÍN, LEANDRO FERNÁNDEZ DE.
V. LOPE DE VEGA, núm. 3313.

MOREL-FATIO, ALFRED.
1275. Armas y Cárdenas, José de:
"Un discurso de Morel-Fatio."
RCub, I (1885), 385-90.
[Sobre su libro La comédie es-
pagnole du XVIIe siècle (núm. 1721)].

"MOROS Y CRISTIANOS".
V.t. AMÉRICA (824); ANÓNIMAS, núm.
1543; LIBROS, GARCÍA FIGUERAS (1639,
1640).

————.
1276. Dale, George I.: "The Religious Element in the 'Comedias de
moros y cristianos' of the Golden
Age."
WaUH, VII (1919), 31-45.
a) W. S. Hendrix, ModPhil, XVII
(1919-20), 667-68.

————.
1277. Ricard, Robert: "Contribution
à l'étude des fêtes de 'Moros y
cristianos' au Mexique."
JSA, ns XXIV (1932), 51-84.
a) M. Bataillon, BH, XXXIV (1932),
350-51.

————.
1278. Ricard, Robert: "Les fêtes de
'Moros y cristianos' au Mexique
(Addition)."
JSA, ns XXIV (1932), 287-91.

————.
1279. Ricard, Robert: "Encore les
fêtes de 'Moros y cristianos' au
Mexique."
JSA, ns XXIX (1937), 220-27.

————.
1280. Ricard, Robert: "Notes pour
un inventaire des fêtes de 'Moros y
cristianos' en Espagne."
BH, XL (1938), 311-12.

————.
1281. Ricard, Robert: "Encore les
fêtes de 'Moros y cristianos' en
Espagne."
BH, XLVII (1945), 123.

————.
1282. Ramón y Fernández, José: "Com-
bate entre moros y cristianos en la
Sainza (Orense)."
RDTP, I (1944-45), 554-60.

————.
1283. Ricard, Robert: "Les fêtes de
'Moros y cristianos' à Juviles
(Prov. de Grenade)."
BH, XLVIII (1946), 263-64.

————.
1284. Ricard, Robert: "'Maures et
chrétiens' au Brésil."
BH, LI (1949), 334-38.

————.
1285. Bataillon, M.: "Por un inven-
tario de las fiestas de Moros y
Cristianos: otro toque de atención."
MdelS, III, no. 8 (nov-dic, 1949),
1-8.

MOROS Y ESPAÑOLES.
V. LOPE DE VEGA, OBRAS, EL REMEDIO
EN LA DESDICHA (3792).

"MORTE VIVANTE, LA".
V. LIBROS, HAUVETTE (1657C).

"MORTI VIVI, I".
V. MOLIÈRE (1269).

"MORTS VIVANTS, LES".
V. MOLIÈRE (1269).

"MOSCATEL".
1286. Anibal, Claude E.: "Moscatel."

Hisp, First Special Number (1934), 3-18.
[Ejemplos de su uso en la comedia].

MOSCHUS.
1287. Hutton, James: "The First Idyll of Moschus in Imitations to the Year 1800."
AJP, XLIX (1928), 105-36.
[En las págs. 123-24 se menciona la Frágua de amor de Gil Vicente].

MOSQUERA, MANUEL DE.
V. LIBROS, FLORES GARCÍA (1636).

MOTIVO EROICO, UN.
V. CARPIO (894), CID (906), INFANTES DE LARA (1170).

MOZART, WOLFGANG AMADEUS.
V. TIRSO DE MOLINA, núm. 2859.

MUDA POESÍA.
V. POESÍA, núm. 1333.

MÜNCHEN.
V. BIBLIOGRAFÍA (869), MANUSCRITOS (1235); LOPE DE VEGA, OBRAS, núm. 3655.

MUNÁRRIZ, JOSÉ MARÍA.
V. LOPE DE VEGA, BLAIR (3011).

MUNDO, IMAGEN DEL.
V. CALDERÓN, núms. 1936, 2089; LOPE DE VEGA, núm. 3556.

MUNICIPIO.
1288. Duplessis, Gustavo: "La glorificación del municipio en la literatura española."
RevHab, IV (1944), 55-67.
[Principalmente sobre los aspectos de la vida municipal en Lope y en Calderón. Tres páginas sobre Quintana y Zorrilla].

MUNICH.
V. MÜNCHEN.

MUSE.
V. MÉXICO (1249).

MÚSICA.
V.t. ROMANCERO (1393); LIBROS, SUBIRÁ (1787); CALDERÓN, núms. 2018, 2136; LOPE DE VEGA, 3323-25, 3807.

1289. Vincent, C. E.: "Du rôle de la musique dans le théâtre espagnol."
RIMus, X (1898), 583-600.

1290. Pedrell, Felipe: "La musique indigène dans le théâtre espagnol du XVIIe siècle."
SIMG, V (1903-04), 46-90.

1291. Subirá, José: "La participación musical en los sainetes madrileños durante el siglo XVIII."
RBAM, IV (1927), 1-14.

1292. Subirá, José: "La participación musical en las comedias madrileñas durante el siglo XVIII."
RBAM, VII (1930), 109-23; 389-404.

1293. Chase, Gilbert: "Origins of the Lyric Theatre in Spain."
MusQ, XXV (1939), 292-305.

1294. Livermore, Ann: "The Spanish Dramatists and Their Use of Music."
MandL, XXV (1944), 140-49.

MUSSET, ALFRED DE.
V. JIMÉNEZ DE ENCISO, núm. 2452; LOPE DE VEGA, núm. 3160.

MYSTERY PLAYS.
V. MISTERIOS (1260).

NACIONALISMO.
V. SENTIDO (1429).

NACHAHMUNG ITALIENISCHER DRAMEN.
V. MOLIÈRE (1269).

NACHAHMUNG SPANISCHER KOMÖDIEN.
V. INGLATERRA (1179); LIBROS, TENNER (1788).

NAJZNAKOMITSI KOMEDJOPISARZE.
V. DRAMATURGOS (1034, 1034A).

NÁPOLES.
V. JUANA DE NÁPOLES (1185-86), SANTOS, COMEDIAS DE (1412); LIBROS, CROCE (1609); TIRSO DE MOLINA, núm. 2744.

"NATURA È BELLA (PER TROPPO VARIAR)"
V. VERSO ITALIANO (1490-92).

NAVARRETE, MARÍA DE.
1295. Díaz de Escovar, N.: "Recuerdos del antiguo teatro granadino: María de Navarrete."
Alham, XVIII (1915), 521-23.

NECIA.
V. LUCRECIA.(1223).

NEDERLAND, NEDERLANDSCHE.
V. PAÍSES BAJOS.

NEGRO.
V.t. AGUADO, SIMÓN (1813).

———.
1296. Ortiz, F.: "El negro en el teatro español."
Ultra, IV (1938), 553-55.

NEOCLÁSICO.
1297. Rogers, Paul Patrick: "A Note on the Neo-Classic Controversy in Spain."
PQ, XI (1932), 85-87.

———.
1298. Qualia, Charles B.:"The Campaign to Substitute French Neo-Classic Tragedy for the Comedia."
PMLA, LIV (1939), 184-211.

NEUES.
1299. Mahrenholtz, Richard: "Ein neues spanische Stück."
ASNSL, LXIV (1880), 229.
[El Burlador de Sevilla y El Convidado de piedra se tienen equivocadamente por dos comedias distintas].

NEW SPAIN.
V. NUEVA ESPAÑA (1303).

NEW YORK PUBLIC LIBRARY.
V. JUDÍOS (1198).

NOBLEZA.
V. LOPE DE VEGA, núms. 3334-37; ZABALETA, núm. 3951.

NOCTURNOS.
V. ACADEMIA (802).

"NOTAS DE LITERATURA ESPAÑOLA."
V. AUTO SACRAMENTAL (850); LOPE DE VEGA, OBRAS, EL PEREGRINO EN SU PATRIA (3763).

"NOTAS DE UN LECTOR".
V. TIRSO DE MOLINA, OBRAS, EL CELOSO PRUDENTE (2872); LOPE DE VEGA, TEMAS, "FAMA PÓSTUMA" (3181), SANTA CRUZ, MELCHOR DE (3441); OBRAS, AMAR COMO SE HA DE AMAR (3583).

"NOTES ON THE SPANISH DRAMA".
V.t. MIRA DE AMESCUA, NOTES (2466).

———.
1300. Chorley, John Rutter: "Notes on the National Drama of Spain."
Fras, LIX (1859), 543-57; LX (1859), 49-71, 314-30, 423-34.
[Análisis histórico-literario].

———.
1301. Buchanan, Milton A.: "Notes on the Spanish Drama: The Case of Calderón's La vida es sueño. The Cloak Episode in Lope's El honrado hermano. Was Tirso One of the Authors of El caballero de Olmedo?"
MLN, XXII (1907), 215-18.
[El "cloak episode" (cuento de la capa) se halla también en los Apotecmas de Santa Cruz. Al final de El caballero de Olmedo hay tres nombres: Carrero, Telles y Salas; Stiefel se refiere a ellos en su reseña de Ocho comedias... de Schaeffer (V. núm. 1774a)].

NOTICIAS.
V.t. CALDERÓN, REPRESENTACIONES (2049).

———.
1302. Pérez Pastor, C.: "Noticias y documentos relativos a la historia y literatura españolas."
MemRA, X (1911), 9-307.
[Sobre los dramaturgos Bances Candamo, Calderón, Cáncer, Cañizares, Caro de Mallén, Castro, Cervantes, Coello, Cubillo, Cuéllar, Diamante, Figueroa y Córdoba, Hoz y Mota, Jiménez de Enciso, Lanini Sagredo, Matos, Moreto, Rojas Zorrilla, Ruiz de Alarcón, Lope de Vega, Vélez, Zabaleta, Zamora].

Nueva España.
1303. Spell, J. R.: "The Theater in New Spain in the Early Eighteenth Century."
HR, XV (1947), 137-64.

Nuevos datos...
V. Biografía (871), Histrionismo (1152-53).

Oberlin College.
V. Libros, Rogers (1765-66).

Octosílabo.
1304. Morley, S. G.: "A Note on the Spanish Octosyllable."
MLN, XLI (1926), 182-84.

———.
1305. Morley, S. G.: "Otra vez sobre el octosílabo castellano."
RFE, XIII (1926), 287-88.

———.
1306. Clarke, Dorothy Clotelle: "The Spanish Octosyllable."
HR, X (1942), 1-11.

Oddi, Sforza.
V. Molière (1269).

"Oíd, pastores de Henares".
V. Romance (1390-91).

Ojo postizo.
1307. Schoute, G. J.: "El ojo postizo en la literatura española."
ArOfHA, XXXIII (1933), 514-17.
[A base de una referencia en Los Melindres de Belisa, de Lope de Vega, el autor colige que los ojos postizos se conocían en España antes que en otros países].

Olivares, El Conde-Duque.
V. Calderón, núm. 2037.

Olmedo, Alonso de.
1308. Díaz de Escovar, N.: "Algunos datos sobre el antiguo autor de comedias Alonso de Olmedo."
CD, LXXIX (1909), 280-87, 377-84, 475-83, 564-71.

"Olvidar el remedio".
V. "Era el remedio olvidar" (1051).

Ollivier, Albert.
V. Anónimas, La Estrella de Sevilla (1537).

"Ombre du Comte de Gormas, L'".
V. Cid (905).

Omen.
V. Agüeros.

Ópera.
V.t. Hidalgo, Juan (1135); Libros, Cotarelo (1603); Calderón, Obras, Celos aun del aire matan (2136).

———.
1309. Reiff, A.: "Die Anfänge der Oper in Spanien mit Textproben."
Spanien, I (1919), 175-93.

Orestes.
V. Hijos vengadores (1136-37).

Orfeo.
V. Libros, Cabañas (1582A).

Origen.
1310. Cánovas del Castillo, A.: "Del verdadero origen, historia y renacimiento en el siglo presente del genuino teatro español."
En su libro Artes y letras, págs. 111-321. [V. Libros, núm. 1586].

Orlando.
V. Roland (1385).

"Orlando Furioso".
V.t. LOPE DE VEGA.

———.
1311. Parducci, Amos: "La fortuna dell' Orlando Furioso nel teatro spagnolo."
GSLI, Suppl. XXVI (1937). Pp. 256.

———.
1312. "L' Orlando Furioso nel teatro spagnolo."
RivIT, Anno II (1938), vol. 1, págs. 246-47.
[En la sección "Giornali e riviste." Es un resumen del núm. 1311].

"Orlando Innamorato".
V. Boiardo, Matteo Maria (875).

OROZCO, BEATO ALONSO DE.
V. LOPE DE VEGA, núm. 3350.

ORTIZ DE VILLAZÁN, CRISTÓBAL.
1313. Díaz de Escovar, N.: "Antiguos comediantes españoles. Ortiz
de Villazán (Cristóbal)."
BAH, LXXXVI (1925), 252-59.
    [Murió 1626].

ORTOEPÍA.
    V. TIRSO DE MOLINA, ORTOEPÍA (2766);
LOPE DE VEGA, INTERNAL LINE (3242),
ORTOLOGÍA (3351); VÉLEZ DE GUEVARA,
ORTOEPÍA (3932).

OSUNA, DUQUE DE.
    V. TIRSO DE MOLINA, núms. 2767-68,
2909; LOPE DE VEGA, núms. 3352,
3493.

"OTHELLO".
    V. CALDERÓN, núms. 2186-87, 2290;
LOPE DE VEGA, núm. 3500.

PAGEANTRY.
1314. Shepard, Isabel S.: "Spain's
Great Century of Pageantry and Drama."
Drama, VIII (1918), 139-46.
    [Relato superficial sobre Cervan-
tes, Lope de Vega y Calderón].

PAÍSES BAJOS.
    V.t. LIBROS, GOSSART (1651-52),
PRAAG, J. A. VAN (1749); LOPE DE
VEGA.

──────.
1315. Winkel, J. te: "De invloed
der Spaansche Letterkunde op de
Nederlandsche in de zeventiende
eeuw."
TijdNTL, I (1881), 59-114.
    [Lope, págs. 69, 94; Pérez de
Montalván, 98; Calderón, 99; Moreto,
102, y otros dramaturgos].

──────.
1316. Nauta, G. A.: "De Nederlandsche Opstand in de Spaansche Let-
teren."
Gids, (Año 1930), tomo IV, págs.
245-75, 326-46.

"PALABRA EN DESUSO".
    V. "FILICIDA" (1076).

PALERMO.
    V.t. SOLÍS, núm. 2662.

──────.
1317. Gasparetti, Antonio: "Una
commedia spagnuola di ambiente palermitano."
AnnRLGGM, (1929), 47-59.
    [El Anzuelo de Fenisa].

PALMA DE MALLORCA.
    V. CASA DE COMEDIAS (897).

PAN.
    V. TIRSO DE MOLINA, OBRAS, LA VI-
LLANA DE VALLECAS (2924A).

PARÍS.
    V.t. CALDERÓN, OBRAS, EL MÉDICO DE
SU HONRA (2188-89).

──────.
1318. "Teatro español en París."
RCHLE, II (1897), 394.
    [María Guerrero ha de aparecer,
probablemente, en La niña boba, El
desdén con el desdén, El Alcalde de
Zalamea, La Verdad sospechosa, El
Castigo sin venganza, El Vergonzoso
en palacio, etc.].

──────.
1319. Rouanet, Léo: "El teatro español en París."
RCHLE, III (1898), 349-51.
    [Se trata principalmente de una
adaptación francesa (La Double méprise de Victor Marguerite) de No
siempre lo peor es cierto de Calde-
rón].

"PARISINA".
    V. BYRON (880).

PARMA.
    V. COLECCIÓN (918).

──────.
1319A. "Una commedia spagnuola in-
edita del secolo XVII tratta dalla
collezione di Parma."
BiblioFF, XX (1918), 62-63.
    [Es una reseña de la edición de
Las burlas veras de Lope de Vega
hecha por Rosenberg (núm. 3609), y
alude también a la de igual título
de Armendáriz (núm. 1821)].

"PARTES".
V. COLECCIÓN, "ESCOGIDAS", RARIS-
SIMUM, SCHAEFFER.

"PARTINUPLÉS DE BLES".
V. TIRSO DE MOLINA, núm. 2846, 2903.

PASCA, GIOVANNI BATTISTA.
V. ITALIA (1181); TIRSO DE MOLINA,
núm. 2771.

PASTIMES.
V. GAMES (1093).

PASTORAL.
V.t. MÉXICO (1252), DESARROLLO
(986).

———.
1320. Crawford, J.P.W.: "The Spanish Pastoral Drama."
UPRLL, Extra No. 4 (1915). Pp. 126.
a) A. Hämel, LGRP, XLIV (1923),
    col. 43.

PATRIOTISMO.
V. LOPE DE VEGA, OBRAS, EL BRASIL
RESTITUIDO (3606).

"PECOREA, SALIR A".
1320A. Herrero García, M.: "Pecorea."
BibHisp, VIII, no. 8-9 (ag-sept,
1949), 100-02.
[Sobre la significación de la
frase "salir (o ir) a pecorea." Se
presentan ejemplos de varias come-
dias].

PEDRO I.
1321. Lomba y Pedraja, José R.: "El
Rey D. Pedro en el teatro."
HomMenPelayo (1899), II, 257-339.

"PER TROPPO VARIAR, NATURA È BELLA".
V. VERSO ITALIANO (1490-92).

PEREDA, JOSÉ MARÍA.
V. ENTREMÉS (1050).

"PERFILES ESCÉNICOS DEL PASADO".
V. BENAVIDES, JUAN, núm. 1838.

"PERINOLA, LA"
V. MISCELÁNEA ERUDITA, 3ª SERIE
(1258).

PERIÓDICOS.
V. BIBLIOGRAFÍA (870).

PERRUCCI, ANDREA.
V. ITALIA (1181).

PERSONAJES.
V. RÉVOLTE (1381).

PERÚ, EL.
V. LIBROS, MIRÓ QUESADA (1712);
TIRSO DE MOLINA, núm. 2773.

PHENOMENON.
V. VERSE (1489).

PHILADELPHIA.
1322. Spell, J. R.: "Hispanic Con-
tributions to the Early Theater in
Philadelphia."
HR, IX (1941), 192-98.
[Adaptaciones de Cervantes y de
Calderón].

"PHILOTAS".
V. LESSING, GOTTHOLD EPHRAIM (1211-
1212).

"PÍCARA JUSTINA, LA".
V. LÓPEZ DE ÚBEDA, FRANCISCO (1222).

PICARESCO.
V. LIBROS, MONTOLIU (1718).

PILAR, VIRGEN DEL.
V. TIRSO DE MOLINA, núm. 2774.

———.
1323. Valbuena Prat, A.: "Un auto
de la Virgen del Pilar en el siglo
XVII."
UnivZ, XVIII (1941), 551-55.

PINEDO, BALTASAR DE.
1324. Díaz de Escovar, N.: "Comediantes del siglo XVII. Baltasar de
Pinedo."
BAH, XCII (1928), 162-74.

PINTURA.
V. POESÍA (1333); CALDERÓN, núms.
2010-11; LOPE DE VEGA, núms. 2981,
3370-71.

PIRANDELLO, LUIGI.
V. CALDERÓN, núm. 2032.

PIZARRO, FRANCISCO Y GONZALO.
V.t. TIRSO DE MOLINA, núms. 2710,
2775-76.

PIZARRO (cont.).

1325. Lohmann Villena, G.:"Francisco Pizarro en el teatro clásico español."
MercPer, XXIII (1941), 549-56.

————.

1326. Lohmann Villena, G.: "Francisco Pizarro en el teatro clásico español."
Arbor, V (1946), 425-34.
[Igual al precedente, con unas pocas variantes en el texto].

PLAGIO.
V. ENTREMÉS (1046); TIRSO DE MOLINA, núms. 2777-78; LOPE DE VEGA, núm. 3372.

PLATA, RÍO DE LA.
1327. Jones, Willis K.: "Beginnings of River Plate Drama."
Hisp, XXIV (1941), 79-90.

————.

1328. Dreidemnie, Oscar J.: "Los orígenes del teatro en las regiones de la Plata."
EstBA, LVII (1937), 61-80.

PLAUTO.
V.t. RUIZ DE ALARCÓN, núm. 2600; LOPE DE VEGA, OBRAS, núm. 3757.

————.

1329. Varona, Enrique José: "Literatura comparada. Los Menecmos de Plauto y sus imitaciones modernas."
RdCuba, III (1878), 296-309.
[Referencias a Los engañados de Lope de Rueda, El castigo del penseque de Tirso de Molina, El parecido en la corte de Moreto y El semejante a sí mismo de Ruiz de Alarcón].

PLAYWRIGHTS.
1330. Matthews, Brander: "Playwrights on Playwriting."
MAR, CCXII (jul-dic, 1920), 552-60.
[Sobre dramaturgos que han criticado el teatro, y críticos que han sido dramaturgos. Se refiere a Lope de Vega].

————.

1331. Matthews, Brander: "Dramas y dramaturgos."
IntAm, IV (1920), 276-80.
[Traducción del artículo precedente].

PLOUGHMAN KING, THE.
1332. Krappe, Alexander H.: "The Ploughman King, a Comparative Study in Literature and Folklore."
RevHisp, XLVI (1919), 516-46; LVI (1922), 265-84.
[Trata de la leyenda del rey Wamba. V.t. WAMBA (1505)].

POESÍA.
V.t. COLOR (925).

————.

1333. Orozco Díaz, Emilio: "La muda poesía y la elocuente pintura."
Esc, IV, no. 10 (ag, 1941), 282-90.
[Reimpreso en su libro Temas del barroco de poesía y pintura, págs. 39-52. V. BARROCO (864)].

POESÍA DRAMÁTICA.
V. HISTORIA (1145), UNIDADES (1178), VERSE (1489); LIBROS, CANALEJAS (1583), CANO Y MASAS (1585).

POESÍA LÍRICA.
V. LIBROS, CATALINA (1595).

POLONIA.
1334. Goldman, Jean: "La philologie romane en Pologne."
ANeo, II (1937), 71-333.
[Trata de las literaturas española, francesa, italiana, portuguesa y rumana desde los principios hasta la fecha. De este estudio hemos sacado nuestros datos sobre artículos escritos en polaco: los núms. 1034, 1034A, 1147, 1202, 1220, 1890, 2005, 2042, 2072, 2073, 2201, 3085, 3093].

POPULAR APPEAL.
1335. Leavitt, Sturgis E.: "The Popular Appeal of Golden Age Drama in Spain."
UNCEB, XXVIII (1949), no. 3, págs. 7-15.
a) G. E. Wade, Filol, I (1949), 207-08.

POPULAR PERFORMANCES.
V. MÉXICO (1252).

PORTEÑO.
1336. Trenti Rocamora, J. Luis: "El teatro porteño durante el período hispánico."
EstBA, LXXVIII (1947), 408-34.

PORTUGAL.
V.t. TIRSO DE MOLINA; LOPE DE VEGA.

————.
1337. Costa Pimpão, Álvaro Júlio da: "A literatura dramática em Portugal no século XVII."
Bret, XXX (1940), 205-13.
[Ediciones y representaciones castellanas en Portugal].

POSTILLE ISPANO-ITALIANE.
V. núm. 1097B.

POTOSÍ.
1338. Moglia, Raúl: "Representación escénica en Potosí en 1663."
RFH, V (1943), 166-67.

PRADO, SEBASTIÁN DEL.
1339. "Sebastián del Prado."
SemPintEsp, (1851), 187-88.
[Biografía del actor].

————.
1340. Cotarelo y Mori, E.: "Actores famosos del siglo XVII: Sebastián de Prado y su mujer Bernarda Rodríguez."
BRAE, II (1915), 251-93, 425-57, 583-621; III (1916), 3-38, 151-85.

PRECEPTISMO.
V. LIBROS, CANO Y MASAS (1585).

PRECIOSITÉ.
V. LYRISME (1224A).

PREFERENCIAS.
V. VALENCIA (1485).

PRERROMÁNTICO.
1341. Rogers, Paul P.: "The Drama of Pre-Romantic Spain."
RR, XXI (1930), 315-24.

PRESSE ESPAGNOLE.
V. BÉLGICA (865).

PREUSSISCHE STAATSBIBLIOTHEK.
V. LIBROS, SPANISCHES THEATER (1785).

PRÍAMO.
V. BURCHIELLO (879).

PRIMALEÓN.
V. COURTLY CID (953), DRAMATIZACIÓN (1032).

PRIMERA COMPAÑÍA.
V. AMÉRICA (821-23).

"PRINCIPESSA FILOSOFA, LA."
V. MORETO, OBRAS, ELDESDÉN CON EL DESDÉN (2499).

"PRINGAR".
V. COMENTARIOS (927).

"PROMESSI SPOSI, I".
V. MANZONI, ALESSANDRO.

"PROMETHEUS VINCTUS".
V. LIBROS, OWEN (1729).

PRONOMBRES.
V. ÉL Y ELLA (1041), VUESTRA MERCED (1502-04).

PROTOTYPES, SPANISH.
V. LIBROS, FREY (1638).

PROVENZAL.
V. JUANA DE NÁPOLES (1186).

PROVERBIOS.
V. CALDERÓN; TIRSO DE MOLINA; LOPE DE VEGA.

PSIQUIS, PSYCHÉ.
V. LIBROS, BONILLA (1581A), LATOUR (1682).

"PUEBLOS EN FRANCIA".
1342. Pérez y González, Felipe: "Châteaux en Espagne y pueblos en Francia."
IEA, LI (1907), t. 1, págs. 303-04.

PUERTO RICO.
1343. Rosa Nieves, Cesáreo: "Notas para los orígenes de las representaciones dramáticas en Puerto Rico."
Asom, VI (1950), no. 1, págs. 63-77.

PUNTUACIÓN.
V. MEN AND ANGELS (1242); CALDERÓN, núm. 1904.

PURGATORIO DE SAN PATRICIO.
V.t. DON JUAN (1025); LIBROS, ZAN-
DEN (1812).

1344. A.: "El Purgatorio de San Pa-
tricio."
MusUniv, IX (1865), 58-59.
  [Descripción del sitio en Irlanda].

1345. Kölbing, Eugen: "Zwei mittel-
englische Bearbeitungen der Sage
von St. Patriks Purgatorium."
EngSt, I (1877), 57-121.

1346. Smith, L. Toulmin: "St. Pa-
trick's Purgatory, and the Knight,
Sir Owen."
EngSt, IX (1886), 1-12.

1346A. Frati, L.: "Tradizioni sto-
riche del purgatorio di San Patri-
zio."
GSLI, XVII (1891), 46-79.

1347. Mörner, Marianne: "Le Purgatoire de Saint Patrice, du manuscrit de la Bibliothèque Nationale
Fonds français 25545."
Lund, ns XVI (1920), no. 4. Págs.
i-xxvii, 1-62.
  [Poema de fines del siglo XIII].

1348. García Solalinde, Antonio:
"La primera versión española de 'El
Purgatorio de San Patricio' y la
difusión de esta leyenda en España."
HomMenPidalA (1925), II, 219-57.

1349. Zanden, C. M. van den: "Autour d'un manuscrit latin du 'Purgatoire de Saint Patrice' de la
Bibliothèque de l'Université."
Neophil, X (1925), 243-49.

1350. Mulertt, W.: "Die Patrick-
legende in spanischen Flores Sanctorum."
ZRP, XLVI (1926), 342-55.

—————.
1351. Ryan, John: "St. Patrick's
Purgatory."
Stud, XXI (1932), 443-60.
  [Datos sobre Lough Derg, sitio de
la cueva de San Patricio].

—————.
1352. MacBride, Patrick: "St. Patrick's Purgatory in Spanish Literature."
Stud, XXV (1936), 277-91.
  [Se refiere al hallazgo de un manuscrito antes desconocido].

—————.
1353. Avalle Arce, Juan B.: "Sobre
la difusión de la leyenda del Purgatorio de San Patricio en España."
NRFH, II (1948), 195-96.

QUELLEN.
V. DON JUAN (1026), GRILLPARZER
(1117), INGLATERRA (1175), SCARRON
(1416-17), UHLAND (1477).

QUELLEN-STUDIEN.
1354. Koeppel, Emil: "Quellen-Stu-
dien zu den Dramen Ben Jonson's,
John Marston's und Beaumont's und
Fletcher's."
MBREP, XI (1895). Pp. viii, 158.
  [El peregrino en su patria de
Lope de Vega, etc.].
a) A. L. Stiefel, ZVL, XII (1898),
   241-53.

QUICHÉ.
V. GUATEMALA (1126).

"QUIJOTE".
V.t. GRAN TEATRO DEL MUNDO (1109),
MAEZTU (1229); LIBROS, MAEZTU
(1693); CALDERÓN, núm. 2038.

—————.
1355. LaGrone, Gregory G.: "The
Imitations of Don Quixote in the
Spanish Drama."
UPRLL, no. 27 (1937). Pp. 145.
a) C. E. Anibal, RR, XXIX (1938),
   83-84.
b) E. J. Crooks, MLN, LIV (1939),
   228-29.
c) E. Juliá Martínez, RFE, XXVI
   (1942), 110-12.
d) F. C. Tarr, HR, VI (1938), 168-74.

e) W. J. Entwistle, MLR, XXXIII
   (1938), 322.
f) C. J. Winter, RAbr, XII (1938),
   374-75.
g) Hans Jeschke, LGRP, LXI (1940),
   col. 51-53.

"QUIJOTE" DE AVELLANEDA.
  V.t. CASTRO; TIRSO DE MOLINA; LOPE
DE VEGA.

————:

1356. Castro y Rossi, Adolfo de:
"Un enigma literario. El Quijote
de Avellaneda. Novísimas investigaciones. La clave."
EspMod, I (abr, 1889), 157-85.
  [Lo atribuye a Juan Ruiz de Alar-
cón].

————.

1357. Cotarelo y Mori, E.: "Sobre
el Quijote de Avellaneda y acerca
de su verdadero autor."
BRAE, XXI (1934), 339-56.
  [Cree que es Guillén de Castro.
V. LIBROS, Martínez y Martínez
(2388-89)].

"QUILLOTRO".
1358. Romera-Navarro, M.: "Quillotro
y sus variantes."
HR, II (1934), 217-25.
  [Muchos ejemplos encontrados en la
comedia].

QUINTANA, MANUEL JOSÉ.
  V. MUNICIPIO (1288).

QUINTILLA.
1359. Clarke, Dorothy Clotelle:
"Sobre la quintilla."
RFE, XX (1933), 288-95.

"RABINAL".
  V. GUATEMALA (1126).

RACINE, JEAN.
  V.t. BARROCO (863); LIBROS, MARTI-
NENCHE (1697); CAÑIZARES, núm. 2342;
LOPE DE VEGA, ESTER (3175).

————.

1360. Qualia, Charles B.: "Racine's
Tragic Art in Spain."
PMLA, LIV (1939), 1059-76.

"RACHEL OU LA BELLE JUIVE".
  V. GRILLPARZER (1118).

RAÍCES POÉTICAS.
1361. Bergamín, José: "Las raíces
poéticas del 'Teatro independiente
español y revolucionario del XVII.'"
BBMP, XIII (1931), 223-60.

RAIMONDI, LUCA.
  V. LOPE DE VEGA, núm. 3407.

RAMBACH, FRIEDRICH EBERHARD.
  V. ALARCOS, CONDE DE (808), SCHLE-
GEL, FRIEDRICH (1424).

RAMIRO, EL REY.
1362. Parmelee, Katharine Ward:
"The Legend of King Ramiro."
RR, XI (1920), 82-86.
  [Es la base de la comedia La cam-
pana de Aragón, de Lope de Vega].

RANA, JUAN.
  V. LIBROS, COTARELO Y MORI (1601).

RARISSIMUM.
1363. Stubenrauch, Herbert: "Ein
spanisches Rarissimum."
ZfB, Jg. XXXVI, 3. Folge, Band I
(1932), 127-31.
  ["Doze comedias las mas grandiosas que hasta aora han salido, de
los mejores y mas insignes poetas.
Quarta parte" (Lisboa: En la offi-
cina Craesbeckiana, 1652)].

RAUMORDNUNG.
  V. ZEIT (1517).

RAVENSCROFT, EDWARD.
  V. CALDERÓN, núms. 1884-87.

REALIDAD.
  V. GRACIOSO (1107).

REALISMO.
  V. LIBROS, VOSSLER (1804); TIRSO
DE MOLINA; LOPE DE VEGA.

"RECTIFICACIONES BIBLIOGRÁFICAS".
  V. BELMONTE BERMÚDEZ, núm. 1836;
TIRSO DE MOLINA, OBRAS, núm. 2844.

RÉFLEXIONS.
  V. THÈSES (1460).

REFUNDICIONES.
V.t. ROMANTIC PERIOD (1394); LOPE
DE VEGA, OBRAS, núms. 3628, 3749,
3776.

———.
1364. Martinenche, E.: "A propos
des refundiciones (adaptations) de
comedias espagnoles de l'âge d'er."
RevLat, III (1904), 296-305.

———.
1365. Díaz de Escovar, N.: "Autores
dramáticos de otros siglos. Dionisio Solís."
BAH, XCIV (1929), 441-48.
[Con catálogo de sus obras].

———.
1366. Stoudemire, Sterling A.:
"Dionisio Solís's refundiciones of
Plays, 1800-1824."
HR, VIII (1940), 305-10.

REINA, EUFRASIA MARÍA DE.
V. LIBROS, núm. 1636.

REINALDOS DE MONTALBÁN.
V. LOPE DE VEGA, núm. 3407.

"REISE ZUM BRUNNEN, DIE".
V. HOLBERG (1155).

RELACIONES.
V. HISPANOAMERICANO (1139), HIS-
PANOITALIANO (1140).

RELIGIOSO, DRAMA.
V.t. SACRED DRAMA (1402A), VILLAN-
CICO (1495); LIBROS, GONZÁLEZ RUIZ
(1649).

———.
1367. Bayle, Constantino: "Notas
acerca del teatro religioso en la
América colonial."
RyF, CXXXV (1947), 220-34, 335-48.

———.
1368. Cañete, Manuel: "Sobre el
drama religioso antes y después de
Lope de Vega."
MemRA, I (1870), 368-412.

———.
1369. Reynier, G.: "Le Drame religieux en Espagne."

RdP, VIIe année (1900), tome 2
(mar-abr), págs. 821-72.

1370. Campa, Arthur L.: "Spanish
Religious Folktheatre in the Spa-
nish Southwest. (First Cycle)."
UNMLS, V (1934), no. 1, págs. 5-71.

———.
1371. Campa, Arthur L.: "Spanish
Religious Folktheatre in the Southwest. (Second Cycle)."
UNMLS, V (1934), no. 2, págs. 5-157.

RELIGIOUS ELEMENT.
V. "MOROS Y CRISTIANOS" (1276).

REMEDIO OLVIDAR.
V. "ERA EL REMEDIO OLVIDAR" (1051).

RENACIMIENTO.
V. ORIGEN (1310); LIBROS, BERTINI
(1579).

RENEGADA DE VALLADOLID, LA.
V.t. BELMONTE BERMÚDEZ, núms. 1836
y 1837.

———.
1372. Alonso Cortés, N.: "La rene-
gada de Valladolid."
En su Miscelánea vallisoletana
(Quinta serie), págs. 161-67 (V.
LIBROS, núm. 1559)].

RENEGADE.
1373. Crooks, Esther J.: "The Renegade in the Spanish Theater of the
Seventeenth Century."
Hisp, First Special Number (1934),
45-52.

RENNERT, HUGO ALBERT.
V. COLECCIÓN (921).

REPERTORIO.
V.t. LIMA (1214), LISTAS DE COME-
DIAS; LIBROS, TRENTI ROCAMORA (1790).

———.
1374. Trenti Rocamora, J. Luis: "El
repertorio de la dramática colonial
hispanoamericana."
BET, VII (1949), 104-24.

REPRESENTACIONES.
  V.t. AUTO SACRAMENTAL (845), BÖHL
VON FABER (873), BUEN RETIRO (876-
877), COLEGIO (923), DURACIÓN (1037),
LIMA (1214), MÉXICO (1250), POTOSÍ
(1338), PUERTO RICO (1343), TEATRO
ESPAÑOL (1454), WANDERKOMÖDIANTEN
(1506), WIEN (1509); LIBROS, RENNERT
(1753).

———.

1375. Alonso Cortés, N.: "Representaciones populares."
RevHisp, LX (1924), 187-291.
  [Nacimiento de Nuestro Señor Jesucristo, Loa de San Pascual, Prendición de Judas].

———.

1376. Juliá Martínez, E.: "Representaciones teatrales de carácter
popular en la provincia de Castellón."
BRAE, XVII (1930), 97-112.

———.

1377. Andréu Gonzálbez, Ramón: "La
representación escénica en tiempo
de Lope de Vega."
GdL, II (1935), no. 11, pág. 4.

———.

1378. Par, Alfonso: "Representaciones teatrales en Barcelona durante el siglo XVIII."
BRAE, XVI (1929), 326-46, 492-513,
594-614.

———.

1379. Arrom, J. J.: "Representaciones teatrales en Cuba a fines del
siglo XVIII."
HR, XI (1943), 64-71.
  [Se mencionan algunas comedias
aureoseculares].

———.

1380. Castañeda, Vicente: "Un curioso bando sobre representación de
comedias en Valencia en el siglo
XVIII."
HomMenPidalA (1925), I, 577-82.

"RERUM HUNGARICUM DECADES".
  V. LOPE DE VEGA, OBRAS, EL REY SIN
REINO (3793).

RESENTIMIENTO DEL MORAL.
  V. RUIZ DE ALARCÓN, núms. 2594-95.

RÉVOLTE.
1381. Lebois, André: "La révolte
des personnages: de Cervantes et
Calderón à Raymond Schwab."
RLC, XXIII (1949), 482-506.
  a) B. Croce, QCrit, nos. 17-18
     (1950), 204-05.

"REY MONJE, EL".
  V. HUESCA, CAMPANA DE (1165).

"REY Y MONJE".
  V. HUESCA, CAMPANA DE (1165).

REYES CATÓLICOS.
1382. Saz, Agustín del: "Los Reyes
Católicos en el teatro."
BUM, I (1929), 18-30.

RHETORICAL DEVICE.
  V. DECEIVING WITH THE TRUTH (980).

RIMAS INÉDITAS.
1383. Mele, Eugenio: "Rimas inéditas
de ingenios españoles."
BH, III (1901), 328-47.
  [Gaspar Aguilar, 330-35; Gaspar
Mercader, 338-39; El Canónigo Ta-
rrega, 340-41; Guillén de Castro,
345-47].

RÍOS, NICOLÁS DE LOS.
  V.t. SILUETAS... (1439).

———.

1384. Díaz de Escovar, N.: "Nicolás
de los Ríos."
CD, LXXX (1909), 294-301, 387-98,
481-87, 565-71.

RIQUELME, MARÍA.
  V. LIBROS, núm. 1636.

RIVER PLATE.
  V. PLATA, RÍO DE LA (1327).

RODENBURGH, THEODORE.
  V. LOPE DE VEGA, núm. 3421.

RODRÍGUEZ, BERNARDA.
  V. PRADO, SEBASTIÁN DEL (1340).

"ROGEL DE GRECIA".
  V. FELIPE II (1071).

ROLAND.

1385. Saix, Guillot de: "Roland
dans la littérature espagnole."
HispF, II (1919), 133-43.
[El casamiento en la muerte de
Lope de Vega, con traducción fran-
cesa de algunas escenas].

ROMA.
V.t. LOPE DE VEGA, núm. 3422.

————.

1386. Parducci, Amos: "Drammi spagnoli d'argomento romano."
En el libro Italia e Spagna, págs.
263-309. [V. LIBROS, núm. 1669].
[Una lista de 210 comedias, antiguas y modernas, que se inspiran en
la historia de Roma. Los números
169-210 derivan de la Eneida de
Virgilio].

ROMANCE.
V.t. TÍTULOS DE COMEDIAS (1464).

————.

1387. Morley, S. G.: "Are the Spanish Romances Written in Quatrains?"
RR, VII (1916), 42-82.

————.

1388. Gillet, J. E.: "A Neglected
Chapter in the History of the Spa-
nish romance."
RevHisp, LVI (1922), 434-57.

————.

1389. Franzen-Swedelius, Bernard:
"Is the Spanish Romance Always Qua-
ternary?"
MLN, XXXIX (1924), 443-44.

————.

1390. Stiefel, Arthur L.: "Unbekannte spanische Romanze."
RevHisp, XV (1906), 766-70.
["Oyd, pastores de Henares" será
de Lope de Vega. V. núm. 1391].

————.

1391. Pfandl, Ludwig: "Eine ange-
blich unbekannte spanische Romanze."
ASNSL, CXLVI (1923), 122-23.
["Oyd, pastores de Henares" es de
Pérez de Montalván].

ROMANCERO.
V.t. DESARROLLO (987).

————.

1392. Pérez, Elisa: "Algunos aspectos de la evolución del Romancero."
Hisp, XVIII (1935), 151-60.
[Empleo de romances en el teatro
del siglo de oro].

————.

1393. Bertini, Giovanni Maria: "Un
romancero musical español en la Biblioteca Nacional de Turín (Italia)."
Aev, XII (1938), 56-78.
[Se refiere varias veces a Lope
de Vega].

"ROMANCERO DE BARCELONA".
V. LOPE DE VEGA, núm. 3377.

ROMANTIC PERIOD.
1394. Adams, Nicholson B.: "Notes
on Spanish Plays at the Beginning
of the Romantic Period."
RR, XVII (1926), 128-42.
[Menciona varias comedias aureoseculares y refundiciones de ellas].

ROMEO Y JULIETA.
V.t. LIBROS, LATOUR (1680), RODRÍ-
GUEZ CARBALLEIRO (1764); LOPE DE
VEGA, TEMAS, TRAGEDIA (3500); OBRAS,
CASTELVINES Y MONTESES (3620).

————.

1395. Schulze, Karl Paul: "Die Ent-
wickelung der Sage von Romeo und
Julia."
ShaJa, XI (1876), 140-225.
[Hay mención de Castelvines y
Monteses de Lope de Vega].

————.

1396. Axon, William E. A.: "Romeo
and Juliet Before and In Shakspere's
Time."
TRSL, 2ª serie, XXVI (1905), 101-44.
[Análisis de versiones de la historia que aparecieron en diversos
países: Italia, Francia, Alemania,
Inglaterra, etc., e incluye también
una versión en latín. Da un resumen de Castelvines y Monteses de
Lope, con una traducción inglesa de
parte de la comedia].

————:

1396A. Moore, Olin H.: "The Legend
of Romeo and Juliet."

OSUCL, XIII (1950). Pp. xii-167.
[Menciona la comedia de Lope de Vega, Castelvines y Monteses].

ROMERO, MARIANA.
V. LIBROS, núm. 1636.

ROSA, PEDRO DE LA.
1397. Díaz de Escovar, N.: "Comediantes de otros siglos. Pedro de la Rosa."
BAH, CI (1932), 149-83.
[Murió 1675].

ROSAMUNDA.
1398. Entrambasaguas, J. de: "La leyenda de Rosamunda."
En el libro Amigos de Zorrilla, págs. 59-102. [V. LIBROS, núm. 1565].
[Sobre las fuentes de Morir pensando matar, de Rojas Zorrilla, y de La copa de marfil de José Zorrilla. El artículo fué reimpreso en RevBibyDoc, II (1948), 339-89].

ROSINI, GIOVANNI.
V. JIMÉNEZ DE ENCISO, OBRAS, Los MÉDICIS DE FLORENCIA (2452).

ROTROU, JEAN DE.
V.t. ANÓNIMAS, PRÓSPERA FORTUNA DE DON BERNARDO DE CABRERA (1546); LIBROS, SORKIN (1784), VALLE ABAD (1793); ROJAS ZORRILLA, núms. 2540, 2551; LOPE DE VEGA, OBRAS, núm. 3765; LIBROS, núm. 3915.

————.
1399. Stiefel, Arthur L.: "Über die Chronologie von Jean de Rotrou's dramatischen Werken."
ZFSL, XVI (1894), 1-49.
[Se mencionan diversas comedias de Lope de Vega].

————.
1400. Stiefel, A. L.: "Jean Rotrous Cosroès und seine Quellen."
ZFSL, XXIII (1901), 69-188.
[Una de las fuentes es Mudanzas de la fortuna y sucesos de don Beltrán de Aragón, de Lope de Vega].

————.
1401. Stiefel, A. L.: "Über Jean Rotrous spanische Quellen."
ZFSL, XXIX (1906), 195-234.

[La sortija del olvido y La villana de Getafe, de Lope de Vega].

RUSIA.
V. DON JUAN (1027); CALDERÓN, núm. 2052; LOPE DE VEGA, núms. 3432-33.

RUSSELL, LORD JOHN.
V. DON CARLOS (995-96).

RÚSTICO.
V. DESARROLLO (986).

SAAVEDRA FAJARDO, DIEGO DE.
1402. González Palencia, A.: "Saavedra Fajardo y el teatro."
CorrErud, IV (1946-57), 31.
[La opinión de Saavedra del teatro].

SABÁ, REINA DE.
V. CRUZ, INVENCIÓN DE LA (961).

SACRED DRAMA.
1402A. Hase, Karl August von: "Revival of the Sacred Drama in Spain."
En su libro Miracle Plays and Sacred Dramas, págs. 91-123. [V. LIBROS, núms. 1657A-B].

SACRISTINE, LÉGENDE DE LA.
V. LIBROS, GUIETTE (1657).

SAINETES.
V.t. MÚSICA (1291).

————.
1403. Arrom, José Juan: "Sainetes y sainetistas coloniales."
MIILI, (1949), págs. 255-67.

SAINT JOHN'S DAY.
1404. Reid, John T.: "St. John's Day in Spanish Literature."
Hisp, XVIII (1935), 401-12.

SAINZA, LA (ORENSE).
V. "MOROS Y CRISTIANOS" (1282).

SALAMANCA, CUEVA DE.
1405. Villar y Macías, M.: "La cueva de Salamanca."
IEA, XXVI (1882), t. 1, pág. 171.
[Nota histórica sobre su origen].

SALAMANCA, UNIVERSIDAD DE.
V. LOPE DE VEGA, núm. 3436.

SALAS BARBADILLO, ALONSO JERÓNIMO DE.
V. LOPE DE VEGA, núms. 3437, 3542.

SALINAS, JUAN DE.
V. LOPE DE VEGA, núm. 3305.

SAMMLER, SAMMLUNGEN.
V. los núms. 916 y 1420.

SAN COSME, SAN DAMIÁN.
V. COSMA E DAMIANO (952A).

SAN FELIPE.
V. GRADAS DE SAN FELIPE (1108).

SAN FRANCISCO, TERCERA ORDEN DE.
V. CERVANTES, núm. 337.

SAN ISIDRO.
1406. García Villada, Z.: "San Isidro Labrador en la historia y en la literatura."
RyF, LXII (1922), 36-46, 167-76, 323-35, 454-68; LXIII (1922), 37-53.
[El Isidro, San Isidro Labrador de Madrid, Justa poética con motivo de la beatificación de Isidro, La Niñez..., La juventud de San Isidro, de Lope de Vega; Comedia de San Isidro Labrador de Madrid y victoria de las Navas de Tolosa por el rey don Alfonso, anónima, atribuída a Lope; El lucero de Madrid, San Isidro Labrador, de Antonio de Zamora. Sólo en el tomo LXIII se trata de la literatura].

SAN JUAN, DÍA DE.
V. SAINT JOHN'S DAY (1404).

SAN JUAN DE LA CRUZ.
V. TIRSO DE MOLINA, OBRAS, EL CONDENADO POR DESCONFIADO (2892).

SAN PATRICIO.
V. PURGATORIO DE SAN PATRICIO (1344-53).

"SAN SECRETO"
1407. Lang, Henry R.: "San Secreto."
ZRP, XIII (1889), 309-10.
[Lang lo explica como uno de los santos creados por el humorismo popular. "No guardar la fiesta de San Secreto" equivale a no guardar un secreto. Se refiere a La Vida es sueño, III, 1].

SAN SILVESTRE.
V. CALDERÓN, OBRAS, LA LEPRA DE CONSTANTINO (2167).

SÁNCHEZ DE VARGAS, FERNÁN.
1408. Díaz de Escovar, N.: "Comediantes de otros siglos. Fernán Sánchez de Vargas."
BAH, CV (1934), 485-514.
[Murió 1644].

SAND, GEORGE.
1409. Cazenave, Jean: "Un drame religieux de George Sand imité de l'espagnol."
RLC, VII (1927), 535-48.
[Lupo Liverani imitado de El condenado por desconfiado de Tirso].

————.
1410. Sand, George: "Lupo Liverani."
RDM, XXXIXme année (1869), 2me période, tome LXXXIV (nov-dic), págs. 513-54.
[Comentario sobre El condenado por desconfiado de Tirso de Molina, seguido por el texto de Lupo Liverani].

SANNAZARO, JACOPO.
V. LOPE DE VEGA, núm. 3440.

SANTA CRUZ, MELCHOR DE.
V. NOTES ON THE SPANISH DRAMA (1301); LOPE DE VEGA, núm. 3441.

SANTA FE.
V. LOA SANTAFECINA (1221).

SANTA TERESA.
V. LIBROS, CASTRO (1594).

SANTA ÚRSULA.
V. LOPE DE VEGA, núm. 3435.

SANTIAGO, DIEGO DE.
V. SEVILLA (1434).

SANTIAGO, ORDEN DE.
V. CABALLERO DE OLMEDO (884).

SANTIAGO EL VERDE.
1411. Monreal, Julio: "Costumbres del siglo XVII. Santiago el verde o el Sotillo."
IEA, XXXII (1888), t. 1, págs. 86-87, 90, 115, 127, 130, 163, 178-79, 194.

SANTO TOMÁS.
Y. MEN AND ANGELS (1242).

SANTOS, COMEDIAS DE.
V.t. LIBROS, PÉREZ DE AYALA (1742).

——.

1412. Ceriello, Gustavo Rodolfo:
"Comedias de santos a Napoli nel
'600 (con documenti inediti)."
BH, XXII (1920), 77-100.

SANTOS Y BANDOLEROS.
V.t. LIBROS, MÖLLER (1714).

——.

1413. Parker, A. A.: "Santos y ban-
doleros en el teatro español del
Siglo de Oro."
Arbor, XIII (1949), 395-416.

SARMIENTO, FRAY MARTÍN.
Y. LOPE DE VEGA, núm. 3183.

SÁTIRA.
Y. RUIZ DE ALARCÓN, núm. 2613.

SAYAGUÉS.
V.t. GENERAL I, LENGUAJE (52).

——.

1414. Weber de Kurlat, Frida: "Latinismos arrusticados en el sayagués."
NRFH, I (1947), 166-70.

——.

1415. Weber de Kurlat, Frida: "El
dialecto sayagués y los críticos."
Filol, I (1949), 43-50.

SCARRON, PAUL.
V.t. LIBROS, SORKIN (1784); LOPE
DE VEGA, núm. 3444.

——.

1416. Peters, Richard: "Paul Scarron's Jodelet duelliste und seine
spanische Quellen. (Mit einer Einleitung: Die Resultate der bisheri-
gen Forschungen über den spanischen
Einfluss auf das französische Drama
des XVII. Jahrhunderts)."
MBREP, VI (1893). Pp. 102.
a) A. L. Stiefel, LGRP, XVII (1896),
col. 271-75.
b) W. Clöetta, ASNSL, XCVI (1896),

229-30.
c) —-, FG, XI (1894), 69-70.
d) A. L. Stiefel, ZFSL, XVIII (1896),
pte. 2: "Ref. u. Rez.," págs.
94-102.

——.

1417. Stiefel, A. L.: "Paul Scarron's Le Marquis ridicule und seine
spanische Quelle. Ein Beitrag zur
Geschichte der Figuren-Comedia."
ZFSL, XXXII (1908), 1-80.
[Peor es hurgallo de Antonio Co-
ello].

SCUDÉRY, MADELEINE DE.
Y. "SESOSTRIS ET TIMARÈTE" (1433).

SCHACK, ADOLF FRIEDRICH VON.
Y. MISCELÁNEA ERUDITA, 3ª SERIE
(1258), MOLIÈRE (1262).

SCHAEFFER, ADOLF.
1418. Klaiber, Ludwig: "Adolf
Schaeffer und seine Bibliothek alt-
spanischer Drucke."
ZBib, XLVIII (1931), 8-25.
a) M. A. Buchanan, HR, I (1933), 83.

——.

1419. Bruerton, Courtney: "The Date
of Schaeffer's 'Tomo antiguo'."
HR, XV (1947), 346-64.
[No publicado antes de 1626, y
quizá mucho después].

SCHALLENBERG, CHRISTOPH OTTO, GRAF.
1420. Pfandl, Ludwig: "Graf Schallenberg (1655-1733) als Sammler
spanischer Dramen."
ZBib, XXXVI (1919), 97-108.
a) A. Hämel, LGRP, XLI (1920), col.
412-13.

SCHAUSPIELERSCHICKSALE.
1421. Hämel, Adalbert: "Schauspielerschicksale in Spanien im 16. und
17. Jahrhundert."
Ibérica, V (1926), 24-30.

SCHILLER, FRIEDRICH VON.
1422. Toldo, Pietro: "Due leggende
tragiche ed alcuni riscontri col
teatro dello Schiller."
ZRP, XXII (1898), 331-59.
[El castigo sin venganza de Lope
y El príncipe don Carlos de Enciso].

SCHISM OF ENGLAND.
V. CALDERÓN.

SCHLEGEL, AUGUST WILHELM.
1423.   Swiggett, Glen Levin: "Schlegel's Fragment Die Amazonen: A Dis-
cussion of its Authorship."
ModPhil, III (1905-06), 127-42.
   [El original sería escrito por un
contemporáneo de Lope (Argensola,
Villegas, Lope, Tirso, Mira de Amescua e Vélez de Guevara), si no por
Schlegel mismo].

SCHLEGEL, FRIEDRICH.
1424.   Gorra, Egidio: "Un dramma di
Federigo Schlegel."
NA, CXLIX (1896), 431-59; CL (1896),
692-726.
   [Sobre el Alarcos de Schlegel, La
fuerza lastimosa de Lope, El valor
perseguido de Pérez de Montalván y
El conde Alarcos de Guillén de Castro; y refundiciones de Harsdörfer,
Rambach y Milanés. El artículo se
reprodujo, con alguna ampliación de
la segunda parte, en su libro Fra
drammi e poemi, págs. 1-106. V.
LIBROS, núm. 1650].

SCHLEGEL, HANS.
V.t. LOPE DE VEGA, núm. 3446.

———.
1425.   Stueber, Carl: "Spanische
Bühnenklassiker. Zu den Erneuerungs-
versuchen Hans Schlegel."
DtDrama, I (1942), 182-84.

SCHOOL PLAYS.
   V. COLEGIO; ANÓNIMAS, TRIUNFO DE
LOS SANTOS (1548).

SCHREYVOGEL, JOSEPH.
   V. CALDERÓN, 2055; RUIZ DE ALARCÓN,
núm. 2639.

SCHWAB, RAYMOND.
   V. RÉVOLTE (1381).

SECRETARIOS.
1426.   Ciriquiain-Gaiztarro, M.:
"Los secretarios 'vizcaínos' en la
literatura."
BCNSIDAL, no. 32 (ag, 1947), 357-59.
   [Ejemplos de Cervantes y de Ruiz
de Alarcón].

SEFARDITAS.
1427.   Praag, J. A. van: "Dos comedias sefarditas."
Neophil, XXV (1939-40), 12-24, 93-
101.
   [Comedia famosa de Aman y Mardo-
chay y Comedia famosa dos successos
de Jahacob e Essau, ambas de autores desconocidos].

"SEGULLO".
   V. LOPE DE VEGA, PASSAGE (3361).

SEGUNDO ORDEN, DRAMATURGOS DE.
   V. LIBROS, HERRÁN (1663).

SEISES.
   V.t. LIBROS, MORALEDA Y ESTEBAN
(1720), ROSA Y LÓPEZ (1766A).

———.
1427A.   Rodríguez Marín, F: "Los
seises de la Catedral de Sevilla."
En su Burla burlando, págs. 425-30.
[V. LIBROS, núm. 1764A].

SELF-DEVOTION.
1428.   "Two Acts of Self-Devotion."
Black, CXIII (1873), 576-99.
   [Estudio comparativo del Antigone
de Sófocles y El príncipe constante
de Calderón].

SEMÍRAMIS.
   V. CALDERÓN, OBRAS, LA HIJA DEL
AIRE (2165).

SÉNECA.
   V. VIRUÉS, núm. 798.

SENTIDO ESPAÑOL.
1429.   Eguía Ruiz, C.: "El sentido
español en nuestro teatro antiguo."
RyF, LXXIII (1925), 543-52.
   [1) Compenetración de la escena y
el espíritu nacional; 2) Divorcio
entre la escena y el espíritu na-
cional].

SERRALLONGA.
   V. COELLO, núm. 2398.

SERRANA DE LA VERA, LA.
1430.   Barrantes, V.: "La serrana de
la Vera."
AméricaM, XV (1871), no. 23 (13 dic),
8-9; no. 24 (28 dic), 5-8; XVI (1872),

no. 1 (en.), 11-12; no. 2 (28 en.), 9-10; no. 3 (13 feb.), 7-8.
[Trata de la leyenda y de las comedias de Lope y de Vélez de Guevara. Reimpreso en su libro Narraciones extremeñas, Parte I, págs. 1-98. V. LIBROS, núm. 1573, para las subsecciones del estudio].

———.
1431. Roso de Luna, Mario: "Orígenes míticos de la leyenda La serrana de la Vera."
Cervantes, I (1916), no. 4, págs. 118-34.
["Carta abierta a mi sabio amigo don Vicente Paredes Guillén, por su obra Orígenes históricos de la leyenda "La serrana de la Vera." V. LIBROS, núm. 1737].

———.
1432. Caro Baroja, J.: "¿Es de orígen mítico la 'leyenda' de la Serrana de la Vera?"
RDTP, II (1946), 568-72.

"SESOSTRIS ET TIMARÈTE"
1433. Barton, Francis B.: "The Source of the Story of Sesostris et Timarète in Le Grand Cyrus."
ModPhil, XIX (1921-22), 257-68.
[La fuente de este cuento de la Mlle. de Scudéry es la comedia Los Prados de León de Lope de Vega].

SEVILLA.
V.t. SEISES; LIBROS, Sánchez Arjona (1769-70); GENERAL I, LIBROS, López Martínez (184); TIRSO DE MOLINA; LOPE DE VEGA.

———.
1434. Velásquez y Sánchez, José: "Fiesta del Corpus en Sevilla en 1613."
RCLA, VI (1860), 219-36.
[Se mencionan las compañías de Domingo Balbín y Diego de Santiago; los autos El paso honroso, El caballero de la ardiente espada, El rey Baltasar y Progne y Filomena].

———.
1435. Pérez Pastor, Cristóbal: "La fiesta del Corpus en Sevilla."
MemRA, XI (1914), 399-411.

SEX, CONDE DE.
V. ESSEX, EARL OF (1059).

SHAKESPEARE, WILLIAM.
V.t. BARROCO (863), COMPARAISON (931), HIJOS VENGADORES (1136-37), MISCELÁNEA HISPÁNICA (1259), ROMEO Y JULIETA; LIBROS, CHIARINI (1613A), FREY (1636), PÉREZ DE AYALA (1742); CALDERÓN; LOPE DE VEGA.

———.
1436. Hort, G. M.: "The Shakespeare of Spain."
ContR, CLXXIII (1948), 341-46.
[Trata de Calderón].

———.
1437. Carriere, Moriz: "Shakespeare und die spanischen Dramatiker."
ShaJa, VI (1871), 367-69.
[Carta tocante a la reseña de Else de la traducción por Cosens de Castelvines y Monteses. V. LOPE DE VEGA, OBRAS, núm. 3619a].

SHELLEY, PERCY BYSSHE.
V. CALDERÓN, núms. 2067-68.

SHIPMENT.
1437A. Leonard, Irving A.: "A Shipment of Comedias to the Indies."
HR, II (1934), 39-50.

SHORT STORIES.
V.t. LIBROS, BUSTILLO (1582), JIMÉNEZ Y HURTADO (1672).

———.
1438. Buchanan, M. A.: "Short Stories and Anecdotes in Spanish Plays."
MLR, IV (1908-09), 178-84; V (1910), 78-89.

SICILIA.
V. PALERMO; LOPE DE VEGA.

SIGLOS (menos el XVII) APARECIDOS EN TÍTULOS.
XV, XVI, XVII: V. FARMACIA (1069).
XV-XVIII: V. HISPANO-PORTUGUESA (1141).
XV HASTA HOY: V. INGLATERRA (1177).
XVI-XVII: V. AUTO SACRAMENTAL (844), BANDELLO (859), BIOGRAFÍA (871), CARRIÓN DE LOS CONDES (895), CID (904), COMENTARIOS (927), DOCUMENTOS (992),

SIGLOS (cont.).
HISTRIONISMO (1152-54), HONOR (1158),
SCHAUSPIELERSCHICKSALE (1421), TOLE-
RANCIA (1471).
  XVII-XVIII: V. JUDÍOS (1197), WAN-
DERKOMÖDIANTEN (1506).
  XVIII: V. CORNEILLE (942-43), EN-
TREMÉS (1050), JURISDICTION (1200),
LIMA (1214), MÚSICA (1291-92), NUE-
VA ESPAÑA (1303), REPRESENTACIONES
(1378-80), TIRANA (1461), TOLEDO
(1470), VALENCIA (1485), VOLTAIRE
(1497-99); LIBROS, GUAL (1655).
  XIX: V. HISPANOAMERICANO (1139),
ZARAGOZA (1512), ZARZUELA (1513).

SILUETAS ESCÉNICAS DEL PASADO.
  V.t. LIBROS, núm. 1616; MIRA DE
AMESCUA, núm. 2467.

———.

1439. Díaz de Escovar, N.: "Siluetas
escénicas del pasado. Alonso de Cisneros, Nicolás de los Ríos."
CD, LXXX (1909), 38-50.

SKEPTICAL DRAMAS.
  V. LIBROS, OWEN (1729).

SLAVERY, SLAVES.
  V. LOPE DE VEGA, núm. 3461.

SLOWACKI, JULJUSZ.
  V. CALDERÓN, núms. 1890, 2072-73,
2201.

SMITH, WILLIAM.
  V. INGLATERRA (1180).

SOBRENATURAL.
  V. TIRSO DE MOLINA, SUPERNATURAL
(2807).

SOCIAL AND ECONOMICAL BACKGROUND.
  V. FIGURÓN (1075).

SOCIAL CUSTOMS.
  V. LIBROS, CRANE (1606).

SOCIAL THEMES.
  V. LIBROS, PERRY (1744).

SOCIEDAD ESPAÑOLA.
  V. TIRSO DE MOLINA, núm. 2802;
LOPE DE VEGA, LIBROS, núm. 3824.

SÓCRATES.
  V. CALDERÓN, núm. 2074.

SÓFOCLES.
  V. SELF-DEVOTION (1428).

SOLDADESCAS, COMEDIAS.
  V. LIBROS, MONTOLIU (1718).

"SOLDATENBÜCHLEIN".
  V. ZEDLITZ, JOSEPH (1516).

SOLEDAD.
  V. EINSAMKEIT (1039-40); LIBROS,
VOSSLER (1803, 1805); CALDERÓN,
AUTO SACRAMENTAL (1867-68).

SOLÍS, DIONISIO.
  V. REFUNDICIONES (1365-66).

SONETO.
  V.t. GRACIOSO (1106).

———.

1440. Delano, Lucile K.: "The Sonnet
in the Golden Age Drama of Spain."
Hisp, XI (1928), 25-28.

———.

1441. Clarke, Dorothy Clotelle:
"Tiercet Rimes of the Golden Age
Sonnet."
HR, IV (1936), 378-83.

"SONETO DEL SONETO".
  V.t. LOPE DE VEGA, PEN (3366).

———.

1442. Morel-Fatio, Alfred: "Le Sonnet du sonnet."
RHLF, III (1896), 435-39.

———.

1443. Fitzmaurice-Kelly, James:
"Sonnets on a Sonnet."
HomMackay (1914), págs. 257-67.

———.

1444. Gauthier, Marcel: "De quelques jeux d'esprit: III. Le Sonnet
du sonnet."
RevHisp, XXXVI (1916), 62-71.

———.

1445. Kastner, L. E.: "Concerning
the Sonnet of the Sonnet."
MLR, XI (1916), 205-11.

SORIA.
  V. TIRSO DE MOLINA, núms. 2803-05.

SOUTHEY, ROBERT.
V. LOPE DE VEGA, núm. 3479.

SOUTHWEST (EE. UU.).
V. núms. 824, 1370-71.

SPANIEN ... LITERATUR IM LICHTE ...
KRITIK UND POESIE.
V. ALEMANIA (811).

SPANISCHES DRAMA.
1446. Stiefel, A. L.: "Spanisches
Drama bis 1800."
KJrP, I (1890), 542-45; IV (1895-96),
Sección II, págs. 177-87; V (1897-
1898), Sec. II, págs. 423-37; VII
(1902-03), Sec. II, págs. 220-39; X
(1906), Sec. II, págs. 257-78; XII
(1909-10), Sec. II, págs. 350-71;
XIII (1911-12), Sec. II, págs. 437-
458.

SPIELVERZEICHNISSE.
V. ALEMANIA (814-15), LISTAS DE
COMEDIAS.

STAGE.
1447. Austin, Stephen F.: "The Spanish Stage in the Time of Lope de
Vega."
Drama, II (1912), no. 5, págs. 229-
235.
[Artículo crítico sobre el libro
de Rennert (V. LIBROS, núm. 1753)].

STAGING.
1448. Boyadzhiev, G.: "Revolutionary
Staging of the Classics."
ThW, II (1938), no. 1, págs. 22-29.
[Trata de la escenificación de
Fuenteovejuna, de Lope de Vega].

STAVEREN, GILLES VAN.
V. TRADUCCIONES (1475).

"STERN VON SEVILLA, DER".
V. WIEN (1509), ZEDLITZ (1516).

STRATONICE.
1449. Kennedy, Ruth Lee: "The Theme
of 'Stratonice' in the Drama of the
Spanish Peninsula."
PMLA, LV (1940), 1010-32.

STREIFZÜGE.
1450. Küchler, Walther: "Streifzüge
durch die spanische Comedia."

NSpr, XXXIX (1931), 321-27, 503-12.
[1) Einige Vorbemerkingen; 2)
Über die Cid-Dramen von Guillén de
Castro und Corneille].

"STROZZI, LUISA".
V. JIMÉNEZ DE ENCISO, OBRAS, Los
MÉDICIS DE FLORENCIA (2452).

STROZZI, NICOLÒ.
V. CARTEGGIO (896).

STUART (LINAJE REAL DE INGLATERRA).
V. INGLATERRA (1179).

SUÁREZ DE MENDOZA, ENRIQUE.
1451. Praag, J. A. van: "Eustorgio
y Clorilene. Historia moscovica
(1629) de Enrique Suárez de Mendoza
y Figueroa."
BRAE, XXIII (1936), 282-314.
[V. el núm. siguiente].

———.

1452. Praag, J. A. van: "Eustorgio
y Clorilene, 'historia moscovica'
(1629) de Enrique Suárez de Mendoza
y Figueroa."
BH, XLI (1939), 236-65.
[Es una fuente de La vida es sueño de Calderón. V.t. núm. 2250].

"SUITE DU MENTEUR, LA".
V. CORNEILLE (936); LOPE DE VEGA,
LIBROS, CARAVAGLIOS (3838).

SUPERNATURAL.
V. TIRSO DE MOLINA, núm. 2807.

SUPERSTICIÓN.
V. MAGIC (1230); ROJAS ZORRILLA,
núm. 2542.

TABACO.
V.t. TIRSO DE MOLINA, núm. 2808.

———.

1453. Monreal, Julio: "Los tomatabacos en el siglo XVII."
AlmIEA, XIII (1886), 44-47.

"TACITURNA LOQUACE, LA".
V. TIRSO DE MOLINA, PASCA (2771).

"TALUS".
V. LOPE DE VEGA, PASSAGE (3361).

TAMAYO Y BAUS, MANUEL.
  V. VIRGINIA (1496); LOPE DE VEGA,
núm. 3154.

"TARTUFFE".
  V. ZABALETA, núm. 3952.

TASSO, TORQUATO.
  V. LOPE DE VEGA, OBRAS, LA JERUSA-
LÉN CONQUISTADA (3725, 3727); LIBROS,
BUCCHIONI (3835).

"TEATRO ESPAÑOL".
  V.t. CORRAL DE LA PACHECA (950),
MANUSCRITOS (1234).

———.
1454. Pérez de Guzmán, Juan: "Representación de obras clásicas en
el Teatro Español."
BAH, LX (1912), 247-55.
   [En 1909. Se trata de La Celestina, El Alcalde de Zalamea y La
luna de la sierra].

"TEATRO NACIONAL".
  V. RUIZ DE ALARCÓN, núm. 2599.

TEMAS CLÁSICOS.
  V. CLÁSICOS, TEMAS.

"TEMPEST, THE".
  V. CALDERÓN, OBRAS, LA VIDA ES
SUEÑO (2270).

TEOLOGÍA, TEOLÓGICO.
  V. LIBROS, GONZÁLEZ RUIZ (1649);
TIRSO DE MOLINA, TEOLOGÍA; LOPE DE
VEGA, núm. 3234.

TEORÍA.
  V. MÉTRICA (1246); LIBROS, CHAYTOR
(1613).

TERCER ORDEN.
1455. Mesonero Romanos, R. de:
"Teatro español del siglo XVII. Autores de tercer orden."
SemPintEsp, (1853), 89-92, 97-100,
106-09.
   [Los hermanos Figueroa y Córdoba
(pág. 90), Godínez (90-91), Jiménez
Enciso (91), Antonio Coello (91-92),
Villaizán (97-98), Rodrigo de Herrera (98-99), Castillo Solórzano
(99), Zabaleta (99-100), Cáncer
(106), Villaviciosa (106), Matías

de los Reyes (106), Muget y Solís
(106-07), Fernández de León (107),
Salazar y Torres (107), Monroy y
Silva (107-08), Juan Vélez (108),
Sor Juana Inés de la Cruz (108).

TERCETOS, RIMAS DE LOS.
  V. SONETO (1441).

TERENCIO.
  V. RUIZ DE ALARCÓN, núm. 2600.

TERUEL.
  V. AMANTES DE TERUEL.

TESTI, FULVIO.
  V. CARTEGGIO (896).

THÉÂTRE.
1456. Mézières, A.: "Le théâtre espagnol."
RDM, LIIIe année (1883), 3me période,
tome LVI (mar-abr), 868-79.
   [Reseña del libro de Viel-Castel
(V. LIBROS, núm. 1798)].

———.
1457. Quesnel, Léo: "Le théâtre espagnol."
RB, XXXI (1883), 3me série, tome V
(en-jun), 276-80.
   [Sobre el libro de Viel-Castel
(V. LIBROS, núm. 1798)].

THÉÂTRE CLASSIQUE.
1458. Doumic, René: "Le drame espa-
gnol et notre théâtre classique."
RDM, LXXIe année (1901), 5me période,
tome I (en-feb), 920-31.
   [Sobre el libro de Martinenche,
La comédie espagnole en France...
(V. LIBROS, núm. 1697)].

THEN AND NOW.
1459. Adams, Mildred: "Spanish
Theatre Then and Now."
TAM, XIX (1935), 690-702.
   [Sobre el teatro de Lope de Vega].

THÈSES
1460. Tieghem, P. van: "Notes et
réflexions sur deux thèses récentes
de littérature comparée."
RSH, XXI (1910), 213-24.
   [Sobre las de Pitollet. V. CALDE-
RÓN, LIBROS, núm. 2322].

TIECK, LUDWIG.
V. LIBROS, BERTRAND (1580).

TIEDEMANN, R.
V. CALDERÓN, FUCHS (1976).

TIEMPO QUE DURA UNA COMEDIA.
V. DURACIÓN (1037).

TIERCET RIMES.
V. SONETO (1441).

"TIMONE".
V. LOPE DE VEGA, OBRAS, núm. 3785.

TIRANA, LA.
V.t. LIBROS, COTARELO (1602).

1461. Biedma, J. S.: "La Tirana.
Apuntes sobre las costumbres tea-
trales en el siglo XVIII."
MusUniv, XIII (1869), 142-43.

"TIREURS À L'ARC".
1462. Cirot, Georges: "L'allegorie
des tireurs à l'arc."
BH, XLIV (1942), 171-74.
[Sobre el precedente, en Lope, de
un tema de Calderón (Lope, el auto
las bodas entre el alma y el amor
divino; Calderón, la loa del auto
La vida es sueño)].

TÍTULOS DE COMEDIAS.
V.t. LIBROS, RESTORI (1754); CAL-
DERÓN, núm. 2080.

1463. Pérez y González, F.: "Títu-
los de comedias."
IEA, L (1906), t. 2, págs. 59-60,
62, 74, 94-95.
[Sobre el libro de Restori (V.
LIBROS, núm. 1754)].

1464. Pfandl, Ludwig: "Ein Romance
en títulos de comedias."
RevHisp, LV (1922), 189-225.

1465. Escofet, Pilar: "Cuatro piezas de poesía política en títulos
de comedias, existentes en la Biblioteca de Cataluña."
BBCat, VII (1923-27), 155-212.

1466. Heaton, H. C.: "Another pieza de títulos de comedias."
RevHisp, LXXV (1929), 550-82.

1467. Juliá Martínez, E.: "Otra
pieza con títulos de comedias."
RFE, XVIII (1931), 258-59.
[Cinco venganzas en una, de Juan
de Ayala, impresa en 1678].

1468. Heaton, H. C.: "Twelve 'Títulos de comedias' Pieces."
RevHisp, LXXXI (1933), pte. 2, págs.
300-29.

1469. Avalle Arce, Juan B.: "Una
nueva pieza en títulos de comedias."
NRFH, I (1947), 148-65.

TLUMACZENIA.
V. KAMINSKI, J. N. (1202).

TOLEDO.
V.t. BIBLIOGRAFÍA (866), CIGARRALES
DE TOLEDO (907), GALIENE (1092);
LIBROS, MILEGO (1710); CALDERÓN;
ROJAS ZORRILLA; TIRSO DE MOLINA.

1470. Montero de la Puente, L.: "El
teatro en Toledo durante el siglo
XVIII (1762-1776)."
RFE, XXVI (1942), 411-68.
[Comedias que fueron representadas
por varias compañías, con un catálogo de más de 200 obras (págs. 460-
468), la mayoría del siglo XVII].

TOLEDOS, LOS.
V. ACADEMIAS LITERARIAS (800).

TOLERANCIA.
1471. Scheichl, Franz: "Zur Geschichte des Toleranzgedankens in
der spanischen Dichtung des 16. und
17. Jahrhunderts."
GMCG, V (1896), 121-39.
[Lope, 123-26; Cervantes, 126-32;
Moreto, 132-33; Calderón, 133-39].

TOMATABACOS.
V. TABACO (1453).

TOMO ANTIGUO.
V. RARISSIMUM (1363), SCHAEFFER
(1419).

TOMO 132.
V. LOPE DE VEGA, núm. 3493.

TOMO PERDIDO.
V. LOPE DE VEGA, núm. 3493.

TONADILLA.
V. ENTREMÉS (1047); ANÓNIMAS (1550).

TONO MENOR.
V. ESTILO (1063).

TORINO.
V. ROMANCERO (1393).

TORRE, FRANCISCO DE LA.
V. CALDERÓN, núm. 2082.

TOTENTANZ.
V. DANZA DE LA MUERTE (976).

TRADICIONES CASTELLANAS.
V. CABALLERO DE OLMEDO (883).

TRADUCCIONES.
V.t. ALARCOS, CONDE DE (808).

————.

1472. Hills, Elijah C.: "A Catalog
of English Translations of Spanish
Plays."
RR, X (1919), 263-73.
[V. el núm. siguiente].

————.

1473. Hills, Elijah C.: "English
Translations of Spanish Plays."
Hisp, III (1920), 97-108.
[Este artículo y el precedente,
que es casi lo mismo, fueron reimpresos en sus Hispanic Studies,
págs. 129-43. V. LIBROS, núm. 1666].

————.

1474. Hills, Elijah C.: "Dramas es-
pañoles traducidos al inglés."
IntAm, IV (1920), 381-87.
[Es traducción del núm. 1473].

————.

1475. Tiemann, Hermann: "Gilles van
Staveren als Uebersetzer spanischer
Comedias."

Neophil, XVIII (1932-33), 166-75.

————.

1476. Schlegel, H.: "Das Übersetz-
ungsproblem bei den spanischen
Bühnenklassikern."
IAR, VII (1941), 34-36.

TRAGEDIA, TRÁGICO.
V. CID (903), NEOCLÁSICO (1298),
RACINE (1360), VOLTAIRE (1497);
CALDERÓN, núm. 2085; TIRSO DE MOLI-
NA, núm. 2825; LOPE DE VEGA, núms.
3499-3502.

TRATAMIENTO.
V. ADDRESS, DEROGATORY (805), ÉL Y
ELLA (1041), "VUESASTED" (1502-04).

TRES ETAPAS EN LA DRAMATIZACIÓN...
V. HUESCA, CAMPANA DE (1165).

TRISTAN L'HERMITE.
V. MOLIÈRE (1271).

TRISTI REGINE.
V. JUANA DE NÁPOLES (1185).

TUGEND, SCHUTZ DER.
V. LOPE DE VEGA, OBRAS, LA CORONA
MERECIDA (3642).

TUKE, SAMUEL.
V. COELLO, OBRAS, LOS EMPEÑOS DE
SEIS HORAS (2399-2400).

TURÍN.
V. ROMANCERO (1393).

ÚBEDA.
V. COMEDIANTA (926).

UHLAND, LUDWIG.
V.t. LOPE DE VEGA, núm. 3503.

————.

1477. Ludwig, Albert: "Ein Dramen-
entwurf Ludwig Uhlands und seine
spanische Quellen."
ASNSL, CXIX (1907), 20-32.
[Bernardo del Carpio, de Uhland
y El casamiento en la muerte de
Lope de Vega].

UNIDADES.
V.t. ZEIT (1517); LIBROS, PÉREZ DE
AYALA (1742); LOPE DE VEGA, núm. 3504].

1478. Pidal, Pedro José, Marqués de:
"Observaciones sobre la poesía dramática, y en especial sobre el pre-
cepto de las unidades."
En sus Estudios literarios, II,
193-246. [V. LIBROS, núm. 1745].

1479. Vossler, Karl: "Die Einheit
von Raum und Zeit im barocken Drama."
ZAAK, XXV (1931), Beilageheft, págs.
144-52.
[Reimpreso en su Südliche Romania,
págs. 175-84 (V. LIBROS, núm. 1806)].

UNIVERSITARIO.
  V. LIBROS, GARCÍA SORIANO (1641).

UNTERRICHT.
1480. Toll, Klaus: "Die spanische
Comedia im Unterricht der höheren
Schule."
NSpr, XLVI (1938), 418-24.

"USTED".
  V. ADDRESS, DEROGATORY (805), ÉL Y
ELLA (1041), "VUESASTED" (1502-04).

VACA, JUSEPA.
1481. Monreal, Julio: "El marido de
la Vaca."
AlmIEA, XVIII (1891), 31-38.

VALENCIA.
  V.t. ACADEMIAS (799), REPRESENTA-
CIÓN (1380); LIBROS, MERIMÉE (1704,
1705).

1482. Juliá Martínez, E.: "El teatro en Valencia."
BRAE, IV (1917), 56-83; XIII (1926),
318-41.

1483. Juliá Martínez, E.: "El teatro en Valencia de 1630 a 1640."
BRAE, II (1915), 527-47.

1484. Juliá Martínez, E.: "Nuevas
notas sobre el teatro en Valencia
en el siglo XVII."
HomAltamira (1936), págs. 326-39.
[Sobre Jacinto Alonso Maluenda,
dramaturgo poco conocido].

1485. Juliá Martínez, E.: "Preferencias teatrales del publico valenciano en el siglo XVIII."
RFE, XX (1933), 113-59.
[Hay una lista de comedias del
siglo de oro].

1486. Juliá Martínez, E.: "Aporta-
ciones bibliográficas. Un dramaturgo valenciano desconocido."
RBN, II (1941), 201-43.
[El jurisconsulto valenciano, Lorenzo Matheu y Sanz].

VALENTINE AND ORSON.
1487. Krappe, Alexander H.: "Valentine and Orson."
MLN, XLVII (1932), 493-98.
[Sobre el origen del cuento. No
menciona la comedia de Lope de Vega,
Ursón y Valentín].

VALOR FORMATIVO.
  V. CLÁSICO (910).

VALLADOLID.
  V.t. CÓMICOS (930).

1488. Alonso Cortés, Narciso: "El
teatro en Valladolid."
BRAE, IV (1917), 598-611; V (1918),
24-51, 151-68, 298-311, 422-34; VI
(1919), 22-42, 372-85, 709-34; VII
(1920), 318-31, 482-95, 633-53;
VIII (1921), 5-39, 226-63, 571-84;
IX (1922), 366-86, 471-87, 650-65;
X (1923), 55-71.
[Publicado también como libro. V.
el núm. 1561].

VEGA, ANDRÉS DE LA.
  V. CÓRDOBA, MARÍA DE (935).

VELA, EUSEBIO.
  V. MÉXICO (1253).

VELASCO, MARIANA DE.
  V. COMEDIANTA (926).

"VENCESLAS".
  V. ROJAS ZORRILLA, TEMAS, BELLE-
FOREST (2540); OBRAS, NO HAY SER
PADRE SIENDO REY (2551).

VENGANZA DEL HONOR.
V. HIJOS VENGADORES (1136-37),
HONOR (1161).

VERAGUA, DUQUE DE.
V. CALDERÓN, CARTA (1906-07).

"VERDORES DEL PARNASO".
V. HISTORIA (1146).

VERSE.
1489. Morley, S. G.: "The Curious
Phenomenon of Spanish Dramatic
Verse."
BH, L (1948), 445-62.

VERSIFICACIÓN.
V.t. DÉCIMA, ESDRÚJULO, ESPINELA,
GLOSA, MÉTRICA, OCTOSÍLABO, QUIN-
TILLA, ROMANCE, SONETO; CALDERÓN,
RUIZ DE ALARCÓN; SOLÍS Y RIVADENEY-
RA; TIRSO DE MOLINA; LOPE DE VEGA.

VERSO, TEATRO EN.
V. LIBROS, PÉREZ DE AYALA (1742).

VERSO ITALIANO.
1490. Morel-Fatio, A.: "La fortune
en Espagne d'un vers italien."
RFE, III (1916), 63-66.
["Per troppo variar natura è
bella"].

————.
1491. Díez-Canedo, Enrique: "Fortuna española de un verso italiano."
RFE, III (1916), 168-70.

————.
1492. Reyes, Alfonso: "Fortuna española de un verso italiano ("Per
troppo variar natura è bella")."
RFE, IV (1917), 208.
[Reimpreso en su Entre libros,
1912-1923, págs. 53-54 (V. LIBROS,
núm. 1760)].

"VERWIRRTER HOF".
V. GREFLINGER (1115).

"VERY WOMAN, A".
V. INGLATERRA.(1180).

VESTIDOS.
V. DAMAS (973), MANTO (1232), MO-
DAS (1261).

VICENDE ITALIANE.
V. LOPE DE VEGA, REINALDOS DE MON-
TALBÁN (3407).

VIDA DEL CAMPO, LA.
V. LOPE DE VEGA, SIMPLE LIFE (3457).

VIEJO TESTAMENTO.
V.t. TIRSO DE MOLINA, OLD TESTA-
MENT (2765).

————.
1493. Stanger, Jennie A.: "El drama
español basado en el Viejo Testamento."
Jud, XIV (1940), 139-48, 191-99.
[Sobre las comedias bíblicas de
Lope de Vega, La creación del mundo
y El robo de Dina].

VIENA.
V. WIEN.

VIERA Y CLAVIJO, JOSÉ DE.
V. LOPE DE VEGA, CANARIAS (3025).

VIGNY, ALFRED DE.
1494. Citoleux, Marc: "Vigny et les
littératures méridionales."
BIt, XV (1915), 74-89.
[Estudia la influencia de Italia
y de España sobre Vigny, especialmente la de Cervantes y de Calde-
rón].

VILLANCICO.
1495. Garrido, Antonio: "El drama
religioso y el villancico."
IEA, XLIX (1905), t. 2, págs. 380-81.

VILLEGAS, ALONSO DE.
V. CALDERÓN, OBRAS, LA LEPRA DE
CONSTANTINO (2167).

VILLEGAS, ANTONIO DE.
1495A. Rodríguez Marín, F.: "El
hechizo de Villegas."
En su Burla burlando, págs. 365-69.
[V. LIBROS, núm. 1764A. Trata de
lo que pasó en Sevilla al actor y
autor de comedias, Antonio de Villegas, a causa de los celos de su dai-
fa].

VIRGEN.
V.t. ALMUDENA (816), GUADALUPE
(1124-25), PILAR (1323); LOPE (3235).

1495B. Pérez Gómez, Antonio: "Iconografía literaria de la Virgen. Notas sobre la belleza femenina en el
siglo XVII."
BibHisp, IX, no. 6 (jun, 1950), 90-
91.
  [Un pasaje de la Comedia de la
Virgen Santísima de los reyes, de
Hipólito de Vergara, que contiene
"curiosos datos sobre belleza y ar-
tificios femeninos de la época."
Empieza: "Que sea el cabello rubio
el más hermoso," y termina 57 versos más adelante, con "no hubiera
perfección en su hermosura." Esta
comedia es la que, atribuída a Tirso de Molina, se publicó con el título La reina de los reyes en la
NBAE IV, donde los versos citados
se encuentran en la pág. 173].

VIRGILIO.
  V. ROMA (1386).

VIRGINIA.
1496. Cueto, Leopoldo Augusto de:
"La leyenda romana de Virginia en
la literatura dramática."
REAM, I (1853), 865-79.
  [Escrito con motivo del estreno
de la Virginia de Tamayo y Baus,
fue reimpreso el artículo en sus
Estudios de historia y de crítica
literaria, págs. 393-436 (V. núm.
1610). Se refiere a la obra de Juan
de la Cueva titulada La muerte de
Virginia y Apio Claudio].

VISIÓN CABALLERESCA.
  V. LOPE DE VEGA, OBRAS, núm. 3792.

VÍVERO, JUAN DE.
  V. CABALLERO DE OLMEDO (884).

VIZCAÍNOS.
  V. SECRETARIOS (1426).

VOCABLOS.
  V. COMENTARIOS, COMER BARRO, FAR-
MACIA, FILICIDA, FONDO EN, HACER LA
SALVA, MOSCATEL, PECOREA (SALIR A),
QUILLOTROS.

VOLTAIRE.
  V.t. CORNEILLE (945).

1497. Qualia, Charles B.: "Voltaire's
Tragic Art in Spain in the Eighteenth
Century."
Hisp, XXII (1939), 273-84.

1498. Moldenhauer, Gerhard: "Voltaire und die spanische Bühne im
18. Jahrhundert."
HomWechssler (1929), págs. 115-31.

1499. Moldenhauer, G.: "Voltaire y
el teatro español en el siglo XVIII."
InvyPro, IV (1930), 27-29.

VOZ.
1500. Navarro Tomás, Tomás: "Datos
literarios sobre el valor fisonómi-
co de la voz."
Madrid, no. 2 (mayo, 1937), 127-34.

1501. Houck, Helen Phipps: "Navarro
Tomás on the Character Value of
Voice in Literature."
Hisp, XX (1937), 389-91.
  [Resumen del artículo precedente].

"VUESASTED", "VUESTRA MERCED".
1502. Navarro Tomás, T.: "Vuesasted
--Usted."
RFE, X (1923), 310-11.

1503. Pla Cárceles, José: "La evolución del tratamiento vuestra merced."
RFE, X (1923), 245-80.

1504. Pla Cárceles, José: "Vuestra
merced > usted."
RFE, X (1923), 402-03.
  [Nota al artículo precedente, en
la que se señala el empleo de usted
en una comedia de 1620].

WAMBA, EL REY.
  V.t. PLOUGHMAN KING (1332).

1505. Wagner, Max Leopold: "Les
éléments folkloriques de la légende
de Wamba."
RevLus, VIII (1903-05), 171-78.

WANDERKOMÖDIANTEN.
1506. Bolte, Johannes: "Von Wanderkomödianten und Handwerkerspielen
des 17. und 18. Jahrhunderts.
SitzPreuss, (1934), 446-87.

WANDERTRUPPEN.
V. ALEMANIA (814-15).

WANDERUNGEN.
1507. Vincke, Gisbert Frhr. von:
"Zwei spanische Komödien, ihre
Wandlungen und Wanderungen."
WIDM, LII (1882), 526-38.
[El desdén con el desdén de More-
to, El mayor imposible de Lope de
Vega y comedias semejantes. Reim-
preso en forma ampliada, con el tí-
tulo "Spanische Schauspiele in
Deutschland," en sus Gesammelte
Aufsätze zur Bühnengeschichte, págs.
148-70. V. LIBROS, núm. 1799].

WEBSTER, JOHN.
1508. Wurzbach, Wolfgang von: "John
Webster."
ShaJa, XXXIV (1898), 9-51.
[The Duchess of Malfi de Webster
y El mayordomo de la Duquesa de
Amalfi de Lope de Vega].

WELTBILD.
V. CALDERÓN, núm. 2089; LOPE DE
VEGA, núm. 3556.

WELLAL, HERBERT (seud. de R. TIEDE-
MANN).
V. CALDERÓN, FUCHS (1976).

WER WAR DER GRÖSSTE ...?
V. GREATEST (1113).

WEST, CARL AUGUST (seud. de JOSEPH
SCHREYVOGEL).
V. RUIZ DE ALARCÓN, núm. 2639.

WIEN.
1509. Wurzbach, Wolfgang von: "Das
spanische Drama am Wiener Hofburg-
theater zur Zeit Grillparzers."
JGG, VIII (1898), 108-31.
[König und Bauer y König Wamba de
F. Halm; Stern von Sevilla de Zedlitz; El villano en su rincón y Comedia de Bamba de Lope; La estrella
de Sevilla; El médico de su honra,
Secreto a voces, Dama duende, etc.].

—————.
1510. Wurzbach, W. von: "Wiens erste
Türkenbelagerung (1529) in der spa-
nischen Literatur."
Alt-Wien, VI (1897), 187-93.
[El cerco de Viena por Carlos V,
atribuída a Lope, y El desafío de
Carlos V, de Rojas Zorrilla].

"WILD WALES".
V. LOPE DE VEGA, GHOST STORY (3200).

WILDE, OSCAR.
V. LOPE DE VEGA, núm. 3558.

WOLF, FERDINAND.
V. ENK VON DER BURG (1045).

WYCHERLEY, WILLIAM.
V. CALDERÓN, núm. 2090.

"YERROS POR AMORES".
1511. Templin, E. H.: "The Exculpa-
tion of yerros por amores in the
Spanish Comedia."
UCLALL, I (1933), no. 1, págs. 1-49.

ZAMETKI.
V. LOPE DE VEGA, OBRAS, LO QUE PASA
EN UNA TARDE (3733).

ZAPATA, EL COMENDADOR.
V. MISCELÁNEA ERUDITA, 3ª SERIE
(1256).

ZARAGOZA.
1512. Giménez Soler, Andrés: "El
teatro en Zaragoza antes del siglo
XIX."
UnivZ, IV (1927), 243-96, 571-647.
[Unas referencias a Tirso de Molina, pero trata principalmente del
siglo XVIII].

ZARZUELA.
V.t. BANCES CANDAMO, núm. 1826;
CALDERÓN, núm. 1943.

—————.
1513. Cotarelo y Mori, E.: "Ensayo
histórico sobre la zarzuela o sea
el drama lírico español desde su
origen a fines del siglo XIX."
BRAE, XIX (1932), 625-71, 753-817;
XX (1933), 97-147, 271-315, 445-506,
601-42, 735-87; XXI (1934), 113-61,
273-317, 463-505, 629-71, 858-913;

XXII (1935), 81-156, 229-80, 388-425, 497-533; XXIII (1936), 57-88.

———.
1513A. Abreu Gómez, E.: "Introducción a la historia de la zarzuela." RMMex, I (1942), 8-10, 38-40, 51-52, 79-81.

———.
1514. Torres García, Dámaso: "La zarzuela: orígenes, desarrollo, esplendor, significado y decadencia. Discurso de recepción leído en la Real Academia de Córdoba." BRACord, XXI (1950), 163-90.
[Contestación de la Srta. María Teresa García Moreno, págs. 191-97].

ZAYAS, MARÍA DE.
1515. Morby, Edwin S.: "The Difunta pleiteada Theme in María de Zayas." HR, XVI (1948), 238-42.

ZEDLITZ, JOSEPH.
V.t. WIEN (1509).

———.
1516. Castle, Eduard: "Der Dichter des Soldatenbüchleins." JGG, VIII (1898), 33-107.
[Der Stern von Sevilla de Zedlitz y La estrella de Sevilla].

ZEIT.
V.t. UNIDADES (1479).

———.
1517. Vossler, Karl: "Zeit- und Raumordnungen der Bühnendichtung." Cor, I (1930-31), 490-507.
[Trata especialmente de Lope de Vega. Reimpreso en su libro Aus der romanischen Welt, II, 112-36. V. LIBROS, núm. 1801].

ZORRILLA, JOSÉ.
V. MUNICIPIO (1288), ROSAMUNDA (1398); LIBROS, COTARELO Y VALLEDOR (1604), GUIETTE (1657); TIRSO DE MOLINA, OBRAS, EL BURLADOR DE SEVILLA (2870); ZAMORA, núm. 3956.

ZWEI SPANISCHE KOMÖDIEN.
V. WANDERUNGEN (1507).

ANÓNIMAS

ACHAQUES DE LEONOR, LOS.
1518. Pfandl, Ludwig: "Los achaques de Leonor."
RevHisp, LIV (1922), 347-416.
[Es el texto de la comedia].

AMAN Y MORDOCHAY.
V. TEMAS, SEFARDITAS (1427).

AUTO SACRAMENTAL NUEBO DE LAS PRUEBAS DEL LINAJE UMANO...
1519. Rouanet, Léo: Auto sacramental nuebo de las pruebas del linaje umano y encomienda del hombre (1605). Paris: Welter, 1897. Pp. xii-95.
[Es una edición].
a) P. R., RABM, II (1898), 230.
b) M. J. de A., RCHLE, III (1898), 9-10.
c) J. Chastenay, RevHisp, V (1898), 411.
d) Th. de Puymaigre, Polyb, 2ª ser., tome XLVII (en-jun, 1898), 64-65.

BAILE DE LAS CALLES DE MADRID.
V. TEMAS, MADRID (1225).

BAILE DE LAS CASAS.
V. TEMAS, MADRID (1225).

BAILE DE LAS POSADAS DE MADRID.
V. TEMAS, MADRID (1225).

BAILE DE LAS PUERTAS DE MADRID.
V. TEMAS, MADRID (1225).

BAILE DE QUIÉN MÁS AMA...
V. TEMAS, FRAGMENTS (1086).

BUENA GLORIA, ENTREMÉS DE LA.
V. TEMAS, ENTREMÉS (1050).

CABALLERO DE LA ARDIENTE ESPADA, EL.
V. TEMAS, SEVILLA (1434).

CABALLERO DE OLMEDO, EL.
V. TEMAS, "NOTES ON THE SPANISH DRAMA" (1301).

———.
1520. Comedia de El caballero de Olmedo. Edición, observaciones preliminares y notas de Eduardo Juliá Martínez.
RBN, Anejo II (1944). Pp. 215.

CABALLERO DE OLMEDO (cont.).
a) W. L. Fichter, HR, XIV (1946), 264-70.
b) A. Tormo, Medit, III (1945), 185-86.
c) J. M. Alda Tesán, UnivZ, XXII (1945), 561-62.
d) María Jiménez Salas, Arbor, III (1945), 171-73.

CALLEJÓN DEL INFIERNO.
V. TEMAS, MADRID (1225).

COMEDIA DE LA SOBERANA VIRGEN DE GUADALUPE.
V. TEMAS, GUADALUPE, VIRGEN DE (1125); LIBROS, SÁNCHEZ ARJONA (1770).

COMENDADOR DE OCAÑA, EL.
1521. Artigas, M. "Comedia nueva en chanza. El Comendador de Ocaña." BBMP, VIII (1926), 59-83.
[Anónima; se incluye el texto].

COPLAS DEL PERRO DE ALBA.
1522. Gillet, J. E.: "The Coplas del perro de Alba." ModPhil, XXIII (1925-26), 417-44.
[Coplas representables, siglo XVII].

CRUZ EN LA SEPULTURA, LA.
V. CALDERÓN, OBRAS, núm. 2143.

DESAFÍO DE PEROTE.
V. TEMAS, FRAGMENTS (1086).

DESTRUCCIÓN DE JERUSALEM.
1523. Destrucción de Jerusalem. Auto en lengua mexicana, traducido al castellano por Francisco Paso y Troncoso. (Biblioteca Náuatal, vol. I, cuaderno 4).
a) R. Palmieri, ASI, LXXIII (1915), vol. I, págs. 231-32.
[Palmieri no menciona lugar ni año. La única edición en Palau y Dulcet es la de Florencia: Landi, 1907].

DIFUNTA PLEITEADA, LA.
V. TEMAS, ZAYAS, MARÍA DE (1515); LOPE DE VEGA, LIBROS, GOYRI DE MENÉNDEZ PIDAL (3869).

DOCTOR SIMPLE, EL (ENTREMÉS).
V. LOPE DE VEGA, OBRAS, núm. 3657.

DOS LUCEROS DE ORIENTE (II), LOS.
1524. Moldenhauer, Gerhard: "Los dos luceros de Oriente (II). (Eine spanische Barlaam- und Josaphat-Komödie des 18. Jahrhunderts)." RFor, XLVI (1932), 1-82.

ENDEMONIADA, LA (ENTREMÉS).
V. TEMAS, HOLBERG (1155).

ESCARCELA Y EL PUÑAL, LA.
1525. Sanz, Eulogio Florentino: "De una comedia inédita. Siglo XVII." SemPintEsp, (1851), 191-92.
[Fragmento de la titulada La escarcela y el puñal].

ESTRELLA DE SEVILLA, LA. (Ediciones y Traducciones).
1526. FOULCHÉ-DELBOSC, R.: "La estrella de Sevilla. Edition critique." RevHisp, XLVIII (1920), 497-678.
a) G. T. Northup, ModPhil, XX (1922-23), 111.
V.t. el núm. 1539.

———.

1527. REED, F. O., DIXON, E. M. and HILL, J. M.: La Estrella de Sevilla. Boston: D. C. Heath, 1939. Pp. xxxix-269.
a) A. Coester, Hisp, XXII (1939), 339.
b) Ysabel H. Forker, MLF, XXIV (1939), 213-14.
c) Raúl Moglia, RFH, IV (1942), 285-87.
d) Sturgis E. Leavitt, MLJ, XXIV (1939-40), 471-72.

———.

1528. THOMAS, HENRY: La Estrella de Sevilla. Edited with introduction, notes and vocabulary. Oxford: Clarendon Press, 1923. Pp. xxviii-168.
a) H. Serís, RFE, XIII (1926), 303-304.
b) S. G. Morley, MLJ, IX (1924-25), 448-50.

———.

1529. THOMAS, HENRY: The Star of Seville. London: Oxford University Press, 1949 (?). Pp. xii-83.

a) M. Crosland, MLR, XLV (1950), 594.
b) A. E. Sloman, DubMag, XXV (1950), 47-49.

ESTRELLA DE SEVILLA, LA. (Estudios).
V.t. TEMAS, CARDENIO (889), WIEN (1509), ZEDLITZ (1516); CLARAMONTE, núms. 2394-95; RUIZ DE ALARCÓN, OBRAS, EL TEJEDOR DE SEGOVIA (2630); LOPE DE VEGA, TEMAS (3490).

──────.
1530. Leavitt, Sturgis E.: "Apples of Hesperides in La estrella de Sevilla."
MLN, XLV (1930), 314.
[La identificación equivocada del lugar donde se encuentran las manzanas se halla también en Claramonte].

──────.
1531. Leavitt, Sturgis E.: "Apples of Hesperides Again."
MLN, XLVI (1931), 33-34.

──────:
1532. Bell, Aubrey F. G.: "The Author of La estrella de Sevilla."
RevHisp, LIX (1923), 296-300.

──────.
1533. Bell, Aubrey F. G.: "The Authorship of La estrella de Sevilla."
MLR, XXVI (1931), 97-98.

──────.
1534. Cotarelo y Mori, E.: "La estrella de Sevilla es de Lope de Vega."
RBAM, VII (1930), 12-24.

──────.
1535. Crawford, J. P. W.: "An Early Nineteenth Century English Version of La estrella de Sevilla."
HomBonilla (1930), II, 495-505.
[La de Fanny Kemble].

──────.
1536. Roa Bárcena, J. M.: "Estudios literarios: Estrella de Sevilla."
Cruz, VI (1857), 514-21.

──────.
1537. Johnson, Harvey L.: "A Recent French Adaptation of La estrella de

Sevilla."
RR, XXXVI (1945), 222-34.
[L'Etoile de Séville (1941) de Albert Ollivier].

──────.
1538. Morley, S. G.: "The Missing Lines of La estrella de Sevilla."
RR, XIV (1923), 233-39.

──────.
1539. Lenz, Anita: "Zu einer Neuausgabe der Estrella de Sevilla."
ZRP, XLIII (1923), 92-108.
[Sobre la edición de Foulché-Delbosc (núm. 1526)].

──────.
1540. Anibal, C. E.: "Observations on La estrella de Sevilla."
HR, II (1934), 1-38.
[Sobre los problemas de paternidad, fecha y fuentes y las conclusiones propuestas por Leavitt en su libro (núm. 2394)].

FORTUNA ADVERSA DEL INFANTE DON FERNANDO DE PORTUGAL, LA.
V. CALDERÓN, LIBROS, SLOMAN (2333).

GALA DE NADAR, LA.
1541. Kennedy, Ruth Lee: "La gala de nadar.--Date and Authorship."
MLN, LIV (1939), 514-17.
[Escrita poco después de 1620. No es de Moreto; quizá sea de Lope].

LABRADOR GENTILHOMBRE, EL.
V. TEMAS, MOLIÈRE (1265).

LINDONA DE GALICIA, LA.
V. TEMAS, GARCÍA, EL REY (1094).

MILAGROSA ELECCIÓN DE SAN PÍO V, LA.
1542. Kennedy, Ruth Lee: "La milagrosa elección de San Pío V."
MLR, XXXI (1936), 405-08.
[La atribuye tentativamente a Pérez de Montalván, no a Moreto].

MONSTRUO DE LA FORTUNA, LA LAVANDERA DE NÁPOLES, FELIPA CATANEA, EL.
V. TEMAS, JUANA DE NÁPOLES (1185).

MORISCOS DE HORNACHOS, LOS.
V. TÁRREGA, EL CANÓNIGO, núm. 2667.

MOROS Y LOS CRISTIANOS, LOS.
1543.   Pearce, T. M.: "Los moros y
los cristianos: Early American
Play."
NMFR, II (1948), 58-65.

NACIMIENTO DE CRISTO NUESTRO REDEN-
TOR, AUTO DEL.
   V. USTAROZ, JUAN FRANCISCO, núm.
2939.

NACIMIENTO DE NUESTRO SEÑOR JESU-
CRISTO.
   V. TEMAS, REPRESENTACIONES (1375);
LIBROS, PAREDES Y GUILLÉN (1737).

NUESTRA SEÑORA DE LA CANDELARIA.
1544.   "Comedia de Nuestra Señora de
la Candelaria." Edición, prólogo y
notas de María Rosa Alonso.
RBN, Anejo III (1943). Pp. 165.
a) W. L. Fichter, HR, XIV (1946),
   270-72.
b) Antonio Tormo, Medit, III (1945),
   187-88.
c) J. Pérez Vidal, RHL, XI (1943),
   90-92.

PASO HONROSO, EL.
   V. TEMAS, SEVILLA (1434).

PLAZUELA DE SANTA CRUZ, LA.
1545.   Herrero García, M.: "La plazuela de Santa Cruz."
RBAM, XXI (1944), 79-88.
   [Breve obra teatral anónima del
siglo XVII].

PLEYTO DEL MOCHUELO.
   V. TEMAS, FRAGMENTS (1086).

PRENDICIÓN DE JUDAS.
   V. TEMAS, REPRESENTACIONES (1375).

PROGNE Y FILOMENA.
   V. TEMAS, SEVILLA (1434).

PRÓSPERA FORTUNA DE DON BERNARDO DE
CABRERA, LA.
1546.   Jessup, Mary Helen: "Rotrou's
Dom Bernard de Cabrère and its
Source La próspera fortuna de don
Bernardo de Cabrera."
MLN, XLVII (1932), 392-96.

PRUEBAS DEL LINAJE HUMANO...
   V. AUTO SACRAMENTAL NUEBO...(1519).

RENEGADA DE VALLADOLID, LA.
   V. BELMONTE BERMÚDEZ, núm. 1836-37.

REY BALTASAR, EL.
   V. TEMAS, SEVILLA (1434).

SAINETE DEL CALLEJÓN DEL INFIERNO.
   V. TEMAS, MADRID (1225).

SAN CRISTOBAL, COMEDIA DE.
   V. BENAVIDES, núm. 1838.

SAN HERMENEGILDO, TRAGEDIA DE.
   V. TEMAS, COLEGIO (923).

SAN ISIDRO LABRADOR DE MADRID Y VIC-
TORIA DE LAS NAVAS DE TOLOSA POR EL
REY DON ALFONSO.
   V. TEMAS, SAN ISIDRO (1406).

SAN PASCUAL, LOA DE.
   V. TEMAS, REPRESENTACIONES (1375).

SIN HONRA NO HAY VALENTÍA.
1547.   Kennedy, Ruth Lee: "Sin honra
no hay valentía."
SmithCS, XXI (1939-40), 110-21.
   [Cree que no es de Moreto].

SOBERANA VIRGEN DE GUADALUPE, LA.
   V. COMEDIA DE...

SUCCESSOS DE JAHACOB E ESSAU.
   V. TEMAS, SEFARDITAS (1427).

TRAGEDIA DE SAN HERMENEGILDO.
   V. TEMAS, COLEGIO (923).

TRIUNFO DE LOS SANTOS.
1548.   Johnson, Harvey L.: "An Edition of Triunfo de los santos with
a Consideration of Jesuit School
Plays in Mexico before 1650."
UPRLL, XXXI (1941). Pp. 179.
a) J. E. Englekirk, RR, XXXIV (1943),
   182-83.
b) J. Caillet-Bois, RFH, V (1943),
   293-95.

YA ANDA LA DE MAZAGATOS.
1549.   Morley, S. G.: "Ya anda la de
Mazagatos, comedia desconocida atribuída a Lope de Vega."
BH, XXV (1923), 212-25; XXVI (1924),
97-191.
a) F. Morales de Setién, RBAM, I
   (1924), 535-36.

b) F. Morales de Setién, RFE, XI
(1924), 321-23.

ZANGARILLEJA, LA.
1550. González Palencia, Ángel: "La
Zangarilleja, tonadilla y jácara
del siglo XVII."
RBAM, II (1925), 197-205.

LIBROS

1551. ACADEMIA ESPAÑOLA: Discursos
leídos en las recepciones públicas
que ha celebrado desde 1847 la Real
Academia Española. [Primera serie].
Madrid: Impr. Nacional, 1860-65. 3
vols. Pp. 428, 459, 568.
V. RUIZ DE ALARCÓN, CARÁCTER (2564).

1552. ACADEMIA ESPAÑOLA: Discursos
leídos en las recepciones públicas
de la Real Academia Española. Serie
segunda. Madrid: Gráficas Ultra,
1945-48. 5 vols.
V. PIDAL Y MON (1746); TIRSO DE
MOLINA, LIBROS, HERRANZ (2930).

1553. AHRENS, THEODOR G.: Zur Characteristik des spanischen Dramas
in Anfang des XVII Jahrhunderts.
(Luis Vélez de Guevara und Mira de
Mescua). Halle: Waisenhaus, 1911.
Pp. 106.
a) A. Hämel, LGRP, XXXIV (1913),
col. 154.

1554. ALONSO, AMADO: Materia y for-
ma en poesía. Madrid: Gredos, 1955.
Pp. 471.
V. LOPE DE VEGA, LÍRICA (3271),
POESÍA (3382).

1555. ALONSO, DÁMASO: Del siglo de
oro a este siglo de siglas. Madrid:
Gredos, 1962. Pp. 295.
V. GENERAL I, CAMILOTE (16); CER-
VANTES, OBRAS, BAÑOS DE ARGEL (355),
LOPE DE VEGA, ANTEQUERA (2972).

1556. ALONSO, DÁMASO: Poesía española. Ensayo de métodos y límites
estilísticos. Madrid: Gredos, 1950.
Pp. 671.
V. LOPE DE VEGA, BARROCO (2997).

1557. ALONSO CORTÉS, NARCISO: Ano-

taciones literarias. Valladolid:
Vda. de Montero, 1922. Pp. 145.
V. FARIA, núm. 461; ROJAS VILLAN-
DRANDO, núm. 2534; LOPE DE VEGA,
DOCUMENTOS (3147).

1558. ALONSO CORTÉS, NARCISO: Artículos histórico-literarios. Valladolid: Imp. Castellana, 1935. Pp.
224.
V. CARVAJAL, núm. 206; LOPE DE
VEGA, URBINA (3505).

1559. ALONSO CORTÉS, NARCISO: Mis-
celánea vallisoletana. Primera serie. Valladolid: Imp. del Colegio
Santiago, 1912. Pp. 183.
--Segunda serie. Valladolid: Zapa-
tero, 1919. Pp. 164.
--Tercera serie. Valladolid: Ta-
lleres tipográficos "Cuesta," 1921.
Pp. 180.
--Cuarta serie. Valladolid: Imp.
del Colegio Santiago, 1926. Pp. 174.
--Quinta serie. Valladolid: E. Za-
patero, 1930. Pp. 191.
--Sexta serie. Valladolid: Libre-
ría Santarén, 1940. Pp. 156.
--Séptima serie. Valladolid: Li-
brería Santarén, 1944. Pp. 223.
V. LOPE DE RUEDA, VALLADOLID (531;
en la 5ª ser.); GENERAL II, CÓMICOS
(930; 1ª ser.), RENEGADA DE VALLA-
DOLID (1372; 5ª ser.); SÁNCHEZ RE-
QUEJO, núm. 2657 (3ª ser.); LOPE DE
VEGA: TEMAS, HERMANO (3216; 1ª ser.);
OBRAS, LAUREL DE APOLO (3731; 7ª
ser.).

1560. ALONSO CORTÉS, NARCISO: Quevedo en el teatro y otras cosas.
Valladolid: Colegio de Santiago,
1930. Pp. 215.
a) E. Alarcos, RFE, XX (1933), 308-
310.
b) Frances Hardin Hess, BAbr, V
(1931), 172.

1561. ALONSO CORTÉS, NARCISO: El
teatro en Valladolid. Madrid, 1923.
Pp. 428.
[Publicado primero como serie de
artículos (V. el núm. 1488)].
a) J. F. Montesinos, RFE, XV (1928),
84-85.
b) G. Cirot, BH, XXVII (1925), 363-
365.

1562. ALPERN, HYMEN y MARTEL, JOSÉ:
Diez comedias del Siglo de Oro; an
annotated omnibus of ten complete
plays by the most representative
Spanish dramatists of the Golden
Age. New York: Harper, 1939. Pp.
xxxi-859.
[Contiene: Cervantes, La Numancia; Lope de Vega, Fuenteovejuna;
La Estrella de Sevilla; Tirso de
Molina, El burlador de Sevilla; G.
de Castro, Las mocedades del Cid;
Mira de Amescua, El esclavo del demonio; Ruiz de Alarcón, La verdad
sospechosa; Calderón, La vida es
sueño; Rojas Zorrilla, Del rey abajo
ninguno; Moreto, El desdén con el
desdén].
a) M. A. Buchanan, MLJ, XXV (1940-
1941), 75-77.

1563. ÁLVAREZ ESPINO, ROMUALDO:
Ensayo histórico-crítico del teatro
español desde su origen hasta nuestros días. Cádiz: Rodríguez y Rodríguez, 1876. Pp. 598.

1564. AMEZÚA, AGUSTÍN G. DE: Opús-
culos histórico-literarios. Madrid:
C. S. I. C., 1951-53. 2 vols.
V. CALDERÓN, OBRAS, EL MÉDICO DE
SU HONRA (2185); LOPE DE VEGA: TE-
MAS, HIJA (3219), HONRAS (3228);
OBRAS, LA DOROTEA (3664); LIBROS,
AMEZÚA (3820).

1565. AMIGOS DE ZORRILLA (VALLADOLID):
Colección de artículos dedicados al
poeta. Valladolid: Imp. Castellana,
1933. Pp. 134.
V. GENERAL II, TEMAS, ROSAMUNDA
(1398).

1566. ANZOÁTEGUI, IGNACIO B.: Extremos del mundo, con un epílogo en
el corazón de Buenos Aires. Madrid:
Espasa-Calpe, 1942. Pp. 156.
V. LOPE DE VEGA, NIÑEZ (3333).

1567. APRAIZ, ÁNGEL DE: Doña Inés
de Castro en el teatro castellano.
Vitoria: Domingo Sar, 1911. Pp. 82.

1567A. ARAQUISTAIN, LUIS: La batalla teatral. Madrid: Mundo Latino,
1930. Pp. 286.
V. TIRSO DE MOLINA, HUMANISMO (2739A).

1568. ARMAS Y CÁRDENAS, JOSÉ DE:
Ensayos críticos de literatura inglesa y española. Madrid: Victoriano Suárez, 1910. Pp. 314.
V. CALDERÓN, INGLATERRA (1998).

1569. ARMAS Y CÁRDENAS, JOSÉ DE:
Estudios y retratos. Madrid: Vic-
toriano Suárez, 1911. Pp. xi-314.
V. LOPE DE VEGA, VEGA (3516).

1570. ARROM, JOSÉ JUAN: Estudios
de literatura hispanoamericana. La
Habana: Ucar García, 1950. Pp. 195.
V. TEMAS, ENTREMÉS (1048); PITA,
núm. 2527.

1571. ASTRANA MARÍN, LUIS: El cor-
tejo de Minerva. Madrid: Espasa-
Calpe, 1930. Pp. 262.
V. LOPE DE VEGA, RESTOS (3415).

1571A. AUSTEN, JOHN: The Story of
Don Juan. London: Martin Secker,
1939. Pp. vi-354.

1572. "AZORÍN" [JOSÉ MARTÍNEZ RUIZ]:
Al margen de los clásicos. Madrid:
Publicaciones de la Residencia de
Estudiantes, 1915. Pp. 232.
V. CALDERÓN, OBRAS, LA VIDA ES
SUEÑO (2257).

1573. BARRANTES Y MORENO, VICENTE:
Narraciones extremeñas. Parte I.
Madrid: Imp. de J. Peña, 1873.
Pp. xiii-176.
[Págs. 1-98, "La Serrana de la
Vera," con estas subsecciones: i)
Precedentes históricos y poéticos,
pág. 1-; ii) Romances de la Serrana,
11-; iii) De cómo aquella hermosa
mujer no fué solo en amores desdi-
chada, 19-; iv) La Serrana de la
Vera, comedia de Lope de Vega, 31-;
La Serrana de la Vera, comedia in-
édita de Vélez de Guevara, 67-.
V.t. TEMAS, núm. 1430].

1574. BARRERA Y LEIRADO, CAYETANO
ALBERTO DE LA: Catálogo bibliográfico y biográfico del teatro antiguo español, desde sus orígenes
hasta mediados del siglo XVIII.
Madrid: Rivadeneyra, 1860. Pp.
xiii-724.

1574A. BATAILLON, MARCEL: Varia
lección de clásicos españoles. Ma-
drid: Gredos, 1964. Pp. 443.
[Págs. 206-13: reimpresión de
CUEVA, RÉFLEXIONS (408); págs. 183-
205: reimpresión de GENERAL II, TE-
MAS, AUTO SACRAMENTAL (854). V.t.
LOPE DE VEGA, OBRAS, LA DESDICHA
POR LA HONRA (3654), EL VILLANO EN
SU RINCÓN (3817)].

1575. BATTISTESSA, ÁNGEL JOSÉ: Poetas y prosistas españoles. Buenos
Aires: Institución Cultural Española, 1943. Pp. 232.
V. ENCINA, PERFIL (445).

1575A. BELLESSORT, ANDRÉ: Le plai-
sir du théâtre. Paris: Perrin,
1938. Pp. 289.
[Cap. V: "Pièces étrangères. ii:
Le médecin de son honneur," págs.
152-61.(Crítica de El médico de su
honra de Calderón)].

1576. BERGAMÍN, JOSÉ: Disparadero
español. 3 vols. Vols. 1-2, Madrid: Ediciones del Árbol, 1936;
vol. 3, México: Edit. Séneca, 1940.
V. CALDERÓN, "CIERRA ESPAÑA" (1933);
LOPE DE VEGA, SIGUIENDO EL DICTAMEN
(3455), SUELO Y VUELO (3484), VERSO
(3539).

1577. BERGAMÍN, JOSÉ: Mangas y ca-
pirotes (España en su laberinto teatral del XVII). Madrid: Editorial
Plutarco, 1933. Pp. 223.

1578. BERNARD, G.: Le Cid espagnol
et le Cid français. (L'Imitation
espagnole en France, 1). Lille:
1911. Pp. 32.
a) A. Hämel, LGRP, XXXIII (1912),
col. 75.

1579. BERTINI, GIOVANNI MARIA: Il
teatro spagnolo del primo rinascimento seguito da uno studio su Lazarillo de Tormes. Lezioni raccol-
te dal Dr. Giulio Pulliero nel corso tenuto dal Prof. G. M. Bertini a
Ca' Foscari nell' anno accademico
1945-46. (Biblioteca di saggi e
lezioni accademiche. Opera no. 21).
Venezia: F. Montuoro, 1946. Pp.
315.

1580. BERTRAND, JEAN-JACQUES ACHILLE:
Ludwig Tieck et le théâtre espagnol.
Paris: Rieder, 1914. Pp. 182.
a) A. Hämel, RFE, II (1915), 181-83.
b) W. von Wurzbach, Euph, XXII
(1915), 164-66.
c) A. Hämel, LGRP, XXXVII (1916),
col. 387-88.
d) Ludovic Roustan, RCHLP, ns LXXIX
(1915), 171-72.
e) Louis Mensch, Polyb, 2ª serie,
tome LXXXII (jul-dic, 1915),
195-96.

1581. BONILLA Y SAN MARTÍN, ADOLFO:
Anales de la literatura española.
Madrid: Tello, 1904. Pp. 299.
V. GENERAL I, LIBROS, COTARELO
(177a); CELESTINA, AUTOR (227),
TRADUCCIÓN (286); TIRSO DE MOLINA,
OBRAS, DON GIL DE LAS CALZAS VERDES
(2902).

1581A. BONILLA Y SAN MARTÍN, ADOLFO:
El mito de Psyquis. Barcelona: Imp.
de Henrich, 1908. Pp. 344.
[Cap. II: "La tradición del cuento ... en la literatura española,"
págs. 15-54. Hay referencias a
Triunfos de amor y fortuna de Antonio de Solís, a los dos autos de
Calderón titulados Psiquis y Cupido
y a su comedia Ni amor se libra de
amor].

1582. BUSTILLO, EDUARDO y LUSTONÓ,
EDUARDO DE: Galas del ingenio,
cuentos, pensamientos y agudezas de
los poetas dramáticos del siglo de
oro, coleccionados y anotados por
Eduardo Bustillo y Eduardo de Lustonó. Madrid: A. de San Martín,
1879. 2 vols. Pp. xvi-231; viii-
215.
[Vol. 1: Lope de Vega--Calderón--
Alarcón; vol. 2: Tirso de Molina--
Moreto--Rojas. V.t. TEMAS, SHORT
STORIES].

1582A. CABAÑAS, PABLO: El mito de
Orfeo en la literatura española.
Madrid: C.S.I.C., 1948. Pp. 408.

1583. CANALEJAS, FRANCISCO DE PAULA:
La poesía dramática en España. Madrid: Saiz, 1876. Pp. 75.

1584. CANCIONERO DE LA ACADEMIA DE LOS NOCTURNOS. Ed. Francisco Martí Grajales y Pedro Salvá. Valencia: F. Vives y Mora, 1905-12. 4 vols. Pp. 183, 206, 188, 208.
a) H. Mérimée, BH, VIII (1906), 312-16 [sobre el vol. I].

1585. CANO Y MASAS, LEOPOLDO: [El preceptismo y la poesía en el teatro]. (En la portada: Discursos leídos ante la Real Academia Española ...). Madrid: Talleres del Depósito de la Guerra, 1910. Pp. 45.

1586. CÁNOVAS DEL CASTILLO, ANTONIO: Artes y letras. Madrid: A. Pérez Dubrull, 1887. Pp. xi-471.
V. TEMAS, ORIGEN (1310).

1587. CARDUCCI, GIOSUE: Bozzetti e scherme. Bologna: Zanichelli, 1920.
V. CALDERÓN, OBRAS, LA VIDA ES SUEÑO (2264).

1588. CARDUCCI, GIOSUE: Conversazioni critiche. Napoli: Libreria Economica, 1908.
V. CALDERÓN, núm. 2264.

1589. CARDUCCI, GIOSUE: Opere (edizione nazionale). Bologna: Zanichelli, 1935-40. 29 vols.
V. CALDERÓN, núm. 2264.

1590. CARDUCCI, GIOSUE: La vida es sueño, don Quijote y otros ensayos. Versión directa de José Sánchez Rojas. Madrid: Editorial América, 1918. Pp. 235.
V. CALDERÓN, núm. 2264.

1591. CARRARA, ENRICO: Studio sul teatro ispano-veneto di Carlo Gozzi. Cagliari: Prem. tip. P. Valdès, 1901. Pp. 61.
[Referencias a diversos dramaturgos españoles].
a) Eugène Bouvy, BIt, II (1902), 165-66.

CASALDUERO, JOAQUÍN: Contribución al estudio ... de don Juan.
V. TEMAS, DON JUAN (1005).

1592. CASALDUERO, JOAQUÍN: Estudios sobre el teatro español: Lope de Vega, Guillén de Castro, Cervantes, Tirso de Molina, Ruiz de Alarcón, Calderón, Moratín, Duque de Rivas. Madrid: Gredos, 1962. Pp. 266.
V. GENERAL I, CUESTIÓN DE AMOR (26); LOPE DE VEGA, OBRAS, FUENTEOVEJUNA (3702).

1593. CASTELAR, EMILIO: Retratos históricos. Madrid: Oficinas de la Ilustración Española y Americana, 1884. Pp. 352.
V. CALDERÓN, CENTENARIO (1912).

1594. CASTRO, AMÉRICO: Santa Teresa y otros ensayos. Madrid: Historia Nueva, 1929. Pp. 278.
V. CELESTINA, PROBLEMA (274).

1595. CATALINA, MARIANO: La poesía lírica en el teatro antiguo. Colección de trozos escogidos. (Colección de escritores castellanos, vols. 141, 142, 144, 146, 147, 148, 149, 150, 152, 156, 157). Madrid, 1909-1913. 11 vols. Pp. 327, 505, 463, 460, 456, 428, 528, 454, 522, 430, 668.
a) John D. Fitz-Gerald, RR, III (1912), 135-38 [los 7 primeros tomos].

1596. CIAN, VITTORIO: Italia e Spagna nel secolo XVIII. Giovambattista Conti e alcune relazioni fra l'Italia e la Spagna nella seconda metà del settecento. Studii e ricerche di Vittorio Cian. Torino: S. Lattes, 1896. Pp. viii-360.
[Págs. 311-31: Traducciones de obras de Lope de Vega, hechas por Conti].
a) M. Menéndez y Pelayo, RCHLE, I (1895-96), 105-11.
b) Emilio Bertana, Rass, IV (1896), 41-46.
c) A. Farinelli, GSLI, XXX (1897), 276-90.

1597. CILLEY, MELISSA A.: El teatro español; las épocas en el desarrollo del drama. Madrid: Blass, 1934. Pp. 163.
a) A. Coester, Hisp, XVIII (1935), 235.
b) C. J. Winter, BAbr, X (1936), 341-42.

COE, ADA M.: Catálogo ... comedias anunciadas en los periódicos ...
V. TEMAS, BIBLIOGRAFÍA (870).

1598. COSSÍO, JOSÉ MARÍA DE: Notas y estudios de crítica literaria, siglo XVII. Madrid: Espasa-Calpe, 1939. Pp. 272.
V. CALDERÓN, RACIONALISMO (2040).

1599. COTARELO Y MORI, EMILIO: Bibliografía de las controversias sobre la licitud del teatro en España. Madrid: Tip. de la "Revista de archivos...", 1904. Pp. 739.
a) M. Serrano y Sanz, RABM, XII (1905), 464-65.
b) A. Morel-Fatio, BH, VII (1905), 81-85.

1600. [COTARELO Y MORI, EMILIO]: Catálogo abreviado de una colección dramática española, hasta fines del siglo XIX y de obras relativas al teatro español. Madrid: V. e H. de J. Ratés, 1930. Pp. 164.

1601. COTARELO Y MORI, EMILIO: Colección de entremeses, loas, bailes, jácaras y mojigangas desde fines del siglo XVI a mediados del XVIII. (NBAE, XVII y XVIII). Madrid: Bailly-Bailliere, 1911. 2 vols.
[Su introducción de 315 páginas contiene el tratado más completo sobre la definición e historia de loas, entremeses y otras clases de piececitas dramáticas, e incluye también una biografía del famoso Juan Rana].
a) A. L. Stiefel, LGRP, XXXVII (1916), col. 21-26.

1602. COTARELO Y MORI, EMILIO: Estudios sobre la historia del arte escénico en España.
Vol. 1: María Ladvenant y Quirante, primera dama de los teatros de la corte. Madrid: Sucs. de Rivadeneyra, 1896. Pp. 205.
Vol. 2: María del Rosario Fernández, la Tirana, primera dama de los teatros de la corte. Madrid: Sucs. de Rivadeneyra, 1897. Pp. 287.
Vol. 3: Isidoro Máiquez y el teatro de su tiempo. Madrid: José Perales y Martínez, 1902. Pp. 856.

a) A. Morel-Fatio, RCHLP, ns XLIV (1897), 379-81 [Vols. 1 y 2].
b) A. Morel-Fatio, BH, V (1903), 196 [Vol. 3].
c) A. Paz y Melia, RABM, VII (1902), 390-91 [Vol. 3].

1603. COTARELO Y MORI, EMILIO: Orígenes y establecimiento de la ópera en España hasta 1800. Madrid: Revista de Archivos, 1917. Pp. 459.

1604. COTARELO Y VALLEDOR, ARMANDO: Una cantiga célebre del Rey Sabio. Fuentes y desarrollo de la leyenda de Sor Beatriz, principalmente en la literatura española. Madrid: A. Marzo, 1904. Pp. 205.
[La leyenda forma el asunto de la cantiga núm. 94, de La buena guarda de Lope de Vega y de Margarita la tornera de José Zorrilla. V.t. el núm. 1657].

1605. COTARELO Y VALLEDOR, ARMANDO: La leyenda de doña Estefanía la desdichada. (Discurso leído en el solemne acto de la apertura del curso académico de 1907 a 1908 en la Universidad de Santiago de Compostela). Santiago: "El Eco," 1907. Pp. 168.
[Cap. I: Introducción; II: Historia de doña Estefanía; III: Falsedad de la leyenda; IV: La leyenda en la prosa histórica; V: La leyenda en la novela; VI: La leyenda en el teatro; VII: La leyenda en la narración poética; VIII: La leyenda en la literatura extranjera].

1606. CRANE, THOMAS F.: Italian Social Customs of the Sixteenth Century. (Cornell Studies in English). New Haven: Yale University Press, 1920. Pp. xv-689.
[V. especialmente el Capítulo XIII: las págs. 565-659].

CRAWFORD, J. P. W.: The Spanish Pastoral Drama.
V. TEMAS, PASTORAL (1320).

1607. CROCE, BENEDETTO: Letture di poeti. (Scritti di storia letteraria e politica, vol. 39). Bari: Laterza, 1950. Pp. 338.

1607 (cont.).

V. CALDERÓN, CALDERÓN (1903); TIR-
SO DE MOLINA, OBRAS, EL BURLADOR DE
SEVILLA (2852-53).

1608. CROCE, BENEDETTO: Poesía an-
tica e moderna. (Scritti di storia
letteraria e politica, vol. 34).
Bari: Laterza, 1943. Pp. viii-454.
V. CELESTINA, STUDI (281); LOPE DE
VEGA, POESÍA (3384-85).

1609. CROCE, BENEDETTO: I teatri
di Napoli dal Rinascimento alla fi-
ne del secolo decimottavo. Bari:
Laterza, 1916. Pp. 336.
[Contiene datos sobre actores españoles en Nápoles en el siglo XVII].
a) J. Gómez Ocerín, RFE, III (1916),
420-23.

1610. CUETO, LEOPOLDO AUGUSTO DE:
Estudios de historia y de crítica
literaria. Madrid: Sucesores de
Rivadeneyra, 1900. Pp. 436.
V. TEMAS, HIJOS VENGADORES (1136-
37), VIRGINIA (1496); y el número
siguiente.

1611. CUETO, LEOPOLDO AUGUSTO DE:
Sentido moral del teatro. Discurso
escrito ... y leído en la Junta pública inaugural de 1868. Madrid:
Rivadeneyra, 1868. Pp. 50.
[Reimpreso en sus Estudios de
historia ... (1610)].

1611A. CURTIUS, ERNST ROBERT: Europäische Literatur und lateinisches
Mittelalter. Bern: A. Francke,
1948. Pp. 601.
V. CALDERÓN, ARTE (1849A-49C).

1612. CURTIUS, ERNST ROBERT: Kritische Essays zur europäische Literatur. Bern: A. Francke, 1950.
Pp. 439.
V. CALDERÓN, HOFMANNSTHAL (1991).

1612A. CURTIUS, ERNST ROBERT: Lite-
ratura europea y Edad Media latina.
Trad. Margit Frenk Alatorre y Anto-
nio Alatorre. México: Fondo de
Cultura Económica, 1955. Pp. 902.
[Es una traducción del núm. 1611A].
V. CALDERÓN, ARTE (1849B).

1612B. CHACÓN Y CALVO, JOSÉ MARÍA:
Ensayos de literatura española.
Madrid: Hernando, 1928. Pp. 203.
V. LOPE DE VEGA, VIDA (3548A).

1613. CHAYTOR, H. J.: Dramatic
Theory in Spain. Cambridge: Cambridge University Press, 1925. Pp.
63.
a) J. E. Gillet, MLN, XLII (1927),
47-50.
b) J. F. Montesinos, RFE, XV (1928),
198-99.
c) W. C. Atkinson, BSS, III (1925-
26), 144-45.
d) E. A. Peers, MLR, XXI (1926), 467.
e) G. Le Gentil, RCHLP, ns XCIV
(1927), 255.

1613A. CHIARINI, GIUSEPPE: Studi
shakespeariani. Livorno: Raff.
Giusti, 1897. Pp. 478.
[Trata de los Castelvines y Monteses de Lope de Vega en las págs.
284-305].

DALE, GEORGE IRVING: The Religious
Element ... Golden Age.
V. TEMAS, "MOROS Y CRISTIANOS"
(1276).

1614. DÍAZ DE ESCOVAR, NARCISO:
Anales del teatro español correspondientes a los años 1581 a 1625.
(Biblioteca de "La Ciudad de Dios").
Madrid: Imp. Helénica, 1913. Pp.
168.
[V.t. TEMAS, ANALES (827-32)].
a) E. Juliá Martínez, RFE, II
(1915), 66.

1615. DÍAZ DE ESCOVAR, NARCISO:
Intimidades de la farándula. Colección de artículos referentes a
la escena, comediantes y escritores
dramáticos desde el siglo XVI hasta
el día. Cádiz: Tip. de M. Álvarez,
1916. Pp. 160.

1616. DÍAZ DE ESCOVAR, NARCISO:
Siluetas escénicas del pasado. Colección de artículos históricos de
costumbres, anécdotas, biografías,
bibliografías, etc., del teatro español. Barcelona: Vda. de Luis
Tasso, s. a. Pp. 256.

[A pesar del título, este libro no contiene los artículos que principian con la misma frase (GENERAL I, ACTRICES; GENERAL II, SILUETAS; MIRA DE AMESCUA, SILUETAS)].

1617. DÍAZ DE ESCOVAR, NARCISO: El teatro en Málaga. Apuntes históricos de los siglos XVI, XVII y XVIII. Málaga: Tip. de "El Diario de Málaga, 1896. Pp. 116.

1618. DÍAZ DE ESCOVAR, NARCISO, y LASSO DE LA VEGA, FRANCISCO DE P.: Historia del teatro español. Comediantes--escritores--curiosidades escénicas. Barcelona: Montaner y Simón Simón, 1924. 2 vols. Pp. 472, 422.

1619. DIEULAFOY, MARCEL: Le théâtre édifiant. Cervantes, Tirso de Molina, Calderón. Paris: Bloud, 1907. Pp. 353.
a) E. Maynial, BCrit, 3ª serie, I (1907), 463-65.
b) M. S., Polyb, 2ª serie, tome LXVIII (jul-dic, 1908), 224-25 [datos de publicación en la pág. 219].

1620. DÍEZ-CANEDO, ENRIQUE: Conversaciones literarias (1915-1920). Madrid: Editorial-América, 1921. Pp. 278.
V. GENERAL I, ANÓNIMAS, REYES MAGOS (150A); RUIZ DE ALARCÓN, CORCOVADO (2570); LOPE DE VEGA, OBRAS, EL ISIDRO (3723).

1621. DÍEZ-CANEDO, ENRIQUE: Letras de América; estudios sobre las literaturas continentales. México: El Colegio de México, 1944. Pp. 426.
V. CRUZ, PERFIL (2413); RUIZ DE ALARCÓN, PLACA (2599).

DÍEZ ECHARRI, EMILIANO: Teorías métricas ...
V. TEMAS, MÉTRICA (1246).

1622. DORER, EDMUND: Nachgelassene Schriften. Dresden: L. Ehlermann, 1893. 3 vols. en 1.
V. TEMAS, HOLBERG (1155).

1623. DUBOIS, LOUIS, y OROZ, FRAN-

çoIS: Pièces choisies du théâtre espagnol, traduction nouvelle. Paris: Garnier, 1899. Pp. xi-476.
[Las mocedades del Cid (Castro), La verdad sospechosa (Ruiz de Alarcón), La comedia nueva, y El sí de las niñas (Moratín)].
a) J. Ducamin, BH, I (1899), 209-10.

1624. ECHEGARAY Y EIZAGUIRRE, MIGUEL: [Lo cómico y uno de sus caracteres más esenciales: la originalidad] (En la portada: Discurso leído ante la Real Academia Española en la recepción pública ...). Madrid: "Revista de Archivos, Bibliotecas y Museos," 1916. Pp. 48.

1625. EGUÍA RUIZ, CONSTANCIO: Cervantes, Calderón, Lope, Gracián. Nuevos temas crítico-biográficos. (CuadLit, Anejo VIII). Madrid: C.S.I.C., 1951. Pp. 158.
V. CALDERÓN, BIOGRAFÍA (1883); LOPE DE VEGA, FÉNIX (3187).

1626. ENTRAMBASAGUAS, JOAQUÍN DE: La determinación del Romanticismo español y otras cosas (Ensayos). Barcelona: Editorial Apolo, 1939. Pp. 192.
V. VALBUENA PRAT (1792c); RUIZ DE ALARCÓN, OBRAS, QUIEN MAL ANDA EN MAL ACABA (2629a); LOPE DE VEGA, TEMAS, DESCONOCIDO (3142), FACILIDAD (3180), PERFILES (3367); OBRAS, EL CASTIGO SIN VENGANZA (3626e).

1627. FARINELLI, ARTURO: Attraverso la poesia e la vita. Bologna: Nicola Zanichelli, 1935. Pp. vii-259.
V. CALDERÓN, WAGNER (2088).

1628. FARINELLI, ARTURO: Aufsätze, Reden und Characteristiken zur Weltliteratur. Bonn, Leipzig: Schroeder, 1925. Pp. xvi-432.
V. LOPE DE VEGA, LIBROS, LUDWIG (3882a).

1629. FARINELLI, ARTURO: Divagaciones hispánicas. Barcelona: Bosch, 1936. 2 vols. Pp. 275, 359.
V. TEMAS, DON JUAN (1006); LIBROS, SCHWERING (1779a); CALDERÓN, BIBLIOGRAFÍA (1881), MÚSICA (2018), TÍTU-

LOS DE COMEDIAS (2080).

1630. FARINELLI, ARTURO: Ensayos y discursos de crítica literaria hispano-europea. Roma: Istituto Cristoforo Colombo, 1926. 2 vols. Págs. 1-300, 301-682.
V. TEMAS, DON JUAN (1006); LIBROS, SCHWERING (1779a); CALDERÓN, MÚSICA (2018).

1631. FARINELLI, ARTURO: Italia e Spagna. Torino: Bocca, 1929. 2 vols. Pp. xi-442, 459.
V. VIRUÉS, EPÍSTOLA (795); LOPE DE VEGA, OBRAS, ARTE NUEVO (3595a).

1632. FARINELLI, ARTURO: Neue Reden und Aufsätze gesammelt von seinen Schülern. Pisa: Lischi; Stuttgart: Deutsche Verlagsanstalt, 1937. Pp. vii-477.
V. GENERAL I, COLECCIONES, ROUANET (168b); GENERAL II, LIBROS, SCHNEIDER (1777b).

1633. FARINELLI, ARTURO: Poesía y crítica (Temas hispánicos). Madrid: C.S.I.C., 1954. Pp. vi-298.
[Diversos artículos escritos antes de 1944. V. CALDERÓN, PIRANDELLO (2032); LOPE DE VEGA, CENTENARIO (3069), CHIABRERA (3139).

FARINELLI, ARTURO: Spanien ... im Lichte der deutschen Kritik ...
V. TEMAS, ALEMANIA (811).

1634. FÉE, ANTOINE L. A.: Études sur l'ancien théâtre espagnol. Paris: Firmin Didot, 1873. Pp. 433.
[Trata de "les trois Cid" (Castro, Corneille, Diamante) y de Rojas Zorrilla (Del rey abajo ninguno y Lo que son mujeres), y traduce los actos XIX y XX de la Celestina].
a) Th. de Puymaigre, Polyb, année VI, tome X (jul-dic, 1873), 284-85.

1635. FIGUEIREDO, FIDELINO DE SOUSA: Últimas aventuras. Río de Janeiro: A. Noite, 1940. Pp. 391.
[Contiene, en las págs. 255-325, el artículo "Lope de Vega: Alguns elementos portugueses na sua obra." (V. núm. 3393). Un capítulo de este artículo, págs. 301-20, titulado

"Camões e Lope," apareció antes también (V. núm. 3023)].
a) Raúl Moglia, RFH, IV (1942), 185-88 [no critica más que la parte sobre Lope de Vega].

1635A. FLÖGEL, KARL FRIEDRICH: Geschichte des Grotesk-komischen. Ein Beitrag zur Geschichte der Menschheit. München: Georg Müller, 1914. 2 vols. Pp. xiii-418, 400.
[Sobre dramaturgos españoles en vol. I, págs. 70-94].

1636. FLORES GARCIA, FRANCISCO: La corte del rey-poeta (Recuerdos del Siglo de Oro). Madrid: Ruiz Hermanos, 1916. Pp. 252.
[Capítulos: María Calderón, págs. 7-11; Las comedias del Retiro, 13-27; El teatro y las costumbres, 29-43; Organización de los teatros, 45-64; Lope de Vega, 65-72; Calderón, 73-78; Calderón, censor de Tirso, 79-83; Tirso de Molina y su tiempo, 85-100; Luis Vélez de Guevara, 101-09; La banda negra, 111-118; La licitud del teatro, 119-35; El hábito de Rojas Zorrilla, 137-44; Concursos y vejámenes, 145-51; Deslealtades y ingratitudes, 153-70; La cazuela, 171-76; La coquetería, 177-84; Villamediana, 185-93. Sección La Farándula: María de Córdoba, 197-202; Francisca Baltasara, 203-08; María Riquelme, 209-13; Mariana Romero, 215-20; Francisca Bezón, 221-26; Manuela Escamilla, 227-31; Eufrasia María de Reina, 233-38; Salvador de la Cueva, 239-243; Manuel de Mosquera, 245-50].

1637. FORSTER, JOSEPH: Some French and Spanish Men of Genius. London: Ellis and Elvey, 1891. Pp. 330.
V. CERVANTES, VEGA (333); CALDERÓN, CALDERÓN (1895).

1638. FREY, ALBERT ROMER: William Shakespeare and Alleged Spanish Prototypes. (Papers of the New York Shakespeare Society, no. 3). New York: New York Shakespeare Society, 1886. Pp. 41.
[Dice que no hay ninguna influencia española en All's Well That Ends Well, As You Like It, Romeo

and Juliet, The Taming of the Shrew,
Twelfth Night, Two Gentlemen of Ve-
rona ni Winter's Tale].

FUCILLA, JOSEPH G.: Relaciones
hispanoitalianas.
   V. TEMAS, Hispanoitalianas (1140).

1639. GARCÍA FIGUERAS, TOMÁS: Notas
sobre las fiestas de "Moros y cristianos" en Benadalid (Málaga). Larache: Artes Gráficas Boscá, 1939.
Pp. 68.
a) R. Ricard, BH, XLII (1940), 166.

1640. GARCÍA FIGUERAS, TOMÁS: Notas
sobre las fiestas de "Moros y cristianos" en España. II: Las fiestas de San Jorge, en Alcoy. Larache: Artes Gráficas Boscá, 1940.
Pp. 45.
a) R. Ricard, BH, XLVII (1945), 147.

1641. GARCÍA SORIANO, JUSTO: El
teatro universitario y humanístico
en España. Estudios sobre el orígen de nuestro arte dramático. Toledo: R. Gómez, 1945. Pp. 418.

1642. GARCÍA VALDECASAS, ALFONSO:
El hidalgo y el honor. Madrid:
Revista de Occidente, 1948. Pp. 252.
[2a ed., 1958. Pp. ix-215].
a) M. Legendre, BH, LI (1949), 174-
   188.

1643. GASSIER, ALFRED: Le Théâtre
espagnol.--San Gil de Portugal.
Paris: Paul Ollenberg, 1898. Pp.
516.
   [La primera parte es una historia
del drama; la segunda (págs. 433-
513), una traducción de la comedia
Caer para levantar de Moreto, Matos
y Cáncer].
a) A. L. Stiefel, LGRP, XXIV (1903),
   col. 23-26.

1644. GAVIDIA, FRANCISCO ANTONIO:
Discursos, estudios y conferencias.
San Salvador (El Salvador): Impr.
Nacional, 1941. Pp. 245.
   V. LOPE DE VEGA, HISTORIA (3222).

GAW, ALLISON: Studies in English
Drama.
   V. COELLO, núm. 2400.

1645. GENDARME DE BÉVOTTE, GEORGES:
La légende de Don Juan; son évolution dans la littérature des origines au romantisme. Paris: Hachette, 1906. Pp. xx-547.
a) F. Baldensperger, RCHLP, ns LXIV
   (1907), 394-96.
b) Lucien Maury, RB, XLVIe année
   (1908), 5e série, tome X (2me
   semestre), págs. 505-08.
c) G. Audiat, Polyb, 2a serie, tome
   LXVI (jul-dic, 1907), 529-31.
   V.t. TEMAS, DON JUAN (1016).

1646. GENDARME DE BÉVOTTE, GEORGES:
La légende de Don Juan. Paris: Hachette, 1911. 2 vols.
   [Vol. I: Son évolution dans la
littérature des origines au romantisme. Vol. II: Son évolution
dans la littérature du romantisme à
l'époque contemporaine].
a) M. J. Wolff, ASNSL, CXXVIII
   (1912), 406-08.
b) Eugène Rigal, RLR, LIV (1911),
   522-23.
c) G. Audiat, Polyb, 2a serie, tome
   LXXIV (jul-dic, 1911), 323-24.

1646A. GINARD DE LA ROSA, RAFAEL:
Hombres y obras. Madrid: Fernando
Fe, 1895. Pp. 286.
   V. CALDERÓN, LIBROS, HOMENAGE
(2304).

1647. GÓMEZ DE BAQUERO, EDUARDO
["ANDRENIO"]: De Gallardo a Una-
muno. Madrid: Espasa-Calpe, 1926.
Pp. 278.
   V. TIRSO DE MOLINA, OBRAS, EL CON-
DENADO POR DESCONFIADO (2890).

1648. GONZÁLEZ PALENCIA, ÁNGEL:
Historias y leyendas; estudios li-
terarios. Madrid: C.S.I.C., 1942.
Pp. 634.
   V. RUIZ DE ALARCÓN, OBRAS, QUIEN
MAL ANDA... (2629); LOPE DE VEGA,
PLEITO (3373).

1649. GONZÁLEZ RUIZ, NICOLÁS: Piezas maestras del teatro teológico
español. (Biblioteca de autores
cristianos). Madrid, 1946. 2 vols.
Pp. lviii-924, 1-926.
   [Vol. I: Autos sacramentales;
vol. II: Comedias].

1649 (cont.).
a) E. A. Peers, BSS, XXIV (1947), 284-86.
b) P. Pazos, ArchIA, VIII (1948), 418-19.

1650. GORRA, EGIDIO: Fra drammi e poemi. Milano: Ulrico Hoepli, 1900. Pp. xii-527.
V. TEMAS, SCHLEGEL (1424); CALDE-RÓN, RELIGIOSO (2044).

GOSSART, ERNEST: Charles-Quint et Philippe II ...
V. TEMAS, CHARLES-QUINT (970).

1651. GOSSART, ERNEST: Les Espag-nols en Flandre. Histoire et poé-sie. Bruxelles: H. Lamertin, 1914. Pp. 332.
a) C., RFE, I (1914), 354-55.

1652. GOSSART, ERNEST: La Révolu-tion des Pays-Bas au XVIe siècle dans l'ancien théâtre espagnol. Bruxelles: Academie Royale de Bel-gique, 1910. Pp. 128.
a) A. Hämel, LGRP, XXXV (1914), col. 26-27.
b) A. Ludwig, ASNSL, CXXX (1913), 203-04.

1653. GRAF, ARTURO: Studii drammatici. Roma: Loescher, 1878. Pp. 325.
V. GENERAL I, MISTERIOS (61); CAL-DERÓN, OBRAS, LA VIDA ES SUEÑO (2231).

GRASHEY, LUDWIG: Giacinto Andrea Cicogninis Leben und Werke.
V. TEMAS, CICOGNINI (901).

1654. GROSSMANN, RUDOLF: Spanien und das elisabethanische Drama. (Hamburgische Universität, Abhand-lungen aus dem Gebiet der Auslands-kunde, Band 4). Hamburg: L. Frie-drichsen, 1920. Pp. 138.
a) F. Krüger, RFE, VIII (1921), 184-85.
b) L. Pfandl, LGRP, XLIV (1923), col. 351-54.
c) E. Eckhardt, EngSt, LVI (1922), 425-26.
d) W. von Wurzbach, ZRP, XLII (1922), 252-54.

1655. GUAL, ADRIÁN: Temas de his-toria del teatro: La evolución de la escenografía. Las Danzas de la muerte. La comedia en el siglo XVIII. (Publicaciones del Institu-to del Teatro Nacional). Barcelona: Diputación Provincial de Barcelona, 1929. Pp. 82, con 16 láminas.

1656. GUERRIERI CROCETTI, CAMILLO: Pensiero e poesia. Genoa: Emilia-no degli Orfini, 1938. Pp. 111.
V. LOPE DE VEGA, ITALIA (3245).

1657. GUIETTE, ROBERT: La légende de la Sacristine; étude de littéra-ture comparée. (Bibliothèque de la Revue de littérature comparée, 43). Paris: Champion, 1927. Pp. 554.
[Trata de las diferentes versio-nes (más de 200) del "milagro de Beatriz", asunto de la comedia La buena guarda, de Lope de Vega, y de Sólo en Dios la confianza, de Pedro Rosete Niño, y también contado por José Zorrilla en su Margarita la tornera. V.t. núm. 1604].
a) Johannes Bolte, LGRP, L (1929), col. 111-12.
b) Erasmo Buceta, RFE, XVII (1930), 426-28.

HÄMEL, ADALBERT: Der Cid im spani-schen Drama ...
V. TEMAS, CID (904).

1657A. HASE, KARL AUGUST VON: Das geistliche Schauspiel. Geschicht-liche Übersicht. Leipzig: Breit-kopf und Härtel, 1858. Pp. xiii-320.
[V. el número siguiente].

1657B. HASE, KARL AUGUST VON: Mi-racle Plays and Sacred Dramas; a historical survey. Trad. A. W. Jackson. London: Trübner, 1880. Pp. x-273.
V. TEMAS, SACRED DRAMA (1402A).

1657C. HAUVETTE, HENRI: La "Morte vivante," étude de littérature com-parée. Paris: Boivin, 1933. Pp. 216.
[Se refiere a los Castelvines y Monteses de Lope de Vega (págs. 198-201) y a otras versiones del tema].

1658. Hazañas y la Rúa, Joaquín: Noticia de las academias literarias, artísticas y científicas de los siglos XVII y XVIII. Sevilla: Carlos de Torres y Daza, 1888. Pp. 69.

1659. Heinermann, H. Theodor: Ignez de Castro. Die dramatischen Behandlungen der Sage in der romanischen Literaturen. Leipzig, 1914. Pp. viii-112.
a) J. F. Montesinos, RFE, VIII (1921), 82-83.
b) A. Hämel, LGRP, XXXVII (1916), col. 303-06.

1660. Heinermann, H. Theodor: Untersuchungen zur Entstehung der Sage von Bernardo del Carpio. Halle: Niemeyer, 1926. Pp. 76.
a) E. Werner, NSpr, XXXVI (1928), 240.

1661. Henríquez Ureña, Pedro: Plenitud de España; estudios de historia de la cultura. Buenos Aires: Editorial Losada, 1940. Pp. 178.
V. CELESTINA, Edición (216); PÉREZ DE OLIVA, núm. 505; CALDERÓN, OBRAS, Colecciones (2094); TIRSO DE MOLINA, OBRAS, Colecciones (2840); LOPE DE VEGA, TEMAS, Esplendor (3173), Tradición (3495), Tragedia (3501); OBRAS, Colecciones (3567).

1662. Henríquez Ureña, Pedro: Seis ensayos en busca de nuestra expresión. Buenos Aires: B.A.B.E.L., 1927. Pp. 198.
V. RUIZ DE ALARCÓN, LIBROS, núm. 2648.

1663. Herrán, Fermín: Apuntes para una historia del teatro español antiguo. Dramáticos de segundo orden. Madrid: Fernando Fe, 1887. Pp. ix-270.
[Trata de Belmonte Bermúdez, Enríquez Gómez y Matos Fragoso].

1664. Herrero García, Miguel: Madrid en el teatro. (Biblioteca de Estudios Madrileños, VII). Madrid: C.S.I.C., 1962. Pp. viii-450.
V. TEMAS, Madrid (1225).

1665. Hill, John M., y Harlan, Ma-

bel: Cuatro comedias, edited with notes and vocabulary. New York: Norton, 1941. Pp. viii-699.
a) W. J. Entwistle, MLR, XXXVII (1942), 101-02.
b) S. E. Leavitt, MLJ, XXV (1940-41), 896-97.
c) H. C. Heaton, HR, X (1942), 73-79.

1666. Hills, Elijah C.: Hispanic Studies. Stanford: American Association of Teachers of Spanish, 1929. Pp. viii-298.
V. TEMAS, Traducciones (1472-73); LOPE DE VEGA, OBRAS, núms. 3585c, 3644a.

Hortulus amicorum.
V. ÍNDICE DE REVISTAS, HomErnst.

1667. Huszár, Guillaume: Corneille et le théâtre espagnol. Paris: Emile Bouillon, 1903. Pp. 306.
a) J. E. Spingarn, JCL, I (1903), 282-84.
b) E. Martinenche, RHLF, X (1903), 145-47.
c) A. Morel-Fatio, DLZ, XXIV (1903), col. 1723-25.
d) E. Martinenche, JdS, 4ª serie, tomo I (1903), 295-96.
e) R. Mahrenholtz, ZFSL, XXVI (1904), parte 2 ("Ref. u. Rez."), págs. 231-33.
f) L. Fränkel, LitZent (1904), col. 552-53.
g) L. Rouanet, Polyb, 2ª serie, tome LVII (en-jun, 1903), 429.
V.t. TEMAS, Corneille (938, 941).

1668. Huszár, Guillaume: Molière et l'Espagne. (Études critiques de littérature comparée, II). Paris: Champion, 1907. Pp. 332.
a) J. A. Ray, MLN, XXIV (1909), 24-26.
b) J. Haraszti, RHLF, XV (1908), 162-67.
c) H. Léonardon, RCHLP, ns LXV (1908), 187-88.
d) P. Toldo, GSLI, LII (1908), 377-381.
e) L. Rouanet, Polyb, 2ª serie, tome LXVII (en-jun, 1908), 238-39.
V.t. TEMAS, Molière (1272).

1669. Italia e Spagna. Saggi sui

1669 (cont.).
RAPPORTI STORICI, FILOSOFICI ED AR-
TISTICI TRA LE DUE CIVILTÀ. Presen-
tazione di A. Pavolini, prefazione
di A. Farinelli. Firenze: Le Monnier, 1941. Pp. xv-522.
V. TEMAS, ROMA (1386).
a) B. Chiurlo, GSLI, CXXI (1943),
   49-52.
b) J. Ortiz de Urbino, CivCat, Año
   XCIV (1943), vol. 2, págs. 243-47.

1670. IZQUIERDO Y MARTÍNEZ, JOSÉ M.:
El derecho en el teatro español.
Apuntes para una antología jurídica
de las comedias del Siglo de Oro.
Sevilla: Imp. de Ángel Saavedra,
1914. Pp. [88], en folio.
[Reimpreso en sus Obras completas
(tomo IV), Sevilla: Tip. Zarzuela,
1924. Pp. 374].

1671. JANNER, HANS: La glosa en el
Siglo de Oro. Una antología. Ma-
drid: Ediciones Nueva Época, 1946.
Pp. 95.
[Contiene un apéndice titulado.
"La glosa y su evolución en el Si-
glo de Oro; notas críticas"].
a) O. H. Green, HR, XV (1947), 408.

1672. JIMÉNEZ Y HURTADO, MANUEL:
Cuentos españoles contenidos en las
producciones dramáticas de Calderón
de la Barca, Tirso de Molina, Alarcón y Moreto, con notas y biografías. Madrid: Biblioteca Científico-
Literaria, 1881. Pp. 304.
V.t. TEMAS, SHORT STORIES (1438).

JOHNSON, HARVEY L.: An Edition of
Triunfo de los Santos ...
V. ANÓNIMAS, núm. 1548.

1673. JOURDAIN, ELEANOR F.: An Introduction to the French Classical
Drama. Oxford: Clarendon Press,
1912. Pp. 208.
V. TEMAS, CORNEILLE (940).

JULIÁ MARTÍNEZ, EDUARDO.
V. POETAS DRAMÁTICOS (1747).

1674. JUNCO, ALFONSO: Sangre de
Hispania. (Colección Austral, 159).
Buenos Aires: Espasa-Calpe, 1940.
V. LOPE DE VEGA, ECUMÉNICO (3155).

1675. KARL, LÁJOS: Magyarország a
spanyol nemzeti a Francia klasszi-
kus drámában. [Hungría en el drama
nacional español y en el clásico
francés]. Budapest: A Szent-Ist-
ván-Társulat Bizománya, 1916. Pp.
66.
[Se refiere a más de veinte comedias españolas que tratan de Hun-
gría].

KOEPPEL, EMIL: Quellen-Studien ...
V. TEMAS, QUELLEN-STUDIEN (1354).

1676. KRAUSS, WERNER: Gesammelte
Aufsätze zur Literatur- und Sprach-
wissenschaft. Frankfurt: Vittorio
Klostermann, 1949. Pp. 469.
V. CALDERÓN, RELIGIOSO (2045); LO-
PE DE VEGA, WELTBILD (3556).

LAGRONE, GREGORY G.: The Imitations
of Don Quijote ...
V. TEMAS, QUIJOTE (1355).

1677. LAÍN ENTRALGO, PEDRO: Vesti-
gios. Ensayos de crítica y amistad.
Madrid: Ediciones y Publicaciones
Españolas, 1948. Pp. 516.
V. CALDERÓN, NOSOTROS (2023).

1678. LANSON, GUSTAVE: Corneille.
Paris: Hachette, 1898. Pp. 208.
V. TEMAS, CORNEILLE (938).

1679. LARROUMET, GUSTAVE: Nouvelles
études d'histoire et de critique
dramatiques. Paris: Hachette,
1899. Pp. 358.
V. TIRSO DE MOLINA, DON JUAN (2725).

1680. LATOUR, ANTOINE DE: Espagne
religieuse et littéraire. Paris:
Michel Lévy, 1863. Pp. vii-360.
[Estudios sobre Jiménez de Enciso;
Corneille y Diamante; Romeo y Julie-
ta en España].

1681. LATOUR, ANTOINE DE: Espagne:
traditions, moeurs et littérature.
Paris: Didier, 1869. Pp. iii-375.
V. RUIZ DE ALARCÓN, núm. 2602.

1682. LATOUR, ANTOINE DE: Psyché
en Espagne. Paris: Charpentier,
1879. Pp. xix-349.
[Contenido: Lettre à M. de La-

prade—Introduction, págs. i-xix;
La Psyché d'Apulée, 3-67; La Psyché
de Calderón (traducción de Ni amor
se libra de amor), 69-194; Deux autos sacramentales de Calderón (sin
título; uno fué escrito para Madrid,
el otro para Toledo), 197-262; La
Psyché de Mal Lara, 265-304; Les
Triomphes de l'amour et de la fortune par de Solís, 307-12; La Psyché d'Hartzenbusch, 315-49].

LEBOIS, ANDRÉ: La Révolte des personnages...
V. TEMAS, RÉVOLTE (1381).

1682A. LEVI, ANGELO RAFFAELLO: Nel
regno del teatro. Milano: Dumolard,
1885. Pp. 426.
V. LOPE DE VEGA, PRODIGIO (3397A).

1682B. LEVI, CESARE: Studi di tea-
tro. Palermo: Remo Sandron, 1923.
Pp. 325.
V. GENERAL I, FONDATORE (42).

1683. LEVI, EZIO: Motivos hispánicos. (Biblioteca Hispano-Italiana,
I). Firenze: Sansoni, 1933.
V. RUIZ DE ALARCÓN, FAUSTO (2576-
2577).
a) V. Todesco, LeoM, V (1934), 335-
336.

1684. LEVI, EZIO: Il Principe Don
Carlos nella leggenda e nella poesia.
Roma: Istituto Cristoforo Colombo,
1924. Pp. 427.
[Es otra versión de su Storia poetica di Don Carlos].
a) F. W. C. Lieder, MLN, XLI (1926),
194-97.

1685. LEVI, EZIO: Storia poetica
di Don Carlos. Pavia: Mattei,
1914. Pp. x-435.
a) Charles Déjob, RCHLP, ns LXXIX
(1915), 56-57.

1686. LEWES, GEORGE HENRY: Spanish
Drama: Lope de Vega and Calderón.
London: C. Knight, 1849 [error por
1846?]. Pp. iv-254.
a) E. B. Cowell, WestR, LIV (1851),
143-62. [Análisis del drama español y comentario sobre varias comedias de Calderón. También es una

reseña de la History of Spanish
Literature de George Ticknor].

1687. LISTA, ALBERTO: Lecciones de
literatura española. Madrid: José
Cuesta, 1853. 2 vols. Pp. viii-345,
296.
[Trata solamente del drama, en 28
lecciones: Tomo I: 1. Literatura
dramática, págs. 1-21; 2. Orígenes
del teatro español, 22-46; 3. Torres
Naharro, 47-72; 4. La Celestina,
75-92; 5. Lope de Rueda, 93-115;
6. Lope de Rueda, Malara, Rodrigo
Alonso [Pedraza], Avendaño y Luis
de Miranda, 116-35; 7. Timoneda,
136-54; 8. Juan de la Cueva, Virués,
Rey de Artieda y Cervantes, 155-70;
9. Virués, Argensola y demás [Pérez
de Oliva y Jerónimo Bermúdez] entre
los dos Lopes, 171-92; 10-14. Lope
de Vega, 193-287; 15. Tirso de Molina, 288-316; 16. Tirso, Guillén
de Castro, Miguel Sánchez, 317-45;
Tomo II: 17-24. Calderón, 1-226;
25. Ruiz de Alarcón, 227-45; 26. Moreto, 246-72; 27. Rojas Zorrilla,
273-87; 28. Pérez de Montalván, Cubillo de Aragón, Bances Candamo y
otros, 288-96].

LIVERPOOL STUDIES IN SPANISH LITE-
RATURE.
2ª SERIE: V. PEERS (1741).
3ª SERIE: V. TIRSO DE MOLINA, LI-
BROS, MCCLELLAND (2931).

1688. LOHMANN VILLENA, GUILLERMO:
Apuntaciones sobre el arte dramáti-
co en Lima durante el virreinato.
Lima: Editorial Lumen, 1941. Pp.32.
V. TEMAS, LIMA (1213).

1689. LOHMANN VILLENA, GUILLERMO:
El arte dramático en Lima durante
el virreinato. (Publicaciones de
la Escuela de Estudios Hispanoamer-
ricanos de la Universidad de Sevilla). Madrid, 1945. Pp. xviii-647.
a) I. A. Leonard, HR, XIV (1946),
364-66.
b) R. Benítez Claros, RBN, VI (1945),
373-75.

1690. LOHMANN VILLENA, GUILLERMO:
Historia del arte dramático en Lima
durante el virreinato. I: Siglos

1690 (cont.).
XVI y XVII. Lima: 1941. Pp. 271.
a) I. A. Leonard, HR, X (1942),
260-62.

1691. LOLLIS, CESARE DE: Cervantes
reazionario e altri scritti d'ispanistica. A cura di Silvio Pellegrini. Firenze: Sansoni, 1947.
Pp. 403.
V. CALDERÓN, OBRAS, EL ALCALDE DE
ZALAMEA (2120).

1692. MACAYA LAHMANN, ENRIQUE: Estudios hispánicos. San José de
Costa Rica: Soley y Valverde, 1935-
1938. 2 vols.
V. CELESTINA, núm. 242.

1693. MAEZTU, RAMIRO DE: Don Quijote, don Juan y la Celestina. Madrid: Calpe, 1926. Pp. 292.
a) G. Cirot, RCHLP, ns XCIII (1926),
259-60.
V.t. TEMAS, MAEZTU (1229).

1694. MANACORDA, GUIDO: Studi e
saggi. Firenze: Le Monnier, 1922.
Pp. 305.
V. CALDERÓN, OBRAS, LA VIDA ES
SUEÑO (2235).

1695. MARASSO, ARTURO: Estudios de
literatura castellana. Buenos Aires; Kapelusz, 1955. Pp. 349.
V. LOPE DE VEGA, HUMANISMO (3232).

1696. MARISCAL DE GANTE, JAIME: Los
autos sacramentales desde sus orígenes hasta mediados del siglo
XVIII. Madrid: Biblioteca Renacimiento, 1911. Pp. 431.
a) A. Hämel, LGRP, XXXIV (1913),
col. 81-82.

MARTÍ GRAJALES, FRANCISCO: Cancionero...
V. el núm. 1584.

1697. MARTINENCHE, ERNEST: La comédie espagnole en France de Hardy
à Racine. Paris: Hachette, 1900.
Pp. 434.
a) G. Lanson, RHLF, VIII (1901),
332-34.
b) E. Cotarelo, RELHA, I (1901),
189-91.

c) Pierre Brun, RCHLP, ns LI (1901),
287-88.
d) L. Rouanet, Polyb, 2ª serie,
tome LIII (en-jun, 1901), 435-36.
V.t. TEMAS, CORNEILLE (938), THÉ-
ATRE CLASSIQUE (1458).

1697A. MARTINI, FERDINANDO: Al te-
atro. Firenze: Bemporad, 1895.
Pp. xxiii-437.
V. CALDERÓN, CENTENARIO (1911).

1697B. MARTINS, MÁRIO: Estudos de
literatura medieval. Braga: Livraria Cruz, 1956. Pp. 536.
[Su artículo "Teatro sagrado na
nossa idade-média" (núm. 93) está
reimpreso en las págs. 505-10 con
el título "O teatro sagrado na le-
gislação dos sínodos medievo-portu-
gueses"].

1698. MEDINA, JOSÉ TORIBIO: Dos
comedias famosas y un auto sacramental basados principalmente en
La Araucana de Ercilla, anotados
y precedidos de un prólogo sobre
la historia de América como fuente
del teatro antiguo español. Santiago de Chile: Sociedad Imprenta-
Litografía Barcelona, 1915-17. 2
vols. Pp. 149, 292.
[Tomo I: Prólogo (V. TEMAS, AMÉ-
RICA, núm. 819); tomo II: El gobernador prudente, de Gaspar de
Ávila, págs. 1-113; La belígera
española, de Ricardo de Turia, págs.
115-251; el auto sacramental La
Araucana, de Lope de Vega, págs.
253-92.].

1699. MEIER, HARRI: Ensaios de filologia românica. Lisboa: Revista
de Portugal, 1948. Pp. 260. (Las
págs. 1-80 se publicaron como suplemento de la RdPort, XII [1947],
y las págs. 81-260 como suplemento
al tomo XIII [1948]).
[Págs. 227-51: "A honra no drama
românico dos séculos XVI e XVII."
(págs. 228-, O honos latino; 230-, A
honra marital; 232-, A Mandragola
de Machiavelli; 234-, Os moralistas
italianos do Renascimento; 235-, Os
dramas de Gil Vicente; 240-, Honra
e religião em tempos de Carlos V;
242-, A honra marital na filosofia

moral espanhola); 243-, _El castigo_
sin venganza de Lope de Vega; 246-,
Conflitos dramáticos da honra no
Siglo de Oro; 249-, Duas comédias
de Molière)].

1700. MÉNDEZ BEJARANO, MARIO: Poetas españoles que vivieron en América. Recopilación de artículos
biográfico-críticos. Madrid: Renacimiento, 1929. Pp. 413.
   V. BELMONTE BERMÚDEZ, núm. 1829;
JUAN DE LA CUEVA, núm. 399.

1701. MENÉNDEZ Y PELAYO, MARCELINO:
Estudios y discursos de crítica
histórica y literaria. (Edición
nacional de las obras completas,
vols. VI-XII). Madrid: C.S.I.C.,
1941-42. 7 vols.
   V. CELESTINA, núm. 218; PÉREZ DE
OLIVA, núm. 504; TORRES NAHARRO,
núm. 580; ALONSO DE LA VEGA, núm.
589; GENERAL II, BARLAAN Y JOSAFAT
(862); CALDERÓN, LIBROS, MENÉNDEZ Y
PELAYO (2312), RUBIÓ Y LLUCH (2327);
TIRSO DE MOLINA, BIOGRAFÍA (2686);
LOPE DE VEGA: OBRAS, LA DONCELLA
TEODOR (3660); LIBROS, FARINELLI
(3855).

1702. MENÉNDEZ PIDAL, RAMÓN: De
Cervantes y Lope de Vega. (Colec-
ción Austral). 2ª ed.; Buenos Ai-
res; Espasa-Calpe, 1943. Pp. 166.
   V. CERVANTES, OBRAS, QUIJOTE (375);
GENERAL II, HONOR (1159); LOPE DE
VEGA, BIOGRAFÍA (3010), HOGAR (3224).
a) A. Croce, RivLM, I (1946), 213-15.
V.t. LOPE DE VEGA, TEMAS, MENÉNDEZ
PIDAL (3301).

1703. MENÉNDEZ PIDAL, RAMÓN: Estu-
dios literarios. (Colección Aus-
tral). 3ª ed.; Buenos Aires: Es-
pasa-Calpe, 1942. Pp. 264.
   V. TIRSO DE MOLINA: OBRAS, EL BUR-
LADOR DE SEVILLA (2863), EL CONDE-
NADO POR DESCONFIADO (2885); LIBROS,
MENÉNDEZ PIDAL (2933).

1704. MÉRIMÉE, HENRI: Spectacles
et comédiens à Valencia (1580-1630).
Toulouse: Privat, 1913. Pp. 267.
   V.t. GENERAL I, LIBROS, núm. 186.
   [Cap. I: Les édifices; II: Les
représentations théâtrales; III: La

concurrence; IV: Les comédiens en
voyages; V: Comédiens et "impresa-
rii"; VI: Les comédiens au théâtre;
VII: Les comédiens chez eux].
a) Charles Déjob, RCHLP, ns LXXVII
   (1914), 36-37.
b) M. A. Buchanan, MLR, XI (1916),
   106-07.

1705. MÉRIMÉE, HENRI: Théâtre espagnol. Tome I: Encina, Torres
Naharro, Lope de Rueda, Lope de Vega. Paris: "La Renaissance du
Livre," s. a. Pp. 227.
   [V. VAUTHIER (1794) para el t. II].
a) G. Cirot, BH, XXVII (1925), 366.
b) C. Pitollet, RLR, LXIII (1925-
   1926), 349-68.

1706. MERRY Y COLOM, MANUEL: Estudios sobre el teatro español en los
siglos XVI y XVII. Sevilla, 1876.
Pp. 63.

1707. MICHAELIS, GEORG: Die soge-
nannten "comédies espagnoles" des
Thomas Corneille, ihr Verhältnis zu
den spanischen Vorlagen und ihre
eventuellen weiteren Schicksale in
dem Schrifttum anderer Nationen.
Ein Beitrag zur vergleichenden Li-
teraturforschung (Kapitel X). Berlin: Eberling, 1914. Pp. xl-470.
   [Sobre _Le Galand doublé_ de Corneille, que deriva de _Hombre pobre_
todo es trazas de Calderón y de _La_
celosa de sí misma de Tirso de Mo-
lina].

1708. MICHAËLIS DE VASCONCELLOS, C.:
Tres flores del teatro antiguo español. (Colección de autores españoles, vol. XXVII). Leipzig:
Brockhaus, 1870. Pp. 347.
   [_Las mocedades del Cid_ de Castro,
El Conde de Sex de Coello y _El des-_
dén con el desdén de Moreto].
a) L. Lemcke, JREL, XI (1870), 333-
   334.
b) A. Morel-Fatio, RCHLP, VI (1872),
   1er semestre, págs. 150-52.

1709. MILÁ Y FONTANALS, MANUEL:
Obras completas. Coleccionadas por
Marcelino Menéndez y Pelayo. Barcelona: Librería de Álvaro Verda-
guer, 1888-95. 6 vols.

1709 (cont.).
V. GENERAL I, Orígenes (74), Sibila (97); GENERAL II, Clasificación
(912); CALDERÓN: TEMAS, Auto sacramental (1860), Calderón (1893);
OBRAS, La estatua de Prometeo (2156),
El príncipe constante (2200); LOPE
DE VEGA, OBRAS, Los Tellos de Meneses (3812).

1710. MILEGO, JULIO: Estudio histórico-crítico. El teatro en Toledo durante los siglos XVI y XVII.
Valencia: M. Pau, 1909. Pp. 200.
[Sobre el desarrollo del drama en
Toledo y los dramaturgos que nacie-
ron allí].
a) G. Bernard, Polyb, 2ª ser., tome
LXXI (en-jun, 1910), 168.

1711. MILLÉ Y GIMÉNEZ, JUAN: Estudios de literatura española. (Biblioteca Humanidades, VII). La
Plata: Universidad de La Plata,
1928. Pp. xvi-350.
V. GENERAL II, Lechera (1207A),
Leganés (1208); LOPE DE VEGA, Armada (2979), Epigrama (3168), Góngora
(3205-06), Jáuregui (3246), Juventud (3252).

1712. MIRÓ QUESADA Y SOSA, AURELIO:
Cervantes, Tirso y el Perú. Lima:
Editorial Huarascan, 1948. Pp. 220.
a) A. B. Dellepiane, Filol, I (1949),
203-07.
b) C. E. Anibal, HR, XVIII (1950),
72-75.
c) L. J. Cisneros, MdelS, I, no. 1
(sept-oct, 1948), 80-82.

1713. MITTERER, RICHARD: Die Sage
von Bernardo del Carpio in spanischen Drama des 16. und 17. Jahrhunderts. Würzburg: Grasser, 1930.
Pp. 95.

1714. MÖLLER, WILHELM: Die christ-
liche Banditen_Comedia. (Ibero-
Amerikanische Studien, vol. 8).
Hamburg: Ibero-Amerikanisches Ins-
titut, 1936. Pp. 78.
[Trata de La fianza satisfecha de
Lope de Vega, y de El esclavo del
demonio de Mira de Amescua].

1715. MOLDENHAUER, GERHARD: Die

Legende von Barlaam und Josaphat
auf der iberischen Halbinsel.
Halle: Niemeyer, 1929. 2 partes
en un tomo. Pp. 186, v-348.
a) H. Petriconi, DLZ, L (1929), col.
1438-39.
b) G. Cirot, BH, XXXIII (1931),
52-55.
c) J. W. R., BSS, VIII (1931), 49-50.
d) P. Bohigas, RFE, XVII (1930),
69-73.
e) E. Werner, LGRP, L (1929), col.
450-51.
f) E. Werner, ZRP, LVIII (1938),
427-28.
g) W. J. Entwistle, MLR, XXIV (1929),
497-98.

1716. MONREAL, JULIO: Cuadros vie-
jos. Colección de pinceladas, to-
ques y esbozos, representando cos-
tumbres españolas del siglo XVII.
Madrid: Oficinas de la Ilustración
Española y Americana, 1888. Pp. 482.
V. GENERAL II, Corpus Christi (947),
Juego (1199).

1717. MONTERDE, FRANCISCO: Bibliografía del teatro en México. (Monografías bibliográficas mexicanas,
no. 28). México: Secretaría de
Relaciones Exteriores, 1934. Pp.
lxxx-649.

1718. MONTOLIU, MANUEL DE: El alma
de España y sus reflejos en la literatura del Siglo de Oro. Barcelona: Editorial Cervantes, 1942.
Pp. 752.
[Cap. I: El alma imperial—Lope
de Vega, poeta imperial, págs. 59-
60; Comedias soldadescas en el teatro de Lope y Calderón, 68-76. Cap.
II: El alma caballeresca—El espíritu caballeresco en el teatro pre-
lopesco, 195-96; El espíritu caballeresco y el teatro español, 201-
204; El sentimiento del honor, 204-
205; Lo caballeresco en el teatro
de Lope de Vega y otros autores
dramáticos, 210-20; El espíritu caballeresco en el teatro de Calderón,
220-24; El espíritu caballeresco en
otros dramaturgos, 224-27. Cap. III:
El alma picaresca—La Celestina,
302-05; Juan del Encina, 305; Torres Naharro, 305-06; Lope de Rueda,

306-07; Lope de Vega, 319-20; Los
entremeses, 320-21; El gracioso del
teatro español, 321. Cap. IV: El
alma estoica—Lo estoico y el teatro español, 552-53. Cap. V: El
alma mística (lo demás del libro)].

1719. MONTOTO DE SEDAS, SANTIAGO:
El Arenal de Sevilla en la historia
y en la literatura. Conferencia
leída el día 16 de marzo de 1934 en
el Centro Cultural Tertulia del
Arenal. Sevilla: Domínguez, 1934.
Pp. 51.
[Contiene citas de diversas comedias de Lope de Vega].

1720. MORALEDA Y ESTEBAN, JUAN: Los
seises de la Catedral de Toledo;
antigüedad, vestidos, música y danza. Toledo: Gutenberg, 1911.
Pp. 76.

1721. MOREL-FATIO, ALFRED: La Comedia espagnole du XVIIe siècle.
Paris: Chartres, 1885. Pp. 40;
2a ed., Paris: Champion, 1923.
Pp. 71.
a) A. L. Stiefel, LGRP, VI (1885),
col. 205-07.
b) W. J. Entwistle, MLR, XX (1925),
222-24.
c) L. P. Thomas, RBPH, IV (1925),
737-38.
V.t. TEMAS, MOREL-FATIO (1275).

1722. MOREL-FATIO, ALFRED: Études
sur l'Espagne (Troisième série).
Paris: E. Bouillon, 1904. Pp. 438.
V. GENERAL I, ANONIMAS, ATE RELE-
GATA (116); TIRSO DE MOLINA, OBRAS,
LA PRUDENCIA EN LA MUJER (2913).

1723. MOREL-FATIO, ALFRED: Études
sur l'Espagne (Quatrième série).
Paris: Champion, 1925. Pp. 494.
V. TEMAS, CHATEAUX EN ESPAGNE (971).

1724. MOREL-FATIO, ALFRED, y ROUANET,
LÉO: Le Théâtre espagnol. (Bibliothèque de bibliographies critiques,
publiée par la Société des Études
historiques, no. 7). Paris: A.
Fontemoing, 1900. Pp. 47.
a) A. Morel-Fatio, BH, II (1900),
212-13.

1725. MUÑOZ, MATILDE: Historia del
teatro dramático en España. Madrid:
Editorial Tesoro, 1948. Pp. 338.

1726. MUÑOZ MORILLEJO, JOAQUÍN:
Escenografía española. Madrid:
Real Academia de Bellas Artes de
San Fernando (Imprenta Blass), 1923.
Pp. 314.

NAPIER, A. S.: History of the Holy
Rood-tree.
V. TEMAS, núm. 962.

1727. NORTHUP, GEORGE T.: Ten Spanish Farces of the 16th, 17th, and
18th Centuries. Boston: D. C.
Heath, 1922. Pp. xxxvii-231.
[Contiene: Paso séptimo de Lope
de Rueda; La cueva de Salamanca de
Cervantes; Los dos habladores y Entremés de refranes, atribuídos a
Cervantes; El doctor y el enfermo
de Quiñones; cuatro entremeses anó-
nimos, y Las tertulias de Madrid de
Ramón de la Cruz].
a) J. E. Gillet, ModPhil, XX (1922-
1923), 222-24.
b) J. P. W. Crawford, MLJ, VIII
(1923), 120-23.

OROZCO DÍAZ, EMILIO: Temas del barroco ...
V. TEMAS, BARROCO (864).

1728. OSSORIO Y BERNARD, MANUEL:
Papeles viejos e investigaciones
literarias. Madrid: Imprenta y Li-
tografía de Julián Palacios, 1890.
Pp. 200.
V. CALDERÓN, AUTOS (1859); TIRSO
DE MOLINA, RETRATO (2790); LOPE DE
VEGA, MUERTE (3317).

1729. OWEN, JOHN: The Five Great
Skeptical Dramas of History. Lon-
don: Sonnenschein; New York: G. P.
Putnam's Sons, 1896. Pp. vii-398.
[Prometheus Vinctus, págs. 3-106;
Job, 109-67; Faust, 171-275; Hamlet,
279-348; El mágico prodigioso, 351-
398].

1730. OYUELA, CALIXTO: Estudios y
artículos literarios. Buenos Aires:
Pablo E. Coni, 1889. Pp. vii-600.

1730 (cont.).

V. CALDERÓN, OBRAS, EL ALCALDE DE
ZALAMEA (2117), LA HIJA DEL AIRE
(2162); TIRSO DE MOLINA, OBRAS,
DESDE TOLEDO A MADRID (2900), MARTA
LA PIADOSA (2907).

1731. PALACIOS, LEOPOLDO EULOGIO:
Don Quijote y "La vida es sueño."
Madrid: Ediciones Rialp, 1960.
Pp. 88.
V. CALDERÓN, OBRAS, núm. 2240.

1732. PAPINI, GIOVANNI: Four and
Twenty Minds; essays selected and
translated by Ernest Hatch Wilkins.
New York: Crowell, 1922. Pp. vii-
324.
V. CALDERÓN, CALDERÓN (1897).

1733. PAPINI, GIOVANNI: Retratos.
Trad. José Miguel Velloso. Barce-
lona: Caralt, 1962. Pp. 200.
V. CALDERÓN, núm. 1897.

1734. PAPINI, GIOVANNI: Ritratti
stranieri. Firenze: Vallecchi,
1942. Pp. 265.
V. CALDERÓN, núm. 1897.

1735. PAPINI, GIOVANNI: Testimo-
nianze. Milano: Studio Editoriale
Lombardo, 1918. Pp. 375.
V. CALDERÓN, núm. 1897.

1736. PARDO MANUEL DE VILLENA, AL-
FONSO DE: Un Mecenas español del
siglo XVII. El Conde de Lemos, noticia de su vida y de sus relaciones con Cervantes, Lope de Vega,
los Argensola y demás literatos de
su época. Madrid: Beltrán, 1911.
Pp. 311.
a) A. Hämel, LGRP, XXXVI (1915),
col. 373.
V.t. TEMAS, LEMOS (1209).

1737. PAREDES Y GUILLÉN, VICENTE:
Orígenes históricos de la leyenda
"La Serrana de la Vera" y el de las
demás de este tema poético, seguida
de otra leyenda hasta ahora inédita,
titulada "Auto al Nacimiento de N.
S. Jesucristo: El amante más cruel
o serrana bandolera." Plasencia:
Generoso Montero, 1915. Pp. 414-112.
a) V. Castañeda, RABM, XXXIV (1916),

318-19.
V.t. TEMAS, núm. 1431.

1738. PAZ Y MELIA, ANTONIO: Catálogo de las piezas de teatro que se
conservan en el Departamento de Manuscritos de la Biblioteca Nacional.
Madrid, 1899. Pp. 724.
a) A. Restori, LGRP, XXIV (1903),
col. 26-35.
(2a ed., Madrid: Biblioteca Nacional, 1934-35. 2 vols. Pp. 702,
viii-720).

1739. PEDRELL, FELIPE: Teatro lírico español anterior al siglo XIX.
La Coruña: Canuto Berea, 1897. 3
vols. Pp. xxii-40, xxxv-48, xxxii-
51.
a) L. Rouanet, Polyb, 2a serie, tome
XLVII (en-jun, 1898), 253-54.

1740. PEERS, E. ALLISON: Saint John
of the Cross and Other Lectures and
Addresses, 1920-1945. London: Faber and Faber, 1946. Pp. 231.
V. LOPE DE VEGA, PORTRAITS (3391).

1741. PEERS, E. ALLISON: Spanish
Golden Age Poetry and Drama. (Liverpool Studies in Spanish Literature,
Second Series). Liverpool: Institute of Hispanic Studies, 1946.
Pp. vii-212.
V. CALDERÓN, RELIGIOSO (2046); RO-
JAS ZORRILLA, núms. 2542-43; LOPE
DE VEGA, PEASANT (3363).
a) A. Sánchez, RFE, XXXI (1947),
278-302.
b) O. H. Green, HR, XVI (1948),
351-52.
c) C. V. Aubrun, BH, XLIX (1947),
470-71 (solamente sobre el artículo de Silva--núm. 2046).

1742. PÉREZ DE AYALA, RAMÓN: Las
máscaras. Volumen II: Lope de
Vega, Shakespeare, Ibsen, Wilde,
Don Juan. Madrid: Saturnino Calleja, 1919. Pp. 355.
[Los capítulos que están relacionados con el teatro español son los
siguientes: "Teatro de justicias y
ladrones," págs. 61-77 (análisis de
la comedia Antonio Roca, atribuída
a Lope); "Teatro en verso y teatro
poético," 79-92 (discusión de si es

mejor el verso o la prosa; el autor experimenta versificando trozos de prosa y prosificando versos; concluye que lo mejor es mezclar las dos formas, como Shakespeare); "El bien y la virtud," 93-102, y "El melodrama," 103-19 (continúa el análisis de Antonio Roca); "Juan de la Cueva," 121-29 (Cueva como precursor de Lope); "Entremés de entremeses," 131-40 (sobre lo que es, y ha sido, el entremés); "La comedia de santos," 141-59 (definición; análisis de La adúltera penitente de Moreto; prohibición de autos sacramentales [9 de junio de 1765] y comedias de santos en el siglo XVIII; José Clavijo Fajardo; las unidades aristotélicas; referencia a El Pitágoras moderno, atribuído a Lope)].

1743. PÉREZ PASTOR, CRISTÓBAL: Nuevos datos acerca del histrionismo español en los siglos XVI y XVII, recogidos por Cristóbal Pérez Pastor. Madrid: Imprenta de la Revista Española, 1901. Pp. 418.
  V.t. TEMAS, HISTRIONISMO (1152-53).
a) A. Restori, RevHisp, IX (1902), 569-72.
b) H. A. Rennert, MLN, XVIII (1903), 29-30.
c) J. Gómez Ocerín, RFE, II (1915), 301-27, 409-10. [V. núm. 1153].
d) A. Morel-Fatio, BH, IV (1902), 168.

1744. PERRY, HENRY TEN EYCK: Masters of Dramatic Comedy and their Social Themes. Cambridge: Harvard University Press, 1939. Pp. xxii-428.
  V. LOPE DE VEGA, CONTRIBUCIONES (3111).

PETERS, RICHARD: Paul Scarron's Jodelet duelliste...
  V. TEMAS, SCARRON (1416).

1745. PIDAL, PEDRO JOSÉ (Primer Marqués de): Estudios literarios. Madrid: Tello, 1890. 2 vols.
  V. TEMAS, UNIDADES (1478); LOPE DE VEGA, BURGUILLOS (3014).

1746. PIDAL Y MON, LUIS (Segundo Marqués de PIDAL): El drama histó-

rico o el teatro antiguo y el teatro español del Renacimiento. Madrid: Imprenta de los Huérfanos, 1895. Pp. 88.
  [También publicado con los títulos Las epopeyas dramáticas, y El teatro de Lope de Vega. Reimpreso en Discursos leídos ... Serie segunda, IV, 103-49 (V. núm. 1552), con la descripción siguiente: "Asunto: La epopeya y el drama nacionales; el teatro y las epopeyas nacionales; precedentes del teatro histórico de Lope; ciclo épico de los dramas históricos de Lope; ciclo feudal; ciclo de los tiempos del apogeo del poder de España; Tirso de Molina y el teatro histórico; el teatro histórico en Lope; Ruiz de Alarcón; Jiménez de Enciso; Montalbán; El teatro histórico en los siglos XVIII y XIX; la restauración del drama histórico].

1747. POETAS DRAMÁTICOS VALENCIANOS. Ed. Eduardo Juliá Martínez. (Real Academia. Biblioteca Selecta de Clásicos Españoles). Madrid: "Revista de Archivos," 1929. 2 vols. Pp. cxxxv-629, 694.
  [Vol. I: Introducción biográfico-crítica sobre Rey de Artieda, Virués, Tárrega, Aguilar, Beneyto, Boyl, Turia, seguida de las obras de los tres primeros. Vol. II: Las obras de los demás].

1748. POPEK, ANTON: Der false Demetrius in der Dichtung. Linz: K. K. Staats-Gymnasium, 1893-95. 3 vols.
  [En el primer tomo se trata de El Gran Duque de Muscovia de Lope].
a) ——, ASNSL, XCIV (1894), 122-23.

1748A. POUND, EZRA: The Spirit of Romance. London: J. M. Dent, 1910. Pp. x-251. Reimpreso Norfolk (Conn., U.S.A.): New Directions, 1952. Pp. 248.
  V. LOPE DE VEGA, QUALITY (3403A).

1749. PRAAG, J. A. VAN: La "comedia" espagnole aux Pays-Bas au XVIIᵉ et au XVIIIᵉ siècle. Amsterdam: H. J. Paris, 1922. Pp. 292.
a) W. J. Entwistle, MLR, XX (1925),

1749 (cont.).
233-34.
b) Resumen en "Notas bibliográficas,"
BRAE, XI (1924), 96.

PREUSSISCHE STAATSBIBLIOTHEK.
V. SPANISCHES THEATER (1785).

1750. RAMÍREZ DE ARELLANO, RAFAEL:
Nuevos datos para la historia del
teatro español. El teatro en Córdoba. Ciudad-Real: Establ. tip.
del Hospicio Provincial, 1912. Pp.
216.
a) A. Hämel, LGRP, XXXV (1914),
col. 63-65.

1751. RAPP, MORIZ: Spanisches Theater. Hildburghausen: Bibliogra-
phisches Institut, 1868-70. 7 vols.
[Colección de comedias españolas
traducidas en alemán].
a) N. Delius, JREL, XIII [ns I]
(1874), 391-94.

1752. RAY, JOHN ARTHUR: Drake dans
la poésie espagnole (1570-1732).
Paris: Imprimerie Durand, 1906.
Pp. xiv-264.
[Hay un capítulo (págs. 13-63)
que trata de La Dragontea de Lope
de Vega].

1753. RENNERT, HUGO A.: The Spanish Stage in the Time of Lope de
Vega. New York: Hispanic Society
of America, 1909. Pp. xv-635.
[Historia del teatro: actores,
"corrales," representaciones, etc.].
a) W. von Wurzbach, ZRP, XXXV
(1911), 123-25.
b) A. Paz y Melia, RABM, XXII
(1910), 136.
c) A. Morel-Fatio, BH, XII (1910),
347.
d) A. L. Stiefel, LGRP, XXXII
(1911), col. 21-22.
V.t. TEMAS, STAGE (1447).

1754. RESTORI, ANTONIO: Piezas de
títulos de comedias. Messina:
Muglia, 1903. Pp. 285.
a) M. Serrano y Sanz, RABM, IX
(1903), 67.
b) A. Farinelli, ASNSL, CXIII
(1904), 233-38.
V.t. TEMAS, núm. 1463.

1755. RESTORI, ANTONIO: Saggi di
bibliografia teatrale spagnuola.
Geneva: Leo Olschki, 1927. Pp. 121.
a) H. C. Heaton, RR, XIX (1928),
250-58.

1756. REVILLA Y MORENO, MANUEL DE LA:
Obras. Madrid: Víctor Saiz, 1883.
Pp. xlvi-568.
V. CALDERON: TEMAS, SHAKESPEARE
(2058); OBRAS, EL MÁGICO PRODIGIOSO
(2176); TIRSO DE MOLINA, OBRAS, EL
CONDENADO POR DESCONFIADO (2879).

1757. REY SOTO, ANTONIO: Galicia,
venera y venero de España. La Coruña: Moret, 1949. Pp. 309.
[Contiene: "Lope de Vega en Galicia," págs. 17-37; "Galicia en el
teatro de Lope" (Apéndice V), págs.
171-80 (excerptos de Don Juan de
Castro, 1ª y 2ª partes y de Santa
Casilda)].

1758. REYES, ALFONSO: Capítulos de
literatura española (Primera serie).
México: La Casa de España, 1939.
Pp. vi-317.
V. RUIZ DE ALARCÓN, BALTASAR CAR-
LOS (2557), FRANCIA (2579); LOPE DE
VEGA: TEMAS, SILUETA (3456); OBRAS,
EL PEREGRINO EN SU PATRIA (3763).

1759. REYES, ALFONSO: Capítulos de
literatura española (Segunda serie).
México: El Colegio de México, 1945.
Pp. 295.
V. TEMAS, AUTO SACRAMENTAL (850-52);
CALDERÓN, OBRAS, LA VIDA ES SUEÑO
(2274); RUIZ DE ALARCÓN, CENTENARIO
(2569), URNA (2619).

1760. REYES, ALFONSO: Entre libros,
1912-1923. México: El Colegio de
México, 1948. Pp. 230.
V. TEMAS, VERSO ITALIANO (1492);
CALDERÓN, OBRAS, TEATRO (2105a), LA
ESPAÑOLA DE FLORENCIA (2153c); RUIZ
DE ALARCÓN: OBRAS, NO HAY MAL QUE
POR BIEN NO VENGA (2624a), LAS PA-
REDES OYEN (2626b); LIBROS, HENRI-
QUEZ UREÑA (2648a).

1761. REYES, ALFONSO: Trazos de
historia literaria. Buenos Aires:
Espasa-Calpe, 1951. Pp. 147.
V. CALDERÓN, OBRAS, núm. 2274.

1762. Ríos de Lampérez, Blanca de los:
Del siglo de oro (Estudios litera-
rios). Con prólogo del Excmo. Sr.
D. Marcelino Menéndez y Pelayo.
Madrid: Bernardo Rodríguez, 1910.
Pp. xlv-275.
  V. TIRSO DE MOLINA, Biografía
(2688), Cataluña (2704), Mujeres
(2755), Tirso (2813); LOPE DE VEGA,
Menéndez y Pelayo (3296), Parroquia
(3357).
  a) G. T. Northup, MLN, XXVI (1911),
     186-88.

1763. Rochel, Clément: Les Chefs-
d'oeuvres du théâtre espagnol. Tome
I. Paris: Garnier, 1900. Pp. 600.
  a) H. de Curzon, RCHLP, L (1900),
     195, 382-83.

1764. Rodríguez Carballeiro, Hilde-
gart: Tres amores históricos. Estudio comparativo de los amores de
Romeo y Julieta, Abelardo y Heloísa
y los Amantes de Teruel. Con un
prólogo de S. Andrés. Teruel:
Edic. de la Diputación, 1930. Pp.
xiii-308.

1764A. Rodríguez Marín, Francisco:
Burla burlando... Menudencias de
varia, leve y entretenida erudición.
Madrid: Tip. de la "Revista de Ar-
chivos," 1914. Pp. 440.
  V. LOPE DE RUEDA, Biografía (518A);
GENERAL II, Seises (1427A), Ville-
gas, Antonio de (1495A).

Rodríguez Marín, Francisco: Nuevos
datos para las biografías...
  V. TEMAS, Biografía (871).

1765. Rogers, Paul P.: The Spanish
Drama Collection in Oberlin College
Library: A Descriptive Catalog.
Oberlin: Oberlin College, 1940.
Pp. ix-469.
  a) N. B. Adams, RR, XXXII (1941),
     307-08.
  b) F. Weber, RFH, III (1941), 185.
  c) E. H. Templin, MLF, XXVI (1941),
     49-50.
  d) --, Hisp, XXIV (1941), 248-49.
  e) H. K. L., BAbr, XV (1941), 455.
  f) W. A. McKnight, HR, X (1942),
     177-78.

1766. Rogers, Paul P.: The Spanish
Drama Collection in the Oberlin
College Library. A Supplementary
Volume Containing Reference Lists.
Oberlin: Oberlin College, 1946.
Pp. 160.
  a) S. A. Stoudemire, HR, XVI (1948),
     270-71.
  b) G. de Reparaz, BH, XLIX (1947),
     459-61.

1766A. Ros, Félix: Sesenta notas
sobre literatura. Madrid: Ediciones Cultura Hispánica, 1950. Pp.
432.
  ["Lope," págs. 127-29; "Más Lope,"
págs. 133-35; "Calderón," págs.
175-78].

1766B. Rosa y López, Simón de la:
Los seises de la Catedral de Sevilla. Sevilla: Díaz, 1904. Pp.
xi-372.

1767. Rouanet, Léo: Intermèdes espagnoles (entremeses) du XVIIe
siècle. Paris: A. Charles, 1897.
Pp. 321.
  a) A., RCHLE, II (1897), 205-06.
  b) A. L. Stiefel, LGRP, XXVI (1905),
     col. 23-26.
  c) A. Morel-Fatio, RCHLP, ns XLIV
     (1897), 400-01.
  d) Th. de Puymaigre, Polyb, 2ª ser.,
     tome XLVII (en-jun, 1898), 64-65.

1768. Sainz de Robles, F. C.: El
teatro español. Historia y antología. Madrid: Aguilar, 1942-43.
7 vols.
  a) E. von Richthofen, ZRP, LXVI
     (1950), 222-27.

1769. Sánchez Arjona, José: Noticias referentes a los anales del
teatro en Sevilla desde Lope de
Rueda hasta fines del siglo XVII.
Sevilla: E. Rasco, 1898. Pp. 532.

1770. Sánchez Arjona, José: El
teatro en Sevilla en los siglos XVI
y XVII. Madrid: A. Alonso, 1887.
Pp. 319.
  [El "obispillo," Corpus Christi,
Autos sacramentales, Corrales, Auto
de la soberana Virgen de Guadalupe,

1770 (cont.).
Ana Caro de Mallén, Alberto Ganassa,
Agustín Moreto, Andrés de Claramonte, etc.].
a) A. L. Stiefel, LGRP, IX (1888),
col. 361-63.

1770A. Sánchez Moguel, Antonio:
España y América. Estudios históricos y literarios. Madrid: Imp.
y Lit. del Asilo de Huérfanos del
Sagrado Corazón de Jesús, 1895.
Pp. xvi-298.
V. TEMAS, Erauso (1052); CALDERÓN,
OBRAS, La Aurora en Copacabana
(2133); JUANA INÉS DE LA CRUZ, núm.
2406A; LOPE DE VEGA, OBRAS, El nuevo mundo (3753).

1770B. Sánchez Moguel, Antonio:
Reparaciones históricas. Estudios
peninsulares. Madrid: Tip. y Lit.
del Asilo de Huérfanos del Sagrado
Corazón de Jesús, 1894. Pp. xvi-
302.
V. TEMAS, Inés de Castro (898).

1771. Sancho Rayón, José, y Fuensanta del Valle, Marqués de: Comedias de Tirso de Molina y de D.
Guillén de Castro. (Colección de
Libros Raros o Curiosos, XII). Madrid: Rivadeneyra, 1878. Pp. lxix-
326.
[Contiene Tan largo me lo fiáis,
La tragedia por los celos y Quien
no se aventura. V. TIRSO DE MOLI-
NA, OBRAS, El burlador de Sevilla
(2865)].

1772. Schack, Adolf Friedrich, Graf
von: Historia de la literatura y
del arte dramático en España. Trad.
de Eduardo de Mier. Madrid: Tello,
1885-87. 5 vols.
a) --, RCont, LXI (en-mar, 1886),
554-55 [T. I]; LXV (en-mar, 1887),
334 [T. II]; LXVI (abr-jun, 1887),
446 [T. III]; LXIX (en-mar, 1888),
332-33 [T. IV]; LXX (abr-jun,
1888), 111-12 [T. V].

1773. Schaeffer, Adolf: Geschichte
des spanischen Nationaldramas.
Leipzig: Brockhaus, 1890. 2 vols.
a) A. Tobler, ASNSL, LXXXVIII
(1892), 468-71.

b) A. L. Stiefel, LGRP, XVII (1896),
col. 18-25.
c) A. L. Stiefel, ZVL, V (1892),
483-93.

1774. Schaeffer, Adolf: Ocho comedias desconocidas de don Guillén de
Castro, del Licenciado Damian Sa-
lustio del Poyo, de Luis Vélez de
Guevara, etc. (Colección de autores españoles, 47-48). Leipzig:
Brockhaus, 1887. 2 vols. Pp.
xviii-338, 293.
a) A. L. Stiefel, LGRP, X (1889),
col. 302-09.

1775. Schmidt, Expeditus: El auto
sacramental y su importancia en el
arte escénico de la época. (Centro
de Intercambio Intelectual Germano-
Español. Conferencias, vol. 25).
Madrid: Blass, 1930. Pp. 20.
[Para la versión alemana, V. TE-
MAS, núm. 849].

1776. Schmidt, Leopold: Ueber vier
bedeutendsten Dramatiker der Spanier,
Lope de Vega, Tirso de Molina, Alarcón und Calderón. Ein Vortrag gehalten in Bonn am 28. Dezember 1857.
Bonn: A. Marcus, 1858. Pp. 24.

1777. Schneider, Adam: Spaniens
Anteil an der deutschen Literatur
des 16. und 17. Jahrhunderts.
Strassburg: Schlesier und Schweik-
hardt, 1898. Pp. xix-347.
a) R. Beer, ADA, XXVI (1900), 134-61.
b) A. Farinelli, ZVL, XIII (1899),
413-45 (reimpreso en Neue Reden
und Aufsätze, págs. 369-415 [V.
el núm. 1632]).
c) J. Bolte, ASNSL, CIII (1899),
165-68.

1778. Schneider, Hermann: Friedrich
Halm und das spanische Drama. Berlin: Mayer und Müller, 1909. Pp.
258.
a) Ph. A. Becker, DLZ, XXXI (1910),
col. 871-72.
b) M. K., LitZent, LXI (1910), col.
1388.
c) W. von Wurzbach, LitEcho, XII
(1910), col. 1613-15.

Schroeder, Theodor: Die dramati-

schen Bearbeitungen der Don Juan-
sage in Spanien...
V. TEMAS, DON JUAN (1008).

1778A. SCHWARTZ, RUDOLF: Esther im
deutschen und neulateinischen Drama
des Reformationszeitalters. Eine
literarisch-historische Untersuchung.
Oldenburg und Leipzig: Schulze,
1894. Pp. 276.

1779. SCHWERING, JULIUS: Zur Geschichte des niederlandischen und
spanischen Dramas in Deutschland.
Neue Forschungen. Münster: Cop-
penrath, 1895. Pp. 100.
a) A. Farinelli, RCHLE, I (1895),
361-66.
[Esta reseña está reimpresa, con
el título "La comedia española en
Holanda y Alemania," en sus Ensayos
y discursos de crítica literaria
hispano-europea, II, 397-423, y en
sus Divagaciones hispánicas, II,
67-83. V. núms. 1629 y 1630].

SEGALL, JACOB B.: Corneille and
the Spanish Drama.
V. TEMAS, CORNEILLE (939).

1780. SEPÚLVEDA, RICARDO: Antigua-
llas. Crónicas, descripciones y
costumbres españolas en los siglos
pasados. Madrid: Fernando Fe,
1898. Pp. xx-394.
V. TEMAS, HUERTA DE JUAN FERNÁNDEZ
(1164).

1781. SEPÚLVEDA, RICARDO: El Corral
de la Pacheca. Apuntes para la historia del teatro español. Madrid:
Fernando Fe, 1888. Pp. xxii-667.

1782. SEPÚLVEDA, RICARDO: Madrid
viejo. Crónicas, avisos, costumbres, leyendas y descripciones de
la villa y corte en los siglos pasados; con un prólogo de Pérez de
Guzmán y cuatro palabras de Julio
Monreal. Madrid: Fernando Fe,
1887. Pp. 414.
V. TEMAS, GRADAS DE SAN FELIPE
(1108), MENTIDERO DE COMEDIANTES
(1245).

1783. SIMONE BROUWER, F. DE: Don
Giovanni nella poesia e nell' arte

musicale. Napoli: Tip. della Regia
Università, 1894. Pp. 138.
a) A. Farinelli, RCHLE, I (1895),
8-12.

1784. SORKIN, MAX: Paul Scarron's
Adaptations of the "Comedia." New
York: Appellate law printers, 1938.
Pp. 115.
[Las fuentes de Scarron son come-
dias de Castillo Solórzano, Rojas
Zorrilla, Coello, Calderón. Tam-
bién se refiere a fuentes dramáti-
cas españolas de Corneille (Pierre
y Thomas), Rotrou, d'Ouville y
Boisrobert].

1785. SPANISCHES THEATER. EINE VON
DER PREUSSISCHEN STAATSBIBLIOTHEK
ERWORBENE SAMMLUNG VON THEATER-
STÜCKEN IN SPANISCHE SPRACHE. Ber-
lin: Preussische Staatsbibliothek,
1928. Pp. 1058.
[Catálogo de comedias antiguas y
modernas].

1786. SPRATLIN, V. B.: Juan Latino,
Slave and Humanist. New York:
Spinner Press, 1938. Pp. xiv-216.
[Biografía de Juan Latino, y una
adaptación, o traducción libre, en
inglés de la comedia de Jiménez de
Enciso].
a) O. H. Green, HR, VII (1939),
359-60.

1787. SUBIRÁ, JOSÉ: La participación musical en el antiguo teatro
español. (Instituto del teatro.
Publicaciones, no. 6). Barcelona:
1930. Pp. 101.
[Esta obra es distinta de los dos
artículos de casi el mismo título
(V. TEMAS, MÚSICA, núms. 1291-92)].

1788. TENNER, FRITZ: François Le
Metel de Boisrobert als Dramatiker
und Nachahmer des spanischen Dramas.
Leipzig: M. Wachsmuth, 1907. Pp.
x-178.

THÉÂTRE ESPAGNOL.
V. MÉRIMÉE (1705), VAUTHIER (1794).

1789. TONELLI, LUIGI: Alla ricerca
della personalità. Saggi di critica militante. Milano: Modernis-

1789 (cont.).
sima, 1923. Pp. 400.
V. CALDERÓN, OBRAS, LA VIDA ES
SUEÑO (2236).

1790. TRENTI ROCAMORA, J. LUIS: El
repertorio de la dramática colonial
hispanoamericana. Buenos Aires:
Talleres Gráficos ALEA, 1950. Pp.
110.
a) E. C., CuadHA, no. 15 (1950),
   593-95.
b) Rose-Marie Moudoues, RHduT, III
   (1951), 82.

1791. TRENTI ROCAMORA, J. LUIS: El
teatro en la América colonial.
Buenos Aires: Editorial Huarpes,
1947. Pp. 534.
a) J. Cid Pérez, RUBA, 4a serie,
   tomo II (1948), 203-05.
b) A. Monzón, EstBA, LXXIX (1948),
   319-20.
c) I. A. Leonard, HR, XVI (1948),
   346-48.
d) L. J. Cisneros, MdelS, I, no. 3
   (en-feb, 1949), págs. 95-98.

1792. VALBUENA PRAT, ÁNGEL: Literatura dramática española. Barcelona: Editorial Labor, 1930. Pp.
336.
a) J. F. Montesinos, RFE, XVIII
   (1931), 175-80.
b) W. K. Jones, BAbr, V (1931),
   264.
c) J. de Entrambasaguas, RBAM, VIII
   (1931), 212-14. [Reimpresa en su
   libro La determinación del Romanticismo, págs. 145-49 (V. el
   núm. 1626)].

1792A. VALENCY, MAURICE J.: The
Tragedies of Herod and Mariamne.
New York: Columbia University
Press, 1940. Pp. ix-304.
   [Leonardo de Argensola, La Ale-
jandra; Calderón, El mayor monstruo
los celos; Tirso de Molina, La vida
de Herodes].

1793. VALLE ABAD, FEDERICO DEL:
Influencia española en la literatura francesa: Ensayo crítico sobre Juan Rotrou. Ávila: Senén
Martín, 1946. Pp. 260.

a) G. Hainsworth, FrStud, V (1951),
   71-73.

1794. VAUTHIER, ETIENNE: Théâtre
espagnol. Tome II. Intro., trad.
et notes par Etienne Vauthier. Paris: "La Renaissance du Livre,"
1932. Pp. 205.
   [V. MÉRIMÉE (1705) para el t. I].
a) C. Pitollet, BH, XXXVI (1934),
   119-24.

1795. VEGUE Y GOLDONI, ÁNGEL: Temas
de arte y de literatura. Madrid:
Imp. "Iris," 1928. Pp. 186.
   V. HURTADO DE TOLEDO, núm. 473.

1796. VELILLA Y RODRÍGUEZ, JOSÉ:
El teatro en España. Sevilla: Gi-
ronés y Orduña, 1876. Pp. 180.
   [Siglos XVI y XVII].

1797. VERDE, ROSARIO: Studi sul-
l'imitazione spagnuola nel teatro
italiano del Seicento. I: G. A.
Cicognini. Catania: Giannotta,
1912. Pp. xvi-133.
a) —, RTI, XVII (1913), 226.
b) X., GSLI, LXII (1913), 454-55.
c) G. Brognoligo, RassCrit, XVII
   (1912), 230-31.
d) R. Bottacchiari, NuoCult, I
   (1913), 344-61.

1798. VIEL-CASTEL, LOUIS DE: Essai
sur le théâtre espagnol. Paris:
G. Charpentier, 1882. 2 vols. Pp.
vi-431, 369.
a) A. L. Stiefel, LGRP, VI (1885),
   col. 512-13.
   V.t. TEMAS, THÉÂTRE (1456-57).

1799. VINCKE, GISBERT FREIHERR VON:
Gesammelte Aufsätze zur Bühnenge-
schichte. Hamburg und Leipzig:
Voss, 1893. Pp. viii-254.
   V. TEMAS, WANDERUNGEN (1507).

1800. VOSSLER, KARL: Algunos carac-
teres de la cultura española. Trad.
de Carlos Clavería. (Colección
Austral). 2ª ed., Buenos Aires:
Espasa-Calpe, 1943. Pp. 150.
   V. el núm. 1804.

1801. VOSSLER, KARL: Aus der roma-

nischen Welt. Leipzig: Koehler
und Amelang, 1940. 2 vols.
V. TEMAS, DANZA DE LA MUERTE (976),
ZEIT (1517); LOPE DE VEGA, WIR
(3559).

1802. VOSSLER, KARL: Escritores y
poetas de España. Trad. de Carlos
Clavería. (Colección Austral, 771).
Buenos Aires: Espasa-Calpe, 1947.
Pp. 162.
  V. CALDERÓN, CALDERÓN (1899); SOR
JUANA INÉS DE LA CRUZ, núm. 2408;
TIRSO DE MOLINA, núm. 2817; LOPE DE
VEGA, GÓNGORA (3207), WIR (3559).

1803. VOSSLER, KARL: La poesía de
la soledad en España. Trad. de Ramón de la Serna. Buenos Aires:
Editorial Losada, 1946. Pp. 398.

VOSSLER, KARL: Poesie der Einsamkeit in Spanien.
  V. TEMAS, núm. 1039.

1804. VOSSLER, KARL: Realismus in
der spanischen Dichtung der Blüte-
zeit. (Festrede gehalten in der
öffentlichen Sitzung der bayerische
Akademie der Wissenschaften zur
Feier des 167. Stiftungstages am
14. Juli 1926). München, 1926.
Pp. 22.
  [Contiene referencias a Lope de
Vega, Tirso de Molina, Calderón y
Moreto. Reimpreso en su Südliche
Romania, págs. 215-27 (V. núm.
1806); hay una traducción española
en Algunos caracteres de la cultura
española, págs. 67-85 (V. el núm.
1800)].

1805. VOSSLER, KARL: La soledad en
la poesía española. Trad. José Miguel Sacristán. Madrid: Revista
de Occidente, 1941. Pp. vii-348.

1806. VOSSLER, KARL: Südliche Romania. Leipzig: Koehler und Amelang, 1950. Pp. 300.
  [Es la Parte V de su Aus der romanischen Welt. V.t. el núm. 1804;
TEMAS, UNIDADES (1479); CALDERÓN,
núm. 1899; TIRSO DE MOLINA, núm.
2817].

1807. WAIS, KURT: An den Grenzen

der National Literaturen (Vergleichende Aufsätze). Berlin: Walter
de Gruyter, 1958. Pp. 414.
  V. CALDERÓN, LIBROS, KOMMERELL
(2306).

1808. WANNENMACHER, FRANZ XAVER:
Die Griseldissage auf der iberischen
Halbinsel. Strassburg: Ch. Müh,
1894. Pp. 110.
a) Woldemar Freiherr von Biedermann,
   ZVL, IX (1896), 142-43.

1809. WESTENHOLZ, FRIEDRICH VON:
Die Griseldis-Sage in der Littera-
turgeschichte. Heidelberg: Karl
Groos, 1888. Pp. 177.
a) Woldemar Freiherr von Biedermann,
   ZVL, II (1889), 111-14.

1810. WHYTE, FLORENCE: The Dance
of Death in Spain and Catalonia.
Baltimore: Waverly Press, 1931.
Pp. 175.
a) Edwin B. Place, Hisp, XVI (1933),
   108-11.
b) Jeremiah D. M. Ford, HR, II
   (1934), 74-76.
c) P. B., EUC, XVII (1932), 325-26.

1811. ZAMORA VICENTE, ALONSO: De
Garcilaso a Valle-Inclán. Buenos
Aires: Editorial Sudamericana,
1950. Pp. 246.
  V. TIRSO DE MOLINA, PORTUGAL
(2780).

1812. ZANDEN, C. M. VAN DEN: Étude
sur le Purgatoire de Saint Patrice.
Amsterdam: H. J. Paris, 1927. Pp.
178.
a) E. Hoepffner, RLR, LXV (1928),
   367-68.

           *   *

                *

           *   *

           *   *

                *

           *   *

ACEVEDO, FRANCISCO DE

V. CRUZ, SOR JUANA INES DE LA, núm.
2422.

AGUADO, SIMÓN

1813. Paz y Melia, A.: "El entremés de los negros (de Simón Aguado)."
RABM, V (1901), 912-19.

AGUILAR, GASPAR DE

V.t. GENERAL I, LIBROS, Mérimée
(186); GENERAL II, LIBROS, Poetas
dramáticos (1747).

TEMAS

Biografía.
1814. Arigo, Luis María: "Gaspar
de Aguilar."
RevVal, II (1881-82), 97-117.
  [Trata de su vida y obras. Su
partida de bautismo está fechada
14 de enero de 1561].

———.
1815. Mérimée, Henri: "Sur la bio-
graphie de Gaspar Aguilar."
BH, VIII (1906), 393-96.

Músico.
1816. Asenjo Barbieri, F.: "El poeta Gaspar Aguilar ¿fué también músico?"
RevVal, II (1881-82), 302-06.
  [No puede ser, porque un libro
que le atribuye Arigo en su artícu-
lo--Arte de principios de canto
llano--se publicó en 1538 o antes;
Aguilar nació en 1561].

Poesías.
V. GENERAL II, Rimas inéditas
(1383).

OBRAS

Amigos enojados, Los.
1817. Bruerton, Courtney: "Is Aguilar the Author of Los amigos enojados?"
HR, XII (1944), 223-24.

Fiestas nupciales de Felipe III.
1818. Fiestas nupciales de Felipe
III, ed. F. Martí Grajales. Valencia: M. Pau, 1910. Pp. lix-135.
  [La introducción de Martí Grajales también fué publicada aparte,
con el título "Gaspar de Aguilar,
poeta dramático del siglo XVII.
Estudio biográfico y bibliográfico."
Valencia: M. Pau, 1910. Pp. 69].

AGUIRRE Y SEBASTIÁN, MATÍAS DE

1819. Hansen, Hans: "Matías de
Aguirre und seine Navidad de Zaragoza."
ZRP, XLIX (1929), 50-70.
  [Contiene resúmenes de tres de
sus cuatro comedias: El engaño en
el vestido, Cómo se engaña el demonio y El príncipe de su estrella].

ALMEIDA, ANTONIO DE

1820. Villa Fernández, P.: "La ver-
dad escurecida: A Hitherto Unknown
Play by Antonio de Almeida."
RR, XXII (1931), 324-33.

ARMENDÁRIZ, JULIÁN DE

1821. Comedia famosa de Las burlas
veras, ed. S. L. Millard Rosenberg.
UPRLL, Extra No. 5 (1917). Pp. 206.
a) G. T. Northup, ModPhil, XVI
   (1918-19), 389-91.
b) M. Romera-Navarro, MLN, XXXIII
   (1918), 236-38.
c) A. C., RFE, V (1918), 410-12.
d) A. Hämel, ZRP, XL (1919-20),
   732-33.
e) E. Mérimée, BH, XX (1918), 69-71.
f) W. von Wurzbach, LGRP, XLIV
   (1923), col. 191-94.
g) Extracto de la reseña de Romera-
   Navarro en "Notas bibliográficas",
   BRAE, VIII (1921), 134-36.
V.t. GENERAL II, Parma (1319A).

ÁVILA, GASPAR DE

1822. Crawford, J. P. W.: "Tercera

jornada de Las fullerías de amor,
de Gaspar de Ávila."
RevHisp, XXIV (1911), 542-94.

GOBERNADOR PRUDENTE, EL.
  V. GENERAL II, LIBROS, MEDINA
(1698).

AYALA, JUAN DE

  V. GENERAL II, TÍTULOS DE COMEDIAS
(1467).

BANCES CANDAMO, FRANCISCO

  V.t. GENERAL II: TEMAS, BARROCO
(863), ESTILO (1063), MISCELÁNEA
ERUDITA (1258), NOTICIAS (1302);
LIBROS, LISTA (1687).

1823. Díaz de Escovar, N.: "Poetas
dramáticos del siglo XVII. Don
Francisco Bances Candamo."
BAH, XCI (1927), 105-14.
  [Con catálogo de sus obras].

1824. Jack, W. Shaffer: "Bances
Candamo and the Calderonian Deca-
dents."
PMLA, XLIV (1929), 1079-89.

1825. Mesonero Romanos, Ramón de:
"Teatro de Candamo."
SemPintEsp, (1853), 82-84.

1826. Penzol, Pedro: "Francisco
Bances de Candamo. De la comedia a
la zarzuela (1662-1709)."
ErudIU, III (1932), 145-59.

1827. Serrano y Sanz, M.: "Theatro
de los theatros, de Bances Candamo."
RABM, V (1901), 155-60, 246-50,
485-90, 645-53, 735-42, 808-12,
927-32; VI (1902), 73-81.
  [Reproducción del texto].

1828. CUERVO-ARANGO, FRANCISCO:
Don Francisco Antonio de Bances y
López-Candamo: Estudio bio-bibliográfico y crítico. Madrid: Hernández, 1916. Pp. 223.

BARRIOS, MIGUEL [DANIEL LEVI] DE

  V. GENERAL II, BÉLGICA (865).

BELMONTE BERMÚDEZ, LUIS DE

  V.t. GENERAL II: TEMAS, LITERATURA
DRAMATYCZNA (1220); LIBROS, HERRÁN
(1663).

TEMAS

AMÉRICA.
1829. Méndez Bejarano, Mario: "Los
grandes poetas españoles que vivieron en América. II. Luis de Belmonte y Bermúdez."
UnIA, XXXVIII, no. 1 (en-feb, 1924),
8-13.
  [Reimpreso en su libro Poetas españoles que vivieron en América,
págs. 37-52 (V. GENERAL II, LIBROS,
núm. 1700)].

BIOGRAFÍA.
1830. Kincaid, W. A.: "Life and
Works of Luis de Belmonte Bermúdez
(1587?-1650?)."
RevHisp, LXXIV (1928), 1-260.
  a) S. L. M. Rosenberg, Hisp, XII
     (1929), 633-34.

————.
1831. Montoto de Sedas, Santiago:
"Luis de Belmonte Bermúdez."
BASBL, II (1918), 63-94.
  [Estudio bio-bibliográfico. V. 1835].

TEATRO.
1832. Mesonero Romanos, Ramón de:
"Teatro de Belmonte."
SemPintEsp, (1852), 163-65.

OBRAS

DIABLO PREDICADOR, EL.
1833. Le Diable prédicateur, comédie
espagnole du XVIIe siècle. Traduite
par Léo Rouanet. Paris: A. Picard;
Toulouse: E. Privat, 1901. Pp. 273.
  a) A. L. Stiefel, LGRP, XXVI (1905),
     col. 26-28.
  b) H. de Curzon, RCHLP, LII (1901),
     118-20.

HISPÁLICA, LA.

1834. Montoto de Sedas, Santiago:
"La Hispálica por Luis de Belmonte.
Poema inédito del siglo XVII."
BASBL, II (1918), 114-44, 203-08;
III (1919), 27-46, 62-95, 123-44,
170-90; IV (1920), 28-48, 70-96,
160-80; V (1921), 22-48, 63-84,
97-116.
    [Reimpreso aparte, junto con su
estudio bio-bibliográfico. V. el
núm. siguiente].

————.

1835. La Hispálica. Publícala por
vez primera precedida de un estudio
biográfico-crítico, don Santiago
Montoto. Sevilla: Impr. de Sobri-
no de Izquierdo, 1921. Pp. 324.
    [Es una reproducción de los núms.
1831 y 1834].
a) "Notas bibliográficas," BRAE,
VIII (1921), 741-55.

RENEGADA DE VALLADOLID, LA.
    V.t. GENERAL II, RENEGADA DE VALLA-
DOLID (1372).

————.

1836. Juliá Martínez, E.: "Rectificaciones bibliográficas. La renegada de Valladolid."
BRAE, XVI (1929), 672-79.
    [Después de comparar cuatro manu-
scritos, concluye que la comedia es
de tres ingenios: Belmonte, Moreto
y Martínez de Meneses].

————.

1837. Kennedy, Ruth Lee: "La renegada de Valladolid."
RR, XXVIII (1937), 122-34.

    [Confirma su atribución a tres
autores y trata de sus fuentes].

BENAVIDES, JUAN [¿ANTONIO?] DE

1838. Díaz de Escovar, N.: "Perfiles
escénicos del pasado. La comedia de
San Cristóbal."
RELHA, I (1901), 262-63.
    [Atribuída a D. Juan de Benavides,
autor de Lo que piensas te hago, o
al Licenciado D. Juan Antonio de
Benavides, autor de Loca, cuerda,
enamorada y acertar donde hay error].

BENEYTO, MIGUEL

    V. GENERAL II, LIBROS, POETAS DRA-
MÁTICOS (1747).

BOYL, CARLOS

    V.t. GENERAL I, LIBROS, MÉRIMÉE
(186); GENERAL II: TEMAS, DÉFEN-
SEURS (983); LIBROS, POETAS DRAMÁ-
TICOS (1747).

1839. Mérimée, Henri: "Un romance
de Carlos Boyl."
BH, VIII (1906), 163-71.

1840. "Soneto de Carlos Boil a Lope
de Vega, cuyo nombre va en él ci-
frado."
Arch, I (1886-87), 238.
    [Se halla al final de Fiestas de
Denia (V. núm. 3690). Se puede ver
también en las Obras sueltas de
Lope, III, 429].

PEDRO CALDERÓN DE LA BARCA

    V.t. GENERAL II: TEMAS, BARROCO
(863), DRAMATURGOS (1034A), NOTICIAS
(1302); LIBROS, DIEULAFOY (1619),
LEWES (1686), LISTA (1687), ROS
(1766A), L. SCHMIDT (1776), SORKIN
(1784).

TEMAS

ABENCERRAJE.
    V. OBRAS, EL PRÍNCIPE CONSTANTE
(2204).

ACADEMIA DEL ALCÁZAR.
V. CENTENARIO (1914).

AGUDOS.
1841. Hilborn, H. W.: "Calderón's
agudos in Italianate Verse."
HR, X (1942), 157-59.

ALBEDRÍO, LIBRE.
V. AUTO SACRAMENTAL (1871).

ALBUM.
1842. Cortázar, Eduardo de: "El album calderoniano (Apuntes críticos)."
RdE, XCI (1883), 490-512.
[Descripción del album que con-
memoraba el centenario de Calderón
(V. LIBROS, núm. 2281)].

ALEGORÍA.
V. GENERAL II, TIREURS À L'ARC
(1462).

ALEGÓRICO.
V.t. AUTO SACRAMENTAL (1866), JEUX
DE SCÈNE (2000); LIBROS, PARKER
(2318).

———.
1843. Parker, A. A.: "Los dramas
alegóricos de Calderón."
Esc, XIV (1944), no. 42, págs. 163-
225.
[Del libro The Allegorical Drama
of Calderón; traducido por Carlos
R. de Dampierre. V. LIBROS, núm.
2318].

ALEMANIA.
V.t. CENTENARIO (1919, 1923), MÚ-
SICA (2018); OBRAS, EL ALCALDE DE
ZALAMEA (2122); LIBROS, DORER (2289),
KOMMERELL (2306a); LOPE DE VEGA,
ALEMANIA (2949).

———.
1844. Koppel, E.: "Calderón und die
deutsche Bühne."
AufdH, Bd. IX (oct-dic, 1883), 403-
413.

———.
1845. Koch, Max: "Calderon in
Deutschland. Zum 25. Mai 1881."
ImNR, Jg. XI (1881), Bd. 1, págs.
781-97.

———.
1846. Heine, Karl: "Calderon im
Spielverzeichnisse der deutschen
Wandertruppen."
ZVL, II (1889), 165-75, 395-403.

ALMANACH DES DAMES.
V. FRAUENTASCHENBUCH (1975).

ALPES.
1847. Werrie, Paul: "Calderón en
los Alpes."
Raíz, no. 2 (jun, 1948), 22.
[Notas informativas y críticas
acerca de la representación del
auto de Calderón El gran teatro del
mundo, con texto adaptado por Eichendorff, en un monasterio próximo
a Zürich, el benedictino de Einsie-
deln].

"ANA BOLENA".
V. OBRAS, núm. 2140.

ANDOLFATI, PIETRO.
V. GENERAL II, ITALIA (1182).

AÑO SANTO.
V.t. AUTO SACRAMENTAL (1864);
OBRAS, EL AÑO SANTO EN MADRID (2128).

———.
1848. Valbuena Prat, A.: "Calderón
y el Año Santo de 1650."
Clav, I (1950), no. 1, págs. 27-36.

APOLLO AND DAPHNE MYTH.
V. LOPE DE VEGA, APOLLO AND DAPHNE
(2973).

ARCHITECTURE DES IDÉES.
V. JEUX DE SCÈNE (2000).

ARIAS DE QUINTANADUEÑAS, JACINTO.
V. DÉCIMA (1950).

ARMAS Y LETRAS.
1849. Yaque, J. A.: "Las armas y
las letras. Don Pedro Calderón de
la Barca."
PAT, no. 73 (1948), 73-75.
[Estudio del espíritu militar en
la obra dramática de Calderón. Hace
una breve biografía del autor, y
realza los pasajes de sus obras en
los que con más vigor se manifiesta
este concepto.—Bibliotheca Hispana].

ARTE.
　V.t.MALEREI (2010-11).

———.

1849A.　Curtius, Ernst Robert: "Calderons Kunsttheorie und die artes liberales."
En su Europäische Literatur und lateinische Mittelalter, págs. 543-53.
[V.GENERAL II, LIBROS, núm. 1611A].

———.

1849B.　Curtius, Ernst Robert: "La teoría del arte en Calderón y las artes liberales."
En su Literatura europea y Edad Media latina, págs. 776-90. [V. GENERAL II, LIBROS, núm. 1612A].

———.

1849C.　Curtius, Ernst Robert: "Calderón's Theory of Art and the artes liberales."
En su European Literature and the Latin Middle Ages ("Harper Torchbooks," New York: Harper and Row, 1963. Pp. xv-658.), págs. 559-70.

ARTE DRAMÁTICO.
　V.t. RACIONALISMO (2040), TECHNIK (2078); LIBROS, KOMMERELL (2306), VALBUENA PRAT (2338).

———.

1850.　González Palencia, A.: "El arte de Calderón."
RNE, III, no. 35 (nov, 1943), 18-37.
　[El arte dramático antes de Calderón. Ojeada al teatro calderoniano. Comedias y dramas de Calderón. Su análisis. Crítica y fortuna de Calderón].

AUFFASSUNG.
1851.　Sussmann, J. H.: "Ein Lustspiel Calderóns und der Dichter selbst in neuer Auffassung."
Spanien, III (1921), 25-29.
　[Sobre la comedia Hombre pobre todo es trazas].

———.

1852.　Sussmann, J. H.: "Calderón in bisheriger Auffassung."
SPSU, no. 5 (1925), 1-2.

AUSDRUCKSFORMEN.
　V. DENKEN (1954).

AUTO SACRAMENTAL.
　V.t. AUTÓGRAFOS (1874-76), EICHENDORFF (1961), ERLÖSUNG (1967); LIBROS, MARGRAFF (2310), WILLE (2340); GENERAL II: TEMAS, AUTO SACRAMENTAL (855); LIBROS, LATOUR (1682).

———.

1853.　Larrea, José María: "Autos sacramentales de Calderón."
SemPintEsp, (1851), 124-26, 130-31.

———.

1854.　Calvo Asensio, Gonzalo: "Autos de Calderón."
AméricaM, XII (1868), no. 9 (13 de mayo), págs. 10-11.

———.

1855.　Canalejas, Francisco de Paula: "Los autos sacramentales de D. Pedro Calderón de la Barca."
AméricaM, XV (1871), no. 22 (28 de nov), 10-14.
　[Discurso leído en la Real Academia Española].

———.

1856.　Lasso de la Vega, Ángel: "Autos sacramentales de Calderón. Capítulo de un libro inédito."
IEA, XXV (1881), t. 1, págs. 183, 186-87, 219-22, 259, 262-63.

———.

1857.　Palacio, Timoteo Domingo: "Los últimos autos de Calderón."
IEA, XXV (1881), t. 1, pág. 342.

———.

1858.　Baumgartner, Alexander: "Calderón's autos."
StdZ, XXXIV (1888), 195-211.

———.

1859.　Ossorio y Bernard, Manuel: "Los autos sacramentales de Calderón."
En sus Papeles viejos e investigaciones literarias, págs. 19-40.
　[V. GENERAL II, LIBROS, núm. 1728].

———.

1860.　Milá y Fontanals, M.: "Dramas

simbólicos de Calderón. Autos."
En sus Obras completas, V, 89-93.
[GENERAL II, LIBROS, núm. 1709].

———.
1861. Aicardo, José Manuel: "Inspiración concepcionista en los autos sacramentales de Calderón."
RyF, Número extraordinario (dic, 1904), págs. 113-48.

———.
1862. Kaspers, W.: "Calderons Metaphysik nach den Autos sacramentales."
PhJ, XXX (1917), 416-32.

———.
1863. Valbuena Prat, A.: "Los autos sacramentales de Calderón (Clasificación y análisis)."
RevHisp, LXI (1924), 1-302.

———.
1864. Valbuena Prat, A.: "Los autos del 'año santo' de Calderón."
RBAM, V (1928), 60-73.
[V.t. Año Santo (1848)].

———.
1865. González, Eugenio: "Los autos marianos de Calderón."
RyCult, XXXII (1936), 319-32;
XXXIII (1936), 191-204.

———.
1866. McGarry, Francis de Sales:
"The Allegorical and Metaphorical Language in the Autos sacramentales of Calderón."
CUSRL, XVI (1937). Pp. 157.
a) R. J. Michels, Hisp, XXI (1938), 154-55.
b) J. M. de Osma, HR, VI (1938), 358-60.

———.
1867. Vossler, Karl: "Magische Einsamkeit in Calderons Fronleichnamsspiel."
Cor, VII (1937), 568-83.

———.
1868. Vossler, Karl: "La solitudine magica nell' auto sacramental di Calderón."
CivMod, X (1938), 353-64.
[Traducción de E. Cione de 1867].

———.
1869. Muñoz Rojas, José A.: "Un estudio sobre los autos calderonianos."
Esc, XIII (1944), no. 39, págs. 291-97.
[Sobre The Allegorical Drama of Calderón, de A. A. Parker (V. LIBROS, núm. 2318)].

———.
1870. Frutos Cortés, Eugenio: "Origen, naturaleza y destino del hombre en los autos sacramentales de Calderón."
RFil, IV (1945), 525-58.

———.
1871. Frutos Cortés, Eugenio: "La voluntad y el libre albedrío en los autos sacramentales de Calderón."
UnivZ, XXV (1948), 3-26.

———.
1872. González, Eugenio: "Notas para una introducción al estudio de los autos sacramentales de Calderón de la Barca."
Studia, no. 251 (mayo, 1950), 65-70.

AUTÓGRAFOS.
1873. Rouanet, Léo: "Un autographe inédit de Calderón."
RevHisp, VI (1899), 196-200.
[Carta a Cosme Lotti acerca de El mayor encanto amor].

———.
1874. Díaz Galdós, T.: "Un autógrafo de Calderón."
RBAM, I (1924), 102-05.
[El auto Psiquis y Cupido].

———.
1875. Valbuena Prat, A.: "Los autógrafos de los autos de Calderón."
RBAM, IV (1927), 484-86.

———.
1876. Verhesen, Fernand: "Nuevos autógrafos de Calderón."
RBAM, XII (1935), 103-05.
[Diez autos sacramentales de la Biblioteca Municipal de Madrid].

BARROCO.
V.t. CENTENARIO (1921), SHAKESPEARE (2057); OBRAS, LA VIDA ES SUEÑO (2242).

BARROCO (cont.).
1877. Oppenheimer, Max Jr.: "The
Baroque Impasse in the Calderonian
Drama."
PMLA, LXV (1950), 1146-65.

BAUERNFIGUREN.
1878. Steinberger, H.: "Zu Calderóns
Gestaltung komischer Bauerfiguren."
SilMünch, (1926), págs. 79-89.

BERTAUT, FRANÇOIS.
1879. Thomas, Lucien Paul: "François
Bertaut et les conceptions dramatiques de Calderón."
RLC, IV (1924), 199-221.

BIBLIA.
V.t. LIBROS, FAULHABER (2294),
WILLE (2340).

─────.
1880. Cayuela, Arturo María: "La
Sagrada Biblia en la literatura es-
pañola. Una síntesis bíblica en
Calderón de la Barca."
CuBib, no. 12 (abr, 1945), 117-20.
    [Sobre el auto Las espigas de
Ruth].

BIBLIOGRAFÍA.
V.t. LIBROS, DORER (2289).

─────.
1881. Farinelli, A.: "Divagaciones
bibliográficas calderonianas."
CE, II (1907), 505-44.
    [Crítica de la bibliografía de
Breymann (núm. 2283). El artículo
está reimpreso en su libro Divagaciones hispánicas, II, 269-312 (V.
el núm. 1629)].

BIOGRAFÍA.
V.t. DATOS (1949), MADRE (2008),
NACIMIENTO (2021); LIBROS, COMMELE-
RÁN Y GÓMEZ (2287), HOMENAGE (2304),
PÉREZ PASTOR (2320), RIBEIRO (2324),
RÍOS Y RÍOS (2325), SEMI (2332A).

─────.
1882. Cotarelo y Mori, E.: "Ensayo
sobre la vida y obras de don Pedro
Calderón de la Barca."
BRAE, VIII (1921), 517-62, 657-704;
IX (1922), 17-70, 163-208, 311-44,
429-70, 605-49; X (1923), 5-25,125-57.

    [Publicado también como libro—
Madrid: Revista de Archivos, 1924.
Pp. 376].
a) E. A. Peers, BSS, II (1924-25),
    53-54.

─────.
1883. Eguía Ruiz, Constancio: "Don
Pedro Calderón de la Barca. Nuevas
minucias biográficas."
RyF, LVII (1920), 466-78.
    [Reimpreso,con el título "Don Pe-
dro Calderón de la Barca. Indaga-
ciones gentilicias y etnográficas,"
en su libro Cervantes, Calderón,
Lope, Gracián, págs. 49-61 (V. GE
NERAL II, LIBROS, núm. 1625). Las
tres secciones del artículo han adquirido títulos en la reimpresión:
I. Los Calderones en la Montaña,
II. Los Calderones en Castilla, III.
Los Velardes y la Barca de los Cal-
derones].

BÖHL VON FABER, JOHAN NIKOLAS.
V. LIBROS, PITOLLET (2322).

BOISROBERT, FRANÇOIS LE MÉTEL DE.
V. OBRAS, LA VIDA ES SUEÑO (2265).

BOURSAULT, EDME.
1884. Lancaster, H. Carrington:
"Calderón, Boursault and Ravenscroft."
MLN, LI (1936), 523-28.
    [Ne pas croire de Boursault tiene
su fuente en Calderón, y es, a su
vez, la fuente directa de Wrangling
Lovers de Ravenscroft. Reimpreso
en HomLancaster (1942), págs. 329-
333].

─────.
1885. Rundle, James U.: "More about
Calderón, Boursault and Ravenscroft."
MLN, LXII (1947), 382-84.

─────.
1886. Lancaster, H. Carrington:
"Still More about Calderón, Boursault and Ravenscroft."
MLN, LXII (1947), 385-89.

─────.
1887. Rundle, James U.: "Footnote
on Calderón, Ravenscroft and Boursault."
MLN, LXIII (1948), 217-19.

BUCHWESEN.
V. LIBROS, SCHULTE (2332).

BÜHNE.
V. ALEMANIA (1844).

BUENOS AIRES.
1888. Moglia, Raúl: "Una representación de Calderón en Buenos Aires en el siglo XVIII."
RFH, II (1940), 48-50.
[Afectos de odio y amor].

BURLA.
V. OBRAS, EL ASTRÓLOGO FINGIDO (2130).

CABALLERESCO.
V. GENERAL II, LIBROS, MONTOLIU (1718).

CALDERÓN, DIEGO.
V. DOCUMENTO (1956).

CALDERÓN DE LA BARCA, PEDRO.
V.t. GENERAL II, LIBROS, FLORES GARCÍA (1636).

———.
1889. Acosta y Lozano, Zacarías: "Calderón."
MusUniv, I (1857), 9-10.

———.
1890. Budzinski, Stanislaw: "Calderón."
BiblWarsz, (1859), III, 271-322.
[Sobre la traducción de El príncipe constante hecha por Juljusz Slowacki, año de 1845].

———.
1891. Rosell, Cayetano: "Don Pedro Calderón de la Barca."
AlmIEA, VI (1879), 15-16.

———.
1892. La Redacción: "¡¡¡Calderón!!!"
AverUniv, III (1881), 132-34.
[Todo el número 57 (25 de mayo) está dedicado a Calderón—las pags. 130-44].

———.
1893. Milá y Fontanals, M.: "Calderón."
En sus Obras completas, V, 454-61.

["Discurso leído en ... la Universidad de Barcelona ... con ocasión del ... centenario ..." (V. GENERAL II, LIBROS, núm. 1709)].

———.
1894. Savine, Albert: "Pedro Calderón de la Barca."
MagLS, VII (1890), 463-81, 531-55.

———.
1895. Forster, Joseph: "Calderón."
En su libro Some French and Spanish Men of Genius, págs. 313-30.
[Se incluyen resúmenes de El médico de su honra y El mágico prodigioso. V. GENERAL II, LIBROS, núm. 1637].

———.
1896. Farinelli, A.: "Calderón."
NA, CCLXVI (1916), 10-27.

———.
1897. Papini, Giovanni: "Pietro Calderón."
En su libro Testimonianze, págs. 265-76.
[Sobre el libro de Farinelli, La vita è un sogno. Reimpreso en sus Ritratti stranieri; traducido al español en Retratos; en inglés en Four and Twenty Minds... págs. 296-307. V. GENERAL II, LIBROS, núms. 1732-35].

———.
1898. Merejkowski, Dmitri de: "Calderón."
HispF, IV (1921), 125-41.
[El misticismo de Calderón ilustrado por un análisis de La devoción de la cruz].

———.
1899. Vossler, Karl: "Calderón."
Cor, II (1931-32), 43-54.
[Reimpreso en Escritores y poetas de España, págs. 61-72 (V. núm. 1802) en español, y en alemán en su Südliche Romania, págs. 204-14 (V. núm. 1806)].

———.
1900. Gürster, Eugen: "Pedro Calderón de la Barca."
DeutB, XXIII (1931), 173-74.

CALDERÓN (cont.).
1901. Linder, Kurt: "Calderón de la
Barca."
Masken, XXV (1931), 21-23.

———.
1902. Spitzer, Leo: "Pedro Calderón
de la Barca."
NJWJ, VII (1931), 516-30.

———.
1903. Croce, B.: "Calderón."
Crit, XLI (1943), 173-88.
[i) La hija del aire; ii) Sulla
critica calderoniana. Reimpreso en
sus Letture di poeti, págs. 21-42
(V. GENERAL II, LIBROS, núm. 1607].

———.
1904. Lang, H. R.: "Zu Calderón."
ZRP, XV (1891), 517.
[Sobre la puntuación de El mágico
prodigioso, Acto I, versos 1262-65].

CALDERÓN Y BELTRÁN, FERNANDO.
V. OBRAS, LA CISMA DE INGLATERRA
(2140).

CALVO, RAFAEL.
V. OBRAS, EL ALCALDE DE ZALAMEA
(2117), LA HIJA DEL AIRE (2162).

CAPELLANÍA DE SAN SALVADOR.
V. FUNDACIÓN (1978).

CARACTERES.
1905. Lasso de la Vega, Ángel: "Caracteres generales y distintivos de
las obras de Calderón."
IEA, XXIV (1880), t. 2, págs. 334,
346-47, 387, 390.

CARNESTOLENDAS.
V. ENTREMÉS (1966).

CARTA.
V.t. DEFENSA (1952), MADRE (2008).

———.
1906. "Carta delExcmo. Sr. Duque de
Veragua escrita a D. Pedro Calderón
de la Barca."
AverUniv, III (1881), 135-36.

———.
1907. "Respuesta de D. Pedro Calderón de la Barca [a la del núm. 1906]."

AverUniv, III (1881), 136-38.
[Incluye la lista de sus comedias
y autos].

CASA.
1908. Mesonero Romanos, R. de: "La
casa de Calderón en las Platerías."
IEA, XXV (1881), t. 1. pág. 338.

CASTRO Y ANAYA, PEDRO DE.
V. DÉCIMA (1951).

CATOLICISMO.
V. KATHOLIZISMUS (2002); LIBROS,
WEISSER (2339).

CENIZAS.
1909. Martínez Lage, Antonio: "Un
recuerdo a Calderón de la Barca en
la traslación de sus cenizas."
IEA, XVIII (1874), 622.
[Es poema].

CENTENARIO.
NOTA: IEA, XXV (1881), t. 1,
págs. 329-48 forman un suplemento
al núm. XIX, en el cual se hallan
muchos poemas conmemorativos del
centenario de Calderón, además de
los artículos que se incluyen en
esta bibliografía (los núms. 1261,
1856-57, 1908, 2058).
V.t. ALBUM (1842), ALEMANIA (1845),
CALDERÓN (artículos de los años de
1881 y de 1931), JAHRHUNDERT (1999);
LIBROS, ALBUM (2281), FASTENRATH
(2292), HALLBERG (2301), HOMENAGE
(2304).

———.
1910. "Centenario de Calderón. Crónica por R."
RCont, XXXIII (mayo-jun, 1881), 230.

———.
1911. Martini, Ferdinando: "Nel se-
condo centenario di Calderón de la
Barca."
Fanfu, III (1881), no. 22 (29 de
mayo), [2-3].
[Reimpreso en su libro Al teatro,
págs. 101-12 (V. GENERAL II, LIBROS,
núm. 1697A].

———.
1912. Castelar, Emilio: El centenario de Calderón."

IEA, XXV (1881), t. 1, págs. 318-19, 322.

[Reproducido en sus Retratos históricos, págs. 145-60. V. GENERAL II, LIBROS, núm. 1593].

────.

1913. Rute, María Letizia de: "El centenario de Calderón."
RdE, LXXX (mayo-jun, 1881), 145-54.

────.

1914. Cerdá, Manuel: Exequias de Calderón en Madrid. La Academia del Alcázar en Valencia."
RevVal, I (1880-81), 346-48.

────.

1915. Baumgartner, Alexander: "Zur Calderon-Feier am 25. Mai 1881. Festspiel."
StdZ, XX (1881), 341-72.

────.

1916. Schönfeld, Paul: "Calderón. Eine literarhistorische Studie zu seiner Gedächtnisfeier."
Grenz, Jg. XL (1881), Bd. 2, págs. 223-39, 270-81, 312-26.

────.

1917. Schönfeld, Paul: "Zur Gedächtnisfeier Calderon's."
Mag, L (1881), 315-18, 337-40.

────.

1918. Lorinser, Franz: "Don Pedro Calderón de la Barca; ein Gedenkblatt."
LitHand, XX (1881), cols. 257-62, 289-94.

────.

1919. Fastenrath, Juan: "El centenario de Calderón en Alemania."
IEA, XLIV (1900), t. 1, pág. 91.

────.

1920. Vossler, Karl: "Calderón (En el 250 aniversario de su muerte, 1681."
InvyPro, VI (1932), 7-10.

────.

1921. Gürster, Eugen: "Calderón, der Dramatiker des Barock. Zum 250. Todestag."

Nathe, IV (1931-32), 16-23.

────.

1922. Berger, H. A.: "Das Credo auf der Bühne. (Zum 250. Todestag Calderons de la Barca)."
NeuRei, XIII (1931), 742-43.

────.

1923. Lang, Robert: "Das 250. Gedächtnesjahr Calderons und die deutschen Bühnen."
SZuk, VI (1931), 745.

────.

1924. Wolff, Leonhard: "Spielet Calderons geistliche Festspiele!
AllRu, XXVIII (1931), 327-28.

────.

1925. Stradeck, Fr.: "Pedro Calderon de la Barca. Der Meister des spanischen Theaters."
DWar, XVI (1931), no. 22, pág. 5.

────.

1926. Stradeck, Fr.: "Pedro Calderon de la Barca. 250. Todestag am 25. Mai 1931."
DZS, XVI (1931), no. 358 (25 Mai), págs. 10-11.

────.

1927. Froberger, Josef: "Zu Calderons Todestag."
BWelt, XXVIII (1931), 190-92.

────.

1928. Faulhaber, Michael von, und Kralik, Richard von: "Zum 250. Todestag Calderons."
SZuk, VI (1931), 792-94.

────.

1929. Haas, Willy: "Calderon oder das Traum vom Theater."
LitW, VII (1931), no. 21, págs. 1-2; no. 22, pág. 4; no. 23, pág. 10.

────.

1930. Hiller, Rudolf: "Calderons Weltbedeutung. Zum diesjährigen 250. Todestag des grössten katholischen Dramatikers."
Gral, XXV (1930-31), 842-45.

CENTENARIO (cont.).
1931. Lentner, Leopold: "Die religiösen Werte im Schaffen Calderons. Anlässlich des 340. Geburtsjahres des Dichterfürsten."
SZuk, XV (1939-40), 296-97, 320-21, 346-47.

———.
1932. Colberg, Klaus: "Calderón und wir. Ein Nachwort zum 350. Geburtstag des Dichters."
NeuAb, V (1950), 72-73.

CEPEDA Y GUZMÁN, CARLOS ALBERTO DE.
V. ROMANCE (2051).

CERVANTES, MIGUEL DE.
V. QUIJOTE (2038); GENERAL II, ENTREMÉS (1046), RÉVOLTE (1381).

CICOGNINI, GIACINTO ANDREA.
V. GENERAL II, ITALIA (1181-82).

CID.
V. OBRAS, AFECTOS DE ODIO Y AMOR (2111).

CIENCIA.
V. LIBROS, PICATOSTE Y RODRÍGUEZ (2321).

CIENCIAS POSITIVAS.
V. LIBROS, GRINDA Y FORNER (2297).

"CIERRA ESPAÑA".
1933. Bergamín, José: "Calderón y cierra España."
En su Disparadero español, III, 65-107. [V. GENERAL II, LIBROS, núm. 1576].

CISMA DE INGLATERRA.
V. SHAKESPEARE (2066); OBRAS, LA CISMA DE INGLATERRA (2137-41).

CIUDADES.
V. MADRID (2009); GENERAL II, MUNICIPIO (1288).

CLOAK EPISODE.
V. GENERAL II, núm. 913.

COMEDIAS.
1934. Juliá Martínez, Eduardo: "Dos comedias atribuídas a Calderón de la Barca."

ErudIU, II (1931), 446-71; III (1932), 248-338 [texto de La más dichosa venganza]; 573-603 [texto de la primera jornada de Amor con valor se obliga]; IV (1933), 65-96 [2ª jorn.]; 250-89 [3ª jorn. y notas].

———.
1935. Monteverdi, Angelo: "Tre commedie famose di Don Pedro Calderón."
RdIt, XIX (1916), 507-43.
[Estudios sobre La vida es sueño (págs. 507-18), El mágico prodigioso (518-29), El príncipe constante].

CONCEPCIÓN.
V.t. BERTAUT (1879).

———.
1936. "La concezione calderoniana del mondo."
RivIT, Anno II (1938), vol. 2, pág. 369.
[Resumen del artículo "Zu Calderons Weltbild" (V. núm. 2089)].

CONCEPCIONISTA, INSPIRACIÓN.
V. AUTO SACRAMENTAL (1861).

CONTRAQUIJOTE.
V. LOPE DE VEGA, LIBROS, BOEDO (3833).

CONTROVERSIA.
1937. Entwistle, W. J.: "Controversy in the Dramas of Calderón."
RFor, LX (1947), 631-46.

———.
1938. Entwistle, W. J.: "La controversia en los autos de Calderón."
NRFH, II (1948), 223-38.

CORNEILLE, PIERRE.
V.t. OBRAS, EN ESTA VIDA TODO ES VERDAD Y TODO MENTIRA (2150), LAS FORTUNAS DE PERSEO (2157); GENERAL II, CORNEILLE (941, 944).

———.
1939. H. B. C.: "Ultima Ratio Regum."
NQ, 4ª serie, vol. 1 (en-jun, 1868), 19.
[Contesta a una pregunta (3ª ser., vol. 12, pág. 436) sobre esta divisa de Luis XIV de Francia, diciendo

que quizá se derive de En esta vida
todo es verdad y todo mentira, comedia en la que Corneille basó su
Héraclius (cf. el pasaje en BAE IX,
66b: "Fed.: Que sepas que en la
campaña, - Ultima razón de Reyes -
Son la pólvora y las balas.")].

———.

1940. N. H.: "Ultima Ratio Regum."
NQ, 4ª serie, vol. 1 (1868), 90.
[N. H. suscita la cuestión, tocante a En esta vida... y Héraclius,
de quién prestó materia a quién:
Calderón a Corneille, o éste a
aquél].

———.

1941. MacCarthy, Denis Florence:
"Calderón and Corneille."
NQ, 4ª serie, vol. 1 (en-jun, 1868),
174-76.
[Tratamiento más amplio de Héra-
clius y En esta vida...].

———.

1942. H. B. C.: "Ultima Ratio Regum."
NQ, 4ª serie, vol. 1 (en-jun, 1868),
184.
[Más sobre cuál fué primero: ¿Calderón o Corneille?].

CORNEILLE, THOMAS.
V. GENERAL II, LIBROS, MICHAELIS
(1707).

CORTE.
1943. Hesse, Everett W.: "Court Re-
ferences in Calderón's Zarzuelas."
HR, XV (1947), 365-77.

———.

1944. Hesse, Everett W.: "Courtly
Allusions in the Plays of Calderón."
PMLA, LXV (1950), 531-49.

COSMOLOGÍA.
1945. González Quijano, P.: "La cosmología de los presocráticos en Calderón."
RevEstHisp, I (1935), no. 5, págs.
553-70.

COSTUMBRES DEL SIGLO XVII.
V. LIBROS, CASTRO Y ROSSI (2285),
SOLER Y ARQUÉS (2335).

COURT.
V. CORTE.

COURTLY CID.
V. OBRAS, AFECTOS DE ODIO Y AMOR
(2111).

CREDO.
V. CENTENARIO (1922).

CRISTINA DE SUECIA.
1946. Porena, M.: "Cristina di Sve-
zia in una commedia di Calderón de
la Barca."
Colombo, II (1927), 201-07.
[Afectos de odio y amor].

———.

1947. Vising, J.: "En Comedia om
drottning Kristina av Sverige av
Pedro Calderón de la Barca.
OoB, XXXV (1926), 65-75.
[Afectos de odio y amor].

CRÍTICA.
V. CALDERÓN (1903); LIBROS, COMME-
LERÁN Y GÓMEZ (2287), HOMENAGE
(2304).

CRONOLOGÍA.
V. LIBROS, HILBORN (2303).

CRUZ, RAMÓN DE LA.
V. ENTREMÉS (1966).

CUBA.
V. EDICIÓN (1959).

CULTERANISMO.
V. OBRAS, LA VIDA ES SUEÑO (2246).

CHUANG TSE.
1948. Castellani, Alberto: "Chuang
Tse, Amleto e Calderón."
Marz, XXX (1925), no. 18 (3 mayo),
págs. 1-2.
[Sobre el tema de que "la vida es
sueño"].

DANTE ALIGHIERI.
V. WAGNER (2087).

DATOS.
1949. Alonso Cortés, N.: "Algunos
datos relativos a D. Pedro Calderón."
RFE, II (1915), 41-51.

DECADENCIA.
  V. BANCES CANDAMO, núm. 1824.

DÉCIMA.
1950. Entrambasaguas, J. de: "Una
olvidada décima de Calderón."
CorrErud, I (1940–41), 297–98.
  [En Antigüedades y Santos de la
muy noble Villa de Alcántara de Jacinto Arias de Quintanadueñas].

——.
1951. Entrambasaguas, J. de: "Otra
décima de Calderón, olvidada."
CorrErud, II (1941–42), 46.
  [En Auroras de Diana de Pedro de
Castro y Anaya].

DEFENSA.
1952. Bustillo, Eduardo: "Carta en
defensa de D. Pedro Calderón de la
Barca, dirigida al señor don Juan
Eugenio Hartzenbusch."
MusUniv, VII (1863), 130–31, 138–39.

"DELINCUENTE HONRADO, EL".
  V. OBRAS, LA VIDA ES SUEÑO (2256).

DEMONIO.
1953. Escosura, Patricio de la: "El
demonio como figura dramática en el
teatro de Calderón."
RdE, XLV (1875), 337–56, 433–52.

DENKEN.
1954. Pfandl, Ludwig: "Ausdrucksformen des archaischen Denkens und
des Unbewussten bei Calderón."
En Spanische Forschungen der Görres-
gesellschaft, 1. Reihe: Gesammelte
Aufsätze zur Kulturgeschichte Spaniens, VI (1937), 340–89.

DEUTSCH (adj.), DEUTSCHLAND.
  V. ALEMANIA.

DICHTER.
1955. Krauss, Werner: "Calderón––
Dichter des spanischen Volkes."
SuF, II (1950), Heft 2, págs. 34–52.

DIVAGACIONES.
  V. BIBLIOGRAFÍA (1881).

DOCUMENTOS.
  V.t. LIBROS, PÉREZ PASTOR (2320).

——.
1956. Schons, Dorothy: "A Calderón
Document."
RR, XIX (1928), 157.
  [Fecha de la salida para México
de su hermano Diego (año de 1608)].

DOTE.
  V. MADRE (2008).

DRAMÁTICA.
1957. González Serrano, U.: "La
dramática de Calderón."
RdE, CXXV (1889), 343–52.

DRAMATURGO.
1958. Mankowski, Hermann: "Calderón
als Dramatiker."
LitHand, LII (1914), cols. 237–38.

DRYDEN, JOHN.
  V. GENERAL II, núm. 1035.

EDICIÓN.
1959. Figarola-Caneda, D.: "La edición cubana de Calderón de la Barca."
CubaC, XL (1926), 233–37.

——.
1960. Leavitt, Sturgis E.: "A Rare
Edition of Plays Attributed to Calderón."
HR, XV (1947), 216–18.

EFEMÉRIDES.
  V. NACIMIENTO (2021).

EICHENDORFF, JOSEPH FREIHERR VON.
  V.t. ALPES (1847), OBRAS (2108).

——.
1961. Kosch, Wilhelm: "Eichendorff
und Calderóns Autos sacramentales."
Gral, VII (1912–13), 412–16.

EINFLUSS.
  V. INFLUENCIA.

EINFÜHRUNG.
1962. Hämel, Adalbert: "Calderón.
Eine Einführung."
GRM, XIX (1931), 448–61.

EINSAMKEIT.
  V. AUTO SACRAMENTAL (1867–68).

EINSIEDELN.
V.t. ALPES (1847); OBRAS, EL GRAN
TEATRO DEL MUNDO (2160).

———.
1963. Strassenberger, Georg: "Calderons Weltheater in Einsiedeln."
StdZ, LXVII (1937), Bd. 132, págs.
395-97.

———.
1964. Häne, Rafael: "Die Einsiedler
Calderonspiele."
ANW, LXIV (1930), 863-66.

ELEMENTOS, LOS CUATRO.
V. IMAGERY (1997).

ÉLOGE.
V. LIBROS, HALLBERG (2301).

EMANCIPACIÓN.
1965. Dorer, Edmund: "Die Emanzipa-
tion der Frauen und der Dichter
Calderón."
Mag, LV (1886), 788-90, 806-08.

ENSAYO.
V. BIOGRAFÍA (1882).

ENTREMÉS.
1966. Pérez y González, Felipe:
"Comedias y bailes en Carnestolen-
das. Un entremés de Calderón y un
sainete de D. Ramón de la Cruz."
IEA, XLVIII (1904), t. 1, págs. 70-
71, 87, 90, 103, 106, 119, 122.
[Las Carnestolendas de Calderón y
El baile en máscara de Ramón de la
Cruz].

EPÍCTETO.
V. OBRAS, EL GRAN TEATRO DEL MUNDO
(2159).

ERLÖSUNG
V.t. LIBROS, WILLE (2340).

———.
1967. Rütsch, Julius: "Calderons
Spiel der Erlösung."
SchRd, XXXII (1932), 518-25.

ERNEUERUNG.
1968. Häne, Rafael: "Die Erneuerung
Calderons in innerschweizerischen
Raume."

IJH, I (1936), 102-06.

ESCENOGRAFÍA.
1969. Valbuena Prat, Ángel: "La escenografía de una comedia de Calderón."
AEAA, VI (1930), 1-16.
[La fiera, el rayo y la piedra].

ESCOLÁSTICA.
1970. Parker, A. A.: "Calderón, el
dramaturgo de la Escolástica."
RevEstHisp, I (1935), no. 3, págs.
273-85; no. 4, págs. 393-420.

ESCUELA DE CALDERÓN.
V. GENERAL II, ESTILO (1063).

ESPAÑOLES.
V. LIBROS, SOLER Y ARQUÉS (2335).

ESPÍRITU MILITAR.
V. ARMAS Y LETRAS (1849), MILICIA
(2014).

ESQUILO.
1971. Morales San Martín, B.: "El
teatro griego y el teatro español.
Esquilo y Calderón. Prometeo y Segismundo."
RQuin, VI (1918), 260-75, 342-59.

ESTER.
V. LOPE DE VEGA, ESTER (3175).

ESTÉTICA.
V. GENERAL II, ÉTICA (1065-66).

ESTILO.
V. PERSONIFICACIÓN (2031); LIBROS,
SCHULTE (2332), VALBUENA PRAT (2338);
GENERAL II, ESTILO (1063).

ESTUDIO.
1972. Marichalar, Antonio: "Un nue-
vo estudio sobre Calderón."
Vert, no. 72 (1944), 26-27.
[Sobre The Allegorical Drama of
Calderón de A. A. Parker (2318)].

ÉTICA.
V. GENERAL II, ÉTICA (1065-66).

EXEQUIAS.
V. CENTENARIO (1914).

FAJARDO, ALONSO.
V. OBRAS, EL MÉDICO DE SU HONRA
(2184).

FILOSOFÍA.
V. OBRAS, LA VIDA ES SUEÑO (2247,
2253-54).

FLANDES.
V. LADISLAO, EL PRÍNCIPE (2005).

"FLOS SANCTORUM".
V. OBRAS, LA LEPRA DE CONSTANTINO
(2167).

FONSECA SOARES, ANTÓNIO DA.
1973. Gates, Eunice Joiner: "António
da Fonseca Soares, an Imitator of
Góngora and Calderón."
HR, IX (1941), 275-86.

FORTUNA.
1974. Farinelli, A.: "Nuove opere
su Calderón e la sua fortuna nel
mondo."
Colu, I (1917), no. 1.
[Bosquejo de un estudio proyectado
sobre Calderón. Sobre esta revista,
V. sus Divagaciones hispánicas, II,
pág. 239, nota (núm. 1629)].

FRANCIA.
V. OBRAS, EL ASTRÓLOGO FINGIDO
(2131), LA VIDA ES SUEÑO (2265).

FRAUENTASCHENBUCH.
1975. Guignard, R.: "Calderón dans
le Frauentaschenbuch."
RLC, X (1930), 733-46.
[El Almanach des dames del siglo
XIX].

FRONLEICHNAMSSPIELE.
V. AUTO SACRAMENTAL (1867).

FUCHS, GEORG.
V.t. OBRAS, EL PRINCIPE CONSTANTE
(2202).

———.
1976. Gumppenberg, Hanns von: "Cal-
deron-Fuchsens Circe und Wellals
Perdita."
DZeit, XXV (1911-12), no. 18, págs.
401-03.
[Sobre la adaptación de El mayor
encanto amor por Fuchs. La parte

del artículo que trata de la obra
de Herbert Wellal (seudónimo de R.
Tiedemann) no tiene nada que ver
con Calderón].

FUENTE.
1977. Herrero García, Miguel: "Una
fuente directa de Calderón."
CorrErud, III (1943-46), 188-89.
[La idea de la décima del monólogo de Segismundo, "Cuentan de un
sabio que un día...", la podía encontrar Calderón en un pasaje de la
Relación del cautiverio y trabajos
de Diego Galán].

FUNDACIÓN.
1978. Juliá Martínez, E.: "Una fundación de Calderón de la Barca."
RFE, XXVI (1942), 302-07.
[La Capellanía de San Salvador,
de Madrid].

GALÁN, DIEGO.
V. FUENTE (1977).

GEBURTSTAG.
V. CENTENARIO (1932).

GEDÄCHTNISFEIER.
V. CENTENARIO (1916-17).

GEDENKBLATT.
V. CENTENARIO (1918).

GEISTIGE WELT.
1979. Horst, K. A.: "Calderons
geistige Welt."
DeuBei, III (1949), 44-58.

GEISTLICHE DRAMEN.
V. TECHNIK (2078).

GEISTLICHE FESTSPIELE.
V. CENTENARIO (1924); OBRAS, núm.
2108.

GEORGE, STEFAN.
V. HOFFMANNSTHAL (1991).

"GIGANTOMAQUIA"
V. OBRAS, LA VIDA ES SUEÑO (2251).

GODESBERG.
1980. Pérez, Quintín: "Calderón en
Godesberg."
RyF, LXXIX (1927), 433-43, 523-32.

[Sobre la representación en esta ciudad balnearia alemana de El gran teatro del mundo].

GOETHE, JOHANN WOLFGANG VON.
V.t. OBRAS, EL MÁGICO PRODIGIOSO (2175-76, 2178-79); LIBROS, FASTENRATH (2293), SÁNCHEZ MOGUEL (2329-2330); GENERAL II, GOETHE (1101).

1981. Fernández Merino, A.: "Calderón y Goethe."
RdE, LXXXI (jul-ag, 1881), 82-106, 176-200, 326-48, 509-26; LXXXII (sept-oct, 1881), 61-79.

——.
1982. Herford, C. H.: "On Goethe and Calderón."
PEGS, II (1887), 57-71.

——.
1983. Farinelli, A.: "Calderón-Goethe."
Masken, XXV (1931), 23-38.

——.
1984. Morris, Max: "Ein dramaturgischer Eingriff Goethes in eine Dichtung Calderons."
Euph, XIX (1912), 349-50.

——.
1985. Lepiorz, Gerhard: "Goethes Verhältnis zu Calderón."
NeuphZeit, I (1950), no. 5, págs. 18-27.

GÓNGORA Y ARGOTE, LUIS DE.
V.t. FONSECA SOARES (1973).

——.
1986. Gates, Eunice Joiner: "Góngora and Calderón."
HR, V (1937), 241-58.

GOZZI, CARLO.
V. GENERAL II, núm. 1104.

GRACIÁN, BALTASAR.
V. SEGISMUNDO (2056).

GRACIOSO.
V. BAUERNFIGUREN (1878).

GRIEGO, TEATRO.
V. ESQUILO (1971).

GRIES, J. D.
V. SCHREYVOGEL (2055).

GRILLPARZER, FRANZ.
1987. Schulhof, Hilda: "Grillparzer und Calderón."
JGG, XXXIII (1935), 53-65.

HABLISTA.
1988. Sbarbi, José María: "Calderón, hablista."
AverUniv, III (1881), 140-44.
[Sobre el uso de ciertas palabras].

HAMLET.
V. CHUANG TSE (1948); OBRAS, LA VIDA ES SUEÑO (2255).

HENRY VIII (El rey).
V. OBRAS, LA CISMA DE INGLATERRA (2141).

"HENRY VIII, KING" (Comedia).
V. SHAKESPEARE (2066); OBRAS, LA CISMA DE INGLATERRA (2138).

"HÉRACLIUS".
V. CORNEILLE (1939-42).

HERMANDAD DEL REFUGIO.
V. MÁS SOBRE CALDERÓN (2012); GENERAL II, MADRID (1225).

HIDALGO, JUAN.
V. OBRAS, CELOS AUN DEL AIRE MATAN (2136).

HISTORIA.
V.t. LIBROS, GÜNTHNER (2300).

——.
1989. Balbín de Unquera, A.: "Dramas históricos de Calderón."
RCont, CXXXII (en-mar, 1906), 641-45.

HOFMANNSTHAL, HUGO VON.
V.t. LIBROS, SOFER (2334).

——.
1990. Curtius, Ernst Robert: "Hofmannsthal und Calderón."
HomCurtius (1937), I, 20-28.

HOFMANNSTHAL (cont.).
1991. Curtius, Ernst Robert:
"George, Hofmannsthal und Calderón."
En sus Kritische Essays zur euro-
päische Literatur, págs. 172-201.
[V. GENERAL II, LIBROS, núm. 1612].

HOFPREDIGER.
1992. Dorer, Edmund: "Calderón und
die Hofprediger."
Mag, LVI (1887), 395-96, 409-11.

HOMBRE.
V. AUTO SACRAMENTAL (1870).

HOMENAJE.
V.t. LIBROS, HOMENAGE (2304).

———.
1993. Maestre y Alonso, Antonio:
Homenaje a Calderón (Boceto de un
libro)."
RdE, CXXXIV (1891), 190-97.

HONOR.
V.t. LIBROS, RUBIÓ Y LLUCH (2327).

———.
1994. Herdler, Alexander W.: "The
Sentiment of Honor in Calderón's
Theatre."
MLN, VIII (1893), 153-60.

———.
1995. Elías de Molíns, José: "El
sentimiento del honor en el teatro
de Calderón."
RdE, LXXX (mayo-jun, 1881), 355-77,
514-32; LXXXI (jul-ag, 1881), 230-
241, 487-508; LXXXII (sept-oct,
1881), 52-60.

HUMOR (HUMORISMO).
1996. Leavitt, Sturgis E.: "Did
Calderón Have a Sense of Humor?"
HomDey (1950), 119-21.

ICONOGRAFÍA.
V. LIBROS, HOMENAGE (2304).

IMAGERY, IMAGINERÍA.
V.t. LOPE DE VEGA, IMAGINERÍA
SACRA (3234).

———.
1997. Wilson, Edward M.: "The Four
Elements in the Imagery of Calderón."

MLR, XXXI (1936), 34-47.

INÉDITA.
1997A. M.: "Una página inédita de
Calderón."
CorrErud, IV (1946-57), 201.
[Trata de su opinión del oficio
de ensayador de la moneda].

INFLUENCIA.
V. GENERAL II, DODSLEY (993); LOPE
DE VEGA, ALEMANIA (2949).

INGLATERRA.
1998. Armas y Cárdenas, J. de:
"Calderón en Inglaterra."
En sus Ensayos críticos de literatura inglesa y española, págs. 151-
158. [V. GENERAL II, LIBROS, núm.
1568].

ITALIA.
V. LIBROS, CANTELLA (2284); GENERAL
II, ITALIA (1182).

ITALIANATE VERSE.
V. AGUDOS (1841).

JAHRHUNDERT.
1999. Biltz, Karl Peter: "Calderón
und sein Jahrhundert."
MNDK, (Mai, 1943), 4-7.

JEUX DE SCÈNE.
2000. Thomas, Lucien-Paul: "Les
jeux de scène et l'architecture des
idées dans le théâtre allégorique
de Calderón."
HomMenPidalA (1925), II, 501-30.
a) A. Valbuena Prat, RBAM, V (1928),
213-15.

JOVELLANOS, GASPAR MELCHOR DE.
V. OBRAS, LA VIDA ES SUEÑO (2256).

JUICIO CRÍTICO.
V. LIBROS, ROJAS DE LA VEGA (2326).

JURÍDICO, PUNTO DE VISTA.
V. LIBROS, ROJAS DE LA VEGA (2326).

JUSTINA.
2001. Entwistle, W. J.: "Justina's
Temptation: an Approach to the Un-
derstanding of Calderón."
MLR, XL (1945), 180-89.
[Sobre El mágico prodigioso].

KANT, IMMANUEL.
V. OBRAS, LA VIDA ES SUEÑO (2245).

KATHOLIZISMUS.
V.t. LIBROS, WEISSER (2339).

———.
2002. "Calderón, der Dramatiker des
Katholizismus."
KirchNach, V (1950), no. 7, pág. 5.

KENNING.
2003. Spitzer, Leo: "Kenning und
Calderons Begriffsspielerei."
ZRP, LVI (1936), 100-02.

KÖLN.
V. OBRAS, LOS MISTERIOS DE LA MISA
(2191).

KRISTINA.
V. CRISTINA DE SUECIA (1946-47).

KUNSTWERK.
2004. Gürster, Eugen: "Das Kunstwerk Pedro Calderon de la Barcas."
DRund, Jg. LIV (1927), Bd. CCXII,
págs. 62-66.
[Su drama como obra de arte].

LADISLAO, EL PRÍNCIPE.
2005. Folkierski, Ladislaw: "Ślady
podróży flandryjskiej królewicza
Wladyslawa w teatrze Calderona."
["Las trazas del viaje a Flandes
del Príncipe real Ladislao en el
teatro de Calderón"].
PamLit, (1935), 110-18.
[Sobre El sitio de Bredá].

LENGUAJE.
V. AUTO SACRAMENTAL (1866), PERSO-
NIFICACIÓN (2031); LIBROS, SCHULTE
(2332).

LESSING, GOTTHOLD EPHRAIM.
V. LIBROS, PITOLLET (2322); GENE-
RAL II, núms. 1210-12.

LIBERTAD.
V. OBRAS, LA VIDA ES SUEÑO (2253,
2273).

"LIFE IS A DREAM".
V. OBRAS, LA VIDA ES SUEÑO (2237,
2275).

LIFE-WORK.
V. LIBROS, MEREZHKOVSKY (2314).

LITERATUR.
2006. Günthner, Engelbert: "Calderon-Literatur."
LitHand, XLIV (1906), cols. 753-66,
801-10, 893-900, 941-58.
[Sobre el libro de Breymann (núm.
2283)].

LOTTI, COSME.
V. AUTÓGRAFOS (1873).

"LOVE IN A WOOD".
V. WYCHERLEY (2090).

LUIS XIV DE FRANCIA.
V. CORNEILLE (1939).

MACCARTHY, DENIS FLORENCE.
2007. "Mr. Florence MacCarthy's
Calderón."
DubRev, LXXXI [ns XXIX] (jul-oct,
1877), 94-119.
[Apreciación y reseña de las
obras de MacCarthy, núms. 2097-99,
2148 y 2190].

MADRE.
2008. Alonso Cortés, N.: "Carta de
dote de la madre de Calderón de la
Barca."
RevHist, II (1925), 158-67.

MADRID.
V.t. GENERAL II: TEMAS, núm. 1225;
LIBROS, LATOUR (1682).

———.
2009. Valbuena Prat, A.: "Elogios
de Madrid en la loa para un auto de
Calderón."
RBAM, VII (1930), 405-09.
[El auto Los encantos de la culpa].

MAIRENA DEL ALCOR.
V. OBRAS, EL ALCALDE DE ZALAMEA
(2124).

MALEREI.
2010. Curtius, Ernst Robert: "Calderón und die Malerei."
RFor, L (1936), 89-136.
[Edición y traducción del Tratado
defendiendo la nobleza de la pin-
tura].

MALEREI (cont.).
2011. Spitzer, Leo: "Eine Stelle
in Calderons Traktat über die Malerei."
NMit, XXXIX (1938), 361-70.

MANUSCRITOS.
V. GENERAL II, CÓDICE (915).

MAÑARA, MIGUEL DE.
V. OBRAS, EL MÁGICO PRODIGIOSO
(2178).

MARGUERITE, VICTOR.
V. GENERAL II, PARÍS (1319).

MÁS SOBRE CALDERÓN.
2012. La Redacción: "Más sobre
Calderón."
AverUniv, III (1881), 172-73.
    [Admisión de Calderón en la Santa
y Real Hermandad del Refugio de la
ciudad de Toledo].

MEISTER.
V. CENTENARIO (1925).

MÉRIMÉE, PROSPER.
2013. Morel-Fatio, A.: "Mérimée et
Calderón."
RHLF, XXVII (1920), 61-69.

METÁFORA.
V. AUTO SACRAMENTAL (1866); LIBROS,
SCHULTE (2332).

METAPHYSIK.
V. AUTO SACRAMENTAL (1862).

MILICIA.
2014. Maciá Serrano, Antonio: "El
concepto poético de la milicia en
Calderón de la Barca."
Ejer, no. 39 (1943), 42-45.
    [V.t. núm. 1849].

MILTON, JOHN.
V. REPRESENTATIVE MEN (2050).

MIRANDA.
V. OBRAS, LA VIDA ES SUEÑO (2270).

MISTICI.
2015. Farinelli, A.: "Mistici, teologi, poeti e sognatori della Spagna
all' alba del dramma di Calderón."
RFE, I (1914), 289-333.

[Reimpreso en su libro La vita è
un sogno, I, 193-252 (V. núm. 2291)].

MISTICISMO.
V. CALDERÓN (1898).

MITOLOGÍA.
V. MYTHOLOGIE (2019-20).

MODAS.
V. GENERAL II, núm. 1261.

MOLIÈRE.
V. GENERAL II, núm. 1265.

MONÓLOGO.
V. OBRAS, LA VIDA ES SUEÑO (2271-
2274); LIBROS, KEIDITSCH (2305).

MORA, JOSÉ JOAQUÍN DE.
V. LIBROS, PITOLLET (2322).

MORAL.
V. LIBROS, CATALINA (2286A).

MORALISTA.
2016. Escosura, Patricio de la:
"Calderón considerado como moralista
dramático."
RdE, VI (1869), 161-210.

MOTIVE.
V. OBRAS, LA VIDA ES SUEÑO (2258).

MUERTE.
V.t. CENTENARIO.

———.
2017. San José, Diego: "Una fecha
memorable en las letras castellanas.
Muerte de Calderón de la Barca."
RazaBA, III (1922), no. 53, pág. 22.

MUJERES.
V. EMANCIPACIÓN (1965).

MUNDO, IMAGEN DEL.
V. CONCEZIONE (1936).

MUNICIPIO.
V. GENERAL II, núm. 1288.

MÚSICA.
V.t. OBRAS, CELOS AUN DEL AIRE
MATAN (2136); LOPE DE VEGA, OBRAS,
LA SELVA SIN AMOR (3807).

2018. Farinelli, A.: "Apuntes
sobre Calderón y la música en Alemania."
CE, II (1907), 119-60a.
[Reimpreso, con notas adicionales,
en sus Ensayos y discursos de crítica literaria hispano-europea, II,
565-651, y en sus Divagaciones hispánicas, II, 163-214 (V. GENERAL II,
LIBROS, núms. 1629-30)].

MYTHOLOGIE.
2019. Schmidt, Leopold: "Über Calderons Behandlung antiker Mythen.
Ein Beitrag zur Geschichte der Mythologie."
RhMus, X (1856), 313-57.

───────.

2020. Paris, Pierre: "La mytho-
logie de Calderón: Apolo y Climene.
El hijo del sol, Faetón."
HomMenPidalA, (1925), I, 557-70.

NACIMIENTO.
2021. Téllez, Tello: "Efemérides.
1600.--Nació el famoso autor don
Pedro Calderón de la Barca."
ByN, II (1892), 33-34.

NATURALEZA.
V. AUTO SACRAMENTAL (1870); LIBROS,
PICATOSTE Y RODRIGUEZ (2321).

"NE PAS CROIRE".
V. BOURSAULT (1884).

NEUES.
2022. Becher, Hubert: "Neues über
Calderon."
StdZ, Bd. 117 (1929), 142-45.
[Sobre F. G. Olmedo, Las fuentes
de "La vida es sueño" (núm. 2317)].

NIEUWE WERK.
V. OBRA (2024).

NOSOTROS.
2023. Laín Entralgo, Pedro: "Calderón y nosotros."
En su libro Vestigios, págs. 139-43
(V. GENERAL II, LIBROS, núm. 1677).

NOTICIAS.
V. REPRESENTACIONES (2049).

OBRA.
2024. Donders, H.: "Naar aanleiding
van een nieuwe werk over Calderón."
DietWar, 3ª serie, XII (1899), 485-
490.
[Sobre la traducción holandesa
del libro de Engelbert Günthner
(núm. 2299)].

───────.

2025. Nombela y Campos, Julio:
"Calderón y su obra."
IEA, XXV (1881), t. 1, págs. 294-95.

OCTOSÍLABO.
2026. Reed, Frank O.: "The Calderonian Octosyllabic."
UWSLL, XX (1924), 73-98.

OLIVARES, CONDE-DUQUE DE.
V. QUEVEDO (2037).

ÓPERA.
V. OBRAS, CELOS AUN DEL AIRE MATAN
(2136).

ORIENT.
2027. Dieulafoy, Marcel: "Notice:
Reflets de l'Orient sur le théâtre
de Calderón."
RevHisp, VII (1900), 553-55.

"OTHELLO".
V. OBRAS, EL MÉDICO DE SU HONRA
(2186-87); LIBROS, ELLITS (2290).

PAGEANTRY.
V. GENERAL II, núm. 1314.

PAÍSES BAJOS.
V. GENERAL II, núm. 1315.

PARÍS.
V. OBRAS, EL MÉDICO DE SU HONRA
(2188).

PARTES.
2028. Heaton, H. C.: "On the Segunda
parte of Calderón."
HR, V (1937), 208-24.

───────.

2029. Oppenheimer, Max Jr.: "Addenda
on the Segunda parte of Calderón."
HR, XVI (1948), 335-40.

PARTES (cont.).
2030. Hesse, Everett W.: "The First
and Second Editions of Calderón's
Cuarta Parte."
HR, XVI (1948), 209-37.

PERSEUS MYTH.
V. LOPE DE VEGA, núm. 3368.

PERSONAJES.
V. JUSTINA (2001), SEGISMUNDO,
SINO (2071); GENERAL II, RÉVOLTE
(1381).

PERSONIFICACIÓN.
2031. Lindner, Ernst: "Die poetische
Personifikation in den Jugendschau-
spielen Calderons. Ein Beitrag zu
Studien über Stil und Sprache des
Dichters."
MBREP, XXXII (1904). Pp. x-150.
a) Philip A. Becker, DLZ, XXV
   (1904), col. 2678-79.

PHILADELPHIA.
V. GENERAL II, núm. 1322.

PINTURA.
V. MALEREI (2010-11).

PIRANDELLO, LUIGI.
2032. Farinelli, A.: "Pirandello y
Calderón."
En su Poesía y crítica (Temas his-
pánicos), págs. 109-15.
[V. GENERAL II, LIBROS, núm. 1633.
Publicado primero en La Nación (Bue-
nos Aires), 21 de febrero de 1937].

PLAGIO.
V. GENERAL II, ENTREMÉS (1046).

PLATERÍAS.
V. CASA (1908).

PRESOCRÁTICO.
V. COSMOLOGÍA (1945).

PROMETEO.
V. ESQUILO (1971).

PROVERBS.
2033. Gates, Eunice J.: "Proverbs
in the Plays of Calderón."
RR, XXXVIII (1947), 203-15.

————.
2034. Gates, Eunice J.: "A Tentative

List of the Proverbs and Proverb
Allusions in the Plays of Calderón."
PMLA, LXIV (1949), 1027-48.

————.
2035. Hayes, Francis C.: "The Use
of Proverbs as Titles and Motives
in the Siglo de Oro Drama: Calderón."
HR, XV (1947), 453-63.

PSICOLÓGICO-PENAL.
V. OBRAS, EL ALCALDE DE ZALAMEA
(2125).

PUBLICATION.
2036. Hesse, Everett W.: "The Publication of Calderón's Plays in the
Seventeenth Century."
PQ, XXVII (1948), 37-51.

PUNTUACIÓN.
V. CALDERÓN (1904).

QUERELLE CALDERONIENNE.
V. LIBROS, PITOLLET (2322).

QUEVEDO.
V.t. OBRAS, EL GRAN TEATRO DEL
MUNDO (2159).

————.
2037. Marañón, Gregorio: "Quevedo,
Calderón de la Barca y el Conde-
Duque."
BADL, no. 14 (mayo de 1944), 25-37.

"QUIJOTE."
2038. Sbarbi, José María: "Calderón
y el Quijote."
AverUniv, III (1881), 139.

QUINTILLAS.
V.t. TÍTULOS DE COMEDIAS (2080).

————.
2039. Hilborn, Harry W.: "Calderón's
Quintillas."
HR, XVI (1948), 301-10.

RACIONALISMO.
2040. Cossío, José M. de: "Racionalismo del arte dramático de Calderón."
CyR, no. 21 (dic., 1934), 39-75.
[Reimpreso en sus Notas y estudios
decrítica literaria, siglo XVII,

págs. 73-109. Y. GENERAL II, LI-
BROS, núm. 1598].

RAVENSCROFT, EDWARD.
  Y. BOURSAULT (1884-87).

RECOVERED LINES.
2041. Northup, George T.: "Some recovered lines from Calderón."
HomMenPidalA (1925), II, 495-500.
  [Un pasaje sobre halconería en la
Jornada III de Casa con dos puertas
(vv. 2179-2327), desde "por consuelo a tu piedad" hasta "Anoche,
cuando saliste...".]

REDENCIÓN.
  Y. ERLÖSUNG (1967).

REHABILITACIÓN.
  Y. LOPE DE VEGA, CALDERÓN (3021).

RELIGIOSIDAD.
2042. Majorkiewicz, J.: "Religij-
ność w Kalderonie." ["La religiosidad de Calderón"].
PismaPom, I (1852), 343-52.

RELIGIOSO.
  Y.t. CENTENARIO (1931).

——.
2043. Molinier, Victor: "Un drame
religieux de Calderón de la Barca."
MASIBLT, 7ª serie, tomo VII (1875),
115-42.
  [La devoción de la cruz].

——.
2044. Gorra, Egidio: "Il dramma religioso di Calderón de la Barca."
En su libro Fra drammi e poemi,
págs. 333-484. [Y. GENERAL II,
LIBROS, núm. 1650].

——.
2045. Krauss, Werner: "Calderon als
religiöser Dichter."
DZeit, XLIV (1930-31), 490-500.
  [Reimpreso en su Gesammelte Aufsätze zur Literatur- und Sprachwissenschaft, págs. 262-77. Y. GE-
NERAL II, LIBROS, núm. 1676].

——.
2046. Silva, Ramón: "The Religious
Dramas of Calderón."

BSS, XV (1938), 172-94.
  [Una refundición de este artículo,
más extensa y más detallada, se halla en Spanish Golden Age Poetry
and Drama, págs. 119-205. Y. GENE-
RAL II, LIBROS, PEERS (1741)].

——.
2047. Trend, J. B.: "Calderón and
the Spanish Religious Theatre of
the Seventeenth Century."
HomGrierson (1938), págs. 161-83.

——.
2048. Weir, Lucy E.: "The Ideas Embodied in the Religious Dramas of
Calderón."
UNSLLC, no. 18 (1940). Pp. vi-89.
a) H. C. Heaton, HR, X (1942),
   171-74.

REPRESENTACIONES.
  Y.t. BUENOS AIRES (1888).

——.
2049. Cotarelo y Mori, E.: "Noticias
inéditas de algunas representaciones
palaciegas de las comedias de Calderón y otros."
RELHA, I (1901), 142-46, 179-82,
212-14, 245-47, 263-64, 295-96,
327-28, 372-76.
  [La púrpura de la rosa, El hijo
del sol, Faetón, Psiquis y Cupido,
Hado y divisa de Leonido y Marfisa,
El Conde Lucanor, Las armas de la
hermosura (todas de Calderón);
Entre bobos anda el juego (Rojas)].

REPRESENTATIVE MEN.
2050. Hart, H.: "Zwei 'Representative men': Calderón und Milton als
literarische Vertreter des Romanen-
und Germanentums."
ZLKW, XXV (1904).

RÉVOLTE DES PERSONNAGES.
  Y. GENERAL II, RÉVOLTE (1381).

ROJAS VILLANDRANDO, AGUSTÍN DE.
  Y. OBRAS, LA VIDA ES SUEÑO (2266).

ROMANCE.
2051. Asensio y Toledo, J. M.: "Estudio sobre un romance que se ha
querido atribuir a D. Pedro Calderón de la Barca."

MIDDLEBURY COLLEGE
LIBRARY

2051 (cont.).
RevVal, II (1881-82), 128-34.
["Curiosísima señora, - Tú, que
mi estado preguntas..." Hartzenbusch lo publicó por apéndice del
primer tomo de las obras de Lope de
Vega en la BAE. El poema, cuyo autógrafo está en la Biblioteca Colombina, se publica aquí integral-
mente. El autor es Carlos Alberto
de Cepeda y Guzmán].

ROMANTIK.
V. LIBROS, MÜNNIG (2316).

RUSIA.
2052. Turkevich, Ludmilla Buketoff:
"Calderón en Rusia."
RFH, I (1939), 139-58.

SACRED DRAMA.
V. OBRAS, EL PURGATORIO DE SAN PA-
TRICIO (2207).

SAINTLINESS.
V. OBRAS, EL MÁGICO PRODIGIOSO
(2182).

SAN SALVADOR.
V. FUNDACIÓN (1978).

SAN SILVESTRE.
V. OBRAS, LA LEPRA DE CONSTANTINO
(2167).

SCHICKSALTRAGÖDIEN.
2053. Berens, Peter: "Calderons
Schicksaltragödien."
RFor, XXXIX (1926), 1-66.

SCHISM OF ENGLAND.
V. SHAKESPEARE (2066); OBRAS, LA
CISMA DE INGLATERRA (2137-41).

SCHLAF.
2054. Abert, J.: "Schlaf und Traum
bei Calderón."
HomUrlichs (1880), págs. 163-98.

SCHREYVOGEL, JOSEPH.
2055. Geiger, Ludwig: "Schreyvogel
über Gries' Calderon-Übersetzung."
SVL, III (1903), 204-14.

SCHRIFTWESEN.
V. LIBROS, SCHULTE (2332).

SCHWAB, RAYMOND.
V. GENERAL II, RÉVOLTE (1381).

"SECRETA VENGANZA".
V. LOPE DE VEGA, VENGANZA (3538).

SEELENLEBEN.
V. LIBROS, MARGRAFF (2310).

SEGISMUNDO.
V.t. ESQUILO (1971), FUENTE (1977),
SÓCRATES (2074), SOÑAR (2075);
OBRAS, LA HIJA DEL AIRE (2165), LA
VIDA ES SUEÑO (2255, 2267-74); LI-
BROS, FUNES (2296); LOPE DE VEGA,
LIBROS, BOEDO (3833).

———.
2056. Monner Sans, Ricardo: "Soliloquio de Segismundo."
Nos, XLVI (1924), 27-36.
[Apreciación de Calderón y comparación con Gracián].

SEMÍRAMIS.
V. OBRAS, LA HIJA DEL AIRE (2165).

SHAKESPEARE, WILLIAM.
V.t. OBRAS, LA CISMA DE INGLATERRA
(2138-39, 2141), EL MÉDICO DE SU
HONRA (2186-87), LA VIDA ES SUEÑO
(2270); LIBROS, ELLITS (2290), PE-
REIRA (2319); GENERAL II, núm. 1436;
LOPE DE VEGA, SHAKESPEARE (3451).

———.
2057. Michels, Wilhelm: "Barockstil
bei Shakespeare und Calderón."
RevHisp, LXXV (1929), 370-458.
a) A. Hämel, LGRP, LII (1931), col.
452-53.
b) H. Hatzfeld, DLZ, LI (1930),
col. 793-95.

———.
2058. Revilla, Manuel de la: "Calderón y Shakespeare."
IEA, XXV (1881), t. 1, págs. 322-23.
[Reimpreso en sus Obras, págs.
345-48. V. GENERAL II, LIBROS, núm.
1706].

———.
2059. Pereira, Aureliano J.: "Calderón y Shakespeare."
RdE, XCVI (en-feb, 1884), 214-39,
362-87.

——————.
2060. Yardley, E.: "Shakespeare and Calderón."
NQ, 7ª serie, tomo VIII (jul-dic, 1889), pág. 26.

——————.
2061. Fey, Eduard: "Calderón und Shakespeare."
NMon, I (1930), 469-72.

——————.
2062. Steffen, Albert: "Calderón und Shakespeare."
Goet, X (1931), 333-35.

——————.
2063. Werckshagen, Carl: "Calderón und Shakespeare."
HessLD, (1939-40), no. 14, págs. 137-47.

——————.
2064. Reade, Hubert: "How Did Calderón Know Shakespeare's Plays?"
WestR, CLX (1903), 84-88.
[Podía conocer a algunos ingleses en España o en Flandes, y éstos podían haber traído de Inglaterra comedias de Shakespeare para enseñar a sus hijos].

——————.
2065. Isbert y Cuyás, Benito: "Paralelo entre Calderón y Shakespeare."
IEA, XXV (1881), t. 1, pág. 335.

——————.
2066. Birkhead, H.: "The Schism of England: Calderón's Play and Shakespeare's."
ModLang, X (1928), 36-44.
[La cisma de Inglaterra y Henry VIII].

SHELLEY, PERCY BYSSHE.
2067. Madariaga, Salvador de: "Shelley and Calderón."
TRSL, 2ª serie, XXXVII (1919), 137-176.
[Reimpreso en su libro Shelley and Calderón and Other Essays, págs. 3-48. V. LIBROS, núm. 2309].

——————.
2068. Gates, Eunice J.: "Shelley and Calderón."

PQ, XVI (1937), 49-58.
[Pasajes parecidos en los dos escritores].

SIGLO XVIII.
V. BUENOS AIRES (1888).

SILVAS.
2069. Hilborn, Harry W.: "Calderón's Silvas."
PMLA, LVIII (1943), 122-48.

SIMBÓLICO, SIMBOLISMO.
V.t. AUTO SACRAMENTAL (1860); OBRAS, LA ESTATUA DE PROMETEO (2156), LA VIDA ES SUEÑO (2254).

——————.
2070. Entwistle, W. J.: "Calderón et le théâtre symbolique."
BH, LII (1950), 41-54.

SINO.
V.t. SCHICKSALTRAGÖDIEN (2053).

——————.
2071. Ceballos García, G.: "El sentido del sino en los personajes de Calderón."
UnivAnt, XIX (1945-46), 311-30, 393-426.

SLOWACKI, JULJUSZ.
V.t. CALDERÓN (1890); OBRAS, EL PRÍNCIPE CONSTANTE (2201).

——————.
2072. Szyjkowski, Marjan: "Slowacki i Calderón."
BiblWar, (1905), III, 14-55.

——————.
2073. Kleiner, Juljusz: "Echa Calderonowskie w twórczości Slowackiego." ["Ecos de Calderón en la obra de Slowacki"].
PamLit, (1914-15), 205-14.

SÓCRATES.
2074. Carlisky, Mario: "Sócrates y Segismundo."
Nos, VIII (1943), no. 91, págs. 256-72.

SÓFOCLES.
V. GENERAL II, SELF-DEVOTION (1428).

SOGNATORI.
V. MISTICI (2015).

SOLDADESCAS, COMEDIAS.
V. GENERAL II, LIBROS, MONTOLIU
(1718).

SOLEDAD.
V. AUTO SACRAMENTAL (1867-68).

SOLILOQUIO.
V. SEGISMUNDO (2056); OBRAS, LA
VIDA ES SUEÑO (2271-74); LIBROS,
KEIDITSCH (2305).

SOÑAR.
2075. Rodríguez Embil, L.: "El soñar
de Segismundo."
RCub, VII (1937), 105-12.

SPIELVERZEICHNISSE.
V. ALEMANIA (1846).

SUEÑO.
V.t. SCHLAF (2054), SOÑAR (2075);
"... que los sueños sueños son":
V. núm. 2260.

——.
2076. Bergamín, José: "Por debajo
del sueño (Calderón-calderoniano)."
RNC, VII (1946), no. 56 (mayo-jun),
págs. 3-18.
[Semblanza biográfica y crítica.
Lo calderoniano en la obra de Cal-
derón].

SUIZA.
V. ALPES (1847), EINSIEDELN (1963-
1964), ERNEUERUNG (1968).

TEATRO.
2077. Mesonero Romanos, R. de: "Teatro de Calderón."
SemPintEsp, (1851), 402-04.

TECHNIK.
2078. Ludwig, Albert: "Vergleichende Studien zu Calderons Technik besonders in seinen geistlichen Dramen."
SVL, V (1905), 297-322; VI (1906),
41-76.

"TEMPEST, THE".
V. OBRAS, LA VIDA ES SUEÑO (2270).

TEOLOGI.
V. MISTICI (2015).

TEOLOGÍA.
V. LOPE DE VEGA, IMAGINERÍA SACRA
(3234).

TEXTO.
2079. Toro y Gisbert, M. de: "¿Cono-
cemos el texto verdadero de las comedias de Calderón?"
BRAE, V (1918), 401-21, 531-49; VI
(1919), 3-12, 307-31.

THÈSES.
V. GENERAL II, THÈSES (1460).

TIEDEMANN, R.
V. FUCHS (1976).

TIRSO DE MOLINA.
V. TIRSO DE MOLINA, OBRAS, EL CE-
LOSO PRUDENTE (2872); LOPE DE VEGA,
VENGANZA (3538).

TÍTULOS DE COMEDIAS.
2080. Farinelli, A.: "Variazioni in
'quintillas' sui titoli dei drammi
calderoniani."
HomMenPidalA (1925), I, 533-43.
[Reimpreso en sus Divagaciones
hispánicas, II, 239-53. V. GENERAL
II, LIBROS, núm. 1629].

TODESTAG.
V. CENTENARIO (1921-22, 1926-28,
1930).

TOLEDO.
V.t. GENERAL II, LIBROS, LATOUR
(1682).

——.
2081. Juliá Martínez, E.: "Calderón
de la Barca en Toledo."
RFE, XXV (1941), 182-204.

TOLERANCIA.
V. GENERAL II, núm. 1471.

TONO MENOR.
V. GENERAL II, ESTILO (1063).

TORRE, FRANCISCO DE LA.
2082. Alvar, Manuel: "D. Francisco
de la Torre, amigo de Calderón."
RFE, XXXI (1947), 155-61.

TRADUCCIONES.
2083. Murphy, Elmer: "English Translations of Calderón."
CathUB, V (1899), 72-83.

————.

2084. Kommerell, Max: "Übertragungen
aus Calderón. i) Aus: Der wunder-
tätige Magus, 3. Akt; ii) Aus: Das
Leben ein Traum, 1. Akt; iii) Das
Leben ein Traum, 2. Akt, 18. Auf-
tritt."
NRun, XLVII (1936), Bd. 1, págs.
449-63.

TRÁGICO.
2085. Frutos Cortés, Eugenio: "¿Es
trágico Calderón?"
Esc, XII (1943), no. 33, págs. 128-
133.
[Afirma la existencia de la vida
trágica en Calderón].

TRAUM.
V. CENTENARIO (1929), SCHLAF (2054).

ÜBERTRAGUNGEN.
V. TRADUCCIONES (2084); OBRAS, LA
HIJA DEL AIRE (2163-64), LA VIDA ES
SUEÑO (2226).

"ULTIMA RATIO REGUM".
V. CORNEILLE (1939-40, 1942).

UNBEWUSSTEN.
V. DENKEN (1954).

UNCONSCIOUS MIND.
V. OBRAS, EL PINTOR DE SU DESHONRA
(2196).

VALENCIA.
V. CENTENARIO (1914).

VEGA, LOPE DE.
V. OBRAS, LA VIDA ES SUEÑO (2258);
LOPE DE VEGA, CALDERÓN.

VENGANZA SECRETA.
V. LOPE DE VEGA, VENGANZA (3538).

VERA TASSIS, JUAN DE.
V. OBRAS, LA VIDA ES SUEÑO (2259).

VERAGUA, DUQUE DE.
V. CARTA (1906-07).

VERGLEICHENDE STUDIEN.
V. TECHNIK (2078).

VERSIFICACIÓN.
V. AGUDOS, OCTOSÍLABO, QUINTILLAS,
SILVAS.

VERSOS DESCONOCIDOS.
2086. Treviño, S. N.: "Versos desconocidos de una comedia de Calderón."
PMLA, LII (1937), 682-704.
[De la comedia Basta callar].

VERSOS RECOBRADOS.
V. RECOVERED LINES (2041).

VERTRETER.
V. REPRESENTATIVE MEN (2050).

VIDA MUNICIPAL.
V. GENERAL II, MUNICIPIO (1288).

VIGNY, ALFRED DE.
V. GENERAL II, VIGNY (1494).

VILLEGAS, ALONSO DE.
V. OBRAS, LA LEPRA DE CONSTANTINO
(2167).

VOLUNTAD.
V. AUTO SACRAMENTAL (1871).

WAGNER, RICHARD.
2087. Jakubczyk, Karl: "Richard
Wagner (in seinen Briefen) über
Dante und Calderón."
Gral, VIII (1913-14), 310-12.

————.

2088. Farinelli, A.: "Wagner e Cal-
derón."
NA, CCCLXXI (1934), 193-212.
[Reimpreso en su libro Attraverso
la poesia e la vita, págs. 275-304.
V. GENERAL II, LIBROS, núm. 1627].

WANDERTRUPPEN.
V. ALEMANIA (1846).

WECKRUF.
V. LIBROS, STEINMETZ (2336).

WELTBEDEUTUNG.
V. CENTENARIO (1930).

WELTBILD.
2089. Schneider, Reinhold: "Zu Calderón's Weltbild."
Lit, XL (1937-38), 721-24.
[Este artículo está resumido en
el núm. 1936].

WELTTHEATER.
V. EINSIEDELN (1963-64).

WELLAL, HERBERT (seud. de R. Tiedemann).
V. FUCHS (1976).

WERK.
V. OBRA (2024).

WIR.
V. CENTENARIO (1932).

WISDOM.
V. OBRAS, EL MÁGICO PRODIGIOSO
(2182).

"WRANGLING LOVERS".
V. BOURSAULT (1884).

WÜRDIGUNG.
V. LIBROS, STEINMETZ (2336).

WYCHERLEY, WILLIAM.
2090. Rundle, James U.: "Wycherley
and Calderón: A Source for Love in
a Wood."
PMLA, LXIV (1949), 701-07.
[Mañanas de abril y mayo].

ZARZUELAS.
V. CORTE (1943).

OBRAS

COLECCIONES

2091. CALLEJA: Comedias. Tomo I.
Madrid: Editorial Saturnino Calleja, 1920. Pp. 288.
a) V. F., EyA, XIX (1921), t. 2
(abr-jun), pág. 305.

2092. GÜNTHNER, E. y LORINSER, F.:
Calderons grösste Dramen religiösen
Inhalts. Aus dem Spanischen über-
setzt ... von Dr. F. Lorinser. 2.
Aufl. herausgegeben von Engelbert
Günthner. Freiburg i. B.: Herder,

1904-07. 7 vols. Pp. xxvi-240,
272, 280, 235, 229, 246, 251.
a) Philipp August Becker, DLZ,
XXVIII (1907), col. 864-65.
b) --, StdZ, bd. LXVIII (1905),
118-19 [vols. 1-6]; bd. LXXIV
(1908), 231 [vol. 7].

2093. GÜRSTER, EUGEN: Pedro Calderón de la Barca: Ausgewählte Schauspiele. Eine Nachdichtung von Eugen
Gürster. München: C. H. Beck,
1928. Pp. xxvi-551.
a) W. Küchler, NSpr, XXXVII (1929),
87-88.
b) A. Hämel, DLZ, L (1929), col. 419.
c) Hubert Becher, StdZ, Bd. CXVIII
(1929-30), 238-39.

2094. HENRÍQUEZ UREÑA, P.: La vida
es sueño, El alcalde de Zalamea, El
mágico prodigioso. (Las cien obras
maestras de la literatura y del
pensamiento universal, vol. 13).
Buenos Aires: Editorial Losada,
1937. Pp. 268.
[La introducción de Henríquez
Ureña está reimpresa en su Plenitud
de España, págs. 163-65 (V. GENERAL
II, LIBROS, núm. 1661)].
a) Vicente G. Domblide, RFH, II
(1940), 400-01.

2095. LATOUR, ANTOINE DE: Oeuvres
dramatiques de Pedro Calderón de la
Barca. Trad. Antoine de Latour.
Tome I: Drames. Paris: Didier,
1871. Pp. lvi-523.
[Contiene: La dévotion à la
croix; Le médecin de son honneur;
La vie est un songe; A outrage secret, secrète vengeance; Le magicien prodigieux; L'alcade de Zalamea; Aimer après la mort].
a) --, JdS, XXXVI (1871), 522-23.

2096. LEHMANN, BERNHARD: Teatro
español. Frankfurt am Main, 1877-80.
2 vols.
[Vol. 1: El príncipe constante,
vol. 2: La vida es sueño].
a) L. Lemcke, LGRP, I (1880), col.
110-11; II (1881), col. 255-56.

2097. MacCARTHY, DENIS FLORENCE:
Calderon's Dramas: The Wonder-
Working Magician; Life is a Dream;

The Purgatory of Saint Patrick.
Translated from the Spanish in the
Metre of the Original. London:
Henry S. King, 1873.
a) V. TEMAS, MacCarthy (2007).

2098. MacCarthy, Denis Florence:
Dramas of Calderón, Tragic, Comic,
and Legendary. Translated from the
Spanish, principally in the Metre
of the Original. London: Dolman,
1853. 2 vols.
a) John Rutter Chorley, Ath, no.
1360 (19 de nov de 1853), págs.
1378-80; no. 1361 (26 de nov. 1853),
págs. 1414-16.
b) V. TEMAS, MacCarthy (2007).

2099. MacCarthy, Denis Florence:
Love the Greatest Enchantment. The
Sorceries of Sin. The Devotion of
the Cross. From the Spanish of
Calderon. London: Longmans, 1861.
a) V. TEMAS, MacCarthy (2007).

2100. MacColl, Norman: Select Plays
of Calderón. London: Macmillan,
1888.
a) Henry R. Lang, LGRP, X (1889),
col. 267-69.

2101. Monteverdi, Angelo: Calderón.
Drammi. Introduzione, prologhi e
versioni a cura di Angelo Monteverdi. Firenze: Battistelli, 1920-21.
2 vols. Pp. 372, 328.
[Vol. 1: La vita è un sogno, Il
mago prodigioso; vol. 2: Il principe costante, La devozione alla
croce].
a) V. núms. 2234 y 2276.

2102. Northup, George T.: Three
Plays by Calderón. Boston: D. C.
Heath, 1926. Pp. lv-358.
[Casa con dos puertas, La vida es
sueño, La cena del rey Baltasar].
a) Sturgis E. Leavitt, Hisp, IX
(1926), 187-88.
b) C. E. Anibal, Hisp, X (1927),
373-78.

2103. Obras de Pedro Calderón de la
Barca. Dramatische Dichtungen von
Calderon de la Barca in wortgetreuer
Uebersetzung. Erlangen: Krische,
1884. Pp. 204.

[Traductor desconocido].
a) Adolf Kressner, LGRP, VI (1885),
col. 164-66.

2104. Rouanet, Léo: Drames religieux de Calderon. Les Cheveux
d'Absalon, La Vierge du Sagrario,
Le Purgatoire de Saint Patrice.
Traduits en français par Léo Rouanet. Paris: A. Charles, 1898.
Pp. viii-404.
a) --, RCont, CXII (oct-dic, 1898),
444.
b) A. Morel-Fatio, BH, II (1900),
43-45.
c) Th. de Puymaigre, Polyb, 2ª ser.,
tome XLIX (en-jun, 1899), 57-58.
d) Ephrem Vincent, MF, XXIX (en-mar,
1899), 269-70.

2105. Toro Gisbert, Miguel de: Calderón. Teatro. (La Lectura de los
Clásicos). Paris: Ollendorff,
1913. Pp. viii-360.
[Contiene La vida es sueño y El
purgatorio de San Patricio].
a) A. Reyes, RFE, II (1915), 64-65.
[La reseña está reimpresa en su
libro Entre libros, 1912-1923, pág.
30 (V. GENERAL II, LIBROS, núm. 1760)].

2106. Valbuena Prat, A.: Autos sacramentales de Calderón. (Clásicos
castellanos). Madrid: "La Lectura,"
1926-27. 2 vols.
a) D. Alonso, RFE, XV (1928), 79-81.
b) Luis Morales Oliver, RBAM, V
(1928), 97-99.

2107. Valbuena Prat, A.: Calderón.
Comedias religiosas. I: La devoción de la cruz y El mágico prodigioso. (Clásicos castellanos, 106).
Madrid: Espasa-Calpe, 1932.
a) J. M. Hernández, BAbr, VII
(1933), 221-22.

2108. Wurzbach, Wolfgang von: Calderons ausgewählte geistliche Festspiele. Übersetzt von J. Freiherr
von Eichendorff. Mit einer Einleitung und Anmerkungen. Herausgegeben
von Wolfgang von Wurzbach. Leipzig:
Hesse und Becker, 1914.
a) --, Gral, VIII (1913-14), 639.

2109. Wurzbach, Wolfgang von: Cal-

2109. WURZBACH (cont.).
derons ausgewählte Werke in zehn
Bänden. Mit Einleitungen und Anmerkungen herausgegeben von Dr.
Wolfgang von Wurzbach. Leipzig:
Hesse und Becker, s. a. [¿1910?].
10 vols.
a) A. Morel_Fatio, BH, XIII (1911),
248.

OBRAS SUELTAS

A SECRETO AGRAVIO, SECRETA VENGANZA.
V.t. TIRSO DE MOLINA, OBRAS, EL
CELOSO PRUDENTE (2872).

———.

2110. Eoff, Sherman H.: "The Sources
of Calderón's A secreto agravio, secreta venganza."
ModPhil, XXVIII (1930-31), 297-311.

ADÚLTERA PENITENTE, LA.
V. LIBROS, CASTRO Y ROSSI (2286).

AFECTOS DE ODIO Y AMOR.
V.t. TEMAS, BUENOS AIRES (1888),
CRISTINA DE SUECIA (1946-47).

———.

2111. Matulka, Barbara: "The Courtly
Cid Theme in Calderón's Afectos de
odio y amor."
Hisp, XVIII (1935), 63-76.

ALCALDE DE ZALAMEA, EL.

Ediciones y traducciones

2112. Farnell, Ida: El alcalde de
Zalamea, de Calderón. Manchester:
Manchester University Press, 1921.
Pp. xlviii-126.
a) A. González Palencia, RABM,
XLIII (1922), 147-50.

2113. Geddes, James: El alcalde de
Zalamea. Boston: D. C. Heath,
1918. Pp. xxxviii-198.
a) F. O. Reed, MLN, XXXIV (1919),
420-28, 482-92.
V.t. GENERAL II, CRÍTICA (956).

2114. Krenkel, Max: Calderon, Der
Richter von Zalamea. Nebst dem
gleichnamigen Stücke des Lope de

Vega. (Klassische Bühnendichtungen
der Spanier, III). Leipzig: J. A.
Barth, 1887. Pp. xvi-388.
a) K. von Reinhardstoettner, ZVL, I
(1888), 388-90.
b) A. L. Stiefel, LGRP, X (1889),
col. 64-69.

Estudios

V.t. GENERAL II, CLÁSICO (908),
CRÍTICA (956), DIÁLOGO (988), DODS-
LEY (993), EDUCACIÓN (1038), ITALIA
(1182), MANZONI (1236), PARÍS (1318),
"TEATRO ESPAÑOL" (1454); LOPE DE
VEGA: TEMAS, SHAKESPEARE (3451);
OBRAS, FUENTEOVEJUNA (3701).

———.

2115. Hartzenbusch, J. E.: "El alcalde de Zalamea de Lope de Vega y
el de Calderón."
MemBN (1863-64), 32-47.

———.

2116. Marbach, Hans: "Der Richter
von Zalamea."
Grenz, Jg. XLIV (1885), Bd. 1, págs.
354-58.

———.

2117. Oyuela, Calixto: "El alcalde
de Zalamea."
En sus Estudios y artículos literarios, págs. 175-88.
[Crítica de la representación de
la compañía de Rafael Calvo. V.
GENERAL II, LIBROS, núm. 1730].

———.

2118. Martínez Sierra, Gregorio:
"Nuestro teatro clásico. El alcal-
de de Zalamea."
IEA, LXXIX (1905), 246-47.

———.

2119. Fleres, Ugo: "Un capolavoro
del teatro spagnuolo. L'Alcalde di
Zalamea."
NA, CCVII (1906), 83-98.

———.

2120. Lollis, Cesare de: "El alcalde de Zalamea."
En su Cervantes reazionario e altri
scritti d'ispanistica, págs. 275-82.
[V. GENERAL II, LIBROS, núm. 1691.

Publicado primero en Il Giornale
d'Italia (Roma), 1º de marzo de
1906].

───.

2121. Jünemann, Guillermo: "Glosas
críticas. Los dos Alcaldes de Zalamea: el de Lope y el de Calderón."
RevCat, XXXVII (1919), 131-35, 194-
202.

───.

2122. Günther, Alfred: "Calderons
Alcalde de Zalamea in der deutschen
Literatur."
ZNU, XXVI (1927), 445-57.

───.

2123. Altschul, A.: "Vorbilder für
einige Szenen und Motive in Calderons Alcalde de Zalamea."
ZRP, XLIX (1929), 309-18.

───.

2124. Torre Revello, José: "Mairena
del Alcor y El alcalde de Zalamea."
LetBA, no. 9 (jul, 1936), 8-10.

───.

2125. Kraszna, Hermann: "El alcalde
de Zalamea. Estudio psicológico-
penal."
AUGuay, I (1949), 280-92.

AMAR DESPUÉS DE LA MUERTE.
2126. Pasch, Konrad: Übers Grab
hinaus noch lieben. Uebersetzt von
Konrad Pasch. Wien: Brockhausen
und Bräuer, 1888. Pp. 144.
a) A. Baumgartner, StdZ, XXXV (1888),
548-49.

───.

2127. Malsen, A. F. von: Übers
Grab hinaus noch lieben. Schauspiel
in fünf Aufzügen, für Bühne übersetzt von Adalbert Freiherr von
Malsen. Halle: D. Hendel, 1912.
a) B. M. Steinmetz, Gral, VI (1911-
1912), 636.

AMOR CON VALOR SE OBLIGA.
V. TEMAS, COMEDIAS (1934).

AÑO SANTO EN MADRID, EL.
2128. Valbuena Prat, A.: "Sobre El

año santo en Madrid de Calderón."
RBAM, VII (1930), 75-77.
  [V.t. TEMAS, AÑO SANTO (1848),
AUTO SACRAMENTAL (1864)].

APOLO Y CLIMENE.
V. TEMAS, MYTHOLOGIE (2020).

ÁRBOL DEL MEJOR FRUTO, EL (Auto).
V. GENERAL II, CRUZ, INVENCIÓN DE
LA (959).

ARGENIS Y POLIARCO.
2129. Pfandl, Ludwig: "Zur Quellen-
frage von Calderons Argenis y Poliarco."
ASNSL, CXLII (1921), 133-35.

ARMAS DE LA HERMOSURA, LAS.
V. TEMAS, REPRESENTACIONES (2049).

ASTRÓLOGO FINGIDO, EL.
2130. Oppenheimer, Max Jr.: "The
Burla in Calderón's El astrólogo
fingido."
PQ, XXVII (1948), 241-63.

───.

2131. Steiner, Arpad: "Calderón's
Astrólogo fingido in France."
ModPhil, XXIV (1926-27), 27-30.

───.

2132. Oppenheimer, Max Jr.: "Supplementary Data on the French and English Adaptations of Calderón's El
astrólogo fingido."
RLC, XXII (1948), 547-60.

AURORA EN COPACAVANA, LA.
2133. Sánchez Moguel, Antonio: "La
aurora en Copacavana, comedia de
don Pedro Calderón."
IEA, XXXVI (1892), t. 2, págs. 290-
291.
  [Reimpreso en su libro España y
América, págs. 147-56 (V. GENERAL
II, LIBROS, núm. 1770A)].

BANDA Y LA FLOR, LA.
2134. MacCarthy, Denis Florence:
"Scenes and Stories from the Spa-
nish Stage.--No. V. Calderon's The
Scarf and the Flower."
DubUM, XXXIX (en-jun, 1852), 33-49.
  [Análisis de la comedia, con tra-
ducción de muchos pasajes].

BASTA CALLAR.
V.t. TEMAS, VERSOS DESCONOCIDOS
(2086).

———.

2135. Treviño, S. N.: "Nuevos datos
acerca de la fecha de Basta callar."
HR, IV (1936), 333-41.

CARNESTOLENDAS, LAS.
V. TEMAS, ENTREMÉS (1966).

CASA CON DOS PUERTAS.
V. TEMAS, RECOVERED LINES (2041).

CELOS AUN DEL AIRE MATAN.
2136. Ursprung, Otto: "Celos aun
del aire matan, Text von Calderón,
Musik von Hidalgo—die älteste er-
haltene spanische Oper."
HomSchering (1937), págs. 223-40.

CISMA DE INGLATERRA, LA.
V.t. TEMAS, SHAKESPEARE (2066).

———.

2137. Ulbrich, Hugo: "Ueber Calde-
ron's Schauspiel Die Kirchenspaltung
von England. Mit der deutschen
Uebersetzung des ersten Actes."
(Wissenschaftliche Beilage zum Pro-
gramm der Städtischen Realschule zu
Crefeld, 1863). Crefeld: Gustav
Kühler, 1863. Pp. 45.

———.

2138. Wurzbach, W. von: "Shakespeare's Heinrich VIII und Calderon's La cisma de Inglaterra."
ShaJa, XXXII (1896), 190-211.

———.

2139. Schütt, Maria: "Hat Calderon
Shakespeare gekannt? Die Quellen
von Calderons La cisma de Ingalaterra."
ShaJa, LXI (1925), 94-107.

———.

2140. Ávila, Pablo: "La cisma de
Ingalaterra y Ana Bolena."
RevIbAmer, XIV (1948), 91-96.
[Sobre la influencia de la come-
dia de Calderón en la del mexicano
Fernando Calderón y Beltrán].

2141. Parker, A. A.: "Henry VIII in
Shakespeare and Calderón. An Appre-
ciation of La cisma de Ingalaterra."
MLR, XLIII (1948), 327-52.

CON QUIEN VENGO, VENGO.
V.t. GENERAL II, DRYDEN (1035).

———.

2142. Osma, J. M. de: "Estudios sobre Calderón de la Barca. Notas a
la comedia Con quien vengo, vengo."
Hisp, XI (1928), 221-26.
[Fechada probablemente 1630 según
evidencia interna].

CONDE LUCANOR, EL.
V. TEMAS, REPRESENTACIONES (2049).

CRUZ EN LA SEPULTURA, LA.
2143. Heaton, H. C.: La cruz en la
sepultura, by (?). Provisionally
edited from a rare suelta by H. C.
Heaton. New York: New York University Press, 1948. Pp. xi-61.
a) A. G. Reichenberger, Hisp, XXXII
   (1949), 404-06.
b) E. W. Hesse, HR, XVIII (1950),
   184-85.
c) C. V. Aubrun, BH, LI (1949), 450.
d) M. Crosland, MLR, XLIV (1949),
   596-97.
e) E. A. Peers y A. Lumsden, BSS,
   XXVI (1949), 133.

DAMA DUENDE, LA.
V.t. GENERAL II, WIEN (1509).

———.

2144. Stiefel, A. L.: "Calderons
Lustspiel La dama duende und seine
Quelle."
ZRP, XIX (1895), 262-64.

DEVOCIÓN DE LA CRUZ, LA.

Edición

2145. Montiel, Isidoro: La devoción
de la cruz. Zaragoza: Editorial
Ebro, 1946.
a) R. Paz, RABM, LIV (1948), 371-72.
b) Álvarez de Linara, A., RFil, VI
   (1947), 353-54.

Estudios

V.t. TEMAS, CALDERÓN (1898), RELIGIOSO (2043).

———.

2146. Tailhade, Laurent: "España fuera de España: La devoción de la cruz de Calderón."
EspMod, Año XXI (1909), tomo 242, págs. 76-92.

———.

2147. Entwistle, W. J.: "Calderón's La devoción de la cruz."
BH, L (1948), 472-82.

DOS AMANTES DEL CIELO, LOS.
2148. MacCarthy, Denis Florence: The Two Lovers of Heaven, Chrysanthus and Daria. A Drama of Early Christian Rome. From the Spanish of Calderón. Dublin: Fowler; London: Camden Hotton, 1870.
a) V. TEMAS, MacCarthy (2007).

———.

2149. MacCarthy, Denis Florence: "The Two Lovers of Heaven."
Atlantis, V (1870), 13-68.
[Traducción de Los dos amantes del cielo].

DRAGONCILLO, EL.
V. GENERAL II, ENTREMÉS (1046).

EN ESTA VIDA TODO ES VERDAD Y TODO MENTIRA.
V.t. GENERAL II, CORNEILLE (945-46), LESSING (1210).

———.

2150. Schramm, Edmund: "Corneilles Héraclius und Calderons En esta vida todo es verdad y todo mentira."
RevHisp, LXXI (1927), 225-308.
a) W. von Wurzbach, LGRP, L (1929), col. 267-68.

———.

2151. Castillo, Carlos: "Acerca de la fecha y fuentes de En la vida todo es verdad y todo mentira."
ModPhil, XX (1922-23), 391-401.

ENCANTOS DE LA CULPA, LOS.
V.t. TEMAS, MADRID (2009).

2152. MacCarthy, Denis Florence: "Calderón's Autos sacramentales.— The Sorceries of Sin."
Atlantis, II (1859), 277-323.
[Traducción de Los encantos de la culpa].

ESPAÑOLA DE FLORENCIA, LA.

Edición

2153. Rosenberg, S. L. Millard: "La española de Florencia (o Burlas veras y amor invencionero)."
UPRLL, no. 5 (1911). Pp. xlii-132.
a) A. L. Stiefel, ZRP, XXXVI (1912), 631-34.
b) G. W. Bacon, RR, IV (1913), 254-56.
c) A. Reyes, RevHisp, XLI (1917), 234-37. [Reimpresa esta reseña en su libro Entre libros, 1912-1923, págs. 57-62 (V. núm. 1760)].
d) M., RLR, LV (1912), 496.
e) A. Hämel, LGRP, XXXIII (1912), col. 163-64.

Estudios

2154. Stiefel, A. L.: "Über die Comedia La española de Florencia."
HomMussafia (1905), págs. 337-64.

———.

2155. Stiefel, A. L.: "Über den Verfasser der Comedia La española de Florencia."
ZRP, XXXVI (1912), 437-67.
[La atribuye a Lope de Vega].

ESPIGAS DE RUTH, LAS.
V. TEMAS, BIBLIA (1880).

ESTATUA DE PROMETEO, LA.
2156. Milá y Fontanals, M.: "Dramas simbólicos de Calderón. El Prometeo."
En sus Obras completas, V, 84-88.
[V. GENERAL II, LIBROS, núm. 1709].

FIERA, EL RAYO Y LA PIEDRA, LA.
V. TEMAS, ESCENOGRAFÍA (1969).

FORTUNAS DE PERSEO, LAS.
2157. Martin, H. M.: "Corneille's Andromède and Calderón's Las for-

2157 (cont.).
tunas de Perseo."
ModPhil, XXIII (1925-26), 407-15.

GRAN TEATRO DEL MUNDO, EL.
  V.t. TEMAS, ALPES (1847), EINSIEDELN
(1963), GODESBERG (1980); LIBROS,
TRENCH (2337); GENERAL II, GRAN TE-
ATRO DEL MUNDO (1109).

————.
2158. Cirot, G.: "El gran teatro
del mundo."
BH, XLIII (1941), 290-305.

————.
2159. Valbuena Prat, A.: "Una representación de El gran teatro del mundo. La fuente de este auto."
RBAM, V (1928), 79-83.
  [La fuente es el capítulo XIX de
la traducción hecha por Quevedo de
una obra de Epícteto].

————.
2160. Eberle, Oskar: "Das grosse
Welttheater von Calderón in Einsiedeln."
SchRAl, (1939), 65-70.

GUSTOS Y DISGUSTOS SON NO MÁS QUE
IMAGINACIÓN.
2161. Osma, José M. de: "Nota a
Gustos y disgustos son no más que
imaginación."
Hisp, XX (1937), 47-54.

HADO Y DIVISA DE LEONIDO Y MARFISA.
  V. TEMAS, REPRESENTACIONES (2049);
GENERAL II, MOLIÈRE (1265).

HIJA DEL AIRE, LA.
  V.t. TEMAS, CALDERÓN (1903); LI-
BROS, KOMMERELL (2306).

————.
2162. Oyuela, Calixto: "La hija del
aire."
En sus Estudios y artículos literarios, págs. 245-53.
  [Crítica de la representación de
la compañía de Rafael Calvo. V.
GENERAL II, LIBROS, núm. 1730].

————.
2163. Kommerell, Max: "Neue Calde-
ron-Übertragungen. Aus: Tochter

der Luft, 1. Teil."
NRun, XLVIII (1937), Bd. 1, págs.
309-28.

————.
2164. Kommerell, Max: "Calderon-
Übertragungen aus: La hija del
aire."
RFor, LV (1941), 105-12.

————.
2165. Montero Díaz, Santiago: "Notas
sobre La hija del aire."
Cien, III (1936), 175-87.
  ["Hemos concebido a Semíramis como
un contra-símbolo de Segismundo"].

HIJO DEL SOL, FAETÓN, EL.
  V. TEMAS, MYTHOLOGIE (2020), RE-
PRESENTACIONES (2049).

HOMBRE POBRE TODO ES TRAZAS.
  V. TEMAS, AUFFASSUNG (1851); GENE-
RAL II, LIBROS, MICHAELIS (1707).

JUDAS MACABEO.
  V. GENERAL II, CLOAK EPISODE (913).

LAUREL DE APOLO, EL.
2166. Hesse, E. W.: "The Two Versions of Calderón's El laurel de
Apolo."
HR, XIV (1946), 213-34.

LEPRA DE CONSTANTINO, LA.
2167. Johnson, Harvey L.: "The
Sources of Calderón's La lepra de
Constantino."
HR, IX (1941), 482-88.
  [La vida de San Silvestre en el
Flos Sanctorum de Alonso de Ville-
gas].

LOA DE LA VIDA ES SUEÑO.
  V. VIDA ES SUEÑO, LA (Auto) (2221);
GENERAL II, TIREURS À L'ARC (1462).

LOA EN METÁFORA DE LA PIADOSA HER-
MANDAD DEL REFUGIO.
  V. GENERAL II, MADRID (1225).

MÁGICO PRODIGIOSO, EL.

    Ediciones y traducciones

  V.t. TEMAS, TRADUCCIONES (2084).

2168. Birch, James N.: El mágico
prodigioso. London: Methuen, 1929.
Pp. 184.
a) E. Juliá Martínez, RFE, XVI
   (1929), 305-06.
b) L. M. F., BSS, VII (1930), 149-50.

——.
2169. Heinermann, H. Th.: El mágico
prodigioso. Münster: Aschendorff,
1927. Pp. xl-120-37.
a) --, RFE, XVII (1930), 432.

——.
2170. Krenkel, Max: Calderon: Der
wunderthätige Magus. (Klassische
Bühnendichtungen der Spanier, II).
Leipzig: Barth, 1885.
a) --, ASNSL, LXXVI (1886), 221-23.
b) A. L. Stiefel, LGRP, VII (1886),
   col. 374-76.

——.
2171. Magnabal, J. G.: El mágico
prodigioso. Paris: Hachette, 1875.
Pp. 177.
a) A. Morel-Fatio, RCHLP, IX (1875),
   2me semestre, págs. 193-98.

——.
2172. Morel-Fatio, Alfred: El mágico prodigioso. Heilbronn: Hen-
ninger; Paris: F. Vieweg; Madrid:
M. Murillo, 1877. Pp. lxxvi-257.
a) E. Monaci, GiornFilRom, I (1878),
   58-59.
b) L. Lemcke, ZRP, II (1878), 328-32.
c) --, ASNSL, LIX (1878), 452-53.
d) G. Baist, LGRP, II (1881), col.
   214-17.

——.
2173. Pothoff, A.: Der wundertäti-
ge Magier. Übersetzt von Adolf
Pothoff. 6ª ed. München: Verlag
der Münchner Drucke, 1927. Pp. 165.
a) G. W., ZfB, ns XIX (1927), Beiblatt, cols. 108-09.

Estudios

V.t. TEMAS, CALDERÓN (1895, 1904),
COMEDIAS (1935), JUSTINA (2001);
LIBROS, FASTENRATH (2293), SÁNCHEZ
MOGUEL (2329-30); GENERAL II: TEMAS,
GOETHE (1101), LESSING (1210); LI-

BROS, OWEN (1729).

——.
2174. Godínez, E.: "El mágico prodigioso."
RCont, (1876), tomo I, págs. 471-79.

——.
2175. Carriere, Moriz: "Calderon's
Wunderthätige Magus und Goethe's
Faust."
WIDM, XL (1876), 426-35.

——.
2176. Revilla, Manuel de la: "El
mágico prodigioso de Calderón y el
Fausto de Goethe."
IEA, XX (1876), t. 1, págs. 119,
122, 142-43.
   [Reimpreso en sus Obras, págs.
325-43. V. GENERAL II, LIBROS, núm.
1756].

——.
2177. Horne, Richard Hengist: "The
Wonder-Working Magician."
Fras, ns XIX (1879), 183-96.
   [Análisis de la comedia].

——.
2178. Sbarbi, José María: "Memoria
acerca de El mágico prodigioso de
Calderón, y en especial sobre las
relaciones de este drama con el
Fausto de Goethe."
AverUniv, III (1881), 363-65.
   [Sobre la fuente del episodio de
Miguel de Mañara y la fecha de re-
presentación de la comedia—cues-
tiones sugeridas por el libro de
Sánchez Moguel (núm. 2330)].

——.
2179. Tréverret, A. de: "Calderón
et Goethe. Le Magicien prodigieux
et Faust d'après un mémoire espagnol de D. A. Sánchez Moguel."
AnnFLB, V (1883), 316-23.

——.
2180. Heaton, H. C.: "A Passage in
Calderón's El mágico prodigioso."
MLN, XLVI (1931), 31-33.

——.
2181. Alfonso, Luis: "Crítica dramática. II: El mágico prodigioso."

MÁGICO PRODIGIOSO, EL (cont.).
RdE, XLVIII (1876), 423-28.
[Sobre su representación en el
Teatro del Circo. Da un análisis
de la comedia].

———.
2182. Wardropper, Bruce W.: "The
Interplay of Wisdom and Saintliness
in El mágico prodigioso."
HR, XI (1943), 116-24.

MAÑANAS DE ABRIL Y MAYO.
V. TEMAS, WYCHERLEY (2090).

MÁS DICHOSA VENGANZA, LA.
V. TEMAS, COMEDIAS (1934).

MAYOR ENCANTO AMOR, EL.
V.t. TEMAS, AUTÓGRAFOS (1873),
FUCHS (1976).

———.
2183. Praag, J. A. van: "Les traducciones de El mayor encanto amor
de Calderón en néerlandais."
Neophil, VII (1921-22), 8-19.

MAYOR MONSTRUO LOS CELOS, EL.
V. GENERAL II, CICOGNINI (901),
HERODES (1132-34), ITALIA (1182).

MÉDICO DE SU HONRA, EL.
V.t. TEMAS, CALDERÓN (1895); GENE-
RAL II: TEMAS, KAMINSKI (1202),
MÉDICO DE SU HONRA (1241), WIEN
(1509); LIBROS, BELLESSORT (1575A).

———.
2184. Acero, Nicolás: "Los Fajardos.
El médico de su honra."
RCont, XCIX (1895), 239-48, 588-94.
[La intriga de la comedia ocurrió
verdaderamente en Filipinas a un
gobernador de ellas, D. Alonso Fa-
jardo].

———.
2185. Amezúa, Agustín G. de: "Un
dato para las fuentes de El médico
de su honra."
RevHisp, XXI (1909), 395-411.
[Reimpreso en sus Opúsculos histórico-literarios, I, 3-18 (V. núm.
1564)].

———.
2186. L.: "Othello und Der Arzt
seiner Ehre."
ASNSL, XXVI (1859), 1-24.
[El autor de este artículo, "L.",
es un tal Lazarusson, según Brey-
mann].

———.
2187. Carriere, Moriz: "Calderon's
Arzt seiner Ehre und Shakespeare's
Othello. Eine Studie vergleichender
Literaturgeschichte."
NuS, V (1881), 235-52.

———.
2188. Pitollet, C.: "El médico de
su honra à Paris."
LMér, XXX (1935), 19-21.

———.
2189. Sée, Edmond: "A travers l'ac-
tualité théâtrale: Le médecin de
son honneur de Calderón à l'Atelier."
RdeFr, XVe année (1935), tome 2
(mar-abr), págs. 372-75.
[Sobre una representación de la
comedia en francés].

MISTERIOS DE LA MISA, LOS.
2190. MacCarthy, Denis Florence:
Mysteries of Corpus Christi. From
the Spanish. Dublin: James Duffy,
1867.
a) V. TEMAS, MACCARTHY (2007).

———.
2191. Dunin-Borkowski, S. von: "Calderons Geheimnisse der heiligen
Messe und ihre Aufführung in Köln."
StdZ, Bd. LXXXVI (1913-14), 429-34.

MONSTRUO DE LA FORTUNA, LA LAVANDERA
DE NÁPOLES, FELIPA CATANEA, EL.
V. GENERAL II, JUANA DE NÁPOLES
(1185).

NADIE FÍE SU SECRETO.
2192. Weber, Heinrich: Jeder hüte
sein Geheimnis (Nadie fíe su secreto). Deutsch von Heinrich Weber.
Baden-Baden: Pet. Weber, 1904.
Pp. 70.
a) Philipp August Becker, DLZ, XXVI
(1905), col. 95.

NI AMOR SE LIBRA DE AMOR.
V. GENERAL II, LIBROS, BONILLA (1581A), LATOUR (1682).

NO HAY BURLAS CON EL AMOR.
V. GENERAL II, MOLIÈRE (1262).

NO HAY MÁS FORTUNA QUE DIOS.
2193. Parker, Alexander A.: No hay más fortuna que Dios. Edited by Alexander A. Parker. Manchester: Manchester University Press, 1949. Pp. xl-92.
a) B. W. Wardropper, HR, XVIII (1950), 352-55.
b) A. Valbuena Prat, Clav, I (1950), no. 3, págs. 75-76.
c) M. Crosland, MLR, XLV (1950), 595.
d) C. V. Aubrun, BH, LI (1949), 452-453.
e) E. Pujals, Arbor, no. 61 (en, 1951), 148-49.

NO SIEMPRE LO PEOR ES CIERTO.
V. GENERAL II, PARÍS (1319).

ÓRDENES MILITARES, LAS.
2194. Walberg, E.: "L'auto sacramental de Las Órdenes militares de D. Pedro Calderón de la Barca." BH, V (1903), 383-408; VI (1904), 44-66, 93-113, 234-58.
[Es una edición de la obra].

PARA VENCER A AMOR, QUERER VENCERLE.
2195. Lenz, A.: "La source d'une comedia de Calderón: Para vencer a amor, querer vencerle." RevHisp, LIII (1921), 605-13.
[Del enemigo el primer consejo de Tirso de Molina].

PINTOR DE SU DESHONRA, EL.
V.t. GENERAL II, MÉDICO DE SU HONRA (1241).

2196. Wardropper, B. W.: "The Unconscious Mind in Calderón's El pintor de su deshonra." HR, XVIII (1950), 285-301.

PRÍNCIPE CONSTANTE, EL.

Ediciones

2197. Parker, A. A.: El príncipe constante. Edited by Alexander A. Parker. (Cambridge Plain Texts). Cambridge: Cambridge University Press, 1938. Pp. viii-94.
a) H. C. Heaton, HR, VII (1939), 361-62.

Estudios

V.t. TEMAS, CALDERÓN (1890), COMEDIAS (1935); LIBROS, SLOMAN (2333); GENERAL II, LESSING (1211-12), MARRUECOS (1238), SELF-DEVOTION (1428).

2198. MacCarthy, Denis Florence: "Scenes and Stories from the Spanish Stage.--No. IV. Calderon's Constant Prince."
DubUM, XXXVIII (jul-dic, 1851), 325-348.
[Análisis de la comedia, con traducción de muchos pasajes].

2199. Kannegiesser, K. L.: "Der standhafte Prinz. Trauspiel von Calderon."
ASNSL, XXIX (1861), 1-36.

2200. Milá y Fontanals, M.: "Estudios dramáticos. Calderón.--El príncipe constante."
En sus Obras completas, V, 66-79.
[*V.* GENERAL II, LIBROS, núm. 1709)].

2201. Micinski, Tadeusz: "Slowacki i Calderon w ksieciu Niezlomnym."
[Slowacki y Calderón en el Príncipe constante].
Zycie, (1899), 156-60.

2202. Gumppenberg, Hanns von: "Der standhafte Prinz (nach Calderon von Georg Fuchs)."
DZeit, XXVI (1912-13), no. 2, págs. 129-30.

2203. Peiper, Tadeusz: "La traducción polaca de El príncipe constante de Calderón."
Lect, XIX (1919), tomo 3, págs. 265-79.
[La de Juljusz Slowacki].

PRÍNCIPE CONSTANTE, EL (cont.).

2204. Salley, W. C.: "A Possible
Influence of the Abencerraje Story
on Calderón's El príncipe constante."
RR, XXIII (1932), 331-33.

———.

2205. Wilson, E. M. y Entwistle,
W. J.: "Calderón's El príncipe cons-
tante. Two Appreciations."
MLR, XXXIV (1939), 207-22.

PSALLE ET SILE.

2206. Psalle et Sile, poema de D.
Pedro Calderón, reproducción en
facsímil, seguida de una noticia
bibliográfica por Leopoldo Trénor
y un comentario de Joaquín de Entrambasaguas. Valencia: Editorial
Miguel Juan, 1936. Pp. [8]-12 fols.
-85 págs.-[11] págs.
a) D. Alonso, RFE, XXIV (1937),
   421-23.

PSIQUIS Y CUPIDO.

V. TEMAS, AUTÓGRAFOS (1874), RE-
PRESENTACIONES (2049): GENERAL II,
LIBROS, BONILLA (1581A).

PURGATORIO DE SAN PATRICIO, EL.

V.t. GENERAL II, PURGATORIO DE SAN
PATRICIO.

———.

2207. Hasell, Elizabeth J.: "Calderon's Sacred Dramas. The Purgatory
of St. Patrick."
StPau, XIII (jul-dic, 1873), 313-31.
[Referencias generales al teatro
de Calderón, luego un análisis de
esta comedia].

PÚRPURA DE LA ROSA, LA.

V. TEMAS, REPRESENTACIONES (2049).

SACRO PARNASO, EL.

2208. Der heilige Parnaso. Traducido por Richard von Kralik. Ravensburg: F. Alber, 1910. Pp. 56.
a) A. Christiani, Gral, IV (1909-10),
   533.

———.

2209. C. M.: "El Sacro Parnaso de
Calderón de la Barca."
CD, I (1882), 387-91.

SECRETO A VOCES, EL.

Edición

2210. Osma, J. M. de: El secreto a
voces, comedia de Pedro Calderón de
la Barca según el manuscrito autógrafo de la Biblioteca Nacional de
Madrid. Publícala José M. de Osma.
UKHS, VI, no. 2 (1938). Pp. 138.
a) H. C. Heaton, HR, VII (1939),
   80-85.
b) R. Moglia, RFH, V (1943), 73-74.

Estudios

V.t. GENERAL II, KAMINSKI (1202),
WIEN (1509).

———.

2211. Osma, J. M. de: "Réplica: El
secreto a voces."
HR, VII (1939), 250-52.
[Contesta a Heaton para aclarar
una cuestión de versificación (V.
núm. 2210a)].

———.

2212. Wurzbach, W. von: "Eine unbekannte Ausgabe und eine unbekannte
Aufführung von Calderóns El secreto
a voces."
HomBonilla (1927), I, 181-207.

SELVA CONFUSA, LA.

Edición

2213. Northup, George T.: "La selva
confusa, de Pedro Calderón de la
Barca."
RevHisp, XXI (1909), 168-338.
a) L. Pfandl, LGRP, XXXVII (1916),
   col. 70-72.

Estudios

2214. Heaton, H. C.: "On La selva
confusa, Attributed to Calderón."
PMLA, XLIV (1929), 243-73.

———.

2215. Hilborn, Harry W.: "The Versification of La selva confusa."
MLN, LIII (1938), 193-94.

SIBILA DEL ORIENTE, LA.
V.t. GENERAL II, CRUZ, INVENCIÓN
DE LA (959).

————.

2216. Meyer, Wilhelm: Über Calderons Sibylle des Orients. Festrede
gehalten in der öffentlichen Sitzung der k. b. Akademie der Wissenschaften zu München, zur Feier
ihres einhundert und zwanzigsten
Stiftungstages am 28. März 1879.
München: Im Verlage der k. b. Akademie, 1879. Pp. 28.

SITIO DE BREDÁ, EL.
V. TEMAS, LADISLAO (2005).

TRATADO DEFENDIENDO LA NOBLEZA DE
LA PINTURA.
V. TEMAS, MALEREI (2010-11).

TROYA ABRASADA.
2217. Northup, George T.: "Troya
abrasada, de Pedro Calderón de la
Barca y Juan de Zabaleta."
RevHisp, XXIX (1913), 195-346.
[Una edición de la obra].
a) L. Pfandl, LGRP, XXXVII (1916),
col. 72-74.

VERDADERO DIOS PAN, EL.
2218. Osma, J. M. de: El verdadero
Dios Pan, auto sacramental alegórico.
Texto y estudio por José M. de Osma.
Lawrence: University of Kansas
Press, 1949. Pp. 149. (UKHS, no.
28).
a) G. T. Northup, Hisp, XXXIII
(1950), 187.
b) A. Valbuena Prat, Clav, I (1950),
no. 1, págs. 79-80.
c) C. V. Aubrun, BH, LI (1949), 453.
d) A. A. Parker, BSS, XXVII (1950),
53-54.
e) C. Bruerton, NRFH, IV (1950),
413-15.
f) E. W. Hesse, RR, XLI (1950),
298-99.
g) Minnie M. Miller, BAbr, XXIV
(1950), 287.

VIDA ES SUEÑO, LA (Auto).
V.t. LIBROS, HOMENAGE (2304); GE-
NERAL II, TIREURS À L'ARC (1462).

2219. Krenkel, Max: "Calderon's
Auto Das Leben ein Traum."
ProtMon, IV (1900), 23-42.

————.

2220. Monner Sans, Ricardo: "De
cómo nació el auto sacramental La
vida es sueño de Calderón de la
Barca."
Nos, XLIV (1923), 445-53.

————.

2221. Cirot, G.: "La 'loa' de La
vida es sueño."
BH, XLIII (1941), 65-71.
[V.t. GENERAL II, TIREURS À L'ARC
(1462).

VIDA ES SUEÑO, LA. (Comedia).

Ediciones y traducciones

V.t. TEMAS, TRADUCCIONES (2084);
LIBROS, HOMENAGE (2304), KOMMERELL
(2306).

————.

2222. Birch, F. and Trend, J. B.:
Life's a Dream, by Pedro Calderón
de la Barca. Translated for the
English Stage by Frank Birch and
J. B. Trend. London: Heffer, 1925.
Pp. xiv-72.
a) F. Morales de Setién, RBAM, II
(1925), 575-77.

————.

2223. Buchanan, M. A.: La vida es
sveño. Comedia famosa de D. Pedro
Calderon de la Barca. 1636. Edited
by Milton A. Buchanan. Vol. I [úni-
co publicado]. Toronto: University
of Toronto Library, 1909. Pp. 135.
a) H. R. Lang, MLN, XXV (1910),
150-51.
b) A. Paz y Melia, RABM, XXII (1910),
135.
c) A. Morel-Fatio, BH, XII (1910),
348.
d) A. L. Stiefel, LGRP, XXXIII
(1912), col. 124-26.
e) Philipp A. Becker, DLZ, XXXI
(1910), col. 1569-70.

————.

2224. Comfort, William Wistar: La

VIDA ES SUEÑO, LA (cont.).
vida es sueño. With Notes and Vocabulary. New York: American Book Co., 1904. Pp. 180.
a) H. A. Rennert, MLN, XX (1905), 220-21.

———.

2225. Gries, J. D.: Das Leben ein Traum, übersetzt von J. D. Gries. Leipzig: Freytag, 1914. Pp. 130.
a) A. Rambeau, NSpr, XXIV (1916-17), 127-28.

———.

2226. Kommerell, Max: "Übertragungen aus Calderón. Das Leben ist Traum. 2. Akt, 3.-10. Szene."
RFor, LVI (1942), 33-48.
[V.t. TEMAS, TRADUCCIONES (2084), donde debiera hallarse también este artículo, puesto erróneamente aquí].

———.

2227. Krenkel, Max: Calderón: Das Leben ist Traum. Der standhafte Prinz. (Klassische Bühnendichtungen der Spanier, I). Leipzig: Barth, 1881.
a) A. Morel-Fatio, RCHLP, ns XIII (1882), 268-72.
b) A. L. Stiefel, LGRP, V (1884), col. 239-41.

———.

2228. Marone, Gherardo: La vita è un sogno. Napoli: Editrice Italiana, 1920. Pp. 176.
[V. los núms. 2234 y 2276].

Estudios

V.t. TEMAS, COMEDIAS (1935), CHUANG TSE (1948), SEGISMUNDO; LIBROS, FARINELLI (2291), TRENCH (2337); GENERAL II, LESSING (1210), MISCELÁNEA ERUDITA, 1ª SERIE (1256), NOTES (1301), "SAN SECRETO" (1407); VÉLEZ DE GUEVARA, OBRAS, VIRTUDES VENCEN SEÑALES (3950).

———.

2229. Carducci, Giosue: "España fuera de España: La vida es sueño de Calderón."
EspMod, año XXI, t. 248 (1909), págs. 104-20.

[Traducción de su artículo "Dopo una rappresentazione..." (2264) por José Sánchez Rojas. Reimpresa en "La vida es sueño," don Quijote y otros ensayos, págs. 9-34. V. GENERAL II, LIBROS, núm. 1590].

———.

2230. Rössing, J. H.: "Calderón's Tooneelspel: Het leven een droom." NedToon, III (1874), 55.

———.

2231. Graf, Arturo: "La vita è un sogno, dramma di Pietro Calderón." En sus Studii drammatici, págs. 3-40.
[V. GENERAL II, LIBROS, núm. 1653].

———.

2232. Pastore, Annibale: "La vita è un sogno."
NA, CCLXXI (1917), 213-20.
[Crítica del libro de Farinelli, La vita è un sogno (2291)].

———.

2233. Monner Sans, R.: "La vita è un sogno."
RUBA, XXXVIII (1918), 527-38.
[Sobre el libro de Farinelli].

———.

2234. Levi, Ezio: "La vita è un sogno."
Marz, XXV, no. 49 (5 de dic, 1920), 1-2.
[Sobre la publicación de las traducciones de Monteverdi (2101) y de Marone (2228)].

———.

2235. Manacorda, Guido: "La vita è un sogno."
En su libro Studi e saggi, págs. 247-53.
[V. GENERAL II, LIBROS, núm. 1694].

———.

2236. Tonelli, Luigi: "La vita é un sogno."
En su libro Alla ricerca della personalità, págs. 329-34.
[V. GENERAL II, LIBROS, núm. 1789].

———.

2237. Buchanan, M. A.: "Calderón's

Life is a Dream."
PMLA, XLVII (1932), 1303-21.
[Discurso presidencial leído en
la reunión de la M.L.A.].

———.

2238. Casella, Mario: "La vida es
sueño."
NA, CDXXXI (1944), 81-98.

———.

2239. Wilson, Edward M.: "La vida
es sueño."
RUBA, 3ª serie, tomo VII (1946),
61-78.
[Reimpreso, en inglés, en Critical Essays on the Theatre of Calderón, págs. 63-89. V. LIBROS, núm.
2338A].

———.

2240. Palacios, L. E.: "La vida es
sueño."
Finis, II (1949), 5-52.
[Reimpreso en su Don Quijote y
"La vida es sueño", págs. 31-88.
V. GENERAL II, LIBROS, núm. 1731].

———.

2241. Monner Sans, R.: "El amor en
La vida es sueño."
RUBA, 2ª serie, tomo I (1924), sec-
ción 6, págs. 229-45.

———.

2241A. Acchiardi, P.: "Antecedentes
de La vida es sueño."
INET, no. 12 (1940), 109-27.

———.

2242. Valbuena Prat, A.: "El orden
barroco en La vida es sueño."
Esc, VI (1942), no. 16, págs. 167-92.

———.

2243. Altschul, Arthur: "Zur Beur-
teilung von Calderons La vida es
sueño."
ZRP, LII (1932), 99-113, 223-36,
467-84.

———.

2244. "Tercer centenario de La vida
es sueño."
BAVen, II (1935), 568-631.
[Reproduce la comedia en las págs.
580-631].

2245. Iriarte-Ag., J.: "En el tercer centenario de La vida es sueño
(1635-1935). Las formas subjetivas
kantianas y las formas escénicas
calderonianas."
RyF, CVII (1935), 58-72, 457-74;
CVIII (1935), 350-69; CIX (1935),
165-82.

———.

2246. Buchanan, M. A.: "'Culteranismo' in Calderón's La vida es
sueño."
HomMenPidalA (1925), I, 545-55.

———.

2247. Febrer, Mateo: "Los problemas
filosóficos en La vida es sueño."
Contemp, V, no. 17 (mayo, 1934),
86-101; no. 18 (junio), 262-78.

———.

2248. Monteverdi, A.: "Le fonti di
La vida es sueño."
StudFilMod, VI (1913), 177-210, 314.

———.

2249. García, Félix: "Las fuentes
de La vida es sueño."
RyCult, III (1928), 221-35.
[Sobre el libro del P. Félix G.
Olmedo (V. LIBROS, núm. 2317)].

———.

2250. Praag, J. A. van: "Una fuente
de La vida es sueño, de Calderón."
Neophil, XXV (1939-40), 250-51.
[La "historia moscovica" de Eustorgio y Clorilene. V. GENERAL II,
SUÁREZ DE MENDOZA Y FIGUEROA (1451-
1452)].

———.

2251. Vida Nájera, F.: "Las fuentes
de La vida es sueño."
RUO, XXV-XXVI (jul-dic, 1944), 93-
141.
[A través de un minucioso análisis
de la comedia, da con el mito solar
que le sirvió de fuente: la Gigan-
tomaquia].

———.

2252. Rubio, David: "La fuente de
La vida es sueño."
BICC, V (1949), 301-07.

VIDA ES SUEÑO, LA (cont.).

2253. Carreras y Artau, T.: "La filosofía de la libertad en La vida
es sueño de Calderón."
HomBonilla (1927), I, 151-79.
[V.t. núm. 2273].

————.

2254. Thomas, Lucien-Paul: "La genèse de la philosophie et le symbo-
lisme dans La vie est un songe de
Calderón."
HomWilmotte (1910), págs. 751-85.

————.

2255. Irving, Thomas B.: "Hamlet y
Segismundo ante la vida."
RUSC, no. XIX (abr-jun, 1950), 7-18.

————.

2256. Fucilla, J. G.: "Italian Manuscript Versions of La vida es
sueño and El delincuente honrado."
Ital, XVII (1940), 109-11.
[Una traducción ampliada, "Versiones italianas manuscritas de La
vida es sueño y El delincuente honrado," se halla en sus Relaciones
hispanoitalianas, págs. 198-201 (V.
GENERAL II, núm. 1140)].

————.

2257. Azorín: "Al margen de La vida
es sueño."
En su libro Al margen de los clásicos, págs. 173-81 (V. GENERAL II,
LIBROS, núm. 1572).

————.

2258. Altschul, Arthur: "Lopesche
Motive in Calderons La vida es
sueño."
ZRP, L (1930), 222-36.

————.

2259. Buchanan, M. A.: "Notes on
Calderón: The Vera Tassis Edition;
the Text of La vida es sueño."
MLN, XXII (1907), 148-50.

————.

2260. Schevill, Rudolph: "A Note on
Calderón's La vida es sueño."
MLN, XXV (1910), 109-10.
[Referencias a la edición de Bu-
chanan; ejemplos del verso "que los
sueños sueños son" antes de Calderón].

————.

2261. Lora Risco, A.: "De nuevo con
D. Pedro Calderón de la Barca y su
Vida es sueño."
MercPer, XXVIII (1947), 318-25.

————.

2262. Rodelgo, Lillo: "Panorama
educativo de La vida es sueño."
RNE, VI, no. 60 (dic., 1946), 28-49.

————.

2263. Farinelli, A.: "Preludi al
dramma La vita è un sogno."
NA, CCLVII (sept., 1914), 3-23.

————.

2264. Carducci, Giosuè: "Dopo una
rappresentazione della commedia La
vida es sueño di Pietro Calderón."
Publicado primero en el periódico
L'Indipendente (Bologna), el 23 de
agosto de 1869, este artículo fué
reimpreso varias veces: en sus
Conversazioni critiche, págs. 43-56;
Bozzetti e scherme, págs. 19-42;
Opere (edizione nazionale), XXIII,
19-42; etc. [V. GENERAL II, LIBROS,
núms. 1587-90; V.t. la traducción
española en el núm. 2229].

————.

2265. Malkiewicz [-Strzalkowa], M.:
"Un remaniement français de La vie
est un songe."
RLC, XIX (1939), 429-44.
[La cuarta novela de las Nouvelles
héroïques et amoureuses, de Boisrobert: "La Vie n'est qu'un songe"].

————.

2266. Dale, G. I.: "Agustín de Rojas and La vida es sueño."
HR, II (1934), 319-26.

————.

2267. Ríos de Lampérez, B. de los:
"La vida es sueño y los diez Segis-
mundos de Calderón."
RazaEsp, VIII (1926), no. 93-94,
págs. 22-48.
[Diez comedias con personajes se-
gismundescos. Publicado también en
la serie "Centro de Intercambio Intelectual Germano-Español. Conferencias," vol. 8 (Madrid: Blass,
1926. Pp. 28)].

2268.   Reyes, Alfonso: "El enigma de Segismundo."
RdAmer, II (1945), 353-65.

2269.   Lora Risco, A.: "El Segismundo histórico de La vida es sueño."
RUBA, 4ª serie, tomo V (1949), 379-462.

2270.   Anderson Imbert, E.: "Segismundo y Miranda."
Sur, XVI (1947), no. 157, págs. 123-25.
[La vida es sueño y The Tempest de Shakespeare: comparación de los dos personajes].

2271.   Herrero García, M.: "El monólogo de Segismundo en La vida es sueño."
CorrErud, III (1943-46), 90-91.
[El primer monólogo tiene analogía en Tirso de Molina: Adversa fortuna de D. Álvaro de Luna, NBAE, IV, 293a: 20 versos, principiando con "Don Álvaro, desdichado"].

2272.   Reyes, Alfonso: "Notas sobre el soliloquio de Segismundo."
Mont, no. 7 (jul, 1931), 4-5.

2273.   Buchanan, M. A.: "Segismundo's Soliloquy on Liberty in Calderón's La vida es sueño."
PMLA, XXIII (1908), 240-53.

2274.   Reyes, Alfonso: "Un tema de La vida es sueño. El hombre y la naturaleza en el monólogo de Segismundo."
RFE, IV (1917), 1-25, 237-76.
[Reimpreso en sus Capítulos de literatura española (Segunda serie), págs. 9-88, y en sus Trazos de historia literaria (V. GENERAL II, LIBROS, núms. 1759, 1761)].

2275.   Hendrix, W. S.: "The Theme 'Life is a Dream'".

MLN, XXXIV (1919), 505-06.
[Dos adiciones a La vita è un sogno de Farinelli: Gil Vicente, Auto da Barca do Purgatorio; Sánchez de Badajoz, Farsa de Santa Susana].

2276.   Pitollet, C.: "A propos de deux traductions italiennes de La vida es sueño."
HispF, III (1920), 365-68.
[Sobre las traducciones de Monteverdi (2101) y de Marone (2228)].

2277.   Braun, Hans: "Aller Traumstücke tiefstes. Calderons Das Leben ist Traum."
RheinMerk, V, no. 12 (1950), pág. 6.

2278.   Sciacca, Michele F.: "Verdad y sueño en La vida es sueño, de Calderón."
Clav, I (1950), no. 2, págs. 1-9.
[V. el núm. siguiente].

2279.   Sciacca, Michele F.: "Verità e sogno, un' interpretazione della Vida es sueño."
Human, VI (1951), 472-85.
[Traducción del núm. precedente].

YERROS DE NATURALEZA, LOS.
2280.   Northup, George T.: "Los yerros de naturaleza y aciertos de la fortuna, by Antonio Coello and Pedro Calderón."
RR, I (1910), 411-25.

LIBROS

2281.   ALBUM CALDERONIANO. Homenaje que rinden los escritores portugueses y españoles al esclarecido poeta don Pedro Calderón de la Barca en la solemne conmemoración de su centenario celebrada en el mes de mayo de 1881. Madrid: Gaspar, 1881. Pp. viii-124.
[Contiene contribuciones de 192 escritores. V. TEMAS, ALBUM (1842); GENERAL II, IBERISMO (1168)].

2282. ATENEO DE MADRID, EL, en el
centenario de Calderón. Diserta-
ciones, poesías y discursos de los
señores Sánchez Moguel, Revilla,
Ruiz Aguilera, Fernández y González,
Palacio, Campillo, Moreno Nieto,
Moret y Echegaray. Madrid: Gaspar,
1881. Pp. 213.
a) A. Morel-Fatio, RCHLP, ns XIV
(1882), 67-75.

2283. BREYMANN, H.: Calderon-Stu-
dien, I. Teil: Die Calderon-Literatur. Eine bibliographisch-kritische
Übersicht. München und Berlin: R.
Oldenbourg, 1905. Pp. xii-313.
a) J. Fitmaurice-Kelly, MLR, I
(1905-06), 64-65.
b) A. L. Stiefel, ZRP, XXX (1906),
235-54.
c) A. Morel-Fatio, DLZ, XXVI (1905),
col. 2710-11.
d) P. F., LitZent, LVI (1905), col.
1467-68.
e) A. L. Stiefel, LGRP, XXVII
(1905), col. 150-56.
f) H. Léonardon, RCHLP, ns LX
(1905), 8-9.
V.t. TEMAS, BIBLIOGRAFIA (1881),
LITERATURA (2006).

2284. CANTELLA, A.: Calderón de la
Barca in Italia nel secolo XVII.
Roma: Ausonia, 1923. Pp. 112.

2285. CASTRO Y ROSSI, ADOLFO DE:
Discurso acerca de las costumbres
públicas y privadas de los españoles en el siglo XVII, fundado en el
estudio de las comedias de Calderón.
Madrid: Guttenberg, 1881. Pp. 173.

2286. CASTRO Y ROSSI, ADOLFO DE:
Una joya desconocida de Calderón.
Madrid, Cádiz: Gautier, 1881.
Pp. 48.
[Cree que Calderón es uno de los
autores de la comedia La adúltera
penitente, atribuída a Cáncer, Ma-
tos y Moreto].

2286A. CATALINA, MARIANO: Discursos
leídos ante la Real Academia Española [acerca de la Moral en los dramas
de Calderón]. Madrid: M. Tello,
1881. Pp. 80.

2287. COMMELERÁN Y GÓMEZ, F. A.:
Don Pedro Calderón de la Barca,
príncipe de los ingenios españoles.
Estudio biográfico-crítico. Madrid:
Dubrull, 1881. Pp. 147.

COTARELO Y MORI, E.: Ensayo sobre
la vida...
V. TEMAS, núm. 1882.

2288. Depta, Max Viktor: Pedro
Calderón de la Barca. Leipzig:
Quelle und Meier, 1925. Pp. 262.
a) J. F. Montesinos, RFE, XII
(1925), 413-14.
b) W. Schulz, ASNSL, CXLIX (1926),
151-52.
c) H. Petriconi, NSpr, XXXIII
(1925), 397-98.
d) K. Schröder, ZNU, XXV (1926),
93-94.
e) C. Castillo, ModPhil, XXIV
(1926-27), 243.
f) W. von Wurzbach, LGRP, XLIX
(1928), col. 124-26.
g) H. Schulhof, Euph, XXIX (1928),
323-25.
h) H. Hinrichs, Gral, XIX (1924-25),
612.

DIEULAFOY, MARCEL: Le théâtre édifiant. Cervantes, ... Calderón.
V. GENERAL II, LIBROS, núm. 1619.

2289. DORER, EDMUND: Die Calderon-
Literatur in Deutschland. Biblio-
graphische Uebersicht. Leipzig:
W. Friedrich, 1881. Pp. 42.

2290. ELLITS, -: Othello and Desdemona. Their Characters and the
Manner of Desdemona's Death. With
a Notice of Calderón's Debt to
Shakespeare. A Study. Philadelphia: Lippincott, 1887. Pp. 82.

2291. FARINELLI, A.: La vita è un
sogno. Torino: Bocca, 1916. 2
vols.
[V. TEMAS, MISTICI (2015); OBRAS,
LA VIDA ES SUEÑO (2275)].
a) J. G. Robertson, MLR, XIII
(1918), 358-60.
b) D. Bulferetti, GSLI, LXXI (1918),
302-09.
c) P. Pizzo, LGRP, XXXIX (1918),
col. 388-93.

d) F. Picco, BIt, XVII (1917), 217–222.

e) B. Croce, Crit, XV (1917), 196–98.

f) —, CivCat, LXIX (1918), 537–41.
V.t. TEMAS, CALDERÓN (1897); OBRAS, LA VIDA ES SUEÑO (2232–33)

2292. FASTENRATH, JOHANN: Calderón de la Barca: Festgabe zur Feier seines 200 jährigen Todestage (25 mai 1881). Leipzig: Friedrich, 1881. Pp. 80.

2293. FASTENRATH, JOHANN: Calderón in Spanien; mit einem Anhang: Die Beziehungen zwischen Calderon's Wunderthätige Magus und Goethe's Faust von der Akademie der Geschichte in Madrid, preisgekrönte Schrift des Antonio Sánchez Moguel. Leipzig: W. Friedrich, 1882. Pp. 302.

2294. FAULHABER, MICHAEL VON: Calderon, der Meistersänger der Bibel in der Weltliteratur. Vortrag, gedruckt in des Verfassers "Zeitfragen und Zeitaufgaben," Gesammelte Reden. Freiburg: Herder, 1915.
a) L. Pfandl, ASNSL, CXXXVI (1917), 207–08.

2295. FRUTOS CORTÉS, EUGENIO: Calderón de la Barca. Barcelona: Editorial Labor, 1949. Pp. 265.

2296. FUNES, ENRIQUE: Segismundo. Estudio crítico. Madrid: Suárez, 1899. Pp. 159.

2297. GRINDA Y FORNER, J.: Las ciencias positivas en Calderón de la Barca. Madrid: Montoya, 1881. Pp. iv–116.
a) A. Savine, Polyb, 2a serie, tome XV (en–jun, 1882), 526–27.

2298. GÜNTHNER, ENGELBERT: Calderón und seine Werke. Freiburg: Herder, 1888. 2 vols. Pp. xl–336, viii–438.
a) P. Förster, ASNSL, LXXXIII (1889), 220–22.
b) A. L. Stiefel, LGRP, XI (1890), col. 114–17.
c) W. Wetz, ZVL, III (1890), 461–68.
d) A. Morel-Fatio, EspMod, I (1889), no. 8, pág. 137.

e) E. de Saint-Albin, Polyb, 2a serie, tome XXIX (en–jun, 1889), 431–32.

f) A. Baumgartner, StdZ, XXXV (1888), 544–48.

g) H. K—ng, LitZent, XL (1889), col. 90–91.

2299. GÜNTHNER, ENGELBERT: Calderon en zijne Werken. Vertaald en vermeerderd door L. van Helvoirt. Leiden: J. W. van Leeuwen, 1899.
V. TEMAS, OBRA (2024).

2300. GÜNTHNER, ENGELBERT: Calderons Dramen aus der spanischen Geschichte. Mit einer Einleitung über das Leben und die Werke des Dichters. Rottweil, 1885. Pp. 94.
a) A. L. Stiefel, LGRP, VII (1886), col. 338–39.

2301. HALLBERG, L. E.: Éloge de Calderon, prononcé au grand Théâtre du Capitole, à Toulouse à l'occasion de la fête de son deuxième centenaire le 22 mai 1881. Toulouse: Typographie Henri Montaubin, 1881. Pp. 22.

2302. HASELL, ELIZABETH J.: Calderón. Edinburgh and London: W. Blackwood, 1879. Pp. 213.
a) —, Ath, no. 2725 (17 de enero de 1880), pág. 85.
[2a ed.: "Foreign Classics for English Readers," London: Blackwood, 1898. Pp. 220].

2303. HILBORN, HARRY W.: A Chronology of the Plays of Don Pedro Calderón de la Barca. Toronto: University of Toronto Press, 1938. Pp. vii–119.
a) E. Juliá Martínez, RFE, XXVI (1942), 112–16.
b) C. Bruerton, HR, VIII (1940), 267–72.

2304. HOMENAGE A CALDERÓN. Monografías sobre su vida y obras; La vida es sueño. Obra dedicada al excmo. é ilmo. Sr. D. Antonio Romero Ortiz. Madrid: Imp. y litog. de N. González, 1881. Pp. 339.
[Contiene: "Biografía de Calderón," de F. Picatoste, págs. 7–;

2304. HOMENAGE (cont.).
"Notas, ilustraciones y documentos,"
págs. 41-; "Iconografía calderoniana," de Pascual Millán, págs. 65-;
"Notas e ilustraciones," págs. 101-;
"La vida es sueño, comedia," págs.
107-; "La vida es sueño, auto sacramental," págs. 215-; "Consideraciones críticas," por Rafael Ginard de
la Rosa, págs. 287-339. El artículo
de Ginard de la Rosa está reimpreso,
con el título "La vida es sueño, comedia de D. Pedro Calderón de la
Barca. Estudio crítico," en su libro Hombres y obras, págs. 7-150
(V. GENERAL II, LIBROS, núm. 1646A)].

2305. KEIDITSCH, OTTO: Der Monolog
bei Calderón. Jena: Vopelius, 1911.
Pp. viii-112.
a) A. Hämel, LGRP, XXXIV (1913),
col. 292-93.

2306. KOMMERELL, MAX: Beiträge zu
einem deutschen Calderon. Frankfurt am Main: Klostermann, 1946.
2 vols. Pp. 267, 298.
[Vol. I: Etwas über die Kunst
Calderons; vol. II: Das Leben ein
Traum. Die Tochter der Luft].
a) Kurt Wais, Univer, IX (1954),
562-65.
[Wais ha reimpreso su reseña con
el título "Calderon in Deutschland:
Max Kommerell" en su libro An den
Grenzen der National Literaturen,
págs. 267-70 (V. GENERAL II, LIBROS,
núm. 1807)].

2307. LAGARRIGUE, J.: L'Espagne et
Calderón de la Barca. Paris: Au-
bert, 1881. Pp. 108.
a) --, RCont, XXXIV (jul-ag, 1881),
493.

2308. LASSO DE LA VEGA, ÁNGEL: Calderón de la Barca. Estudio de las
obras de este insigne poeta, consa-
grado a su memoria en el segundo
centenario de su muerte. Madrid:
M. Tello, 1881. Pp. 403.
a) Th. de Puymaigre, Polyb, 2a serie, tome XIV (jul-dic, 1881),
339-41.

LEWES, GEORGE H.: Spanish Drama.
V. GENERAL II, LIBROS, núm. 1686.

LINDNER, ERNST: Die poetische Personifikation...
V. TEMAS, PERSONIFICACIÓN (2031).

2309. MADARIAGA, SALVADOR DE: Shelley and Calderón and Other Essays.
London: Constable, 1920. Pp. xii-
198.
a) M. Carayon, RLC, IV (1924), 522-
527.

2310. MARGRAFF, NICOLAUS: Der
Mensch und sein Seelenleben in den
Autos sacramentales des Don Pedro
Calderón de la Barca. Bonn: Hein-
rich Ludwig, 1912. Pp. 114.

MCGARRY, FRANCIS DE SALES: The Allegorical and Metaphysical Language
in...
V. TEMAS, AUTO SACRAMENTAL (1866).

2311. MEMORIA DE LA UNIVERSIDAD
CENTRAL al segundo centenario de
D. Pedro Calderón de la Barca. Madrid: G. Estrada, 1881. Pp. 84.
a) Th. de Puymaigre, Polyb, 2a serie, tome XIV (jul-dic, 1881),
339-41.

2312. MENÉNDEZ Y PELAYO, M.: Calderón y su teatro. Conferencias
dadas en el círculo de la Unión Católica. Madrid: Murillo, 1881.
Pp. iv-403.
a) --, RCont, XXXIII (mayo-junio,
1881), 224; XXXIV (jul-ag), 232,
357; LV (en-feb, 1886), 379.
[Este libro se ha reimpreso en
sus Estudios y discursos de crítica
histórica y literaria, III, 87-303
(V. GENERAL II, LIBROS, núm. 1701)
y también en el núm. siguiente].

2313. MENÉNDEZ Y PELAYO, M.: Calderón y su teatro. Buenos Aires:
Emecé, 1946. Pp. 323.

2314. MEREZHKOVSKY, DMITRY SERGYEE-
VICH: The Life-Work of Calderón.
From the Russian of Merezhkovsky by
G. A. Mounsey. London: Alexander
Moring, [1908]. Pp. 44.

MICHELS, WILHELM: Barockstil bei
Shakespeare...
V. TEMAS, SHAKESPEARE (2057).

2315. MOREL-FATIO, ALFRED: Calderón. Revue critique des travaux d'érudition publiés en Espagne à l'occasion de la mort du poete. Paris: E. Denné, 1881. Pp. 69.
a) C. C., RLR, XXI (1882), 250.
b) G. Baist, LGRP, III (1882), col. 195-97.

2316. MÜNNIG, ELISABETH: Calderón und die ältere deutsche Romantik. Berlin: Mayer, 1912. Pp. 88.
a) M. M., EstudB, VI (1914), 358-59.

2317. OLMEDO, FÉLIX G.: Las fuentes de La vida es sueño. Madrid: Editorial Voluntad, 1928. Pp. 237.
a) A. Valbuena Prat, RFE, XVI (1929), 192-93.
b) J. Artiles Rodríguez, RBAM, V (1928), 332-33.
V.t. TEMAS, NEUES (2022); OBRAS, LA VIDA ES SUEÑO (2249).

PALACIOS, L. E.: La vida es sueño.
V. GENERAL II, LIBROS, núm. 1731.

2318. PARKER, A. A.: The Allegorical Drama of Calderón. Oxford: Dolphin Book Co., 1943. Pp. 234.
a) W. J. Entwistle, MLR, XXXVIII (1943), 263-65.
b) E. Moreno Báez, BICC, I (1945), 591-94.
c) P. Henríquez Ureña, RFH, VI (1944), 197-99.
d) A. Valbuena Prat, RFE, XXIX (1945), 322-30.
e) E. A. Peers, BSS, XXI (1944), 57-59.
f) V. Makarow, Sur, XIV, no. 122 (dic, 1944), 64-68.
g) H. W. Hilborn, HR, XII (1944), 75-78.
V.t. TEMAS, ALEGÓRICO (1843), AUTO SACRAMENTAL (1869), ESTUDIO (1972).

2319. PEREIRA, AURELIANO J.: Shakespeare y Calderón. Notas e indicaciones para un paralelo entre ambos autores. Lugo: A. Villamartín, 1881. Pp. 151.

2320. PÉREZ PASTOR, CRISTÓBAL: Documentos para la biografía de D. Pedro Calderón de la Barca. Madrid: Fortanet, 1905. Pp. x-500.

a) W. von Wurzbach, ZRP, XXXII (1908), 99-110.
b) A. Paz y Melia, RABM, XII (1905), 289.

2321. PICATOSTE, FELIPE: Calderón ante la ciencia. Concepto de la naturaleza y sus leyes deducido de las obras de Calderón de la Barca. Memoria premiada por la Real Academia de Ciencias Exactas. Madrid: Vda. e Hijos de Aguado, 1881. Pp. 114.

2322. PITOLLET, CAMILLE: (1) La Querelle caldéronienne de Johan Nikolaus Böhl von Faber et José Joaquín de Mora. (2) Contributions à l'étude de l'hispanisme de G. E. Lessing. Paris: Alcan, 1909-10.
a) A. Ludwig, ASNSL, CXXV (1910), 227-28.
b) A. Hämel, LGRP, XXXV (1914), col. 299-300.
c) F. Baldensperger, RCHLP, ns LXIX (1910), 132-33.
d) L. P. Thomas, ZFSL, XXXVII (1911), 39-41.
e) B. Sanvisenti, StudFilMod, IV (1911), 135-37.
V.t. GENERAL II, THÈSES (1460).

2323. PUTMAN, J. J.: Studiën over Calderón en zijn geschriften. Utrecht: Beijers, 1880. Pp. x-489.

2323A. REAL, J. A. DEL: Calderón según sus obras, sus críticos y sus admiradores y crónica del segundo centenario de su muerte festejado en Madrid durante los últimos días de mayo de 1881. Barcelona: Administración nueva de San Francisco, 1881. Pp. 366.
[Contiene: El alcalde de Zalamea, El gran teatro del mundo, El dragoncillo, El mellado, catálogo de todas sus comedias (anotado), juicios críticos, biografía, crónica del centenario].

2324. RIBEIRO, JOSÉ SILVESTRE: Don Pedro Calderón de la Barca. Rápido esboço da sua vida e escriptos. Lisboa: Typographia da Academia Real das Sciencias, 1881. Pp. 238.

2325. Ríos Y Ríos, Ángel de los:
Biografía del célebre poeta don Pedro Calderón de la Barca. Torrela-
vega: Rueda, 1883. Pp. 190.

2325A. Rodríguez de Gálvez, R.:
Discurso sobre el origen, desarro-
llo y perfección a que llegó con el
genio poético de Calderón de la
Barca, el arte dramático en España.
Jaén, 1895. Pp. 35.

2326. Rojas de la Vega, Heliodoro:
Juicio crítico de las obras de Calderón de la Barca bajo el punto de
vista jurídico. Valladolid: Aga-
pito Zapatero, 1883. Pp. 140.
a) —, RCont, XLV (mayo-jun, 1883),
247-48. [No se menciona el número de páginas; el crítico se
refiere a la obra como folleto].

2327. Rubió y Lluch, Antonio: El
sentimiento del honor en el teatro
de Calderón. Precedida de un Carta-
Prólogo de D. Marcelino Menéndez y
Pelayo. Barcelona: Imp. de la Vda.
e Hijos de J. Subirana, 1882. Pp.
xvi-290.
[El Carta-Prólogo de M. Menéndez
y Pelayo está reimpreso en sus Estudios y discursos de crítica histórica y literaria, III, 377-84 (V.
GENERAL II, LIBROS, núm. 1701)].
a) A. Savine, Polyb, 2ª serie, tome
XVII (en-jun, 1883), 416-18.

2328. Sánchez de Castro, Francisco:
Calderón. Estudio crítico. (Discurso leído ante el claustro de la
Universidad de Salamanca, en la so-
lemnidad celebrada en honor del
gran poeta el día 25 de mayo de
1881). Madrid: Lezcano, 1881.
Pp. 54.
a) A. Savine, Polyb, 2ª serie, tome
XV (en-jun, 1882), 526-27.

2329. Sánchez Moguel, Antonio:
Calderón et Goethe, ou le Faust et
le Magicien prodigieux. Mémoire de
D. Antonio Sánchez Moguel. Trad.
par J.-G. Magnabal. Paris: Leroux,
1883. Pp. xxvi-210.
a) A. de St.-A., Polyb, 2ª serie,
tome XIX (en-jun, 1884), 539.

2330. Sánchez Moguel, Antonio: Memoria acerca de El mágico prodigioso de Calderón, y en especial sobre
las relaciones de este drama con el
Fausto de Goethe. Madrid: Tip. de
La Correspondencia, 1881. Pp. 212.
a) —, RCont, XXXIX (mayo-junio de
1882), 107.
b) Th. de Puymaigre, Polyb, 2a serie, tome XV (en-jun, 1882),
127-29.
V.t. FASTENRATH (2293); OBRAS, EL
MÁGICO PRODIGIOSO (2178-79).

2331. Schmidt, F. W. V.: Die Schauspiele Calderons dargestellt und
erläutert. Elberfeld: Friderichs,
1857. Pp. xxxiv-543.
a) —, ASNSL, XXIII (1858), 184-85.

2332. Schulte, Irmhild: Buch- und
Schriftwesen in Calderóns weltli-
chen Theater. Bonn: Pöppinghaus,
1938. Pp. iv-118.
[Estudio de palabras, metáforas,
juegos de palabras, etc., pertene-
cientes al arte del libro y la es-
critura].
a) Frida Weber, RFH, V (1943), 182-
183.

2332A. Seni, Francesco: Pietro
Calderon de la Barca. Studio bio-
grafico. Roma: Tipografia di Roma,
1881. Pp. 22.

2333. Sloman, Albert E.: The
Sources of Calderón's El príncipe
constante. With a critical edition
of its immediate source, La fortuna
adversa del Infante don Fernando de
Portugal (a play attributed to Lope
de Vega). Oxford: Blackwell, 1950.
Pp. viii-228.
a) E. A. Peers, BSS, XXVIII (1951),
222-23.
b) E. W. Hesse, HR, XX (1952), 261-
263.
c) A. A. Parker, MLR, XLVII (1952),
254-56.
d) C. Bruerton, Symp, VI (1952),
213-15.
e) W. Mettmann, RFor, LXV (1953),
197-99.

2334. Sofer, Johann: Die Welttheа-
ter Hugo von Hofmannsthals und ihre

Voraussetzungen bei Heraklit und Calderon. Wien: Mayer, 1934. Pp. 45.

2335. SOLER Y ARQUÉS, CARLOS: Los españoles según Calderón. Discurso acerca de las costumbres públicas y privadas de los españoles en el siglo XVII, fundado en el estudio de las comedias de Calderón de la Barca. Madrid: Guttenberg, 1881. Pp. 88.
a) A. Savine, Polyb, 2ª serie, tome XV (en-jun, 1882), 526-27.

2336. STEINMETZ, BERNARD M.: Calderon de la Barca. Eine Würdigung und ein Weckruf. Paderborn: Junfermannsche Buchhandlung, 1921. Pp. 78.

2337. TRENCH, RICHARD CHEVENIX: An Essay on the Life and Genius of Calderón, with translations from his Life's a Dream and Great Theatre of the World. 2ª ed., London: Kegan Paul, Trench, 1886. Pp. vi-229. [La primera ed. es de 1856].

UNIVERSIDAD CENTRAL.
V. MEMORIA (2311).

2338. VALBUENA PRAT, A.: Calderón.

Su personalidad, su arte dramático, su estilo y sus obras. Barcelona: Editorial Juventud, 1941. Pp. 215.
a) J. de Entrambasaguas, RFE, XXV (1941), 422-24.
b) J. de Entrambasaguas, Atenea, LXIX, no. 207 (sept, 1942), 381-384.

2338A. WARDROPPER, BRUCE W.: Critical Essays on the Theatre of Calderón. New York: New York University Press, 1965. Pp. xvi-239.
V. OBRAS, LA VIDA ES SUEÑO (2239).

WEIR, LUCY: The Ideas Embodied...
V. TEMAS, RELIGIOSO (2048).

2339. WEISSER, HERMANN: Calderon und das Wesen des katolischen Dramas. Eine ästhetisch-dogmatische Untersuchung. Freiburg in Br.: Herder, 1926. Pp. 23.

2340. WILLE, JUTTA: Calderons Spiel der Erlösung. Eine spanische Bilderbibel des 17. Jahrhunderts. München: Chr. Kaiser, 1932. Pp. 259.
a) A. Hämel, ZRP, LIV (1934), 347-348.
b) Eva Seifert, ARom, XVI (1932), 465-66.
c) F. Finger, BBGE, V (1932), 77-78.

CÁNCER Y VELASCO, JERÓNIMO DE

V.t. GENERAL II, ESTILO (1063), GITANERÍA (1098), NOTICIAS (1302), TERCER ORDEN (1455).

2341. Díaz de Escovar, N.: "Don Jerónimo de Cáncer y Velasco. I: Datos biográficos. II: Examen de las poesías de Cáncer. III: Teatro de Cáncer."
RCont, CXXI (en-mar, 1901), 392-409.

OBRAS

ADULTERA PENITENTE, LA.
V. CALDERÓN, LIBROS, CASTRO (2286).

SAN GIL DE PORTUGAL.
V. GENERAL II, LIBROS, GASSIER (1643).

CAÑIZARES, JOSÉ DE

V.t. GENERAL II, NOTICIAS (1302); LOPE DE VEGA, OBRAS, LA NIÑA DE PLATA (3749); ZAMORA, núm. 3955.

2342. Hartzenbusch, J. E.: "Racine y Cañizares."
Ilus, VIII (1856), 46-47, 62-63, 66-68.
[Estudio comparativo de El sacrificio de Ifigenia e Iphigénie en Aulide].

CUENTAS DEL GRAN CAPITÁN, LAS.
V. GENERAL II, núm. 968.

CARAVAJAL, BALTASAR DE

2343. Restori, A.: La bandolera de

Flandes, de Baltasar de Caravajal.
(Romanische Bibliothek, 9). Halle:
Niemeyer, 1893. Pp. x-112.
a) A. L. Stiefel, LGRP, XX (1899),
   col. 93-94.
b) A. Tobler, ASNSL, XCIII (1894),
   361-62.
c) H. Léonardon, RCHLP, ns XXXVII
   (1894), 410-11.

CARO DE MALLÉN, ANA

V. GENERAL II: TEMAS, NOTICIAS
(1302); LIBROS, SÁNCHEZ ARJONA
(1770).

CASTILLO SOLÓRZANO, ALONSO DEL

V. GENERAL II: TEMAS, TERCER ORDEN
(1455); LIBROS, SORKIN (1784).

CASTRO, GUILLÉN DE

V.t. GENERAL I, LIBROS, MÉRIMÉE
(186); GENERAL II: TEMAS, LITERA-
TURA DRAMATYCZNA (1220), NOTICIAS
(1302); LIBROS, LISTA (1687).

TEMAS

BIO-BIBLIOGRAFÍA.
2344. Monner Sans, R.: "Don Guillén
de Castro. Ensayo de crítica bio-
bibliográfica. Conferencia."
RUBA, XXIV (1913), 209-30, 364-91;
XXV (1914), 5-67.
[Hay tirada aparte, Buenos Aires:
Coni Hermanos. Pp. 116].

———.

2345. Martí Grajales, F.: "Bio-
bibliografía de Guillem de Castro."
ACCV, IV (1931), 171-220.

BIOGRAFÍA.
V.t. GENERAL II, BIOGRAFÍA (871).

———.

2346. Mérimée, H.: "Pour la biogra-
phie de Guillén de Castro."
RLR, L (1907), 311-22.

———.

2347. Green, Otis H.: "New Docu-
ments for the Biography of Guillén
de Castro y Bellvís."
RevHisp, LXXXI (1933), pte. 2, págs.
248-60.

CASTRO, GUILLÉN DE.
2348. Lasso de la Vega, Ángel:
"Guillén de Castro."
IEA, XXX (1886), t. 2, págs. 154-55,
171, 174, 186-87, 189-90.

———.

2349. Díaz de Escovar, N.: "Los
dramáticos del siglo XVII. Guillén
de Castro."
IEA, LIII (1909), t. 1, págs. 135,
138-39.
[Bosquejo biográfico y catálogo
de sus obras].

———.

2350. Roca Franquesa, J. M.: "Un
dramaturgo de la Edad de Oro: Guillén de Castro."
RFE, XXVIII (1944), 378-427.
[Análisis detallado de El amor
constante. La comedia es un eco de
las ideas que sobre la licitud o
ilicitud del tiranicidio sostuvie-
ron nuestros teólogos y juristas
del siglo XVI].

CENTENARIO.
2351. Martinez i Martinez, F.:
"Aniversari 300 de la mort de Guillem de Castro."
ACCV, IV (1931), 169-70.

CORNEILLE, PIERRE.
V. OBRAS, LAS MOCEDADES DEL CID
(2371, 2375-78, 2380); LIBROS, JA-
CHINO (2387); GENERAL II, CORNEILLE
(944), STREIFZÜGE (1450).

CRONOLOGÍA.
2352. Bruerton, C.: "The Chronology
of the Comedias of Guillén de Castro."
HR, XII (1944), 89-151.

EDICIÓN.
V. NOTES (2354, 2356).

ITALIA.
V. NOTES (2356).

MÉTRICA.
2353. Juliá Martínez, E.: "La métrica en las producciones dramáticas de Guillén de Castro."
AUM, III (1934), 62-71.

NOTES.
2354. Alpern, Hymen: "A Note on Guillén de Castro."
MLN, XLI (1926), 391-92.
[La edición de sus obras fechada 1614, mencionada por Ticknor, será la de "Doze comedias de cuatro poetas ... de Valencia"].

——.
2355. Wilson, William E.: "A Note on Fifteen Plays Attributed to Guillén de Castro."
MLQ, VIII (1947), 393-400.
[Un estudio de formas verbales y de morfología aplicado al problema de autenticidad].

——.
2356. Mérimée, Ernest: "Notes sur Guillén de Castro."
RevHisp, I (1894), 84-85.
[1) Le séjour de Guillén de Castro en Italie; 2) La date de la première édition des Comedias].

——.
2357. Wilson, William E.: "Two Notes on Guillén de Castro."
HR, XVIII (1950), 63-66.
[Sobre la fecha de Engañarse engañando, y la paternidad de La manzana de la discordia y robo de Elena].

OMEN.
2358. Barrett, Linton L.: "The Omen in Guillén de Castro's Drama."
Hisp, XXII (1939), 73-78.

POESÍAS.
V. GENERAL II, RIMAS (1383).

"PRIMALEÓN".
V. GENERAL II, COURTLY CID (953).

"QUIJOTE" DE AVELLANEDA.
V.t. LIBROS, MARTÍNEZ Y MARTÍNEZ

(2388-89); GENERAL II, "QUIJOTE" DE AVELLANEDA (1357).

——.
2359. Fernández Almuzara, E.: "¿Guillén de Castro, autor del Quijote de Avellaneda?"
RyF, CVI (1934), 315-27.

STREIFZÜGE
V. GENERAL II, núm. 1450.

TEATRO.
2360. Mesonero Romanos, R.: "El teatro de Guillén de Castro."
SemPintEsp, (1852), págs. 74-75.

OBRAS

ALLÁ VAN LEYES DONDE QUIEREN REYES.
V. GENERAL II, "ALLÁ VAN LEYS..." (817).

AMOR CONSTANTE, EL.
V.t. TEMAS, CASTRO (2350); GENERAL II, MISCELÁNEA HISPÁNICA (1259).

——.
2361. Juliá Martínez, E.: "Sobre El amor constante de Guillén de Castro."
RFE, XXX (1946), 118-23.

AYO DE SU HIJO, EL.
2362. Mérimée, Henri: "El ayo de su hijo, comedia de D. Guillem de Castro."
BH, VIII (1906), 374-82; IX (1907), 18-40, 335-59; XI (1909), 397-424.
[Es una edición del texto].

CONDE ALARCOS, EL.
V. GENERAL II, ALARCOS (807-09), SCHLEGEL (1424).

DON QUIXOTE DE LA MANCHA.
2363. Cebrián Mezquita, Lluis: Don Quixote de la Mancha, comedia en tres jornades i en vers per D. Guillem de Castro y Bellvis. Representada de vell-nou en lo Teatro Principal de Valencia, en la nit del viii día de Maig de MDCCCCV. Funció organiçada per la societat valencianista Lo Rat-Penat. Valencia: Domenech, 1905. Pp. vi-121.
a) H. Mérimée, BH, VII (1905), 425-26.

DONDE NO ESTÁ SU DUEÑO ESTÁ SU DUELO. ———.
V. LOPE DE VEGA, NOTES (3339).

ENGAÑARSE ENGAÑANDO.
V. núm. 2357.

HAZAÑAS DEL CID, LAS.
V.t. LAS MOCEDADES DEL CID.

———.

2364. Leavitt, Sturgis E.: "Divine
Justice in the Hazañas del Cid."
Hisp, XII (1929), 141-46.

INGRATITUD POR AMOR.
2365. Rennert, Hugo A.: "Ingratitud
por amor, comedia."
UPSPL, VII (1899). Pp. 120.
a) F. L. Frost, MLN, XV (1900),
   col. 433-40.
b) A. Farinelli, DLZ, XXIII (1902),
   col. 98-102.
c) A. Morel-Fatio, RCHLP, ns XLIX
   (1900), 112.

MANZANA DE LA DISCORDIA, LA.
V. Núm. 2357.

MEJOR ESPOSO SAN JOSÉ, EL.
2366. Sagrada Familia, P. T. de la:
"El mejor esposo San José. Comedia
bíblica de Guillén de Castro."
EstJos, no. 7 (en-jun, 1950), 89-109.
[Una breve biografía de Castro,
características de su obra y estudio de esta comedia].

MOCEDADES DEL CID, LAS.

Ediciones y traducciones

2367. Ambruzzi, L.: Las mocedades
del Cid, de Guillén de Castro. Torino: Società Editrice Internazio-
nale, 1938. Pp. 204.
a) E. Juliá Martínez, RFE, XXVI
   (1942), 109.

———.

2368. Dieulafoy, Marcel: "La jeunesse du Cid, traduction de la comedia de Guillén de Castro."
NouvRev, 3ª serie, tome I (1908),
págs. 3-24, 159-86, 338-64.
a) H. Peseux-Richard, RevHisp, XIX
   (1908), 466-73.

2369. Dubois, L.: Las mocedades
del Cid, annotées par Louis Dubois.
Toulouse-Paris, 1930. Pp. 211.
a) C. Pitollet, RLR, LXVI (1929),
   167-69.

———.

2370. Foerster, W.: Las mocedades
del Cid, de Guillén de Castro.
Bonn: Weber, 1878. Pp. viii-214.
a) L. Lemcke, ZRP, III (1879), 131-
   132.
b) P. Foerster, LGRP, I (1880), col.
   67-68.
c) A. Morel-Fatio, RCHLP, ns VII
   (1879), 277-78.
d) G. Körting, ZFSL, I (1879), 102-
   103.
e) Th. de Puymaigre, Polyb, 2a serie, tome VIII (jul-dic, 1878),
   507-08.

———.

2371. Larochette, J.: Les exploits
de la jeunesse du Cid de Guillén de
Castro et Le Cid de P. Corneille.
Traduction nouvelle de la pièce espagnole. Bruxelles: Office de Pu-
blicité, 1945. Pp. 98.
a) P. Groult, LR, I (1947), 96.
b) J. Hanse, RBPH, XXV (1946-47),
   388-89.

———.

2372. Mérimée, Ernest: Première
partie des Mocedades del Cid, de
Guillén de Castro. Toulouse, 1890.
Pp. cxvii-165.
a) A. L. Stiefel, ZRP, XVI (1892),
   262-65.

———.

2373. Said Armesto, V.: Las mocedades del Cid [las dos partes].
(Clásicos castellanos, 15). Madrid:
"La Lectura," 1913. Pp. xxix-286.
a) J. Gómez Ocerín, RFE, II (1915),
   407-08.

———.

2374. Umphrey, G. W.: Las mocena-
des del Cid, de Guillén de Castro.
New York: Henry Holt, 1939. Pp.
xliii-167-xxxvii.
a) J. F. Gatti, RFH, V (1943), 74-75

b) J. W. Barlow, MLJ, XXIV (1939-1940), 470.

Estudios

V.t. GENERAL II: TEMAS, CID (903), CORNEILLE (944), COURTLY CID (953), EDUCACIÓN (1038), MISCELÁNEA HISPÁNICA (1259), STREIFZÜGE (1450); LIBROS, FÉE (1634).

—————.

2375. Momigliano, Attilio: "Il Cid nel De Castro e nel Corneille." RTI, XII (1907-08), 136-41.

—————.

2376. Ruggieri, Jole: "Le Cid di Corneille e Las mocedades del Cid di Guillén de Castro." ARom, XIV (1930), 1-79.

—————.

2377. Santelices, Lidia: "Las mocedades del Cid de Guillén de Castro, Le Cid de Pierre Corneille y El honrador de su padre de Juan Bautista Diamante." AUCh, año XCI, 3ª serie (1933), no. 10, págs. 66-75.

—————.

2378. Dominici, Aníbal: "El Cid. Ensayo crítico sobre la obra de Guillem de Castro y la de Corneille." BAVen, IV (1937), no. 15, págs. 8-62.

—————.

2379. Salinas, Pedro: "La espada y los tiempos de la vida en Las mocedades del Cid." MLN, LVII (1942), 568-73.

—————.

2380. Schulz, Willy: "Ein Kulturbild aus den Mocedades del Cid von Guillén de Castro mit Ausblicken auf Quellen und Technik des Dichters wie auf den Cid des Corneille." ZRP, XLVII (1927), 446-91.

—————.

2381. Santelices, Lidia: "La originalidad en la segunda parte de Las mocedades del Cid (Guillén de Castro)." AUCh, año XCIII (1935), no. 20, págs. 169-78.

PIEDAD EN LA JUSTICIA, LA.
V. GENERAL II, MISCELÁNEA HISPÁNICA (1259).

POBRE HONRRADO, EL.
2382. Serrano y Sanz, M.: "Comedia del Pobre honrrado de Guillem de Castro." BH, IV (1902), 219-46, 305-41. [Publica el texto].

PRETENDER CON POBREZA, EL.
2383. Wilson, William E.: "On the Date of Guillén de Castro's El pretender con pobreza." HR, XV (1947), 387-88.

QUIEN MALAS MAÑAS HA, TARDE O NUNCA LAS PERDERÁ.
2384. Juliá Martínez, E.: "Quien malas mañas ha, tarde o nunca las perderá, de Guillén de Castro." RABM, XXXIII (1915), 376-410. [Edición del texto]. a) —, RFE, VI (1919), 75-76.

—————.

2385. Templin, Ernest H.: "Una nueva fuente de Quien malas mañas ha, tarde o nunca las perderá, de Guillén de Castro." RFE, XVI (1929), 273-76. [La comedia de Lope de Vega, Las pobrezas de Reinaldos].

TRAGEDIA POR LOS CELOS, LA.
2386. Alpern, Hymen: Guillén de Castro's La tragedia por los celos. Paris: Champion, 1926. Pp. 150. a) G. J. Geers, Neophil, XIV (1928-1929), 219. b) E. J. Crooks, MLN, XLIII (1928), 58-61. c) E. Juliá Martínez, RFE, XV (1928), 81-84. d) L. Pfandl, ZRP, LVII (1937), 668-69. e) E. Juliá Martínez, RABM, XLIX (1928), 420-22. f) W. S. Hendrix, MLJ, XI (1926-27), 473-74. g) L. Pfandl, LGRP, XLIX (1928), col. 367-68. h) G. Le Gentil, RCHLP, ns XCIV (1927), 475-76.

LIBROS

2387. JACHINO, G.: Il Cid di Gu-
glielmo de Castro e di Pietro Corneille: studio comparativo. Gir-
genti: Stamp. Montes, 1890. Pp. 66.
a) A. Butti, Interm, I (1890), 384.

2388. MARTÍNEZ Y MARTÍNEZ, F.: Don
Guillén de Castro no pudo ser Alonso Fernández de Avellaneda. Carta
abierta a don Emilio Cotarelo y Mori. Valencia: Vives y Mora, 1921.
Pp. 17.
   [V. el núm. siguiente].
a) C. Cabal, EyA, LXXIII (1922),
   294-98.

2389. MARTÍNEZ Y MARTÍNEZ, F.: Don
Guillén de Castro no pudo ser el
falso Alonso Fernández de Avellaneda; réplica al folleto de D. Emilio
Cotarelo y Mori "Sobre el Quijote
de Avellaneda y acerca de su autor
verdadero." Valencia: Hijo de F.
Vives Mora, 1935. Pp. 116.
   [V. GENERAL II, "QUIJOTE" DE AVE-
LLANEDA (1357)].
a) M. Sanchis Guarner, RFE, XXIII
   (1936), 311-13.
b) O. H. Green, HR, V (1937), 99.

MONNER SANS, R.: Don Guillén de
Castro. Ensayo...
   V. TEMAS, núm. 2344.

CAXES, JUAN

2390. Rouanet, Léo: "Oeuvres dramatiques de Juan Caxes."
RevHisp, VIII (1901), 83-180.

2391. Pérez Pastor, C.: "El licen-
ciado Juan Caxesi. Carta abierta a
Mr. Léo Rouanet."
RABM, X (1904), 2-8.
   [Datos biográficos. V.t. núm. 3880].

2392. Restori, Antonio: "Los traba-
jos de Josef, auto du licencié Juan
Caxes."
RevHisp, IX (1902), 355-92.

CLARAMONTE, ANDRÉS DE

V.t. GENERAL II: TEMAS, LITERATU-
RA DRAMATYCZNA (1220); LIBROS, SÁN-
CHEZ ARJONA (1770).

2393. Ashcom, B. B.: "A terminus
ante quem for the Birth of Claramonte."
HR, VI (1938), 158-59.
   [Antes del 5 de diciembre de 1580].

2394. LEAVITT, STURGIS E.: La Estrella de Sevilla and Claramonte.
Cambridge: Harvard University
Press, 1931. Pp. xii-111.
a) A. F. G. Bell, RevHisp, LXXXI
   (1933), pte. 2, págs. 554-59.
b) J. F. Montesinos, RFE, XIX

(1932), 308-11.
c) W. C. Atkinson, BSS, IX (1932),
   137-38.
d) C. E. Anibal, HR, I (1933), 344-
   352.
e) G. Cirot, BH, XXXV (1933), 463-
   464.
f) F. O. Adam Jr., MLJ, XVII (1932-
   1933), 391.
V.t. núm. 2395; GENERAL II, ANÓNI-
MAS, LA ESTRELLA DE SEVILLA (1540).

2395. Spitzer, Leo: "Die Estrella
de Sevilla und Claramonte."
ZRP, LIV (1934), 533-88.
   [Sobre el tema del libro de Leavitt (2394)].

COELLO Y OCHOA, ANTONIO

V.t. GENERAL II: TEMAS, NOTICIAS
(1302), TERCER ORDEN (1455); LIBROS,
SORKIN (1784).

2396. Cotarelo y Mori, E.: "Dramá-
ticos españoles del siglo XVII:
Don Antonio Coello y Ochoa."
BRAE, V (1918), 550-600.

OBRAS

CATALÁN SERRALLONGA Y VANDOS DE
   BARCELONA, EL.
2397. Givanel Mas, J.: "Observaciones sugeridas por la lectura del
drama de Coello, Rojas y Vélez El

catalán Serrallonga y Vandos de
Barcelona."
BABLB, XVIII (1945), 159-92.

———.

2398. Via, Lluís: "Serrallonga."
BABLB, XVI (1933-36), 65-95.
[Estudio biográfico sobre el ban-
dido Joan Sala, alias Serrallonga].

CONDE DE SEX, EL.
V. GENERAL II: TEMAS, ESSEX (1059);
LIBROS, MICHAELIS (1708).

EMPEÑOS DE SEIS HORAS, LOS.
2399. TUKE, SAMUEL: The Adventures
of Five Hours. Together with Coello's Los empeños de seis horas.
Ed. A. E. H. Swaen. Amsterdam:
Swets and Zeitlinger, 1927. Pp.
lvi-261.
a) Mario Praz, EStudies, IX (1927),
   118-22.
b) W. Fischer, Angl, Beiblatt 39
   (1928), 137-39.

———.

2400. Gaw, Allison: "Tuke's Adventures of Five Hours in Relation to
the 'Spanish Plot' and to John Dryden."
En "Studies in English Drama."
UPSPL, XIV (1917), 1-61.
[Se mencionan también otras comedias inglesas derivadas de españo-
las].

MONSTRUO DE LA FORTUNA, LA LAVANDE-
RA DE NÁPOLES, FELIPA CATANEA, EL.
V. GENERAL II, JUANA DE NÁPOLES
(1185).

PEOR ES HURGALLO.
V. GENERAL II: TEMAS, SCARRON
(1417); LIBROS, SORKIN (1784).

YERROS DE NATURALEZA Y ACIERTOS DE
FORTUNA, LOS.
V. CALDERÓN, OBRAS, núm. 2280.

CÓRDOBA Y MALDONADO, ALONSO DE

2401. Franquesa y Gomis, José: "La
venganza en el sepulcro, comedia
inédita de D. Alonso de Córdoba
Maldonado."

HomMenPelayo (1899), I, 253-68.
[Basada en El burlador de Sevilla,
la comedia se halla impresa en el
Apéndice de la NBAE IX, con las de
Tirso de Molina].

2402. Fernández Villamil, E.: "La
venganza en el sepulcro de don
Alonso de Córdoba y Maldonado. Edi-
ción y notas."
RABM, LII (1931), 17-32, 176-94.
[Esta edición quedó incompleta].

CRUZ, JUANA INÉS DE LA

V.t. GENERAL II, MÉXICO (1249,
1252), TERCER ORDEN (1455); LOPE DE
VEGA, CRUZ, JUANA INÉS DE LA (3134-
3135).

TEMAS

2403. Henríquez Ureña, P.: "Bibliografía de Sor Juana Inez de la Cruz."
RevHisp, XL (1917), 161-214.

2404. Abreu Gómez, Ermilo: "Sor
Juana y la crítica."
UnivMex, II (1931), 198-212.
[V.t. el siguiente].

2405. Abreu Gómez, Ermilo: "Sor
Juana y la crítica."
HomVarona (1935), págs. 227-43.

2406. Pina Guasquet, Santos: "La
décima musa."
IEA, XVII (1873), 241-43.

2406A. Sánchez Moguel, Antonio:
"Sor Juana Inés de la Cruz."
IEA, XXXVI (1892), t. 2, págs. 274-
275.
[Reimpreso en su libro España y
América, págs. 221-30 (V. GENERAL
II, LIBROS, núm. 1770A)].

2407. Vossler, Karl: "La décima Mu-
sa de México, Sor Juana Inés de la
Cruz." [Trad. de Mariana Frenck y
Arqueles Vela].
UnivM, II, no. 9 (oct, 1936), 15-24.
[V. el núm. siguiente].

2408. Vossler, Karl: "La décima Musa mexicana, Sor Juana Inés de la

Cruz (Traducido por la Profa. Mariana Frank [sic] y el Prof. Arqueles Vela)."
IL, III (1936), 58-72.
[Hay una versión española de Carlos Clavería en Escritores y poetas de España, págs. 103-31 (V. GENERAL II, LIBROS, núm. 1802)].

2409. Vossler, Karl: "Juana Inés de la Cruz."
NRun, LI (1940), 475-83.
[Sobre sus Sueños, con traducción de algunos pasajes].

2410. Castañeda, Carlos E.: "Sor Juana Inés de la Cruz, primera feminista de América."
UnivMex, V (1932-33), 365-79.

2411. Quadra Salcedo, F. de la: "Investigación sobre la poetisa vascongada Juana de Asbaje y sus autos sacramentales."
IdearB, I (1916), 114-16, 152-57.

2412. Núñez, Estuardo: "Sor Juana y la literatura universal."
ND, XVI (1935), no. 8 (agosto), págs. 14-15.

2413. Diez-Canedo, Enrique: "Perfil de Sor Juana Inés de la Cruz."
En sus Letras de América, págs. 51-70. [V. GENERAL II, LIBROS, núm. 1621].

2414. Heckel, Ilse: "Los sainetes de Sor Juana Inés de la Cruz."
RevIbAmer, XIII (1947-48), 135-40.

2415. Usigli, Rodolfo: "El teatro de Sor Juana."
LyP, X (1932), 8-11.

2416. Monterde, Francisco: "Un aspecto del teatro profano de Sor Juana Inés de la Cruz."
FyL, XI (1946), no. 22, págs. 247-257.

2417. "Testamento de Sor Juana Inéz de la Cruz."
RdAmer, IX (1947), 428-30.

2418. Schons, Dorothy: "Some Obscure Points in the Life of Sor

Juana Inés de la Cruz."
ModPhil, XXIV (1926-27), 141-62.

2419. Chávez, Ezequiel A.: "Notas sobre puntos y aspectos controvertidos de la vida y obras de Sor Juana Inés de la Cruz."
UnivMex, V (1932-33), 1-10.

OBRAS

EMPEÑOS DE UNA CASA, LOS.
2420. Los empeños de una casa. Prólogo de Julio Jiménez Rueda. (Biblioteca del Estudiante Universitario, 14). México: Ediciones de la Universidad Nacional Autónoma, 1940. Pp. xxv-200.
a) B. Betancur Cuartas, UnCaBo, VIII (1942), 333-35.

LOA PARA EL AUTO DEL DIVINO NARCISO.
2421. Bandeira, Manuel: "Loa para o auto sacramental do divino Narciso de Sor Juana Inez de la Cruz."
AnaisUB, no. 1 (dic, 1950), 69-87.
[Una traducción portuguesa].

SAINETE SEGUNDO.
2422. Monterde, Francisco: "El Sainete segundo, de Sor Juana, y El pregonero de Dios, de Acevedo."
HomGamoneda (1946), 325-33.
[Francisco de Acevedo].

SUEÑOS.
V. núm. 2409.

LIBROS

2423. ABREU GÓMEZ, ERMILO: Semblanza de Sor Juana. México: Edic. Letras de México, 1938. Pp. 69.

2424. ABREU GÓMEZ, ERMILO: Sor Juana Inés de la Cruz: bibliografía y biblioteca. México: Impr. de la Secretaría de Relaciones Exteriores, 1934. Pp. xviii-455.

2425. CAMPOAMOR, CLARA: Sor Juana Inés de la Cruz. Buenos Aires: Emecé, 1944. Pp. 115.

2426. CHÁVEZ, EZEQUIEL A.: Ensayo de psicología de Sor Juana Inés de la Cruz y de estimación del sentido de su obra y de su vida, para la historia de la cultura y de la formación de México. Barcelona: Araluce, 1931. Pp. 454.

2427. PFANDL, LUDWIG: Die zehnte Muse von Mexico Juana Inés de la Cruz. Ihr Leben. Ihre Dichtung. Ihre Psyche. München: Hermann Rinn, 1946. Pp. 359.
a) H. A. Hatzfeld, HR, XVI (1948), 79-81.
b) J. Wilhelm, Univer, III (1948), 89-90.

2428. SCHONS, DOROTHY: Bibliografía de Sor Juana Inés de la Cruz. México: Impr. de la Secretaría de Relaciones Exteriores, 1927. Pp. ix-67.

2429. VOSSLER, KARL: Die Welt im Traum, eine Dichtung der "zehnten Muse von Mexico," Juana Inés de la Cruz. Karlsruhe: Stahlberg, 1946. Pp. 123.
a) J. Wilhelm, Univer, II (1947), 1369.

2430. WALLACE, ELIZABETH: Sor Juana Inés de la Cruz, poetisa de corte y convento. México: Xochitl, 1944. Pp. 183.

CUBILLO DE ARAGÓN, ÁLVARO

V.t. GENERAL II: TEMAS, ESTILO (1063), NOTICIAS (1302); LIBROS, LISTA (1687).

2431. Cotarelo y Mori, E.: "Dramáticos españoles del siglo XVII: Álvaro Cubillo de Aragón." BRAE, V (1918), 3-23, 241-80.

2432. Orozco Díaz, Emilio: "Unas páginas desconocidas de Cubillo de Áragón." BUG, X (1938), 21-28.
[Descripción de las fiestas que se hicieron en Granada al nacimiento del Príncipe don Baltasar Carlos (1629)].

2433. Mesonero Romanos, R. de: "Teatro de Cubillo."

SemPintEsp, (1852), 97-100.

2434. Las muñecas de Marcela y El señor de Noches Buenas. Ed. Ángel Valbuena Prat. (Los Clásicos Olvidados, 3). Madrid: Cía. Ibero-Americana de Publicaciones, 1928. Pp. xciv-235.
a) C., RFE, XVII (1930), 186-87.

CUÉLLAR Y LA CHAUX, JERÓNIMO DE

V. GENERAL II, NOTICIAS (1302).

DIAMANTE, JUAN BAUTISTA DE

V.t. GENERAL II, NOTICIAS (1302).

TEMAS

BIO-BIBLIOGRAFÍA.
2435. Díaz de Escovar, N.: "Poetas dramáticos del siglo XVIII [sic]. Juan Bautista Diamante." BAH, XC (1927), 216-26.
[Incluye un catálogo de sus obras].

CID.
V. OBRAS, EL HONRADOR DE SU PADRE.

CORNEILLE, PIERRE.
V. OBRAS, EL HONRADOR DE SU PADRE.

TEATRO.
2436. Mesonero Romanos, R. de: "Teatro de Diamante." SemPintEsp, (1853), 58-60, 66-67.

2437. Cotarelo y Mori, E.: "Don Juan Bautista Diamante y sus comedias." BRAE, III (1916), 272-97, 454-97.

OBRAS

HONRADOR DE SU PADRE, EL.
V. GENERAL II, LIBROS, FÉE (1634), LATOUR (1680); CASTRO, OBRAS, LAS MOCEDADES DEL CID (2377).

JUDÍA DE TOLEDO, LA.
2438. Rennert, Hugo A.: "Mira de Amescua et La Judía de Toledo." RevHisp, VII (1900), 119-40.

2438 (cont.).
[Según el cotejo de textos, parece ser La desgraciada Raquel de Mira de Amescua].

ENRÍQUEZ GÓMEZ, ANTONIO

V.t. GENERAL II, LIBROS, HERRÁN (1663).

2439. Díaz de Escovar, N.: "Poetas dramáticos del siglo XVII. Antonio Enríquez Gómez."
BAH, LXXXVIII (1926), 838-44.
[Hay catálogo de sus obras].

FERNÁNDEZ DE LEÓN, MELCHOR

V. GENERAL II, TERCER ORDEN (1455).

FIGUEROA Y CÓRDOBA, DIEGO y JOSÉ

V.t. GENERAL II, NOTICIAS (1302), TERCER ORDEN (1455).

2440. Cotarelo y Mori, E.: "Dramáticos españoles del siglo XVII: Los hermanos Figueroa y Córdoba."
BRAE, VI (1919), 149-91.

GODÍNEZ, FELIPE

V.t. GENERAL II, TERCER ORDEN (1455).

2441. Castro, Adolfo de: "Noticias de la vida del Dr. Felipe Godínez."
MemRA, VIII (1902), 277-83.

GÓNGORA Y ARGOTE, LUIS DE

V.t. GENERAL I, FLÉRIDA (41); CALDERÓN, FONSECA (1973), GÓNGORA (1986); LOPE DE VEGA, GÓNGORA (3205-3207)

2442. Reyes, Alfonso: "Góngora y La gloria de Niquea."
RFE, II (1915), 274-82.
[Comedia escrita en colaboración con Villamediana].

HERRERA Y RIBERA, RODRIGO DE

V.t. GENERAL II, TERCER ORDEN (1455).

2443. Kennedy, Ruth Lee: "Los engaños de un engaño y confusión de un papel. A Play by don Rodrigo Herrera y Ribera."
MLR, XXXII (1937), 593-95.
[La comedia se encuentra en BAE XXXIX, atribuída a Moreto].

HERRERA Y SOTOMAYOR, JACINTO DE

V. GENERAL II, BÉLGICA (865).

HERRERO, SIMÓN

2444. Croce, Alda, y Mele, Eugenio: "Dos loas famosas y un romance de Simón Herrero."
RevBibyDoc, Suplemento (1950). Pp. 24.
[1. "De las condiciones de las mujeres y de sus engaños; 2. "De las quejas que hizieron las aves y animales pidiendo cada una en su querella cosas particulares." Romance: "A las puertas de palacio - Del gran Felipe Tercero..."].
a) M. Goyri de Menéndez Pidal, Filol, III (1951), 151-52.

HOZ Y MOTA, JUAN CLAUDIO DE LA

V.t. GENERAL II, GUZMÁN EL BUENO (1129), NOTICIAS (1302).

2445. Díaz de Escovar, N.: "Poetas dramáticos del siglo XVII: Juan Claudio de la Hoz y Mota."
BAH, LXXXIX (1926), 351-57.
[Hay catálogo de sus obras].

2446. Mesonero Romanos, R. de: "El teatro de la Hoz y Mota."
SemPintEsp, (1853), págs. 65-66.

HURTADO DE MENDOZA, ANTONIO

2447. Mesonero Romanos, R. de: "El teatro de Mendoza."
SemPintEsp, (1852), págs. 170-72.

MARIDO HACE MUJER, EL.
  V.t. GENERAL II, MOLIÈRE (1266).

─────.
2448. Schwennhagen, Erwin: "Das
Verhältnis der École des maris zu
Mendoza's El marido hace muger."
ASNSL, CXXXI (1913), 166-70.

HURTADO DE MENDOZA, DIEGO

2449. Castro, Adolfo de: "Teatro
antiguo español. Don Diego Hurtado
de Mendoza."
SemPintEsp, (1853), págs. 164-66.

HURTADO DE VELARDE, ALFONSO

  V. GENERAL II, INFANTES DE LARA
(1169).

JIMÉNEZ DE ENCISO, DIEGO

  V.t. GENERAL II: TEMAS, BIOGRAFÍA
(871), NOTICIAS (1302), TERCER OR-
DEN (1455); LIBROS, LATOUR (1680).

TEMAS

COMEDIAS.
2450. Schevill, Rudolph: "The Comedias of Diego Ximénez de Enciso."
PMLA, XVIII (1903), 194-210.

HISTÓRICO, TEATRO.
  V. GENERAL II, LIBROS, PIDAL Y MON
(1746).

TEATRO.
2451. Cotarelo y Mori, E.: "Don
Diego Jiménez de Enciso y su teatro."
BRAE, I (1914), 209-48, 385-415,
510-50.
a) H. A. Rennert, MLN, XXXII (1917),
   191-92.
  V.t. núm. 2451A.

TRÁGICO.
2451A. Levi, Ezio: "Un grande tra-
gico ignorato: Diego Jiménez de
Enciso."
Fanfu, XXXVIII (1916), no. 47 (19
nov.), pág. 2.

[Reseña del estudio de Cotarelo].

OBRAS

JUAN LATINO.
  V. GENERAL II: TEMAS, LATINO
(1206-07); LIBROS, SPRATLIN (1786).

MÉDICIS DE FLORENCIA, LOS.
2452. Behnke, Fritz: Diego Ximénez
de Encisos Los Médicis de Florencia,
Giovanni Rosinis Luisa Strozzi und
Alfred de Mussets Lorenzaccio in
ihrem Verhältnis zur Geschichte.
Berlin: R. Trenkel, 1910. Pp. 147.
a) A. Hämel, LGRP, XXXIV (1913),
   col. 153.

PRÍNCIPE DON CARLOS, EL.
  V.t. GENERAL II: TEMAS, DON CAR-
LOS (994, 997), SCHILLER (1422);
LIBROS, LEVI (1684-85).

─────.
2453. Crawford, J. P. W.: "El príncipe don Carlos of Jiménez de Enciso."
MLN, XXII (1907), 238-41.

LAMADRID, JUAN DE

  V. GENERAL II, COSMA E DAMIANO
(952A).

LANINI Y SAGREDO, PEDRO FRANCISCO DE

V.t. GENERAL II, NOTICIAS (1302).

"ALLÁ VAN LEYES DO QUIEREN REYES".
  V. GENERAL II, "ALLÁ VAN LEYS..."
(817).

"BAILE DE LOS MESONES".
  V. GENERAL II, MADRID (1225).

LEIVA Y RAMÍREZ DE ARELLANO, FRANCISCO DE

  V.t. GENERAL II, AUTOR (858).

2454. Díaz de Escovar, N.: "Don
Francisco de Leyva y Ramírez de
Arellano, autor dramático malagueño."
RCont, CXIV (abr-jun, 1899), 492-500.

2455. Mesonero Romanos, R. de: "Teatro de Leiva."
SemPintEsp, (1852), págs. 150-52.

2456. MONTILLA, RAFAEL: Vida y obras de D. Francisco de Leyva y Ramírez de Arellano, autor dramático malagueño del siglo XVII. (Publicaciones del Instituto de Cultura. Serie B, vol. II). Málaga: Diputación Provincial de Málaga, 1947. Pp. 170.

LEÓN MARCHANTE, MANUEL DE

2457. Catalina García, Juan: "Don Manuel de León Marchante."
RBAM, VI (1929), 477-82.

2458. MÉNDEZ PLANCARTE, ALFONSO: León Marchante, jilguerillo del Niño Dios. Un olvidado poeta español. México: "bajo el signo de ábside," 1948. Pp. 42.

LOZANO, MARTÍN

V. GENERAL II, GUISA (1128).

MADRID, JUAN DE

V. GENERAL II, COSMA E DAMIANO (952A).

MALUENDA, JACINTO ALONSO

V. GENERAL II, VALENCIA (1484).

MARTÍNEZ DE MENESES, ANTONIO

V. BELMONTE BERMÚDEZ, núm. 1836.

MATHEU Y SANZ, LORENZO

V. GENERAL II, VALENCIA (1486).

MATOS FRAGOSO, JUAN DE

V.t. GENERAL II, TEMAS, NOTICIAS (1302); LIBROS, HERRÁN (1663).

2459. Mesonero Romanos, R. de: "Teatro de Matos Fragoso."
SemPintEsp, (1852), págs. 114-18.

OBRAS

ADÚLTERA PENITENTE, LA.
V. CALDERÓN, LIBROS, CASTRO (2286).

INGRATO AGRADECIDO, EL.
2460. Heaton, H. C.: El ingrato agradecido of Matos Fragoso. Edición. New York: Hispanic Society of America, 1926. Pp. lxiii-180.
a) H. Serís y E. Juliá Martínez, RFE, XVII (1930), 194-96.

POCOS BASTAN SI SON BUENOS.
V. GENERAL II, GUISA (1128).

SAN GIL DE PORTUGAL.
V. GENERAL II, LIBROS, GASSIER (1643).

MEJÍA DE LA CERDA, LUIS

2461. Imbert, Louis: "El juego del hombre: auto sacramental."
RR, VI (1915), 239-82.

MENDOZA, ANTONIO DE

V. HURTADO DE MENDOZA, ANTONIO.

MENDOZA, DIEGO DE

V. HURTADO DE MENDOZA, DIEGO

MERCADER, GASPAR

V. GENERAL II, RIMAS INÉDITAS (1383).

~ * ~

~ * ~

~ * ~

~ * ~

TEMAS

BIOGRAFÍA.
V.t. GENERAL II, BIOGRAFÍA (871).

———.

2462. Sanz, Fructuoso: "El Dr. Antonio Mira de Amescua: Nuevos datos para su biografía."
BRAE, I (1914), 551-72.

CENTENARIO.
2463. Herrero García, M.: "En el tricentenario de Mirademescua."
Eccl, no. 171 (1944), pág. 18.

CHARACTERISTIK.
V. GENERAL II, LIBROS, AHRENS (1553).

GRANADA.
V. SILUETAS (2467).

ITALIA.
2464. Green, O. H.: "Mira de Amescua in Italy."
MLN, XLV (1930), 317-19.

"LINDO DON DIEGO, EL" (Frase).
V. NOTES (2466).

"LISARDO".
V. núm. 2475.

MIRA DE AMESCUA, ANTONIO.
V.t. GENERAL II, LITERATURA DRAMATYCZNA (1220).

———.

2465. Tárrago, Torcuato: "El Doctor Mira de Amescua."
MusUniv, VIII (1864), 114-15.

MORETO, AGUSTÍN.
V. el núm. siguiente.

NOTES.
2466. Buchanan, M. A.: "Notes on the Spanish Drama: Lope, Mira de Amescua and Moreto."
MLN, XX (1905), 38-41.
[1. Zumaque, nombre de un personaje del Entremés del Doctor Carlino, es anagrama de Amezqua; 2. Análisis de La ventura de la fea, atribuída a Mira y a Lope; 3. Primer empleo de la frase "Lindo don Diego"

se encuentra en La ventura de la fea].

SILUETAS.
2467. Díaz de Escovar, N.: "Siluetas escénicas del pasado. Autores dramáticos granadinos del siglo XVII. El doctor Mira de Amescua."
RCEHG, I (1911), 122-43.

TEATRO.
2468. Cotarelo y Mori, E.: "Mira de Amescua y su teatro."
BRAE, XVII (1930), 467-505, 611-58; XVIII (1931), 7-90.
a) W. K. Jones, BAbr, VI (1932), 207.

———.

2469. Mesonero Romanos, R. de: "El teatro de Mirademescua."
SemPintEsp, (1852), págs. 82-83.

TIRSO DE MOLINA.
V. OBRAS, EL ESCLAVO DEL DEMONIO (2478).

VEGA, LOPE DE.
V. NOTES (2466).

"VOCES DEL CIELO".
2470. Anibal, C. E.: "Voces del cielo: A Note on Mira de Amescua."
RR, XVI (1925), 57-70.

———.

2471. Krappe, A. H.: "Notes on the voces del cielo."
RR, XVII (1926), 65-68.

———.

2472. Anibal, C. E.: "Another Note on the voces del cielo."
RR, XVIII (1927), 246-52.

———.

2473. Krappe, A. H.: "More on the voces del cielo."
RR, XIX (1928), 154-56.

OBRAS

2474. Valbuena Prat, A.: Mira de Amescua. Teatro. I. (Clásicos castellanos, 70). Madrid: "La Lectura," 1926. Pp. 298.
Teatro. II. (Clásicos castellanos, 82). Madrid: "La Lectura," 1928.

2474 (cont.).
Pp. xiv-283.
a) M. Herrero García, RFE, XIII
   (1926), 393-95.
b) Emilio Alarcos, RFE, XVI (1929),
   298-301.

ADVERSA FORTUNA DE DON ÁLVARO DE
LUNA, LA.
V. TIRSO DE MOLINA, OBRAS, núm.
2844; V.t. CALDERÓN, OBRAS, LA VIDA
ES SUEÑO (2271).

ARPA DE DAVID, EL.
2475. Anibal, Claude E.: "Mira de
Amescua. I: El arpa de David. Introduction and Critical Text.   II:
Lisardo--His Pseudonym."
OSUCL, II (1925). Pp. 201.
a) J. F. Montesinos, RFE, XIII
   (1926), 183-86.
b) E. Werner, ZRP, XLIX (1929), 379.
c) S. L. Millard Rosenberg, MLJ,
   XIII (1928-29), 245-46.
d) G. Cirot, BH, XXIX (1927), 136-
   137.
e) J. Subirá, RBAM, III (1926),
   384-85.

DESGRACIADA RAQUEL, LA.
V. DIAMANTE, OBRAS, LA JUDÍA DE
TOLEDO (2438).

ENTREMÉS DEL DOCTOR CARLINO.
V. TEMAS, NOTES (2466).

ESCLAVO DEL DEMONIO, EL.
V.t. GENERAL II, LIBROS, MÖLLER
(1714).

———.

2476. Buchanan, M. A.: Comedia famosa del Esclavo del demonio. Baltimore: J. H. Furst, 1905. Pp. 144.
a) J. Fitzmaurice-Kelly, MLR, II
   (1906-07), 82-83.
b) A. Paz y Melia, RABM, XIII
   (1905), 282.
c) W. von Wurzbach, DLZ, XXVII
   (1906), col. 1701-02.

d) A. L. Stiefel, LGRP, XXXIII
   (1912), col. 121-24.
e) H. Léonardon, RCHLP, ns LXII
   (1906), 89.

———.

2477. Valbuena Prat, Ángel: El esclavo del demonio. ("Las cien mejores obras de la literatura española"). Madrid: Cía. Ibero-Americana de Publicaciones, 1930. Pp.
178.
a) José M. de Osma, BAbr, V (1931),
   377.

———.

2478. Zeitlin, Marion A.: "El condenado por desconfiado y El esclavo
del demonio."
MLF, XXX (1945), 1-5.
   [Tirso de Molina y Mira].

JUDÍA DE TOLEDO, LA.
V. DIAMANTE, OBRAS, núm. 2438.

JURA DEL PRÍNCIPE, LA.
2479. Flecniakoska, Jean-Louis: "La
jura del príncipe, auto sacramental
de Mira de Amescua, et l'histoire
contemporaine."
BH, LI (1949), 39-44.

PALACIO CONFUSO, EL.
V. LOPE DE VEGA.

VENTURA DE LA FEA, LA.
V.t. TEMAS, NOTES (2466).

———.

2480. Anibal, Claude E.: "Mira de
Amescua and La ventura de la fea."
MLN, XLII (1927), 106.

MONROY Y SILVA, CRISTÓBAL DE

V. GENERAL II, TERCER ORDEN
(1455).

MORETO Y CABAÑA, AGUSTÍN

TEMAS

V.t. GENERAL II, TEMAS, HISTORIA
(1147), NOTICIAS (1302); LIBROS,
LISTA (1687), SÁNCHEZ ARJONA (1770).

ACTIVITY.
2481. Kennedy, Ruth Lee: "Moreto's
Span of Dramatic Activity."
HR, V (1937), 170-72.

ARTE DRAMÁTICO.
2482. Kennedy, Ruth Lee: "The Dramatic Art of Moreto."
SmithCS, XIII (1931-32). Pp. ix-221.
a) S. L. M. Rosenberg, Hisp, XVI
   (1933), 103.
b) W. J. Entwistle, BSS, X (1933),
   96-98.
c) W. von Wurzbach, ZRP, LIV (1934),
   125-28.
d) W. J. Entwistle, MLR, XXIX
   (1934), 235-36.
e) W. L. Fichter, HR, I (1933),
   352-56.
f) G. Le Gentil, RCHLP, ns XCIX
   (1932), 513-15.

BIBLIOGRAFÍA.
2483. Cotarelo y Mori, E.: "La bibliografía de Moreto."
BRAE, XIV (1927), 449-94.

————.

2484. Coe, Ada M.: "Additional Bi-
bliographical Notes on Moreto."
HR, I (1933), 236-39.
   [Adiciones a los datos de Cotarelo (2483)].

BIOGRAFÍA.
V. FAMILIA (2486), HERMANA (2487),
MORETO (2491).

BUENOS AIRES.
V. OBRAS, PRIMERO ES LA HONRA
(2504).

CORTE.
V. OBRAS, ESCARRAMÁN (2501).

DERECHO.
V. OBRAS, LAS TRAVESURAS DE PANTO-
JA (2505).

DOCUMENTOS.
2485. Entrambasaguas, J. de: "Doce
documentos inéditos relacionados
con Moreto y dos poesías suyas desconocidas."
RBAM, VII (1930), 341-56.

ESTILO.
V. GENERAL II, ESTILO (1063).

FAMILIA.
2486. E. V.: "Sobre la familia de
Agustín Moreto (1657)."
CorrErud, I (1940-41), 101.

GOZZI, CARLO.
V. OBRAS, EL DESDÉN CON EL DESDÉN
(2499); GENERAL II, GOZZI (1104).

HERMANA.
2487. Cotarelo y Mori, E.: "Testamento de una hermana de Moreto."
BRAE, I (1914), 67-68.

MANUSCRITOS.
2488. Kennedy, Ruth Lee: "Concerning Seven Manuscripts Linked with
Moreto's Name."
HR, III (1935), 295-316.
   [Confirmación de la atribución de
algunas comedias a Moreto; atribución errónea de otras].

————.

2489. Kennedy, Ruth L.: "Manuscripts
Attributed to Moreto in the Biblio-
teca Nacional."
HR, IV (1936), 312-32.

MIRA DE AMESCUA.
V. MIRA DE AMESCUA, NOTES (2466).

MORETIANA.
2490. Kennedy, Ruth L.: "Moretiana."
HR, VII (1939), 225-36.
   [1. A Source for El caballero;
2. Further Observations on La fingida Arcadia; 3. El mejor esposo].

MORETO.
2491. Guillén y Buzarán, J.: "Escritores del siglo XVII.--D. Agustín Moreto."
RCLA, I (1855), 396-404, 445-67,
509-23, 577-93, 656-73.

PAÍSES BAJOS.
V. GENERAL II, núm. 1315.

PIEZAS.
2492. Balbín Lucas, R. de: "Tres piezas menores de Moreto inéditas." RBN, III (1942), 80-116.
[Baile del Conde Clarós, Baile de Lucrecia y Tarquino, Entremés famoso del vestuario].

PLAUTO.
V. GENERAL II, núm. 1329.

RUIZ DE ALARCÓN.
V. RUIZ DE ALARCÓN, VERSIFICACIÓN (2620).

TEATRO.
V.t. PIEZAS (2492).

———.
2493. Mesonero Romanos, R. de: "El teatro de Moreto." SemPintEsp, (1851), págs. 323-25.

TOLERANCIA.
V. GENERAL II, núm. 1471.

VEGA, LOPE DE.
V. MIRA DE AMESCUA, NOTES (2466).

VERSIFICACIÓN.
V. RUIZ DE ALARCÓN, núm. 2620.

OBRAS

2494. Alonso Cortés, N.: Teatro de Moreto. (Clásicos castellanos, 32). Madrid: "La Lectura," 1916. Pp. 274.
a) ——, RFE, V (1918), 199.
b) G. Cirot, BH, XXVII (1925), 178-181.

ADÚLTERA PENITENTE, LA.
V. GENERAL II, LIBROS, PÉREZ DE AYALA (1742); CALDERÓN, LIBROS, CASTRO (2286).

BAILE DE LUCRECIA Y TARQUINO.
V. núm. 2492.

BAILE DEL CONDE CLARÓS.
V. núm. 2492.

CABALLERO, EL.
V. núm. 2490.

CAER PARA LEVANTAR.
V. GENERAL II, LIBROS, GASSIER (1643).

DESDÉN CON EL DESDÉN, EL.

Ediciones

V.t. GENERAL II, LIBROS, MICHAËLIS (1708).

2495. Herdler, Alexander W.: El desdén con el desdén. New York: W. R. Jenkins, ¿1894? Pp. vii-128.
a) Fonger de Haan, MLN, X (1895), col. 185-92.

2496. Jones, Willis Knapp: Moreto's El desdén con el desdén. New York: Holt, 1935. Pp. 136.
a) S. A. Stoudemire, MLJ, XX (1935-1936), 377.
b) G. I. Dale, HR, IV (1936), 187-191.

Estudios

V.t. GENERAL II, KAMINSKI (1202), PARÍS (1318), WANDERUNGEN (1507); RUIZ DE ALARCÓN, OBRAS, LA VERDAD SOSPECHOSA (2639).

———.
2497. Rodríguez Codolá, M.: "El desdén con el desdén (Una impresión personal)." IlIb, XIII (1895), 379.

———.
2498. Harlan, Mabel M.: "The Relation of Moreto's El desdén con el desdén to Suggested Sources." IndUSt, XI (1924), no. 62. Pp. 109.

———.
2499. Ottavi, Mario: "Carlo Gozzi, imitateur de Moreto: El desdén con el desdén et La principessa filosofa." HomHauvette (1934), págs. 471-79.

———.
2500. Morel-Fatio, A.: "Simón y ayuda (Moreto, El desdén con el desdén, acte 1er, sc. 4)." BH, V (1903), 186-88.

ENGAÑOS DE UN ENGAÑO, LOS.
V. HERRERA Y RIBERA, núm. 2443.

ESCARRAMÁN.
2501. Kennedy, Ruth L.: "Escarramán and Glimpses of the Spanish Court in 1637-38."
HR, IX (1941), 110-36.

FINGIDA ARCADIA, LA.
V. TEMAS, MORETIANA (2490).

FUERZA DEL NATURAL, LA.
2502. Kennedy, Ruth L.: "The Sources of La fuerza del natural."
MLN, LI (1936), 369-72.

JUECES DE CASTILLA, LOS.
2503. Henríquez Ureña, P.: "Los jueces de Castilla."
RFH, VI (1944), 285-86.
[La versificación confirma la opinión de Menéndez y Pelayo de que la comedia no es de Lope de Vega].

LICENCIADO VIDRIERA, EL.
V. CERVANTES, OBRAS, núm. 369.

LINDO DON DIEGO, EL.
V. MIRA DE AMESCUA, NOTES (2466).

MEJOR ESPOSO, EL.
V. TEMAS, MORETIANA (2490).

MILAGROSA ELECCIÓN DE SAN PÍO V, LA.
V. GENERAL II, ANÓNIMAS, núm. 1542.

PARECIDO EN LA CORTE, EL.
V. GENERAL II, PLAUTO (1329)

PRIMERO ES LA HONRA.
2504. Moglia, Raúl: "Primero es la honra en Buenos Aires."
RFH, VIII (1946), 147-48.
[Sobre un documento en el que se nombran los personajes de una obra no mencionada. Ésta es la obra].

RENEGADA DE VALLADOLID, LA.
V. BELMONTE BERMÚDEZ, núm. 1836.

SAN GIL DE PORTUGAL.
V. GENERAL II, LIBROS, núm. 1643.

TRAVESURAS DE PANTOJA, LAS.
2505. Johnson, Harvey L.: "The Model Used by Moreto in the Legal Consultation Scene of Las travesuras de Pantoja."
Hisp, XXV (1942), 444-45.

VESTUARIO, EL.
V.t. TEMAS, PIEZAS (2492).

2506. Carner, R. J.: "El vestuario: An Unpublished Entremés of Moreto."
HSNPL, XIV (1932), 187-96.

MUGET (MUXET) DE SOLÍS, DIEGO

V. GENERAL II, BÉLGICA (865), TERCER ORDEN (1455).

MULET, FRANCESCH

2507. Serra y Riera, Lluis: "Secret de peixcar y traza de agafar rates. (Comedia de P. Francesch Mulet, 1624-75)."
RevHisp, XLIII (1918), 521-58.

ORDÓÑEZ DE CEBALLOS, PEDRO

2508. Serís, Homero: "Tres entremeses desconocidos del siglo XVII por Pedro Ordóñez de Ceballos."
Cerv, XVII (1942), nos. 9-12 (septdic), págs. 20 y 59; también en PQ, XXI (1942), 97-106.
[Las tres obras son:
  1. Entremés del Rufián,
  2. Entremés del Astrólogo médico,
  3. Entremés del Emperador y damas, 1634].

PÉREZ DE MONTALVÁN, JUAN

V.t. GENERAL II: TEMAS, DRAMATURGOS (1033), GITANERÍA (1098), LITE-   RATURA DRAMATYCZNA (1220); LIBROS, LISTA (1687); TIRSO DE MOLINA, DA-

TOS (2720); LOPE DE VEGA, CENTENARIO
(3060).

TEMAS

BIO-BIBLIOGRAFÍA.
2509. Bacon, George W.: "The Life
and Dramatic Works of Dr. Juan Pérez de Montalván."
RevHisp, XXVI (1912), 1-474.
a) M. A. Buchanan, MLR, IX (1914),
556-58.
b) E. Cotarelo, BRAE, I (1914),
183-86.

COMEDIAS.
2510. Bacon, George W.: "The Comedias of Dr. Juan Pérez de Montalván."
RevHisp, XVII (1907), 46-65.

GUTIÉRREZ, TOMÁS DE.
2511. Leonard, Irving A.: "Pérez de
Montalván, Tomás de Gutiérrez and
Two Book Lists."
HR, XII (1944), 275-87.

HISTÓRICO, TEATRO.
V. GENERAL II, LIBROS, PIDAL Y MON
(1746).

INQUISICIÓN.
V. OBRAS, núms. 2522-23.

LABOR.
2512. Godínez de Batlle, Ada: "Labor literaria del Dr. Juan Pérez de
Montalván."
RFLCHab, XXX (1920), 1-151.
a) --, BRAE, VIII (1920), 600-01.

MOLIÈRE.
V. GENERAL II, MOLIÈRE (1273).

PAÍSES BAJOS.
V. GENERAL II, núm. 1315.

PÉREZ DE MONTALVÁN.
2513. Serrano Fatigati, E.: "Juan
Pérez de Montalván."
MusUniv, V (1861), 45-47.

————.
2514. Anibal, C. E.: "Montalbán."
Hisp, XI (1928), 364-65.
[Sobre el artículo de Restori,
"Il Para todos" (V. núm. 2520)].

POEMS.
2515. Bacon, G. W.: "Some Poems of
Dr. Juan Pérez de Montalván."
RevHisp, XXV (1911), 458-67.

QUEVEDO Y VILLEGAS, FRANCISCO G. DE.
V. GENERAL II, MISCELÁNEA ERUDITA,
3ª SERIE (1258).

RUIZ DE ALARCÓN, JUAN.
V. RUIZ DE ALARCÓN, DÉCIMAS (2571).

TEATRO.
2516. Mesonero Romanos, R. de: "El
teatro de Montalván."
SemPintEsp, (1852), págs. 50-51.

TRADUCCIONES.
2517. Praag, J. A. van: "Nederlandsche vertalingen van novellen van
Juan Pérez de Montalbán."
Neophil, XVI (1931), 9-11.

VEGA, LOPE DE.
V. LOPE DE VEGA, CENTENARIO (3060),
"FAMA PÓSTUMA" (3181).

VERTALINGEN.
V. TRADUCCIONES (2517).

OBRAS

AMANTES DE TERUEL, LOS.
V. GENERAL II, AMANTES DE TERUEL
(818).

FAMA POSTUMA.
V. LOPE DE VEGA, "FAMA POSTUMA"
(3181).

LINDONA DE GALICIA, LA.
V. GENERAL II, GARCIA, EL REY
(1094).

MARISCAL DE VIRÓN, EL.
2518. Smith, Winifred: "The Maréchal de Biron on the Stage."
ModPhil, XX (1922-23), 301-08.
[Acerca de una versión italiana
de la comedia].

MILAGROSA ELECCIÓN DE SAN PÍO V, LA.
V. GENERAL II, ANÓNIMAS, núm. 1542.

MONJA ALFÉREZ, LA.
V. LIBROS, FITZMAURICE-KELLY (2525);
GENERAL II, ERAUSO (1052).

MONSTRUO DE LA FORTUNA, LA LAVANDE-
RA DE NÁPOLES, FELIPA CATANEA, EL.
  V. GENERAL II, JUANA DE NÁPOLES
(1185).

NO HAY VIDA COMO LA HONRA.
  V. GENERAL II, MISCELÁNEA ERUDITA
3A SERIE (1258), MOLIÈRE (1273).

OÍD, PASTORES DE HENARES.
  V. GENERAL II, ROMANCE (1391).

ORFEO EN LENGUA CASTELLANA.
2519. Orfeo en lengua castellana.
Ed. Pablo Cabañas. Madrid: C. S.
I. C., 1948. Pp. xxviii-149.
a) C. V. Aubrun, BH, LI (1949), 101.
b) A. Lumsden, BSS, XXVI (1949),
   124-26.

PARA TODOS.
2520. Restori, A.: "Il Para todos."
BibliofF, XXIX (1927), 1-19.
   [V.t. núm. 2514].

SEGUNDO SÉNECA DE ESPAÑA, EL.
2521. Bacon, G. W.: "The comedia El
segundo Séneca de España of Dr.
Juan Pérez de Montalbán."
RR, I (1910), 64-86.

SUCESOS Y PRODIGIOS DE AMOR.
  V.t. TEMAS, TRADUCCIONES (2517).

——.
2522. Simón Díaz, José: "Los Sucesos y prodigios de amor de Pérez de
Montalbán vistos por la Inquisición."
RevBibyDoc, II (1948), Suplemento

no. 2, págs. 1-6.

VALOR PERSEGUIDO, EL.
  V.t. GENERAL II, SCHLEGEL (1424).

——.
2523. Leonard, Irving A.: "Montalbán's El valor perseguido and the
Mexican Inquisition, 1682."
HR, XI (1943), 47-56.

VIDA Y PURGATORIO DEL GLORIOSO SAN
PATRICIO.
  V. GENERAL II, PURGATORIO DE SAN
PATRICIO (1344-53).

LIBROS

2524. BACON, GEORGE W.: An Essay
upon the Life and Works of Dr. Juan
Pérez de Montalván. Philadelphia:
The New Era Printing Co., 1903.
Pp. 46.
a) A. Paz y Melia, RABM, IX (1903),
   209-10.

BACON, G. W.: The Life and Works...
  V. TEMAS, núm. 2509.

2525. FITZMAURICE-KELLY, J.: The
Nun Ensign, translated from the
Spanish with an Introduction and
Notes by James Fitzmaurice-Kelly;
also La monja alférez, a play in
the original Spanish by Juan Pérez
de Montalbán. London: T. Fisher
Unwin, 1908. Pp. xl-304.
a) ——, Ath, no. 4235 (26 dic, 1908),
   816.

PITA, SANTIAGO DE

2526. Remos, Juan J. y Larrondo, E.:
"El príncipe jardinero y fingido
Cloridano, de Un Ingenio de la Ha-
bana."
Ideas, I (1929), 199-224.

2527. Arrom, José Juan: "Consideraciones sobre El príncipe jardinero
y fingido Cloridano."
En sus Estudios de literatura hispanoamericana, págs. 33-70. [V.
GENERAL II, LIBROS, núm. 1570].

PONCE LASO DE LA VEGA, BARTOLOMÉ

2528. Cañete, Manuel: "Don Bartolo-
mé Ponce Laso de la Vega, poeta
dramático desconocido del siglo
XVIII."
RevHA, II (1881), 45-56, 375-88;
III (1881), 408-29.

PRADES, FRAY DIEGO DE

  V. GENERAL II, GUADALUPE, VIRGEN
DE (1124).

QUEVEDO Y VILLEGAS, FRANCISCO G. DE

V.t. CERVANTES, núm. 360; GENERAL
II: TEMAS, núms. 1208, 1258; LI-
BROS, ALONSO CORTÉS (1560); CALDE-
RÓN, núms. 2037, 2159; TIRSO DE MO-
LINA, núm. 2786; LOPE DE VEGA, núms.
3405, 3464, 3706.

2529. Cotarelo y Valledor, A.: "El
teatro de Quevedo."
BRAE, XXIV (1945), 41-104.

2530. Artigas, Miguel: Teatro inédito de don Francisco de Quevedo y
Villegas. Madrid: Real Academia
Española [Tip. de "Revista de Archivos,"], 1927. Pp. lxxx-252.
[Contiene Cómo ha de ser el pri-
vado, Bien haya quien a los suyos
parece, Pero Vázquez de Escamilla
(fragmento), otro fragmento sin tí-
tulo].

PERINOLA, LA.
V. GENERAL II, MISCELÁNEA ERUDITA
3A SERIE (1258).

QUIÑONES DE BENAVENTE, LUIS

2531. Lincoln, G. L.: "Los alcaldes
encontrados: 6ª parte. Entremés
del Licenciado Luis Quiñones de Benavente."
PMLA, XXV (1910), 498-506.

DOCTOR Y EL ENFERMO, EL.
V. GENERAL II, LIBROS, NORTHUP
(1727).

QUIRÓS, BERNALDO DE

SAINETE DE LAS CALLES DE MADRID.
V. GENERAL II, MADRID (1225).

REMÓN, ALONSO

V.t. GENERAL II, núm. 1127; RUIZ
DE ALARCÓN, núm. 2630; TIRSO DE MO-
LINA, núms. 2880, 2891; LOPE DE VE-
GA, AYUNTAMIENTO (2994), COLABORADO-
RES (3102), REMÓN (3412).

2532. Placer López, G.: "Biografía

del Padre Alonso Remón, clásico español."
Est, I (1945), no. 2, págs. 99-127;
no. 3, págs. 59-90.

MADRINA DEL CIELO, LA.
V. TIRSO DE MOLINA, OBRAS, EL CON-
DENADO POR DESCONFIADO (2880).

REYES, MATÍAS DE LOS

V. GENERAL II, TERCER ORDEN (1455).

REYES Y ARCE, AMBROSIO DE LOS

2533. Michels, Ralph J.: "A Seventeenth Century Dramatist: Ambrosio
de los Reyes y Arce."
HR, V (1937), 159-69.

ROJAS VILLANDRANDO, AGUSTÍN DE

V.t. CALDERÓN, OBRAS, LA VIDA ES
SUEÑO (2266).

2534. Alonso Cortés, N.: "Agustín
de Rojas Villandrando. Nuevos datos biográficos."
RCast, VII (1923), 25-29.
[Reimpreso en sus Anotaciones literarias, págs. 42-49. V. GENERAL
II, LIBROS, núm. 1557].

2535. Alonso Cortés, N.: "Varia
fortuna de Agustín de Rojas."
BBMP, XXIV (1948), 25-87.

NATURAL DESDICHADO, EL.
2536. El natural desdichado. Ed.
James W. Crowell. New York: Instituto de las Españas, 1939.
Pp. 201.
a) W. L. Fichter, RR, XXXI (1940),
401-03.
b) G. T. Northup, HR, X (1942),
85-86.
c) Rebeca Schmukler, RFH, II (1940),
190-91.
d) W. K. Jones, BAbr, XVI (1942),
94-95.
———.
2537. Paz y Melia, A.: "El natural
desdichado, comedia inédita y autó-

grafa de Agustín de Rojas Villandrando."
RABM, V (1901), 44-48, 234-45, 725-
732.
[Análisis y extractos].

VIAJE ENTRETENIDO, EL.
2538. Cañete, Manuel: "El célebre
poeta y representante madrileño
Agustín de Rojas y su famoso libro
El viaje entretenido."
AlmIEA, XIII (1886), 55-62.

————.

2539. Cirot, G.: "Valeur littéraire
du Viaje entretenido."
BH, XXV (1923), 198-211.

ROJAS ZORRILLA, FRANCISCO DE

V.t. GENERAL II: TEMAS, HISTORIA
(1147), NOTICIAS (1302); LIBROS,
FLORES GARCÍA (1636), LISTA (1687),
SORKIN (1784).

TEMAS

BELLEFOREST, FRANÇOIS DE.
2540. Haskovec, P. M.: "Belleforest,
Zorilla [sic] et Rotrou."
RHLF, XVII (1910), 156-57.
[La fuente de No hay ser padre
siendo rey, de Rojas, puede ser De
la haine des Princes de Boesme Wenceslas, d'où elle print source, et
la fin pitoyable de Wenceslas par
les menées et trahison de son frère"
de Belleforest. La comedia de Rojas, en este caso, será la fuente
del Venceslas de Rotrou. V.t.
OBRAS, núm. 2551].

D'AVENANT, WILLIAM.
V. GENERAL II, núm. 978.

OBRAS.
2541. Castro, Américo: "Obras mal
atribuídas a Rojas Zorrilla."
RFE, III (1916), 66-68.

RELIGION AND SUPERSTITION.
2542. Gouldson, Kathleen: "Religion
and Superstition in the Plays of
Rojas Zorrilla."
BSS, XVII (1940), 116-26.
[Reimpreso en Spanish Golden Age

Poetry and Drama, págs. 89-101. V.
GENERAL II, LIBROS, PEERS (1741)].

SIGLO XVII.
2543. Gouldson, Kathleen: "Seven-
teenth Century Spain as Seen in the
Drama of Rojas Zorrilla."
BSS, XVI (1939), 168-81.
[Reimpreso en Spanish Golden Age
Poetry and Drama, págs. 101-18. V.
GENERAL II, LIBROS, PEERS (1741)].

TEATRO.
2544. Mesonero Romanos, R. de: "Teatro de Roxas."
SemPintEsp, (1851), 370-71.

TOLEDO.
2545. Gómez-Carrasco, Rafael Luis:
"Evocación de Toledo y del poeta
Francisco de Rojas Zorrilla."
BACHT, XXIV-XXV (1945-46), no. 60,
págs. 4-44.
[Describe al poeta y le presenta
formando parte de la escuela calde-
roniana].

OBRAS

2546. RUIZ MORCUENDE, F.: Teatro
de Rojas Zorrilla. (Clásicos castellanos, 35). Madrid: "La Lectura," 1917. Pp. 280.
a) --, RFE, V (1918), 199.
b) G. Cirot, BH, XXVII (1925), 181-
183.

CADA CUAL LO QUE LE TOCA.
2547. Castro, Américo: Cada cual
lo que le toca y La viña de Nabot.
(Teatro antiguo español, II). Madrid: Centro de Estudios Históricos, 1917. Pp. 268.
a) E. Mérimée, BH, XX (1918), 72-74.

CATALÁN SERRALLONGA Y VANDOS DE
BARCELONA, EL.
V. COELLO, núm. 2397.

DEL REY ABAJO, NINGUNO.
V.t. GENERAL II, LIBROS, FÉE (1634).

————.

2548. Del rey abajo, ninguno. Edi-
ted, with Introduction, Notes, and
Vocabulary by Nils Flaten. New
York: Prentice-Hall, 1929. Pp.

2548 (cont.).
v-189.
a) G. I. Dale, Hisp, XIV (1931), 153-59.
b) H. H. Arnold, MLJ, XIV (1929-30), 586-89.

DESAFÍO DE CARLOS V, EL.
V. GENERAL II, WIEN (1510).

DIFUNTA PLEITEADA, LA.
V. GENERAL II, ZAYAS, MARÍA DE (1515); LOPE DE VEGA, LIBROS, GOYRI DE MENÉNDEZ PIDAL (3869).

DONDE HAY AGRAVIOS NO HAY CELOS.
V. GENERAL II, D'AVENANT (978).

ENTRE BOBOS ANDA EL JUEGO.
V.t. CALDERÓN, núm. 2049.

———.

2549. Entre bobos anda el juego. Introducción de Agustín del Saz. ("Las cien mejores obras de la literatura española," no. 60). Madrid: Compañía Ibero-Americana de Publicaciones, 1929.
a) H. R. Maurer, BAbr, IV (1930), 57.

LO QUE SON MUJERES.
V.t. GENERAL II, LIBROS, FÉE (1634).

———.

2550. Bobadilla, El Bachiller: "Lo que son mujeres."
RCont, CXV (jul-sept, 1899), 371-93.
[Refundición en un acto, porque el público no quiere escuchar "tres actos de discreteos"].

MONSTRUO DE LA FORTUNA, LA LAVANDERA DE NÁPOLES, FELIPA CATANEA, EL.
V. GENERAL II, JUANA DE NÁPOLES (1185).

MORIR PENSANDO MATAR.
V. GENERAL II, ROSAMUNDA (1398).

NO HAY SER PADRE SIENDO REY.
V.t. TEMAS, núm. 2540.

———.

2551. Lancaster, H. C.: "The Ultimate Source of Rotrou's Venceslas and of Rojas Zorrilla's No hay ser padre siendo rey."
ModPhil, XV (1917-18), 435-40.
[La Historia Bohemica de Janus Dubravius. Reimpreso en HomLancaster (1942), págs. 296-301].

VIÑA DE NABOT, LA.
V. núm. 2547.

LIBROS

2552. BRAVO CARBONELL, J.: El toledano Rojas. Toledo: Rafael Gómez-Menor, 1908. Pp. 125.

2553. COTARELO Y MORI, E.: D. Francisco de Rojas Zorrilla. Noticias biográficas y bibliográficas. Madrid: Revista de Archivos, 1911.
a) A. Hämel, ZRP, XXXVIII (1914-17), 119-22.

ROSETE NIÑO, PEDRO

V. GENERAL II, LIBROS, GUIETTE (1657).

RUIZ DE ALARCÓN, JUAN

V.t. GENERAL II, DRAMATURGOS (1034), NOTICIAS (1302); LIBROS, LISTA (1687), SCHMIDT, L. (1776), VAUTHIER (1794).

TEMAS

AMOR.
2554. Castro Leal, A.: "Fragmentos sobre el amor y las mujeres. Selección y prólogo de A. Castro Leal.

Los publica Taller en el centenario de Juan Ruiz de Alarcón."
Tall, I (1939), no. 5, págs. 67-89.

APUNTES.
V.t. BIOGRAFÍA (2563).

———.

2555. Reyes, A.: "Cuaderno de apuntes: sobre Ruiz de Alarcón."
Mont, no. 4 (abr, 1931), 2-5.

ARTE.
2556. Castro Leal, A.: "Arte y moral de Alarcón."
Tall, I (1939), no. 5, págs. 13-20.

BALTASAR CARLOS.
2557. Reyes, Alfonso: "Ruiz de Alarcón y las fiestas de Baltasar Carlos."
RevHisp, XXXVI (1916), 170-76.
[Reimpreso en sus Capítulos de
literatura española (Primera serie),
págs. 217-28. V. GENERAL II, LI-
BROS, núm. 1758].

BIBLIOGRAFÍA.
V. GENERAL II, MÉXICO (1247); RUIZ
DE ALARCÓN, LIBROS, ABREU GÓMEZ
(2643), RANGEL (2652).

────.

2558. Henríquez Ureña, P.: "Bibliografía de la América española (Juan
Ruiz de Alarcón)."
BICLA, II (1938), 67-70, 74-78, 97-
103.

────.

2559. Reyes, A.: "Bibliografía de
Juan Ruiz de Alarcón."
LetMex, II (1939), no. 8, pág. 12.

BIOGRAFÍA.
V.t. FAMILIA (2575), PADRES (2597-
2598), VIDA (2621).

────.

2560. Rodríguez Marín, F.: "Nuevos
datos para la biografía del insigne
mejicano D. Juan Ruiz de Alarcón."
UnIA, XXV (1911), no. 5, págs. 3-5;
no. 7, págs. 18-21.

────.

2561. Rangel, Nicolás: "Noticias
biográficas del dramaturgo D. Juan
Ruiz de Alarcón y Mendoza."
BBNMéx, XI (1915), 1-24, 41-65.

────.

2562. Vázquez-Arjona, Carlos: "Elementos autobiográficos e ideológi-
cos en el teatro de Alarcón."
RevHisp, LXXIII (1928), 557-615.

────.

2563. Schons, Dorothy: "Apuntes y

documentos nuevos para la biografía
de Juan Ruiz de Alarcón y Mendoza."
BAH, XCV (1929), 59-151.
a) A. L. Owen, RR, XXI (1930), 262-
263.
b) G. T. Northup, ModPhil, XXVIII
(1930-31), 500-01.
V.t. núm. 2606.

CARÁCTER.
2564. Hartzenbusch, J. E.: "El carácter por que se distinguen las
obras de D. Juan Ruiz de Alarcón y
Mendoza."
En Discursos leídos en ... la Real
Academia ... (Primera serie), págs.
51-76. [V. GENERAL II, LIBROS,
núm. 1551].

CARTAS.
V. SPOKEN LETTERS (1614-15).

CENTENARIO.
V.t. AMOR (2554), RUIZ DE ALARCÓN
(2609-11).

────.

2565. Carreño, Alberto M.: "Don
Juan Ruiz de Alarcón--En el tercer
centenario de su muerte."
Abs, III (1939), no. 9, págs. 18-33.

────.

2566. Sol, Ángel: "Centenario de
Alarcón."
ND, XX (1939), no. 11 (nov.), 19.

────.

2567. Díez-Canedo, E.: "El III centenario de Ruiz de Alarcón."
RevIbAmer, I (1939), 335-38.

────.

2568. Jiménez Rueda, J.: "En el
tercer centenario de Juan Ruiz de
Alarcón."
RevIbAmer, I (1939), 121-35.

────.

2569. Reyes, A.: "Tercer centenario
de Alarcón."
REUniv, I (jul-sept, 1939), 99-103.
[Reimpreso en sus Capítulos de
literatura española (Segunda serie),
págs. 245-52. V. GENERAL II, LI-
BROS, núm. 1759].

CORCOVADO.
2570. Díez-Canedo, E.: "Alarcón el corcovado."
En sus Conversaciones literarias, págs. 197-201. [V. GENERAL II, LIBROS, núm. 1620].

CORNEILLE, PIERRE.
V. OBRAS, LA VERDAD SOSPECHOSA (2640); LIBROS, MONTEIRO DE BARROS LINS (2650); GENERAL II, CORNEILLE (944).

CRIADOS.
V. LIBROS, QUIRARTE (2651).

CURANDERO MORISCO.
V. OBRAS, QUIEN MAL ANDA EN MAL ACABA (2629).

CHARACTERLUSTSPIEL.
V. OBRAS, LA VERDAD SOSPECHOSA (2639).

DANTE.
V. OBRAS, LAS PAREDES OYEN (2628).

DÉCIMAS.
2571. "Décimas a don Juan Ruiz de Alarcón."
MusUniv, IV (1860), 390.
[Escritas en 1623 por Pérez de Montalván, Juan de Espina, Lope de Vega y Gonzalo de Heredia. Se encuentran también en BAE LII, págs. 587-88].

DERECHO.
2572. Alcalá Zamora, N.: "El derecho y sus colindancias en el teatro de don Juan Ruiz de Alarcón."
BRAE, XXI (1934), i-xxvi [preceden a la pág. 521], 737-94.

DOCUMENTOS.
V.t. BIOGRAFÍA (2563).

———.
2573. Pérez Salazar, F.: "Dos nuevos documentos sobre Alarcón."
RLM, I (1940), 154-65.

"DON DOMINGO DE DON BLAS".
V. OBRAS, NO HAY MAL QUE POR BIEN NO VENGA (2625).

EPISTOLARY PRACTICES.
V. SPOKEN LETTERS (2615).

ESPINA, JUAN DE.
V. DÉCIMAS (2571).

ESTUDIOS.
2574. Rangel, Nicolás: "Los estudios universitarios de D. Juan Ruiz de Alarcón y Mendoza."
BBNMéx, X (1913), 1-12.

FAMILIA.
2575. Entrambasaguas, J. de: "Sobre la familia de D. Juan Ruiz de Alarcón."
RevInd, I, no. 2 (1940), 125-28.

FAUSTO.
2576. Levi, Ezio: "Il processo di Faust."
Marz, XXXVI (1931), no. 9 (1º de mayo), págs. 1-2.
[Sobre el estudio de González Palencia (núm. 2629). V.t. el núm. siguiente].

———.
2577. Levi, Ezio: "Historia española de un Fausto morisco."
En sus Motivos hispánicos, págs. 113-22 (GENERAL II, LIBROS, núm. 1683).
[Es traducción del núm. 2576].

FILOSOFÍA.
V. LIBROS, SACKHEIM (2653).

FINAL.
2578. Plummer, L. Sue: "El final de Ruiz de Alarcón."
LetMex, II (1939), no. 8, pág. 11.

FORTUNA.
V. OBRAS, LAS PAREDES OYEN (2628).

FRANCIA.
2579. Reyes, A.: "Le mexicain Ruiz de Alarcón et le théâtre français."
RevAL, VI, tome 13 (abr, 1927), 289-92.
[Reimpreso en sus Capítulos de literatura española (Primera serie), Págs. 305-12. V. GENERAL II, LIBROS, núm. 1758].

GALANES.
V. LIBROS, QUIRARTE (2651)

GRACIOSO.
2580. Abreu Gómez, E.: "Los gracio-
sos en el teatro de Ruiz de Alarcón."
IL, III (1936), 189-201.

HEREDIA, GONZALO DE.
V. DÉCIMAS (2571).

HISTORIA.
2581. Alba, Pedro de: "La historia
y la fábula de don Juan Ruiz de
Alarcón (1580?-1639)."
BUPan, LXXIII (1939), 492-504.

HISTÓRICO, TEATRO.
V. GENERAL II, LIBROS, PIDAL Y MON
(1746).

HOMBRE.
2582. Monner Sans, R.: "Don Juan
Ruiz de Alarcón: el hombre, el
dramaturgo, el moralista."
RUBA, XXXI (1915), 5-31, 109-42,
433-78.

HUMANISMO
2583. Méndez Plancarte, G.: "El humanismo de Alarcón."
Abs, VII (1943), 410-12.

IDEOLOGÍA.
V. BIOGRAFÍA (2562).

"INDICIAR".
V. OBRAS, LAS PAREDES OYEN (2628).

JOROBA.
V. CORCOVADO (2570), OBRA (2596).

KLASSIKER.
2584. Draws-Tychsen, H.: "Juan Ruiz
de Alarcón, ein Klassiker der spanischen Komödie."
Reich, no. 52 (1941), 11-12.

———.
2585. Draws-Tychsen, H.: "Juan Ruiz
de Alarcón, Spaniens Komödienklas-
siker."
Lit, XLII (1940), 491-95.

LEBENSPHILOSOPHIE.
V. LIBROS, SACKHEIM (2653).

LETRAS.
2586. Paz, Octavio: "Letras de
México. Juan Ruiz de Alarcón."
Sur, XII, no. 106 (ag, 1943), págs.
107-10.
[Sobre el libro de Castro Leal
(2644)].

LIBRO.
2587. Toussaint, Manuel: "Un excelente libro sobre Ruiz de Alarcón."
CA, IX (1943), 238-41.
[Sobre el libro de Castro Leal
(2644)].

———.
2588. Castro, Adolfo de: "Crítica
literaria. El nuevo libro acerca
de D. Juan Ruiz de Alarcón y Mendoza... Carta a su autor el Sr. D.
Luis Fernández-Guerra y Orbe."
IEA, XVI (1872), 122.

MADRID.
2589. Denis, Serge: "Notes sur Madrid dans le théâtre d'Alarcón."
LaMod, XXXVII (1939), 248-53.

MEN AND ANGELS.
V. GENERAL II, núm. 1242.

MÉXICO.
V.t. REPUTACIÓN (2601).

———.
2590. Schons, Dorothy: "The Mexican
Background of Alarcón."
BH, XLIII (1941), 45-64.

———.
2591. Schons, Dorothy: "The Mexican
Background of Alarcón."
PMLA, LVII (1942), 89-104.
[Reimpresión del núm. 2590].

———.
2592. Fernández MacGregor, G.: "La
mexicanidad de Alarcón."
LetMex, II, no. 8 (15 ag, 1939),
págs. 1-2 y 15.

MOLIÈRE.
V. LIBROS, MONTEIRO DE BARROS LINS
(2650).

MORAL.
V.t. ARTE (2556), HOMBRE (2582).

MORAL (cont.).

2593. Castro Leal, A.: "Juan Ruiz de Alarcón y la moral."
FyL, III (1942), 73-79.

———.

2594. Castro y Calvo, J. M.: "El resentimiento de la moral en el teatro de don Juan Ruiz de Alarcón."
RFE, XXVI (1942), 282-97.
[Resumido en francés por J. Larochette en RBPH, XXIV (1945), 539-41].

———.

2595. Castro y Calvo, J. M.: "El resentimiento de la moral en Ruiz de Alarcón."
UnivZ, XIX (1942), 587-607.
[El mismo artículo, pero con algunas variantes en el texto].

MORETO, AGUSTÍN.
V. VERSIFICACIÓN (2620); OBRAS, LA VERDAD SOSPECHOSA (2639).

MUJERES.
V. AMOR (2554); LIBROS, QUIRARTE (2651).

OBRA.
2596. Paz, Octavio: "Una obra sin joroba."
Tall, I (1939), no. 5, págs. 43-45.

PADRES.
2597. Cotarelo y Mori, E.: "Los padres del autor dramático Juan Ruiz de Alarcón."
BRAE, II (1915), 525-26.

———.

2598. Cotarelo y Mori, E.: "Partida de matrimonio de los padres del insigne poeta D. Juan Ruiz de Alarcón."
RABM, I (1897), 464.

PÉREZ DE MONTALVÁN, JUAN.
V. DÉCIMAS (2571).

PERSONAJES.
V. LIBROS, QUIRARTE (2651).

PLACA.
2599. Díez-Canedo, E.: "Palabras en el descubrimiento de la placa con el nombre de 'Juan Ruiz de Alarcón' sobre la antigua calle del Teatro

Nacional."
En sus Letras de América, págs. 47-50. [V. GENERAL II, LIBROS, núm. 1621].

PLAUTO.
V.t. GENERAL II, núm. 1329.

———.

2600. Pérez, Elisa: "Influencia de Plauto y Terencio en el teatro de Ruiz de Alarcón."
Hisp, XI (1928), 131-49.

"QUIJOTE" DE AVELLANEDA.
V. GENERAL II, núm. 1356.

RAMÍREZ, ROMÁN.
V. OBRAS, QUIEN MAL ANDA EN MAL ACABA (2629).

REPUTACIÓN.
2601. Schons, Dorothy: "Alarcón's Reputation in Mexico."
HR, VIII (1940), 139-44.

RESENTIMIENTO.
V. MORAL (2594-95).

RUIZ DE ALARCÓN, JUAN.
2602. Latour, Antoine de: "Juan Ruiz de Alarcón."
En su Espagne: traditions, moeurs et littérature, págs. 195-221. [V. GENERAL II, LIBROS, núm. 1681].

———.

2603. Rosell, Cayetano: "Don Juan Ruiz de Alarcón."
AlmIEA, VI (1879), 32-33.

———.

2604. Henríquez Ureña, P.: "Don Juan Ruiz de Alarcón."
RFLCHab, XX (1915), 145-63.
[V.t. núms. 2607-08, 2648].

———.

2605. Reyes, A.: "Ruiz de Alarcón."
Lect, XVIII (1918), tomo 2, págs. 253-67, 346-66.

———.

2606. Anibal, C. E.: "Juan Ruiz de Alarcón."
Hisp, XIII (1930), 273-83.
[Sobre Schons: "Apuntes..." (2563).

2607. Henríquez Ureña, P.: "Juan Ruiz de Alarcón."
CurCon, I (1931), 25-37.

2608. Henríquez Ureña, P.: "Juan Ruiz de Alarcón."
LyP, X (1932), no. 6, págs. 35-45.
[Reimpresión del núm. precedente].

2609. Abreu Gómez, E.: "Juan Ruiz de Alarcón."
LetMex, II (1939), no. 8 (15 de ag), pág. 10.

2610. Castro Leal, A.: "Don Juan Ruiz de Alarcón (México 1581?-4 de agosto de 1639)."
AIIE, II (1939), no. 4, págs. 23-29.

2611. Castro Leal, A.: "Juan Ruiz de Alarcón."
RdelasInd, III (1939), 438-41.

2612. Castellanos, Luis A.: "Juan Ruiz de Alarcón."
NuAt, II (1947), 182-202.

SATIRE.
2613. Kennedy, Ruth Lee: "Contemporary Satire Against Ruiz de Alarcón as Lover."
HR, XIII (1945), 145-65.

SECRETARIOS.
V. GENERAL II, núm. 1426.

SPOKEN LETTERS.
2614. Hamilton, T. E.: "Spoken Letters in Alarcón, Tirso, and Lope."
PMLA, LXII (1947), 62-75.

2615. Hamilton, T. E.: "Comedias Attributed to Alarcón in the Light of his Known Epistolary Practices."
HR, XVII (1949), 124-32.

TEATRO.
2616. Mesonero Romanos, R. de: "Teatro de Alarcón."
SemPintEsp, (1851), 377-78, 392.

[Reimpreso en la BAE, XX, págs. xl-xli].

2617. Prampolini, Giacomo: "El teatro de Ruiz de Alarcón."
LetMex, II (1939), no. 8, pag. 12.
[Traducido por D. Ponzanelli].

"TEATRO NACIONAL".
V. PLACA (2599).

TERENCIO.
V. PLAUTO (2600).

TIEMPO.
2618. Torres Rioseco, A.: "Juan Ruiz de Alarcón y su tiempo."
RHM, VII (1941), 231-35.
[Sobre el libro de Jiménez Rueda (2649)].

URNA.
2619. Reyes, A.: "Urna de Alarcón."
Tall, I (1939), no. 5, págs. 7-11.
[Reimpreso en sus Capítulos de literatura española (Segunda serie), págs. 255-60. V. GENERAL II, LIBROS, núm. 1759].

VEGA, LOPE DE.
V. DÉCIMAS (2571); LOPE DE VEGA, RUIZ DE ALARCÓN (3431).

VERSIFICACIÓN.
2620. Morley, S. G.: "Studies in Spanish Dramatic Versification of the Siglo de Oro. Alarcón and Moreto."
UCPMP, VII (1918), 131-73.
a) G. J. Geers, Neophil, X (1924-1925), 144-45.
b) E. Mérimée, BH, XXI (1919), 167-172.

VIDA.
2621. Abreu Gómez, E.: "Aclaraciones a la vida de Ruiz de Alarcón."
ContM, VI (1930), 88-92.

"VINDICACIÓN APOLOGÉTICA..."
V. GENERAL II, FRANCIA (1087).

VIZCAÍNOS.
V. GENERAL II, SECRETARIOS (1426).

WEST, CARL AUGUST (seud. de JOSEPH
SCHREYVOGEL).
V. OBRAS, LA VERDAD SOSPECHOSA
(2639).

WILDE, OSCAR.
V. LOPE DE VEGA, núm. 3558.

OBRAS

AMISTAD CASTIGADA, LA.
2622. Castro Leal, A.: "Dos comedias de Alarcón: La amistad castigada y Las paredes oyen."
LetMex, II (1939), no. 8, pág. 8.

FAVORES DEL MUNDO, LOS.
2623. Los favores del mundo, ed.
Pedro Henríquez Ureña. (Colección
Cultura, XIV). México, 1922. Pp.
143.
a) D. Cosío, RFE, X (1923), 192-93.

NO HAY MAL QUE POR BIEN NO VENGA
(DON DOMINGO DE DON BLAS).
2624. No hay mal que por bien no
venga (Don Domingo de Don Blas),
ed. A. Bonilla y San Martín. (Clásicos de la Literatura Española).
Madrid: Ruiz, 1916. Pp. xxxviii-
195.
a) A. Reyes, RFE, IV (1917), 209-10.
[Esta reseña está reimpresa en
su libro Entre libros, 1912-1923,
págs. 55-56 (V. GENERAL II, LI-
BROS, núm. 1760)].

2625. Praag, J. A. van: "Don Domingo de Don Blas."
RFE, XXII (1935), 66.
[Sobre la fecha ad quem de la co-
media].

PAREDES OYEN, LAS.

Ediciones

2626. Las paredes oyen. Edited
with Introduction and Notes by Caroline B. Bourland. New York: H.
Holt, 1914. Pp. xxx-189.
a) F. O. Reed, MLN, XXXI (1916),
95-104, 169-78.
b) A. Reyes, RFE, II (1915), 56-58.
[La reseña de Reyes está reim-

presa en Entre libros, 1912-1923,
págs. 26-28 (V. GENERAL II, LI-
BROS, núm. 1760)].

Estudios

V.t. LA AMISTAD PAGADA (2622); GE-
NERAL II, MEN AND ANGELS (1242).

――――.
2627. Ashcom, B. B.: "An Error in
the Text of Alarcón's Las paredes
oyen."
MLN, LIII (1938), 530-31.
[Sobre los vv. 1314-17: "Que-
riendo Fanio huír..."].

――――.
2628. Ashcom, B. B.: "Three Notes
on Alarcón's Las paredes oyen."
HR, XV (1947), 378-84.
[El concepto de Fortuna, un símil
de Dante y la palabra indiciar].

QUIEN MAL ANDA EN MAL ACABA.
V.t. TEMAS, FAUSTO (2576-77).

――――.
2629. González Palencia, A.: "Las
fuentes de la comedia Quien mal anda en mal acaba de Juan Ruiz de
Alarcón."
BRAE, XVI (1929), 199-222; XVII
(1930), 247-74.
[Hay tirada aparte con el título
de Un curandero morisco del siglo
XVI. Román Ramírez y las fuentes
de la comedia... Reimpreso en su
Historias y leyendas, págs. 217-84
(V. GENERAL II, LIBROS, núm. 1648)].
a) J. de Entrambasaguas, RBAM, VII
(1930), 426-30. [Reimpresa la
reseña en su libro La determinación del Romanticismo y otras
cosas, págs. 117-24 (V. GENERAL
II, LIBROS, núm. 1626)].

SEMEJANTE A SÍ MISMO, EL.
V. GENERAL II, 1329; LOPE, 3558.

TEJEDOR DE SEGOVIA (PRIMERA PARTE), EL.
2630. López Tascón, J.: "En torno
de algunos grandes dramas lopistas.
Relaciones de los mismos con El tejedor de Segovia (Primera parte) y
con el Dr. Remón."
CT, LIII (jul-dic, 1935), 61-76,

179-200, 291-308; LIV (en-jun, 1936), 32-47, 193-223.
[Trata de La estrella de Sevilla, El infanzón de Illescas, Un pastoral albergue y Dineros son calidad].

VERDAD SOSPECHOSA, LA.

Ediciones

2631. La verdad sospechosa. Introduction, notes, appendices, resumé analytique, comparaison avec le Menteur de Corneille, bibliographie et lexique par G. Delpy et Serge Denis. Paris: Hachette, 1947. Pp. 264.
a) R. Larrieu, LaMod, XLII (1948), 58-59.
b) C. V. Aubrun, BH, LI (1949), 98-99.

———.

2632. La verdad sospechosa. Ed. Adalbert Hämel. (Romanische Bücherei Nr. 2). München: Max Hueber, 1924. Pp. 86.
a) A. Günther, ZNU, XXIV (1925), 190.
b) J. F. Montesinos, RFE, XI (1924), 328-29.
c) A. Hämel, GRM, XIII (1925), 159 ["Selbstanzeigen"].

———.

2633. La verdad sospechosa. Ed. E. Juliá Martínez. Zaragoza: Edit. Ebro, 1939. Pp. 132.
a) J. F. Gatti, RFH, III (1941), 72.

———.

2634. La verdad sospechosa. Ed. A. L. Owen. Boston: D. C. Heath, 1928. Pp. xxx-137.
a) J. Brooks, Hisp, XIV (1931), 159-62.

———.

2635. La verdad sospechosa y Las paredes oyen. Ed. A. Reyes. (Clásicos castellanos, 37). Madrid: "La Lectura," 1918. Pp. lii-272.
a) A. Castro, RFE, VII (1920), 76-77.

———.

2636. La verdad sospechosa. Ed. A. Reyes. (Las cien mejores obras de la literatura española, no. 56).

Madrid: Compañía Ibero-Americana de Publicaciones, 1929.
a) A. L. Owen, BAbr, IV (1930), 153.

———.

2637. Toro, Julio del, y Finney, R. V.: "The Truth Suspected." PLore, XXXVIII (1927), 475-530. [Traducción inglesa].

Estudios

V.t. GENERAL II, CORNEILLE (936), FRANCIA (1087), PARÍS (1318).

———.

2638. Delgado, Rafael: "La verdad sospechosa de Juan Ruiz de Alarcón." Jalapa, I (1923), no. 12, pág. 7.

———.

2639. Laun, Adolf: "Das ältere Characterlustspiel der Spanier: Alarcons Verdad sospechosa und Moretos El desdén con el desdén mit besonderer Rücksicht auf Wests Bearbeitung." ALG, II (1872), 49-73.

———.

2640. Monterde, F.: "La verdad sospechosa y Corneille." LetMex, II, no. 8 (15 de ag, 1939), pág. 9.

———.

2641. Owen, A. L.: "La verdad sospechosa in the Editions of 1630 and 1634." Hisp, VIII (1925), 85-97.

———.

2642. Brooks, John: "La verdad sospechosa: The Source and Purpose." Hisp, XV (1932), 243-52.

LIBROS

2643. ABREU GÓMEZ, ERMILO: Ruiz de Alarcón. Bibliografía crítica. México: Ediciones Botas, 1939. Pp. 172.
a) E. A. Peers, BSS, XVII (1940), 165.

2644. CASTRO LEAL, ANTONIO: Juan

Ruiz de Alarcón. Su vida y su obra.
México: Ediciones Cuadernos Americanos, 1943. Pp. 270.
a) J. Caillet-Bois, RFH, V (1943), 400-01.
b) A. Reyes, RHM, X (1944), 66-67.
c) D. Schons, HAHR, XXIII (1943), 735-36.

2645. DENIS, SERGE: La langue de Juan Ruiz de Alarcón. Paris: Droz, 1943. Pp. 370.
a) J. Villégier, LaMod, XL (1946), 115-17.

2646. DENIS, SERGE: Lexique du théâtre de Juan Ruiz de Alarcón. Paris: Droz, 1943. Pp. 696.
a) J. Villégier, LaMod, XL (1946), 115-17.

2647. FERNÁNDEZ-GUERRA Y ORBE, LUIS: D. Juan Ruiz de Alarcón y Mendoza. Madrid: Rivadeneyra, 1871. Pp. 556.
a) V. TEMAS, núm. 2588.

GONZALEZ PALENCIA, A.: Un curandero morisco...
V. OBRAS, núm. 2629.

2648. HENRÍQUEZ UREÑA, PEDRO: Don Juan Ruiz de Alarcón. La Habana: "El Siglo XX," 1915. Pp. 23.
[Reimpreso, con unos pocos cambios del texto, en su libro Seis ensayos en busca de nuestra expresión, págs. 79-99. V. GENERAL II, LIBROS, núm. 1662].
a) A. Castro y A. Reyes, RFE, III (1916), 319-21. [Esta reseña está reimpresa en el libro de Reyes, Entre libros, 1912-1923, págs. 40-43 (V. núm. 1760)].

2649. JIMÉNEZ RUEDA, JULIO: Juan

Ruiz de Alarcón y su tiempo. México: Porrúa, 1939. Pp. 327.
a) A. Coester, Hisp, XXII (1939), 338.
b) E. H. Templin, RevIbAmer, II (1940), 265-67.
c) E. Juliá Martínez, RFE, XXVI (1942), 348-50.
d) I. L. McClelland, BSS, XX (1943), 250-51.
e) O. Hawes, BAbr, XV (1941), 215.
f) D. Schons, HAHR, XIX (1939), 542-44.
V.t. TEMAS, TIEMPO (2618).

2650. MONTEIRO DE BARROS LINS, IVAN: Ruiz de Alarcón (um predecessor de Corneille e Molière). Conferência comemorativa do tricentenário de Alarcón, realizada no Instituto Nacional de Música ... no dia 4 de Agosto de 1939... Rio de Janeiro: Emiel Editora, 1939. Pp. 87.

2651. QUIRARTE, CLOTILDE E.: Personajes de Juan Ruiz de Alarcón. México: El Libro Español, 1938. Pp. 112.
[Hay tres capítulos: 1. Galanes, págs. 5-40; 2. Los criados, 41-53; 3. Mujeres, 55-112].

2652. RANGEL, NICOLÁS: Bibliografía de Juan Ruiz de Alarcón. (Monografías bibliográficas mexicanas, 11). México: Secretaría de Relaciones Exteriores, 1927. Pp. viii-44.

2653. SACKHEIM, MUSSIA: Die Lebensphilosophie des Dichters Juan Ruiz de Alarcón y Mendoza. Berlin: Triltsch und Huther, 1936. Pp. 155.

SCHONS, DOROTHY: Apuntes y documentos...
V. TEMAS, BIOGRAFÍA (2563).

SALAZAR Y TORRES, AGUSTÍN DE

V. GENERAL II, TERCER ORDEN (1455).

SALUCIO DEL POYO, DAMIÁN

V.t. GENERAL II, LITERATURA DRAMA-

TYCZNA (1220).

2654. García Soriano, Justo: "Damián Salucio del Poyo."
BRAE, XIII (1926), 269-82, 474-506.

2655. El rey perseguido y corona pretendida. Ed. Klaus Toll. (Leip-

ziger Romanistische Studien, hsg.
von W. von Wartburg, II. Literaturwissenschaftliche Reihe, Heft 6).
Leipzig: Noske; Paris: Droz,
1937. Pp. ix-188.
a) A. Hämel, DLZ, LIX (1938), col.
805-06.
b) H. Rheinfelder, LGRP, LXV-LXVI
(1944), col. 94-95.
c) P. Weinmann, NSpr, XLVII (1939),
170.

SÁNCHEZ REQUEJO, MIGUEL

V.t. GENERAL II, LIBROS, LISTA
(1687); LOPE DE VEGA, OBRAS, EL
LAUREL DE APOLO (3731).

2656. Rennert, H. A.: "Miguel Sánchez, 'El Divino'."
MLN, VIII (1893), 131-44.

2657. Alonso Cortés, N.: "Miguel
Sánchez, 'el Divino'."
En su Miscelánea vallisoletana
(Tercera serie), págs. 123-31. [V.
GENERAL II, LIBROS, núm. 1559].

2658. Rennert, H. A.: "La isla bárbara and La guarda cuidadosa: Two
Comedies by Miguel Sánchez, edited
by Hugo A. Rennert."
UPSPL, V (1896). Pp. xx-297.
a) J. D. Fitz-Gerald, MLN, XIII
(1898), 100-08.
b) A. L. Stiefel, LGRP, XX (1899),
col. 96-98.
c) W. Webster, RCHLE, I (1895-96),
275-76.
V.t. GENERAL II, APPUNTI (839).

SOLÍS Y RIVADENEYRA, ANTONIO

V.t. GENERAL II, GITANERÍA (1098).

TEMAS

BIOGRAFÍA.
2659. Rosell, Cayetano: "Don Antonio de Solís."
AlmIEA, VI (1879), 30-31.

CRONOLOGÍA.
V. VERSIFICACIÓN (2661).

TEATRO.
2660. Mesonero Romanos, R. de: "Teatro de Solís."
SemPintEsp, (1853), págs. 75-78.

VERSIFICACIÓN.
2661. Parker, J. H.: "The Versification of the Comedias of Antonio
de Solís y Rivadeneyra."
HR, XVII (1949), 308-15.

OBRAS

2662. Gasparetti, A.: "Un ignoto
manoscritto palermitano delle Obras
líricas di Antonio de Solís y Rivadeneyra."
BH, XXXIII (1931), 289-324.

AMOR Y OBLIGACIÓN.
2663. Amor y obligación, ed. Walther
Fischer y Ricardo Ruppert y Ufaravi.
(Giessener Beiträge zur romanischen
Philologie, Zusatzheft VI). Giessen: 1929. Pp. 95.
a) X., RFE, XVII (1930), 297-98.
b) L. Pfandl, ZRP, LIV (1934), 122-
125.
c) E. Fey, LGRP, LI (1930), col.
216-17.
d) H. Petriconi, DLZ, LI (1930),
col. 1796-97.

———.
2664. Amor y obligación, ed. E. Juliá Martínez. Madrid: Hernando,
1930. Pp. cx-123.
a) H. Serís, RFE, XVII (1930), 298-
299.
b) L. Pfandl, ZRP, LIV (1934), 122-
125.
c) J. M. de Osma, BAbr, V (1931),
379.

TRIUNFOS DE AMOR Y FORTUNA.
V. GENERAL II, LIBROS, BONILLA
(1581A), LATOUR (1682).

LIBROS

2665. MARTELL, DANIEL E.: The Dramas of D. Antonio Solís y Rivadeneyra. Philadelphia: International
Printing Co., 1902. Pp. 57.
a) W. von Wurzbach, ZRP, XXIX (1905),
628.
b) A. Paz y Melia, RABM, IX (1903), 209-10.

TÁRREGA, EL CANÓNIGO

V.t. GENERAL I, LIBROS, MÉRIMÉE (186); GENERAL II: TEMAS, LITERATURA DRAMATYCZNA (1220), RIMAS INÉDITAS (1383); LIBROS, POETAS DRAMÁTICOS (1747).

2666. Serrano Cañete, J.: El Canónigo Francisco Agustín Tárrega: estudio biográfico-bibliográfico. Valencia, 1889. Pp. 64.
[Al acusar recibo de un ejemplar, el director de El Archivo menciona que no se publicaron más de sesenta ejemplares. V. "El Canónigo Tárrega," Arch, III (1888-89), 310-11].

2667. Bourland, Caroline B.: "Los moriscos de Hornachos."
ModPhil, I (1903-04), 547-62; II (1904-05), 77-96.
[Es una edición de la comedia, que la profesora Bourland atribuye a Tárrega. Juliá Martínez, en su colección Poetas dramáticos valencianos, I, pág. lxxviii, niega que sea de Tárrega].

TEJERA, JUAN FRANCISCO

MOJIGANGA DE LAS CASAS DE MADRID.
V. GENERAL II, MADRID (1225).

TIRSO DE MOLINA (FRAY GABRIEL TÉLLEZ)

V.t. GENERAL II: TEMAS, DRAMATURGOS (1034), LITERATURA DRAMATYCZNA (1220), ZARAGOZA (1512); LIBROS, DIEULAFOY (1619), LISTA (1687), SCHMIDT, L. (1776), VAUTHIER (1794).

TEMAS

A CAZA.
2668. Placer López, G.: "A caza de un Tirso."
Merced, VII (1950), 77-78.
[Se trata del error de un copista que escribió "Vasidolno" por "Vandolero," tocante a la novela de Deleytar aprovechando].

AGUILAR, FRAY PLÁCIDO DE.
V. DATOS (2720).

ALMAZÁN.
V.t. BIOGRAFÍA (2694-95, 2698), SORIA (2805).

———.
2669. Azagra, Andrés M. de: "Almazán en tiempos de Tirso de Molina."
Est, V (1949), 157-83.

AMÉRICA.
V.t. VOCES AMERICANAS (2835).

———.
2670. Viñas Mey, Carmelo: "La visión de América en las comedias de Tirso de Molina."
EstAm, I (1948), 119-22.

———.
2671. García Blanco, M.: "Tirso de Molina y América."
CuadHA, no. 17 (1950), 243-58.

AMERICANISMOS.
V. VOCES AMERICANAS (2835).

AMESCUA.
V. MIRA DE AMESCUA.

ANGÉLICA Y MEDORO.
2672. Avalle Arce, Juan B.: "Tirso y el romance de Angélica y Medoro."
NRFH, II (1948), 275-81.

APROBACIÓN.
V. BIOGRAFÍA (2699), DATOS (2720).

ARAUCANOS.
V. CHILE (2719).

"ARCADIA, LA".
2673. López Estrada, F.: "La Arcadia de Lope en la escena de Tirso."
Est, V (1949), 303-20.
[Sobre la comedia La fingida Arcadia de Tirso].

ARISTÓFANES.
V. ARTGENOSSEN (2674).

"ARRABAL".
V. GENERAL II, COMENTARIOS (927).

ARTGENOSSEN.
2674. Draws-Tychsen, H.: "Tirso de
Molina und seine Artgenossen. Ein
Beitrag zur Geschichte der Komödie."
Lit, XL (1937-38), 463-66.
[Nikolai Gogol y Aristófanes. El
estudio se resume en el núm. 2714].

ASTERISCOS.
2675. Miró Quesada, A.: "Asteriscos
sobre Tirso."
MdelS, II, no. 5 (mayo-jun, 1949),
77-78.
[Una nota sobre el hecho de que
La reina de los reyes es de Vergara;
Una referencia al Perú en la dedi-
catoria de Deleytar aprovechando].

ASTROLOGÍA.
2676. Halstead, F. G.: "The Attitude of Tirso de Molina toward Astrology."
HR, IX (1941), 417-39.

ATOMISTIC PHILOSOPHY.
2677. Halstead, F. G.: "The Optics
of Love: Notes on a Concept of
Atomistic Philosophy in the Theatre
of Tirso de Molina."
PMLA, LVIII (1943), 108-21.

AUTOS.
V.t. CERVANTES (2708).

————.
2678. Placer, López, G.: "Tirso,
hacedor de autos."
Merced, VI (1949), 39-40.

BARROCO.
V.t. DON JUAN (2728).

————.
2679. Peyton, Myron A.: "Some Baroque Aspects of Tirso de Molina."
RR, XXXVI (1945), 43-69.

BASTARDO.
2680. Ríos M., Miguel L.: "Tirso de
Molina no es bastardo."
Est, V (1949), 1-13.

————.
2681. Penedo Rey, Manuel: "Amplia-

ción al trabajo del P. Ríos 'Tirso
no es bastardo'."
Est, V (1949), 14-18.

BAUTISMO.
V. BIOGRAFÍA (2691).

BIBLIA.
V.t. OLD TESTAMENT (2765).

————.
2682. López, Alfonso: "La Sagrada
Biblia en las obras de Tirso."
Est, V (1949), 381-414.

BIBLIOGRAFÍA.
V.t. BIOGRAFÍA (2686); OBRAS, EL
CONDENADO POR DESCONFIADO (2882),
LA PRUDENCIA EN LA MUJER (2916);
LIBROS, COTARELO (2926).

————.
2683. Hesse, E. W.: "Bibliografía
de Tirso de Molina (1648-1948)."
BH, LI (1949), 317-33.

————.
2684. Hesse, E. W.: "Catálogo bibliográfico de Tirso de Molina
(1648-1948)."
Est, V (1949), 781-889.
a) C. V. Aubrun, BH, LII (1950),
    409-10.

BIOGRAFÍA.
V.t. NOTES (2760); LIBROS, COTARE-
LO (2926); GENERAL II, BIOGRAFÍA
(871).

————.
2685. Lasso de la Vega, A.: "Tirso
de Molina: breves noticias biográficas."
IEA, XXVI (1882), t. 1, págs. 106-
107, 138-39.

————.
2686. Menéndez y Pelayo, M.: "Tirso
de Molina. Investigaciones biográficas y bibliográficas."
EspMod, VI (1894), tomo 64 (abril),
págs. 117-57.
[Sobre el libro de Cotarelo (2926).
Reimpreso en sus Estudios y discursos de crítica histórica y literaria, III, 47-81 (V. GENERAL II, LI-
BROS, núm. 1701)].

BIOGRAFÍA (cont.).

2687. Serrano ySanz, M.: "Nuevos datos biográficos de Tirso de Molina."
RdE, CXLIX (1894), 66-74, 141-53.

———.

2688. Ríos, Blanca de los: "Biografía documentada: Recientes descubrimientos en Guadalajara y en Soria."
En su libro Del siglo de oro, págs. 57-80. [V. GENERAL II, LIBROS, núm. 1762].

———.

2689. Ríos, Blanca de los: "Un nuevo documento para la biografía de Tirso de Molina."
CultHA, XII (1923), 34-35.

———.

2690. Ríos, Blanca de los: "El enigma biográfico de Tirso de Molina."
RazaEsp, X, no. 111-112 (mar-abr, 1928), págs. 24-61.
[Sobre la partida de bautismo. V.t. núms. 2691 y 2814].

———.

2691. Artiles Rodríguez, J.: "La partida bautismal de Tirso de Molina."
RBAM, V (1928), 403-11.

———.

2692. Ríos, Blanca de los: "La fecha del nacimiento de 'Tirso de Molina' (Fray Gabriel Téllez)."
RUM, II (1942), fasc. 1, págs. 76-93.

———.

2693. Ríos, Blanca de los: "La fecha del nacimiento de 'Tirso de Molina' (Fray Gabriel Téllez)."
RNE, II (1942), no. 22 (oct.), 101-114.
[El mismo que el precedente].

———.

2694. Penedo Rey, Manuel: "Muerte documentada del Padre Maestro Fray Gabriel Téllez, en Almazán, y otras referencias biográficas."
Est, I (1945), no. 1, págs. 192-204.
[También publicado en MercPer, XXIX (1948), 99-105, como apéndice

al artículo de Miró Quesada (2773)].

———.

2695. Penedo Rey, M.: "Almazán y Madrid en la biografía de Tirso de Molina."
Est, I (1945), no. 3, págs. 172-75.

———.

2696. "Partida de nacimiento de Gabriel Téllez."
Atenea, LXXXIX, no. 276 (jun, 1948), págs. 458-59.

———.

2697. Ríos M., Miguel L. y Núñez Barbosa, Jacinto: "La hipótesis de doña Blanca de los Ríos de Lampérez sobre la fe de nacimiento de Tirso de Molina."
Atenea, XC, no. 278 (agosto, 1948), págs. 299-314.

———.

2698. Penedo Rey, M.: "Tirso de Molina.—Aportaciones biográficas."
Est, V (1949), 19-122.
[1. Tirso de Molina en Toledo, págs. 22-; 2. Tirso de Molina en Sevilla: 1625-26, págs. 29-; 3. Tirso de Molina confinado en Cuenca, 80-; 4. Su muerte en Almazán, 93-].

———.

2699. Penedo Rey, M.: "Documentos para la biografía de Tirso de Molina."
Est, V (1949), 725-76.
[1. Biografía de Tirso (por el P. Hardá y Múxica), págs. 725-; 2. Tirso y su grado de Maestro, 736-; 3. La inscripción del retrato de Tirso de Molina, 752-; 4. Una décima y una aprobación no conocidas de Fray Gabriel Téllez, 764-; 5. Exequias y entierro de Tirso de Molina, 770-].

BORDÓN

2700. Penedo Rey, M.: "Bordón compostelano de Tirso de Molina."
Merced, V (1948), 152-54.

BURLA.

2701. Templin, E. H.: "The 'burla' in the Plays of Tirso de Molina."
HR, VIII (1940), 185-201.

BURLADOR.

2702. Romera-Navarro, M.: "El burlador de España: Don Juan."
NT, XVI (1916), no. 4, págs. 35-68.

BUSTO.

2703. Ríos, Blanca de los: "Solemne inauguración del busto de Tirso de Molina en el Teatro Español."
RazaEsp, XI, no. 131-32 (nov-dic, 1929), págs. 5-28.

CALVO, RAFAEL.
V. OBRAS, DESDE TOLEDO A MADRID (2900), MARTA LA PIADOSA (2907).

CARTAS.
V. RUIZ DE ALARCÓN, SPOKEN LETTERS (2614).

CATALUÑA.
2704. Ríos, Blanca de los: "Tirso de Molina y Cataluña."
En su libro Del siglo de oro, págs. 99-112. [V. GENERAL II, LIBROS, núm. 1762].

"CAVALIERE TRASCURATO, IL".
V. PASCA (2771).

CENTENARIO.
V.t. OBRAS, DON GIL DE LAS CALZAS VERDES (2904).

—————.

705. Valbuena Prat, A.: "En el centenario de Tirso de Molina."
Finis, I (1948), 293-313.

—————.

706. Santullano, Luis: "En el centenario de Tirso. Don Juan, español universal."
Españas, III (29 de jul, 1948), 3-15.

—————.

707. Vives, Lorenzo: "Tres centenarios. Tirso de Molina."
RepAm, XXX, tomo 46 (1950), no. 1101, págs. 25-26.

CERVANTES, MIGUEL DE.
V.t. OBRAS, EL BURLADOR DE SEVILLA (2867); GENERAL II, LIBROS, MIRÓ QUESADA (1712).

2708. Ríos, Blanca de los: "De cómo un auto de Tirso se transmuta en novela de Cervantes."
RNE, I, no. 12 (dic, 1941), 35-64.
[No le arriendo la ganancia y El licenciado Vidriera].

CICOGNINI, GIACINTO ANDREA.
V. OBRAS, EL BURLADOR DE SEVILLA (2855); GENERAL II, ITALIA (1181).

CIGARRALES.
2709. Sánchez Saez, B.: "Los Cigarrales de Tirso de Molina."
Tol, XIII (1927), no. 243, págs. 1664-67.
[Conversación con un labriego en los cigarrales. El autor se interesa por la conexión de ellos con Tirso, pero el labriego sólo quiere oírle hablar de América].

CÓDIGO.
2710. Ríos, Blanca de los: "Código de los conquistadores."
BolInf, no. 34 (nov, 1944), 19-33.
[Muestra que en la Trilogía de los Pizarro, se advierte el ímpetu cordial, la soberana potencia artística con que resucita a sus héroes—Biblioteca Hispana].

COLONNA, MARCO ANTONIO, y VITTORIA.
V. MATRIMONIO (2744).

COLOR.
2711. Morley, S. G.: "Color Symbolism in Tirso de Molina."
RR, VIII (1917), 77-81.

COMBINACIONES MÉTRICAS.
V. VERSIFICACIÓN (2830).

COMEDIA.
2712. Montoto, Santiago: "Una comedia de Tirso que no es de Tirso."
ArchHisp, VII (1946), 99-107.
[La reina de los reyes es de Hipólito de Vergara, poeta sevillano. V.t. ASTERISCOS (2675)].
a) M. Penedo Rey, Est, IV (1948), 163-64.

—————.

2713. Castro, Américo: "Sobre dos comedias de Tirso."

2713 (cont.).
Lect, X (1910), tomo 2, págs. 308-
324, 389-95.
[El vergonzoso en palacio y El
burlador de Sevilla].

COMPOSTELA.
V. BORDÓN (2700).

CONQUISTADORES.
V. CÓDIGO (2710).

CONSIDERAZIONI.
2714. "Considerazioni su Tirso de
Molina."
RivIT, Anno II (1938), vol. 2, págs.
121-22.
[Resumen del núm. 2674].

CONVENTO.
V.t. MERCED, ORDEN DE LA (2748-49),
SORIA (2805).

————.
2715. Placer López, G.: "El convento madrileño de Fray Gabriel Téllez."
Merced, V (1948), 141-42.
[V.t. MERCED, ORDEN DE LA (2748-
2749)].

CONVERSIÓN.
V. PSICOLOGÍA (2785).

CORNEILLE, THOMAS.
V. GENERAL II, LIBROS, MICHAELIS
(1707).

CRÓNICAS.
2716. Molina, Julio: "Un Tirso de
crónicas y viajes."
Atenea, LXXXIX, no. 276 (jun, 1948),
págs. 436-57.

CRONOLOGÍA.
V.t. NOTES (2759), VERSIFICACIÓN
(2829-30); OBRAS, AMAR POR RAZÓN DE
ESTADO (2845).

————.
2717. Kennedy, Ruth Lee: "On the
Date of Five Plays by Tirso de Mo-
lina."
HR, X (1942), 183-214.
[Quien calla otorga, La fingida
Arcadia, Antona García, Por el só-
tano y el torno, La celosa de sí

misma].

————.
2718. Kennedy, Ruth Lee: "Studies
for the Chronology of Tirso's Theater."
HR, XI (1943), 17-46.

CUENCA.
V. BIOGRAFÍA (2698).

CUESTIÓN DE AMOR.
V. GENERAL II, núm. 969.

CULTURA DOMINICANA.
V. SANTO DOMINGO (2797).

CHILE.
2719. Gunckel L., Hugo: "Admiración
de Tirso de Molina por Chile y los
araucanos."
Est, V (1949), 199-204.

CHOCOLATE.
V. GENERAL II, núm. 972.

DANZA DE LA MUERTE.
V. GENERAL II, núm. 976.

DATOS.
2720. Placer López, G.: "Nuevos datos acerca de Fray Gabriel Téllez."
Est, VI (1950), 339-52.
[1. Un íntimo amigo de Tirso de
Molina, Fray Plácido de Aguilar,
339-48; Una nueva aprobación de
Tirso de Molina [del Primer tomo de
Pérez de Montalván], 349-52].

DÉCIMA.
V. BIOGRAFÍA (2699).

DEFENSOR.
V.t. GENERAL II, DÉFENSEURS (983).

————.
2721. Parker, J. H.: "Tirso de Molina, defensor de la comedia nueva."
RUSC, XII (1948), 39-48.

DISCURSO.
2722. Mejía Ricart, G. A.: "Discurso apologético acerca del Maestro
Tirso de Molina."
BADL, no. 6 (dic, 1941), 5-16.

Don Juan.

V.t. Burlador (2702), Centenario (2706), Viaje (2831-32); OBRAS, El Burlador de Sevilla; LIBROS, Said Armesto (2938); GENERAL II, Don Juan.

2723. Laun, Adolf: "Tirso de Molina und Molière's Don Juan."
DeutMus, Jg. XVI (1866), Bd. 1 (en-jun), págs. 97-107, 137-42.

2724. Laun, Adolf: "Molière und Téllez als Bearbeiter des Don Juan."
ALG, III (1874), 367-90.

2725. Larroumet, Gustave: "La légende de don Juan et Tirso de Molina."
En sus Nouvelles études d'histoire et de critique dramatiques, págs. 47-103. [V. GENERAL II, LIBROS, núm. 1679].

2726. Ríos, Blanca de los: "El 'Don Juan' de Tirso de Molina."
AIH, I (1911), 7-30.

2726A. Lollis, Cesare de: "L'autore del 'Don Giovanni'."
Cult, II (1923), 238.
[Nota muy breve sobre el hallazgo, por Blanca de los Ríos, del pasaporte de Tirso de Molina en el Archivo de las Indias].

2727. Krauss, Werner: "El concepto del D. Juan en la obra de Tirso de Molina."
BBMP, V (1923), 348-60.

2728. Castro, Américo: "El Don Juan de Tirso y el de Molière como personajes barrocos."
HomMartinenche (1939), págs. 93-111.

2729. Capo, José María: "Tirso, padre de don Juan."
Trimestre, II (1948), 354-64.

2730. Mérimée, Paul: "Trois images de Don Juan: De Tirso a Zamora en passant par Molière."
BBIF, no. 29 (nov, 1948), págs. 1-5.
[La comedia de Zamora, No hay deuda que no se pague, y convidado de piedra].

2731. Sender, Ramón: "Three Centuries of Don Juan."
BAbr, XXIII (1949), 227-32.

Dramática.
2732. Penedo Rey, M.: "La Dramática de Tirso de Molina vista por doña Blanca de los Ríos."
Est, III (1947), no. 7-8, págs. 277-84.

Edición.
V. Guzmán (2736), Partes (2769-70).

Eighteenth Century.
V. Siglo XVIII (2801).

Encomienda.
V. OBRAS, El condenado por desconfiado (2884).

Enigma.
V. Biografía (2690).

Entierro.
V. Biografía (2699).

Entremeses.
V. OBRAS, núm. 2841.

Española, La.
V.t. Santo Domingo.

2733. Valle, José María del: "Tirso de Molina en La Española."
RdAmer, X (1947), 200-04.

Espinel, Vicente.
V. OBRAS, Don Gil de las calzas verdes (2903).

Études.
V. OBRAS, Prudencia en la mujer (2912).

Exequias.
V. Biografía (2699).

"FILICIDA".
V. GENERAL II, núm. 1076.

FILOSOFÍA.
V. ATOMISTIC PHILOSOPHY (2677).

FRENZI, G. DE.
V. OBRAS, EL BURLADOR DE SEVILLA
(2870).

GALICIA.
V.t. PORTUGAL (2783).

––––––.
2734.   Placer López, G.: "Tirso y
Galicia."
Est, V (1949), 415-78.

GIRÓN.
V. OSUNA, DUQUE DE (2767-68).

GLAUBEN UND GNADE.
V. GENERAL II, GLAUBEN (1099).

GOETHE, JOHANN WOLFGANG VON.
V. GENERAL II, DON JUAN (1019).

GOGOL, NIKOLAI.
V. ARTGENOSSEN (2674).

GRACIOSO.
V. LOPE DE VEGA, REALISMO (3406).

GUADALAJARA.
V. BIOGRAFÍA (2688).

GUERRERO, MARÍA.
2735.   Ríos, Blanca de los: "De Tirso de Molina a María Guerrero."
RazaEsp, X, no. 109-10 (en-feb,
1928), págs. 22-28.

GUZMÁN, TERESA DE.
2736.   Bushee, Alice H.: "The Guzmán
Edition of Tirso de Molina's Comedias."
HR, V (1937), 25-39.
   [Reimpreso en su libro Three Centuries of Tirso de Molina, págs.
70-89. V. LIBROS, núm. 2925].

HARDA Y MÚXICA, PADRE.
V. BIOGRAFÍA (2699).

HISPANIDAD.
2737.   Ríos, Blanca de los: "Exaltación de la hispanidad en Tirso de

Molina."
Medit, II (1944), 232-47.

––––––.
2738.   Penedo Rey, M.: "Exaltación
de la hispanidad en Tirso de Molina."
Est, I (1945), no. 3, págs. 176-78.
   [Resumen del número precedente].

HISTÓRICO, TEATRO.
V. GENERAL II, LIBROS, PIDAL Y MON
(1746).

HOLOGRAPHIC.
V. ORTOEPÍA (2766).

HONOR.
2739.   Gijón Zapata, Esmeralda:
"Concepto del honor y la mujer en
Tirso de Molina."
Est, V (1949), 479-655.

HUMANISMO.
2739A.   Araquistain, Luis: "El humanismo de Tirso de Molina."
En su libro La batalla teatral,
págs. 175-82. [V. GENERAL II, LI-
BROS, núm. 1567A].

INDIAS.
V.t. DON JUAN (2726A).

––––––.
2740.   Pérez, Pedro Nolasco: "Tirso
de Molina, pasajero a Indias."
Est, V (1949), 185-97.

INÉDITA.
V. OBRA INÉDITA (2763).

INTIMIDAD.
2741.   Moreno Villa, José: "Una lí-
nea en la intimidad de Tirso."
CA, XLIII (1949), 230-44.

ITALIA.
V. OBRAS, EL BURLADOR DE SEVILLA
(2857-58), EL CONDENADO POR DESCON-
FIADO (2894).

JUNTA DE REFORMACIÓN.
V. QUEVEDO (2786).

LACAYOS.
2742.   Placer López, G.: "Los lacayos de las comedias de Tirso de Molina."

Est, II (1946), no. 4, págs. 59-115.

LAUGHTER.
2743. Nomland, John B.: "A Laughter Analysis of Three Comedias of Tirso de Molina."
MLF, XXXI (1946), 25-40.
[El amor y el amistad, Don Gil de las calzas verdes, El vergonzoso en palacio].

MADRID.
V. BIOGRAFÍA (2695), CONVENTO (2715), MERCED (2748-49).

MAESTRO, GRADO DE.
V. BIOGRAFÍA (2699).

MAMORA, TOMA DE LA.
V. LIBROS, GUASTAVINO GALLENT (2929).

MARTINI, G. M.
V. OBRAS, EL BURLADOR DE SEVILLA (2870).

MATRIMONIO.
2744. Levi, Ezio: "Un matrimonio d'amore nella Napoli spagnola. (Da un romanzo di Tirso de Molina)."
NA, CCCXLIX (1930), 148-61.
[Sobre Los cigarrales de Toledo. Descripción general y "l'avventura di Vittoria e di Marco Antonio Colonna ... che traduco."].

MEMORIA.
2745. "La Academia Dominicana de la Lengua honró la memoria de Tirso de Molina."
BADL, II (1942), no. 7, págs. 5-8.
[Cita la noticia de La Nación del 13 de octubre de 1941. La academia había develado una lápida a la memoria de Tirso].

2746. "En sencillo acto fué develada una tarja en honor de Tirso de Molina."
BADL, II (1942), no. 7, págs. 9-11.
[Del Listín Diario del 13 de octubre de 1941].

2747. "Un gran acto a la memoria de Tirso de Molina."

BADL, II (1942), no. 7, págs. 12-15.
[Del Boletín de la Cámara Española de Comercio e Industria, también sobre la lápida develada].

MERCED, ORDEN DE LA.
V.t. CONVENTO (2715); OBRAS, LA VILLANA DE VALLECAS (2924A).

2748. "Notas sobre el convento grande de la Merced de Madrid, donde vivió Fray Gabriel Téllez."
Est, V (1949), 777-79.

2749. Penedo Rey, M.: "Fr. Gabriel Téllez, hijo del convento de la Merced, de Madrid."
Merced, no. 11 (sept-oct, 1945), págs. 200-01.

2750. Castro Seoane, José: "La Merced de Santo Domingo, provincia adoptiva del Maestro Tirso de Molina."
Est, V (1949), 699-720.

2751. Penedo Rey, M.: "Tirso de Molina y los Mercedarios."
Merced, V, no. 28 (jul-ag, 1948), págs. 117-19.

MÉTRICA.
V. núm. 2830; OBRAS, núm. 2905.

MILLÉ Y GIMÉNEZ, JUAN.
2752. Coe, Ada M.: "Un estudio sobre Tirso traducido por Millé. (Publicado por Ada M. Coe)."
Est, VI (1950), 119-50.
[i) Introducción (por Coe), ii) Tirso de Molina 1648-1848 (por A.H. Bushee), iii) Los más grandes dramaturgos españoles. - Tirso de Molina (por A. H. Bushee). Millé tradujo los dos estudios de Bushee].

MIRA DE AMESCUA, ANTONIO.
V. MIRA DE AMESCUA, OBRAS, EL ESCLAVO DEL DEMONIO (2478).

MOLIÈRE.
V. DON JUAN (2723-24, 2728, 2730).

MOLINA, P. LUIS DE.
V. OBRAS, EL CONDENADO POR DESCON-
FIADO (2889).

MOTS.
2753. Boussagol, Gabriel: "Quelques
mots sur Tirso de Molina."
BH, XXXI (1929), 147-50.

MOZART, WOLFGANG AMADEUS.
V. OBRAS, EL BURLADOR DE SEVILLA
(2859).

MUERTE.
V. BIOGRAFÍA (2698-99)

MUJERES.
V.t. HONOR (2739), PERSONAJES
(2772).

———.
2754. García Nieto, José: "Una 'mujer' en el teatro de Tirso."
Consig, no. 99 (abr, 1949), 12-14.
["Violante, acabado tipo femenino
de la Villana de Vallecas y mujer
de imaginación dislocada y eficaces
resultados"].

———.
2755. Ríos, Blanca de los: "Las mujeres de Tirso. Conferencia leída
en el Ateneo de Madrid el día 16 de
marzo de 1910."
En su libro Del siglo de oro, págs.
229-75. [V. GENERAL II, LIBROS,
núm. 1762].

———.
2756. Fernández-Juncos, M.: "Las
mujeres de Tirso."
NT, XVI (1916), no. 4, págs. 16-21.

———.
2757. Moreno García, C.: "Las mujeres y Tirso."
RCont, CI (en-mar, 1896), 418-27.

NACIMIENTO.
V. BIOGRAFÍA (2692-93, 2696-97).

NÁPOLES.
V. MATRIMONIO (2744).

NIGHT.
2758. Templin, E. H.: "Night Scenes
in Tirso de Molina."

RR, XLI (1950), 261-73.

"NOTAS DE UN LECTOR".
V. OBRAS, EL CELOSO PRUDENTE (2872).

NOTES.
2759. Wade, Gerald E.: "Notes on
Tirso de Molina."
HR, VII (1939), 69-72.
[La fecha de Marta la piadosa es
1615, no 1614; evidencia de que
Tirso no escribió comedias después
de 1631].

———.
2760. Bell, A. F. G.: "Some Notes
on Tirso de Molina."
BSS, XVII (1940), 172-203.
[Estudio biográfico y crítico].

NOVELISTA.
2761. Escudero, Alfonso M.: "Tirso,
novelista."
Atenea, LXXXIX, no. 276 (jun, 1948),
págs. 420-35.

NOVICIADO.
2762. Penedo Rey, M.: "Noviciado y
profesión de Tirso de Molina (¿1600?-
1601)."
Est, I (1945), no. 2, págs. 82-98.

OBRA INÉDITA.
2763. Ménéndez y Pelayo, M.: "Una
obra inédita de Tirso de Molina."
RABM, XVIII (1908), 1-17, 243-56;
XIX (1908), 262-73; XXI (1909),
139-57, 567-70.
["La vida de la santa madre doña
María de Cervellón"].

OBRAS.
2764. Castro Leal, A.: "Tirso de
Molina y sus obras."
ND, XXIX (1949), no. 1, págs. 64-75.

OLD TESTAMENT.
2765. Metford, J. C. J.: "Tirso de
Molina's Old Testament Plays."
BSS, XXVII (1950), 149-63.

OPTICS OF LOVE.
V. ATOMISTIC PHILOSOPHY (2677).

ORTOEPÍA.
2766. Wade, Gerald E.: "The Orthoëpy
of the Holographic Comedias of Tir-

so de Molina."
PMLA, LV (1940), 993-1009.
[Santa Juana, partes I y III].

OSUNA, DUQUE DE.
V.t. OBRAS, PRIVAR CONTRA SU GUSTO
(2909).

————.

2767. Avrett, Robert: "Tirso and
the Ducal House of Osuna."
RR, XXX (1939), 125-32.

————.

2768. Wilson, William E.: "Did Tirso
Hate the Girones?"
MLQ, V (1944), 27-32.

"PALABRA EN DESUSO".
V. GENERAL II, "FILICIDA" (1076).

PAN.
V. OBRAS, LA VILLANA DE VALLECAS
(2924A).

PARTES.
2769. Brown, Sherman W.: "The Seville and the Valencia Editions of
the Primera Parte of Tirso de Molina's Plays."
ModPhil, XXX (1932-33), 97-98.

————.

2770. Bushee, Alice H.: "The Five
Partes of Tirso de Molina."
HR, III (1935), 89-102.
[Reimpreso en su Three Centuries
of Tirso de Molina, págs. 54-69.
V. LIBROS, núm. 2925].

PARTINUPLÉS DE BLES.
V. OBRAS, AMAR POR SEÑAS (2846),
DON GIL DE LAS CALZAS VERDES (2903).

PASAJERO.
V. INDIAS (2740).

PASAPORTE.
V. DON JUAN (2726A).

PASCA, GIOVANNI BATTISTA.
V.t. GENERAL II, ITALIA (1181).

————.

2771. Pagano, Antonio: "Contributo
alla storia del teatro italo-spa-
gnuolo nel secolo XVII: Giovanni

Battista Pasca e Tirso de Molina."
LettCont, II (1907), nos. 1-2.
[Il Cavaliere trascurato es "una
traduzione" de El castigo del penseque; La Taciturna loquace "non è
se non una versione" de Quien calla,
otorga. Hay un resumen del artículo
en RTI, XII (1908), 219].

PÉREZ DE MONTALVÁN, JUAN.
V. DATOS (2720).

PERSONAJES.
V.t. LIBROS, HERRANZ (2930).

————.

2772. Gutiérrez, María del Carmen:
"As personagens femininas na dramática de Tirso de Molina."
UnivL, 4ª serie, no. 23 (en, 1949),
págs. 21-26.

PERÚ, EL.
V.t. ASTERISCOS (2675); GENERAL II,
LIBROS, MIRÓ QUESADA (1712).

————.

2773. Miró Quesada y Sosa, A.: "El
Perú en la obra de Tirso de Molina."
MercPer, XXIX (1948), 82-99
[Tiene por apéndice (págs. 99-105),
"Muerte documentada..." (V. núm.
2694)].

PILAR, VIRGEN DEL.
2774. Martín, Ángel: "Obra hispano-
pilarista de Tirso de Molina."
Doce, (1949), no. 8, págs. 32-35.
["Tirso ... es el dramaturgo de
la tradición mariana española y no
puede relegar al olvido a la Virgen
del Pilar."--Biblioteca Hispana].

PIZARRO, GONZALO.
2775. Miró Quesada, A.: "Gonzalo
Pizarro en el teatro de Tirso de
Molina."
RdelasInd, V (1940), 41-67.

PIZARRO TRILOGY.
V.t. CÓDIGO (2710).

————.

2776. Green, O. H.: "Notes on the
Pizarro Trilogy of Tirso de Molina."
HR, IV (1936), 201-25.

PLAGIO (AUTOPLAGIO).
V.t. LIBROS, RESTORI (2937a).

————.

2777. Wade, Gerald E.: "Tirso's
Self-Plagiarism in Plot."
HR, IV (1936), 55-65.
[Una novela de Los cigarrales de
Toledo y el primer acto de Desde
Toledo a Madrid].

————.

2778. Templin, E. H.: "Another In-
stance of Tirso's Self-Plagiarism."
HR, V (1937), 176-78.
[Pasajes paralelos en La prudencia en la mujer y La república al
revés].

PLAUTO.
V. GENERAL II, núm. 1329.

POPULARES, ELEMENTOS.
2779. García Blanco, M.: "Algunos
elementos populares en el teatro de
Tirso de Molina."
BRAE, XXIX (1949), 413-52.

PORTUGAL.
2780. Zamora Vicente, A.: "Portugal
en el teatro de Tirso de Molina."
Bibl, XXIV (1948), 1-41.
[Reproducido en su libro De Garcilaso a Valle-Inclán, págs. 87-148.
V. GENERAL II, LIBROS, núm. 1811].

————.

2781. Groult, Pierre: "Tirso de Mo-
lina et le Portugal."
LR, V (1951), 57-58.
[Reseña del artículo de Zamora
Vicente (2780)].

————.

2782. Cantel, Raymond: "Le Portugal
dans l'oeuvre de Tirso de Molina."
HomLeGentil (1949), págs. 131-53.

————.

2783. Morby, Edwin S.: "Portugal
and Galicia in the Plays of Tirso
de Molina."
HR, IX (1941), 266-74.

PROFESIÓN.
V. NOVICIADO (2762).

PROVERBIOS.
2784. Hayes, F. C.: "The Use of
Proverbs as Titles and Motives in
the Siglo de Oro Drama: Tirso de
Molina."
HR, VII (1939), 310-23.

PSICOLOGÍA.
2785. Delgado Varela, J. M.: "Psicología y teología de la conversión
en Tirso."
Est, V (1949), 341-77.
[Hay unidad literaria y de contenido teológico entre Quien no cae
no se levanta y El condenado por
desconfiado, que hace que la atribución [de esta comedia a Tirso]
sea de todo punto cierta. La teología de la conversión en ambos
dramas depende ciertamente de Zumel]

QUEVEDO, FRANCISCO DE.
2786. González Palencia, A.: "Quevedo, Tirso y las comedias ante la
Junta de Reformación."
BRAE, XXV (1946), 43-84.
a) F. López Estrada, RFE, XXX (1946),
192-93.
b) M. Penedo Rey, Est, IV (1948),
164-65.

"QUIJOTE" DE AVELLANEDA.
V.t. LIBROS, PALAU Y MARSÁ (2935).

————.

2786A. Ríos, Blanca de los: "Algunas observaciones sobre el Quijote
de Avellaneda."
EspMod, IX (1897), no. 101 (mayo),
págs. 37-89; no. 107 (nov.), págs.
84-145; X (1898), no. 112 (abr.),
págs. 103-40.
[Lo atribuye a Tirso de Molina].

————.

2787. Unciti, R. M.: "El falso Quijote y Tirso de Molina."
AtenV, I (1914), 105-10, 163-65.

REALISMO.
V. LIBROS, HERRANZ (2930), McCLEL-
LAND (2931); LOPE DE VEGA, REALISMO
(3406).

REFORMACIÓN, JUNTA DE.
V. QUEVEDO (2786).

RELIGIOSO.
V.t. OBRAS, EL CONDENADO POR DES-
CONFIADO (2890).

——————.

2788. Graham, Malbone Watson: "The
Religious Dramas of Tirso de Molina."
UCC, XXX (1928), 46-55.

——————.

2789. Serratosa, Ramón: "El P. Maestro Fr. Gabriel Téllez como religioso."
Est, V (1949), 687-97.

RETRATO.
V.t. BIOGRAFÍA (2699).

——————.

2790. Ossorio y Bernard, M.: "El
retrato de Tirso de Molina."
En su libro Papeles viejos e investigaciones literarias, págs. 155-58.
[V. GENERAL II, LIBROS, núm. 1728].

——————.

2791. Placer López, G.: "Un nuevo
retrato de Tirso de Molina."
Est, V (1949), 721-24.

RÍOS, BLANCA DE LOS.
V. DRAMÁTICA (2732).

ROMANCE.
V. ANGÉLICA Y MEDORO (2672).

ROMANCERO.
2792. García Blanco, M.: "Una curiosa utilización del Romancero en
el teatro de Tirso de Molina."
Est, V (1949), 295-301.
[Utilización del romance de Fernán González en La peña de Francia,
y del que comienza "Mensajero eres,
amigo" en Escarmientos para el
cuerdo y en Los balcones de Madrid].

SALMERÓN, EL PADRE ALONSO.
2793. Placer López, G.: "Fray Gabriel Téllez y el Padre Salmerón."
Merced, V (1948), 74-75.

SAN JUAN DE LA CRUZ.
V. OBRAS, EL CONDENADO POR DESCON-
FIADO (2892).

SAN PABLO.
V. SANTORAL (2798).

SAND, GEORGE.
V. GENERAL II, núms. 1409-10.

SANTA TECLA.
2794. Penedo Rey, M.: "La vida de
Santa Tecla por el Maestro Tirso de
Molina."
Merced, VI (1949), 16-17.
["La patrona de las Musas" en De-
leytar aprovechando].

SANTIAGO EL MAYOR.
V. SANTORAL (2799).

SANTO DOMINGO.
V.t. ESPAÑOLA, LA (2733), MERCED
(2750), VIAJE (2831-32).

——————.

2795. Nolasco, Flérida: "Tirso de
Molina en Santo Domingo."
ALat, IX (1939), no. 180, págs. 18-
19, 21-22, 49-50.

——————.

2796. Nolasco, Flérida: "Tirso de
Molina en Santo Domingo."
Clío, VII (1939), 13-19.
[Igual al núm. 2795].

——————.

2797. Nolasco, Flérida: "El significado de Tirso de Molina en la
cultura dominicana."
AUSD, XIII (1948), 81-101.

SANTORAL.
2798. Placer López, G.: "Santoral
de Tirso de Molina: San Pablo."
Merced, VI (1949), 78-79.

——————.

2799. Placer López, G.: "Santoral
de Tirso de Molina: Santiago el
Mayor."
Merced, V (1948), 107-09.

"SECRETA VENGANZA".
V. LOPE DE VEGA, VENGANZA (3538).

SECRETO.
2800. Romera, Antonio R.: "Tirso de

2800 (cont.).
Molina y su secreto."
Atenea, LXXXIX, no. 276 (jun, 1948),
págs. 460-69.

SEVILLA.
V. BIOGRAFÍA (2698).

SIGLO XVIII.
2801. McClelland, I. L.: "Tirso de
Molina and the Eighteenth Century."
BSS, XVIII (1941), 182-204.

SIGNIFICADO.
V. SANTO DOMINGO (2797).

SOBRENATURAL.
V. SUPERNATURAL (2807).

SOCIEDAD.
2802. Arco y Garay, R. del: "La sociedad española de Tirso de Molina."
RIS, II (1944), no. 7, págs. 175-90;
III (1945), no. 10 (abr-jun), págs.
459-77; no. 11-12 (jul-dic), págs.
335-59.

SORIA.
V.t.BIOGRAFÍA (2688).

————.
2803. Lasso de la Vega, M.: "Tirso
de Molina en Soria."
UnivZ, XVI (1939), 321-36.

————.
2804. Penedo Rey, M.: "Tirso de Molina en Soria."
Est, I (1945), no. 2, págs. 179-80.

————.
2805. Zamora Lucas, F.: "Evocación
de Tirso en sus conventos de Soria
y Almazán."
Est, V (1949), 123-55.

SPOKEN LETTERS.
V. RUIZ DE ALARCÓN, núm. 2614.

SUMPTUARY DECREES.
2806. Kennedy, Ruth Lee: "Certain
Phases of the Sumptuary Decrees of
1623 and their Relation to Tirso's
Theater."
HR, X (1942), 91-115.

SUPERNATURAL.
2807. McClelland, I. L.: "The Con-
ception of the Supernatural in the
Plays of Tirso de Molina."
BSS, XIX (1942), 148-63.

TABACO.
2808. Placer López, G.: "Tirso de
Molina y el tabaco."
Merced, V (1948), 87-88.

"TACITURNA LOQUACE, LA".
V. PASCA (2771).

TEATRO.
2809. Mesonero Romanos, R. de: "El
teatro de Tirso de Molina."
SemPintEsp, (1851), 331-34.

"TEATRO ESPAÑOL".
V. BUSTO (2703).

TEOLOGÍA, TEOLÓGICO.
V.t. PSICOLOGÍA (2785); OBRAS, EL
CONDENADO POR DESCONFIADO (2895-99)

————.
2810. Hornedo, R. M. de: "La teología zumeliana de Tirso de Molina."
EstEcl, XXIV (1950), 217-36.

TIRSO DE MOLINA.
V.t. GENERAL II, LIBROS, FLORES
GARCÍA (1636).

————.
2811. Calvo Asensio, G.: "Tirso de
Molina."
AméricaM, XII (1868), no. 4 (28 de
feb.), págs. 2-3.

————.
2812. Rosell, Cayetano: "El Padre
Maestro Fr. Gabriel Téllez (Tirso
de Molina)."
AlmIEA, VI (1879), 19-20.

————.
2813. Ríos, Blanca de los: "Tirso
de Molina."
Ateneo, I (1906), 355-65, 509-17.
[Reimpreso en su libro Del siglo
de oro, págs. 1-55 (V. núm. 1762)]
a) R. Menéndez Pidal, CE, I (1906)
   780-81.
b) Magdalena S. Fuentes, Lect, VI
   (1906), tomo 2, págs. 411-13.

2814. Anibal, C. E.: "Tirso de Molina."
Hisp, XII (1929), 325-27.
[Sobre B. de los Ríos: "El enigma biográfico..." (núm. 2690)].

2815. Bushee, Alice H.: "Tirso de Molina, 1648-1848."
RevHisp, LXXXI (1933), parte 2, págs. 338-62.
[Reimpreso en su libro Three Centuries of Tirso de Molina, págs. 1-28 (V. LIBROS, núm. 2925); traducido por Millé y Giménez (núm. 2752)].

2816. Gómez-Guirao: "Fray Gabriel Téllez, Tirso de Molina."
Letras, II (1936), no. 5 (4 de abr), págs. 11-12.

2817. Vossler, Karl: "Tirso de Molina."
Cor, X (1940-43), 148-72.
[Reimpreso en su Südliche Romania, págs. 185-203 (V. núm. 1806); traducción española en Escritores y poetas de España, págs. 41-59 (V. núm. 1802)].

2818. Vossler, Karl: "Tirso de Molina."
Esc, II (1941), no. 4, págs. 167-86.

2819. Martín Martín, J. M.: "Tirso de Molina."
VyL, no. 25-26 (1948), 127-29.

2820. Penedo Rey, M.: "Tirso de Molina (+ febrero 1648-1948)."
Merced, V (1948), 42-43.

2821. Wade, Gerald E.: "Tirso de Molina."
Hisp, XXXII (1949), 131-40.

2822. Wade, Gerald E.: "Tirso de Molina."
Est, V (1949), 205-21.

[Traducción española del núm. 2821 por José-Santiago Crespo].

2823. Macedo Soares, J. C. de: "Tirso de Molina."
Est, V (1949), 671-85.

2824. "Tirso de Molina (nacido en Madrid en 1585 y muerto en Soria en 1648)."
Atenea, LXXXIX, no. 274 (abr, 1948), págs. 1-3.

TOLEDO.
V. BIOGRAFÍA (2698).

TOTENTANZ.
V. GENERAL II, DANZA DE LA MUERTE (976).

TRÁGICO.
2825. Boza Masvidal, Aurelio A.: "Tirso de Molina considerado como poeta trágico."
Ant, IV (1921), 78-96, 211-25, 299-307.
[Trata de La venganza de Tamar y de El condenado por desconfiado].
a) S. G., RFE, X (1923), 326.

TRIUNFO.
2826. Ríos, Blanca de los: "Un triunfo español narrado por Tirso de Molina."
RazaEsp, III (1921), no. 34 (oct.), págs. 27-32.

VALCACER, EL MAESTRO.
V. ZUMEL (2837).

VALORES POÉTICOS.
2827. Zamora Vicente, A.: "Los valores poéticos en el teatro de Tirso."
Insula, III, no. 28 (15 abr, 1948), pág. 1.

VEGA, LOPE DE.
V. ARCADIA, LA (2673); OBRAS, AMAR POR SEÑAS (2846); LOPE DE VEGA, POESÍA (3377), VENGANZA (3538).

VENGANZA, LA SECRETA.
V. LOPE DE VEGA, VENGANZA (3538).

VERGONZOSO.
2828. Huerta, Eleazar: "Tirso, el
vergonzoso."
Atenea, LXXXIX, no. 276 (jun, 1948),
págs. 371-86.

VERSIFICACIÓN.
2829. Morley, S. G.: "The Use of
Verse-Forms (Strophes) by Tirso de
Molina."
BH, VII (1905), 387-408.

————.
2830. Morley, S. G.: "El uso de las
combinaciones métricas en las comedias de Tirso de Molina."
BH, XVI (1914), 177-208.

VIAJE.
V.t. CRÓNICAS (2716).

————.
2831. Ríos, Blanca de los: "El viaje de Tirso a Santo Domingo y la
génesis del 'Don Juan'."
RazaEsp, VI (1924), 4-35.

————.
2832. Ríos, Blanca de los: "El viaje de Tirso a Santo Domingo y la
génesis del 'Don Juan'."
BAGNCT, XI (1948), 168-94.

VIDA.
2833. Remón, Augustín: "La vida fe-
cunda de Tirso de Molina."
BET, VI (1948), 66-73.

VIRGEN.
V. PILAR, VIRGEN DEL (2774).

VIZCAYA.
2834. Ríos, Blanca de los: "Vizcaya
glorificada por Tirso de Molina."
VVas, (1948), 207-08.
[La prudencia en la mujer].

VOCES AMERICANAS.
2835. García Blanco, M.: "Voces
americanas en el teatro de Tirso de
Molina."
BICC, V (1949), 264-83.

ZAMORA, ANTONIO DE.
V. DON JUAN (2730).

ZARAGOZA.
V. GENERAL II, núm. 1512.

ZORRILLA, JOSÉ.
V. OBRAS, EL BURLADOR DE SEVILLA
(2870).

ZUMEL, FRANCISCO.
V.t. PSICOLOGÍA (2785), TEOLOGÍA
(2810); OBRAS, EL CONDENADO POR
DESCONFIADO (2898-99).

————.
2836. "De la biografía de Zumel,
por Tirso de Molina."
Est, V (1949), 337-40.

————.
2837. Placer López, G.: "Entre Zumel y Téllez, el maestro Valcacer."
Merced, VII (1950), 146-47.

OBRAS

COLECCIONES

2838. COTARELO Y MORI, E.: Comedias
de Tirso de Molina. (NBAE, IV y IX).
Madrid: Bailly-Bailliere, 1906-07.
a) H. A. Rennert, MLR, II (1906-07),
168-74; IV (1908-09), 422-24.
b) A. L. Stiefel, ZRP, XXXIII (1909),
737-46.
c) --, RCont, CXXXIII (jul-dic,
1906), 242.
d) J. M. Aicardo, RyF, XVI (1906),
377-80.

2839. CASTRO, AMÉRICO: Comedias de
Tirso de Molina, tomo I. (Clásicos
castellanos, 2). Madrid: "La Lectura," 1910.
a) --, RTI, XVI (1912), 38-43.
b) L. Pfandl, Spanien, II (1920),
226.
c) A. Hämel, LGRP, XXXIII (1912),
col. 32-33.
d) P. A. Becker, DLZ, XXXII (1911),
col. 1384-85.
e) J. Fitzmaurice-Kelly, MLR, VI
(1911), 278-79.
f) G. Cirot, BH, XXVII (1925), 176-
178 [sobre la 2ª ed., 1922].
V.t. EL BURLADOR DE SEVILLA (2866).

2840. HENRÍQUEZ UREÑA, P.: El burlador de Sevilla, El condenado por desconfiado, La prudencia...("Las cien obras maestras de la literatura y del pensamiento universal"). Buenos Aires: Editorial Losada, 1939. Pp. 270.
[La introducción de Henríquez Ureña está reimpresa en su Plenitud de España, págs. 159-61. V. GENERAL II, LIBROS, núm. 1661].
a) V. G. Domblide, RFH, II (1940), 400-02.

2841. MANTUANO, EL BACHILLER [BONILLA Y SAN MARTÍN, ADOLFO]: "Entremeses del siglo XVII, atribuídos al Maestro Tirso de Molina, publicados por El Bachiller Mantuano."
Ateneo, VII (1909), 16-30, 72-94.
[El estudiante, El gavacho, Las viudas, El duende, La mal contenta].

2842. RÍOS, BLANCA DE LOS: Tirso de Molina: Obras dramáticas completas. Tomo I. Madrid: M. Aguilar, 1946. Pp. cxlii-1946.
a) C. Bruerton, NRFH, III (1949), 189-96.
b) M. Penedo Rey, Est, III (1947), 277-84.

2843. ZAMORA VICENTE, A. y MARÍA JOSEFA CANELLADA DE ZAMORA: Comedias de Tirso de Molina, II. (Clásicos castellanos, 131). Madrid: Espasa-Calpe, 1947. Pp. xx-269.
a) C. Bruerton, NRFH, IV (1950), 68-70.
b) G. E. Wade, Est, VI (1950), 353-360.

OBRAS SUELTAS

ADVERSA FORTUNA DE DON ÁLVARO DE LUNA, LA.
V.t. CALDERÓN, OBRAS, LA VIDA ES SUEÑO (2271).

———.
2844. Juliá Martínez, E.: "Rectificaciones bibliográficas. La adversa fortuna de don Álvaro de Luna."
RBN, IV (1943), 147-50.
[Sobre un manuscrito de la comedia que tiene al fin la firma y rú-

brica de Mira de Amescua, y una licencia para representar fechada el 7 de octubre de 1624].

AMANTES DE TERUEL, LOS.
V. GENERAL II, núm. 818.

AMAR POR RAZÓN DE ESTADO.
2845. Wade, Gerald E.: "El escenario histórico y la fecha de Amar por razón de estado."
Est, V (1949), 657-70.

AMAR POR SEÑAS.
2846. Buchanan, M. A.: "Partinuplés de Bles. An Episode in Tirso's Amar por señas, Lope's La viuda valenciana."
MLN, XXI (1906), 3-8.

AMAZONAS EN LAS INDIAS.
V. GENERAL II, CHOCOLATE (972).

AMOR MÉDICO, EL.
2847. Zamora Vicente, Alonso: "Una nota a El amor médico."
Filol, II (1950), 77-80.

AMOR Y EL AMISTAD, EL.
V. TEMAS, LAUGHTER (2743).

ANTONA GARCÍA.
V.t. TEMAS, CRONOLOGÍA (2717).

———.
2848. McClelland, I. L.: "The Mob Scene in Tirso de Molina's Antona García."
BSS, XX (1943), 214-31.

BALCONES DE MADRID, LOS.
V. TEMAS, ROMANCERO (2792).

BANDOLERO, EL.
V. TEMAS, A CAZA (2668).

BURLADOR DE SEVILLA, EL.

Ediciones

2849. HÄMEL, ADALBERT: El burlador de Sevilla y convidado de piedra. (Bibliotheca Romanica, Band 272-73). Strassburg: J. H. Ed. Heitz, s. a. [¿1923?].
a) A. Hämel, GRM, XII (1924), 320 ["Selbstanzeigen"].

BURLADOR DE SEVILLA, EL (cont.).

Estudios

V.t. TEMAS, COMEDIAS (2713); LI-
BROS, SAID ARMESTO (2938); GENERAL
II, COMENTARIOS (927), NEUES (1299);
CÓRDOBA Y MALDONADO, núm. 2401.

2850. Casalduero, Joaquín: "Acota-
ciones al Burlador de Sevilla de
Tirso de Molina."
NSpr, XXXVII (1929), 594-98.

———.

2851. Ashcom, B. B.: "The First
Builder of Boats in El burlador de
Sevilla."
HR, XI (1943), 328-33.

———.

2852. Croce, B.: "El burlador de
Sevilla."
Aret, I (1944), fasc. 2, págs. 1-8.
[V. el núm. siguiente].

———.

2853. Croce, B.: "El burlador de
Sevilla."
QCrit, II (1946), no. 6, págs. 70-
76.
[Reimpreso en sus Letture di po-
eti, págs. 43-51. V. GENERAL II,
LIBROS, núm. 1607].

———.

2854. Porras Barrenechea, R.: "Tirso de Molina y el Burlador de Sevilla."
MercPer, XXIX (1948), 109-62.

———.

2855. Croce, B.: "Intorno a G. Cicognini e al Convitato di pietra."
HomRubió (1936), I, 419-32.

———.

2856. Cotarelo y Mori, E.: "Últimos
estudios acerca de El burlador de
Sevilla."
RABM, XVIII (1908), 75-86.

———.

2857. Bertini, G. M.: "Il Convidado
de piedra in Italia."
QIA, no. 7 (feb-abr, 1948), 161-63.

2858. Spellanzon, Giannina: "Lo scenario italiano Il convitato di pietra."
RFE, XII (1925), 376-84.

———.

2859. Fiorilli, Edgardo: "Dal Burlador de Sevilla al Don Giovanni di
Mozart."
Marz, XV, no. 48 (27 nov, 1910),
pág. 3.

———.

2860. Leavitt, Sturgis E.: "A Note
on the Burlador de Sevilla."
RR, XX (1929), 157-59.
[Sobre la hora que se menciona en
estos versos del Acto II: "Dícete
al fin que a las doce - vayas secreto a la puerta, - que estará a
las once abierta, ..."].

2861. Radoff, M. L., y Salley, W.C.:
"Notes on the Burlador."
MLN, XLV (1930), 239-44.
[Comentos sobre el texto].

———.

2862. Bruerton, C.: "Three Notes on
El burlador de Sevilla."
HR, XI (1943), 162-63.
[1. El padre de don Juan también
se llama don Juan; 2. Una décima
aumentada; 3. Versos de una décima
que faltan en el Acto II].

———.

2863. Menéndez Pidal, R.: "Sobre
los orígenes de El convidado de
piedra."
CE, I (1906), 449-59.
[Reimpreso en sus Estudios literarios, págs. 85-108 (V. GENERAL II
LIBROS, núm. 1703) y en el número
siguiente. Sobre los orígenes de
esta comedia, V.t. LIBROS, SAID AR-
MESTO (2938)].

———.

2864. Menéndez Pidal, R.: "Sobre
los orígenes de El convidado de
piedra."
BET, II (1944), no. 4, págs. 10-20.

———.

2865. Revilla, Manuel de la: "Una
redacción nueva de El burlador de

Sevilla, de Tirso de Molina."
IEA, XXII (1878), t. 2, págs. 255-
257, 287.
[Sobre el libro de Sancho Rayón
y el Marqués de Fuensanta del Valle
(V. GENERAL II, LIBROS, núm. 1771)].

———.

2866. Spitzer, Leo: "En lisant le
Burlador de Sevilla. Remarques sur
le texte publié par Castro, 2e édition."
NMit, XXXVI (1935), 282-89.
[Sobre la segunda edición del
número 2839].

———.

2867. Templin, E. H.: "Possible Re-
miniscences of La señora Cornelia
in El burlador de Sevilla."
MLF, XXXIII (1948), 118-22.
[Trata de la novela de Cervantes].

———.

2868. Delpy, G.: "Réflexions sur El
burlador de Sevilla."
BH, L (1948), 463-71.

———.

2869. Menéndez Pidal, R.: "Otra
versión del romance del Convidado
de piedra."
CE, I (1906), 767-68.

———.

2870. Ferri, Giustino: "Rassegna
drammatica. Il Don Juan Tenorio di
José Zorrilla, tradotto da G. de
Frenzi e G. M. Martini, e il vec-
chio Burlador di Tirso de Molina."
NA, CCXLI (1912), 159-62.

CABALLERO DE GRACIA, EL.
V. LIBROS, RESTORI (2937).

CABALLERO DE OLMEDO, EL (Anón.).
V. GENERAL II, NOTES ON THE SPA-
NISH DRAMA (1301).

CASTIGO DEL PENSEQUE, EL.
V. TEMAS, PASCA (2771); GENERAL
II, PLAUTO (1329).

CELOS CON CELOS SE CURAN.
V.t. LOPE DE VEGA, BIBLIOGRAFÍA
(3006).

2871. Cerro Corrochano, T.: "Una
comedia típica de Tirso de Molina:
Celos con celos se curan."
BABAV, I (1930), no. 2, págs. 102-
121.

CELOSA DE SÍ MISMA, LA.
V. TEMAS, CRONOLOGÍA (2717); GENE-
RAL II, LIBROS, MICHAELIS (1707).

CELOSO PRUDENTE, EL.
2872. Cossío, José María de: "Notas
de un lector. El celoso prudente y
A secreto agravio, secreta venganza."
BBMP, V (1923), 62-69.
[Ésta es comedia de Calderón].

CIGARRALES DE TOLEDO, LOS.
V.t. LOS TRES MARIDOS BURLADOS
(2921); TEMAS, CIGARRALES (2709),
MATRIMONIO (2744), PLAGIO (2777);
LIBROS, MARTÍN GAMERO (2932); GENE-
RAL II, CIGARRALES DE TOLEDO (907).

———.

2873. Penedo Rey, M.: "El fraile
músico de Los cigarrales de Toledo
de Tirso de Molina."
Est, III (1947), no. 9, págs. 383-90.

CONDENADO POR DESCONFIADO, EL.

Ediciones

2874. CASTRO, AMÉRICO: El condenado por desconfiado. (Colección
Universal, nos. 69-70). Madrid,
1919.
a) L. Pfandl, LGRP, XLIII (1922),
col. 46-47.

2875. GONZÁLEZ PALENCIA, ÁNGEL: El
condenado por desconfiado. Zaragoza:
Editorial Ebro, 1939. Pp. 125.
a) J. F. Gatti, RFH, III (1941),
70-71.

Estudios

V.t. TEMAS, PSICOLOGÍA (2785),
TRÁGICO (2825); LIBROS, MENÉNDEZ
PIDAL (2933), PRADO (2936); GENERAL
II, GLAUBEN (1099), HERMIT (1131),
SAND (1409-10); MIRA DE AMESCUA, EL
ESCLAVO DEL DEMONIO (2478).

CONDENADO.POR DESCONFIADO, EL (cont.).
2876. Rennert, H. A.: "Tirso de Molina's El condenado por desconfiado."
MLN, XVIII (1903), 136-38.

———.
2877. Cejador y Frauca, J.: "El condenado por desconfiado."
RevHisp, LVII (1923), 127-59.

———.
2878. Vossler, Karl: "Alrededor del Condenado de Tirso de Molina."
RCub, XIV (1940), 19-37.

———.
2879. Revilla, Manuel de la: "El condenado por desconfiado, ¿es de Tirso de Molina?"
IEA, XXII (1878), t. 1, págs. 411-14.
[Reimpreso, "notablemente corregido y aumentado," en sus Obras, págs. 349-64. V. GENERAL II, LIBROS, núm. 1756].

———.
2880. López Tascón, J.: "Antecedentes para solucionar la cuestión de autor de El condenado por desconfiado."
Contemp, IV, no. 16 (abr, 1934), 451-62; V, no. 18 (jun.), 180-88; VI, no. 21 (sept.), 100-19; no. 23 (nov.), 365-75; VII, no. 25 (enero, 1935), 18-27; no. 27 (mar.), 297-306.
[Análisis del estilo de Alonso Remón y del auto La madrina del cielo, que atribuye a Remón].

———.
2881. Santelices, Lidia: "Probable autor del Condenado por desconfiado."
AFFE, I (1936), no. 2-3, págs. 48-56.
[¿Mira de Amescua?].

———.
2882. Tamayo, J. A.: "Bibliografía de El condenado por desconfiado."
BibHisp, III (1944), 220-21.

———.
2883. Silva Tapia, Wáshington: "Cercanía de Tirso de Molina en El condenado por desconfiado."

Atenea, LXXXIX, no. 276 (jun, 1948), págs. 400-19.

———.
2884. Templin, E. H.: "The Encomienda in El condenado por desconfiado and Other Spanish Works."
Hisp, XV (1932), 465-82.

———.
2885. Menéndez Pidal, R.: "Más sobre las fuentes del Condenado por desconfiado."
BH, VI (1904), 38-43.
[Reimpreso, con "adiciones importantes," en sus Estudios literarios, págs. 73-82 (GENERAL II, LIBROS, núm. 1703). V.t. LIBROS, núm. 2933].

———.
2886. Pijoán, J.: "Acerca de las fuentes populares de El condenado por desconfiado."
Hisp, VI (1923), 109-14.

———.
2887. Correia Lopes, Edmundo: "Raízes de uma obra-prima do teatro espanhol: O condenado por desconfiado."
Ocid, XXIV (1944), 125-28.

———.
2888. Majó Framis, R.: "Interpretación y paráfrasis. El condenado por desconfiado de Tirso de Molina."
Esc, no. 60 (1949), 1063-84.

———.
2889. Hornedo, R. M. de: "El condenado por desconfiado no es una obra molinista."
RyF, CXX (1940), 18-34.
[Es decir, no concuerda con las teorías del P. Luis de Molina].

———.
2890. Gómez de Baquero, E. ["Andrenio"]: "El teatro religioso en España: El condenado por desconfiado."
En su libro De Gallardo a Unamuno, págs. 163-85. [V. GENERAL II, LIBROS, núm. 1647].

———.
2891. López Tascón, J.: "El conde-

nado por desconfiado y Fray Alonso Remón."
BBMP, XVI (1934), 533-46; XVII (1935), 14-29, 144-71, 274-93; XVIII (1936), 35-82, 133-82.

———.

2892. San José, Víctor de: "¿Influencia de San Juan de la Cruz en El condenado por desconfiado?".
MCar, XLIII (1942), 425-50.

———.

2893. Hornedo, R. M. de: "El condenado por desconfiado. Su significación en el teatro de Tirso."
RyF, CXX (1940), 170-91.

———.

2894. Spitzer, Leo: "Una variante italiana del tema del Condenado por desconfiado."
RFH, I (1939), 361-68.

———.

2895. Gómez, P.: "Un drama teológico: El condenado por desconfiado."
EspEv, I (1920), 261-63.

———.

2896. Rubio, David: "Sobre El condenado por desconfiado."
Abs, VII (1943), 389-401.
[Discusión teológica].

———.

2897. Hornedo, R. M. de: "La tesis escolástico-teológica de El condenado por desconfiado."
RyF, CXXXVIII (1948), 633-46.

———.

2898. Ortúzar, Martín: "El condenado por desconfiado depende teológicamente de Zumel."
Est, IV (1948), 7-41.

———.

2899. Ortúzar, Martín: "El condenado por desconfiado depende teológicamente de Zumel.—Nueva aclaración."
Est, V (1949), 321-36.

CONVIDADO DE PIEDRA, EL.
V. BURLADOR DE SEVILLA, EL.

DEL ENEMIGO EL PRIMER CONSEJO.
V. CALDERÓN, OBRAS, PARA VENCER A AMOR, QUERER VENCERLE (2195).

DELEITAR APROVECHANDO.
V. TEMAS, A CAZA (2668), ASTERISCOS (2675), SANTA TECLA (2794).

DESDE TOLEDO A MADRID.
V.t. TEMAS, PLAGIO (2777).

———.

2900. Oyuela, Calixto: "Desde Toledo a Madrid."
En sus Estudios y artículos literarios, págs. 209-18.
[Crítica de la representación de la compañía de Rafael Calvo. V. GENERAL II, LIBROS, núm. 1730].

DON GIL DE LAS CALZAS VERDES.

Ediciones

2901. BOURLAND, B. P.: Don Gil de las calzas verdes. New York: Henry Holt, 1901. Pp. xxvii-198.
a) F. de Haan, MLN, XVII (1902), 443-53.

Estudios

V.t. TEMAS, LAUGHTER (2743); GENERAL II, MISCELÁNEA ERUDITA, 2ª SERIE (1257).

2902. Bonilla y San Martín, A.: "Comentarios a dos pasajes de Don Gil de las calzas verdes de Tirso de Molina."
En sus Anales de literatura española, pág. 186. [V. GENERAL II, LIBROS, núm. 1581].

———.

2903. Nauta, G. A.: "Een paar aanteekeningen bij Tirso de Molina's Don Gil de las calzas verdes."
Neophil, XXI (1935-36), 22.
[Tocante a los versos "Don Gil es, aunque lo diga - el Conde Partinuplés" (III, 9), rechaza la explicación de Bourland. Sobre la elección del nombre Gil (en vez de don Francisco, don Pedro, etc.), señala la explicación de Espinel en su Marcos de Obregón (I, 17)].

DON GIL DE LAS CALZAS VERDES (cont.).
2904.   Ponferrada, J. O.: "Loa a
Tirso de Molina. Compuesta a modo
de prólogo para una versión moderna
de Don Gil de las calzas verdes,
que se representó conmemorando el
tercer centenario de la muerte del
famoso maestro."
BET, VI (1948), 99-100.

———.

2905.   Rosales J., Claudio: "Un problema de métrica en Don Gil de las
calzas verdes."
Atenea, LXXXIX, no. 276(jun, 1948),
388-97.

DOÑA BEATRIZ DE SILVA.
   V. GENERAL II, CUESTIÓN DE AMOR
(969).

DUENDE, EL.
   V. COLECCIONES, núm. 2841.

ESCARMIENTOS PARA EL CUERDO.
   V. TEMAS, ROMANCERO (2792).

ESTUDIANTE, EL.
   V. COLECCIONES, núm. 2841.

FINGIDA ARCADIA, LA.
   V. TEMAS, ARCADIA (2673), CRONOLO-
GÍA (2717).

GALLEGA MARI-HERNÁNDEZ, LA.
2906.   Taboada, Jesús: "Del jardín
de Tirso. Glosas y aspectos de La
gallega Mari-Hernández."
RGuim, LVIII (1948), 5-27.

GAVACHO, EL.
   V. COLECCIONES, núm. 2841; GENERAL
II, GAVACHS (1095).

HUERTA DE JUAN FERNÁNDEZ, LA.
   V. GENERAL II, HUERTA DE JUAN FER-
NÁNDEZ (1164).

JOYA DE LAS MONTAÑAS, SANTA OROSIA.
   V. LOPE DE VEGA, TEMAS, POESÍA
(3377).

MADRINA DEL CIELO, LA.
   V. CONDENADO POR DESCONFIADO (2880).

MALCONTENTA, LA.
   V. COLECCIONES, núm. 2841.

MARTA LA PIADOSA.
   V.t. TEMAS, NOTES (2759); LIBROS,
GUASTAVINO GALLENT (2929); LOPE DE
VEGA, OBRAS, EL DÓMINE LUCAS (3658).

———.

2907.   Oyuela, Calixto: "Marta la
piadosa."
En sus Estudios y artículos literarios, págs. 219-32.
   [Crítica de la representación de
la compañía de Rafael Calvo. V.
GENERAL II, LIBROS, núm. 1730].

NINFA DEL CIELO, LA.
   V. GENERAL II, DANZA DE LA MUERTE
(976).

NO LE ARRIENDO LA GANANCIA.
   V. TEMAS, CERVANTES (2708).

NUESTRA SEÑORA DEL ROSARIO: LA MA-
DRINA DEL CIELO.
   V. CONDENADO POR DESCONFIADO (2880).

PATRONA DE LAS MUSAS, LA.
   V. TEMAS, SANTA TECLA (2794).

PEÑA DE FRANCIA, LA.
   V. TEMAS, ROMANCERO (2792).

POR EL SÓTANO Y EL TORNO.
   V.t. TEMAS, CRONOLOGÍA (2717).

———.

2908.   ZAMORA VICENTE, A.: Por el
sótano y el torno. Edición, prólogo y notas. Buenos Aires: Universidad de Buenos Aires, Instituto de
Filología, 1949. Pp. 217.
a) J. Artiles Rodríguez, Hisp,
   XXXIII (1950), 189.
b) C. V. Aubrun, BH, LI (1949), 452.
c) J. M. Blair, MLR, XLV (1950),405.
d) I. L. McClelland, BSS, XXVII
   (1950), 119.
e) C. Bruerton, NRFH, IV (1950),
   70-71.
f) G. E. Wade, Sym, IV (1950), 187-
   190.
g) A. G. Reichenberger, HR, XX
   (1952), 78-80.
h) F. O. Adam Jr., RR, XLIII (1952),
   59-62.

PRIVAR CONTRA SU GUSTO.
2909.   Wilson, W. E.: "Tirso's Pri-

var contra su gusto: A Defense of
the Duke of Osuna."
MLQ, IV (1943), 161-66.

PRUDENCIA EN LA MUJER, LA.

Ediciones

2910. BUSHEE, A. H., y STAFFORD, L.
L.: La prudencia en la mujer.
México: Imp. Nuevo Mundo, 1948.
Pp. lii-172.
a) E. W. Hesse, Hisp, XXXIII (1950),
93-94.
b) C. V. Aubrun, BH, LI (1949), 451.
c) I. L. McClelland, BSS, XXVII
(1950), 117-18.
d) C. Bruerton, NRFH, III (1949),
401-02.
e) M. Penedo Rey, Est, VI (1950),
363-64.
f) L. Poston, BAbr, XXIV (1950), 175.
g) S. Martija, Filol, III (1951),
238-40.

———.

2911. McFADDEN, WILLIAM: La prudencia en la mujer. Liverpool:
Bulletin of Spanish Studies, 1933.
(Plain Text Series, 6). Pp. 136.
a) F. C. Tarr, BSS, XI (1934), 112-
113.
b) C. J. Winter, BAbr, VIII (1934),
335.

Estudios

V.t. TEMAS, PLAGIO (2778), VIZCAYA
(2834).

2912. Morel-Fatio, A.: "Études sur
le théâtre de Tirso de Molina: La
prudencia en la mujer."
BH, II (1900), 85-109, 178-203.

———.

2913. Morel-Fatio, A.: "La Prudence
chez la femme, drame historique de
Tirso de Molina."
En sus Études sur l'Espagne (Troi-
sième série), págs. 27-72. [V. GE-
NERAL II, LIBROS, núm. 1722].

———.

2914. Kennedy, Ruth Lee: "La prudencia en la mujer and the Ambient

that Brought it Forth."
PMLA, LXIII (1948), 1131-90.

———.

2915. Kennedy, Ruth Lee: "La prudencia en la mujer y el ambiente
en que se concibió."
Est, V (1949), 223-93.
[Traducción del núm. 2914].

———.

2916. Bushee, Alice H.: "Bibliogra-
phy of La prudencia en la mujer."
HR, I (1933), 271-83.
[Reimpresa en su Three Centuries
of Tirso de Molina, págs. 29-44.
V. LIBROS, núm. 2925].

QUIEN CALLA OTORGA.
V. TEMAS, CRONOLOGÍA (2717), PASCA
(2771).

QUIEN NO CAE NO SE LEVANTA.
V. TEMAS, PSICOLOGÍA (2785).

QUINAS DE PORTUGAL, LAS.
2917. Tamayo, J. A.: "Los manuscritos de Las quinas de Portugal."
RBN, III (1942), 38-63.

REINA DE LOS REYES, LA.
V. TEMAS, ASTERISCOS (2675), COME-
DIA (2712).

REPÚBLICA AL REVÉS, LA.
V. TEMAS, PLAGIO (2778).

SANTA JUANA, LA.

Ediciones

2918. CAMPO, AGUSTÍN DEL: La Santa
Juana, trilogía hagiográfica, 1613-
1614. Edición de Agustín del Campo.
Madrid: Editorial Castilla, 1948.
Pp. 467.
a) C. Bruerton, NRFH, V (1951), 445.

Estudios

V.t. TEMAS, ORTOEPÍA (2766): LOPE
DE VEGA, OBRAS, FUENTEOVEJUNA (3696).

2919. Wade, G. E.: "Tirso's Santa
Juana, Primera Parte."
MLN, XLIX (1934), 13-18.

SANTO Y SASTRE.
  V. LIBROS, RESTORI (2937).

TAN LARGO ME LO FIÁIS.
  V.t. BURLADOR DE SEVILLA (2865);
GENERAL II, LIBROS, SANCHO RAYÓN
(1771).

———.
2920. Fichter, W. L., y Sánchez Escribano, F.: "Una anécdota folklórica del 'tan largo me lo fiáis' no
notada hasta la fecha."
RFH, IV (1942), 70-72.

TRES MARIDOS BURLADOS, LOS.
2921. Tirso de Molina: "Los tres
maridos burlados."
SemPintEsp, (1851), 237-39, 244-47,
251-54.
  [Texto del cuento hallado en Los
cigarrales de Toledo, con una ad-
vertencia de J. E. Hartzenbusch].

VENGANZA DE TAMAR, LA.
  V. TEMAS, TRÁGICO (2825).

VERGONZOSO EN PALACIO, EL.
  V.t. TEMAS, COMEDIAS (2713),
LAUGHTER (2743); GENERAL II, PARÍS
(1318).

———.
2922. Lindley Cintra, Luís Filipe:
"Cartas de Espanha. A propósito de
uma representação de El vergonzoso
en palacio."
Ocid, XXXVI (1949), 76-79.
  [En el Teatro María Guerrero en
el año de 1948].

VIDA DE HERODES, LA.
  V. GENERAL II: TEMAS, HERODES
(1132); LIBROS, VALENCY (1792A).

VIDA DE LA SANTA MADRE DOÑA MARÍA
DE CERVELLÓN, LA.
  V. TEMAS, OBRA INÉDITA (2763).

VILLANA DE VALLECAS, LA.

Ediciones

2923. BROWN, SHERMAN W.: La Villana de Vallecas. Edited with Introduction, Notes and Vocabulary.
Boston: D. C. Heath, 1948. Pp.

xxxiv-238.
a) J. Mallo, Hisp, XXXII (1949), 370-72.
b) A. G. Reichenberger, HR, XVII
   (1949), 180-81.
c) C. Bruerton, NRFH, III (1949),
   405-06.
d) E. W. Hesse, MLJ, XXXIII (1949),
   86.

Estudios

  V.t. TEMAS, MUJER (2754); GENERAL
II, CHOCOLATE (972).

2924. Cruzada Villaamil, G.: "Examen crítico de la comedia del Maestro Tirso de Molina, La villana de
Vallecas."
Ilus, VI (1854), 106-10.

———.
2924A. Simón Díaz, J.: "La villana
de Vallecas y el pan de los Mercedarios."
CorrErud, IV (1946-57), 124-25.

VIUDAS, LAS.
  V. COLECCIONES (2841).

LIBROS

2925. BUSHEE, ALICE H.: Three
Centuries of Tirso de Molina. Philadelphia: University of Pennsylvania Press, 1939. Pp. x-111.
  V. TEMAS, GUZMÁN (2736), PARTES
(2770), TIRSO DE MOLINA (2815);
OBRAS, LA PRUDENCIA EN LA MUJER
(2916); GENERAL II, GREATEST (1112).
a) J. R. Owre, RR, XXXII (1941),
   424-25.
b) R. J. Michels, Hisp, XXII (1939),
   232-33.
c) R. Moglia, RFH, V (1943), 396-98.
d) G. Cirot, BH, XLII (1940), 171-
   173.
e) M. P. Whitney, BAbr, XIV (1940),
   321.
f) Harri Meier, LGRP, LXIV (1943),
   col. 57.

2926. COTARELO Y MORI, E.: Tirso
de Molina. Investigaciones bio-
bibliográficas. Madrid: Imprenta
de Enrique Rubiños, 1893. Pp. 221.
a) R. Foulché-Delbosc, RevHisp, I

(1894), 215.

V.t. TEMAS, BIOGRAFÍA (2686).

DIEULAFOY, MARCEL: Le Théâtre édifiant.
V. GENERAL II, LIBROS, núm. 1619.

2927. ESTUDIOS, vol. V (1949): Ensayos sobre el Padre Maestro Fray Gabriel Téllez.
[Contiene los núms. 2669, 2673, 2680-82, 2684, 2698-99, 2719, 2734, 2739-40, 2748, 2750, 2785, 2789, 2791-92, 2805, 2822-23, 2836, 2845, 2899, 2915].
a) A. Valbuena Prat, Clav, I (1950), no. 3, pág. 76.
b) E. A. Peers, BSS, XXVII (1950), 116-17.

2928. GABRIEL Y RAMÍREZ DE CARTAGENA, ALFONSO DE: Alrededor de Tirso de Molina. Madrid: Afrodisio Aguado, 1950. Pp. 146.
a) C. Bruerton, NRFH, V (1951), 446.

2929. GUASTAVINO GALLENT, G.: La toma de la Mamora, relatada por Tirso de Molina. Larache: Boscá, 1939. Pp. 30.
[Trata del Acto II de Marta la piadosa].
a) J. A. Tamayo, RFE, XXV (1941), 542.

2930. HERRANZ, JUAN JOSÉ (Conde de Reparaz): La realidad viviente de los personajes imaginados por Tirso de Molina. Discurso de recepción en la Real Academia Española. Madrid: Asilo de Huérfanos del Sagrado Corazón de Jesús, 1902. Pp. 59.
[Reimpreso en Discursos ... Serie segunda, V, 271-96. V. GENERAL II, LIBROS, ACADEMIA ESPAÑOLA (1552)].

2931. MCCLELLAND, I. L.: Tirso de Molina. Studies in Dramatic Realism. ("Liverpool Studies in Spanish Literature," 3rd Series). Liverpool: Institute of Hispanic Studies, 1948. Pp. vii-256.
a) A. F. G. Bell, BSS, XXV (1948), 285-86.
b) C. Bruerton, NRFH, III (1949), 402-05.

c) C. Bruerton, HR, XVII (1949), 343-47.
d) A. F. G. Bell, BAbr, XXIII (1949), 403.

2932. MARTÍN GAMERO, ANTONIO: Los cigarrales de Toledo; recreación literaria sobre su historia, riqueza y población. Toledo: López Fando, 1857. Pp. 195.

2933. MENÉNDEZ PIDAL, RAMÓN: El condenado por desconfiado, de Tirso de Molina. [En la portada: Discursos leídos ante la Real Academia Española en la recepción pública de ...]. Madrid: Tello, 1902. Pp. 96.
[Reimpreso, con "Nota bibliográfica," en sus Estudios literarios, págs. 13-71. V. GENERAL II, LIBROS, núm. 1703].

MIRÓ QUESADA, A.: Cervantes, Tirso y el Perú.
V. GENERAL II, LIBROS, núm. 1712.

2934. MUÑOZ PEÑA, PEDRO: El teatro del Maestro Tirso de Molina. Estudio crítico-literario. Valladolid: Rodríguez, 1889. Pp. 694.
a) --, RCont, LXXVI (oct-dic, 1889), 111.

2935. PALAU Y MARSÁ, F.: Una nueva conjetura sobre el Quijote: que Fernández de Avellaneda fué Tirso de Molina. Discurso leído en la Sociedad Barcelonesa de Amigos de la Instrucción. Barcelona: Imprenta de la Casa Provincial de Caridad, 1902. Pp. 30.

2936. PRADO, NORBERTO DEL: Sobre El condenado por desconfiado, drama de Tirso de Molina. Crítica literario-teológica. Vergara: Imp. de El Santísimo Rosario, 1907. Pp. 72.

2937. RESTORI, ANTONIO: Il Cavaliere di Grazia. Napoli: Perrella, 1924. Pp. 155.
a) J. F. Montesinos, RFE, XII (1925), 195-98. [Montesinos trata de la paternidad de la comedia El caballero de Gracia, citando versos idénticos en ésta y en Santo y sastre].

RESTORI (cont.).
b) S. Caramella, Rass, XXXIII
   (1925), 46-50.

2938. SAID ARMESTO, V.: La leyenda
de don Juan, orígenes poéticos de

El burlador de Sevilla y convidado
de piedra. Madrid: Sucs. de Hernando, 1908. Pp. 301.
a) H. Mérimée, RLR, LI (1908), 566-69.
b) F. de Onís, Lect, IX (1909),
   tomo 1, págs. 465-70.

TURIA, RICARDO DE

V. GENERAL I, LIBROS, MÉRIMÉE
(186); GENERAL II: TEMAS, DÉFEN-
SEURS (983); LIBROS, POETAS DRAMÁ-
TICOS (1747).

OBRAS

BELLÍGERA ESPAÑOLA, LA.
V. GENERAL II, LIBROS, MEDINA
(1698).

USTAROZ, JUAN FRANCISCO

2939. Roberts, Ethel Dane: "Auto
del Nacimiento de Christo nuestro
Redentor."
RevHisp, LXXVI (1929), 346-59.
[Es el texto de la obra, de 1652].

VALDIVIELSO, JOSÉ DE

2940. Rouanet, Léo: "Un auto inédit
de Valdivielso."
HomMenPelayo (1899), I, 57-62.
[Auto de la descensión de Nuestra
Señora].

VALLADARES DE SOTOMAYOR, ANTONIO

V.t. GENERAL II, GUZMÁN EL BUENO
(1129).

2941. Alcayde y Vilar, Antonio:
Valladares de Sotomayor (autor dramático del siglo XVIII) y la comedia El vinatero de Madrid. Madrid:
Mateu, 1915. Pp. 120.
[Contiene resúmenes de 10 sainetes y de 11 comedias, y el texto de
la comedia El vinatero de Madrid].

VEGA CARPIO, LOPE FÉLIX DE

V.t. GENERAL I, LIBROS, MÉRIMÉE
(186); GENERAL II: TEMAS, DRAMA-
TURGOS (1034), LITERATURA DRAMA-
TYCZNA (1220), INFLUENCIA (1173),
NOTICIAS (1302); LIBROS, LEWES
(1686), LISTA (1687), MÉRIMÉE
(1705), ROS (1766A), SCHMIDT (1776).

TEMAS

"A MIS SOLEDADES VOY".
V. OBRAS, DOROTEA (3669-70).

ABENCERRAJE, EL.
V. OBRAS, CASTIGO DEL DISCRETO
(3625).

ACTUALIDAD.
V.t. MODERNISMO (3308).

———.
2942. Núñez, Estuardo: "Lope y la
actualidad."
ND, XVI (1935), no. 10 (oct.), págs.
6-7.

———.
2943. Díez Martínez, A.: "Actualidad del espíritu de Lope de Vega."
MFem, XVI (1935), núm. 104-05, págs.
9-10.

ACHILLINI, C.
V. GENERAL II, CARTEGGIO (896).

ADJETIVOS.
V. FEMENINOS (3184).

AFRICANO.
V. LIBROS, GARCÍA FIGUERAS (3863).

AGUJA DE NAVEGAR.
  V. LIBROS, AZORÍN (3829).

ALBA, ALBA DE TORMES (V.t. 3547).
2944. Herrero García, M.: "Lope estuvo enfermo en Alba de Tormes."
CorrErud, II (1941-42), 190.
  [Sobre "Burguillos os viene a
dar" más 5 versos, en OS, XII, 314].

ALBRICIO (ALBRICIUS, o ALBRICUS,
médico y filósofo inglés del siglo
XII).
  V. TRADUCCIONES (3497).

ALCIATO, ANDREA.
  V. NOTE LOPIANE (3338).

ALEMÁN.
2945. Dam, C. F. A. van: "Lope de
Vega y el alemán."
RFE, XV (1928), 381-83.
  [V.t. GENERAL II, FLAMENCO (1080).

ALEMANIA.
  V.t. LIBROS, DORER (3848), FARI-
NELLI (3855-56), TIEMANN (3917).

——.
2946. Ballesteros Gaibrois, M.:
"Lope de Vega en Alemania."
CorrErud, I (1940-41), 18-19.
  [Sobre su popularidad en esa na-
ción],

——.
2947. Schlegel, Hans: "El renacimiento de Lope de Vega en Alemania."
LeonB, I (1945), 127-31.
  [Destaca este artículo la importancia que han adquirido las representaciones teatrales de obras de
Lope en los teatros alemanes. V.t.
RENACIMIENTO (3413)].

——.
2948. Tiemann, H.: "Über Lope de
Vegas Bild und Wirkung in Deutschland."
RomJahrb, I (1947-48), 233-75.

——.
2949. Iden, Otto: "Der Einfluss
Lope de Vegas und Calderons auf die
deutsche Literatur."
ZNU, XXXVIII (1939), 159-62.

ALVA, BARTOLOMÉ DE.
  V. AMÉRICA (2960).

ÁLVAREZ, EMILIO.
  V. OBRAS, EL CASTIGO SIN VENGANZA
(3628).

ALLUSION.
2950. Northup G. T.: "An Allusion
in Lope de Vega."
MLN, XXIV (1909), 62.
  [Un pasaje autobiográfico (¿?) en
El Dómine Lucas (BAE, XXIV, 55; Ac.
N., XII, 78a): versos contra la
"infame rama del linaje Osorio"].

AMARILIS.
  V. NEVARES SANTOYO, MARTA DE (3331-
3332).

AMARILIS INDIANA.
  V.t. LIBROS, TAURO (3916).

——.
2951. Medina, José T.: "Amarilis."
En su libro Escritores hispanoamericanos, ... págs. 23-33. [V. LI-
BROS, núm. 3883].

——.
2952. Millé y Giménez, J.: "Lope de
Vega y la supuesta poetisa Amarilis."
RBAM, VII (1930), 1-11.

——.
2953. Leonard, Irving A.: "More
Conjectures Regarding the Identity
of Lope de Vega's 'Amarilis Indiana'."
Hisp, XX (1937), 113-20.

——.
2954. Ureta, Alberto: "El enigma de
Amarilis."
Cien, V (1940), 437-47.
  [V. el número siguiente].

——.
2955. Ureta, Alberto: "El enigma de
Amarilis."
RdAmer, XIV (1948), 313-21.
  [Resumen de las investigaciones
sobre su identidad. Es probable que
Amarilis fuera María Tello de Lara
y de Arévalo y Espinoza].

AMARILIS INDIANA (cont.).

2956. Bardin, James C.: "Three Literary Ladies of Spain's American Colonies: 'Amarilis'."
BPAU, LXXV (1941), 19-24.

———.

2957. Adán, Martín: "Amarilis."
MercPer, XXX (1949), 185-93.

AMÉRICA.
V.t. LIBROS, RIVA-AGÜERO (3902).

———.

2958. Morínigo, Marcos A.: "América en el teatro de Lope de Vega."
RFH, Anejo II (1946). Pp. 257.
a) W. L. Fichter, RR, XXXVIII (1947), 265-69.
b) E. Amaya Valencia, BICC, III (1947), 326-28.
c) S. Gili Gaya, RFE, XXX (1946), 177-79.
d) W. J. Entwistle, MLR, XLV (1950), 97-99.
e) E. A. Peers, BSS, XXIV (1947), 208-09.
f) C. Bruerton, NRFH, I (1947), 181-83.
g) C. E. Anibal, HR, XVI (1948), 183-85.

———.

2959. Cossío, J. M. de: "Una noticia de América en Lope."
Finis, I (1948), 89-92.
[En el auto Viaje del alma, que se halla en el primer libro del Peregrino en su patria: "los celebrados - palos, que a un enfermo dados - le vuelven como primero."
(Acad., II, 8a; Peregrino, ed. 1733, pág. 38a; OS, V, 63)].

———.

2960. Ballesteros Gaibrois, M.: "De orbe hispánico. Lope de América."
RevEstHisp, I (1935), no. 6, págs. 751-52.
[Sobre Bartolomé de Alva como traductor de Lope en nahuatl, o azteca].

———.

2961. Franco, Ángel: "El tema de América en Lope de Vega."
Bruj, II (1936), 250-66.

AMOR.

2962. Reynier, Gustave: "Le dernier amour de Lope de Vega."
RdP, IVe année (1897), tome 4 (jul-ag), págs. 72-101.
[Marta de Nevares Santoyo].

———.

2963. Ferrer, Orlando: "El gran amor de Lope de Vega."
RCub, III (1935), 186-229.

———.

2964. Sainz de Robles, F. C.: "El símbolo y el síntoma del amor en Lope."
TiNus, no. 31 (1935), 33-35.

———.

2965. Petrov, D. K.: "El amor, sus principios y dialéctica en el teatro de Lope de Vega." [Trad. de Carlos Clavería].
Esc, XVI (1944), no. 47, págs. 9-41.

———.

2966. Benavente, Manuel: "Un gran amor de Lope de Vega."
RevNac, XLI (1949), 192-203.
[Sobre Elena Osorio. Es un capítulo de su libro (V. núm. 3831)].

AMOR DESCONOCIDO, UN.
V. "MARFISA" (3287-88).

AMOR NIÑO, EL.
V. ROMANCERO (3425).

AMORES.
V.t. LIEBESLEBEN (3262); OBRAS, LA DOROTEA (3665-66); LIBROS, ASENJO BARBIERI (3826), BENAVENTE (3831), ICAZA (3875-75A).

———.

2967. Revilla, Manuel de la: "Los últimos amores de Lope de Vega."
IEA, XX (1876), t. 2, págs. 127, 130.
[Sobre el libro de Asenjo Barbieri (núm. 3826)].

———.

2968. Quesnel, Léo: "Lope de Vega. Sa vie et ses derniers amours."
RB, XXVIII (1881), IIIe série, tome 2 (jul-dic), págs. 451-59.

[Sobre el libro de Asenjo Barbieri (núm. 3826)].

———.
2969. Andreu Gonzálbez, R.: "Los amores de Lope de Vega."
Contemp, VIII, no. 30 (jun, 1935), 253-56.

ANALECTA.
2970. Nauta, G. A.: "Analecta lopeana."
Neophil, XIX (1933-34), 98-100.
[Amar sin saber a quién y Las paces de los reyes].

ANECDOTARIO.
2971. "Anecdotario de Lope de Vega."
BRAE, XXII (1935), 667-82.

ANGULO, GREGORIO DE.
V. OBRAS, EPÍSTOLA AL DR... (3686).

ANNOTATIONS.
V. OBRAS, AMAR SIN SABER A QUIÉN (3586).

ANTEQUERA.
2972. Alonso, Dámaso: "Lope en Antequera."
Fénix, no. 2 (1935), 169-75.
[Reimpreso en su libro Del siglo de oro a este siglo de siglas, págs. 47-54. V. GENERAL II, LIBROS, núm. 1555].

ANTHOLOGIES.
V. ENGLISH (3163).

"ANTI-JÁUREGUI".
V. CARRERA, LUIS DE LA (3034).

ANTILLANO.
V. AREITO (2976).

AÑOS (citados en títulos).
1560-1640: CHART (3137).
1562: CENTENARIO (3074, 3091).
1572: JESUITAS (3249).
1588: YEAR (3560).
1599: VALENCIA (3508).
1605: ROMANCERO (3427).
1628: ESTAMPA (3174).
1635: CENTENARIO (3064, 3074, 3091).

APOLLO AND DAPHNE.
2973. Martin, H. M.: "The Apollo and

Daphne Myth as Treated by Lope de Vega and Calderón."
HR, I (1933), 149-60.

ARAGÓN.
2974. Allué Salvador, M.: "Una tetralogía aragonesa en el teatro de Lope de Vega."
BMPBAZ, no. 2 (dic, 1942), págs. 3-33.
[Sobre La campana de Aragón, La reina doña María, El piadoso aragonés, El mejor mozo de España].

ARCADIA.
2975. Cortés Cavanillas, Julián: "Arcadia a lo divino."
Vert, VI (1943), no. 70, págs. 11-12.
[Sobre Los pastores de Belén].

AREITO.
2976. Rodríguez Demoriji, Emilio: "Lope de Vega y el areito antillano."
CuadDC, VI, no. 65 (en, 1949), 1-13.

ARGUIJO, JUAN DE.
2977. Montoto, Santiago: "Lope de Vega y don Juan de Arguijo."
RBAM, XI (1934), 270-82.
[También publicado separadamente: Sevilla: Imprenta del Arenal, 1935. Pp. 30].

ARIOSTO, LUDOVICO.
V.t. "ORLANDO FURIOSO" (3349); LIBROS, D'AMICO (3844).

———.
2978. Ludwig, Albert: "Lope de Vega als Schüler Ariosts."
HomTobler (1905), págs. 241-62.

ARISTIDES.
V. OBRAS, BARLAÁN Y JOSAFAT (3603).

ARISTOTÉLICOS.
V. GUERRA LITERARIA (3215).

ARMADA.
V.t. YEAR (3560).

———.
2979. Millé y Giménez, J.: "Lope de Vega en la Armada invencible."
RevHisp, LVI (1922), 356-95.
[Reimpreso en sus Estudios de li-

ARMADA (cont.).
teratura española, págs. 103-49. V.
GENERAL II, LIBROS, núm. 1711].

ARQUITECTURA.
V. ARTE (2981).

ARTE.
2980. Cabello Lapiedra, L. M.: "Lope de Vega y el arte de su época."
AcEsp, XIV (1935), 251-68.

———.
2981. Camón Aznar, José: "Citas de arte en el teatro de Lope de Vega."
RIEst, III (1945), 71-137 [arquitectura]; 233-74 [pintura, 233-; escultura, 253-; artes industriales, 255-.].

ARTE DRAMÁTICO.
V.t. POESÍA (3380); OBRAS, LA DAMA BOBA (3644); LIBROS, ROMERA-NAVARRO (3904). V.t. OBRAS, núms. 3631, 3799.

———.
2982. Kohler, Eugène: "L'Art dramatique de Lope de Vega."
RCC, XXXVII (1936), t. 2, págs. 385-395, 587-98 [formule dramatique], 701-15 [drames historiques]; XXXVIII, (1936-37), t. 1, págs. 358-71 [drames historiques], 522-32 [drames légendaires]; XXXVIII (1937), t. 2, págs. 167-76 [comedia de capa y espada], 468-80 [drames nouvellistiques], 544-60 [drames hagiologiques et les petits genres], 736-748 [conclusion].

———.
2983. Schulte-Herbrüggen, Heinz: "El arte dramático de Lope de Vega. Estudios críticos."
AUCh, año CVIII (1950), no. 80, págs. 5-94.
[Sobre El último godo y la Comedia de Bamba].

ARTE NUEVO.
V. BIOGRAFÍA (3010).

ARTES LIBERALES.
V. OBRAS, LA ARCADIA (3591).

ARTISTA.
2984. Alaejos, Abilio: "Lope de Ve-

ga, artista-poeta."
Contemp, VIII, no. 32-33 (ag-sept, 1935), 538-52; IX, no. 34-35 (oct-nov, 1935), 63-73.

ARTISTI ITALIANI.
V. LIBROS, LEVI (3880).

ASTROLOGÍA.
V.t. HORÓSCOPO (3230), RELOJ (3411).

———.
2985. Halstead, F. G.: "The Attitude of Lope de Vega toward Astrology and Astronomy."
HR, VII (1939), 205-19.

ATRIBUCIONES.
V. LOA (3273); GENERAL II, MISCELÁNEA ERUDITA, 1ª SERIE (1256).

AUFGABEN.
V. FORSCHUNG (3191).

AUTO, AUTO SACRAMENTAL.
V.t. AYUNTAMIENTO (2994); LIBROS, RESTORI (3900); GENERAL II, MÉXICO (1250).

———.
2986. Montoto, Santiago: "Un auto de Lope de Vega rechazado."
BRAE, XXV (1946), 429-33.
[La Virgen de los reyes. V. el número siguiente].

———.
2987. Pérez Gómez, A.: "Un auto sacramental de Lope censurado por el cabildo sevillano."
BibHisp, IX, no. 6 (jun, 1950), 93-94.
[Auto de la Virgen de los reyes, rechazado por contener datos incorrectos sobre el origen de la imagen].

———.
2988. Aicardo, J. M.: "Autos sacramentales de Lope."
RyF, XIX (1907), 459-70; XX (1908), 277-88; XXI (1908), 31-42, 443-53; XXII (1908), 319-32.
[Es continuación del núm. 3434, y está seguido por el núm. 3226].

2989.   Cayuela, Arturo M.: "Los autos sacramentales de Lope, reflejo
de la cultura religiosa del poeta y
de su tiempo."
RyF, CVIII (1935), 168-90, 330-49.

AUTOBIOGRAFÍA.
   V. ALLUSION (2950), POESÍA (3379).

AUTÓGRAFOS.
   V.t. CARTAS (3037), CRONOLOGÍA
(3130), INTERNAL LINE (3242), ORTO-
LOGÍA (3351), MANUSCRITO (3285);
OBRAS, AL PASAR DEL ARROYO (3581),
LA CORONA MERECIDA (3641), ¿DE
CUANDO ACÁ NOS VINO? (3648), EL
PRÍNCIPE DESPEÑADO (3784), LA REINA
DOÑA MARÍA (3789).

2990.   Lafuente Ferrari, Enrique:
"Un curioso autógrafo de Lope de
Vega."
RBN, V (1944), 43-62.
   [El soneto Para doña Antonia Trillo ("Ya no quiero más bien que sólo
amaros"), publicado también, con
variantes, en Los comendadores de
Córdoba y en sus Rimas (1602). "Al
reverso del autógrafo mismo, hecho
con un estuco o mástic especial, el
papel lleva un relieve coloreado con
figuras representando la Sagrada Familia con Santa Isabel y San Juani-
to." Está en el Museo Arqueológico
de Madrid].

2991.   Morley, S. G.: "A Lost Autograph of Lope de Vega."
Hisp, XI (1928), 43-44.
   [Sobre un lapsus plumae, escri-
biendo La Fuerza lastimosa en vez
de El Castigo sin venganza, de
Ticknor en una carta a Gayangos].

AUTOPLAGIO.
   V. PLAGIO (3372).

AUTORIDAD.
2992.   Romera-Navarro, M.: "Lope de
Vega y su autoridad frente a los
antiguos."
RevHisp, LXXXI (1933), parte 2,
págs. 190-224.
   [Reimpreso en su libro La precep-

tiva dramática de Lope de Vega,
págs. 11-59 (V. LIBROS, núm. 3904)].

AVELLANEDA, ALONSO FERNÁNDEZ DE.
   V. EPIGRAMA (3168).

ÁVILA.
2993.   Molinero, Jesús: "Lope de Ve-
ga, capellán de la iglesia de San
Segundo, de Ávila."
BRAE, VII (1920), 366-67.
   [V.t. DOCUMENTO (3146)].

AYUNAR LOS SÁBADOS.
   V. SATURDAY FASTING (3443).

AYUNTAMIENTO.
2994.   Penedo Rey, M.: "El ayuntamiento de Madrid y Lope de Vega.
Acuerdos sobre autos sacramentales
y el P. Remón."
RevBibyDoc, IV (1950), 313-17.

AZTECA.
   V. AMÉRICA (2960).

BANDELLO, MATTEO MARÍA.
   V.t. OBRAS, EL CASTIGO DEL DISCRE-
TO (3624), ELCASTIGO SIN VENGANZA
(3631), EL PERSEGUIDO (3778); LI-
BROS, GASPARETTI (3864); GENERAL II,
núm. 859.

2995.   Kohler, Eugène: "Lope et Ban-
dello."
HomMartinenche (1939), 116-42.
   [El Padrino desposado, (Carlos)
el perseguido, La Viuda valenciana,
La Quinta de Florencia, El Genovés
liberal, La Difunta pleiteada, El
Desdén vengado, El Mayordomo de la
Duquesa de Amalfi, Los Bandos de
Sena, Castelvines y Monteses, El
Castigo sin venganza, La Mayor vic-
toria, Si no vieran las mujeres, El
Guante de doña Blanca].

2996.   Bonelli, Maria Luisa: "Fonti
bandelliane in Lope de Vega."
MeR, VII (1942), no. 22 (31 de mayo),
pág. vi.
   [Los Bandos de Sena < Parte I,
Novela 49; Castelvines y Monteses <
Pte. II, Nov. 9; La Difunta pleite-
ada < Pte. II, Nov. 41; El Desdén

BANDELLO (cont.).
vengado < Pte. II, Nov. 17; El Genovés liberal < Pte. II, Nov. 26;
La mayor victoria < Pte. II, Nov.
37; El Padrino desposado < Pte. I,
Nov. 54; La Quinta de Florencia <
Pte. II, Nov. 15; Si no vieran las
mujeres < Pte. I, Nov. 18; El villano en su rincón < Pte. I, Nov.
18; La Viuda valenciana < Pte. IV,
Nov. 25 (26)].

BARRERA Y LEIRADO, CAYETANO A. DE LA.
V. BIOGRAFÍA (3009), SONETO INÉDI-
TO (3463).

BARROCO.
V.t. LIBROS, FIGUEROA Y MIRANDA
(3858).

─────.
2997. Alonso, Dámaso: "Lope de Vega,
símbolo del barroco."
En su Poesía española. Ensayo de
métodos y límites estilísticos,
págs. 449-510 (V. GENERAL II, LI-
BROS, núm. 1556).

"BEATUS ILLE ..."
V. SIMPLE LIFE (3457).

BELARDO-LUCINDA.
2998. Bruerton, C.: "Lope's Belardo-
Lucinda Plays."
HR, V (1937), 309-15.

BELÉN.
2999. Martínez Ruiz, José: "Lope y
el belén."
Vert, VI (1943), no. 70, págs. 9-10.
[Glosa de tipo literario sobre el
belén en la literatura lopesca].

"BELLA BRUTTA, LA".
V. TRADUCCIONES (3496).

BERBEZILH, RICHART DE.
3000. Riquer, Martín de: "Un pasaje
de Lope de Vega y un símil de Richart de Berbezilh."
RBN, V (1944), 353-55.
[En la comedia El Molino (Ac. N.,
XIII, 89b), los diez versos desde
"¿Qué esperas del Conde muerto?"
hasta "como hace la leona?" se parecen a algunos del provenzal Richart de Berbezilh].

BERMÚDEZ, FRAY JERÓNIMO.
V. LIBROS, REY SOTO (3901).

BEYS, CHARLES DE.
V. OBRAS, EL PEREGRINO EN SU PA-
TRIA (3765).

BÍBLICAS, COMEDIAS.
V. GENERAL II, VIEJO TESTAMENTO
(1493).

BIBLIOGRAFÍA.
V.t. AUTÓGRAFOS (2990-91), CARTAS
(3037-43), CATÁLOGO (3050-51), CEN-
SURA (3057), EPIGRAMA (3168), INÉ-
DITOS (3238), LORENZANA (3274), MA-
NUSCRITO (3284-85), PARTES (3358-60),
POESÍAS (3374, 3376, 3379, 3386),
TEATRO (3488), TOMO PERDIDO (3493),
TRADUCCIONES (3496-97), VERSOS
(3540-42); OBRAS, RIMAS (3794), RO-
MANCERO ESPIRITUAL (3802); LIBROS,
BIBLIOTECA NACIONAL (3832), DORER
(3848), TIEMANN (3917).

─────.
3001. Millé y Giménez, J.: "Apuntes
para una bibliografía de las obras
no dramáticas de Lope de Vega."
RevHisp, LXXIV (1928), 345-572.
[V.t. núm. 3007 y CATÁLOGO (3050)].
a) J. F. Montesinos, RFE, XIX (1932),
73-82.
b) J. de Entrambasaguas, RBAM, VI
(1929), 375-76.

─────.
3002. Hämel, A.: "Beiträge zur Lope
de Vega-Bibliographie."
ZRP, XL (1919-20), 623-33.
a) L. Pfandl, LGRP, XLII (1921),
col. 325-27.

─────.
3003. Rennert, H. A.: "Bibliography
of the Dramatic Works of Lope de
Vega Based upon the Catalogue of
John Rutter Chorley."
RevHisp, XXXIII (1915), 1-284.
a) M. A. Buchanan, MLN, XXXII
(1917), 304-06.
V.t. el núm. siguiente.

─────.
3004. Pfandl, L.: "Eine Lope de
Vega-Bibliographie."
DLZ, XXXVII (1916), col. 1599-1604.

[Crítica del núm. 3003].

——.

3005. Morley, S. G.: "Notes on the Bibliography of Lope de Vega's Comedias."
ModPhil, XX (1922-23), 201-17.

——.

3006. Gómez Ocerín, J.: "Para la bibliografía de Lope."
RFE, I (1914), 404-06.
[Un fragmento de una parte de comedias, citado por Salvá (Catálogo, I, 548b), que contiene Por la puente, Juana de Lope, y Celos con celos se curan de Tirso; pero el fragmento no es de la Parte XXVII, extravagante, de Barcelona, 1633].

——.

3007. Montesinos, J. F.: "Para la bibliografía de las obras no dramáticas de Lope de Vega."
RFE, XIX (1932), 73-82.
[Reimpreso en sus Estudios sobre Lope, págs. 279-91 (V. LIBROS, núm. 3887)].

——.

3008. "A Lope Bibliography. Selected Reference List of Books and Articles."
TAM, XIX (1935), 722, 725-26.
[Corta y sin novedad; consta de 45 obras].

BIBLIOTECA NACIONAL.
V. EXPOSICIÓN (3179); LIBROS, núm. 3832.

BIGOTE.
3008A. S. C.: "El bigote de Lope."
CorrErud, II (1941-42), Suplemento, pág. xxiv.
[Sobre la referencia en una carta del 15 de marzo de 1614 (V. Amezúa, Epistolario, III, 138)].

BILD.
V. ALEMANIA (2948).

BIOGRAFÍA.
V.t. ALBA DE TORMES (2944), ARMADA (2979), ÁVILA (2993), CENTENARIO (3072), DESCENDENCIA (3141), DOCUMENTOS (3146-50), ENTIERRO (3165-67),

HERMANO (3216-17), HIJA (3218-21), JESUITAS (3248-49), JUVENTUD (3252), LIEBESLEBEN (3262), MADRE (3280), MUERTE (3317), MUJERES (3318-20), ORÍGENES (3348), OSUNA (3352), PADRE (3353-55), PARROQUIA (3357), SALAMANCA (3436), SEVILLA (3449-50), TEATINOS (3487), TÍO (3491), VALENCIA (3508-10), VIDA (3546-49), YEAR (3560); LIBROS, ASTRANA MARÍN (3827), BARRERA (3830), ENTRAMBASAGUAS (3853), GONZÁLEZ RUIZ (3867), RENNERT (3897), RENNERT Y CASTRO (3898); GENERAL II, BIOGRAFÍA (871).

——.

3009. Pardo Bazán, Emilia: "Lope de Vega Carpio, según su nueva biografía."
NTC, I (1891), no. 1, págs. 51-94.
[Sobre la de la Barrera].

——.

3010. Menéndez Pidal, R.: "Lope de Vega. El arte nuevo y la nueva biografía."
RFE, XXII (1935), 337-98.
[Estudio biográfico y crítico. Reimpreso en su libro De Cervantes y Lope de Vega, págs. 67-138 (V. GENERAL II, LIBROS, núm. 1702)].

BLAIR, HUGO.
3011. Entrambasaguas, J. de: "Blair y Munárriz, mentores estéticos de la crítica lopiana."
RevBibyDoc, IV (1950), 5-30.
[Los juicios de José María Munárriz sobre la obra de Lope contenidos en su traducción de Lecciones sobre la retórica y las bellas letras de Hugo Blair, publicada en 1798. Reimpreso en sus Estudios sobre Lope de Vega, III, 569-609 (V. LIBROS, núm. 3850)].

BOCCACCIO, GIOVANNI.
V. OBRAS, EL ANZUELO DE FENISA (3588), LA BATALLA DEL HONOR (3605); LIBROS, ANSCHÜTZ (3822).

BOCCALINI, TRAIANO.
3012. Gasparetti, Antonio: "Note lopiane: Una risposta di Lope al Boccalini."
BSCC, XVI (1935), 105-11.
[Los sonetos dirigidos a Boccalini

BOCCALINI (cont.).
en las Rimas ... de Tomé de Burguillos (ed. 1634, fols. 52ᵛ, 53ʳ y
71ʳ; OS, XIX, págs. 104, 105 y 141):
"Señores Españoles..."; "Burguillos
el Raguallo..."; "Ya Becolin..."].

BODART, EUGEN.
V. OBRAS, EL NACIMIENTO DE CRISTO
(3748).

BOIARDO, MATTEO MARIA.
V. FONTI (3190); OBRAS, LA PRUEBA
DE LOS AMIGOS (3785).

BOISROBERT, FRANÇOIS LE METEL DE.
V. OBRAS, EL MAYOR IMPOSIBLE (3739).

BONFINIUS, ANTOINE.
V. OBRAS, EL REY SIN REINO (3793).

BORROW, GEORGE.
V. GHOST STORY (3200).

BOYL, CARLOS.
V. BOYL, núm. 1840.

BROWNING, ROBERT.
3013. Altschul, Arthur: "Brownings
Fra Lippo Lippi und Lope de Vega."
ASNSL, CLVI (1929), 250-53.
[Sobre la influencia de una esce-
na de La buena guarda de Lope].

BURCHIELLO (DOMENICO DI GIOVANNI).
V. GENERAL II, núm. 879.

BURGUILLOS, TOMÉ DE.
V.t. BOCCALINI (3012), LECCIÓN
(3256), NOTE LOPIANE (3338), SCARRON
(3444); OBRAS, RIMAS HUMANAS Y DI-
VINAS... (3795).

————.
3014. Pidal, Pedro José, Marqués de:
"¿Tomé de Burguillos y Lope de Vega,
son una misma persona?"
En sus Estudios literarios, II, 177-
191. [V. GENERAL II, LIBROS, núm.
1745].

————.
3015. Huarte, Amalio: "Lope de Vega
y Tomé de Burguillos."
RFE, IX (1922), 171-78.
[Sugiere que un tal Tomé de Burguillos, estudiante, vivía con Lope

en la Universidad de Salamanca].

————.
3016. Herrero García, M.: "Lope de
Vega y Tomé de Burguillos."
CorrErud, II (1941-42), 184.
[Dice que había, en el siglo XVI,
un trovador llamado Burguillos].

————.
3017. Blecua, José M.: "Un poema
desconocido de 'Tomé de Burguillos'."
BBMP, XXII (1946), 177-83.

————.
3018. Cossío, J. M. de: "Las rimas
del Licenciado Tomé de Burguillos."
BBMP, III (1921), 321-30.
[Describe el contenido de las
Rimas y señala algunas alusiones
autobiográficas].

BUSTO.
V. VEGA, LOPE DE (3514).

CABALLERESCO.
V. GENERAL II, LIBROS, MONTOLIU
(1718).

CABALLERO DE GRACIA.
3019. Benítez Claros, R.: "Lope de
Vega y la Congregación de Esclavos
del Caballero de Gracia."
RBN, VI (1945), 333-38.

CABILDO.
3020. Millares Carlo, A.: "Lope de
Vega y el Cabildo catedral de Las
Palmas."
MusCan, III (1935), no. 6, pág. 69.
[Una carta en que se pide un lu-
gar en donde representar una come-
dia de Lope no nombrada].

CADUCIDAD.
V. POESÍA (3382).

CALATRAVA, ORDEN DE.
V. FUENTE OBEJUNA (3196).

CALDERÓN DE LA BARCA, PEDRO.
V.t. ALEMANIA (2949), APOLLO AND
DAPHNE (2973), IMAGINERÍA SACRA
(3234), PERSEUS MYTH (3368), SHAKE-
SPEARE (3451), VENGANZA (3538);
GENERAL II, ÉTICA (1065-66).

3021. Pérez, Quintín: "Lope de Vega y Calderón: Fases de su rehabilitación literaria."
RyF, CIX (1935), 31-47.

3022. González Quijano, P. M.: Una vez más Lope y Calderón."
Fénix, no. 5 (1935), 611-29.

CAMERINO, JOSÉ.
V. LIBROS, LEVI (3880).

CAMILA LUCINDA.
V. LUJÁN, MICAELA (3275-79).

CAMÕES, LUÍS DE.
V.t. LIBROS, FERNÁNDEZ ALMUZARA (3857).

3023. Figueiredo, F. de: "Camões e Lope de Vega."
RLC, XVIII (1938), 160-71.
[Reimpreso en su libro Últimas aventuras, págs. 301-20 (V. GENERAL II, LIBROS, núm. 1635). Este artículo forma parte de otro: "Alguns elementos portugueses..." (V. núm. 3393)].

CANARIAS.
V.t. CABILDO (3020); LIBROS, LORENZO CÁCERES (3881).

3024. Lorenzo Cáceres, Andrés: "Las Canarias en el teatro de Lope de Vega."
MusCan, III (1935), no. 6, págs. 17-32.

3025. Lorenzo Cáceres, A.: "Las Canarias de Lope de Vega. Una página inédita de don José de Viera y Clavijo sobre los Guanches de Tenerife."
MusCan, IV (1936), 38-40.

CANCIÓN.
3026. Bal y Gay, J.: "Nota a una canción de Lope de Vega, puesta en música por Guerrero."
RFE, XXII (1935), 407-15.
[Francisco Guerrero (1528-99)].

3027. "Treinta canciones de Lope de Vega puestas en música... Con unas páginas inéditas de Ramón Menéndez Pidal y Juan Ramón Jiménez. Ed. J. Bal y Gay."
Res, Número extraordinario en homenaje a Lope (1935). Pp. xvi-112-- xvii-xxviii.

3028. Mele, Eugenio: "Una canzone popolare siciliana in una commedia di Lope de Vega."
Marz, XXXVII, no. 20 (15 mayo, 1932), pág. 4.
[El anzuelo de Fenisa, Acad., XIV, 502: "Aspetta di grazia un poco"].

3029. Mele, E.: "Una canzone popolare siciliana in una commedia di Lope de Vega."
BH, XXXV (1933), 455-56.
[El mismo artículo que el precedente, pero con una cita adicional y algunas variantes en el texto].

3030. Dagnino, Eduardo: "Intorno ad una canzone popolare siciliana."
Marz, XXXVII (1932), no. 22 (29 de mayo), pág. 4.
[Respuesta al artículo de Mele, en la que se señala otra canción siciliana semejante].

CANSADOS.
V. CASADOS (3048).

CANTIDAD.
V. CAUDAL (3052).

CAPELLÁN.
V. ÁVILA (2993).

CARACTERES.
V.t. POESÍA (3380).

3031. Lasso de la Vega, Ángel: "Lope de Vega: Caracteres generales y distintivos de sus obras."
IEA, XXVIII (1884), t. 1, págs. 62, 83-84, 86, 106.

CARAMUEL DE LOBKOWITZ, JUAN.
V. OBRAS, ARTE NUEVO (3598).

CÁRCEL.
3032. Herrero García, M.: "La cárcel de Lope."
RevEstHisp, II (1935), 195-200.
[V. el número siguiente].

——.
3033. Herrero García, M.: "La cárcel de Lope."
Fénix, no. 4 (1935), 539-49.
[Es el mismo artículo, pero am-
pliado y mejor documentado].

CARLOMAGNO.
V. LIBROS, LUDWIG (3882).

CARPIO, BERNARDO DEL.
V. LIBROS, MONTEVERDI (3888); GE-
NERAL II: TEMAS, no. 894; LIBROS,
HEINERMANN (1660), MITTERER (1713).

CARPIO, MIGUEL DEL.
V. Tío (3491).

CARRERA, LUIS DE LA.
3034. Artigas, Miguel: "Un opúsculo
inédito. El Anti-Jáuregui del Liz.
D. Luis de la Carrera."
BRAE, XII (1925), 587-605.

CARTA.
V.t. BIGOTE (3008A), LIÑÁN DE RIAZA
(3263), MEDINILLA (3295), PROSA
(3400), WELTBILD (3556); LIBROS,
AMEZÚA (3821), ROSENBLAT (3906);
RUIZ DE ALARCÓN, SPOKEN LETTERS
(2614).

——.
3035. Rosario, Rubén del: "Carta a
Lope de Vega."
Puerto Rico, I (1935), 228-30.

——.
3036. "Carta curiosa a Lope de Vega."
RELHA, I (1901), 400-01.
[21 mayo 1619. "De varios literatos sevillanos al gran Lope con
motivo del éxito que ... obtenían
algunas de sus obras"].

——.
3037. Paz y Melia, A.: "Carta autó-
grafa de Lope Félix de Vega Carpio

al Sr. D. Antonio de Mendoza."
RABM, III (1899), 365-66.
[Amezúa, Epistolario, IV, pág.
101, Carta 493].

——.
3038. Cossío, J. M. de: "Una carta
de Lope de Vega."
RFE, XVIII (1931), 164.
[Amezúa, Epistolario, IV, pág.
105, Carta 495].

——.
3039. Rodríguez Marín, F.: "Una
carta inédita de Lope de Vega."
RELHA, I (1901), 291-92.
[Amezúa, Epistolario, IV, pág. 66,
Carta 448].

——.
3040. Gómez-Moreno y Martínez, M.:
"Una carta inédita de Lope de Vega
(2 de enero de 1619)."
RABM, VI (1902), 386-87.
[Trata de sus peticiones por una
capellanía en Ávila. V.t. ÁVILA
(2993), DOCUMENTO (3146). La carta
se halla en Amezúa, Epistolario, IV,
pág. 31, Carta 402].

——.
3041. Icaza, Francisco A. de: "Las
cartas de Lope de Vega."
RdO, V (1924), 1-25.
[Descripción de la colección].

——.
3042. Montesinos, J. F.: "Dos cartas inéditas de Lope de Vega."
RFE, IX (1922), 323-26.
[Amezúa, Epistolario, IV, pág. 98,
Carta 490, y una esquela dirigida
al Duque de Sessa].

——.
3043. Muret, Ernest: "Une lettre
inédite de Lope de Vega."
HomPicot, (1913), II, págs. 365-70.
[Amezúa, Epistolario, IV, pág. 62,
Carta 446].

CARTAGENA (COLOMBIA).
3044. Porras Troconis, Gabriel:
"Lope de Vega y Cartagena."
AmEsp, I (1935), 365-66.

CASA.
V.t. HOGAR (3224); LIBROS, MUGURU-
ZA OTAÑO (3891).

―――.

3045. Muguruza Otaño, P.; Cavestany,
J.; Sánchez Cantón, F. J.: "Noticia
sobre la reconstrucción de la casa
de Lope."
En La casa de Lope de Vega, ed.
1935, págs. 19-80; ed. 1941, págs.
―― ; ed. 1962, págs. 27-184. [V.
LIBROS, núm. 3891].

―――.

3046. Remos, Juan J.: "La casa de
Lope de Vega."
AANAL, XXXII (1950), 94-96.

―――.

3047. Barberán, Cecilio: "La casa
de Lope de Vega en Madrid."
RNE, X (1950), no. 95, págs. 33-48.

CASADOS.
3048. Mérimée, Henri: "Casados ou
cansados (Note sur un passage de
Lope de Vega)."
RFE, VI (1919), 61-63.
[Sobre dos versos del Acto III
de Peribáñez (Acad., X, 138a; ed.
Hill y Harlan, vv. 2452-53): "¿Qué
es esto? La compañía - De los hidalgos casados."].

CASTIDAD, DEFENSA DE LA.
V. OBRAS, LA CORONA MERECIDA (3642).

CASTRO, INÉS DE.
3049. Cossío, J. M. de: "Un romance
de doña Inés de Castro, de Lope de
Vega."
BBMP, XIV (1932), 111-12.
[En Don Lope de Cardona, Acto III].

CATÁLOGO.
V.t. LIBROS, BIBLIOTECA NACIONAL
(3832).

―――.

3050. Montaner, J.: "Catálogo de
algunas obras no dramáticas de Lope
de Vega."
Papyr, I (1936), 86-93.

―――.

3051. Buchanan, M. A.: "Chorley's

Catalogue of Comedias and Autos of
Frey Lope Félix de Vega Carpio."
MLN, XXIV (1909), 167-70, 198-204.

CATALUÑA.
V. LIBROS, SALVAT DALMAU (3909A).

CAUDAL.
V.t. HOW MANY (3231); OBRAS, LA
MOZA DE CÁNTARO (3746); NÚM. 3398.

―――.

3052. Cotarelo y Mori, E.: "Sobre
el caudal dramático de Lope de Vega
y sobre su desaparición y pérdida."
BRAE, XXII (1935), 555-68.

CAXÉS, JUAN.
V. LIBROS, LEVI (3880).

CELANO, CARLO.
V. LIBROS, NAVARRA (3892).

CELESTINA.
V.t. OBRAS, AMAR COMO SE HA DE
AMAR (3583), LA PRUEBA DE LOS AMI-
GOS (3785); CELESTINA, TROTACONVEN-
TOS (287).

―――.

3053. Montesinos, J. F.: "Dos remi-
niscencias de La Celestina en comedias de Lope."
RFE, XIII (1926), 60-62.
[En El Galán escarmentado, Jornada III, Leonor = Areusa; en Por la
puente, Juana (BAE, XXXIV, 543a):
"os enseñaré en Toledo - ... - que
en habiendo zurcideras - engañarán
a un francés." Reimpreso en sus
Estudios sobre Lope, págs. 112-14
(V. LIBROS, núm. 3887)].

―――.

3054. Oliver Asín, J.: "Más remini-
scencias de La Celestina en el teatro de Lope."
RFE, XV (1928), 67-74.
[En El Amante agradecido, La Bella
malmaridada, El Caballero de Olmedo,
La Cortesía de España, La Francesilla, La Hechicera].

"CELIA".
3055. Goyri de Menéndez Pidal, M.:
"La Celia de Lope de Vega."
NRFH, IV (1950), 347-90.

3055 (cont.).
[Cree que Celia es Micaela de Luján. Reimpreso en su libro De Lope de Vega y del Romancero, págs. 103-174. V. LIBROS, núm. 3868].

CENACOLO ITALIANO.
V. LIBROS, LEVI (3880).

CENSURA.
V.t. AUTO (2986-87), INQUISICIÓN (3240); OBRAS, LA NIÑA DE PLATA (3749); LIBROS, ZAMORA LUCAS (3923).

————.
3056. Entrambasaguas, J. de: "Censura coetánea de una poesía de Lope de Vega."
AUM, II (1933), 215-31; III (1934), 72-93.
[Censura de "A la venida ... del ... Duque de Osuna" (OS, IX, 245-249). Reimpreso en sus Estudios sobre Lope de Vega, II, 415-504. V. LIBROS, núm. 3850].

————.
3057. Montoto, Santiago: "Una censura inédita de Lope de Vega en una traducción de la Ilíada."
BRAE, XX (1933), 523-28.

CENTENARIO.
V.t. CRÍTICA (3120), ENGLISH (3163), FESTIVAL (3188), MENÉNDEZ Y PELAYO (3299-3300), NATALICIO (3328), VEGA, LOPE DE (3523-36); OBRAS, EL CABALLERO DE OLMEDO (3615); LIBROS, BOEDO (3833), MONTEIRO DE BARROS LINS (3886), REY SOTO (3901); GENERAL II, THEN AND NOW (1459).

————.
3058. Brunn, H.: "Zum Andenken an Lope de Vega."
IAA, X (1936-37), 29-42.
[Traducción parcial de la Égloga a Claudio].

————.
3059. Entrambasaguas, J. de: "Ante el tricentenario de Lope de Vega."
Fénix, no. 1 (1935), 7-22.

————.
3060. Sánchez-Puerta, Gregorio: "Ante el centenario de Lope de Vega.

Su discípulo Juan Pérez de Montalbán."
AUM, III (1934), 201-15.

————.
3061. Levi, Ezio: "Il centenario di Lope de Vega."
LeoM, VI (1935), 413-16.
[Crítica de dos libros: Vossler (3920A) y Entrambasaguas (núm. 3215).

————.
3062. Marcori, Angiolo: "Il centenario di Lope de Vega."
SeC, XII (1936), 285-90.

————.
3063. Restrepo, J. S.: "¿Cine o teatro? A propósito del centenario de Lope de Vega."
AmEsp, I (1935), 292-98.

————.
3063A. Sánchez, José Rogerio: "Un centenario glorioso."
BAAC, (1935), no. 1.

————.
3064. Alaejos, Abilio: "En torno a un centenario: Fray Lope Félix de Vega Carpio. †1635-1935."
Contemp, VII, no. 25 (en., 1935), 8-17.

————.
3065. Alaejos, Abilio: "En torno a un centenario: Lope de Vega, hombre."
Contemp, VIII, no. 31 (jul, 1935), 301-17.

————.
3066. Bouvier, René: "Le Comité France-Espagne célèbre le Tri-Centenaire de Lope de Vega."
FrL, I (1935), no. 1, págs. 27-29.

————.
3067. Ambruzzi, Lucio: "Comunicado de Italia. Movimiento literario en Italia."
RevEstHisp, II (1936), no. 7, págs. 39-43.
[Contribución italiana al tricentenario de Lope de Vega].

————.
3068. "La consagración lopiana en

la fecha de su tricentenario."
GdL, II (1935), no. 11, pág. 6.

———.

3069. Gómez Restrepo, A.: "Lope de Vega. Discurso en el tercer centenario de la muerte del poeta."
AAC, VI (1939), 185-204.

———.

3070. Editorial del número extraordinario dedicado a Lope de Vega.
RevEstHisp, II (1935), no. 8, págs. 115-16.

———.

3071. La Dirección: "Homenaje a Lope de Vega."
AmEsp, I (1935), 289-90.

———.

3072. Holgado y González, José: "Número Homenaje al III centenario de la muerte de Lope de Vega. Biografía, estudio literario y selección."
Lecturas Católicas, año XLI, no. 491-92 (mayo-jun, 1935). Pp. 191.
[Contenido: Biografía, págs. 5-13; Cronología de sus principales obras, 13-21; Estudios y cultura de Lope, 22-29; Lope de Vega, poeta lírico, 30-47; Lope de Vega, poeta narrativo, 48-70; Lope de Vega, poeta dramático, 71-107; Texto de El pastor lobo y cabaña celestial (auto sacramental), 109-47. Las demás páginas contienen selecciones de La Jerusalén conquistada, La Gatomaquia, La Circe, epitafios, sonetos, canciones, romances, letrillas, etc.].

———.

3073. "Centenario de Lope de Vega. Se instituye una Junta Nacional."
GdL, II (1935), no. 5, pág. 8.

———.

3074. Karl, Ludwig: "Ein Lebensbild: Lope Félix de Vega Carpio, 1562-1635."
GArb, II, no. 21 (5 de nov, 1935), pág. 12.

———.

3075. Arno, Adolf: "Lope de Vega, der Humanist. Zur 300. Wiederkehr

seines Todestages."
MonP, (1936), no. 4, págs. 12-13.

———.

3076. "Die Lope de Vega-Feier im Haus der Länder."
LuV, ns LXVI (1936), 24-25.

———.

3077. "Lope-de-Vega-Feiern in Hamburg."
GdZ, XIII (1935), Heft 10, pág. 82.

———.

3078. "Lope-de-Vega-Feiern in Spanien."
GdZ, XIII (1935), Heft 10, págs. 81-82.

———.

3079. "Weitere Lope de Vega-Feiern in Spanien."
GdZ, XIII (1935), Heft 12, pág. 65.

———.

3080. X.: "Nel centenario di Lope de Vega."
CivCat, LXXXVI (1935), vol. 3, págs. 292-94.

———.

3081. Robles, F.: "Lope de Vega y su centenario."
IdC, XXIX (1935), no. 673, págs. 247-61.

———.

3082. Estrella Gutiérrez, Fermín: "Lope de Vega en el tercer centenario de su muerte."
Norte, no. 5 (1ro de ag, 1935), pág. 1.

———.

3083. Peers, E. A.: "Lope de Vega: Prólogo al tercer centenario de su muerte."
BSS, XII (1935), 174-85.

———.

3084. Behn, Irene: "Lope de Vega und seine religiöse Lyrik. Zu seine 300. Todestag am 27-8-35."
Gral, XXIX (1934-35), 490-94.

———.

3085. Fiszer, Vladimir: "W trzech-

CENTENARIO (cont.).
setna rocznice śmierci." ["Tercer
centenario de su muerte"].
PrzWsp, LIV (1935), 145-55.

———.

3086. Vossler, Karl: "Lope de Vega
zum Gedächtnis."
MAWE, X (1935), 401-04.
[Se incluyen tres sonetos de Lope
traducidos al alemán por Hermann
Brunn: "Suelta mi manso...," "Cual
engañado niño...," "Árdese Troya..."].

———.

3087. Peers, E. A.: "The Lope de Vega Tercentenary in Retrospect."
BSS, XIII (1936), 27-36.

———.

3088. Vossler, Karl: "Rückschau auf
das Lope-Jahr 1935."
RFor, L (1936), 1-20. [V.t. 3090].

———.

3089. Farinelli, A.: "Centenarios
que pasan y la fama: Lope de Vega."
En su Poesía y crítica (Temas hispánicos), págs. 7-13. [V. GENERAL
II, LIBROS, núm. 1633].

———.

3090. Vossler, Karl: "Mirada retro-
spectiva al año de Lope 1935."
RBN, I (1940), 289-311.
[V.t. núm. 3088].

———.

3091. Matulka, B.: "The Tercentenary
of Lope de Vega (1562-1635): His
International Diffusion."
SR, II (1935), 93-103.

———.

3092. "Tercer centenario de la muerte de Lope de Vega."
BAVen, II (1935), 399-508.
[Citas y elogios misceláneos, con
selecciones de sus obras].

———.

3093. Wedkiewicz, Stanislaw: [Ter-
cer centenario de Lope].
PrzWsp, LIV (1935), 285-88.

———.

3094. Pomès, Mathilde: "Le tricen-

tenaire de Lope de Vega."
NouvLitt, (15 de jun, 1935), pág. 3.

———.

3095. Cassou, Jean: "Le tricentenaire
de Lope de Vega."
RdP, XLIIᵉ année (1935), tome IV
(jul-ag), 205-16.

———.

3096. Pitollet, C.: "Le Tri-Centenaire de Lope de Vega."
RELV, LIII (1936), 212-19.

———.

3097. Bock, Peter: "Zum 300. Todestage von Lope de Vega (27. August
1935)."
ZNU, XXXIV (1935), 281-90.

———.

3098. "The World and the Theatre.
A Memorial Issue and a Hope--The
Lope Program in Spain."
TAM, XIX (1935), 651-52, 655.

CERVANTES, MIGUEL DE.
V. CERVANTES, VEGA, LOPE DE (328-
345); GENERAL II, LIBROS, MENÉNDEZ
PIDAL (1702).

CICOGNINI, GIACINTO ANDREA.
V. REINALDOS DE MONTALBÁN (3407);
GENERAL II, ITALIA (1181).

CIUDADES.
V. GENERAL II, MUNICIPIO (1288).

CLASICISMO, CLÁSICO.
V.t. MARINO, GIOVANNI B. (3289),
PRISMA (3396).

———.

3099. Espino Gutiérrez, G.: "El
clasicismo y el romanticismo en la
obra de Lope de Vega."
BBMP, XXV (1949), 84-98.

———.

3100. Jameson, A. K.: "Lope de Vega's Knowledge of Classical Literature."
BH, XXXVIII (1936), 444-501.

CLASIFICACIÓN.
V. CHART (3138); LIBROS, HENNIGS
(3872).

CLAUDIANO.
3101. Millé y Giménez, J.: "Lope de
Vega, traductor de Claudiano."
Verbum, XVII, no. 60 (1923), 63-70.
a) --, BRAE, XI (1924), 232-33.

CODDE, P. A.
V. OBRAS, LA HERMOSA ALFREDA (3712).

CÓDICE.
V. MANUSCRITO (3285), ROMANCE
(3423).

COLABORADORES.
3102. López Tascón, José: "Colaboradores de Lope de Vega."
BBMP, XVII (1935), 343-66.
[Dice que Fr. Alonso Remón cola-
boró en ¿De cuándo acá nos vino?].

COLECCIÓN.
V. LIBROS, AMEZÚA (3820), RESTORI
(3899).

COLMENARES, DIEGO DE.
3103. Huarte, Amalio: "El Licenciado
Colmenares y Lope de Vega."
CulSeg, (feb, 1932), 8-11.
[Historiador segoviano].

COLÓN, CRISTÓBAL.
3104. "Christopher Columbus and Lope de Vega."
SatRev, LXXV (1893), no. 1946 (11
de feb.), 150-51.
[Hay un análisis de la comedia El
Nuevo mundo].

———.
3105. Ciampoli, D.: "Colombo e Lope
de Vega."
Rinasc, II (1906), no. 14, págs.
3-10.

———.
3106. Campos, Jorge: "Lope de Vega
y el descubrimiento colombino."
RevInd, X (1949), nos. 37-38 (jul-
dic), págs. 731-54.
[Trata de El Nuevo mundo descubierto por Cristóbal Colón. Los
mismos números de la revista forman
parte del HomBallesteros, en el
cual el artículo se encuentra en
las págs. 269-92].

COLOR.
3107. Fichter, W. L.: "Color Symbolism in Lope de Vega."
RR, XVIII (1927), 220-31.

"COLUMBUS".
V. OBRAS, EL NUEVO MUNDO (3752A).

COMEDIA.
V.t. KOMÖDIE (3253); LIBROS, WURZ-
BACH (3921).

———.
3108. González, José Ignacio: "La
comedia de Lope de Vega."
UnivAnt, I (1935), 284-87.

"COMEDIA DENTRO DE UNA COMEDIA".
V. "DRAMA NUEVO, UN" (3154).

CONGREGACIÓN DE ESCLAVOS DEL CABA-
LLERO DE GRACIA.
V. CABALLERO DE GRACIA (3019).

CONJUGAL HONOR.
V. OBRAS, EL CASTIGO DEL DISCRETO
(3622); GENERAL II, LIBROS, MEIER
(1699).

CONSEJO DE INDIAS.
V. OBRAS, LA DRAGONTEA (3677-78).

CONTEMPORÁNEO.
V. ESPÍRITU (3172), POESÍA (3381).

CONTENIDO.
3109. Arconada, César M.: "Lope de
Vega y su contenido social."
TiPres, I (1935), no. 1, págs. 5 y
11.

CONTI, GIAMBATTISTA.
V. GENERAL II, LIBROS, CIAN (1596),
LOPE DE VEGA, LIBROS, CIAN (3841).

CONTIENDAS LITERARIAS.
V. JÁUREGUI (3247).

CONTRERAS, ALONSO DE.
3110. Cossío, José María de: "Lope
de Vega y el Capitán Alonso de Contreras."
CorrErud, III (1943-46), entrega
23-24, págs. 107-08.

CONTRIBUCIONES.
3111. Perry, Henry T. E.: "Spain's

CONTRIBUCIONES (cont.).
Contribution: Lope de Vega and his
School."
En su libro Masters of Dramatic Comedy and their Social Themes, págs.
117-49. [V. GENERAL II, LIBROS,
núm. 1744].

____.

3112. Montesinos, José F.: "Contri-
buciones al estudio del teatro de
Lope de Vega, I."
RFE, VIII (1921), 131-49.
[1] La fuente de Los Tellos de
Meneses; 2) Una nueva redacción de
Barlaan y Josafat. Reimpreso en
sus Estudios sobre Lope el primero
de estos artículos (págs. 90-99).
V. LIBROS, núm. 3887].

____.

3113. Montesinos, José F.: "Contribuciones al estudio del teatro de
Lope de Vega, II."
RFE, IX (1922), 30-39.
[1] La fecha y las fuentes de No
son todos ruiseñores, 2) Sobre la
fecha de El ruiseñor de Sevilla,
3) Sobre la fecha de Quien todo lo
quiere. Las tres notas se hallan
reimpresas en sus Estudios sobre
Lope, págs. 99-109. V. LIBROS, núm.
3887].

____.

3114. Jones, J. E.: "Contributions
of Lope de Vega to the Golden Age
of Spanish Drama."
RIP, XXIII (1936), 134-58.

CORDEL, LIBRO DE.
V. OBRAS, LA DONCELLA TEODOR (3660).

CORNEILLE, PIERRE.
V. LIBROS, CARAVAGLIOS (3838); GE-
NERAL II, CORNEILLE (937, 944, 946).

CORRAL, GABRIEL DE.
V. OBRAS, EL LAUREL DE APOLO (3731).

CORRIMIENTOS.
V. ENFERMEDADES (3162).

COSTUMBRES.
V.t. MANNERS (3283), USAGES (3507).

____.

3115. Castro y Rossi, Adolfo de:

"Relación entre las costumbres y
los escritos de Lope de Vega."
IlMex, I (1851), 449-53.

____.

3116. Castro y Rossi, Adolfo de:
"Relación entre las costumbres y
los escritos de Lope de Vega."
SemPintEsp, (1851), 101-02.

CREACIÓN.
3117. Ríos, Blanca de los: "Lope de
Vega y la creación del teatro nacional."
AcEsp, XV (1935), 285-322.

____.

3118. Entrambasaguas, J. de: "Lope
de Vega en la creación del teatro
nacional."
RNE, III, no. 35 (nov, 1943), 38-46.

CRISTIANO.
V.t. INSPIRACIÓN (3241); OBRAS, EL
CABALLERO DEL MILAGRO (3616).

____.

3119. Alcocer, Rafael: "El sentido
cristiano en Lope de Vega."
AcEsp, XIII (1935), 295-310.

CRÍTICA.
V.t. GENERAL II, PLAYWRIGHTS
(1330-31).

____.

3120. "Critical Estimates. Lope's
Appraisal: 300 Years After."
TAM, XIX (1935), 706-09.

____.

3121. X.: "Los críticos modernos y
Lope de Vega."
EscEsp, II (1935), 233-41.

CRONOLOGÍA.
V.t. CENTENARIO (3072), CONTRIBU-
CIONES (3113); OBRAS, núms. 3584,
3589, 3590, 3593-94, 3623, 3646,
3681-83, 3693, 3696, 3728, 3746,
3769-71, 3806, 3819; LIBROS, HÄMEL
(3871), MORLEY Y BRUERTON (3890).

____.

3122. Buchanan, M. A.: "The Chronology of Lope de Vega's Plays."
UTSt, VI (1922). Pp. 25.

a) G. T. Northup, ModPhil, XXI
(1923-24), 336.
b) J. F. Montesinos, RFE, X (1923),
190-92.
V.t. núms. 3123-24.

———.

3123. Pitollet, C.: "La chronologie
des pièces de Lope de Vega."
HispF, V (1922), 50-58.
[Sobre la obra de Buchanan (3122)].

———.

3124. Hämel, A.: "Bemerkungen zur
Chronologie der Comedias von Lope
de Vega."
Neophil, VIII (1922-23), 91-93.
[Sobre el tratado de Milton A.
Buchanan (3122)].

———.

3125. Fichter, W. L.: "Notes on the
Chronology of Lope de Vega's Comedias."
MLN, XXXIX (1924), 268-75.
[Fechas de 19 comedias propuestas
a base de versificación y evidencia
interna].

———.

3126. Morley, S. G.: "Notas sobre
cronología lopesca."
RFE, XIX (1932), 151-57.
[1) El periodismo de Lope, 2)
Quien todo lo quiere, 3) La fecha
de Peribáñez].

———.

3127. Bruerton, C.: "On the Chronology of Some Plays by Lope de Vega."
HR, III (1935), 247-49.
[Los Hechos de Garcilaso, Más vale salto de mata, Ursón y Valentín].

———.

3128. Arjona, J. H.: "Dos errores
de cronología lopesca."
RR, XXVIII (1937), 311-17.
[El vellocino de oro se halla en
la segunda lista del Peregrino,
pero parece que fue escrita en 1622.
La tragedia del rey don Sebastián
es de 1593, y no de 1602 como dijo
A. Castro en Rennert-Castro, Vida
de Lope de Vega (3898), pág. 521].

3129. Morley, S. G., y Bruerton, C.:
"The Dates of Two Plays by Lope de
Vega."
HR, VI (1938), 153-55.
[La Imperial de Otón y El Ejemplo
de casadas].

———.

3130. Fichter, W. L.: "New Aids for
Dating the Undated Autographs of
Lope de Vega's Plays."
HR, IX (1941), 79-90.

———.

3131. Bataillon, M.: "La nouvelle
chronologie de la Comedia lopesque:
de la métrique à l'histoire."
BH, XLVIII (1946), 227-37.
[Sobre Morley y Bruerton, The
Chronology of Lope de Vega's Comedias (núm. 3890)].

———.

3132. Morley, S. G., y Bruerton, C.:
"Addenda to the Chronology of Lope
de Vega's Comedias."
HR, XV (1947), 49-71.
[Adiciones y correcciones a su
libro].

———.

3133. Tyler, R. W.: "On the Dates
of Certain of Lope de Vega's Comedias."
MLN, LXV (1950), 375-79.
[La Burgalesa de Lerma, La cortesía de España, El Hamete de Toledo,
El Hidalgo Bencerraje, El Mejor mozo de España, El rústico del cielo].

CRONOS.
V. METAFORISMO (3304).

CRUZ, SOR JUANA INÉS DE LA.
3134. Delano, Lucile K.: "The Influence of Lope de Vega upon Sor
Juana Inés de la Cruz."
Hisp, XIII (1930), 79-94.

———.

3135. González Echegaray, C.: "Soror
Juana y Frey Lope. Dos sonetos."
BBMP, XXIV (1948), 281-89.
[Sor Juana: "Al que ingrato me de-
ja...", Lope: "Amaba Filis a quien
no la amaba". Sonetos cuyo tema es

"las encontradas correspondencias
de amor"].

CUENTO.
V. PEAR-TREE STORY (3362), SANTA
CRUZ (3441).

CUESTIÓN DE AMOR.
V. GENERAL II, núm. 969.

CULTERANISMO.
V. GÓNGORA (3205).

CULTO.
3136. Hilton, Ronald: "El culto de
Lope."
BSS, XII (1935), 217-30.
[La popularidad de Lope crece, y
la de Calderón mengua].

CUÑADOS.
V. URBINA, ISABEL DE (3505).

CHART.
3137. "Lope's World: A Chart of
National and International Events
—1560-1640."
TAM, XIX (1935), 688-89.

————.
3138. "Types of Lope's Plays."
TAM, XIX (1935), 710.
[Es el sistema de clasificación
de Menéndez y Pelayo].

"CHATELAINE DE VERGY, LA".
V. OBRAS, EL PERSEGUIDO (3778).

CHIABRERA, GABRIELLO.
3139. Farinelli, A.: "Un lírico
italiano contemporáneo de Lope de
Vega: Gabriello Chiabrera."
En su Poesía y crítica (Temas hispánicos), págs. 65-74. [V. GENERAL
II, LIBROS, núm. 1633].

CHORLEY, JOHN RUTTER.
V. BIBLIOGRAFÍA (3003), CATÁLOGO
(3051); GENERAL II, núm. 972A.

CHRISTLICHE DENKEN.
V. OBRAS, EL CABALLERO DEL MILAGRO
(3616).

CHRONICLE-LEGEND PLAYS.
V. ROMANCERO (3428).

DANTE ALIGHIERI.
3140. Viada y Lluch, Lluis C.:
"Dante Alighieri y Lope de Vega."
Correo Catalán, 17 de nov. de 1921,
suplemento literario, pág. 10.
[Todo el suplemento, de 16 págs.,
conmemora el centenario de Dante y
se titula "Dante Alighieri, 1321-
1921." La contribución de Viada
llena unas dos columnas. El autor
dice: "Sabemos por sus notas a La
Jerusalén conquistada que no solamente leyó a Dante Alighieri, sino
también a sus comentaristas, entre
ellos especialmente a Antonio Manetti." Fuera de una breve referencia a la novela Guzmán el Bravo,
Viada se limita a señalar unos pasajes de la Jerusalén conquistada y
sus fuentes dantescas: Transcribe
la octava 78 del Libro VII (OS, XIV,
249; ed. Entrambasaguas, I, 288:
"Con el cetro feroz tocó los duros")
y la compara con Inf. XVIII, 3 y 72,
Inf. XXIII, 134; los versos 5-6 (de
la octava 78) con Inf. XII, 115-17
("Algo más lejos..."); el verso 7
con Inf. XIV, 130-31; el verso 8
con Inf. IX, 34-48. Las 4 octavas
siguientes ("La soberbia en figura
de gigante...") se comparan con
Purg. XII, 34 (Nemrod), Purg. XXVI,
40 (Sodoma) e Inf. XXXIII (Ugolino).
También se relacionan estas octavas
de la Jerusalén conquistada: II,
100 con Inf. VII, 68-69 y Conv. IV,
11; XIX, 59 con Inf. XXXIV, 112-15;
XIX, 109 con Para. XXVII, 79-81].

DATES, DATING.
V. CRONOLOGÍA.

DEFENSA.
V. LENGUAJE (3259).

DERECHO.
V. IDEARIO JURÍDICO (3233); OBRAS,
LAS DOS BANDOLERAS (3674), FUENTE-
OVEJUNA (3701).

DESAPARICIÓN.
V. CAUDAL (3052).

DESCENDENCIA.
3141. Cotarelo y Mori, E.: "La descendencia de Lope de Vega."
BRAE, II (1915), 21-56, 137-72.

DESCONOCIDO
V.t. MISCELÁNEA LOPISTA (3305),
VIDA (3546): LIBROS, ENTRAMBASAGUAS
(3851).

———.

3142. Entrambasaguas, J. de: "Lope
de Vega, autor desconocido."
FilLet, 2ª época, año II (1929),
153-54.
[Reimpreso en su libro La determinación del Romanticismo español
y otras cosas, págs. 93-96 (V. GE-
NERAL II, LIBROS, núm. 1626)].

DESNUDEZ.
V. NIÑEZ (3333).

DICTAMEN.
V. SIGUIENDO (3455), VELÁZQUEZ
(3537).

DICHTER.
V.t. POETA (3389).

———.

3143. Grossmann, Rudolf: "Lope, der
Dichter des ewigen Spanien."
IAR, I (1935), 215-18.

———.

3144. Vossler, Karl: "Lope de Vega,
ein spanisches Dichter-Leben."
Cor, II (1931-32), 269-99, 396-423.
[Es una versión preliminar de los
11 primeros capítulos de Lope de Vega und sein Zeitalter (núm. 3920)].

DICHTUNG.
V. POESÍA (3387).

DÍEZ, JORGE.
V. ROMANCE (3423).

DIFAMADO.
V. LIBROS, ARAGÓN FERNÁNDEZ (3823).

DIFICULTAD.
V. FACILIDAD (3180).

DIFUSIÓN INTERNACIONAL.
V. CENTENARIO (3091).

DISFRAZ.
3145. Arjona, J. H.: "El disfraz
varonil en Lope de Vega."
BH, XXXIX (1937), 120-45.

DOCUMENTOS.
V.t. INÉDITOS (3238); GENERAL II,
NOTICIAS (1302).

———.

3146. "Documento inédito de Lope de
Vega."
BRUM, I (1869), 377-79.
[1. carta de Lope que trata de
sus peticiones por una capellanía
en Ávila (Amezúa, Epistolario, IV,
pág. 31, carta 402; V.t. núm. 3040).
2. Documento del 11 de abril de
1626, en el que se le otorga a Lope
la capellanía de Ávila (V.t. 2993)].

———.

3147. Alonso Cortés, N.: "Documentos relativos a Lope de Vega."
BRAE, III (1916), 221-24.
[1. Información de hidalguía de
Diego de Urbina, suegro de Lope.
2. Partidas parroquiales del matrimonio de Marta de Nevares con
Roque Hernández. Reimpresos en sus
Anotaciones literarias, págs. 118-
123, con el título "De Lope de Vega." (V. GENERAL II, LIBROS, 1557)].

———.

3148. San Román, Francisco de B.:
"Nuevos documentos sobre Lope de
Vega."
BACHT, I (1919), no. 2, págs. 30-32.
[Partidas de bautismo de Marcela,
hija de Lope, y de Angela, hija de
Alonso Riquelme (Lope y Micaela Lu-
ján fueron padrinos)].

———.

3149. Salazar, María de la C.:
"Nuevos documentos sobre Lope de
Vega."
RFE, XXV (1941), 478-506.
[Sobre los padres y parientes de
Isabel de Urbina].

———.

3150. Entrambasaguas, J. de: "Sobre
un conocido documento de Lope."
CorrErud, I (1940-41), 280-82.
[La partida de esponsales de Lope
e Isabel de Urbina].

DOGMA.
V. IMMACOLATA CONCEZIONE (3235).

DOLMETSCH.
V. UHLAND, LUDWIG (3503).

DON JUAN.
3151. Brotto, Giuseppe: "Il Don
Giovanni e Lope de Vega."
Crem, VIII (1936), 267-69.
["L'uno è fantasia, l'altro real-
tà." Menciona que don Juan se ape-
llidaba Tenorio, igual que el se-
ductor de la hija de Lope; pero advierte que la comedia se representó
en 1615, mientras que el raptor no
fue conocido hasta 1634. Alude a
la vida donjuanesca de Lope].

DONAIRE.
V.t. GRACIOSO.

—————.
3152. Montesinos, J. F.: "Algunas
observaciones sobre la figura del
donaire en el teatro de Lope de
Vega."
HomMenPidalA (1925), I, 469-504.
[Reimpreso en sus Estudios sobre
Lope, págs. 13-70 (V. LIBROS, núm.
3887)].

—————.
3153. Montesinos, J. F.: "Lope, figura del donaire."
CyR, no. 23-24 (feb-mar, 1935), 55-
85.
[Trata de la Dorotea. Reimpreso
en sus Estudios sobre Lope, págs.
71-89 (V. LIBROS, núm. 3887)].

DRAKE, SIR FRANCIS.
V. GENERAL II, LIBROS, RAY (1752).

"DRAMA NUEVO, UN".
3154. House, Roy Temple: "Lope de
Vega and Un drama nuevo."
RR, XIII (1922), 84-87.
[Estudia el tema de la "comedia
dentro de una comedia" en la obra
de Tamayo y Baus y en Lo fingido
verdadero de Lope].

DRAMATIZACIÓN.
V. GENERAL II, DRAMATIZACIÓN
(1032), HUESCA (1165).

DURÁN, AGUSTÍN.
V. MANUSCRITO (3285).

ECLIPSE.
V. ESPLENDOR (3173).

ECUMÉNICO.
3155. Junco, Alfonso: "Lope, ecuménico."
AcEsp, XIV (1935), 54-76.
[Reimpreso en su Sangre de Hispania, págs. 143-73 (V. GENERAL II,
LIBROS, núm. 1674)].

EDICIONES.
V.t. LERIDANAS (3260), LORENZANA
(3274), ROMANCE (3424); CERVANTES,
VEGA (338); GENERAL II, BÉLGICA
(865).

—————.
3156. Entrambasaguas, J. de: "Pro-
yecto de una edición de las 'Obras
completas' de Lope de Vega."
RBN, V (1944), 197-229.

—————.
3157. Entrambasaguas, J. de: "Pro-
yecto de una edición de las 'Obras
completas' de Lope de Vega."
Cien, XI (1946), 809-35.

EFEMÉRIDES.
V. ENTIERRO (3166).

ÉGLOGA.
V. CENTENARIO (3058); LIBROS, CIAN
(3841).

EHRBEGRIFF.
3158. Wais, Kurt: "Lope und der
spanische Ehrbegriff."
GArb, I (1934), no. 3 (5 de feb.),
págs. 5-6.
[Sobre Lope de Vega und sein
Zeitalter de Vossler (núm. 3920)].

EIGENTUM.
3159. Vossler, Karl: "Lope und sein
Eigentum."
RheinMerk, III (1948), no. 50, pág.5.

EINFLUSS.
V. ALEMANIA (2949).

ELEGÍA.
V. TOLEDO, DIEGO DE (3492), VILLAI-
ZÁN Y GARCÉS (3553).

EMBLEMA.
  V. EN LISANT (3160).

EN LISANT.
3160. Harmand, R.: "En lisant Lope
de Vega."
RLC, X (1930), 471-77.
  [1. "Musset se souvient peut-être
d'une de ses images" (el emblema del
escarabajo en ademán de acercarse a
oler unas rosas). 2. Su impresión
al leer la Dorotea. 3. Sobre Molière: el soneto de Oronte en Le
Misanthrope (I, 2) y la escena de
L'Avare (III, 7), en que Cléante le
pone al dedo de Mariane el diamante
de su padre, derivan de la Dorotea].

EN TORNO.
  V.t. CANCIÓN (3030), CENTENARIO
(3064-65), TEMAS (3490); RUIZ DE
ALARCÓN, OBRAS, EL TEJEDOR DE SEGO-
VIA (2630).

————.
3161. Aicardo, J. M.: "En torno a
Lope de Vega."
RyF, VIII (1904), 178-90.
  [Este artículo continúa con el
título "Inspiración cristiana de
Lope de Vega" (V. núm. 3241)].

ENFERMEDADES.
  V.t. ALBA DE TORMES (2944).

————.
3162. Mariscal y García, N.: "Breves
notas sobre las enfermedades de Lope
de Vega y, principalmente, los corrimientos de que solía adolecer."
SigMed, XCVI (1935), 93-95.

ENGLISH.
3163. Hole, Myra C.: "Echoes of the
Lope de Vega Tercentenary: Lope de
Vega in English Anthologies."
SR, III (1936), 40-42.

ENIGMA DESCIFRADO.
  V. HIJA (3219).

ENK VON DER BURG, MICHAEL.
  V. GENERAL II, núm. 1045.

ENSAYO.
3164. Arroyo, César E.: "Ensayo

sobre Lope de Vega."
AmérQ, XII (1936), 9-46.

ENTIERRO.
  V.t. RESTOS (3414-15), SEPULTURA
(3448).

————.
3165. [Pregunta de un lector acerca
del sitio, y la respuesta de V. Po-
leró].
Aver, I (1871), 68 y 137-38.

————.
3166. Téllez, Tello: "Efemérides.
1635.--Entierro del famosísimo autor español Frey Félix Lope de Vega
Carpio."
ByN, II (1892), 545-46.

————.
3167. Blecua, José M.: "Más sobre
la muerte y entierro de Lope."
RFE, XXVIII (1944), 470-72.

EPIGRAMA.
  V.t. MARULLO (3293), SANNAZARO
(3440).

————.
3168. Millé y Giménez, J.: "Un epigrama latino de Lope de Vega."
RevHisp, LI (1921), 175-82.
  ["Philippo Regi, Caesari invic-
tissimo," que se encuentra en el
Quijote de Avellaneda, cap. XI. El
artículo está reimpreso en forma
refundida, con el título "Una octava real latina de Lope y el falso
Avellaneda," en sus Estudios de
literatura española, págs. 247-83
(V. GENERAL II, LIBROS, núm. 1711)].

EPISODIO.
  V. NOTE LOPIANE (3338), VIDA (3549).

EPOPEYA Y EL DRAMA, LA.
  V. GENERAL II, LIBROS, PIDAL Y MON
(1746).

ERUDITION.
3169. Jameson, A. K.: "The Sources
of Lope de Vega's Erudition."
HR, V (1937), 124-39.

ESCARABAJO, EMBLEMA DEL.
  V. EN LISANT (3160).

ESCENARIO.
V. MISE EN SCÈNE (3306), SCENARIO (3445).

ESCENIFICACIÓN.
V. STAGING (3480).

ESCLAVITUD, ESCLAVOS.
V. SLAVERY (3461).

ESCULTURA.
V. ARTE (2981).

ESLAVA, ANTONIO DE.
V. SHAKESPEARE (3454).

ESPAÑA.
3170. Entrambasaguas, J. de, y García Cruz, Jaime: "La España que recorrió Lope de Vega."
Fénix, no. 1 (1935), 111-26.

ESPÍRITU.
3171. Cepeda, Josefina de: "El atormentado espíritu de Lope de Vega."
UnivHab, IV, no. 10 (1935), 115-25.

———.
3172. Río, Ángel del: "Lope de Vega y el espíritu contemporáneo."
RHM, II (1935-36), 1-16.

ESPLENDOR.
3173. Henríquez Ureña, Pedro: "Esplendor, eclipse y resurgimiento de Lope de Vega."
Bruj, II (1936), 59-65.
[V.t. RENACIMIENTO (3413). Reimpreso en su Plenitud de España, págs. 42-49 (V. GENERAL II, LIBROS, núm. 1661)].

ESTAMPA.
V.t. VIDA (3550).

———.
3174. Romero Flores, H. R.: "Lope llora y trabaja. Estampa de 1628."
RevEstHisp, II (1936), no. 8, págs. 219-31.

"ESTEBANILLO GONZÁLEZ".
V. OBRAS, EL CORDOBÉS VALEROSO (3637).

ESTER.
3175. Küchler, Walther: "Esther bei

Lope de Vega, Racine und Grillparzer."
IdPhil, I (1925), 333-54.
[En el índice del tomo se ha puesto equivocadamente "Calderón" en vez de "Lope de Vega." El artículo trata de La hermosa Ester de Lope de Vega].

ESTÉTICA.
V.t. LIBROS, ENTRAMBASAGUAS (3852); GENERAL II, ÉTICA (1065-66).

———.
3176. Menéndez y Pelayo, M.: "La estética dramática de Lope de Vega."
AmEsp, I (1935), 316-23.

———.
3177. Roca, Deodoro: "El mundo estético de Lope de Vega."
Sust, IV (1943), 632-52.

ESTILO.
V. CARACTERES (3031), LENGUAGE (3258-59).

ESTROFAS.
V. STROPHES (3481); LIBROS, DIEGO (3847).

ESTUDIOS.
V. CENTENARIO (3072), CONTRIBUCIONES (3112-13), ÉTUDES (3178), LÍRICA (3264), STUDIES (3482-83); LIBROS, ENTRAMBASAGUAS (3850), GÜNTHNER (3870), MENÉNDEZ Y PELAYO (3884-85), MONTESINOS (3887).

ÉTICA.
V. GENERAL II, núms. 1065-66.

ETIMOLOGÍA.
V. PASSAGE (3361).

ÉTUDES.
V.t. OCHERKI (3344).

———.
3178. Gigas, Émile: "Études sur quelques comedias de Lope de Vega."
RevHisp, XXXIX (1917), 83-111 [El Duque de Viseo]; LIII (1921), 557-604 [El Príncipe despeñado y El castigo sin venganza]; LXXXI (1933), parte 2, págs. 177-89 [El Gran duque de Moscovia].

EXPOSICIÓN.
3179. Pitollet, C.: "La exposición
lopista en Madrid."
LMér, XXXI (1936), no. 88, págs. 45-
49.
[De la Biblioteca Nacional. V.t.
LIBROS, núm. 3832].

FACILIDAD.
3180. Entrambasaguas, J. de: "Facilidad y dificultad de Lope de Vega."
En su libro La determinacion del Romanticismo español y otras cosas,
págs. 83-87 [V. GENERAL II, LIBROS,
núm. 1626].

FAMA.
V. CENTENARIO (3089), INFLUENCIA
(3239); LIBROS, NAVARRA (3892).

"FAMA PÓSTUMA".
3181. Cossío, J. M. de: "Notas de
un lector. Algunos datos sobre
Lope, contenidos en su Fama póstuma."
BBMP, XI (1929), 51-54.

FAMILIA ESPAÑOLA.
V. LIBROS, ARCO Y GARAY (3824).

FANTASMAS, CUENTO DE.
V. GHOST STORY (3200).

FAUNA.
3182. Herrero García, M.: "La fauna
en Lope de Vega."
Fénix, no. 1 (1935), 25-79; no. 2
(1935), 265-78; no. 3 (1935), 397-
433.

FAUSTMOTIV.
V. GOETHE (3203).

FAVORITO.
V. CERVANTES, VEGA (343).

FECHAS, REAJUSTE DE UNAS.
V. URBINA, ISABEL DE (3506).

FEIJOO Y MONTENEGRO, BENITO JERÓNIMO.
3183. Entrambasaguas, J. de: "Lope
de Vega, Feijoo y Sarmiento."
CorrErud, II (1941-42), 179-82.
[Fray Martín Sarmiento].

FELIPE III.
V. MÁSCARA (3294); GENERAL II, MIS-
CELÁNEA ERUDITA, 1ª SERIE (1256).

FEMENINOS.
3184. Martin, H. M.: "Termination
of Qualifying Words before Feminine
Nouns and Adjectives in the Plays
of Lope de Vega."
MLN, XXXVII (1922), 398-407.

———.
3185. Cotarelo y Mori, E.: "Un pasaje de Lope de Vega sobre la formación de algunos femeninos castellanos."
BRAE, XV (1928), 567-68.
[Formas dobles del tipo de empe-
radora - emperatriz, etc.].

FÉNIX.
3186. Colvill, H. H.: "The Phoenix
of Spain."
FortR, ns LXXXVIII (jul-dic, 1910),
302-14.
[Resumido en núm. 3519].

———.
3187. Eguía Ruiz, C.: "El Fénix de
los Ingenios, genio de la raza."
BRAE, XXII (1935), 569-647.
[Reimpreso en su libro Cervantes,
Calderón, Lope, Gracián, págs. 65-
139. V. GENERAL II, LIBROS, núm.
1625].

FERNÁNDEZ DE OVIEDO, GONZALO.
V. OBRAS, EL CORDOBÉS VALEROSO
(3637).

FERREIRA, ANTONIO.
V. LIBROS, REY SOTO (3901).

FESTIVAL.
3188. Baralt, Luis A.: "El festival
de Lope de Vega en la Plaza de la
Catedral."
RCub, II (1935), 265-66.
[En La Habana].

FIESTAS, RELACIÓN DE.
V. MÁSCARA (3294); RELACIÓN (3408-
3409)

FIESTAS POPULARES.
V. OBRAS, EL ISIDRO (3724), LA MAYA
(3737).

FILÓSOFO.
3189. Alonso, Dámaso: "Lope en vena
de filósofo."

3189 (cont.).
Clav, I (1950), no. 2, págs. 10-15.
[Lope no fue siempre el poeta fácil y sencillo que se suele decir. Presenta el profesor Alonso un soneto filosófico y oscuro: "La calidad elementar resiste" (en La dama boba)--publicado cuatro veces].

FLAMENCO.
V. NEERLANDÉS (3330); GENERAL II, núms. 1079-80.

"FOLLE GAGEURE, LA".
V. OBRAS, EL MAYOR IMPOSIBLE (3739).

FONTI.
3190. Gasparetti, A.: "Tra le fonti del teatro di Lope de Vega. I: La Mocedad de Roldán; II: Un pastoral albergue."
AnnRLGGM, (1930-31), págs. 43-67.
[Ciertos datos de La Mocedad de Roldán vienen del Baldus de Merlin Cocai; la fuente de Un Pastoral albergue son los dos Orlandos (de Boiardo y de Ariosto)].

"FORÊT SANS AMOUR, LA".
V. OBRAS, LA SELVA SIN AMOR (3807).

FORMACIÓN DE ALGUNOS FEMENINOS.
V. FEMENINOS (3185).

FORSCHUNG.
V.t. STUDIES (3482-83).

———.
3191. Hämel, Adalbert: "Aufgaben und Ziele der Lope de Vega-Forschung."
GRM, XI (1923), 177-82.

"FRA LIPPO LIPPI".
V. BROWNING, ROBERT (3013).

FRAGMENTO.
V. BIBLIOGRAFÍA (3006), MANUSCRITO (3284).

FRANCE.
3192. Hainsworth, G.: "Quelques notes pour la fortune de Lope de Vega en France."
BH, XXXIII (1931), 199-213.

———.
3193. Esquerra, R.: "Note sur la fortune de Lope de Vega en France pendant le XVIIe siècle."
BH, XXXVIII (1936), 62-65.

———.
3194. Hainsworth, G.: "Notes supplémentaires sur Lope de Vega en France."
BH, XLI (1939), 352-63.

FRANCESCANE.
3195. Gasparetti, A.: "Due commedie francescane di Lope de Vega."
Colombo, IV (1929), 9-36.
[El Serafín humano, San Francisco y El truhán del cielo y loco santo].

FRANCHI, FABIO.
V. LIBROS, NAVARRA (3892).

FREUD, SIGMUND.
V. PERSONAJE (3369).

FUENTE OBEJUNA.
3196. Ramírez de Arellano, R.: "Rebelión de Fuente Obejuna contra el comendador mayor de Calatrava Fernán Gómez de Guzmán."
BAH, XXXIX (1901), 446-512.
[Sobre el acontecimiento histórico, base de la comedia].

GALICIA.
V. LIBROS, REY SOTO (3901); GENERAL II, LIBROS, REY SOTO (1757).

GALLEGO, JUAN NICASIO.
3197. Entrambasaguas, J. de: "Una reminiscencia lopiana en don Juan Nicasio Gallego."
CorrErud, III (1943-46), 118-19.
[Gallego: "Suelta, a otro lado, la madeja de oro" y 5 versos más; Lope: "Suelta en los hombros la madeja de oro..." etc. (La Hermosura de Angélica, OS, II, 22 y 362)].

"GALLERIA, LA".
V. OBRAS, LA ARCADIA (3592).

GAONA, FELIPE DE.
V. MÁSCARA (3294).

GARCILASO DE LA VEGA.
V. SIMPLE LIFE (3457).

GEDÄCHTNIS.
V. CENTENARIO (3086).

GEEST.
3198. Geers, G. J.: "Lope de Vega:
zijn geest en zijn werk, 25 November 1562--27 Augustus 1635."
VBlad, XII, no. 8 (ag, 1935). Pp. 32.
a) --, Fénix, no. 5 (1935), 657.

GEORGIA (RUSIA).
3198A. Fevralski, A.: "Lope de Vega
en Georgia."
LitInt, III (1944), núm. 4, págs. 67-70.

GERARDA.
V. CELESTINA, TROTACONVENTOS (287).

GESAMTAUSGABE.
3199. Wurzbach, W. von: "Die Gesamtausgabe der Werke Lope de Vega's
hrsg. von der königlichen Akademie
zu Madrid."
ZVL, XII (1898), 253-64.
[Sobre el primer tomo, la biografía de Lope por C. A. de la Barrera].

GHOST STORY.
3200. Maasz, R. C.: "Lope de Vega:
Ghost Story."
NQ, CLXXXIV (1943), no. 7, pág. 206.
[El cuento de fantasmas mencionado por Borrow en su Wild Wales se
halla en El Peregrino en su patria].

GIRALDI CINTIO, GIOVAN BATTISTA.
V.t. OBRAS, LA DISCORDIA EN LOS
CASADOS (3656), EL FAVOR AGRADECIDO
(3688), EL HIJO VENTUROSO (3713).

_____.
3201. Kohler, Eugène: "Lope de Vega
et Giraldi Cintio."
EtLitt, (1946), 169-260.
[Fuentes de El Piadoso veneciano,
Servir a señor discreto, La Cortesía de España, El Villano en su
rincón].
a) C. V. Aubrun, BH, XLIX (1947), 230-31.
b) R. Larrieu, LaMod, XLI (1947), 470.

_____.
3202. Gasparetti, A.: "Giovan Bat-

tista Giraldi y Lope de Vega."
BH, XXXII (1930), 372-403.
[Fuentes de La Cortesía de España,
El Piadoso veneciano, Servir a señor discreto, El Mayordomo de la
Duquesa de Amalfi].

GLOSAS.
V. BELÉN (2999), MOTE (3315), POESÍA (3386).

GOETHE, JOHANN WOLFGANG VON.
3203. Wurzbach, W. von: "Das Faustmotiv in einer Komödie Lope de Vegas."
GJahr, XX (1899), 253-58.
[La Gran columna fogosa, San Basilio].

GOLDEN AGE.
V.t. CONTRIBUCIONES (3114).

_____.
3204. Schevill, R.: "Lope de Vega
and the Golden Age."
HR, III (1935), 179-89.
[Sobre Vossler: Lope de Vega und
sein Zeitalter (núm. 3920)].

GOLDONI, CARLO.
V. REINALDOS DE MONTALBÁN (3407).

GÓMEZ DE GUZMÁN, FERNÁN.
V. FUENTE OBEJUNA (3196).

GÓNGORA Y ARGOTE, LUIS DE.
3205. Millé y Giménez, J.: "Lope,
Góngora y los orígenes del culteranismo."
RABM, XLIV (1923), 297-319.
[Este artículo y el que sigue
fueron refundidos y reimpresos juntos, con el título "El 'Papel de la
nueva poesía' (Lope, Góngora y los
orígenes del culteranismo)", en sus
Estudios de literatura española,
págs. 181-228 (V. GENERAL II, LIBROS, núm. 1711)].

_____.
3206. Millé y Giménez, J.: "Notas
gongorinas. III: Algo más acerca
de Lope y Góngora."
RevHisp, LXVIII (1926), 207-15.

_____.
3207. Vossler, Karl: "Zwei Typen

3207 (cont.).
von literarischen Virtuosentum:
Lope de Vega und Góngora."
DVJL, X (1932), 436-56.
[Hay una traducción española en
su libro Escritores y poetas de Es-
paña, págs. 73-96 (V. GENERAL II,
LIBROS, núm. 1802)].

GRACIOSO.
V.t. DONAIRE (3152-53), REALISMO
(3406); OBRAS, EL EJEMPLO DE CASA-
DAS (3682); LIBROS, HESELER (3873);
CERVANTES, GRACIOSO (310).

———.
3208. Arjona, J. H.: "La introducción del gracioso en el teatro de
Lope de Vega."
HR, VII (1939), 1-21.

———.
3209. Place, Edwin B.: "Does Lope
de Vega's gracioso Stem in Part
from Harlequin?"
Hisp, XVII (1934), 257-70.

———.
3210. Delano, Lucile K.: "Lope de
Vega's gracioso Ridicules the Sonnet."
Hisp, First Special Number (enero,
1934), 19-34.
[V.t. GENERAL II, núm. 1106].

GRAN.
3211. Boselli, Carlo: "Il gran Lope."
OpeGio, XIV (1936), 34-43.

GRANADA.
3212. Pareja, M. M.: "Lope de Vega
en Granada."
BUG, VII (1935), 487-98.

———.
3213. Señán y Alonso, Eloy: "El teatro de Lope de Vega y la guerra de
Granada."
BCAL, (1915), no. 1, págs. 6-11;
no. 2, págs. 3-6.

GREATEST.
3214. Rennert, H. A.: "Lope de Vega,
Spain's Greatest Dramatist."
UPL, V (1917), 59-78.

GREFLINGER, GEORG.
V. GENERAL II, núms. 1115, 1145.

GRILLPARZER, FRANZ.
V. ESTER (3175); OBRAS, LA QUINTA
DE FLORENCIA (3787); LIBROS, FARI-
NELLI (3855-56).

GRISELDA.
V. GENERAL II, núm. 1121.

GRUNDZÜGE.
V. GENERAL I, GRUNDZÜGE (46).

GUERRA.
V. GRANADA (3213).

GUERRA LITERARIA.
3215. Entrambasaguas, J. de: "Una
guerra literaria del Siglo de Oro:
Lope de Vega y los preceptistas
aristotélicos."
BRAE, XIX (1932), 135-60, 260-326;
XX (1933), 405-44, 569-600, 687-734;
XXI (1934), 82-112, 238-72, 423-62,
587-628, 795-857.
[Hay tirada aparte, y también está reimpreso, con "modificaciones y
adiciones," en sus Estudios sobre
Lope de Vega, I, 69-580; II, 11-411
(V. LIBROS, núm. 3850)].
a) F. C. Sainz de Robles, RBAM, IX
(1932), 462-64.
b) J. Millé y Giménez, AUM, II
(1933), 239-40.
c) A. Baig-Baños, ErudIU, III
(1932), 657-62.
d) E. Buceta, BAbr, VII (1933),
481-82.
V.t. CENTENARIO (3061).

GUERRERO, FRANCISCO.
V. CANCIÓN (3026).

HABANA, LA.
V. FESTIVAL (3188).

HAMBURG.
V. CENTENARIO (3077).

HAMPA, EL.
V. LIBROS, ARCO Y GARAY (3824).

HANDSCHRIFT.
V. MANUSCRITO (3284).

Hardy, Alexandre.
V. OBRAS, El Peregrino en su patria
(3765).

Harlequin.
V. Gracioso (3209).

Henao, Gabriel de.
V. OBRAS, El Laurel de Apolo (3731).

Hermano.
3216. Alonso Cortés, N.: "El hermano de Lope."
RevHisp, XXI (1909), 388-94.
[Reimpreso en su Miscelánea vallisoletana (Primera serie), págs. 5-13
(V. GENERAL II, LIBROS, núm. 1559)].

——.
3217. Alonso Cortés, N.: "El hermano de Lope."
BSCE, V (1912), 279-82.

Hernández, Roque.
V. Documentos (3147).

Herrera, Antonio de.
V. OBRAS, La Dragontea (3677-79).

Hija.
V.t. Documentos (3148), Pecados
(3365).

——.
3218. Cotarelo y Mori, E.: "Sobre
quién fuese el raptor de la hija de
Lope de Vega."
RBAM, III (1926), 1-19.

——.
3219. Amezúa, Agustín G. de: "Un
enigma descifrado: El raptor de la
hija de Lope de Vega."
BRAE, XXI (1934), 357-404, 521-62.
[Reimpreso en sus Opúsculos histórico-literarios, II, 287-356 (V.
GENERAL II, LIBROS, núm. 1564)].
a) A. Castro, RFE, XXII (1935), 81-
82.

——.
3220. Massa, Pedro: "Rapto de Antonia Clara: El más grande dolor de
Lope de Vega."
Cerv, XVI (1941), no. 1-2, págs.
31-32, 68.

——.
3221. Entrambasaguas, J. de: "Acerca
del raptor de la hija de Lope de
Vega."
CorrErud, III (1943-46), 24-26.

Hispanoamericanos, Escritores.
V. LIBROS, Medina (3883).

Historia.
3222. Gavidia, F. A.: "La obra de
Lope de Vega en la historia del teatro español."
En sus Discursos, estudios y conferencias, págs. 100-17. [V. GENERAL
II, LIBROS, núm. 1644].

Histórico, Su drama.
V.t. GENERAL II, LIBROS, Pidal y
Mon (1746).

——.
3223. Arroyo, Isaías: "El teatro
histórico español de Lope de Vega."
Contemp, VII, no. 28 (abr, 1935),
530-35; VIII, no. 30 (jun, 1935),
236-43.
[Es continuación de "El teatro
histórico español antes de Lope de
Vega" (V. GENERAL I, núm. 48)].

Hogar.
3224. Menéndez Pidal, R.: "El hogar
de Lope de Vega."
En La casa de Lope de Vega, ed.
1935, págs. 5-17; ed. 1941, págs.
--?; ed. 1962, págs. 13-23. [V.
LIBROS, núm. 3891. También se encuentra el artículo en su libro De
Cervantes y Lope de Vega, págs. 59-
66 (V. GENERAL II, LIBROS, núm.
1702)].

Hombre.
V.t. Centenario (3065).

——.
3225. Suárez Rivas, Carmen: "Un
hombre y una época: Lope de Vega."
UnivHab, IV (1935), no. 10, págs.
64-114.
[1. Lope de Vega y la mujer, págs.
64-90), 2. La religión y la raza
(págs. 91-114)].

——.
3226. Aicardo, J. M.: "Lope de Vega

3226 (cont.).
como hombre y poeta sagrado (resumen y conclusión)."
RyF, XXIII (1909), 289-300.
[Es continuación del núm. 2988].

HOMENAJE.
V.t. CENTENARIO (3071-72).

———.
3227. F. L.: "El homenaje a Lope de
Vega."
RCub, III (1935), 364-66.

HOMERO.
V. CENSURA (3057).

HONOR.
V. OBRAS, EL REMEDIO EN LA DESDI-
CHA (3792); LIBROS, LEVI (3880).

HONOR CONYUGAL.
V. OBRAS, EL CASTIGO DEL DISCRETO
(3622); GENERAL II, LIBROS, MEIER
(1699).

HONRAS.
3228. Amezúa, Agustín G. de: "Unas
honras frustradas de Lope de Vega."
RevHisp, LXXXI (1933), parte 2,
págs. 225-47.
[Se trata de unas honras funera-
les que no se realizaron. Reimpreso en sus Opúsculos histórico-literarios, II, 268-86 (V. GENERAL II,
LIBROS, núm. 1564)].

———.
3229. Olmedo, Félix G.: "¿Qué dije-
ron de Lope los predicadores de sus
honras?"
RyF, CVIII (1935), 406-18.
[Tres sermones dadas a su muerte.
Hablan bien de él].

HORACIO.
V. SIMPLE LIFE (3457).

HORÓSCOPO.
3230. Millé y Giménez, J.: "El horóscopo de Lope de Vega."
HumA, XV (1927), 69-96.

HOW MANY.
3231. Morley, S. G., y Bruerton, C.:
"How Many comedias Did Lope de Vega
Write?"

Hisp, XIX (1936), 217-34.
[V.t. CAUDAL (3052)].

HUESCA, CAMPANA DE.
V. GENERAL II, núm. 1165.

HUMANISMO.
V.t. CENTENARIO (3075).

———.
3232. Marasso, Arturo: "Humanismo y
renacentismo de Lope de Vega.
BAAL, IV (1936), 11-44.
[Reimpreso en sus Estudios de
literatura castellana, págs. 187-
214 (V. GENERAL II, LIBROS, núm.
1695)].

HUNGRÍA.
V. OBRAS, LA CORONA DE HUNGRÍA
(3639).

IBERISMO.
V. LIBROS, BOEDO (3833).

IDEARIO JURÍDICO.
3233. Gómez de la Serna, Julio:
"Ideario jurídico, Frey Lope Félix
de Carpio."
BICA, (1935), no. 39 (mayo), 512-23;
no. 40 (junio), 608-16; no. 41 (jul-
sept), 709-12; no. 42 (oct.), 809-
12; no. 43 (nov.), 886-90; no. 44
(dic.), 1022-26.
[Después del primer número, el
título no es más que "Ideario jurídico." El artículo contiene citas
jurídicas de clásicos españoles y
extranjeros].

"ILÍADA".
V. CENSURA (3057).

IMAGINERÍA SACRA.
3234. Valbuena Prat, A.: "De la imaginería sacra de Lope a la teología
sistemática de Calderón."
AUMur, (1945-46), 1er trimestre,
págs. 7-48.

IMITADOR.
V. LIBROS, NAVARRA (3892).

IMMACOLATA CONCEZIONE.
3235. Ogara, F.: "El dogma della
Immacolata Concezione nell' opera
poetica di Lope de Vega."

CivCat, LXXXVI (1935), vol. 4, págs. 452-63.

IMPERIAL, POETA.
V. GENERAL II, LIBROS, MONTOLIU (1718).

IMPRESIONES LITERARIAS.
V. LIBROS, VIGIL (3919).

INDIAS.
V.t. núm. 3677.

———.

3236. Rodríguez Casado, V.: "Lope de Vega en Indias."
Esc, XII (1943), no. 34, págs. 249-264.

———.

3237. Leonard, Irving A.: "Notes on Lope de Vega's Works in the Spanish Indies."
HR, VI (1938), 277-93.

INÉDITOS.
V.t. CARRERA (3034), CARTAS (3039-3040, 3042-43), DOCUMENTOS (3146), POESÍA (3374, 3376), PROSA (3400), ROMANCE (3423), SONETO (3463); OBRAS, ANTONIA (3587), LA PALABRA VENGADA (3756).

———.

3238. García Rey, V.: "Escrituras inéditas de Lope de Vega Carpio."
RBAM, V (1928), 198-205.
[Tres documentos de Toledo, fechados 19 julio 1590, 1ro de agosto de 1590, 21 mayo 1591].

INFANTA ISABEL.
V. SAINT URSULA (3435).

INFLUENCIA.
V.t. ALEMANIA (2949), CRUZ, SOR JUANA INÉS DE LA (3134); GENERAL I, LIBROS, MÉRIMÉE (186).

———.

3239. Menéndez Pidal, R.: "Influencia y fama de Lope de Vega."
Puerto Rico, I (1936), 284-90.

INNOVACIÓN.
V. TRADICIÓN (3495).

INQUISICIÓN.
3240. Castro, Américo: "Una comedia de Lope de Vega condenada por la Inquisición."
RFE, IX (1922), 311-14.
[El divino africano].

INSPIRACIÓN.
3241. Aicardo, J. M.: "Inspiración cristiana de Lope de Vega."
RyF, VIII (1904), 327-44; IX (1904), 141-65; X (1904), 48-64.
[Es continuación del núm. 3161].

INTERNAL LINE.
3242. Poesse, Walter: "The Internal Line-Structure of Thirty Autograph Plays of Lope de Vega."
IndUPH, no. 18 (1949). Pp. 106.
[V.t. ORTOLOGÍA (3351)].
a) G. E. Wade, Hisp, XXXII (1949), 415.
b) W. L. Fichter, HR, XVIII (1950), 269-73.

INTERPRETACIÓN.
3243. Romo Arregui, Josefina: "Una mala interpretación de un texto de Lope."
CorrErud, III (1943-46), 19-20.
[El empleo de "Santo Domingo" en vez de "San Gerónimo" por Fichter en su edición de El castigo del discreto (núm. 3622), y su repetición en Morley y Bruerton (núm. 3890)].

———.

3244. Torre, Guillermo de: "Nueva interpretación de Lope de Vega."
RdAmer, VIII (1946), 328-33.

IÑIGUEZ DE MEDRANO, JULIÁN.
V. SHAKESPEARE (3454).

ISABEL, LA INFANTA.
V. SAINT URSULA (3435).

ITALIA, ITALIANO.
V.t. CENTENARIO (3067), SCENARIO (3445); LIBROS, LEVI (3880), NAVARRA (3892); GENERAL II, CARTEGGIO (896), MISCELÁNEA ERUDITA, 3ª SERIE (1258).

———.

3244A. Levi, Ezio: "Lope de Vega e

3244A (cont.).
l'Italia."
ARANap, XIV (1936), 25-75.
    [Hay un apéndice (págs. 67-74)
titulado "Poesie popolari italiane
nel teatro di Lope." El artículo
está reimpreso en su libro del mismo título (V. núm. 3880), en págs.
3-48; el apéndice se halla en el
mismo libro, en las págs. 59-69,
con el título "La lingua italiana
nel teatro di Lope."].

———.

3245. Guerrieri Crocetti, C.: "Lope
de Vega e l'Italia."
En su Pensiero e poesia, págs. 61-86.
[V. GENERAL II, LIBROS, núm. 1656].

JÁUREGUI, JUAN DE.
    V.t. CARRERA (3034); GENERAL II,
MISCELÁNEA ERUDITA, 3ª SERIE (1258).

———.

3246. Millé y Giménez, J.: "Jáuregui
yLope."
BBMP, VIII (1926), 126-36.
    [Reimpreso, "con algunas adicio-
nes," en sus Estudios de literatura
española, págs. 229-45 (V. GENERAL
II, LIBROS, núm. 1711)].

———.

3247. Zarco Cuevas, J.: "Las contiendas literarias en el siglo XVII.
III: Una réplica de Lope de Vega
contra don Juan de Jáuregui."
CD, CXLII (1925), 272-90.

JESUITAS.
    V.t. TEATINOS (3487).

———.

3248. Millé y Giménez, J.: "Lope de
Vega alumno de los jesuitas y no de
los teatinos."
RevHisp, LXXII (1928), 247-55.

———.

3249. Hornedo, Rafael M. de: "A propósito de una fecha: 1572. Lope en
los estudios de la Compañía de Jesús
en Madrid."
RyF, CVIII (1935), 52-78.

———.

3250. Cascón, Miguel: "Fuentes je-

suíticas en el teatro de Lope de
Vega."
BBMP, XVII (1935), 388-400.

———.

3251. Hornedo, R. M. de: "Homenaje
de Lope de Vega en sus obras sueltas a la Compañía de Jesús."
BBMP, XVII (1935), 298-321.

JUBILEO Y ALELUYAS.
    V. LIBROS, SAINZ DE ROBLES (3908).

JUGENDDRAMEN.
    V. OBRAS, ROMA ABRASADA (3798);
LIBROS, HÄMEL (3871).

JURÍDICO.
    V. IDEARIO (3233); OBRAS, LAS DOS
BANDOLERAS (3674).

JUVENTUD.
3252. Millé y Giménez, J.: "La juventud de Lope de Vega."
Nos, XL (1922), 145-78.
    [Reimpreso en sus Estudios de
literatura española, págs. 33-79
(V. GENERAL II, LIBROS, núm. 1711)].

KAROLINGISCHE SAGENKREISE.
    V. LIBROS, LUDWIG (3882).

"KÖNIG OTTOKAR".
    V. OBRAS, LA IMPERIAL DE OTÓN
(3717).

KOMÖDIE.
3253. Rohlfs, Gerhard: "Lope de Vega
und die spanische Komödie."
DKLV, XVII (1942), 455-69.

LABRADOR.
    V. PEASANT (3363-64).

LARRA, MARIANO JOSÉ DE.
3254. Pons, J. S.: "Larra et Lope
de Vega."
BH, XLII (1940), 123-31.
    [Sobre Macías el Enamorado en la
novela y el drama de Larra, y en
Porfiar hasta morir de Lope].

LATÍN.
    V.t. EPIGRAMA (3168), TRADUCCIONES
(3497).

3255. Buceta, Erasmo: "El latín de Lope de Vega.
RevHisp, LVI (1922), 403-04.

"LAZARILLO" (DE JUAN DE LUNA).
V. PEAR-TREE STORY (3362).

LEALTAD.
V. OBRAS, EL REMEDIO EN LA DESDI-CHA (3792).

LEBENSBILD.
V. CENTENARIO (3074).

LECCIÓN.
3256. Cossío, J. M. de: "Lección de rigor por Lope de Vega."
RdO, XI (1926), 130-34.
[Sobre la canción "Murmuran al poeta la parte donde amaba..."--de las Rimas ... Tomé de Burguillos].

3257. Sánchez Trincado, A.: "Tres lecciones de Lope."
EscEsp, II (1935), 214-19.

LEGANÉS, JUAN DE.
V. GENERAL II, MISCELÁNEA ERUDITA, 3ª SERIE (1258).

LEMOS, CONDE DE.
V. GENERAL II, LIBROS, PARDO MANUEL DE VILLENA (1736)

LENGUAJE.
3258. Romera-Navarro, M.: "Ideas de Lope de Vega sobre el lenguaje dramático."
HR, I (1933), 222-35.
[También en su libro La preceptiva dramática de Lope de Vega, págs. 83-107 (V. LIBROS, núm. 3904)].

3259. Romera-Navarro, M.: "Lope y su defensa de la pureza de la lengua y estilo poético."
RevHisp, LXXVII (1929), 287-381.
[Reimpreso en su libro La preceptiva dramática de Lope de Vega, págs. 147-275 (LIBROS, núm. 3904). V.t. PURIST (3403)].

LENGUAS.
V. ALEMÁN (2945), LATÍN (3255),

NEERLANDÉS (3330), VALENCIANO (3511), VASCUENCE (3512-13); LIBROS, LEVI (3880); GENERAL II, FLAMENCO (1079-1080).

LEÓN, FRAY LUIS DE.
V. SIMPLE LIFE (3457).

LERIDANAS.
3260. Areny Batlle, R.: "Ediciones leridanas de Lope de Vega."
Ilerda, (1946), núm. 6, pág. 180.

LETTRE.
V. CARTA (3043).

LIBELOS.
V.t. LIBROS, TOMILLO (3918).

3261. Entrambasaguas, J. de: "Los famosos "libelos contra unos cómicos," de Lope de Vega."
BABAV, III (1933), 460-91.
[Reimpreso en sus Estudios sobre Lope de Vega, III, 9-74 (V. LIBROS, núm. 3850)].

LIBERAL ARTS.
V. OBRAS, LA ARCADIA (3591).

LIEBESLEBEN.
3262. Pfandl, L.: "Das Liebesleben des Lope de Vega. Versuch einer neuen Deutung."
Neophil, XX (1934-35), 265-71.

LIÑÁN DE RIAZA, PEDRO.
V.t. GENERAL II, núm. 1218.

3263. Entrambasaguas, J. de: "Cartas poéticas de Lope de Vega y Liñán de Riaza."
Fénix, no. 2 (1935), 227-61.
[Reimpreso en sus Estudios sobre Lope de Vega, III, 413-60 (LIBROS, núm. 3850)].

"LIPPI, FRA LIPPO".
V. BROWNING (3013).

LÍRICA, LÍRICO.
V.t. CENTENARIO (3072, 3084).

3264. Montesinos, J. F.: "Contribu-

3264 (cont.).
ción al estudio de la lírica de
Lope de Vega."
RFE, XI (1924), 298-311; XII (1925),
284-90.
[Reimpreso en sus Estudios sobre
Lope, págs. 220-40 (V. LIBROS, núm.
3887)].

———.
3265. Díaz-Plaja, G.: "Notes sobre
la lírica de Lope."
QdP, no. 3 (1935), 1-5.

———.
3266. Henríquez Ureña, Camila: "El
lirismo de Lope de Vega."
RBC, XXXVI (1935), 224-50.

———.
3267. Entwistle, W. J.: "Lope de
Vega as a Lyric Poet."
BSS, XII (1935), 237-39.

———.
3268. Altschul, Arthur: "Lope de
Vega als Lyriker."
ZRP, LI (1931), 76-94.

———.
3269. Romera-Navarro, M.: "Lope de
Vega, el mayor lírico para sus con-
temporáneos."
BH, XXXV (1933), 357-67.
[También en su libro La preceptiva dramática de Lope de Vega, págs.
277-94 (V. LIBROS, núm. 3904)].

———.
3270. Alonso, Amado: "Vida y creación en la lírica de Lope."
AUCh, año XCIV, 3ª serie (1936),
no. 24, págs. 5-27.
[V. el núm. siguiente].

———.
3271. Alonso, Amado: "Vida y creación en la lírica de Lope."
CyR, no. 34 (1936), 65-106.
[Reimpreso en su libro Materia y
forma en poesía, págs. 133-64 (V.
GENERAL II, LIBROS, núm. 1554)].

LITERARISIERUNG DES LEBENS.
V. LIBROS, SPITZER (3914).

LITERATURBILD.
3272. Lerique, Joseph: "Lope de
Vega. Ein spanisches Literaturbild."
FZB, ns X (1889), 329-59.

LOA.
3273. Entrambasaguas, J. de: "Acer-
ca de la atribución de una loa a
Lope de Vega."
RBN, V (1944), 339-49.
[Sobre la Loa de las calidades de
las mujeres (V.t. OBRAS, núm. 3734).
Artículo reimpreso en sus Estudios
sobre Lope de Vega, III, 493-527
(V. LIBROS, núm. 3850)].

LOBKOWITZ, JUAN CARAMUEL DE.
V. OBRAS, EL ARTE NUEVO (3598).

LÓPEZ DE ZÁRATE, FRANCISCO.
V. GENERAL II, MISCELÁNEA ERUDITA,
1ª SERIE (1256)

LORENZANA.
3274. Leonard, I. A., y Fichter,
W. L.: "Two Unrecorded Lorenzana
Editions of Lope de Vega."
HR, X (1942), 345-47.

LUCIANO.
V. MERLIN COCAI (3302), NOTE LO-
PIANE (3338).

LUCINDA.
V. BELARDO-LUCINDA (2998), LUJÁN,
MICAELA (3275-79); CERVANTES, VEGA
(342).

LUJÁN, MICAELA.
V.t. "CELIA" (3055), DOCUMENTOS
(3148), LUCINDA; GENERAL I, ACTRI-
CES (1).

———.
3275. Rennert, H. A.: "The 'Luzinda'
of Lope de Vega's Sonnets."
MLN, XVI (1901), col. 351-56.

———.
3276. Rodríguez Marín, F.: "Lope de
Vega y Camila Lucinda."
BRAE, I (1914), 249-90.

———.
3277. Castro, Américo: "Alusiones a

Micaela Luján en las obras de Lope
de Vega."
RFE, V (1918), 256-92.

—————.

3278. Mérimée, Henri: [Resumen del
artículo de Castro (3277)].
RELV, XXXVI (1919), 76-77.

—————.

3279. Cossío, J. M. de: "La patria
de Micaela Luján."
RFE, XV (1928), 379-81.

LUNA, JUAN DE.
V. PEAR-TREE STORY (3362).

LUSITANISMO.
V. PORTUGAL (3392-95); OBRAS, EL
BRASIL RESTITUÍDO (3608).

LLAMAS DE "EL FÉNIX", LAS.
V. LIBROS, SAN JOSÉ (3910).

"LLORA Y TRABAJA".
V. ESTAMPA (3174).

MACÍAS EL ENAMORADO.
V. LARRA (3254).

MADRE.
V.t. MOTHER (3316).

—————.

3280. Cotarelo y Mori, E.: "La madre de Lope de Vega."
BRAE, II (1915), 524-25.

MADRID.
V.t. AYUNTAMIENTO (2994), EXPOSI-
CIÓN (3179), REVUES (3420).

—————.

3281. Jarnés, Benjamín: "Lope y Ma-
drid."
RdO, LII (1936), 116-19.
[Sobre el libro de Sainz de Ro-
bles, Jubileo y aleluyas de Lope de
Vega (3908)].

—————.

3282. Huarte, Amalio: "Esbozos de
la vida de Madrid tomados del teatro de Lope de Vega."
RBAM, XI (1934), 117-50.
[V.t. GENERAL II, MUNICIPIO
(1288)].

MÄRCHENDRAMA.
V. LIBROS, PFANDL (3896).

MAGALONA, LA LINDA.
V. LIBROS, KLAUSNER (3877).

MANETTI, ANTONIO.
V. DANTE ALIGHIERI (3140).

MANNERS.
V.t. USAGES (3507).

—————.

3283. Wilson, William E.: "Contemporary Manners in the Plays of Lope
de Vega."
BSS, XVII (1940), 3-23, 88-102.

MANOJO DE LA CORTE, FERNANDO.
V. OBRAS, EL LAUREL DE APOLO (3731).

MANUSCRITO.
V.t. LIBROS, AMEZÚA (3820).

—————.

3284. Benary, Walter: "Ein unbe-
kanntes handschriftliches Fragment
einer lopeschen Komödie."
ZRP, XXXVI (1912), 657-78.
[De El testimonio vengado].

—————.

3285. Machado, Manuel: "Un códice
precioso. Manuscrito autógrafo de
Lope de Vega."
RBAM, I (1924), 208-21.
[El códice de Durán].

MANZONI, ALESSANDRO.
V. LIBROS, COTRONEI (3843), LEVI
(3880); GENERAL II, MANZONI (1236).

MARAVILLA.
3286. Lagorio, Arturo: "Lope de Vega, maravilla de los siglos."
Nos, LXXXI (1934), 217-24.

"MARFISA".
3287. Entrambasaguas, J. de: "Un
amor de Lope de Vega desconocido.
La 'Marfisa' de la Dorotea."
Fénix, no. 4 (1935), 455-99.
[V. el número siguiente].

—————.

3288. Entrambasaguas, J. de: "Sobre
un amor de Lope de Vega desconocido."

3288 (cont.).
RFE, XXV (1941), 103-08.
[Trata del documento publicado en
el número precedente acerca de Lope
de Vega y doña María de Aragón. El
Lope de Vega del documento no es el
gran dramaturgo, sino un tal Lope
de Vega Portocarrero. Por consiguiente, doña María de Aragón no es
la "Marfisa" de la Dorotea].

MARINO, GIAMBATTISTA.
V.t. OBRAS, ARCADIA (3592); LIBROS,
PANARESE (3894); GENERAL II, CAR-
TEGGIO (896), MARINO (1237).

———.

3289. Fucilla, J. G.: "A Classical
Theme in Lope de Vega and G. B. Ma-
rino."
MLN, LX (1945), 287-90.
[Traducido al español y reimpreso
en sus Relaciones hispanoitalianas,
págs. 131-34 (V. GENERAL II, HISPA-
NOITALIANO, núm. 1140)].

———.

3290. Alonso, Dámaso: "Lope despojado por Marino."
RFE, XXXIII (1949), 110-43.

———.

3291. Alonso, Dámaso: "Adjunta a
'Lope despojado por Marino'."
RFE, XXXIII (1949), 165-68.

———.

3292. Alonso, Dámaso: "Otras imitaciones de Lope por Marino."
RFE, XXXIII (1949), 399-408.

MARULLO, MICHELE.
V.t. GENERAL II, MISCELÁNEA ERUDI-
TA, 2ª SERIE (1257).

———.

3293. Mele, E.: "Lope de Vega, tra-
duttore di un epigramma del Marullo."
GSLI, CXIII (1939), 348-50.
[Ad Neaeram de Marullo; el soneto
de Lope, "No tiene tanta miel Ática
hermosa," en El Grao de Valencia
(Ac. N., I, 531b) y en las Rimas
(OS, IV, 274)].

MÁSCARA.
3294. "Lope de Vega vestido de máscara."
Arch, II (1887-88), 114-15.
[Cita de la relación que escribió
Felipe de Gaona de las fiestas del
casamiento de Felipe III en 1599:
"Consequitivamente despues por su
horden yvan delanteros dos máscaras
ridículas quel huno dellos fue co-
noscido: ser el poheta Lope de Vega..."].

MASS AS HERO.
V. GENERAL II, núm. 1239.

MEDICINA.
V. OBRAS, EL ACERO DE MADRID (3579).

MEDINILLA, BALTASAR ELISIO DE.
V.t. PLAGIO (3372).

———.

3295. Crawford, J.P.W.: "A Letter
from Medinilla to Lope de Vega."
MLN, XXIII (1908), 234-38.

MEDRANO, JULIÁN [ÍÑIGUEZ] DE.
V. SHAKESPEARE (3454).

MEMORIAL A FELIPE III.
V. GENERAL II, MISCELÁNEA ERUDITA,
1ª SERIE (1256).

MENAECHMI THEME.
V.OBRAS, EL PALACIO CONFUSO (3757).

MENÉNDEZ Y PELAYO, MARCELINO.
V.t. OBRAS, EL REMEDIO EN LA DES-
DICHA (3791).

———.

3296. Ríos, Blanca de los: "Lope de
Vega y Menéndez Pelayo."
Ateneo, II (1906), 427-31.
[Reimpreso en su libro Del siglo
de oro, págs. 215-25 (V. GENERAL II,
LIBROS, núm. 1762)].

———.

3297. Ríos, Blanca de los: "Lope de
Vega y Menéndez y Pelayo."
CultHA, I (1912), no. 2, págs. 25-35.

———.

3298. Ríos, Blanca de los: "Lope de
Vega y Menéndez Pelayo."
BBMP, XVII (1935), 322-42.

———.
3299. Asensio, Gonzalo: "Contribución a un centenario. Lope de Vega y Menéndez Pelayo."
Contemp, IX, no. 36 (dic, 1935), 242-53.

———.
3300. Asensio, Gonzalo: "Lope de Vega y Menéndez Pelayo. Contribución a un centenario."
RABA, LVIII (1935), 25-34.

MENÉNDEZ PIDAL, RAMÓN.
3301. Soto, Luis Emilio: "Menéndez Pidal juzga el teatro de Lope de Vega a través de su nueva biografía."
ALib, (julio, 1940), pág. 18.
[A propósito de la obra de Menéndez Pidal, De Cervantes y Lope de Vega (GENERAL II, LIBROS, núm. 1702)].

MERLIN COCAI.
V.t. FONTI (3190)

———.
3302. Mele, Eugenio: "Lope de Vega, Merlin Cocai e Luciano."
GSLI, CXII (1938), 323-28.
[Sobre un pasaje de La Gatomaquia, Silva VII].

[3303 saltado; ningún artículo falta].

METAFORISMO.
3304. Entrambasaguas, J. de: "Cronos en el metaforismo de Lope de Vega."
RevEstHisp, II (1935), no. 8, págs. 153-76.
[Refundido y publicado con el título "El reloj de Lope de Vega," y luego reimpreso en sus Estudios sobre Lope de Vega, III, 463-90 (V. núms. 3411 y 3850)].

"MIL Y UNA NOCHES, LAS".
V. OBRAS, LA DONCELLA TEODOR (3660).

MIRA DE AMESCUA, ANTONIO.
V. LIBROS, CARRASCO (3840); MIRA DE AMESCUA, NOTES (2466).

MISCELÁNEA LOPISTA.
3305. Millé y Giménez, J.: "Miscelánea lopista."
RBAM, X (1933), 241-48.

[1) Un pretendido romance de Salinas contra Lope; 2) Un romance desconocido de Lope de Vega].

MISE EN SCÈNE.
3306. Baulier, F.: "La mise en scène dans deux pièces de Lope de Vega."
BH, XLVII (1945), 57-70.
[El Grao de Valencia y San Segundo de Ávila].

MISTICISMO.
V. MYSTICISM (3326-27); LIBROS, GARCÍA (3862).

MISVERSTANDEN.
3307. Altschul, Arthur: "Eine misverstandene Lope-Stelle."
ZRP, LII (1932), 767-68.
[En Los Ramilletes de Madrid: "También he visto a Belardo ... pues es más que todo el cielo." (Ac. N., XIII, 491a; BAE, LII, 316a)].

MITOLOGÍA.
V. APOLLO AND DAPHNE (2973), NOTE LOPIANE (3338), PERSEUS MYTH (3368), TEMAS (3490); OBRAS, LA CIRCE (3633-34).

MODERNISMO.
3308. Hernández Castanedo, F.: "Lope y el Modernismo."
MFem, XVI (1935), núm. 103, págs. 8-10.

MOLIÈRE.
V. EN LISANT (3160).

MONARQUÍA.
3309. Pemartín, José: "La idea monárquica de Lope de Vega."
AcEsp, XIV (1935), 417-50.

———.
3310. Herrero García, M.: "La monarquía teórica de Lope de Vega."
Fénix, no. 2 (1935), 179-224; no. 3 (1935), 305-62.

MONTAÑA, LA.
V.t. OBRAS, LA MAYA (3737).

———.
3311. Obregón Barreda, F.: "Lope de Vega y su visión de la Montaña y de

3311 (cont.).
los montañeses."
Alta, I (1935), 109-16.

MONUMENTO.
3312. "Memoria relativa al monumento mural dedicado a Frey Lope Félix
de Vega Carpio por la Real Academia
Española."
MemRA, V (1886), 218-82.

MORATÍN, LEANDRO FERNÁNDEZ DE.
3313. Entrambasaguas, J. de: "El
lopismo de Moratín."
RFE, XXV (1941), 1-45.

MORETO, AGUSTÍN.
V. MIRA DE AMESCUA, NOTES (2466).

MORISCO.
3314. Oliver Asín, J.: "Un morisco
de Túnez, admirador de Lope."
Al-And, I (1933), 409-50.

MOROS (SU HABLA).
V. GENERAL I, PHONOLOGY (80).

MOROS Y ESPAÑOLES.
V. OBRAS, EL REMEDIO EN LA DESDI-
CHA (3792).

MOTE.
3315. Cossío, J. M. de: "El mote
'Sin mí, sin vos y sin Dios' glosa-
do por Lope de Vega."
RFE, XX (1933), 397-400.
[En El Castigo sin venganza].

MOTHER.
3316. Templin, E. H.: "The Mother
in the Comedia of Lope de Vega."
HR, III (1935), 219-44.

MOTIV.
V. OBRAS, LA CORONA MERECIDA (3642);
CALDERÓN, OBRAS, LA VIDA ES SUEÑO
(2258).

MUERTE.
V.t. ENTIERRO, HONRAS (3229).

———.
3317. Ossorio y Bernard, M.: "Muerte
de Lope de Vega."
IEA, XIX (1875), t. 2, págs. 82-86.
[Reimpreso en sus Papeles viejos
e investigaciones literarias, págs.

119-30 (V. GENERAL II, LIBROS, núm.
1728)].

MUJERES.
V.t. "AMARILIS INDIANA", "CELIA",
HOMBRE (3225), LUJÁN, "MARFISA",
NEVARES SANTOYO, OSORIO, TRILLO,
URBINA (ISABEL DE); LIBROS, ARCO Y
GARAY (3824).

———.
3318. González Ruiz, N.: "Lope de
Vega y las mujeres."
AcEsp, XIV (1935), 36-50.

———.
3319. Casona, Alejandro: "Las mujeres de Lope de Vega."
EscEsp, II (1935), 194-208.

———.
3320. Casona, Alejandro: "Las mujeres de Lope de Vega."
RdelasInd, I (1938-39), 337-45.

MUNÁRRIZ, JOSÉ MARÍA.
V. BLAIR (3011).

MUNDO.
V.t. CENTENARIO (3098), CHART
(3137), ESTÉTICA (3177), WELTBILD
(3556).

———.
3321. Farinelli, A.: "Il mondo cul-
turale e fantastico di Lope de Vega."
NA, CCCLXXXV (1936), 296-309.

———.
3322. Torre, Guillermo de: "Lope de
Vega y su mundo."
Asom, II (1946), no. 4, págs. 33-43.

MUNICIPIO.
V. GENERAL II, núm. 1288.

MUNICH, BIBLIOTECA DE.
V. OBRAS, EL DESPOSORIO DEL ALMA
CON CRISTO (3655).

MUÑOZ, HERNÁN.
V. VIDA (3549).

MUSEO ARQUEOLÓGICO (MADRID).
V. AUTÓGRAFOS (2990).

MÚSICA.
V.t. CANCIÓN (3026-27); OBRAS, LA
SELVA SIN AMOR (3807).

———.

3323. Asenjo Barbieri, Francisco:
"Lope de Vega, músico, y algunos
músicos españoles de su tiempo."
GMB, III-IV (1863-64), núms. 118-29.
[Reproducido en el número siguiente].

———.

3324. Asenjo Barbieri, Francisco:
"Observaciones históricas sobre Lope de Vega, músico, y algunos músicos españoles de su tiempo."
Harm, XXI (1936), mayo-jun., págs.
1-3; jul-sept., págs. 2-3; XXIII
(1939), oct-dic., págs. 2-4; XXIV
(1940), en-mar., págs. 1-2; abr-
jun., págs. 1-2; jul-sept., págs.
1-3; oct-dic., págs. 1-3; XXV (1941),
abr-jun., págs. 1-3; jul-sept.,
págs. 1-3; oct-dic., págs. 1-2;
XXVI (1942), en-mar., págs. 1-2;
abr-jun., págs. 1-2.
[V. el número siguiente].

———.

3325. Soriano Fuertes, Mariano:
"Contestaciones a las observaciones
históricas sobre Lope de Vega, músico, y algunos músicos españoles
de su tiempo, escritas por D. Francisco Asenjo Barbieri."
Harm, XXVI (1942), jul-sept., págs.
1-3; oct-dic., págs. 1-4; XXVII
(1943), en-mar., págs. 1-3; abr-
jun., págs. 1-3.

MUSSET, ALFRED DE.
V. EN LISANT (3160).

MYSTICISM.
V.t. LIBROS, GARCÍA (3862).

———.

3326. Peers, E. A.: "Mysticism in
the Religious Verse of the Golden
Age. IV: Lope de Vega Carpio."
BSS, XXI (1944), 217-23; XXII (1945),
38-43.

———.

3327. Peers, E. A.: "Mysticism in
the Poetry of Lope de Vega."

HomMenPidalB (1950), págs. 349-58.

NACIMIENTO.
V. NATALICIO (3328-29).

NACHAHMER.
V. LIBROS, STEFFENS (3915).

NAHUATL.
V. AMÉRICA (2960).

NATALICIO.
3328. Honorio, Gonzalo: "Aniversario
del natalicio del Fénix de los ingenios, frey Lope Félix de Vega Carpio."
MusUniv, IX (1865), 390.

———.

3329. Mellado, Andrés: "El natalicio de Lope."
IEA, XXI (1877), t. 2, págs. 347-50.

NAVARROS, ESCRITORES.
V. SHAKESPEARE (3454).

NEERLANDÉS.
V.t. GENERAL II, FLAMENCO (1079-
1080).

———.

3330. Dam, C. F. A. van: "Lope de
Vega y el neerlandés."
RFE, XIV (1927), 282-86.

NEVARES SANTOYO, MARTA DE.
V.t. AMOR (2962), DOCUMENTOS (3147).

———.

3331. Tietze, Maria: "Lope de Vega
und Amarilis."
ZRP, XLVI (1926), 165-210.

———.

3332. Vázquez Cuesta, Pilar: "Nuevos datos sobre doña Marta de Nevares."
RFE, XXXI (1947), 86-107.

NIÑEZ.
3333. Anzoategui, Ignacio B.:
"Niñez y desnudez de Lope de Vega."
En su libro Extremos del mundo,
págs. 20-30. [V. GENERAL II, LI-
BROS, núm. 1566].

NOBLEZA.
V.t. MONARQUÍA (3309-10); LIBROS, ARCO Y GARAY (3824).

_____.

3334. Montoto, Santiago: "Lope de Vega y la nobleza."
BRAE, XXII (1935), 657-65.

_____.

3335. Herrero García, M.: "La nobleza española y su función política en el teatro de Lope de Vega."
Esc, XIX (1949), no. 58, págs. 509-547.
["Estúdiase en este ensayo la obra dramática de Lope, ... como documento histórico, para extraer de ella la pintura del elemento nobiliario y de la acción política que en aquella época ejercía la nobleza española en la mecánica de la vida nacional. El autor divide su ensayo en tres capítulos: 1. Los linajes históricos, 2. Los títulos nobiliarios, y 3. La función política de la nobleza."--Bibliotheca Hispana].

_____.

3336. Herrero García, M.: "Más sobre la nobleza española y su función política en el teatro de Lope."
Esc, XX (1949), no. 61, págs. 13-60.

_____.

3337. Herrero García, M.: "Más aún sobre la nobleza en el teatro de Lope de Vega."
Esc, XX (1949), no. 64, págs. 929-944.

"NOSOTROS, LOPE DE VEGA Y".
V. WIR (3559).

"NOTAS DE UN LECTOR".
V. "FAMA PÓSTUMA" (3181), SANTA CRUZ (3441); OBRAS, AMAR COMO SE HA DE AMAR (3583).

NOTE LOPIANE.
V.t. BOCCALINI (3012).

_____.

3338. Gasparetti, A.: "Note lopiane. I: Due redazioni lopiane di uno stesso episodio. II: Una curiosa citazione mitologica."
BSCC, XVI (1935), 41-52.
[I: Una anécdota de la novela Guzmán el bravo se repite en Rimas ... de ... Burguillos (el soneto LXXXV: "Truxo un galán de noche una ballesta"). II: "Cedant arma togae, concedat laurea laudi," atribuído a Luciano en Guzmán el bravo ("Y así pintó Luciano ... Den ventaja las armas a la toga,' y dos versos más), se atribuye a Alciato (Emblema 181 en la ed. de 1621) en La Gatomaquia, Silva VII, vv. 277-83].

NOTES.
3339. Rennert, H. A.: "Notes on some Comedias of Lope de Vega."
MLR, I (1905-06), 96-110.
[Sobre Amistad y obligación, El Negro del mejor amo, las Partes "extravagantes," Amar como se ha de amar, Nardo Antonio bandolero, Querer más y sufrir menos, Donde no está su dueño está su duelo, La Niña de plata, El Brasil restituído].

NOTES ON THE SPANISH DRAMA.
V. GENERAL II, núm. 1301; MIRA DE AMESCUA, núm. 2466.

NOTITAS.
3340. Alonso Cortés, N.: "Notitas lopianas."
Fénix, no. 6 (1935), 683-84.
[1. Había un escribano llamado Lope de Vega a principios del siglo XVI; 2. Sobre la casa de Diego de Urbina, suegro de Lope].

NOVELISTA.
3341. Guarner, Luis: "Lope de Vega, novelista."
GdL, II (1935), no. 10, págs. 5-6.

NÚMERO DE COMEDIAS.
V. CAUDAL (3052), HOW MANY (3231).

OBRAS.
V.t. EDICIONES (3156-57), GESAMTAUSGABE (3199).

_____.

3342. Mitjans, Aurelio: "Estudio sobre las obras de Lope de Vega."
RCub, III (en-jun, 1886), 46-55, 122-31, 252-61, 318-24; IV (jul-

dic, 1886), 18-26, 128-35.

———.

3343. Castro, Américo: "Lope de Vega: sus obras."
AUCh, 2ª serie, año II (1924), págs. 785-815.

OCTAVA REAL.
V. EPIGRAMA (3168).

OCHERKI.
3344. Petrov, D. K.: "Ocherki bito-vovo teatra Lope de Vegi." ["Bosquejo del teatro de costumbres de Lope de Vega"].
ZIPF, no. 60 (1901), págs. 1-458.
[Un apéndice de 78 páginas contiene su edición de El sufrimiento de honor].
a) A. Morel-Fatio, BH, IV (1902), 379-81 (bajo el título "Études sur Lope de Vega.").

ODIOS.
V. LIBROS, ICAZA (3875-75A).

OFICIO.
3345. Ochando, Andrés: "Conversación de Lope de Vega sobre su sabroso oficio."
GdL, II (1935), no. 10, págs. 1-2.

OPÚSCULO INÉDITO.
V. CARRERA (3034).

ORBE HISPÁNICO.
V. AMÉRICA (2960).

ORGULLO.
3346. Velarde, G. Bautista: "Lope, orgullo de España."
Criterio, XXX (1936), 62-63.

ORIENTE.
3347. Bernard, Henri: "Lope de Vega et l'Extrème Orient."
MonNip, IV (1941), 278-83.

ORÍGENES.
3348. Morel-Fatio, A.: "Les origines de Lope de Vega."
BH, VII (1905), 38-53.

ORLANDO.
V. GENERAL II, ROLAND (1385).

"ORLANDO FURIOSO".
V.t. ARIOSTO (2978), FONTI (3190).

———.

3349. Parducci, Amos: "L'Orlando Furioso nel teatro di Lope de Vega."
ARom, XVII (1933), 565-618.

"ORLANDO INNAMORATO".
V. FONTI (3190).

OROZCO, BEATO ALONSO DE.
3350. "Lope de Vega y el Beato Alonso de Orozco."
CD, XXXIV (1894), 444-48.
[Declaración de Lope de que conoció al Beato "desde que tuvo (Lope) uso de razón hasta que murió (el siervo de Dios) de vista, trato y comunicación."].

ORTOLOGÍA.
V.t. INTERNAL LINE (3242).

———.

3351. Morley, S. G.: "Ortología de cinco comedias autógrafas de Lope de Vega."
HomBonilla (1927), I, 525-44.
[El Bastardo Mudarra, La Corona merecida, El Cuerdo loco, La Dama boba, Sin secreto no hay amor].

OSORIO, ELENA.
V. ALLUSION (2950), AMOR (2966).

OSUNA, DUQUE DE.
V.t. CENSURA (3056), TOMO PERDIDO (3493).

———.

3352. Anibal, C. E.: "Lope de Vega and the Duque de Osuna."
MLN, XLIX (1934), 1-11.

"OTHELLO".
V. TRAGEDIA (3500).

PADRE.
3353. Espín, Joaquín: "Un dato sobre la profesión del padre de Lope de Vega."
RBAM, II (1925), 562-63.

———.

3354. Herrero García, M.: "Sobre la

PADRE (cont.).
profesión del padre de Lope de Vega."
RBAM, X (1933), 117.

3355. Petrov, Dmitri K.: "Quelques
notices sur Félix de Vega, pere de
Lope de Vega."
RFor, XXIII (1907), 275-81.

PAGEANTRY.
V. GENERAL II, núm. 1314.

PAÍSES BAJOS.
V.t. GENERAL II, núm. 1315.

3356. Praag, J. A. van: "Lope y los
Países Bajos."
BSCC, XVI (1935), 424-31.

"PAJARILLO EN LA ENRAMADA".
V. LIBROS, ROJO ORCAJO (3903).

PALERMO.
V. GENERAL II, núm. 1317.

PALMAS, LAS.
V. CABILDO (3020).

PARROQUIA.
3357. Ríos, Blanca de los: "La parroquia de Lope. Datos y documentos para la biografía del gran dramático."
IEA, XLIII (1899), t. 1, págs. 263,
266-67, 270.
[Reimpreso en su libro Del siglo
de oro, págs. 197-213 (V. GENERAL
II, LIBROS, núm. 1762)].

PARTES.
V.t. BIBLIOGRAFÍA (3006), NOTES
(3339), VERSOS (3542); GENERAL II,
BÉLGICA (865), COLECCIÓN (917).

3358. Anibal, C. E.: "Lope de Vega's
Dozena Parte."
MLN, XLVII (1932), 1-7.

3359. Heaton, H. C.: "The Case of
Parte XXIV de Lope de Vega, Madrid."
ModPhil, XXII (1924-25), 283-303.

3360. Heaton, H. C.: "Lope de Vega's
Parte XXVII Extravagante."
RR, XV (1924), 100-04.

PARTINUPLÉS DE BLES.
V. TIRSO DE MOLINA, OBRAS, AMAR
POR SEÑAS (2846).

PASSAGE.
3361. Spitzer, Leo: "Un passage de
Lope de Vega, l'espagnol segullo et
l'etymologie du français talus."
MLN, LII (1937), 79-82.
[Sobre los versos 557-62 del Acto
I de Barlaan y Josafat (edición de
Montesinos)].

"PASTRYBAKER, THE".
V. OBRAS, EL DOCTOR SIMPLE (3657).

PATRIOTISM.
V. OBRAS, EL BRASIL RESTITUÍDO
(3606).

PEAR-TREE STORY.
3362. Hespelt, E. H.: "A Possible
Source of Lope's Pear-Tree Story."
MLN, LI (1936), 438-39.
[El cuento está en Mirad a quien
alabáis; la fuente es el Lazarillo
de Juan de Luna].

PEASANT.
3363. Gouldson, K.: "The Spanish
Peasant in the Drama of Lope de
Vega."
BSS, XIX (1942), 5-25.
[Reimpreso en Spanish Golden Age
Poetry and Drama, págs. 63-89 (V.
GENERAL II, LIBROS, PEERS, núm.
1741)].

3364. Price, Eva R.: "The Peasant
Plays of Lope de Vega."
MLF, XXII (1937), 214-19.

PECADOS.
3365. Ximénez de Sandoval, Felipe:
"Por los pecados del Fénix."
Esc, XX (1949), no. 63, págs. 633-67.
[Sobre Sor Marcela, la hija de
Lope].

PEN.
3366. "From Lope's Pen: Scenes from

a Play; Three Poems."
TAM, XIX (1935), 686-87.
[Traducciones de unas escenas de
El Acero de Madrid, el "soneto del
soneto" ("Un soneto me manda hacer
Violante") de La Niña de plata, y
otros dos poemas].

PÉRDIDA, PERDIDO.
V. AUTÓGRAFOS (2991), CAUDAL (3052),
TOMO PERDIDO (3493); OBRAS, LA PALA-
BRA VENGADA (3756).

PERENNIDAD.
V. POESÍA (3382).

PÉREZ DE MONTALVÁN, JUAN.
V. CENTENARIO (3060), "FAMA PÓSTU-
MA" (3181).

PERFILES.
3367. Entrambasaguas, J. de: "Siete
perfiles de Lope de Vega."
En su libro La determinación del
Romanticismo español y otras cosas,
págs. 25-38 (V. GENERAL II, LIBROS,
núm. 1626)].

PERIODISMO.
V. CRONOLOGÍA (3126); OBRAS, EL
ARENAL DE SEVILLA (3594).

PERSEUS MYTH.
3368. Martin, H. M.: "The Perseus
Myth in Lope de Vega and Calderón
with Some Reference to Their Source."
PMLA, XLVI (1931), 450-60.

PERSONAJE.
V.t. LIBROS, Cossío (3842).

———.
3369. Valbuena Prat, A.: "Un perso-
naje prefreudiano de Lope de Vega."
RBAM, VIII (1931), 25-35.
[Leonido, en La fianza satisfecha.
Reimpreso en inglés, con el título
"A Freudian Character in Lope de
Vega," en TDR, VII (1962), no. 1,
págs. 44-55].

PERVIVENCIAS.
V. VERSOS (3543).

PHOENIX.
V. FÉNIX (3186).

PICARESCO.
V. GENERAL II, LIBROS, MONTOLIU
(1718).

PINTURA.
V.t. ARTE (2981).

———.
3370. Bueso y Pineda, A. de la Paz:
"Lope de Vega y la pintura."
IEA, XIX (1875), t. 2, págs. 335,
347-50, 362-63.

———.
3371. Marasso, Arturo: "Lope de
Vega y la pintura."
BAAL, IV (1936), 428.

PLAGIO.
3372. Restori, A.: "Un autoplagio
di Lope de Vega?"
ASLSL, IV (1925), 267-74.
[De ocho décimas elogiadoras que
Lope escribió en el libro de Baltasar de Medinilla, Limpia concepción
de María (1617), repitió cuatro en
un elogio del libro de Fernando
Salgado y Camargo, Milagroso augus-
tiniano San Nicolás de Tolentino
(1628)].

PLAN DE UNA COMEDIA.
V. OBRAS, LA PALABRA VENGADA (3756).

PLAUTO.
V. OBRAS, EL PALACIO CONFUSO (3757).

PLEITO.
3373. González Palencia, A.: "Pleito entre Lope de Vega y un editor
de sus comedias."
BBMP, III (1921), 17-26.
[Reimpreso en sus Historias y leyendas, págs. 409-22 (V. GENERAL II,
LIBROS, núm. 1648)].

POESÍA.
V.t. LÍRICA; OBRAS, núm. 3569; LI-
BROS, BORGHINI (3834), ENTRAMBASA-
GUAS (3851).

———.
3374. Mele, E.: "Poésies de Lope de
Vega, en partie inédites."
BH, III (1901), 348-64.

POESÍA (cont.).

3375. Aicardo, J. M.: "Primeras
poesías penitenciales de Lope de
Vega."
RyF, X (1904), 463-79; XI (1905),
199-213, 466-81.

————.

3376. Machado, M.: "Otra poesía inédita de Lope de Vega."
RBAM, II (1925), 431-33.

————.

3377. Montesinos, J. F.: "Notas sobre algunas poesías de Lope de Vega."
RFE, XIII (1926), 139-76.
[i) El romance "Sentado en la se-
ca yerba," págs. 139-41; ii) Algunos
romances de Lope en el "Romancero
de Barcelona," págs. 141-57 (De esta parte hay una reseña firmada por
"R." en EUC, XII [1927], 298); iii)
Dos sonetos de Lope y una comedia
mal atribuída a Tirso, págs. 157-62
(la comedia es La joya de las montañas, Santa Orosia; dos sonetos
que en ella figuran—"Dulce señor,
enamorado mío" y "Virgen, paloma
cándida, que al suelo"—se hallan
también en la comedia de Lope San
Nicolás de Tolentino); iv) Para la
cronología de las Rimas humanas,
págs. 162-73; v) Una canción de Los
Pastores de Belén y la fecha de El
Villano en su rincón, págs. 173-76.
El artículo está reimpreso en sus
Estudios sobre Lope, págs. 241-78
(V. LIBROS, núm. 3887)].

————.

3378. Fucilla, J. G.: "Concerning
the Poetry of Lope de Vega."
Hisp, XV (1932), 223-42.

————.

3379. Entrambasaguas, J. de: "Poe-
sías nuevas de Lope de Vega, en
parte autobiográficas."
RBAM, XI (1934), 49-84, 151-203.
[Reimpreso en sus Estudios sobre
Lope de Vega, III, 219-375 (V. LI-
BROS, núm. 3850)].

————.

3380. Schack, Conde de: "Páginas
olvidadas. Caracteres generales de
la poesía dramática de Lope de Vega."
AmEsp, I (1935), 299-313.

————.

3381. Alberti, R.: "Lope de Vega y
la poesía contemporánea española."
RCub, II (1935), 68-93.

————.

3382. Alonso, Amado: "Caducidad y
perennidad en la poesía de Lope."
AUCh, año XCIV, 3ª serie (1936),
no. 24, págs. 28-38.
[Reimpreso en su libro Materia y
forma en poesía, págs. 165-79 (V.
GENERAL II, LIBROS, núm. 1554)].

————.

3383. Fichter, W. L.: "The Poetry
of Lope de Vega."
MBo, XI (1936), 117-27.

————.

3384. Croce, B.: "Studi su poesie
antiche e moderne. V: Poesia di
Lope."
Crit, XXXV (1937), 241-55.
[Interpretación estética de pasajes de La moza de cántaro, El castigo sin venganza, El mayor imposible, Por la puente, Juana y La fuerza lastimosa. Reimpreso en su Poesia antica e moderna, págs. 265-84
(V. GENERAL II, LIBROS, núm. 1608)].

————.

3385. Croce, B.: "Poesia di Lope."
CurCon, VI (1937), 663-79.
[Lo mismo que el núm. 3384].

————.

3386. Entrambasaguas, J. de: "Sobre
un supuesto poema de Lope de Vega y
unas olvidadas glosas lopianas."
RevBibyDoc, I (1947), 83-90.
[El supuesto poema no es sino
unas octavas de La Virgen de la Almudena; las glosas son de (a) una
octava que se halla en La Niñez de
San Isidro (Acad., IV, 524b: "Entonces, con igual gloria y decoro")
y de (b) una quintilla del Isidro
(OS, XI, 227: "Por esso la peña he-
rid"). Reimpreso en sus Estudios
sobre Lope de Vega, III, 531-42 (V.
LIBROS, núm. 3850)].

POESÍA (cont.).

3387. Steiger, Arnald: "Zur volks-
tümlichen Dichtung Lope de Vegas."
HomErnst (1949), págs. 159-74.

POESÍA POPULAR ITALIANA.
V. CANCIÓN (3028-29), ITALIA (3244A).

POETA.
V.t. ARTISTA (2984), CENTENARIO
(3072), DICHTER (3143-44), HOMBRE
(3226), PRODIGIO (3397A), RELIGIOSO
(3410), SACERDOTE (3434).

————.

3388. Entrambasaguas, J. de: "Lope
de Vega, poeta nacional."
En sus Estudios sobre Lope de Vega,
I, 3-20.
[Es una versión modificada de su
Lope de Vega, símbolo del tempera-
mento estético español (V. LIBROS,
núm. 3852)].

————.

3389. Entrambasaguas, J. de: "Lope
de Vega als nationaler Dichter Spaniens. Zur 300. Wiederkehr seines
Todestages."
GdZ, XIII (1935), Heft 8, págs. 15-
24.
[Traducción, por Gerhard Lepiorz,
de Lope de Vega, símbolo del temperamento artístico español (V. LI-
BROS, núm. 3852)].

POLIEDRISMO.
3390. Orts González, Juan: "El poliedrismo de Lope."
ND, XVI (1935), no. 12 (dic.), págs.
8-10.

POPULARIDAD.
V. ALEMANIA (2946), CULTO (3136).

PORTRAITS.
3391. Peers, E. A.: "Lope de Vega:
Two Portraits."
En su St. John of the Cross and
Other Lectures and Addresses, págs.
85-96.
[Sobre Lope como autor dramático
y no dramático. V. GENERAL II, LI-
BROS, núm. 1740].

PORTUGAL.
V.t. OBRAS, EL BRASIL RESTITUIDO (3608).

3392. Dantas, Júlio: "Portugal na
obra de Fray Lope de Vega."
RABraL, año XXVII (1935), vol. 49,
págs. 71-74.

————.

3393. Figueiredo, F. de Sousa: "Alguns elementos portugueses na obra
de Lope de Vega."
RAMSP, año V (1938), vol. L (sept.),
págs. 5-40.
[Hay tirada aparte titulada "Lope
de Vega. Alguns elementos portugueses na su obra." El artículo está
reimpreso en sus Últimas aventuras,
págs. 255-325 (V. GENERAL II, LI-
BROS, núm. 1635). Para una parte
del artículo, V. CAMÕES (3023)].
a) Calvert J. Winter, BAbr, XIII
   (1939), 387.

————.

3394. Entrambasaguas, J. de: "Lope
de Vega y Portugal."
RNE, X (1950), no. 95, págs. 7-11.

————.

3395. Raposo, Hipólito: "O senti-
mento português em Lope de Vega."
GilVic, XII (1936), 11-18, 51-62,
87-100.

POSTULANTE.
V. CERVANTES, VEGA (343).

PRECEPTISTAS ARISTOTÉLICOS.
V. GUERRA LITERARIA (3215).

PRECEPTIVA.
V. LIBROS, ROMERA-NAVARRO (3904).

PREDICADORES.
V. HONRAS (3229).

PREFREUDIANO.
V. PERSONAJE (3369).

PRESENT STATE...
V. STUDIES (3483).

PRISMA.
3396. Torre, Guillermo de: "Prisma
de Lope de Vega: lo clásico, lo español, lo universal."
CA, XXXI (1947), 179-90.

PROBEN.
3397. Altschul, Arthur: "Lope de
Vega. Proben aus seinen dramatischen Werken."
Spanien, II (1920), 241-67.

PROCESO.
V. LIBROS, TOMILLO (3918).

PRODIGIO.
3397A. Levi, Angelo Raffaello: "Genio spagnuolo. Il poeta-prodigio."
En su libro Nel regno del teatro,
págs. 19-57. [V. GENERAL II, LI-
BROS, núm. 1682A].

PROLIFICITY.
3398. Morley, S. G.: "Lope de Vega's
Prolificity and Speed."
HR, X (1942), 67-68.

PRÓLOGOS DE SUS COMEDIAS.
V. VEGA (3522).

"PROMESSI SPOSI, I".
V. LIBROS, COTRONEI (3843), LEVI
(3880).

PROSA.
3399. Bell, A. F. G.: "Lope de Vega
as a Writer of Prose."
BSS, XII (1935), 230-37.

———.
3400. Icaza, Francisco A. de: "Prosa inédita de Lope de Vega."
RdO, V (1924), 26-42.
[Seis cartas: Amezúa, Epistolario, III, Cartas 140, 209, 252; IV,
Cartas 709, 614, 530].

PROVENZAL.
V. BERBEZILH (3000); GENERAL II,
JUANA DE NÁPOLES (1186).

PROVERBIOS.
3401. Hayes, F. C.: "The Use of
Proverbs as Titles and Motives in
the Siglo de Oro Drama: Lope de
Vega."
HR, VI (1938), 305-23.

PSICOLOGÍA.
V.t. LIBROS, ROMERO FLORES (3905).

———.
3402. Beltrán, Juan Ramón: "El com-

plejo psicológico de Lope de Vega."
AIPs, III (1941), 81-93.

PUREZA.
V. LENGUAJE (3259).

PURIST.
3403. Anibal, C. E.: "Lope the Purist."
Hisp, XV (1932), 173-90.
[Sobre núm. 3259].

QUALIFYING WORDS.
V. FEMENINOS (3184).

QUALITY.
3403A. Pound, Ezra: "The Quality of
Lope de Vega."
En su libro The Spirit of Romance,
págs. 191-225 (en la ed. de 1952,
págs. 179-213). [V. GENERAL II,
LIBROS, núm. 1748A].

QUERELLA.
3404. Salazar y Bermúdez, María de
los Dolores: "Querella motivada por
la venta de unas comedias de Lope
de Vega."
RBN, III (1942), 208-16.

QUEVEDO Y VILLEGAS, FRANCISCO G. DE.
V. SONETO (3464); OBRAS, LA GATO-
MAQUIA (3706); GENERAL II, MISCELÁ-
NEA ERUDITA, 3ª SERIE (1258).

———.
3405. Fichter, W. L.: "Lope de Vega
an Imitator of Quevedo?"
ModPhil, XXX (1932-33), 141-46.
[Semejanza de un pasaje de Los
Melindres de Belisa a uno del Sueño
del infierno de Quevedo].

"QUIJOTE" DE AVELLANEDA.
V. EPIGRAMA (3168).

RACINE, JEAN.
V. ESTER (3175).

RAIMONDI, LUCA.
V. REINALDOS DE MONTALBÁN (3407).

RAPTO, RAPTOR.
V. HIJA (3218-21).

REAJUSTE DE UNAS FECHAS.
V. URBINA, ISABEL DE (3506).

REALISMO.
3406. Bataillon, M.: "Recherches sur le réalisme comique chez Lope de Vega et Tirso de Molina." AnnCF, XLVIII (1948), 201-05.

RECHAZADO.
V. AUTO SACRAMENTAL (2986).

REDAZIONI.
V. NOTE LOPIANE (3338).

REDONDILLAS.
V. ROMANCE (3423).

REFRANES.
V. PROVERBIOS (3401).

REFUNDICIONES.
V. OBRAS, EL CASTIGO SIN VENGANZA (3628), LA NIÑA DE PLATA (3749), EL PERRO DEL HORTELANO (3776).

REGUERA, FRANCISCO DE LA.
V. OBRAS, EL LAUREL DE APOLO (3731).

REHABILITACIÓN.
V. CALDERÓN (3021).

REINALDOS DE MONTALBÁN.
3407. Gasparetti, A.: "Vicende italiane di una commedia spagnola. Rinaldo di Montalbano nelle commedie di Lope de Vega, di Giacinto Andrea Cicognini, di Luca Raimondi e di Carlo Goldoni." Colombo, II (1927), 216-50.
[Las Pobrezas de Reinaldos de Lope, L'Honorata poverta di Rinaldo de Cicognini, la del mismo título de Raimondi y Rinaldo di Mont' Albano de Goldoni].

RELACIÓN.
3408. Entrambasaguas, J. de: "Datos acerca de Lope de Vega en una relación de fiestas del siglo XVII." RNE, II, no. 21 (sept, 1942), 5-20.
[V. el núm. siguiente].

————.
3409. Entrambasaguas, J. de: "Datos acerca de Lope de Vega en una relación de fiestas del siglo XVII." RFor, LVI (1942), 266-81.
[Reimpreso en sus Estudios sobre Lope de Vega, II, 529-605 (V. LIBROS,

núm. 3850)].

RELIGIOSO.
V.t. AUTO SACRAMENTAL (2989), CENTENARIO (3084), HOMBRE (3225), MYSTICISM (3326), POESÍA (3375), SINCERIDAD (3458); LIBROS, RUBINOS (3907).

————.
3410. Aguirre Prado, Luis: "Lope de Vega, poeta religioso." VV, no. 7 (jul-sept, 1944), 576-86.
[Se intenta en este artículo defender a Lope de los reproches que se le han hecho a su deficiente cultura religiosa].

RELOJ.
3411. Entrambasaguas, J. de: "El reloj poético de Lope de Vega." Haz, no. 10 (en-feb, 1944), 35-37.
[Ensayo sobre el paso del tiempo. Trata de los signos del zodíaco. Reimpreso en forma refundida, con el título "Cronos en el metaforismo de Lope de Vega," en sus Estudios sobre Lope de Vega, III, 463-90 (LIBROS, núm. 3850). V.t. el núm. 3304].

REMÓN, ALONSO.
V.t. AYUNTAMIENTO (2994), COLABORADORES (3102).

————.
3412. López Tascón, José: "Lope de Vega y el Dr. Remón. Dos comedias a nombre del primero y una, anónima, debida a la pluma del segundo." Contemp, X, no. 38 (feb, 1936), 201-07; ——.
[Este artículo trata de Las burlas y enredos de Benito y de algunas otras comedias. No he logrado encontrar los números 39-40 de la revista].

RENACENTISMO.
V. HUMANISMO (3232).

RENACIMIENTO.
V.t. ALEMANIA (2947), ESPLENDOR (3173).

————.
3413. Rieschel, H.: "Zur Renaissance

3413 (cont.).
Lope de Vegas auf dem Theater."
ZDG, I (1938-39), 551-555.

"REPRINTS FROM LOPE DE VEGA".
V. núms. 3597, 3759, 3796.

"RERUM HUNGARICUM DECADES".
V. OBRAS, EL REY SIN REINO (3793).

RESTOS.
V.t. ENTIERRO (3165-67), SEPULTURA
(3448).

———.
3414. Entrambasaguas, J. de: "Nuevas investigaciones sobre los restos de Lope de Vega."
BAH, XCII (1928), 796-817.
[Reimpreso en forma revisada con
el título "Localización de la sepultura de Lope de Vega" en sus Estudios sobre Lope de Vega, I, 23-62
(V. LIBROS, núm. 3850)].

———.
3415. Astrana Marín, Luis: "Los
restos de Lope de Vega."
En su libro El cortejo de Minerva,
págs. 51-57. [V. GENERAL II, LI-
BROS, núm. 1571].

RESURGIMIENTO.
V. ESPLENDOR (3173).

RETABLO.
3416. Cortina, Augusto: "Retablo
lopesco."
LetBA, no. 11 (sept, 1936), 28-29.

RETRATOS.
V.t. PORTRAITS (3391); LIBROS, LA-
PUENTE FERRARI (3879).

———.
3417. Cossío, J. M. de: "Un retrato
de Lope, no catalogado."
BBMP, IV (1922), 364-65.

———.
3418. "Retratos de Lope."
Aver, I (1871), 322, 339, 354, 372-
373.
[Pregunta y respuestas].

REVISTAS "LOPISTAS".
V. REVUES (3420).

REVOLUCIONARIO.
3419. Orts González, Juan: "Lope,
revolucionario."
ND, XVII, no. 2 (feb, 1936), pág. 24.

REVUES.
3420. Pitollet, C.: "Sur les traces
de Lope a Madrid. Revues espagnoles
'Lopistas'."
LMér, XXX (1935), 21-24.

RINALDO DI MONTALBANO.
V. REINALDOS DE MONTALBÁN (3407).

RIQUELME, ALONSO Y ANGELA.
V. DOCUMENTOS (3148).

RODENBURGH, THEODORE.
3421. Kollewijn, R. A.: "Theodore
Rodenburgh en Lope de Vega."
Gids, (Año 1891), t. III, 324-61.
[Imitaciones de Lope por Roden-
burgh].

ROLAND.
V. GENERAL II, núm. 1385.

ROMA.
3422. Levi, E.: "Roma e Lope de
Vega."
ACNSR, IV (1938), 263-69.

ROMANCE.
V.t. CASTRO (3049), MISCELÁNEA LO-
PISTA (3305), POESÍA (3377); OBRAS,
DE PECHOS SOBRE UNA TORRE (3649).

———.
3423. "Romance inédito de Lope de
Vega."
RCLA, V (1859), 306.
["Tomado de un Códice que conser-
va en su biblioteca el Sr. D. Jorge
Díez, Catedrático de esta Universidad literaria." El romance comienza: "Salió Inés antes que el sol."
No está en Millé. Se citan también
dos redondillas inéditas].

———.
3424. Barbazán, Julián: "Una edición ignorada de un romance de Lope
de Vega."
BibHisp, V (1946), 157-67.
[Alabanzas al glorioso patriarca
San José].

ROMANCE PASTORIL.
V. ROMANCERO (3430).

ROMANCERO.
V.t. OBRAS, EL BASTARDO MUDARRA
(3604); LIBROS, GOYRI DE MENÉNDEZ
PIDAL (3868).

———.
3425. Goyri de Menéndez Pidal, M.:
"El Amor niño en el Romancero de
Lope de Vega."
Fénix, no. 6 (1935), 667-79.
 [También en su libro De Lope de
Vega y del Romancero, págs. 61-77
(V. LIBROS, núm. 3868)].

———.
3426. Moore, Jerome A.: "Note on
Lope de Vega and the Romancero."
HR, III (1935), 245-47.

———.
3427. Entrambasaguas, J. de: "Poe-
sías de Lope de Vega en un Romance-
ro de 1605."
Fénix, no. 1 (1935), 83-107.
 [Reimpreso en sus Estudios sobre
Lope de Vega, III, 379-410 (V. LI-
BROS, núm. 3850)].

———.
3428. Moore, Jerome A.: "The Romancero in the Chronicle-Legend Plays
of Lope de Vega."
UPRLL, no. 30 (1940). Pp. 162.
a) A. Coester, Hisp, XXIV (1941),
 251-52.
b) S. G. Morley, HR, IX (1941),
 507-09.
c) L. K. Delano, MLJ, XXVI (1942),
 223-24.

———.
3429. Goyri de Menéndez Pidal, M.:
"Para el Romancero de Lope de Vega."
CorrErud, III (1943-46), 193-95.
 [V. el núm. siguiente].

———.
3430. Goyri de Menéndez Pidal, M.:
"Para el Romancero de Lope de Vega."
Medit, II (1944), 209-15.
 [Atribuye a Lope un romance anónimo (Durán, núm. 1549: "Descolori-
da zagala...") y da la "fecha pre-
cisa y el lugar y el ambiente en

que se compuso." Reimpreso, con el
título "Un romance pastoril de Lope
de Vega," en su libro De Lope de
Vega y del Romancero, págs. 79-87
(V. LIBROS, núm. 3868)].

"ROMANCERO DE BARCELONA".
V. POESÍA (3377).

ROMANTICISMO.
V. CLASICISMO (3099).

ROMEO Y JULIETA.
V. TRAGEDIA (3500); OBRAS, CASTEL-
VINES Y MONTESES (3620-21).

ROTROU, JEAN DE.
V. OBRAS, EL PEREGRINO EN SU PATRIA
(3765); LIBROS, STEFFENS (3915);
GENERAL II, ROTROU.

RUIZ DE ALARCÓN, JUAN.
V.t. WILDE (3558); RUIZ DE ALARCÓN,
DÉCIMAS (2571).

———.
3431. Villaurrutia, Xavier: "Lope
de Vega and the Mexican, Ruiz de
Alarcón."
TAM, XIX (1935), 703-05.

RUSIA, RUSO.
 [NOTA: En ruso están escritos
los núms. 3344 y 3733].

———.
3432. Gabinski, N.: "Lope de Vega
en la Rusia del siglo XIX."
LitInt, II (1943), no. 10, págs.
43-46.

———.
3433. G. Sch.: "Notas sobre Lope de
Vega en el teatro ruso."
LitInt, I (1942), no. 6, págs. 80-84

RÚSTICO.
V. PEASANT (3363-64).

SACERDOTE.
V.t. LIBROS, MORCILLO (3889).

———.
3434. Aicardo, José Manuel: "Lope
de Vega, sacerdote y poeta."
RyF, XIII (1905), 331-47; XIV (1906),
60-79, 436-53; XVIII (1907), 24-34,

3434 (cont.).
455-70.
[Continúa con el título "Autos
sacramentales de Lope" (2988)].

SAINT URSULA.
3435. Lincoln, J. N.: "Saint Ursula,
the Infanta Isabel, and Lope de
Vega."
UMCMP, VII (1947), 1-17.
a) A. W. Reed, MLR, XLIII (1948),
247.

SALAMANCA.
V.t. BURGUILLOS (3015).

———.
3436. Hornedo, R. M. de: "Lope en
la Universidad de Salamanca."
Fénix, no. 4 (1935), 519-35.

SALAS BARBADILLO, ALONSO JERÓNIMO DE.
V.t. VERSOS (3542).

———.
3437. Entrambasaguas, J. de: "Un
pasaje lopista de Salas Barbadillo."
CuadLit, I (1947), 377-91.
[Un fragmento simbólico de la novela La peregrinación sabia, segura-
mente inspirado en la Filomena de
Lope. Reimpreso en sus Estudios
sobre Lope de Vega, III, 545-66 (V.
LIBROS, núm. 3850)].

SALGADO Y CAMARGO, FERNANDO.
V. PLAGIO (3372).

SALIDA AVENTURERA.
V. VIDA (3549).

SALINAS, JUAN DE.
V. MISCELÁNEA LOPISTA (3305).

SALVÁ, CATÁLOGO DE.
V. BIBLIOGRAFÍA (3006).

SAN FRANCISCO.
V. FRANCESCANE (3195); CERVANTES,
núm. 337.

SAN ISIDRO.
V.t. GENERAL II, núm. 1406.

———.
3438. Espinós y Moltó, V.: "San
Isidro de Madrid y Lope de Vega."

IEA, LVI (1912), t. 1, págs. 283,
286.

———.
3438A. García Morales, A.: "Lope de
Vega, antiguo alumno de San Isidro."
BAAC, (1935), no. 2.

———.
3439. Hoyo Martínez, Arturo del:
"Obras son amores. Lope y su amor
a Isidro."
RevEstHisp, II (1936), no. 8, págs.
205-14.

SAN JOSÉ.
V. ROMANCE (3424).

SAN SEGUNDO, IGLESIA DE.
V. ÁVILA (2993).

SÁNCHEZ, MIGUEL.
V. OBRAS, EL LAUREL DE APOLO (3731).

SANNAZARO, JACOPO.
3440. Mele, E.: "Lope de Vega e due
epigrammi del Sannazaro."
GSLI, CXIII (1939), 350-55.
[1. De Aenea et Didone y el soneto de Lope "Para qué dejas, olvidado Eneas" (OS, I, 395); 2. "Aut ni-
hil, aut Caesar vult dici Borgia..."
y los versos 1411-26 del Acto II de
El Perro del hortelano: "Tristán,
quantos han nacido" hasta "pues
fuyste César y nada" (Ac. N., XIII,
220b-221a)].

SANTA CRUZ, MELCHOR DE.
3441. Cossío, J. M. de: "Notas de
un lector. Un cuento de la Floresta de Santa Cruz puesto en acción
por Lope."
BBMP, XI (1929), 54-55.
[Los Hidalgos del aldea, Ac. N.,
VI, 296b: "La lista está aquí, señor" hasta 297a: "que me han menes-
ter a mí." Floresta, ed. P. Oyan-
guren, I, pág. 5, núm. 17: "Vn Con-
tador de este Arzobispo..."].

SANTA TERESA.
3442. Entrambasaguas, J. de: "Santa
Teresa de Jesús y Lope de Vega."
Consig, no. 9 (¿oct.? 1941), 12-15.

SANTA ÚRSULA.
V. SAINT URSULA (3435).

SARMIENTO, FRAY MARTÍN.
V. FEIJOO Y MONTENEGRO (3183).

SATURDAY FASTING.
3443. Pike, Robert E.: "Lope de
Vega and Saturday Fasting."
MLN, XLVIII (1933), 318-20.

SCARRON, PAUL.
3444. Margouliès, G.: "Scarron et
Lope de Vega."
RLC, VIII (1928), 511-15.
[Tres sonetos de Scarron imitados
de las Rimas ... de ... Burguillos:
1. "Soberbias torres, altos edificios"; 2. "Caen de un monte a un
valle entre pizarras"; 3. "Al pie
del jaspe de un feroz peñasco."].

SCENARIO.
3445. Spellanzon, Giannina: "Uno
scenario italiano ed una commedia
di Lope de Vega."
RFE, XII (1925), 271-83.
[I Sette Infanti di Lara y El Bastardo Mudarra].
a) --, Marz, XXX (1925), no. 51
(20 dic.), pág. 4.

SCHLEGEL, HANS.
V.t. GENERAL II, núm. 1425.

——.
3446. Kupke, Leonore: "Lope de Vega.
Zu den Nachdichtungen von Hans
Schlegel."
WdD, IX (1942), no. 8, pág. 5.

SCHOOL.
V. CONTRIBUCIONES (3111).

"SECRETA VENGANZA".
V. VENGANZA (3538).

SEGOVIA.
V. VIDA (3549).

"SEGULLO".
V. PASSAGE (3361).

SEMBLANZA.
V.t. LIBROS, OCHANDO (3893), SÁN-
CHEZ ESTEVAN (3912).

——.
3447. Zabala, Arturo: "Semblanzas y
selecciones. Lope de Vega."
GdL, II (1935), no. 10, pág. 3.

SÉNECA.
V. VIRUÉS, núm. 798.

SEPULTURA.
V.t. ENTIERRO (3165-67), RESTOS
(3414-15).

——.
3448. Olmedilla y Puig, J.: "La
sepultura de Lope."
IEA, XXVI (1882), t. 2, págs. 302-03.

SERMONES.
V. HONRAS (3229).

SESSA, DUQUE DE.
V. OBRAS, DON LOPE DE CARDONA (3659).

SEVILLA.
V.t. GENERAL I, LIBROS, LÓPEZ MAR-
TÍNEZ (184).

——.
3449. Rodríguez Jurado, A.: "Lope
de Vega en Sevilla."
BASBL, I (1917), 125-33.

——.
3450. Álvarez Quintero, Serafín y
Joaquín: "Lope de Vega en Sevilla."
BRAE, XXII (1935), 305-17.

SHAKESPEARE, WILLIAM.
V.t. TRAGEDIA (3500); OBRAS, CAS-
TELVINES Y MONTESES (3620-21).

——.
3451. Ludwig, Albert: "Shakespeare,
Calderón und Lope de Vega."
PrJ, CLXXVII (1919), 382-91.
[Castelvines y Monteses y El Al-
calde de Zalamea].

——.
3452. Koch, Max: "Shakespeare und
Lope de Vega."
EngSt, XX (1895), 344-45.
[Sobre el libro de Farinelli,
Grillparzer und Lope de Vega (3855)].

——.
3453. Taine, H., y Schack, Adolf:

SHAKESPEARE (cont.).
"Shakespeare y Lope de Vega."
Ateneo, I (1906), 432-33.

————.
3454. Zalba, J.: "Dos escritores
navarros inspiradores de Lope de
Vega y de Shakespeare."
BCMNav, XV (1924), 215-19.
   [Julián (Íñiguez) de Medrano, autor de La silva curiosa, y Antonio
de Eslava, autor de Noches de in-
vierno. Trata de la comedia de
Lope Lo que ha de ser].

SICILIA.
   V. CANCIÓN (3028-30); GENERAL II,
PALERMO (1317).

SIGLOS.
   XVIII: VERSOS (3543); OBRAS, LA
NIÑA DE PLATA (3749).
   XIX: RUSIA (3432).

SIGUIENDO EL DICTAMEN.
3455. Bergamín, J.: "Lope, siguiendo
el dictamen del aire que lo dibuja."
CyR, no. 23-24 (feb-mar, 1935), 9-52.
   [Reimpreso en su Disparadero español, I, 97-172 (V. GENERAL II, LI-
BROS, núm. 1576)].

SILUETA.
   V.t. LIBROS, AZORÍN (3829).

————.
3456. Reyes, A.: "Silueta de Lope
de Vega."
UnivM, III (1937), no. 14, págs.
9-14.
   [Reimpreso en sus Capítulos de
literatura española (Primera serie),
págs. 73-97 (V. GENERAL II, LIBROS,
núm. 1758)].

SÍMBOLO.
   V. BARROCO (2997), POETA (3388-89);
LIBROS, ENTRAMBASAGUAS (3852).

SIMPLE LIFE.
3457. Sirich, E. H.: "Lope de Vega
and the Simple Life."
RR, VIII (1917), 279-89.
   [Trata de un pasaje de El Hijo
pródigo, que comienza "Cuán bien-
aventurado..." (Acad,, II, 66a),
descrito como "una paráfrasis del

Beatus ille de Horacio." Se deriva
más bien de Garcilaso de la Vega y
de Fray Luis de León, según el autor. Señala también otros poemas
que comienzan con las mismas palabras: en Los Tellos de Meneses,
Los Pastores de Belén y la Comedia
de Bamba. Otro, de El Villano en
su rincón, aunque comienza de la
misma manera, no trata del tema de
la vida del campo].

"SIN MÍ, SIN VOS Y SIN DIOS".
   V. MOTE (3315).

SINCERIDAD.
3458. García, Félix: "La sinceridad
religiosa de Lope de Vega."
RyCult, XXXII (1936), 41-55, 161-73.

————.
3459. Ambruzzi, Lucio: "Sincerità
di Lope."
RaNa, serie 3, vol. XXIII (1935),
163-73.

SINNBILD.
3460. Agramonte y Cortijo, F.:
"Lope de Vega als lebendiges Sinnbild Spaniens."
EuRev, XII (1936), 21-30.

SLAVERY.
3461. Brooks, John: "Slavery and
Slaves in the Works of Lope de
Vega."
RR, XIX (1928), 232-43.
   [V.t. Wilson, W. E.: "Some Notes
on Slavery during the Golden Age."
HR, VII (1939), 171-74].

SMIT KLEINE, FR.
   V. OBRAS, EL NUEVO MUNDO (3754).

SNILLENAS.
3462. Hagberg, K. A.:Snillenas Felix. Lope Félix de Vega Carpio."
OoB, XVI (1907), 47-49.
   [Snillenas = "de los ingenios"].

SOCIAL THEMES.
   V. GENERAL II, LIBROS, PERRY (1744).

SOCIEDAD.
   V. LIBROS, ARCO Y GARAY (3824).

SOLDADESCAS, COMEDIAS.
V. GENERAL II, LIBROS, MONTOLIU
(1718).

"SOLEDADES VOY, A MIS".
V. OBRAS, LA DOROTEA (3669-70).

SONETO.
V.t. AUTÓGRAFOS (2990), BOCCALINI
(3012), CENTENARIO (3086), CRUZ
(3135), FILÓSOFO (3189), GRACIOSO
(3210), LUJÁN (3275), MARULLO (3293),
NOTE LOPIANE (3338), PEN (3366),
POESÍA (3377), SANNAZARO (3440),
SCARRON (3444), VEGA (3534); OBRAS,
EL REMEDIO EN LA DESDICHA (3790),
RIMAS SACRAS (3796); LIBROS, DELANO
(3845); GENERAL II, BURCHIELLO
(879), CARTEGGIO (896), MARINO
(1237); BOYL, núm. 1840.

Primeros versos

A la inmortalidad os mueve y llama,
3466.
A quien la bella Francia ver desea,
3477.
Al pie del jaspe de un feroz peñasco,
3444.
Al señor Nicolo Strozzi, 896.
Amaba Filis a quien no la amaba,
3135.
Amé, Filis, amé, mientras amaste,
3463.
Antes que el cierzo de la edad li-
gera, 3534.
Árdese Troya, y sube el humo oscuro,
3086, 3534.
Bañaba el sol la crespa y dura cres-
ta, 3790.
Burguillos el Raguallo no me ofrece,
3012.
Caen de un monte a un valle entre
pizarras, 3444.
Con el tiempo el villano a la melena, 3473.
Cual engañado niño que contento,
3086, 3534.
Cuando en mis manos, rey eterno, os
miro, 3472, 3796.
Cuando me paro a contemplar mi estado, 3796.
Cuelga sangriento de la cama al
suelo, V. Judit.
Daba sustento a un pajarillo un día,
1237.

Describe Tulio un orador discreto,
3466.
Duerme el sol de Belisa en noche
oscura, 3478.
Dulce señor, enamorado mío, 3377.
El verde monte adonde el Tajo bebe,
896.
Esparcido el cabello por la espalda,
3472.
Hoy alcanzaste aquel más alto esta-
do, 3471.
Judit, 3472, 3474, 3534.
La calidad elementar resiste, 3189.
La verde yedra al olmo antiguo asi-
da, 3465.
La verde yedra al verde tronco asi-
da, 3466.
Mil veces que me obligan ocasiones,
3796.
No tiene tanta miel Ática hermosa,
879, 3293.
Para qué dejas, olvidado Eneas,
3440.
Pártese aquella luz del francés
suelo, 3477.
Pastor, que con tus silbos amorosos,
3534, 3796.
¿Qué tengo yo, que mi amistad pro-
curas?, 3534.
Señores Españoles, que le hizistes,
3012.
Si alguno justamente quejas forma,
3473.
Si amare cosa yo que Dios no sea,
3796.
Si el águila, de Europa emperatriz,
3466.
Si fuera de mi amor verdad el fuego,
3796.
Soberbias torres, altos edificios,
3444.
Suelta mi manso, mayoral extraño,
3086.
Traspuesta planta al castellano
suelo, 3466.
Truxo un galán de noche una ballesta,
3338.
Un soneto me manda hacer Violante,
3366.
Virgen, paloma cándida, que al suelo, 3377.
Vos de Pisuerga nuevamente Amphriso,
3464.
Ya Becolin que al Español mataste,
3012.
Ya no quiero más bien que sólo amaros, 2990.

Soneto (cont.).

3463. "Soneto inédito de Lope de
Vega Carpio."
RCLA, III (1856). 250.
["Amé, Filis, amé, mientras amaste." Nota: "Autógrafo en un ejemplar de su Hermosura de Angélica y
diversas Rimas, Madrid, 1602, per-
tenecientes hoy á nuestro docto
amigo el Sr. D. Cayetano Alberto de
la Barrera." El soneto no se halla
en OS, Millé, Delano ni Jörder].

3464. Millé y Giménez, J.: "Un soneto interesante para la biografía
de Lope y de Quevedo."
Helios, I (1918), 92-110.
["Vos de Pisuerga nuevamente Amphriso" (OS, IV, 253, Soneto 128),
dedicado "A Don Francisco de Quevedo."].

3465. Gillet, J. E.: "A Forgotten
Sonnet of Lope de Vega."
MLN, XXXIX (1924), 440-41.
["La verde yedra al olmo antiguo
asida."].

3466. Restori, A.: "Sonetti dimen-
ticati di Lope de Vega."
Rass, XXXIV (1926), 161-69.
["La verde yedra al verde tronco
asida," "A la inmortalidad os mueve
y llama," "Describe Tulio un orador
discreto," "Traspuesta planta al
castellano suelo," "Si el águila,
de Europa emperatriz."].

3467. Restori, A.: "I Sonetti di
Lope de Vega."
ARom, XI (1927), 384-91.
[Calcula que Lope debe de haber
escrito unos tres mil sonetos].
a) A. Gasparetti, RassCrit, XXXVI
   (1928), 367-69.
V.t. núm. 3469.

3468. Delano, Lucile K.: "The Relation of Lope de Vega's Separate
Sonnets to Those in his Comedias."
Hisp, X (1927), 307-20.
a) M. G., RFE, XV (1928), 78-79.

3469. Anibal, C. E.: "Lope's Sonnets
and Fecundity."
Hisp, XI (1928), 362-64.
[Sobre el núm. 3467].

3470. Delano, Lucile K.: "An Analy-
sis of the Sonnets in Lope de Vega's
Comedias."
Hisp, XII (1929), 119-40.

3471. Mele, E.: "Un sonetto dimen-
ticato di Lope de Vega."
BH, XXXV (1933), 453-55.
["Hoy alcanzaste aquel más alto
estado"].

3472. Behn, Irene: "Drei Sonette
des Lope de Vega."
Hoch, XXXII (1934-35), 421-22.
[Traducción de "Esparcido el cabello por la espalda," "Cuelga sangriento de la cama al suelo,"
"Cuando en mis manos, rey eterno,
os miro."].

3473. Goyri de Menéndez Pidal, M.:
"Dos sonetos de Lope de Vega."
RFE, XXII (1935), 415-16.
["Si alguno justamente quejas
forma," "Con el tiempo el villano a
la melena."].

3474. Pitollet, C.: "Sur un sonnet
de Lope."
LMér, XXX (1935), no. 87, págs.
17-19.
[Sobre Judit ("Cuelga sangriento
de la cama al suelo") y sus traducciones al francés].

3475. Jörder, Otto: "Die Formen des
Sonnetts bei Lope de Vega."
ZRP, Beiheft 86 (1936). Pp. 372.
a) W. C. Atkinson, MLR, XXXII (1937),
   476-77.
b) W. Krauss, LGRP, LX (1939), col.
   276-79.
c) W. T. Elwert, ASNSL, CLXXIV
   (1938), 124-26.
d) K. Vossler, DLZ, LVIII (1937),

col. 367-68.
V.t. núm. 3476.

3476. Fichter, W. L.: "Recent Re-
search on Lope de Vega's Sonnets."
HR, VI (1938), 21-34.
[Crítica de los libros de Delano
(3845) y de Jörder (3475)].

3477. Fichter, W. L.: "Two Sonnets
Attributed to Lope de Vega."
HR, VI (1938), 345-46.
["A quien la bella Francia ver
desea," "Pártese aquella luz del
francés suelo."].

3478. Entrambasaguas, J. de: "Envi-
lecimiento de un soneto de Lope de
Vega."
CorrErud, II (1941-42), 81-82.
["Duerme el sol de Belisa en no-
che escura" (BAE, XXXVIII, 394)].

"SONETO DEL SONETO".
V. PEN (3366); GENERAL II, núms.
1442-45.

SOUTHEY, ROBERT.
3479. Buceta, Erasmo: "Una traducción de Lope de Vega hecha por Southey."
RR, XIII (1922), 80-83.
[La canción de cuna de Los Pastores de Belén (OS, XVI, 332; BAE,
XXXVIII, 281)].

SPOKEN LETTERS.
V. RUIZ DE ALARCÓN, núm. 2614.

STAGING.
V.t. GENERAL II, núm. 1448.

3480. Rennert, H. A.: "The Staging
of Lope de Vega's Comedias."
RevHisp, XV (1906), 453-85.

STROPHES.
3481. Morley, S. G.: "Unrhymed
Strophes in Lope de Vega's Comedias."
HomLeite (1934), págs. 1-11.

STROZZI, NICOLÒ.
V. GENERAL II, CARTEGGIO (896).

STUDIES.
V.t. FORSCHUNG (3191).

3482. Matulka, B.: "Recent Lope de
Vega Studies."
SR, III (1936), 42-46.

3483. Fichter, W. L.: "The Present
State of Lope de Vega Studies."
Hisp, XX (1937), 327-52.

SUELO Y VUELO.
3484. Bergamín, José: "Lope, suelo
y vuelo de España."
En su Disparadero español, I, 15-67.
[V. GENERAL II, LIBROS, núm. 1576].

SUPER-MAN.
3485. Gilder, Rosamund: "Lope de
Vega, Super-Man of the Theatre."
TAM, XIX (1935), 660-85.

SUPERVIVENCIA.
3486. Bustamante y Montoro, A. S.:
"Supervivencia de Lope de Vega."
UnivHab, IV (1935), no. 10, págs.
54-63.

"TALUS".
V. PASSAGE (3361)

TAMAYO Y BAUS, MANUEL.
V. "DRAMA NUEVO, UN" (3154).

TASSO, TORQUATO.
V. OBRAS, LA JERUSALÉN CONQUISTADA
(3725, 3727); LIBROS, BUCCHIONI
(3835).

TEATINOS.
V.t. JESUITAS (3248).

3487. Restori, A.: "Lope de Vega
fra i Teatini e i Gesuiti."
Rass, XXXV (1927), 98-99.

TEATRO.
3488. Mesonero Romanos, R. de: "El
teatro de Fray Lope de Vega."
SemPintEsp, (1851), 209-11, 217-20.
[Con un catálogo de sus comedias].

3489. Boselli, C.: "Lope de Vega e

TEATRO (cont.).
il teatro del suo tempo."
Emp, LXXXII (1935), 96-104.

TEMAS.
3490. Valbuena Prat, A.: "En torno
a dos temas de Lope."
Clav, I (1950), no. 4, págs. 26-28.
 [1] El teatro mitológico; 2) La
Estrella de Sevilla, su atribución
y mérito].

TEMPERAMENTO.
 V. POETA (3388-89); LIBROS, ENTRAM-
BASAGUAS (3852).

TENORIO, CRISTÓBAL.
 V. DON JUAN (3151).

TEOLOGÍA.
 V. IMAGINERÍA SACRA (3234); LIBROS,
YURRAMENDI (3922).

TERMINACIONES DE PALABRAS.
 V. FEMENINOS (3184-85).

TESTI, F.
 V. GENERAL II, CARTEGGIO (896).

TETRALOGÍA.
 V. ARAGÓN (2974).

TIEMPO.
 V. RELOJ (3411); LIBROS, VOSSLER
(3920-20A).

"TIMONE".
 V. OBRAS, LA PRUEBA DE LOS AMIGOS
(3785).

TIMONEDA, JUAN.
 V. OBRAS, EL HONRADO HERMANO (3714).

TÍO.
3491. Millé y Giménez, J.: "Don Miguel del Carpio, tío de Lope de Vega."
Nos, XLV (1923), 56-63.
a) X., RFE, XI (1924), 331.

TIRSO DE MOLINA.
 V. POESÍA (3377), VENGANZA (3538);
TIRSO DE MOLINA, TEMAS, "ARCADIA"
(2673); OBRAS, AMAR POR SEÑAS (2846).

TODESTAG.
 V. CENTENARIO (3075, 3084, 3097),

POETA (3389).

TOLEDO.
 V. INÉDITOS (3238), VIDA (3547).

TOLEDO, DIEGO DE.
3492. Entrambasaguas, J. de: "Ele-
gía de Lope de Vega en la muerte de
don Diego de Toledo."
RBAM, X (1933), 377-417, 439-70.
 [Reimpreso en sus Estudios sobre
Lope de Vega, III, 77-216 (V. LI-
BROS, núm. 3850)].

TOLERANCIA.
 V. GENERAL II, núm. 1471.

TOMO PERDIDO.
3493. Bonilla y San Martín, A.:
"Sobre un tomo perdido de Lope de
Vega."
HomMichaëlis (1933), págs. 101-10.
 [El tomo 132 de Osuna].

TORBELLINO.
3494. Romero Flores, H. R.: "Lope,
o una vida en torbellino."
EscEsp, II (1935), 209-14.

TRADICIÓN.
3495. Henríquez Ureña, P.: "Tradición e innovación en Lope de Vega."
Sur, V (1935), no. 14, págs. 47-73.
 [Reimpreso en su Plenitud de España, págs. 23-42 (V. GENERAL II,
LIBROS, núm. 1661)].

TRADUCCIONES.
 V.t. AMÉRICA (2960), CLAUDIANO
(3101), MARULLO (3293), PEN (3366),
SONETO (3472, 3474), SOUTHEY (3479),
GENERAL II, ALARCOS (808).

——.
3496. Thomas, H.: "A Forgotten Translation of Lope de Vega."
MLR, XXXV (1940), 378-80.
 [La Bella Brutta, traducción anónima italiana en prosa de La Hermosa
fea].

——.
3497. Entrambasaguas, J. de: "Una
traducción latina de Lope de Vega."
BBMP, XVII (1935), 3-13.
 [Las Imágenes de los dioses, traducción del De deorum imaginibus de

Albricio, poeta y filósofo inglés del siglo XII. Reimpreso, "añadido y corregido," en sus Estudios sobre Lope de Vega, II, 507-26 (V. LIBROS, núm. 3850)].

3498. Altschul, Arthur: "Lope-Übersetzungen aus vier Jahrhunderten." Spanien, III (1921), 30-68.

TRAGEDIA.
3499. Morby, E. S.: "Some Observations on tragedia and tragicomedia in Lope."
HR, XI (1943), 185-209.

3500. Ley, Charles David: "Lope de Vega y la tragedia."
Clav, I (1950), no. 4, págs. 9-12.
["Comenta el concepto de la tragedia en Lope de Vega, analizando algunas obras, como La Fianza satisfecha y El Caballero de Olmedo. Compara otra obra de Lope, El castigo sin venganza, con las tragedias de Shakespeare Otelo y Romeo y Julieta. Lope era incapaz de concebir una tragedia tal, termina el autor."--Bibliotheca Hispana].

3501. Henríquez Ureña, P.: "Las tragedias populares de Lope."
Conducta, no. 6 (1939), 3-4.
[Es la introducción a su edición de tres comedias de Lope (OBRAS, núm. 3567) y está reimpresa en su Plenitud de España, págs. 155-57. (V. GENERAL II, LIBROS, núm. 1661)].

3502. Kaul, Walter: "Der tragische Lope de Vega."
DtThZ, (1942), no. 24, pág. 1.

TRILLO, ANTONIA.
V. AUTÓGRAFOS (2990).

TROTACONVENTOS.
V. CELESTINA, núm. 287.

TUGEND, SCHUTZ DER.
V. OBRAS, LA CORONA MERECIDA (3642).

TÚNEZ.
V. MORISCO (3314).

TYPES OF PLAYS.
V. CHART (3138).

ÜBERSETZUNGEN.
V. TRADUCCIONES (3498).

UHLAND, LUDWIG.
V.t. GENERAL II, núm. 1477.

3503. Schmidt, Erich: "Ludwig Uhland als Dolmetsch Lopes de Vega."
ASNSL, CI (1898), 1-4.

UNIDADES.
V.t. GENERAL II, ZEIT (1517).

3504. Romera-Navarro, M.: "Lope de Vega y las unidades dramáticas."
HR, III (1935), 190-201.
[Reimpreso en su libro La preceptiva dramática de Lope de Vega, págs. 61-81 (V. LIBROS, núm. 3904)].

UNIVERSAL.
V. PRISMA (3396).

URBINA, DIEGO DE.
V. DOCUMENTOS (3147), NOTITAS (3340).

URBINA, ISABEL DE.
V.t. DOCUMENTOS (3149-50).

3505. Alonso Cortés, N.: "Doña Isabel de Urbina, primera mujer de Lope de Vega."
BRAE, XIV (1927), 674-78.
[Reimpreso en sus Artículos histórico-literarios, págs. 110-15 (V. GENERAL II, LIBROS, núm. 1558). En el índice del libro, el título es "Los cuñados de Lope de Vega."].

3506. Goyri de Menéndez Pidal, M.: "Con motivo del reajuste de unas fechas. La muerte de doña Isabel de Urbina."
NRFH, III (1949), 378-85.
[Murió 15-20 de sept. de 1594. Reimpreso en su libro De Lope de

URBINA (cont.).
Vega y del Romancero, págs. 89-101
(V. LIBROS, núm. 3868)].

USAGES.
V.t. MANNERS (3283).

————.

3507.   Reed, F. O.: "Spanish Usages
and Customs in Lope de Vega."
PQ, I (1922), 117-27.

VALENCIA, VALENCIANO.
3508.   Juliá Martínez, E.: "Lope de
Vega en Valencia en 1599."
BRAE, III (1916), 541-59.

————.

3509.   G. C.: "Lope de Vega en Valencia."
GdL, II (1935), no. 10, pág. 4.

————.

3510.   Juliá Martínez, E.: "Lope de
Vega y Valencia."
Cien, II (1935), 649-67.

————.

3511.   Zabala, Arturo: "Rastros léxi-
cos del valenciano en la obra de
Lope de Vega."
Medit, II (1944), 37-48.

VALORES.
V. LIBROS, PEMÁN (3895).

VALLADOLID, VALLISOLETANO.
V. OBRAS, EL LAUREL DE APOLO (3731).

VASCUENCE.
3512.   Urquijo, Julio de: "Sobre
unos versos en vascuence, citados
por Lope de Vega."
RIEV, XV (1924), 642.
    [En Los Ramilletes de Madrid, Ac-
to III (Ac. N., XIII, 495b)].

————.

3513.   Guerra, Juan Carlos de: "A
propósito de los versos en vascuence citados por Lope de Vega."
RIEV, XVI (1925), 82-84.
    [Variantes modernas oídas en el
país vasco].

VEGA, LOPE DE.
V.t. LIBROS, AZOCAR (3828), CARA-

YON (3839), DEPTA (3846), FLORES
(3860-61), GÓMEZ DE LA SERNA (3866),
RUIZ MORCUENDE (3907A); GENERAL II,
LIBROS, FLORES GARCÍA (1636), ROS
(1766A).

————.

3514.   Hartzenbusch, J. E.: "Frey
Lope de Vega Carpio."
AméricaM, VI (1862), no. 18, pág. 16.
    [Poema recitado al dedicar un
busto en la casa de Lope].

————.

3515.   Rosell, Cayetano: "Frey Félix
Lope de Vega Carpio."
AlmIEA, VI (1879), 39-41.

————.

3516.   Armas y Cárdenas, J. de:
"Lope de Vega."
RCub, I (1885), 193-203.
    ["Conferencia pronunciada en el
Nuevo Liceo de La Habana la noche
del 15 de diciembre de 1884." Re-
impreso en su libro Estudios y re-
tratos, págs. 83-99 (V. GENERAL II,
LIBROS, núm. 1569)].

————.

3517.   Ormsby, J.: "Lope de Vega."
QR, CLXXIX (1894), 486-511.
    [Sobre su vida y obras, con refe-
rencias a los tres primeros tomos
de la edición de la Academia y a
Últimos amores de Lope de Vega, por
Ribas y Canfranc (LIBROS, núm. 3826)].
a) J. Fitzmaurice-Kelly, RevHisp, II
    (1895), 108-12.

————.

3518.   Jellinek, A. L.: "Lope de
Vega."
Nati, XVI (1898-99), 654-56.
    [Sobre el libro de Wurzbach, Lope
de Vega und seine Komödien (LIBROS,
núm. 3921)].

————.

3519.   Lux, Jacques: "Lope de Vega."
RB, XLVIIIe année, 2e semestre (jul-
dic, 1910), 318-20.
    [Resumen del artículo de H. H.
Colvill (3186)].

————.

3520.   Wolff, Max J.: "Lope de Vega."

IMWK, XIV (1920), col. 449-64.

————.

3521. Gómez Ocerín, J., y Tenreiro, R. M.: "Lope de Vega."
Lect, XX (1920), tomo 2, págs. 232-247, 339-57.
[Es su prólogo a la edición "Clásicos Castellanos," tomo 39 (LIBROS, núm. 3566)].

————.

3522. Rennert, H. A.: "Sobre Lope de Vega."
HomMenPidalA (1925), I, 455-67.
[Datos biográficos y bibliográficos sacados de los prólogos de sus comedias].

————.

3523. Behn, Irene: "Lope de Vega."
Hoch, XXXII (1934-35), 399-421.

————.

3524. Gómez Ocerín, J., y Tenreiro, R. M.: "Lope de Vega."
AmEsp, I (1935), 324-47.
[V. núm. 3521].

————.

3525. Cienfuegos, Casimiro: "A Lope de Vega."
BBMP, XVII (1935), 367-87.

————.

3526. Artigas, Miguel: "Lope de Vega."
Cien, II (1935), 861-73.

————.

3527. Peers, E. A.: "Lope de Vega, 1635-1935."
ContR, CXLVIII (1935), 309-16.

————.

3528. Hämel, A.: "Lope de Vega."
IAA, IX (1935), 94-100.

————.

3529. Ximénez Ruiz: "Lope de Vega."
Letras, I (1935), no. 1 (30 sept.), págs. 5-6.

————.

3530. Boselli, C.: "Lope de Vega."
Lettura, XXXV (1935), 933-39.

————.

3531. Schevill, R.: "Lope de Vega, 1562-1635."
MLJ, XIX (1935), 257-63.

————.

3532. González Ruiz, F.: "1635--27 de Agosto--1935. Lope Félix de Vega Carpio."
RdelasEsp, X (1935), 275-84.

————.

3533. Gómez Restrepo, A.: "Lope de Vega. Discurso."
RJav, IV (1935), 246-63.

————.

3534. Gómez Restrepo, A.: "Lope de Vega."
Send, IV (1935), 103-15.
[En la pág. 116 hay 6 sonetos de Lope: "Árdese Troya...," "Cuelga sangriento...," "Antes que el cierzo...," "Cual engañado niño...," "Pastor, que con tus silbos...," "¿Qué tengo yo...." (BAE, XXXVIII, Sonetos núms. 159, 174, 158, 203, 318 y 317 respectivamente)].

————.

3535. Buchanan, M. A.: "Lope de Vega: 1562-1635."
UTQ, V (1935), 92-104.

————.

3536. Winkler, E. G.: "Lope de Vega."
DZeit, XLIX (1935-36), 218-21.

VEGA, LOPE DE (ESCRIBANO).
V. NOTITAS (3340).

VEGA PORTOCARRERO, LOPE DE.
V. "MARFISA" (3288).

VELÁZQUEZ, DIEGO RODRÍGUEZ DE SILVA Y.
3537. Herrero García, M.: "Un dictamen pericial de Velázquez y una escena de Lope de Vega."
REA, año XXV, tomo XIII (mar-jun, 1936), 66-68.
[Las Grandezas de Alejandro, Acad., VI, 340a: "Tantos retratos había," y 11 versos más; El Príncipe perfecto (2ª parte), Acad., X, 524b (o BAE, LII, 135a): "Éste, señor, es pintor," más 17 versos].

VENGANZA.
3538. Cossío, J. M. de: "La 'secreta venganza' en Lope, Tirso y Calderón."
Fénix, no. 4 (1935), 503-15.

VENTA DE UNAS COMEDIAS.
V. QUERELLA (3404).

VERSIFICACIÓN.
V. STROPHES (3481).

VERSOS.
3539. Bergamín, José: "Un verso de Lope, y Lope en un verso."
En su Disparadero español, I, 71-94. [V. GENERAL II, LIBROS, núm. 1576. Reimpreso en Primer acto, no. 37 (nov, 1962), 12-14].

────.

3540. Fichter, W. L.: "More 'Forgotten' Verse by Lope de Vega."
HR, X (1942), 251-54.

────.

3541. Crawford, J. P. W.: "Some Unpublished Verses of Lope de Vega."
RevHisp, XIX (1908), 455-65.

────.

3542. Templin, E. H.: "Unos versos de Lope de Vega."
RFE, XIX (1932), 292-93.
[Versos citados por Salas Barbadillo en su novela El necio bien afortunado, pero no identificados hasta ahora: son de un baile publicado en la Octava Parte de las Comedias de Lope (V. Cotarelo, Colección de entremeses... [núm. 1601], II, 492a, núm. 204)].

────.

3543. Zabala, Arturo: "Versos y pervivencias de Lope en el siglo XVIII."
RevBibyDoc, II (1948), no. 3, suplemento no. 1. Pp. 14.

VERZAUBERUNG.
3544. Wagner, Ludwig: "Verzauberung durch Lope."
DZS, XXIV (1942), no. 525, págs. 6-7.

VIAJE A ITALIA.
V. GENERAL II, MISCELÁNEA ERUDITA,

3A SERIE (1258).

VICENDE ITALIANE.
V. REINALDOS DE MONTALBÁN (3407).

VICENTE, GIL.
V. VICENTE, PRÉCURSEUR (674).

VIDA.
V.t. AMORES (2968), BIOGRAFÍA (REFERENCIAS), TORBELLINO (3494).

3545. Bernard, Thalès: "Lope de Vega. Sa vie et ses oeuvres."
REPB, IV (1857), 398-412.
[Sobre el libro de Lafond (LIBROS, núm. 3878)].

3546. Pérez Pastor, C.: "Datos desconocidos para la vida de Lope de Vega."
HomMenPelayo (1899), I, 589-99.

3547. Castro, Américo: "Datos para la vida de Lope de Vega."
RFE, V (1918), 398-404.
[Una justa poética en Toledo; Lope de Vega y la casa de Alba].

────.

3548. Castro, Américo: "Lope de Vega: Su vida."
AUCh, 2ª serie, año II (1924), 761-84.

────.

3548A. Chacón y Calvo, José M.: "Nueva 'Vida de Lope de Vega'."
En sus Ensayos de literatura española, págs. 155-69. [V. GENERAL II, LIBROS, núm. 1612B. Trata del libro de Rennert y Castro (3898)].

────.

3549. González Hoyos, M.: "Episodios de la vida de Lope. La primera salida aventurera."
RevEstHisp, II (1935), no. 8, págs. 181-89.
[Su escapada, a los diez y seis años, a Segovia y Astorga, acompañado de Hernán Muñoz].

3550. Calzada, Luciano de la: "Tres estampas de la vida y la muerte de Lope de Vega."
RevEstHisp, II (1935), no. 8, págs. 139-48.

VIDA COTIDIANA.
V. LIBROS, ICHASO (3876).

VIDA DEL CAMPO.
V. SIMPLE LIFE (3457).

VIDA MUNICIPAL.
V. MADRID (3282); GENERAL II, MUNICIPIO (1288).

VIDA TEATRAL.
3551. Magalhães, Fernando: "A vida teatral de Lope de Vega."
RABraL, Año XXVII (1935), vol. 49, págs. 52-71.

VIDAS CRUZADAS.
3552. García-Diego, T.: "Vidas cruzadas de Lope de Vega."
RevEstHisp, II (1935), no. 8, págs. 117-36.

VIERA Y CLAVIJO, JOSÉ DE.
V. CANARIAS (3025).

VILLAIZÁN Y GARCÉS, JERÓNIMO DE.
3553. Entrambasaguas, J. de: "Elegía de Lope de Vega en la muerte de Jerónimo de Villaizán."
Fénix, no. 1 (1935), 129-44.

VIRGEN.
V. IMMACOLATA CONCEZIONE (3235).

VIRTUOSENTUM.
V. GÓNGORA (3207).

VIRUÉS, CRISTÓBAL DE.
V. VIRUÉS, SÉNECA (798).

VOCABULARIO.
3554. Salembien, L.: "Le vocabulaire de Lope de Vega."
BH, XXXIV (1932), 97-127, 289-310; XXXV (1933), 51-69, 368-91.

———.
3555. Montoto de Sedas, Santiago: "Contribución al vocabulario de Lope de Vega. (Colección de palabras y acepciones empleadas por el Fénix de los ingenios españoles y que no figuran en el Diccionario de la Real Academia Española)."
BRAE, XXVI (1947), 281-95, 443-57; XXVIII (1948), 127-43, 301-18, 463-477; XXIX (1949), 135-49, 329-38.
[Hay tirada aparte, Madrid, 1949. Pp. 116].
a) R. M. Hornedo, RyF, CXLIV (1951), 532-33.

VUELO.
V. SUELO (3484).

WELTBILD.
3556. Krauss, Werner: "Lope de Vegas poetisches Weltbild in seinen Briefen."
RFor, LVI (1942), 282-99; LVII (1943), 1-37.
[Reimpreso en sus Gesammelte Aufsätze zur Literatur- und Sprachwissenschaft, págs. 199-261 (V. GENERAL II, LIBROS, núm. 1676)].

WHY.
3557. Macdonald, Inez I.: "Why Lope?"
BSS, XII (1935), 185-97.

"WILD WALES".
V. GHOST STORY (3200).

WILDE, OSCAR.
3558. Farfán de Ribera: "Wilde, Lope y Alarcón."
UHA, año IV, tomo III (1919), no. 37 (nov.), págs. 15-16.
[Sobre representaciones de La importancia de ser Ernesto, El castigo sin venganza y El semejante a sí mismo. No hay relación entre las tres obras].

WIR.
3559. Vossler, Karl: "Lope de Vega und wir."
DVJL, XIV (1936), 157-70.
[Reimpreso en su libro Aus der romanischen Welt, II, 81-103; traducción española en su libro Escritores y poetas de España, págs. 25-39 (V. GENERAL II, LIBROS, núms. 1801-02)].

WIRKUNG.
V. ALEMANIA (2948).

WORLD.
V. CENTENARIO (3098), CHART (3137).

YEAR.
3560. Schevill, R.: "Lope de Vega
and the Year 1588."
HR, IX (1941), 65-78.

ZAMETKI.
V. OBRAS, LO QUE PASA EN UNA TARDE
(3733).

ZAPATA, EL COMENDADOR.
V. GENERAL II, MISCELÁNEA ERUDITA,
3ª SERIE (1258).

ZAPATILLA.
V. GENERAL II, MISCELÁNEA ERUDITA,
3ª SERIE (1258).

ZÁRATE, FRANCISCO LÓPEZ DE.
V. GENERAL II, MISCELÁNEA ERUDITA
1ª SERIE (1256).

ZEITALTER.
V. LIBROS, VOSSLER (3920).

ZIELE.
V. FORSCHUNG (3191).

ZODÍACO.
V. RELOJ (3411).

OBRAS

COLECCIONES

3561. BARET, EUGÈNE: Oeuvres dra-
matiques de Lope de Vega. Trad.
Eugène Baret. Tome I, Drames; tome
II, Comédies. Paris: Didier, 1869-
1870. Pp. xxxii-475, 571.
   [Tome I: L'Etoile de Seville, Le
Meilleur alcade est le roi, Amour
et honneur, Le Cavalier d'Olmedo,
Le Mariage dans la mort, Le Châti-
ment sans vengeance, Mudarra le bâ-
tard. Tome II: Les Caprices de
Bélise, L'Eau ferrée de Madrid, Le
Chien du jardinier, Le Certain pour
l'incertain, La Demoiselle servante
(Moza de cántaro), Aimer sans sa-
voir qui, La Fausse ingénue].

a) —, JdS, XXXIV (1869), 312-13;
   XXXVI (1871), 260-61.

3562. BARET, EUGÈNE: Oeuvres dramatiques de Lope de Vega. Ed. et
trad. par Eugène Baret. Paris:
Didier, 1874. 2 vols.
a) A. Morel-Fatio, RCHLP, VIII
   (1874), 1er semestre, págs. 410-
   413.

3563. BIBLIOTECA UNIVERSAL, Números
185-92: Obras de Lope de Vega.
Madrid: Hernando, 1934-35.
   [Ed. J. M. Ramos: 185-Peribáñez,
186-El Mejor alcalde el rey, 187-El
Castigo sin venganza, 188-La Estrella de Sevilla; ed. E. Juliá Martínez: 189-90-La Dorotea; ed. R.
Blanco y Claro: 191-Los Comendadores de Córdoba; ed. Homero Serís:
192-La Noche de San Juan].
a) W. L. Fichter, HR, V (1937),
   188-89.

3564. CALLEJA: Comedias de Lope de
Vega. Tomo I. Madrid: Editorial
Saturnino Calleja, 1919. Pp. 348.
a) V. F., EyA, XIX (1921), t. 2
   (abr-jun), 305.
b) C. Guerrieri Crocetti, Cult, I
   (1922), 326-28.

3565. COTARELO Y MORI, E.: Obras
de Lope de Vega, publicadas por la
Real Academia Española (nueva edición). Ed. E. Cotarelo y Mori.
Madrid: Tip. de la "Rev. de arch.,
bibl. y museos," 1916-30. 13 vols.
a) H. A. Rennert, MLR, XIII (1918),
   113-20 [vol. 1]; XIV (1919),
   439-51 [vol. 2]; XVI (1921),
   358-64 [vol. 3].
b) W. L. Fichter, RR, XXII (1931),
   47-53 [vol. 6].
c) J. F. Montesinos, RFE, XVII
   (1930), 49-68 [vol. 6].
d) A. Hämel, ZRP, XLVI (1926), 381-
   384 [vols. 1-3].
e) J. Gómez Ocerín, RFE, III (1916),
   184-93 [vol. 1].
f) J. de Entrambasaguas, RBAM, VII
   (1930), 84-87 [vol. 11].

3566. GÓMEZ OCERÍN, J., y TENREIRO,
R. M.: Comedias, Tomo I. ("Clásicos castellanos," 39). Madrid: "La

Lectura," 1920.
[V. TEMAS, VEGA (3521, 3524).
a) S. G., RFE, X (1923), 325-26.
b) J. Robles Pazos, MLN, XXXVI
(1921), 448.
c) G. Cirot, BH, XXVII (1925), 183-
185.
d) L. Pfandl, ASNSL, CXLII (1921),
289-90.
e) L. Pfandl, LGRP, XLIII (1922),
col. 47-48.
f) P. Celso, EyA, XIX (1921), t. 1,
(en-mar), 138.
g) C. Guerrieri Crocetti, Cult, I
(1922), 326-28.

3567. HENRÍQUEZ UREÑA, P.: Fuenteovejuna, Peribáñez, El Mejor alcalde el rey. ("Las cien obras maestras de la literatura y del pensamiento universal"). Buenos Aires:
Editorial Losada, 1938. Pp. 264.
[La introducción de Henríquez
Ureña está reimpresa en su Plenitud
de España, págs. 155-57, con el título "Las tragedias populares de
Lope" (V. GENERAL II, LIBROS, núm.
1661)].
a) V. G. Domblide, RFH, II (1940),
400-02.

3568. MENÉNDEZ Y PELAYO, M.: Obras
de Lope de Vega, publicadas por la
Real Academia Española. Ed. M. Menéndez y Pelayo. Madrid: Est.
tip. "Sucesores de Rivadeneyra,"
1890-1913. 15 vols.
a) A. Restori, ZRP, XXII (1898),
97-123 [vols. 1-3], 274-95 [vols.
4-5]; XXIII (1899), 430-54 [vol. 6];
XXVI (1902), 486-517 [vols. 7-8];
XXVIII (1904), 231-56 [vols. 9-10];
XXIX (1905), 105-28 [vol. 9], 358-
365 [vol. 10]; XXX (1906), 216-35
[vol. 11], 487-504 [vols. 12-13].
b) E., RCont, CXV (jul-sept, 1899),
103-12 [vol. 9].
c) E. Cotarelo y Mori, RABM, II
(1898), 453-57 [vol. 8]; IV
(1900), 90-92 [vol. 10]; VIII
(1903), 149-51 [vol. 13].
d) E. Cotarelo y Mori, RCHLE, I
(1895), 33-35 [vol. 4].
e) W. von Wurzbach, LGRP, XIX (1898),
col. 94-100 [vols. 1-5].
f) E. Cotarelo y Mori, RELHA, I
(1901), 28-29 [vol. 11].

g) --, RevCat, V (1903-04), 94-98
[vols. 1-13].
h) E. Vincent, MF, XXIX (1899),
267-69 [vols. 1-8].
V.t. TEMAS, GESAMTAUSGABE (3199),
VEGA (3517).

3569. MONTESINOS, J. F.: Poesías
líricas. ("Clásicos castellanos,"
68 y 75). Madrid: "La Lectura,"
1925-26. 2 vols. Pp. 296, 298.
[El prólogo de Montesinos está
reimpreso en sus Estudios sobre
Lope, págs. 119-219 (V. LIBROS,
núm. 3887)].
a) M. Bacarisse, RdO, XIV (1926),
385-90.

3570. ROBLES PAZOS, J.: Lope de
Vega: Cancionero teatral. Baltimore: Johns Hopkins Press, 1935.
[Es una antología].
a) A. Coester, Hisp, XVIII (1935),
239.
b) S. G. Morley, HR, III (1935),
264-65.
c) C. E. Anibal, MLN, LII (1937),
291-94.
d) W. K. Jones, BAbr, IX (1935),
452; XII (1938), 97.
e) --, Fénix, no. 3 (1935), 447.

3571. SEMPERE, J. L.: Cancionero
divino. Antología de lírica sagrada. Edición centenaria, 1635-1935.
Prólogo de José Luis Sempere. Madrid, 1935.
a) --, Fénix, no. 1 (1935), 159.

3572. UNDERHILL, J. G.: Four Plays
by Lope de Vega in English. London:
Scribners, 1936. Pp. xxiv-386.
[Contiene: Fuenteovejuna, El Mejor alcalde el rey, Lo cierto por
lo dudoso, El Perro del hortelano].
a) E. A. Peers, BSS, XIII (1936),
163-64.
b) M. A. Buchanan, CanFor, XVI
(1936), 30.

3573. UNIVERSITY OF CALIFORNIA:
Autógrafos de Lope de Vega, publi-
cados bajo la dirección de Rudolph
Schevill. Berkeley: University of
California Press, 1934-35.
[Los títulos son: La batalla del
honor, ed. R. K. Spaulding, 1934,

University of California (cont.).
pp. 141; La Prueba de los amigos,
ed. L. B. Simpson, 1934, pp. 145;
El Cordobés valeroso, ed. M. A.
Zeitlin, 1935, pp. 157; El Desdén
vengado, ed. I. A. Leonard, 1935,
pp. 148; El Bastardo Mudarra, ed.
S. G. Morley, 1935, pp. 151].
a) E. A. Peers, BSS, XVI (1939),
   159-60.
b) W. L. Fichter, HR, V (1937), 84-
   87.
c) W. J. Entwistle, MLR, XXXII
   (1937), 641-43.
d) L. Pfandl, DLZ, LVII (1936),
   col. 487-90.

3574. Wurzbach, Wolfgang von: Komödien. Zum ersten Mal ins Deutsche
übersetzt von Wolfgang von Wurzbach.
Der Tribut der hundert Jungfrauen
[Las Famosas asturianas]. Die Wit-
we von Valencia. Wien-Leipzig:
Hans Epstein, 1929. Pp. 364.
a) H. Hatzfeld, ASNSL, CLVIII (1930),
   299-301.
b) M. Brussot, Lit, XXXIII (1930-31),
   527-28.
c) W. Küchler, NSpr, XXXVIII (1930),
   88.

3575. Wurzbach, Wolfgang von: Lope
de Vega. Ausgewählte Komödien. Zum
ersten Mal aus dem Original ins
Deutsche übersetzt von Wolfgang von
Wurzbach. 6 vols. Vols. 1-2,
Strassburg: Heitz, 1918; vols. 3-6,
Wien: Anton Schroll, 1920-25.
[1. Castelvines und Monteses,1918;
2. Der Richter von Zalamea, 1918;
3. Die Jüdin von Toledo [Las Paces
de los reyes], 1920; 4. Der Herzog
von Viseo, 1922 [V.t. núm. 3680];
5. König Ottokar [La Imperial de
Toledo], 1923 [V.t. núm. 3717];
6. Die treue Hüterin [La Buena
guarda], 1925].
a) A. Hämel, ZRP, LIV (1934), 348-
   349 (vols. 1-6).
b) A. Hämel, NSpr, XXXV (1927),
   648 (vols. 1-6).
c) L. Pfandl, LGRP, XLI (1920), col.
   47-54 (vols. 1-2).
d) L. Pfandl, LGRP, XLV (1924), col.
   331-33 (vol. 3).
e) J. Huber, NSpr, XXXII (1924),
   465-67 (vol. 5).

f) M. Brussot, LitEcho, XX (1917-18),
   col. 1507-09.
g) M. J. Wolff, LitZent, LXX (1919),
   col. 546-47.
h) H. Hatzfeld, LGRP, XLVIII (1927),
   col. 381-84 (vols. 4-6).
i) W. Küchler, NSpr, XXX (1922),
   492-93.
j) W. Mulertt, DLZ, XLVII (1926),
   col. 64-65 (vol. 4).

3576. "Sacra Amori et Dolori."
CyR, no. 23-24 (feb-mar, 1935), 87-
198.
["Se ha compuesto esta antología,
cuyo recopilador no se menciona, re-
uniendo bajo los nombres de las ama-
das, y de la hija de Lope, distintas
poesías a ellas dedicadas."--Colec-
ción de índices ... V: Cruz y Raya].

OBRAS SUELTAS

"A MIS SOLEDADES VOY".
V. Dorotea (3669-70).

Acero de Madrid, El.

Ediciones y traducciones

3577. Mazzei, Pilade: El Acero de
Madrid. Introduzione e note di Pilade Mazzei. Firenze: Le Monnier,
1929. Pp. xxxix-166.
a) J. F. Montesinos, RFE, XVIII
   (1931), 278-81.

———.

3578. Hagberg, K. A.: "Järnvattnet
i Madrid. Efter Lope Félix de Vega
Carpio."
OoB, XVI (1907), 50-54.
[Traducción sueca de las escenas
14-16 del Acto I].

Estudios

V.t. TEMAS, Pen (3366); GENERAL II,
Holberg (1155), Molière (1263-64,
1267-68).

———.

3579. Morley, S. G.: "El acero de
Madrid."
HR, XIII (1945), 166-69.
[Trata del acero, o agua acerada,

que se usaba como medicina].

ACTO DE CONTRICIÓN.
3580. Vega, Lope de: "Acto de contrición."
SemPintEsp, (1854), 151-52.
["Aunque en culpa y error fuí
concebido..."].

AL PASAR DEL ARROYO.
3581. Fichter, W. L.: "A Manuscript
Copy of the Lost Autograph of Lope
de Vega's Al pasar del arroyo."
HR, III (1935), 202-18.

ALABANZAS AL GLORIOSO PATRIARCA SAN
José.
V. TEMAS, ROMANCE (3424).

ALCALDE DE ZALAMEA, EL.
V.t. FUENTEOVEJUNA (3701); GENERAL
II, MANZONI (1236); CALDERÓN, OBRAS,
núms. 2114-15, 2121.

———.
3582. Menéndez y Pelayo, M.: "El
Alcalde de Zalamea."
BBMP, X (1928), 193-204.
[Primera versión de su análisis
de la comedia, el cual apareció
después, en forma enmendada, en sus
"Observaciones preliminares" de la
edición académica].

AMANTE AGRADECIDO, EL.
V. TEMAS, CELESTINA (3054).

AMAR COMO SE HA DE AMAR.
V.t. TEMAS, NOTES (3339).

———.
3583. Cossío, J. M. de: "Notas de
un lector. Al margen de Amar como
se ha de amar, comedia famosa de
Lope de Vega."
BBMP, VIII (1926), 228-30.
[Una escena se parece a la del
halcón—encuentro de Calisto y Melibea—en la Celestina].

AMAR, SERVIR Y ESPERAR.
3584. Cossío, J. M. de: "La fecha
de Amar, servir y esperar de Lope
de Vega."
RFE, XII (1925), 70-72.

AMAR SIN SABER A QUIÉN.

Edición

3585. Buchanan, M. A., y Franzen-
Swedelius, Bernard: Amar sin saber
a quién. Edited with notes and vocabulary. New York: Henry Holt,
1920. Pp. vii-202.
a) R. Foulché-Delbosc, RevHisp, L
(1920), 269-95.
b) K. Sneyders de Vogel, Neophil,
VII (1921-22), 300.
c) E. C. Hills, MLN, XXXVI (1921),
284-93. [Reimpreso en sus Hispanic Studies, págs. 243-55 (V.
GENERAL II, LIBROS, núm. 1666)].
d) F. O. Reed, MLJ, V (1920-21),
396-401.
e) L. Pfandl, LGRP, XLII (1921),
col. 327-29.
f) A. Morel-Fatio, JdS, 4ª serie,
XIX (1921), 186-87.

Estudios

V.t. TEMAS, ANALECTA (2970); LI-
BROS, CARAVAGLIOS (3838).

———.
3586. Buchanan, M. A.: "Annotations
II. Two Passages in Lope de Vega's
Amar sin saber a quién."
HR, XV (1947), 465.
[El sentido de los vv. 126-29 y
298-301].

AMIGOS ENOJADOS, LOS.
V. AGUILAR, núm. 1817.

AMISTAD Y OBLIGACIÓN.
V. TEMAS, NOTES (3339).

ANTONIA.
3587. Machado, M.: "La égloga Antonia. Una obra inédita de Lope de
Vega."
RBAM, I (1924), 458-92.

ANTONIO ROCA.
V. GENERAL II, LIBROS, PÉREZ DE
AYALA (1742).

ANZUELO DE FENISA, EL.
V.t. TEMAS, CANCIÓN (3028-30); GE-
NERAL II, PALERMO (1317).

ANZUELO DE FENISA (cont.).

3588. Déjob, C. "La 10ª novella
dell' ottava giornata del Decameron
ed El Anzuelo de Fenisa di Lope de
Vega."
Rass, I (1893), 149-52.

————.

3589. Arjona, J. H.: "Un dato sobre
la fecha de El Anzuelo de Fenisa de
Lope de Vega."
MLN, LIII (1938), 190-92.
[1604-1606, según el autor].

ARAUCANA, LA.
V. GENERAL II, LIBROS, MEDINA
(1698).

ARCADIA, LA (Comedia).
3590. Crawford, J. P. W.: "The Date
of Composition of Lope de Vega's Comedia La Arcadia."
MLR, III (1907-08), 40-42.

ARCADIA, LA (Novela).
V.t. GENERAL II, BÉLGICA (865);
TIRSO DE MOLINA, TEMAS, "ARCADIA"
(2673).

————.

3591. Crawford, J. P. W.: "The Se-
ven Liberal Arts in Lope de Vega's
Arcadia."
MLN, XXX (1915), 13-14.

————.

3592. Gasparetti, A.: "La Galleria
del Cavalier Marino e quella di
Dardanio nell' Arcadia di Lope."
BSCE, XVI (1935), 243-66.

ARENAL DE SEVILLA, EL.
V.t. GENERAL II, LIBROS, MONTOTO
DE SEDAS (1719).

————.

3593. Arjona, J. H.: "Apunte crono-
lógico sobre El Arenal de Sevilla
de Lope de Vega."
HR, V (1937), 344-46.
[Confirmación de la fecha 1603].

————.

3594. Dale, G. I.: "'Periodismo' in
El Arenal de Sevilla and the Date
of the Play's Composition."
HR, VIII (1940), 18-23.

ARTE NUEVO DE HACER COMEDIAS, EL.

Ediciones

3595. Morel-Fatio, A.: "L'Arte nuevo de hacer comedias en este tiempo
de Lope de Vega."
BH, III (1901), 365-405.
a) A. Farinelli, ASNSL, CIX (1902),
458-74. [La reseña está reimpresa en su Italia e Spagna, II,
377-409 (V. GENERAL II, LIBROS,
núm. 1631)].
b) G. Lanson, RHLF, IX (1902), 325-
326.
c) A. Bonilla, RABM, VI (1902),
221-23.

————.

3596. Guerrieri Crocetti, C.: El
Arte nuevo de hacer comedias en este tiempo. Roma: E. Loescher,
1915. Pp. 14.
a) --, RFE, III (1916), 328.

————.

3597. "Reprints from Lope de Vega:
I. Arte nuevo de hacer comedias..."
BSS, XII (1935), 28-37.

Estudios

V.t. TEMAS, BIOGRAFÍA (3010); GE-
NERAL II, EN TORNO (1044).

————.

3598. Gillet, J. E.: "Caramuel de
Lobkowitz and his Commentary (1668)
on Lope de Vega's Arte de hacer comedias."
PQ, VII (1928), 120-37.

————.

3599. Jiménez Salas, J. A.: "El teatro de Lope y el Arte nuevo en la
primera mitad del siglo XVIII."
Fénix, no. 5 (1935), 633-49.

————.

3600. Pons, J. S.: "L'Art nouveau
de Lope de Vega."
BH, XLVII (1945), 71-78.

BAMBA, COMEDIA DE.
V. COMEDIA DE BAMBA.

BANDOS DE SENA, LOS.
V. TEMAS, BANDELLO (2995-96).

BARLAÁN Y JOSAFAT.

Edición

3601. Montesinos, J. F.: Barlaán y
Josafat. (Teatro Antiguo Español,
VIII). Madrid: Centro de Estudios
Históricos, 1936. Pp. 308.
a) J. López Tascón, CT, LIV (1936),
114-15.
b) G. Cirot, BH, XXXVIII (1936),
233-35.
c) G. Moldenhauer, LGRP, LIX (1938)
col. 193-95.

Estudios

V.t. TEMAS, CONTRIBUCIONES (3112),
PASSAGE (3361).

——.

3602. Sabri, Süheyla: "Un passage
de Barlaán y Josafat de Lope de
Vega."
IstUn, II (1937), 259-61.
[Sobre la fuente de los versos
2206-13].

——.

3603. González, Severino: "Una
fuente de la Historia de Barlaán y
Josafat. La Apología de Aristides."
RyF, CXIX (1940), 365-78.
[Menciona la comedia de Lope].

BASTARDO MUDARRA, EL.
V.t. TEMAS, ORTOLOGÍA (3351), SCE-
NARIO (3445); GENERAL II, INFANTES
DE LARA (1169).

——.

3604. Price, Eva R.: "The Romancero
in El Bastardo Mudarra of Lope de
Vega."
Hisp, XVIII (1935), 301-10.

BATALLA DEL HONOR, LA.
3605. Morby, E. S.: "Note sur La
Batalla del honor."
BH, XLII (1940), 236.
[En menos de tres redondillas está resumida la intriga del cuento
de Boccaccio (III, 3) que es tam-
bien la fuente de La Discreta ena-

morada].

BATUECAS DEL DUQUE DE ALBA, LAS.
V. GENERAL II, INGLATERRA (1176).

BELLA MAL MARIDADA, LA.
V. TEMAS, CELESTINA (3054).

BODAS ENTRE EL ALMA Y EL AMOR DIVI-
NO, LAS.
V. GENERAL II, TIREURS À L'ARC
(1462).

BRASIL RESTITUÍDO, EL.

Edición

3606. Solenni, Gino de: Lope de
Vega's El Brasil restituído, together with a Study of Patriotism in
his Theater. New York: Instituto
de las Españas, 1929. Pp. cxli-159.
a) G. W. Umphrey, Hisp, XIII (1930),
373-74.
b) G. Cirot, BH, XXXIII (1931), 66-
67.
c) J. F. Montesinos, RFE, XVIII
(1931), 273-78.

Estudios

V.t. TEMAS, NOTES (3339).

——.

3607. Solenni, Gino de: "The Source
of Lope de Vega's El Brasil restituído."
REH, I (1928), 168-69.

——.

3608. Viqueira Barreiro, J. M.: "El
lusitanismo de Lope de Vega y su
comedia El Brasil restituído." [Se-
parata de Brasília, V (1950)].
Coimbra: Coimbra Editora, 1950.
Pp. vi-351.
[Se incluye el texto de la come-
dia].
a) M. Goyri de Menéndez Pidal, NRFH,
IV (1950), 412-13.
b) João Maia, Brot, LII (1951),
119-20.
c) J. de Castro Osório, Ocid, no.
156 (abr, 1951), 197-98.
d) A. G. Reichenberger, HR, XIX
(1951), 370-71.

BUENA GUARDA, LA.
Y. TEMAS, BROWNING (3013); GENERAL
II, LIBROS, COTARELO Y VALLEDOR
(1604), GUIETTE (1657).

BURGALESA DE LERMA, LA.
Y. TEMAS, CRONOLOGÍA (3133).

BURLAS VERAS, LAS.
3609. Rosenberg, S. L. M.: "Las Burlas veras. Comedia famosa de Lope
de Vega. Edited, with Introduction
and Notes."
UPRLL, Extra no. 2 (1912). Pp.
xlii-94.
a) A. L. Stiefel, ZRP, XXXVIII
   (1914-17), 719-22.
b) G. W. Bacon, RR, IV (1913), 254-
   256.
c) G. Cirot, BH, XVI (1914), 122.
d) F. de Onís, RLib, II (1913), 52-
   53.
e) A. Hämel, LGRP, XXXV (1914),
   col. 24-26.
Y.t. GENERAL II, PARMA (1319A).

BURLAS Y ENREDOS DE BENITO, LAS.
Y. EL FAVOR AGRADECIDO (3688); TE-
MAS, REMÓN (3412).

CABALLERO DE ILLESCAS, EL.
Y. CERVANTES, NOTERELLE (314).

CABALLERO DE OLMEDO, EL.

Ediciones

3610. Entrambasaguas, J. de: El
Caballero de Olmedo, de Lope de
Vega. Proemio de Joaquín de En-
trambasaguas. Buenos Aires: S. A.
D. E., 1948; Barcelona: S. A. Hor-
ta, 1948. Pp. 113.
a) M. López Serrano, RevBibyDoc,
   III (1949), 306-07.

————.

3611. Macdonald, Inez I.: El Caballero de Olmedo, by Lope de Vega.
Cambridge: Cambridge University
Press, 1934. Pp. vi-133.
a) --, BSS, XII (1935), 70.

————.

3612. El Caballero de Olmedo. Prólogo y notas de A. Morera y San
Martín. Medina del Campo: Insti-

tuto de Segunda Enseñanza de Medina
del Campo, 1935. Pp. xi-115.
a) --, Fénix, no. 5 (1935), 659-60.

Estudios

Y.t. EL DÓMINE LUCAS (3658); TEMAS,
CELESTINA (3054), TRAGEDIA (3500);
GENERAL II, núms. 881-84.

————.

3613. Madrazo, Pedro de: "El Caballero de Olmedo."
Artista, I (1934), 112-15.

————.

3614. Sarrailh, J.: "L'histoire
dans le Caballero de Olmedo de Lope
de Vega."
BH, XXXVII (1935), 337-52.

3615. "El centenario de Lope de
Vega. El Caballero de Olmedo."
RHM, II (1935-36), Sección escolar,
págs. 2-10.
[Escenas del Acto III representadas por los miembros del Instituto
de las Españas].

CABALLERO DEL MILAGRO, EL.
3616. Braun, Hans: "Lope und das
christliche Denken. Zur première
von Der Ritter vom Mirakel."
RheinMerk, III, no. 9 (1948), 6.

CALIDADES DE LAS MUJERES, LAS.
Y. LOA DE LAS CALIDADES...

CAMPANA DE ARAGÓN, LA.
Y. TEMAS, ARAGÓN (2974); GENERAL
II, HUESCA (1165), RAMIRO (1362).

CARBONERA, LA.
Y. LIBROS, NAVARRA (3892).

CARDENAL DE BELÉN, EL.
3617. Hamilton, T. E.: El Cardenal
de Belén, a Paleographic Edition.
Lubbock: Texas Tech Press, 1948.
Pp. xii-139.
a) A. G. Reichenberger, Hisp,
   XXXIII (1950), 283-84.
b) M. Harlan, HR, XIX (1951), 269-74

CARLOS EL PERSEGUIDO.
Y. PERSEGUIDO, EL.

CASAMIENTO EN LA MUERTE, EL.
V.t. GENERAL II, ROLAND (1385),
UHLAND (1477).

———.

3618. Monteverdi, A.: "Sul testo
del Casamiento en la muerte di Lope
de Vega."
ARom, IX (1925), 453-55.

CASTELVINES Y MONTESES.

Traducción

3619. Cosens, F. W.: Castelvines
and Monteses. Translated by F. W.
Cosens. London: Chiswick Press,
1869. Pp. vii-105.
a) K. Elze, ShaJa, V (1870), 350-51.
V.t. GENERAL II, SHAKESPEARE (1437).

Estudios

V.t. TEMAS, BANDELLO (2995-96),
SHAKESPEARE (3451); LIBROS, GASPA-
RETTI (3864); GENERAL II, TEMAS,
ROMEO Y JULIETA (1395-96A), SHAKE-
SPEARE (1437); LIBROS, CHIARINI
(1613A), HAUVETTE (1657C)

———.

3620. Le Senne, C., y Saix, Guillot
de: "Roméo et Juliette dans le théâtre espagnol. Castelvines et Monteses de Lope de Vega."
GRev, LXXXI (1913), 707-30.

———.

3621. García Prada, C.: "Castelvines y Monteses de Lope de Vega."
Hisp, X (1927), 67-87.

CASTIGO DEL DISCRETO, EL.

Edición

3622. Fichter, W. L.: Lope de Vega's El Castigo del discreto, together with a Study of Conjugal Honor in his Theater. New York:
Instituto de las Españas, 1925.
Pp. 283.
a) A. F. G. Bell, BSS, III (1925-
1926), 183-84.
b) J. F. Montesinos, RFE, XIV
(1927), 188-90.
c) C. van Veen, Neophil, XIII

(1927-28), 140-41.
d) W. Mulertt, ASNSL, CLIII (1928),
278-79.
e) A. Hämel, LGRP, XLIX (1928),
col. 436.
f) L. Pfandl, ZRP, LVIII (1938),
738-40.

Estudios

V.t. TEMAS, INTERPRETACIÓN (3243).

———.

3623. Montesinos, J. F.: "Sobre la
fecha de El Castigo del discreto."
RFE, IX (1922), 402-03.
   [Reimpreso en sus Estudios sobre
Lope, págs. 110-11 (V. LIBROS, núm.
3887)].

———.

3624. Fichter, W. L.: "The Sources
of Lope de Vega's El Castigo del
discreto."
RR, XVI (1925), 185-86.
   [Bandello, I, 35].

———.

3625. Dale, G. I.: "A Second Source
of Lope de Vega's El Castigo del
discreto."
MLN, XLIII (1928), 310-12.
   [Un episodio del cuento El Aben-
cerraje].

CASTIGO SIN VENGANZA, EL.

Ediciones y traducciones

3626. Dam, C. F. A. van: El Castigo sin venganza. Edición conforme
al manuscrito autógrafo de la Ticknor Library of Boston ... con un
estudio preliminar, notas y tres
facsímiles. Groninga: P. Noord-
hoff, 1928. Pp. 414.
a) J. F. Montesinos, RFE, XVI
(1929), 179-88.
b) A. Coester, Hisp, XII (1929),
104.
c) J. Robles Pazos, MLN, XLIV
(1929), 400-02.
d) A. P. R., BSS, VI (1929), 44-45.
e) J. de Entrambasaguas, RABM, LI
(1930), 254-57. [Reimpresa esta
reseña en su libro La determinación del Romanticismo y otras

CASTIGO SIN VENGANZA (cont.).
cosas, págs. 161-66 (V. GENERAL
II, LIBROS, núm. 1626)].
f) L. Spitzer, ARom, XIII (1929),
407-12.
g) L. Pfandl, LGRP, LI (1930), col.
55-58.
h) G. Le Gentil, RCHLP, ns XCVI
(1929), 42-43.
i) J. F. Montesinos, VKR, II (1929),
282-84.

———.

3627. Hoog, G. C. van t':De Kas-
tijding zonder wraak. Haarlem,
1929. Pp. 135.
a) C. F. A. van Dam, RFE, XVII
(1930), 193-94.
b) W. von Wurzbach, LGRP, LIII
(1932), col. 415.

Estudios

V.t. BANDELLO (2995), ÉTUDES (3178),
MOTE (3315), POESÍA (3384), TRAGE-
DIA (3500), WILDE (3558); LIBROS,
GASPARETTI (3864); GENERAL II; TE-
MAS, BYRON (880), MÉDICO DE SU HON-
RA (1241), PARÍS (1318), SCHILLER
(1422); LIBROS, MEIER (1699).

———.

3628. Alfonso, Luis: "Crítica dramática. II: El Castigo sin venganza ... refundida por D. Emilio
Álvarez."
RdE, XLI (1874), 421-26.
[Sobre su presentación en el Teatro del Circo; da un análisis y
trata de la fuente y de por qué no
se representó por más de un día
originalmente].

———.

3629. Rennert, H. A.: "Über Lope de
Vegas El Castigo sin venganza."
ZRP, XXV (1901), 411-23.
a) A. Paz y Melia, RABM, V (1901),
935.

———.

3630. Castro, Américo: "Por los
fueros de nuestro teatro clásico:
El Castigo sin venganza, de Lope de
Vega."
UHA, III (1919), no. 36, pág. 15.

3631. Consiglio, Carlo: "La fuente
italiana de El Castigo sin venganza
de Lope."
Medit, III (1945), 250-55.
[Sobre Bandello I, 44 y las di-
vergencias de la versión de Lope].

CERCO DE VIENA POR CARLOS V, EL.
V. GENERAL II, WIEN (1510).

CIERTO POR LO DUDOSO, LO.
V. GENERAL II, BÉLGICA (865).

CIRCE, LA.

Edición

3632. "Colección Tesoro": La Circe,
con otras rimas y prosas. Edición
facsímil de la de Madrid, 1624.
Madrid: Biblioteca Nueva, 1935.
Pp. 608.
a) E. A. Peers, BSS, XII (1935), 245.
b) G. E. Dalton, BAbr, XI (1937),
231-32.

Estudios

3633. Martinenche, E.: "La Circe y
los poemas mitológicos de Lope."
HumA, IV (1922), 59-66.

———.

3634. Boussagol, G.: "La Circe,
poème mythologique de Lope de Vega."
MASIBLT, serie 12, t. IX (1931),
225-41.

COMEDIA DE BAMBA.
V. TEMAS, ARTE DRAMÁTICO (2983),
SIMPLE LIFE (3457); GENERAL II,
WAMBA (1505), WIEN (1509).

COMENDADORES DE CÓRDOBA, LOS.
V. TEMAS, AUTÓGRAFOS (2990).

CONDE FERNÁN GONZÁLEZ, EL.
V. GENERAL I, núm. 39.

CONQUISTA DE CORTÉS, LA.
3635. Fichter, W. L.: "Lope de Ve-
ga's La Conquista de Cortés and El
Marqués del valle."
HR, III (1935), 163-65.
[Los dos títulos, hallados en las

listas del Peregrino, se refieren a
una misma comedia--perdida].

CORDOBÉS VALEROSO PEDRO CARBONERO, EL.

Edición

3636. Montesinos, J. F.: El Cordobés valeroso Pedro Carbonero. (Teatro Antiguo Español, VII). Madrid:
Centro de Estudios Históricos, 1929.
Pp. 253.
a) W. von Wurzbach, ZRP, LVI (1936),
708-10.
b) Valbuena Prat, A., RABM, LI
(1930), 118-20.
c) A. Valbuena Prat, RBAM, VII
(1930), 93-95.
d) L. Pfandl, ASNSL, CLVII (1930),
318-19.
e) A. Hämel, LGRP, LII (1931), col.
450.

Estudios

3637. Menéndez Pidal, Gonzalo: "Sobre Pedro Carbonero."
BibHisp, VIII, no. 6 (jun, 1949),
53-54.
[Pedro Carbonero aparece nombrado
en Estebanillo González (cap. IV) y
en la Historia general y natural de
Indias (libro XXXIII, cap. III) de
Fernández de Oviedo].

CORONA DE HUNGRÍA, LA.
V.t. LOS PLEITOS DE INGLATERRA
(3780).

————.

3638. Karl, Ludwig: "Un manuscrito
de Lope de Vega, La Corona de Hungría y la injusta venganza."
RFE, XXII (1935), 399-406.

————.

3639. Karl, Louis: "Lope de Vega et
l'histoire hongroise. La Corona de
Hungría y la injusta venganza."
BH, XXXVIII (1936), 59-62.

CORONA MERECIDA, LA.

Edición

3640. Montesinos, J. F.: La Corona
merecida. (Teatro Antiguo Español,

V). Madrid: Centro de Estudios
Históricos, 1923. Pp. 216.
a) S. G. Morley, Hisp, VIII (1925),
138-41 (con El Cuerdo loco).
b) W. von Wurzbach, ZRP, XLV (1925),
628-30.
c) L. Pfandl, LGRP, XLVIII (1927),
col. 52-53.
d) V. Tarkiainen, NMit, XXVI (1925),
219.
e) L. Pfandl, ASNSL, CL (1926),
139-40.
f) G. Cirot, BH, XXVII (1925), 174-
176.

Estudios

V.t. TEMAS, ORTOLOGÍA (3351).

————.

3641. Castro, Américo: "El autógra-
fo de La Corona merecida de Lope de
Vega."
RFE, VI (1919), 306-09.

————.

3642. Wurzbach, W. von: "Das Motiv
von Lope de Vegas Komödie La Corona
merecida (Entstellung zum Schutze
der Tugend)."
HomMichaëlis (1933), págs. 821-63.

CORTESÍA DE ESPAÑA, LA.
V. TEMAS, CELESTINA (3054), CRONO-
LOGÍA (3133), GIRALDI CINTIO (3201-
3202).

CREACIÓN DEL MUNDO, LA.
V. GENERAL II, VIEJO TESTAMENTO
(1493).

CUENTAS DEL GRAN CAPITÁN, LAS.
V. GENERAL II, núm. 968.

CUERDO LOCO, EL.
V.t. TEMAS, ORTOLOGÍA (3351).

————.

3643. Montesinos, J. F.: El Cuerdo
loco. (Teatro Antiguo Español, IV).
Madrid: Centro de Estudios Históricos, 1922. Pp. 233.
a) S. G. Morley, Hisp, VIII (1925),
138-41 (con La Corona merecida).
b) W. L. Fichter, MLN, XL (1925),
234-37.
c) W. von Wurzbach, ZRP, XLV (1925),

CUERDO LOCO (cont.).
626-28.

d) V. Tarkiainen, NMit, XXIV (1923),
185-86.

e) L. Pfandl, ASNSL, CXLVIII (1925),
136-37.

f) A. Hämel, ZRP, XLIII (1923),
509-10.

g) G. Cirot, BH, XXVII (1925), 172-
174.

DAMA BOBA, LA.

Edición

3644. Schevill, R.: "The Dramatic
Art of Lope de Vega together with
La Dama boba."
UCPMP, VI (1918). Pp. 340.

a) E. C. Hills, MLN, XXXVII (1922),
167-74. [Reimpreso en sus Hispanic Studies, págs. 255-64 (V.
GENERAL II, LIBROS, núm. 1666)].

b) L. Pfandl, Spanien, III (1921),
259-61.

c) E. Alarcos, RLib, III (1919),
no. 11, págs. 1-10.

d) A. Hämel, LGRP, XLII (1921),
col. 398-99.

e) M. J. Wolff, LitZent, LXXII
(1921), col. 602.

Estudios

V.t. TEMAS, FILÓSOFO (3189), ORTO-
LOGÍA (3351); GENERAL II, PARÍS
(1318).

————.

3645. Arcos, Mariano: "La dama boba."
Hospes, no. 8 (1943), págs. 26-29.
[Comentario a la extensión de la
producción de Lope, breve reseña de
su vida, extracto y algunas cortas
transcripciones de La dama boba].

DE COSARIO A COSARIO.
V.t. GENERAL II, BÉLGICA (865).

————.

3646. Whatley, W. A.: "The Date of
Lope de Vega's De cosario a cosario."
RR, XXIII (1932), 141-43.
[1618, según cierta evidencia en
el Acto I].

¿DE CUÁNDO ACÁ NOS VINO?
V.t. TEMAS, COLABORADORES (3102).

————.

3647. Montesinos, J. F.: "Una nota
a la comedia ¿De cuándo acá nos
vino?, de Lope de Vega."
RFE, VII (1920), 178-82.

————.

3648. San Román, Francisco de B.:
"El autógrafo de la comedia de Lope
¿De cuándo acá nos vino?."
RFE, XXIV (1937), 220-23.

DE PECHOS SOBRE UNA TORRE...
3649. Zabala, Arturo: "Sobre una
fisonomía inicial del romance de
Lope, De pechos sobre una torre."
RBN, VI (1945), 311-24.

DEL MAL LO MENOS.
V. GENERAL II, BÉLGICA (865).

DEL MONTE SALE (QUIEN EL MONTE QUEMA).
3650. Le Fort Peña, E.: Del monte
sale (quien el monte quema). Edición paleográfica, con estudio y
notas. Buenos Aires: Librería La
Facultad, 1939. Pp. 220.

a) A. Coester, Hisp, XXII (1939),
339.

b) R. Moglia, RFH, II (1940), 186-
190.

c) E. Anderson Imbert, Sur, X, no.
69 (jun, 1940), págs. 83-85.

DEL PAN Y DEL PALO.
3651. Chirieleison, Águeda: "Autos
sacramentales. Del pan y del palo
de Lope de Vega."
Criterio, XXVI (1935), 402-05.

DESDÉN VENGADO, EL.

Edición

3652. Harlan, Mabel M.: El Desdén
vengado. New York: Instituto de
las Españas, 1930. Pp. xlix-196.

a) E. B. Place, Hisp, XIV (1931),
513-14.

b) C. E. Anibal, ModPhil, XXXI
(1933-34), 87-91.

Estudios

V.t. TEMAS, BANDELLO (2995-96);
LIBROS, GASPARETTI (3864).

———.
3653. Anibal, C. E.: "A Note on
Lope de Vega's El Desdén vengado."
Hisp, XVII (1934), 347-54.
⌊Sobre alusiones autobiográficas⌋.

DESDICHA POR LA HONRA, LA.
V.t. NOVELAS A MARCIA LEONARDA
(3750-52).

———.
3654. Bataillon, M.: "La Desdicha
por la honra: Génesis y sentido de
una novela de Lope."
NRFH, I (1947), 13-42.
[Reimpreso en su libro Varia lección de clásicos españoles, págs.
373-418 (V. GENERAL II, LIBROS,
núm. 1574A)].

DESDICHADA ESTEFANÍA, LA.
V. GENERAL II, LIBROS, COTARELO Y
VALLEDOR (1605).

DESPERTAR A QUIEN DUERME.
V. LIBROS, NAVARRA (3892).

DESPOSORIO DEL ALMA CON CRISTO, EL.
3655. Pfandl, L.: "El Desposorio
del alma con Cristo, de Lope de
Vega."
RevHisp, LVI (1922), 396-402.
[Descripción de una edición de La
Maya, con variantes, hallada en la
Staatsbibliothek de Munich].

DIFUNTA PLEITEADA, LA.
V. TEMAS, BANDELLO (2995-96); LI-
BROS, GOYRI DE MENÉNDEZ PIDAL (3869);
GENERAL II, ZAYAS, MARÍA DE (1515).

DINEROS SON CALIDAD.
V. RUIZ DE ALARCÓN, OBRAS, EL TEJE-
DOR DE SEGOVIA (2630).

DISCORDIA EN LOS CASADOS, LA.
3656. Fucilla, J. G.: "The Sources
of Lope de Vega's La Discordia en
los casados."
MLJ, XVIII (1934), 280-83.
[Una novela de Giraldi: Ecatommiti, quinta deca, prima novella.

Artículo reimpreso en español, con
el título "La Discordia en los casados de Lope de Vega y una novela
de G. B. Giraldi," en sus Relaciones hispanoitalianas, págs. 163-68
(V. GENERAL II, HISPANOITALIANO,
núm. 1140)].

DISCRETA ENAMORADA, LA.
V. LA BATALLA DEL HONOR (3605);
GENERAL II, MOLIÈRE (1263).

DIVINO AFRICANO, EL.
V. TEMAS, INQUISICIÓN (3240).

DOCTOR SIMPLE, EL.
3657. Jagendorf, M. A.: "The Pastry-
baker, from the Spanish of Lope de
Vega."
TAM, XIX (1935), 713-21.
[Traducción libre del entremés El
Doctor simple, publicado en la Pri-
mera parte de las comedias de Lope].

DÓMINE LUCAS, EL.
V.t. TEMAS, ALLUSION (2950).

———.
3658. Northup, G. T.: "El Dómine
Lucas of Lope de Vega and Some Re-
lated Plays."
MLR, IV (1908-09), 462-73.
[El Caballero de Olmedo de Lope,
y Marta la piadosa de Tirso].

DON JUAN DE CASTRO (1ª Y 2ª PARTES).
V. GENERAL II, LIBROS, REY SOTO
(1757).

DON LOPE DE CARDONA.
V.t. TEMAS, CASTRO, INÉS DE (3049).

———.
3659. Bork, A. W.: "Lope's Don Lope
de Cardona: A Defense of the Duke
of Sessa."
HR, IX (1941), 348-58.

DONCELLA TEODOR, LA.
V.t. GENERAL II, núm. 1031.

———.
3660. Menéndez y Pelayo, M.: "La
Doncella Teodor. Un cuento de Las
Mil y una noches, un libro de cor-
del y una comedia de Lope de Vega."
HomCodera (1904), págs. 483-511.

DONCELLA TEODOR (cont.).
[Reimpreso en sus Estudios y discursos de crítica histórica y literaria, I, 219-54 (GENERAL II, LIBROS, núm. 1701) y en sus Estudios de crítica literaria (Madrid, 1908), vol. V.].

DONDE NO ESTÁ SU DUEÑO ESTÁ SU DUELO. V. TEMAS, NOTES (3339).

DOROTEA, LA.

Ediciones y traducciones

3661. Castro, Américo: La Dorotea. Madrid: Renacimiento, 1913. Pp. xxiii-305.
a) N., RFE, I (1914), 201.
b) A. L. Stiefel, LGRP, XXXVII (1916), col. 386-87.

———.

3662. Croce, Alda: La Dorotea di Lope de Vega. Bari: Laterza, 1940. Pp. 351.
a) P. J. Powers, MLN, LVIII (1943), 81-82.
b) A. A. Parker, MLR, XXXVI (1941), 138-40.
c) A. J. Battistessa, RFH, III (1941), 381-83.
d) F. M. Delogu, LeoM, XI (1940), 224-26.

———.

3663. Dumaine, C. B.: La Dorotea, action en prose. Trad. C. B. Dumaine. Paris: A. Lemerre, 1892. Pp. 463.
a) H. Léonardon, RCHLP, ns XXXVI 1893), 175.
b) M. Formont, Polyb, 2ª serie, t. XXXVIII (jul-dic, 1893), 433-34.

Estudios

V.t. LA PRUEBA DE LOS AMIGOS (3785); TEMAS, DONAIRE (3153), EN LISANT (3160), "MARFISA" (3287-88); LIBROS, ARMAS Y CÁRDENAS (3825), SPITZER (3914); CELESTINA, TROTACONVENTOS (287); GENERAL II, MISCELÁNEA ERUDITA, 3ª SERIE (1258).

———.

3664. Amezúa, Agustín G. de: "En el tercer centenario de La Dorotea." BRAE, XIX (1932), 695-708.
[Reimpreso en sus Opúsculos histórico-literarios, II, 255-67 (V. GENERAL II, LIBROS, núm. 1564)].

———.

3665. Bonet, Carmelo M.: "La Dorotea y la vida amorosa de Lope de Vega." LitArg, V (1932-33), 109-10.

———.

3666. Bonet, Carmelo M.: "La Dorotea y la vida amorosa de Lope." HumA, XXIV (1934), 265-79.

———.

3667. Atkinson, W. C.: "La Dorotea, acción en prosa." BSS, XII (1935), 198-217.

———.

3668. Lazo, Raimundo: "Leyendo y comentando La Dorotea." RBC, XXXVI (1935), 251-82.
a) R. J. Michels, Hisp, XIX (1936), 318.

———.

3669. Spitzer, Leo: "A mis soledades voy." RFE, XXIII (1936), 397-400.
[De la Dorotea, I, 4].

———.

3670. Fichter, W. L., y Sánchez y Escribano, F.: "The Origin and Character of Lope de Vega's A mis soledades voy..." HR, XI (1943), 304-13.

———.

3671. Durand, René L. F.: "La intromisión de lo literario en la vida en La Dorotea de Lope de Vega." RNC, XI (1949), no. 77 (nov-dic.), págs. 65-79.
[Elementos biográficos en La Dorotea].

———.

3672. Cotto-Thorner, G.: "El enigma de La Dorotea." ND, XXX (1950), no. 4, págs. 84-87.

——.

3673. Morby, E. S.: "Persistence and Change in the Formation of La Dorotea."
HR, XVIII (1950), 108-25, 195-217.

DOS BANDOLERAS, LAS.
3674. Berjano, Víctor F.: "Las instituciones jurídicas españolas, según el teatro clásico. Las Dos bandoleras, de Lope de Vega."
AUOv, IV (1905-07), 27-41.

DRAGONTEA, LA.

Edición

3675. Museo Naval: La Dragontea. La publica el Museo Naval en conmemoración del III Centenario del Fénix de los Ingenios. Prólogo de D. Gregorio Marañón. Madrid: Museo Naval, 1935 [Imp. Aldecoa, Burgos]. 2 vols.
a) J. de Entrambasaguas, RFE, XXV (1941), 127-30.

Estudios

V.t. GENERAL II, LIBROS, RAY (1752).

——.

3676. Jameson, A. K.: "Lope de Vega's La Dragontea: Historical and Literary Sources."
HR, VI (1938), 104-19.

——.

3677. Villanueva Rico, C.: "Antonio de Herrera contra la Dragontea."
CorrErud, III (1943-46), 101.
[Petición al Consejo de Indias suplicando que se vea el libro].

——.

3678. Tamayo, Juan Antonio: "Antonio de Herrera contra la Dragontea."
CorrErud, III (1943-46), entrega 23-24, págs. 111-12.
[Otro documento que trata del mismo asunto].

——.

3679. Balbín Lucas, R. de: "La primera edición de La Dragontea."
RBN, VI (1945), 355-56.
[En una carta, Antonio de Herrera

escribe que la obra se publicó en Valencia, y no en Madrid, porque no les gustó a los censores. Este documento ya se había publicado en BRAE, V (1918), 461 (V. GENERAL II, BIOGRAFÍA, núm. 871)]

DUQUE DE VISEO, EL.
V.t. TEMAS, ÉTUDES (3178).

——.

3680. Wurzbach, W. von: Der Herzog von Viseo. Übersetzt von Wolfgang von Wurzbach. (Ausgewählte Komödien von Lope de Vega, IV). Wien: Anton Schroll, 1922.
a) M. Rockenbach, Gral, XVII (1922-1923), 226-27.

ÉGLOGA A CLAUDIO.
V. TEMAS, CENTENARIO (3058).

EJEMPLO DE CASADAS Y PRUEBA DE LA PACIENCIA, EL.
V.t. TEMAS, CRONOLOGÍA (3129); GENERAL II, GRISELDA (1121).

——.

3681. Arjona, J. H.: "La fecha de Ejemplo de casadas y prueba de la paciencia de Lope de Vega."
MLN, LII (1937), 249-52.
[El 22 de abril de 1612].

——.

3682. Kohler, E.: "La date de composition de El Ejemplo de casadas de Lope et la valeur chronologique du gracioso."
BH, XLVII (1945), 79-91.
[Cree que es de 1601].

——.

3683. Kohler, E.: "A propos de la date de composition de El Ejemplo de casadas de Lope."
BH, XLVIII (1946), 264-69.
[El 22 de abril de 1601].

ELOGIO EN LA MUERTE DE JUAN BLAS DE CASTRO.
3684. Barbazán, J.: Elogio en la muerte de Juan Blas de Castro. Ed. Julián Barbazán. Madrid: Sánchez de Ocaña, 1935. Pp. 40, con 8 facsímiles.
a) A. R. Rodríguez Moñino, RFE, XXII

Elogio ... Castro (cont.).
  (1935), 422-23.

Embustes de Celauro, Los.
3685. Entrambasaguas, J. de: Los
Embustes de Celauro. Edición, pro-
logo y notas por Joaquín de Entrambasaguas. Zaragoza: Editorial
Ebro, 1942.
a) J. M. Alda Tesán, RFE, XXVI
  (1942), 123-25.

Endemoniada, La.
  V. GENERAL II, Holberg (1155).

Epístola al Dr. Gregorio de Angulo.
3686. Millé y Giménez, J.: "La epístola de Lope de Vega al Dr. Gregorio
de Angulo."
BH, XXXVII (1935), 159-88.
  [Estudio y edición crítica].

Epistolario.
  V. LIBROS, Amezúa (3821), Rosenblat (3906).

Epitafio al Conde de Villamediana.
3687. "Epitafio al Conde de Villa-
mediana."
SemPintEsp, (1853), pág. 240.
  ["Aquí con hado fatal..." (OS,
XVII, 345)].

Esclava de su galán, La.
  V. LIBROS, Gasparetti (3864).

Esclava de su hijo, La.
  V. El Hijo venturoso (3715).

Española de Florencia, La.
  V. CALDERÓN, OBRAS, núm. 2155.

Estrella de Sevilla, La.
  V. GENERAL II, ANÓNIMAS, núms.
1526-40.

Favor agradecido, El.
3688. Morby, E. S.: "Gli Ecatommiti,
El Favor agradecido, and Las Burlas
y enredos de Benito."
HR, X (1942), 325-28.

Fianza satisfecha, La.
  V.t. TEMAS, Personaje (3369), Tra-
gedia (3500); GENERAL II, LIBROS,
Möller (1714).

———.
3689. Jiménez Salas, M.: "Un comentario más a La Fianza satisfecha."
Fénix, no. 5 (1935), 585-607.

Fiestas de Denia, Las.
  V.t. TEMAS, Máscara (3294).

———.
3690. "Fiestas de Denia al rey Felipe III."
Arch, I (1886-87), 5-7, 13-14, 20-
21, 28-29, 37-38, 45-46, 54-55, 61-
62, 86-87, 110-11, 117-18, 126-27,
132-33, 141-42, 167, 172-73, 180-81,
228-29, 237-38.
  [Sólo el texto, sin comentario].

———.
3691. Juliá Martínez, E.: "Una nota
bibliográfica sobre Las Fiestas de
Denia de Lope de Vega."
RFE, VI (1919), 186-90.

Filomena, La.
  V. TEMAS, Salas Barbadillo (3437).

Fingido verdadero, Lo.
  V. TEMAS, Drama nuevo (3154).

Forma breve de rezar el Rosario.
3692. Cuartero y Huerta, B.: Versión que Frey Lope Félix de Vega
Carpio hizo del Himno de Oro o Rosario rítmico por encargo del P. D.
Pedro Manuel Deza, Monje cartujo de
Sta. María del Paular. Antecedentes
tes y consiguientes sobre dicha
versión, por Baltasar Cuartero y
Huerta, Presbítero y C. de la Academia de la Historia. Madrid: Rafael Cerracín, 1935. Pp. 77.
  [Esta obrita de Lope puede verse
también en OS, XIII, 485-500].

Fortuna adversa del Infante don
Fernando de Portugal, La.
  V. CALDERÓN, LIBROS, Sloman (2333).

Fortunas de Diana, Las.
  V. Novelas a Marcia Leonarda (3750-
3752).

Francesilla, La.
  V.t. TEMAS, Celestina (3054).

3693. Arjona, J. H.: "La fecha de
La Francesilla."
HR, V (1937), 73-76.
[Probablemente 1595].

FUENTEOVEJUNA.

Edición

3694. Mitchell, W. S.: Fuenteovejuna. Edited with Introduction,
Notes and Vocabulary by William
Smith Mitchell. (Bell's Spanish
Classics). London: G. Bell and
Sons, 1948. Pp. 169.
a) R. R. MacCurdy, Hisp, XXXIII
(1950), 178.
b) M. Crosland, MLR, XLIII (1948),
551-52.

Estudios

V.t. TEMAS, FUENTE OBEJUNA (3196);
LIBROS, CALLE ITURRINO (3836); GE-
NERAL II, MANZONI (1236), MASS
(1239), STAGING (1448).

3695. Anibal, C. E.: "The Histori-
cal Elements of Lope de Vega's
Fuente Ovejuna."
PMLA, XLIX (1934), 657-718.

3696. Robles Pazos, J.: "Sobre la
fecha de Fuenteovejuna."
MLN, L (1935), 179-82.
[Antes de 1613, porque hay imitaciones en La Santa Juana de Tirso].

3697. Morley, S. G.: "Fuenteovejuna
and its Theme-Parallels."
HR, IV (1936), 303-11.

3698. Gard, M. M. du: "Font-aux-
Cabres; pièce en trois journées,
adaptée de Lope de Vega par Jean
Cassou et Jean Camp (au Théâtre du
Peuple)."
NouvLitt, no. 800 (12 de feb, 1938),
pág. 10.

3699. Macdonald, Inez I.: "An Inter-

pretation of Fuenteovejuna."
Babel, I (1940), 51-62.

3700. Entrambasaguas, J. de: "Popularidad de Fuenteovejuna."
CorrErud, III (1943-46), entrega
23-24, págs. 104-06.

3701. Mallarino, V.: "El Alcalde de
Zalamea y Fuenteovejuna frente al
derecho penal."
RdelasInd, XIV (1942), 358-67; XVI
(1942-43), 77-82; XVII (1943), 138-
143; XIX (1943-44), 299-329.

3702. Casalduero, J.: "Fuenteovejuna."
RFH, V (1943), 21-44.
[Reimpreso en sus Estudios sobre
el teatro español, págs. 9-44 (V.
GENERAL II, LIBROS, núm. 1592), y
se halla también, traducido al inglés por Ruth Whittredge con el título "Fuenteovejuna: Form and
Meaning," en TDR, IV (1959-60), no.
2, págs. 83-107].

3703. González Morales, M.: "Fuen-
teovejuna."
Guía, no. 218 (1945), 10-12.
[Estudio crítico del drama].

FUERZA LASTIMOSA, LA.
V. TEMAS, AUTÓGRAFOS (2991), POE-
SÍA (3384); GENERAL II, ALARCOS
(808), GREFLINGER (1115), HISTORIA
(1145), SCHLEGEL (1424).

GALÁN ESCARMENTADO, EL.
V. TEMAS, CELESTINA (3053).

GATOMAQUIA, LA.

Ediciones y traducciones

3704. Gasparetti, A.: La Gatomaquia. Con un saggio introduttivo e
commento di A. Gasparetti. Firenze:
La Nuova Italia, 1932. Pp. L-154.
a) J. G. Fucilla, Hisp, XVI (1933),
478-79.
b) L. Salembien, BH, XXXVI (1934),
117-19.

GATOMAQUIA (cont.).
3704A. Rodríguez Marín, F.: La Gatomaquia, poema jocoserio. Primera
edición anotada en España, dispuesta
en el tricentenario de la muerte del
poeta. Madrid: C. Bermejo, 1935.
Pp. lxxvi-258.
a) E. Sánchez Reyes, BBMP, XVIII
(1936), 83-84.

——.
3705. Herrmann, A.: "Die Kater. Ein
komisches Heldengedicht."
ASNSL, XXIV (1858), 85-116, 343-68.
[Traducción, o adaptación, alemana de La Gatomaquia].

Estudios

V.t. TEMAS, MERLIN COCAI (3302),
NOTE LOPIANE (3338).

——.
3706. Gómez de la Serna, R.: "Gato-
maquias."
RUBA, 4ª época, VI (1950), no. 13,
págs. 233-55.
[El Cabildo de los gatos de Quevedo y La Gatomaquia de Lope].

GENOVÉS LIBERAL, EL.
V. TEMAS, BANDELLO (2995-96); LI-
BROS, GASPARETTI (3864).

GRAN COLUMNA FOGOSA, SAN BASILIO, LA.
V. TEMAS, GOETHE (3203).

GRAN DUQUE DE MOSCOVIA, EL.
V.t. TEMAS, ÉTUDES (3178); GENERAL
II, LIBROS, POPEK (1748).

——.
3707. Poehl, G. von: "La fuente de
El Gran Duque de Moscovia de Lope
de Vega."
RFE, XIX (1932), 47-63.

——.
3708. Praag, J. A. van: "De bron
van Lope de Vega's El Gran Duque de
Moscovia."
BHVP, (1936), 61-62.

——.
3709. Praag, J. A. van: "Más noticias sobre la fuente de El Gran Du-

que de Moscovia de Lope de Vega."
BH, XXXIX (1937), 356-66.

——.
3710. Vernet, J.: "Las fuentes de
El Gran Duque de Muscovia."
CuadLit, V (1949), 17-36.
["Transcribe este artículo la relación del viaje realizado por el
Monje Agustín, de Persia a España,
en 1608, en el séquito ie un emba-
jador español que regresaba a España desde la corte persa. Está tomado de un manuscrito armenio de la
Biblioteca Real. Según el autor,
pueden estudiarse posibles relaciones entre esa relación y las fuentes de la comedia de Lope de Vega."
--Bibliotheca Hispana].

GRANDEZAS DE ALEJANDRO, LAS.
V. TEMAS, VELÁZQUEZ (3537).

GRAO DE VALENCIA, EL.
V. TEMAS, MARULLO (3293), MISE EN
SCÈNE (3306).

GUANCHES DE TENERIFE, LOS.
V. TEMAS, CANARIAS (3025).

GUANTE DE DOÑA BLANCA, EL.
V. TEMAS, BANDELLO (2995); LIBROS,
GASPARETTI (3864); GENERAL II,
GUANTE (1125A-B).

GUZMÁN EL BRAVO.
V. NOVELAS A MARCIA LEONARDA (3750);
TEMAS, DANTE ALIGHIERI (3140), NOTE
LOPIANE (3338).

GUZMANES DE TORAL, LOS.
3711. Restori, A.: Los Guzmanes de
Toral, ó Como ha de usarse del bien
y ha de prevenirse el mal. Commedie
spagnuole del secolo XVII sconosciu-
te, inedite o rare, pubblicate dal
Dr. Antonio Restori. (Romanische
Bibliothek, no. 16). Halle: Max
Niemeyer, 1899. Pp. xx-100.
a) A. Farinelli, DLZ, XX (1899),
col. 1832-35.
b) H. Léonardon, RCHLP, ns LI
(1901), 90-91.
c) --, LitZent, LI (1900), 362.
d) A. L. Stiefel, LGRP, XXV (1904),
col. 201-03.

HALCÓN DE FEDERICO, EL.
V. LIBROS, ANSCHÜTZ (3822).

HAMETE DE TOLEDO, EL.
V. TEMAS, CRONOLOGÍA (3133).

HECHICERA, LA.
V. TEMAS, CELESTINA (3054).

HECHOS DE GARCILASO, LOS.
V. TEMAS, CRONOLOGÍA (3127).

HERMOSA ALFREDA, LA.
3712. Worp, J. A.: "De Alfreda van
P. A. Codde en Lope de Vega's La
Hermosa Alfreda."
TijdNTL, ns IX (1898), 68-72.

HERMOSA ESTER, LA.
V. TEMAS, ESTER (3175); GENERAL II,
ESTER (1060), GRILLPARZER (1117).

HERMOSA FEA, LA.
V. TEMAS, TRADUCCIONES (3496); GE-
NERAL II, INGLATERRA (1180).

HERMOSURA DE ANGÉLICA, LA.
V. TEMAS, GALLEGO, JUAN NICASIO
(3197), SONETO (3463); LIBROS,
D'AMICO (3844).

HIDALGO BENCERRAJE, EL.
V. TEMAS, CRONOLOGÍA (3133).

HIDALGOS DEL ALDEA, LOS.
V. TEMAS, SANTA CRUZ (3441).

HIJO PRÓDIGO, EL.
V. TEMAS, SIMPLE LIFE (3457).

HIJO VENTUROSO, EL.
3713. Templin, E. H.: "The Source
of Lope de Vega's El Hijo venturoso
and (Indirectly) of La Esclava de
su hijo."
HR, II (1934), 345-48.
[Una novella de Giraldi Cintio--
Ecatommiti, deca I, novella 1].

HIMNO DE ORO, EL.
V. FORMA BREVE DE REZAR EL ROSARIO
(3692).

HONRADO HERMANO, EL.
V.t. GENERAL II, CORNEILLE (946),
NOTES ON THE SPANISH DRAMA (1301).

——.
3714. Stiefel, A. L.: "Zu Lope de
Vegas El Honrado hermano."
ZRP, XXIX (1905), 333-36.
[Sobre el "cloak episode," o
"cuento de la capa." La fuente
puede ser Sobremesa y alivio de caminantes de Timoneda].

——.
3715. Leite de Vasconcellos, J.:
"A propósito de El Honrado hermano
de Lope de Vega."
ZRP, XXX (1906), 332-33.
[Dos versiones portuguesas modernas del "cloak episode"].

——.
3716. Saix, Guillot de: "Les Horaces
de Lope Félix de Vega Carpio."
HispF, I (1918), 228-33.
[Sobre El Honrado hermano].

HORACES, LES.
V. el núm. 3716.

IMPERIAL DE OTÓN, LA.
V.t. TEMAS, CRONOLOGÍA (3129).

——.
3717. Wurzbach, W. von: König Ottokar. Übersetzt von Wolfgang von
Wurzbach. (Ausgewählte Komödien
von Lope de Vega, V). Wien: Anton
Schroll, 1923. Pp. 213.
a) L. Karl, RCHLP, ns XCI (1924),
357-58.

INFANZÓN DE ILLESCAS, EL.
V.t. RUIZ DE ALARCÓN, OBRAS, EL
TEJEDOR DE SEGOVIA (2630).

——.
3718. Huarte, Amalio: "Sobre la comedia El Infanzón de Illescas de
Lope de Vega."
BBMP, XVI (1934), 97-126.

INGRATO ARREPENTIDO, EL.
V. GENERAL II, MISCELÁNEA ERUDITA,
3A SERIE (1258).

ISAGOGE A LOS REALES ESTUDIOS DE LA
COMPAÑÍA DE JESÚS.
3719. Hornedo, R. M. de: "Isagoge a
los reales estudios de la Compañía

Isagoge... (cont.).
de Jesús. (Edición, según el autógrafo de Lope, con introducción y notas)."
Fénix, no. 6 (1935), 709-60.

Isidro, EL.

Ediciones

3720. Isidro, poema castellano. Reproducción facsímil de la primera edición (Madrid: Luis Sánchez, 1599), con epílogo de Arturo del Hoyo. Madrid: Instituto de San Isidro, 1935. [16]-255-[9] fols.- [16] págs.
a) --, Fénix, no. 5 (1935), 659.

───.

3721. Castro, Américo: Jardinillos de San Isidro. El Isidro, poema castellano de Lope de Vega. Madrid: Jiménez-Fraud, 1918. Pp. 60.
[Es una antología].
a) H. Mérimée, BH, XXI (1919), 86-87.

Estudios

V.t. TEMAS, Poesía (3386), San Isidro (3438-39); LIBROS, Rojo Orcajo (3903); GENERAL II, San Isidro (1406).

───.

3722. Castro, Américo: "Acerca de El Isidro de Lope de Vega."
BILE, XLII (1918), 84-87.

───.

3723. Díez-Canedo, E.: "El primer Isidro."
En sus Conversaciones literarias, págs. 138-42. [V. GENERAL II, LIBROS, núm. 1620].

───.

3724. López Hernando, E.: "Lope de Vega en las fiestas populares. Lectura y explicación del Isidro."
RBC, XXXVI (1935), 283-329.

Jerusalén conquistada, La.
V.t. TEMAS, Dante Alighieri (3140); LIBROS, Fernández Almuzara (3857).

3725. Lucie-Lary, J.: "La Jerusalén conquistada de Lope de Vega et la Gerusalemme liberata du Tasse."
RLR, XLI (1898), 165-203.

───.

3726. Pierce, Frank: "The Jerusalén conquistada of Lope de Vega: A Reappraisal."
BSS, XX (1943), 11-35.

───.

3727. Lapesa, Rafael: "La Jerusalén del Tasso y la de Lope."
BRAE, XXV (1946), 111-36.
a) C. C., RFE, XXX (1946), 403-04.

Juan de Dios y Antón Martín.
3728. Tyler, R. W.: "The Date of Lope's Juan de Dios y Antón Martín."
HR, XVII (1949), 250-51.

Jueces de Castilla, Los.
V. MORETO, OBRAS, núm. 2503.

Justa poética con motivo de la beatificación de San Isidro.
V. GENERAL II, San Isidro (1406).

Juventud de San Isidro, La.
V. GENERAL II, San Isidro (1406).

Lanza por lanza, la de don Luis de Almanza.
3729. Jünemann, G.: "Glosas críticas. Lanza por lanza, la de don Luis de Almanza, de Lope de Vega."
RevCat, XXXVII (1919), 277-83.

Laura perseguida.
V. GENERAL II, Greflinger (1115); Historia (1145).

Laurel de Apolo, El.
V.t. LIBROS, Medina (3883), Rey Soto (3901).

───.

3730. F. F.: "Excerpto do Laurel de Apolo de Lope de Vega."
RHistL, X (1921), 311-14.

───.

3731. Alonso Cortés, N.: "Los poetas vallisoletanos celebrados por Lope

de Vega en el Laurel de Apolo."
Esc, IV, no. 11 (sept, 1941), 333-81.
[Miguel Sánchez, D. Gabriel de
Corral, Fernando Manojo de la Corte,
Francisco de la Reguera, D. Gabriel
de Henao, D. Francisco de la Cueva.
Artículo reimpreso en su Miscelánea
vallisoletana, 7ª serie, págs. 5-58
(V. GENERAL II, LIBROS, núm. 1559)].

LO QUE HA DE SER.
V. TEMAS, SHAKESPEARE (3454).

LO QUE HAY QUE FIAR DEL MUNDO.
3732. Gasparetti, A.: Lo que hay
que fiar del mundo. Palermo: Tri-
marchi, 1931. Pp. 233.
a) Montesinos, RFE, XX (1933), 193-95.
b) C. Guerrieri Crocetti, Rass,
XXXIX (1931), 385-86.

LO QUE PASA EN UNA TARDE.
3733. Petrov, D. K.: "Zametki po
istorii staro-ispanskoi komedii."
["Notas sobre la historia de la
comedia antigua española"].
ZIPF, LXXXII (1907), parte 1, págs.
1-523; parte 2, págs. 1-115.
[La parte 2 contiene su edición
en español de Lo que pasa en una
tarde, con notas en ruso].
a) L. González Agejas, RABM, XVII
(1907), 142.

LOA DE LAS CALIDADES DE LAS MUJERES.
V.t. TEMAS, LOA (3273).

———.
3734. Herrero García, M.: "¿Será de
Lope la Loa famosa de las calidades
de las mujeres?"
CorrErud, III (1943-46), 97.

MARQUÉS DE ALFARACHE, EL.
V. GENERAL II, MOLIÈRE (1271).

MARQUÉS DE LAS NAVAS, EL.
3735. Montesinos, J. F.: El Marqués de las Navas. Ed. J. F. Montesinos. (Teatro Antiguo Español,
VI). Madrid: Centro de Estudios
Históricos, 1925. Pp. 214.
a) S. G. Morley, Hisp, X (1927),
202-04.
b) W. L. Fichter, MLN, XLII (1927),
331-35.
c) W. von Wurzbach, ZRP, LVI (1936),

706-08.
d) L. Pfandl, LGRP, XLVIII (1927),
col. 379-81.
e) G. Cirot, BH, XXIX (1927), 218-21.

MARQUÉS DEL VALLE, EL.
V. LA CONQUISTA DE CORTÉS (3635).

MÁS VALE SALTO DE MATA QUE RUEGO DE
BUENOS.
V. TEMAS, CRONOLOGÍA (3127).

MAYA, LA.
V.t. EL DESPOSORIO DEL ALMA CON
CRISTO (3655); ADICIONES, núm. 1648A.

———.
3736. "Auto de la Maya."
CyR, no. 23-24 (feb-mar, 1935), suplemento, págs. 3-73.
[Sólo el texto, sin comentario].

———.
3737. Maza Solano, T.: "El auto sacramental La Maya de Lope de Vega,
y las fiestas populares del mismo
nombre en la Montaña."
BBMP, XVII (1935), 369-87.

MAYOR IMPOSIBLE, EL.

Edición

3738. Brooks, John: "El Mayor imposible of Lope de Vega Carpio, with
Introduction and Notes."
UAHB, II (1934). Pp. 209.
a) C. E. Anibal, HR, III (1935),
252-60.
b) E. B. Place, Hisp, XVIII (1935),
221-22.

Estudios

V.t. TEMAS, POESÍA (3384); GENERAL
II, WANDERUNGEN (1507).

———.
3739. Bohning, W. H.: "Lope's El
Mayor imposible and Boisrobert's La
Folle gageure."
HR, XII (1944), 248-57.

MAYOR PRODIGIO, EL.
3740. Fichter, W. L.: "Is El Mayor
prodigio by Lope de Vega?"
RR, XXX (1939), 345-51.

MAYOR VICTORIA, LA.
V. TEMAS, BANDELLO (2995-96); LI-
BROS, GASPARETTI (3864).

MAYORDOMO DE LA DUQUESA DE AMALFI, EL.
V. TEMAS, BANDELLO (2995), GIRALDI
CINTIO (3202); LIBROS, GASPARETTI
(3864); GENERAL II, BANDELLO (859),
WEBSTER (1508).

MÉDICO DE SU HONRA, EL.
3741. Heaton, H. C.: "On the Text
of Lope de Vega's El Médico de su
honra."
HomTodd (1930), I, 201-09.

MEJOR ALCALDE EL REY, EL.
V.t. LIBROS, COTRONEI (3843); GE-
NERAL II, MANZONI (1236).

———.
3742. Underhill, John G.: "The King
the Greatest Alcalde."
PLore, XXIX (1918), 379-446.
[Traducción inglesa de la comedia].

MEJOR MOZO DE ESPAÑA, EL.
V. TEMAS, ARAGÓN (2974), CRONOLO-
GÍA (3133); LIBROS, CALLE ITURRINO
(3836).

MELINDRES DE BELISA, LOS.
V.t. TEMAS, QUEVEDO (3405); GENE-
RAL II, MOLIÈRE (1263), OJO POSTIZO
(1307).

———.
3743. Barrau, H. C.: Los Melindres
de Belisa. Ed. Henriette C. Barrau.
Amsterdam: H. J. Paris, 1933. Pp.
278.
a) J. F. Montesinos, RFE, XX (1933),
410-13.
b) W. von Wurzbach, ZRP, LVII (1937),
770-72.

MESÓN DE LA CORTE, EL.
V. CERVANTES, OBRAS, LA ILUSTRE
FREGONA (364-65).

MIRAD A QUIEN ALABÁIS.
V. TEMAS, PEAR-TREE STORY (3362).

MOCEDAD DE ROLDÁN, LA.
V. TEMAS, FONTI (3190).

MOLINO, EL.
V. TEMAS, BERBEZILH (3000).

MOZA DE CÁNTARO, LA.

Edición

3744. Stathers, M.: La Moza de
cántaro. Edited with Introduction
and Notes by Madison Stathers. New
York: Holt, 1913. Pp. xlii-169.
a) F. O. Reed, MLN, XXIX (1914),
13-17.
b) A. L. Stiefel, LGRP, XXXVIII
(1917), col. 339-40.

Estudios

V.t. TEMAS, POESÍA (3384).

———.
3745. Guiral, Dolores: "La comedia
de capa y espada: La Moza de cántaro."
RBC, XXXVI (1935), 202-23.

———.
3746. Wagner, Charles P.: "Lope de
Vega's Fifteen Hundred comedias and
the Date of La Moza de cántaro."
HR, IX (1941), 91-102.

———.
3747. Wilson, William E.: "A Note
on La Moza de cántaro."
HR, X (1942), 71-72.
[Acerca del sentido de "volver la
silla á el dosel" (Acto III, escena
10)].

MUDANZAS DE LA FORTUNA Y SUCESOS DE
DON BELTRÁN DE ARAGÓN.
V. GENERAL II, ROTROU (1400).

MUERTOS VIVOS, LOS.
V. GENERAL II, MOLIÈRE (1269).

NACIMIENTO DE CRISTO, EL.
3748. Reuter, Otto: "Hirtenlegende.
In ein Prolog und 6 Bildern nach
dem Spiel von der Geburt Christi
von Lope de Vega. (Freie Überset-
zung von Friedrich Walther). Musik
von Eugen Bodart."
SfmW, LXXXIX (1931), 4-6.

Nardo Antonio.
V. TEMAS, Notes (3339).

Negro del mejor amo, El.
V. TEMAS, Notes (3339).

Niña boba, La.
Es una versión moderna de la Dama boba. V. GENERAL II, París (1318).

Niña de plata, La.
V.t. TEMAS, Notes (3339), Pen (3366); GENERAL II, Miscelánea Erudita, 3ª serie (1258).

———.

3749. Machado, M.: "La Niña de plata de Lope refundida por Cañizares (Contribución al estudio de la censura de teatros en el siglo XVIII)." RBAM, I (1924), 36-45.

Niñez de San Isidro, La.
V. TEMAS, Poesía (3386); GENERAL II, San Isidro (1406).

No son todos ruiseñores.
V. TEMAS, Contribuciones (3113).

Novelas a Marcia Leonarda.
V.t. La Desdicha por la honra (3654), Guzmán el Bravo (Referencias).

———.

3750. Fitz-Gerald, John D.: "Lope de Vega's Novelas a la Señora Marcia Leonarda." RFor, XXXIV (1915), 278-467.
[El texto, págs. 278-394: Las fortunas de Diana, La desdicha por la honra, La prudente venganza, Guzmán el Bravo].

———.

3751. Cirot, G.: "Valeur littéraire des Nouvelles de Lope de Vega." BH, XXVIII (1926), 321-55.

———.

3752. Carles Blat, E.: "Las novelas ejemplares de Lope. Breves apuntes preparatorios para un examen de las Novelas a Marcia Leonarda, con particular consideración de la intitulada La Prudente venganza." Fénix, no. 4 (1935), 553-70.

Nuevo mundo descubierto por Cristóbal Colón, El.
V.t. TEMAS, Colón (3104-06).

———.

3752A. Smit Kleine, Fr.: Columbus. Nijmegen, 1895. (Edición de cien ejemplares).
[Traducción de El Nuevo mundo. V. núm. 3754].

———.

3753. Sánchez Moguel, Antonio: "El Nuevo mundo descubierto por Colón, comedia de Lope de Vega." IEA, XXXVI (1892), t. 2, págs. 221, 224.
[Reimpreso en su libro España y América, págs. 87-97 (V. GENERAL II, LIBROS, núm. 1770A)].

———.

3754. Hazañas y la Rúa, J.: "El Nuevo mundo de Lope de Vega." RCont, CXI (jul-sept, 1898), 225-42.
[Sobre la traducción holandesa de Smit Kleine (núm. 3752A)].

Nuevo Pitágoras, El (o Pitágoras moderno, El).
V.t. GENERAL II: TEMAS, Duperron de Castera (1036); LIBROS, Pérez de Ayala (1742).

———.

3755. Stiefel, A. L.: "Lope de Vega und die comedia El Nuevo Pitágoras." HomVollmöller, (1908), págs. 267-86.
[Esta comedia, mencionada sólo por Schack, es apócrifa; se encuentra en el libro Théâtre espagnol de Duperron de Castera (V. GENERAL II, núm. 1036)].

Oíd, pastores de Henares.
V. GENERAL II, Romance (1390-91).

Paces de los reyes, La.
V. TEMAS, Analecta (2970); GENERAL II, Grillparzer (1118), Judía de Toledo (1188).

Padrino desposado, El.
V. TEMAS, Bandello (2995-96), LIBROS, Gasparetti (3864).

PALABRA VENGADA, LA.

3756. Machado, M.: "La Palabra vengada; plan inédito de una comedia perdida de Lope de Vega."
RBAM, II (1925), 302-06.

PALACIO CONFUSO, EL.

Edición

3757. Stevens, Charles H.: Lope de Vega's El Palacio confuso, Together with a Study of the Menaechmi Theme in Spanish Literature. New York: Instituto de las Españas, 1939. Pp. xcii-138.
a) W. L. Fichter, RR, XXXI (1940), 398-400.
b) G. Cirot, BH, XLII (1940), 178-180.
c) J. M. Hill, HR, VIII (1940), 364-67.
d) Calvert J. Winter, BAbr, XV (1941), 113.

Estudios

V.t. GENERAL II, CLOAK EPISODE (914), GREFLINGER (1115), HISTORIA (1145).

————.

3758. Moglia, Raúl: "El Palacio confuso no es de Lope de Vega."
RFH, V (1943), 51-56.

PALACIOS DE GALIANA, LOS.
V. GENERAL II, GALIENE (1092).

PASTOR LOBO Y CABAÑA CELESTIAL, EL.
V. TEMAS, CENTENARIO (3072).

PASTORAL ALBERGUE, UN.
V. TEMAS, FONTI (3190); RUIZ DE ALARCÓN, OBRAS, TEJEDOR DE SEGOVIA (2630).

PASTORES DE BELÉN, LOS.
V.t. TEMAS, ARCADIA (2975), POESÍA (3377), SIMPLE LIFE (3457), SOUTHEY (3479); GENERAL II, BÉLGICA (865).

————.

3759. "Reprints from Lope de Vega: III. Lyrics from the Pastores de Belén."
BSS, XII (1935), 239-44.

3760. Mérimée, H.: "Une édition inconnue des Pastores de Belén."
RFE, VI (1919), 190-92.
[De Pamplona, 1612].

PEREGRINO EN SU PATRIA, EL.
V.t. TEMAS, AMÉRICA (2959), GHOST STORY (3200); CERVANTES, SPÄTRE-NAISSANCE-ROMAN (320); GENERAL II, BÉLGICA (865), QUELLEN-STUDIEN (1354).

————.

3761. Morley, S. G.: "Lope de Vega's Peregrino Lists."
UCPMP, XIV (1930), 345-66.
a) J. F. Montesinos, RFE, XIX (1932), 86-87.

————.

3762. Morley, S. G.: "Lope de Vega's Peregrino Lists not Termini a quo."
MLN, XLIX (1934), 11-12.

————.

3763. Reyes, Alfonso: "Notas de literatura española. I: El Peregrino, de Lope."
UnivMex, III (1931-32), 241-45.
[Reimpreso en sus Capítulos de literatura española (Primera serie), págs. 99-110 (V. GENERAL II, LIBROS, núm. 1758)].

————.

3764. Reyes, Alfonso: "El Peregrino en su patria, de Lope de Vega."
BAAL, V (1937), 643-50.
[Igual al núm. precedente].

————.

3765. Lancaster, H. C.: "Lope's Peregrino, Hardy, Rotrou, and Beys."
MLN, L (1935), 75-77.
[El Peregrino es la fuente de Lucrèce de Hardy, Hôpital des fous de Beys, y una fuente parcial de Céliane de Rotrou. El artículo se halla también en HomLancaster (1942), págs. 191-93].

————.

3766. Farinelli, A.: "Peregrino de amores en su patria, de Lope de Vega."
HomRubió (1936), I, 581-601.

PERIBÁÑEZ Y EL COMENDADOR DE OCAÑA.

Ediciones y Traducciones

V.t. GENERAL II, ANÓNIMAS, EL CO-
MENDADOR DE OCAÑA (1521).

————.

3767. Aubrun, C. V., y Montesinos,
J. F.: Peribáñez y el Comendador
de Ocaña. Paris: Hachette, 1943.
Pp. xlix-205.
[La introducción, traducida por
Ricardo J. Velzi, ha sido reimpresa
en Gatti, El teatro de Lope de Vega,
págs. 13-49 (V. LIBROS, núm. 3865)].
a) W. J. Entwistle, MLR, XLIII
   (1948), 281-83.
b) G. Cirot, BH, XLVI (1944), 274-76.

————.

3768. Price, E. R.: Peribáñez.
Translated to English by Eva R.
Price. Redlands (California):
Valley Press, 1937. Pp. 112.
a) W. K. Jones, BAbr, XIII (1939),
   509.

Estudios

V.t. LA QUINTA DE FLORENCIA (3788);
TEMAS, CASADOS (3048), CRONOLOGÍA
(3126); GENERAL II, DIÁLOGO (988),
MANZONI (1236).

————.

3769. Green, O. H.: "The Date of
Peribáñez y el Comendador de Ocaña."
MLN, XLVI (1931), 163-66.

————.

3770. Wagner, Charles P.: "The Date
of Peribáñez."
HR, XV (1947), 72-83.

————.

3771. Bruerton, C.: "More on the
Date of Peribáñez."
HR, XVII (1949), 35-46.

————.

3772. Poncet, Carolina: "El teatro
tradicional de Lope de Vega: estudio y lecturas de Peribáñez."
RBC, XXXVI (1935), 163-201.

————.

3773. Poncet, Carolina: "Consideraciones sobre el episodio de Belardo
en la tragicomedia Peribáñez."
RCub, XIV (1940), 78-99.
a) Raúl Moglia, RFH, IV (1942), 97.

————.

3774. Wilson, E. M.: "Images et
structure dans Peribáñez."
BH, LI (1949), 125-59.
[Traducido por Rafael Ferreres, y
reimpreso en Gatti, El teatro de
Lope de Vega, págs. 50-90 (V. LI-
BROS, núm. 3865)].

————.

3775. Toledano, J.: "Notas para una
interpretación de Peribáñez."
Esc, XX, no. 63 (nov, 1949), 737-44.
[Análisis del carácter de don Fa-
drique, el comendador].

PERRO DEL HORTELANO, EL.
V.t. TEMAS, SANNAZARO (3440); CER-
VANTES, VEGA (333).

————.

3776. Hartzenbusch, J. E.: El Perro del hortelano. Comedia en tres
actos y en verso, original de Lope
de Vega, refundida por D. Juan Eugenio Hartzenbusch. Madrid: Tip.
de Rev. de Arch., Bibl. y Mus.,
1903.
a) P. González Blanco, RCont, CXXVI
   (en-jun, 1903), 504.

————.

3777. Kohler, E.: Comedia del Perro del hortelano. Texte établi
d'après l'original avec une introduction, des variantes et des notes
par Eugène Kohler. (Publications
de la Faculté des Lettres de l'Université de Strasbourg. Textes d'É-
tudes, 4). Paris: Les Belles
Lettres, 1934. Pp. 152.
a) HR, III (1935), 261-64.

PERSEGUIDO, EL.
V.t. TEMAS, BANDELLO (2995); LI-
BROS, GASPARETTI (3864).

————.

3778. Baulier, F.: "A propósito de

El Persequido de Lope."
RFE, XXV (1941), 523-27.
  [La fuente inmediata de Lope es
Bandello, IV, 5; la original es La
Chatelaine de Vergy].

PIADOSO ARAGONÉS, EL.
  V.t. TEMAS, ARAGÓN (2974).

———.
3779. Artigas, M.: "La fuente de El
Piadoso aragonés de Lope."
HomRubió (1936), III, 699-702.

PIADOSO VENECIANO, EL.
  V. TEMAS, GIRALDI CINTIO (3201-02).

PITÁGORAS MODERNO, EL.
  V. EL NUEVO PITÁGORAS (3755).

PLEITOS DE INGLATERRA, LOS.
3780. Rennert, H. A.: "Lope de Vega's Comedias Los Pleitos de Inglaterra and La Corona de Hungría."
MLR, XIII (1918), 455-64.

POBREZA NO ES VILEZA.
3781. Saunal, D.: "Autour des
sources de Pobreza no es vileza."
BH, XLVIII (1946), 238-46.

POBREZAS DE REINALDOS, LAS.
  V. TEMAS, REINALDOS DE MONTALBÁN
(3407); CASTRO, OBRAS, QUIEN MALAS
MAÑAS HA... (2385).

PONCELLA DE FRANCIA, LA.
  V. GENERAL II, JEANNE D'ARC (1184).

POR LA PUENTE, JUANA.
  V. TEMAS, BIBLIOGRAFÍA (3006), CE-
LESTINA (3053), POESÍA (3384).

PORCELES DE MURCIA, LOS.
  V. GENERAL II, INFANTES DE LARA
(1169).

PORFIAR HASTA MORIR.
  V. TEMAS, LARRA (3254).

PRADOS DE LEÓN, LOS.
  V. GENERAL II, "SESOSTRIS ET TIMA-
RÈTE" (1433).

PREMIO DEL BIEN HABLAR, EL.
  V. GENERAL II, MISCELÁNEA ERUDITA,
3A SERIE (1258).

PREMIO RIGUROSO, EL.
  V. GENERAL II, CUESTIÓN DE AMOR
(969).

PRIMEROS MÁRTIRES DEL JAPÓN, LOS.
3782. Nykl, A. R.: "Los Primeros
mártires del Japón and Triunfo de
la fe en los reinos del Japón."
ModPhil, XXII (1924-25), 305-23.

———.
3783. Nykl, A. R.: "Los (primeros)
mártires del Japón."
HR, X (1942), 160-63.
  [Págs. 160-62: Objección a lo
que dicen Morley y Bruerton en su
libro sobre esta comedia. En la
pág. 163 está la réplica de ellos].

PRÍNCIPE DESPEÑADO, EL.
  V.t. TEMAS, ÉTUDES (3178).

———.
3784. Hoge, H. W.: "Notes on the
Sources and the Autograph Manuscript of Lope de Vega's El Príncipe despeñado."
PMLA, LXV (1950), 824-40.

PRÍNCIPE PERFECTO (2A PARTE), EL.
  V. TEMAS, VELÁZQUEZ (3537).

PRÓSPERA FORTUNA DE DON BERNARDO DE
CABRERA, LA.
  V. GENERAL II, ANÓNIMAS, núm. 1546.

PRUDENTE VENGANZA, LA.
  V. NOVELAS A MARCIA LEONARDA (3750-
3752).

PRUEBA DE LOS AMIGOS, LA.
3785. Simpson, L. B.: "The Sources
of Lope de Vega's La Prueba de los
amigos."
UCPMP, XIV (1930), 367-76.
  [Timone, comedia de Matteo Maria
Boiardo, y algo de la Celestina y
de la Dorotea].
a) G. Le Gentil, RCHLP, ns XCVIII
   (1931), 175-76.
b) S. L. M. Rosenberg, Hisp, XIV
   (1931), 244.

QUERER LA PROPIA DESDICHA.
  V. GENERAL II, BÉLGICA (865).

QUERER MÁS Y SUFRIR MENOS.
V. TEMAS, NOTES (3339).

QUIEN MÁS NO PUEDE.
3786. Rennert, H. A.: "Sobre la comedia de Lope de Vega Quien más no puede."
HomMichaëlis (1933), págs. 234-41.

QUIEN TODO LO QUIERE.
V. TEMAS, CONTRIBUCIONES (3113), CRONOLOGÍA (3126).

QUINTA DE FLORENCIA, LA.
V.t. TEMAS, BANDELLO (2995-96); LIBROS, GASPARETTI (3864), NAVARRA (3892).

———.
3787. Adler, Friedrich: "La Quinta de Florencia. (Zu den Beziehungen zwischen Grillparzer und Lope)."
Euph, XX (1913), 116-20.

———.
3788. Bruerton, C.: "La Quinta de Florencia, fuente de Peribáñez."
NRFH, IV (1950), 25-39.

RAMILLETES DE MADRID, LOS.
V. TEMAS, MISVERSTANDEN (3307), VASCUENCE (3512); GENERAL II, LIÑÁN DE RIAZA (1218).

REINA DOÑA MARÍA, LA.
V.t. TEMAS, ARAGÓN (2974); LIBROS, GASPARETTI (3864).

———.
3789. Wolf, Ferdinand: "Über Lopes Comedia de la Reina María, nach dem Autograph des Dichters."
SitzWien, XVI (1855), 241-79.

REINA JUANA DE NÁPOLES, LA.
V. GENERAL II, JUANA DE NÁPOLES (1185-86).

REMEDIO EN LA DESDICHA, EL.
3790. Gómez Ocerín, J., y Tenreiro, R. M.: "Una nota para El remedio en la desdicha de Lope. (El soneto de Venus y Palas)."
RFE, IV (1917), 390-92.
["Bañaba el sol..."].

———.
3791. Alcázar, R. de: "Acerca de El Remedio en la desdicha de Lope. De la 'cierta regularidad y buen gusto' de que habla Menéndez y Pelayo y del estilo poético y versificación de dicha comedia."
Ruta, no. 6 (1938), 20-25.

———.
3792. González Ruiz, N.: "Una visión caballeresca de moros y españoles. La lealtad y el honor en El Remedio en la desdicha de Lope de Vega."
Afr, V, no. 77-78 (mayo-jun, 1948), págs. 2-3.
["Estudio de la famosa comedia de Lope de Vega El Remedio en la desdicha, en la que el gran poeta dramático nacional recoge los más hondos sentimientos de su pueblo, la viva gloria de sus tradiciones y el reflejo fiel de sus rasgos característicos."--Bibliotheca Hispana].

REY DON PEDRO EN MADRID, EL.
V. EL INFANZÓN DE ILLESCAS (3718).

REY SIN REINO, EL.
3793. Malkiewicz-Strzalkowa, Maria: "La question des sources dans la tragi-comédie de Lope de Vega El Rey sin reino."
ANeo, III, no. 2 (1950), 1-26.
[Dice que la fuente es Rerum Hungaricum Decades, de Antoine Bonfinius].

RIMAS.
V.t. TEMAS, AUTÓGRAFOS (2990), POESÍA (3377), SONETO (3463).

———.
3794. Cotarelo y Mori, E.: "Bibliografía de Lope de Vega. La primera edición de sus Rimas."
BRAE, XXII (1935), 649-55.
[Es de Sevilla, Clemente Hidalgo, 1604].

RIMAS HUMANAS Y DIVINAS DE TOMÉ DE BURGUILLOS.
V.t. TEMAS, BOCCALINI (3012), BURGUILLOS (3014-18), LECCIÓN (3256), NOTE LOPIANE (3338), SCARRON (3444).

RIMAS HUMANAS Y DIVINAS... (cont.).

3795. Rimas humanas y divinas del licenciado Tomé de Burguillos. Reproducción facsímil de la primera edición (Madrid, 1634). Madrid: Cámara Oficial del Libro, 1935.
a) —, Fénix, no. 3 (1935), 448.

RIMAS SACRAS.

3796. "Reprints from Lope de Vega: II. Sonnets from the Rimas Sacras." BSS, XII (1935), 140-43.
  [1. "Cuando en mis manos...,"
2. "Mil veces, que me obligan...,"
3. "Si fuera de mi amor...,"
4. "Cuando me paro a contemplar...,"
5. "Pastor, que con tus silbos...,"
6. "Si amare cosa yo..."].

———.

3797. "Licencia a Lope de Vega para que pueda imprimir en los reinos de la Corona de Aragón el libro de las Rimas Sacras." RCHLE, IV (1899), 278-79.
  [El texto solo, sin comentario].

ROBO DE DINA, EL.
  V. GENERAL II, VIEJO TESTAMENTO (1493).

ROMA ABRASADA.

3798. Ruser, W.: "Roma abrasada. Ein echtes Jugenddrama. Eine Studie zu Lope de Vega." RevHisp, LXXII (1928), 325-411.

———.

3799. Tarancón y García, D.: "Sobre técnica de utilización de las fuentes en la Roma abrasada de Lope." Fénix, no. 3 (1935), 365-93.

ROMANCERO ESPIRITUAL.

Edición

3800. Guarner, Luis: Romancero espiritual de Lope. Edición, prólogo y notas por Luis Guarner. Valencia: J. Bernés, 1941. Pp. 180.
a) J. A. Tamayo, RFE, XXVI (1942), 119-21.
b) A. Lumsden, BSS, XXI (1944), 100-02.

Estudios

3801. Guarner, Luis: "Autenticidad y crítica del Romancero espiritual de Lope de Vega." RBN, III (1942), 64-79.

———.

3802. Guarner, Luis: "La cuestión bibliográfica referente al Romancero espiritual de Lope de Vega." RBN, III (1942), 198-207.

———.

3803. Tamayo, J. A.: "Popularidad del Romancero espiritual de Lope." CorrErud, III (1943-46), entrega 23-24, pág. 106.

ROSARIO RÍTMICO.
  V. FORMA BREVE DE REZAR EL ROSARIO (3692).

RUISEÑOR DE SEVILLA, EL.
  V. TEMAS, CONTRIBUCIONES (3113).

RÚSTICO DEL CIELO, EL.
  V. TEMAS, CRONOLOGÍA (3133).

SAN ISIDRO, LABRADOR DE MADRID.
  V. GENERAL II, SAN ISIDRO (1406).

SAN NICOLAS DE TOLENTINO.
  V. TEMAS, POESÍA (3377).

SAN SEGUNDO [DE ÁVILA], COMEDIA DE.
  V. TEMAS, ÁVILA (2993), MISE EN SCÈNE (3306).

SANTA CASILDA.
  V. GENERAL II, LIBROS, REY SOTO (1757).

SANTIAGO EL VERDE.

Edición

3804. Oppenheimer, Ruth: Santiago el verde, eine Comedia von Lope de Vega. Hamburg: A. Preilipper, 1938. Pp. 198-[9].
2ª edición: (Teatro Antiguo Español, IX). Madrid: C.S.I.C., 1940. Pp. 220.
a) W. L. Fichter, HR, VII (1939), 357-59.

b) J. A. Tamayo, RFE, XXIV (1937), 414-18.

c) J. A. Tamayo, RBAM, XIII (1944), 231-33.

d) W. L. Fichter, HR, XII (1944), 273-74.

Estudios

V.t. GENERAL II, MANO AL PECHO (1231), SANTIAGO EL VERDE (1411).

——.

3805. Rennert, H. A.: "Lope de Vega's Comedia Santiago el verde." MLN, VIII (1893), 331-43.

——.

3806. Fichter, W. L.: "The Date of Lope de Vega's Santiago el verde." HR, XIII (1945), 243-44.

SELVA SIN AMOR, LA.
3807. Pedrell, Felipe: "L'églogue La forêt sans amour de Lope de Vega, et la musique et les musiciens du théâtre de Calderón." SIMG, XI (1909-10), 55-104.

SEMBRAR EN BUENA TIERRA, EL.

Edición

3808. Fichter, W. L.: El Sembrar en buena tierra. A Critical and Annotated Edition of the Autograph Manuscript. New York: Modern Language Association, 1944. Pp. xiv-247.

a) C. E. Anibal, RR, XXXVII (1946), 252-68.

b) M. I. Protzman, Hisp, XXVIII (1945), 458-60.

c) W. J. Entwistle, MLR, XL (1945), 323.

d) R. Moglia, RFH, VIII (1946), 158-62.

e) M. Puente Ojea, RFE, XXX (1946), 431-33.

f) M. Harlan, HR, XIII (1945), 355-358.

g) A.F.G. Bell, BAbr, XIX (1945), 285-86.

Estudios

3809. Rennert, H. A.: "Para el texto

de la comedia El sembrar en buena tierra." HomBonilla (1930), II, 479-94.

SERAFÍN HUMANO SAN FRANCISCO, EL.
V. TEMAS, FRANCESCANE (3195).

SERRANA DE LA VERA, LA.
V. GENERAL II, núms. 1430-32.

SERVIR A SEÑOR DISCRETO, EL.
V. TEMAS, GIRALDI CINTIO (3201-02).

¡SI NO VIERAN LAS MUJERES!
V. TEMAS, BANDELLO (2995-96); LIBROS, GASPARETTI (3864).

SIN SECRETO NO HAY AMOR.
V.t. TEMAS, ORTOLOGÍA (3351).

——.

3810. Rennert, H. A.: "Lope de Vega's Comedia Sin secreto no ay amor." PMLA, IX (1894), 182-311.
[Es una edición de la comedia].
a) A. L. Stiefel, LGRP, XX (1899), col. 94-96.

SOLILOQUIO DE UN ALMA A DIOS.
3811. "Soliloquio de un alma a Dios." IEA, XLII (1898), t. 1, pág. 206.
[El texto solo].

SORTIJA DEL OLVIDO, LA.
V. GENERAL II, ROTROU (1401).

SUFRIMIENTO DE HONOR, EL.
V. TEMAS, OCHERKI (3344).

TELLOS DE MENESES, LOS.
V.t. TEMAS, CONTRIBUCIONES (3112), SIMPLE LIFE (3457).

——.

3812. Milá y Fontanals, M.: "Estudios dramáticos. Los Tellos de Meneses."
En sus Obras completas, IV, 394-98.
[V. GENERAL II, LIBROS, núm. 1709].

——.

3813. Price, Eva R.: "Los Tellos de Meneses of Lope de Vega." MLF, XXI (1936), 132-36.

TESTIMONIO VENGADO, EL.
V. TEMAS, MANUSCRITOS (3284).

TIRANO CASTIGADO, EL.
3814. Marsh, A. R.: "Note on El Tirano castigado of Lope de Vega."
HSNPL, II (1893), 173-80.

TRAGEDIA DEL REY DON SEBASTIÁN, LA.
V. TEMAS, CRONOLOGÍA (3128).

TRES DIAMANTES, LOS.
V. LIBROS, KLAUSNER (3877).

TRIUNFO DE LA FE EN LOS REINOS DEL
JAPÓN, EL.
V. LOS PRIMEROS MÁRTIRES DEL JAPÓN
(3782).

TRUHÁN DEL CIELO Y LOCO SANTO, EL.
V. TEMAS, FRANCESCANE (3195).

ÚLTIMO GODO, EL.
V. TEMAS, ARTE DRAMÁTICO (2983).

URSÓN Y VALENTÍN.
V. TEMAS, CRONOLOGÍA (3127); GENE-
RAL II, VALENTINE (1487).

VAQUERO DE MORAÑA, EL.
V. GENERAL II, BÉLGICA (865).

VELLOCINO DE ORO, EL.
V.t. TEMAS, CRONOLOGÍA (3128).

——.
3815. Martin, H. M.: "Lope de Vega's
El Vellocino de oro in Relation to
its Sources."
MLN, XXXIX (1924), 142-49.

VENGADORA DE LAS MUJERES, LA.
V. GENERAL II, BÉLGICA (865).

VER Y NO CREER.
3816. Dale, G. I.: "Ver y no creer,
a Comedia Attributed to Lope de
Vega."
WaUH, XI (1923), 1-95.
[Es una edición de la comedia].
a) W. A. Whatley, MLN, XL (1925),
302-05.

VIAJE DEL ALMA, EL.
V. TEMAS, AMÉRICA (2959).

VILLANA DE GETAFE, LA.
V. GENERAL II, ROTROU (1401).

VILLANO EN SU RINCÓN, EL.
V.t. TEMAS, BANDELLO (2996), GI-
RALDI CINTIO (3201), POESÍA (3377),
SIMPLE LIFE (3457); GENERAL II,
WIEN (1509).

——.
3817. Bataillon, M.: "El Villano en
su rincón."
BH, LI (1949), 5-38.
[Este artículo y la nota adicional (el núm. siguiente) han sido
traducidos por Elsa Tabernig y reimpresos en Gatti, El teatro de Lope de Vega, págs. 148-92 (V. LIBROS,
núm. 3865), y también en Varia lección de clásicos españoles, págs.
329-72 (V. GENERAL II, LIBROS, BA-
TAILLON, núm. 1574A)].

——.
3818. Bataillon, M.: "Encore El Villano en su rincón."
BH, LII (1950), 397.

VIRGEN DE LA ALMUDENA, LA.
V. TEMAS, POESÍA (3386); GENERAL II,
ALMUDENA (816).

VIRGEN DE LOS REYES, LA.
V. TEMAS, AUTO (2986-87).

VIRTUD, POBREZA Y MUJER.
V. LIBROS, NAVARRA (3892).

VIUDA VALENCIANA, LA.
V. TEMAS, BANDELLO (2995-96); LI-
BROS, GASPARETTI (3864); TIRSO DE
MOLINA, OBRAS, AMAR POR SEÑAS (2846).

YA ANDA LA DE MAZAGATOS.
V. GENERAL II, ANÓNIMAS, núm. 1549.

YERROS POR AMOR, LOS.
V.t. GENERAL II, YERROS POR AMORES
(1511).

——.
3819. Morley, S. G.: "The Date of
the Comedia Los Yerros por amor."
HR, VI (1938), 260-64.

LIBROS

3820. AMEZÚA, AGUSTÍN G. DE: Una

colección manuscrita y desconocida
de comedias de Lope de Vega. Madrid: Centro de Estudios sobre
Lope de Vega, 1945. Pp. 137.
[Reimpreso, sin las variantes de
las comedias, en sus Opúsculos histórico-literarios, II, 364-417 (V.
GENERAL II, LIBROS, núm. 1564)].
a) W. L. Fichter, HR, XV (1947),
468-72.
b) C. Prieto, Arbor, V (1946), 312-
314.

3821. AMEZÚA, AGUSTÍN G. DE: Lope
de Vega en sus cartas. Introducción al Epistolario de Lope de Vega
que por acuerdo de la Academia Española publica Agustín G. de Amezúa.
4 vols. Madrid: (vol. 1) Tipografía de Archivos, 1935. Pp. xiv-524.
(vol. 2) Escelicer, 1940. Pp. 734.
(vols. 3 y 4) Artes Gráficas "Al-
dus," 1941-43. Pp. xcviii-406, 393.
[El título de los vols. 3 y 4 comienza con "Epistolario..."].
a) J. P. W. Crawford, HR, IV (1936),
384-86 (vol. 1).
b) C. E. Anibal, HR, XII (1944), 66-
75 (vols. 3-4).
c) J. de Entrambasaguas, RFE, XXV
(1941), 251-72 (vols. 1-2).
d) J. A. Tamayo, RFE, XXVI (1942),
136-42 (vol. 3); XXVII (1943),
110-12 (vol. 4).
e) G. Cirot, BH, XXXVIII (1936),
401-04 (vol. 1).
f) —, Fénix, no. 6 (1935), 767-68
(vol. 1).
g) J. de Entrambasaguas, RBN, II
(1941), 370-71 (vol. 3).

3822. ANSCHÜTZ, RUDOLF: Boccaccios
Novelle vom Falken und ihre Verbei-
tung in der Litteratur. Nebst Lope
de Vegas Komödie El Halcón de Federico. Erlangen: Fr. Junge, 1892.
Pp. v-100.
a) A. L. Stiefel, LGRP, XIV (1893),
col. 372-73.
b) C. Déjob, RCHLP, ns XXXV (1893),
51-53.
c) "ier," LitZent, Jg. 1893, pág.
330.
d) H. A. Rennert, MLN, VIII (1893),
col. 308-10.

3823. ARAGÓN FERNÁNDEZ, A.: Lope

de Vega difamado en un libro con
lenguaje muy suelto y acusaciones
graves. Barcelona: Lucet, 1932.
Pp. 163.
[Se refiere al libro de Icaza
(3875)].

3824. ARCO Y GARAY, RICARDO DEL:
La sociedad española en las obras
dramáticas de Lope de Vega. Madrid:
Escelicer, 1942. Pp. 928.
[Sobre diversos aspectos de la
sociedad: la mujer, la nobleza, el
hampa, la familia, etc.].
a) S. G. Morley, HR, XII (1944),
352-53.
b) J. B. Avalle Arce, RFH, VIII
(1946), 162-64.

3825. ARMAS Y CÁRDENAS, JOSÉ DE:
Estudio crítico sobre La Dorotea.
La Habana: M. de Villa, 1884. Pp.
59.

3826. ASENJO BARBIERI, FRANCISCO:
Los últimos amores de Lope de Vega,
revelados por él mismo en cuarenta
y ocho cartas inéditas y varias poesías, por José Ibero Ribas y Canfranc [seud.]. Madrid: José María
Ducazcal, 1876. Pp. 247.
V. TEMAS, AMORES (2967-68), VEGA
(3517).

3827. ASTRANA MARÍN, LUIS: Vida
azarosa de Lope de Vega. Barcelona:
Juventud, 1935. Pp. 509.
a) E. A. Peers, BSS, XII (1935),
248-49.
b) C. Pitollet, LMér, XXX (1935),
14-17.
c) S. Putnam, BAbr, X (1936), 163.

3828. AZOCAR, SYLVIA: Lope de Vega.
Santiago de Chile: Editorial Zig-
Zag, 1940. Pp. 138.

3829. AZORÍN [seud. de J. Martínez
Ruiz]: Lope de Vega en silueta
(con una aguja de navegar Lope).
Madrid: Cruz y Raya, 1935. Pp. 68.
a) J. Sarrailh, BH, XXXVIII (1936),
104-05.
b) Robert Scott, BSS, XII (1935),
247-48.
c) —, Fénix, no. 3 (1935), pág. 447.

BAL Y GAY, JESÚS: Treinta canciones de Lope...
Ⅴ. TEMAS, CANCIÓN (3027)

3830. BARRERA Y LEIRADO, CAYETANO
ALBERTO DE LA: Nueva biografía.
(Obras de Lope de Vega, publicadas
por la Real Academia Española, tomo
I [Ⅴ. núm. 3568]). Madrid: Suce-
sores de Rivadeneyra, 1890. Pp.
718.
Ⅴ. TEMAS, BIOGRAFÍA (3009), GESAMT-
AUSGABE (3199).

3831. BENAVENTE, MANUEL: Los amores
de Lope de Vega. San José (Uruguay); Ediciones Cenit, 1949. Pp.
140.
a) --, RevNac, XLII (1949), 475-76.
Ⅴ.t. TEMAS, AMOR (2966).

3832. BIBLIOTECA NACIONAL: Catálogo de la exposición bibliográfica
de Lope de Vega. Madrid: Junta
del Centenario de Lope de Vega,
1935. Pp. x-245.
a) P. Mérimée, BH, XXXVIII (1936),
404-07.

3833. BOEDO, FERNANDO: Aportación
al tri-centenario. Iberismo de Lope de Vega (Dos Españas). Segismundo, ¿es el Contraquijote? Madrid: Sáez, 1935. Pp. 303.

3834. BORGHINI, VITTORIO: Poesia e
letteratura nei poemi di Lope de
Vega. Genova: Sein, 1949. Pp. 535.
a) M. Ciravegna, Conv, (1950), 469-
470.

3835. BUCCHIONI, UMBERTO: Torquato
Tasso e Lope Félix de Vega Carpio.
Rocca San Casciano: L. Cappelli,
1910. Pp. 27.
a) X., GSLI, LXI (1913), 152-53.

BUCHANAN, M. A.: The Chronology...
Ⅴ. TEMAS, CRONOLOGÍA (3122).

3836. CALLE ITURRINO, ESTEBAN: Lope
de Vega y clave de Fuenteovejuna.
Bilbao: Casa Dochao, 1938. Pp.
126.
[Capítulos: Los últimos amigos
de Lope; Lope de Vega, perdido y
recuperado; Lope de Vega, pecador y
revolucionario; Lope de Vega, crea-
dor; Fuenteovejuna y El Mejor mozo
de España; Clave de Fuenteovejuna;
El poeta nacional].

3837. CAMPO, JOSÉ DEL: Lope de Vega y Madrid. Memoria que con el
lema Puerta de Guadalajara fué premiada el año 1935 en el concurso
celebrado entre informadores municipales por el Ayuntamiento de Madrid. Madrid: Artes Gráficas Municipales, 1935. Pp. 115.

3838. CARAVAGLIOS, BEATRICE: Amar
sin saber a quién di Lope de Vega e
La Suite du menteur di Corneille.
Napoli: Stabilimento Industrie
Editoriali Meridionali, 1931. Pp.
27.

3839. CARAYON, MARCEL: Lope de
Vega. Paris: Rieder, 1929. Pp.
88 y 60 láms.
a) C. Pitollet, BH, XXXII (1930),
298-300.
b) R. G., Nos, LXVIII (1930), 414-
415.
c) M. Núñez de Arenas, RBAM, VII
(1930), 331-32.
d) P. Gimeno, BAbr, VI (1932), 81.
e) W. Küchler, NSpr, XXXIX (1931),
160.
f) G. Le Gentil, RCHLP, ns XCVII
(1930), 558-59.
g) K. Vossler, DLZ, LI (1930), col.
686-88.
h) M. Bataillon, RHMod, V (1930),
306-08.

3840. CARRASCO, RAFAEL: Lope de
Vega y Mira de Amescua. Guadix:
Imp. de Flores, 1935. Pp. 21.
a) --, Fénix, no. 5 (1935), 657.

3841. CIAN, VITTORIO: Un' ecloga
di Lope de Vega nella versione inédita di Giambattista Conti. (Pub-
blicata per le nozze di Orazio Bacci
con Romilda Del Lungo). Torino:
Tip. editr. G. Candeletti, 1895.
Pp. 26.

3842. COSSÍO, JOSÉ MARÍA DE: Lope,
personaje de sus comedias. Discurso leído el día 6 de junio de 1948,
en su recepción pública. Madrid:

Real Academia Española, 1948. Pp.
100.
[La contestación de Emilio García
Gómez ocupa las págs. 89-100].
a) S. G. Morley, HR, XVIII (1950),
268-69.

3843. Cotronei, Bruno: Una commedia
di Lope de Vega ed I Promessi sposi.
Palermo: Verra, 1899. Pp. 52.
[El Mejor alcalde el rey].
a) --, Rass, VII (1899), 256.
b) F. Milano, RassCrit, VI (1901),
146-56.

3844. D'Amico, S.: L'imitazione
ariostesca ne La Hermosura de Angélica di Lope de Vega. Pistoia: A.
Pacinotti, 1921. Pp. 30.

3845. Delano, Lucile K.: A Critical Index of Sonnets in the Plays
of Lope de Vega. Toronto: University of Toronto Press, 1935. Pp.
70.
a) A. Coester, Hisp, XIX (1936),
406.
V.t. TEMAS, Soneto (3476).

3846. Depta, Max V.: Lope de Vega.
Breslau: Ostdeutsche Verlagsanstalt,
1927. Pp. iv-343.
a) R. Ezquerra, RBAM, V (1928),
101-02.
b) K. Vossler, DLZ, XLIX (1928),
col. 32-33.
c) W. von Wurzbach, LGRP, L (1929),
col. 451-53.
d) W. von Wurzbach, Euph, XXIX
(1928), 635-36.
e) W. Schulz, ASNSL, CLIV (1928),
118-20.
f) K. Schroeder, ZNU, XXVI (1927),
638-39.
g) A. Stockmann, StdZ, CXV (1928),
318-19.
h) R. Schevill, BAbr, VI (1932), 55.
i) W. Küchler, NSpr, XXXVI (1928),
400.

3847. Diego, Gerardo: Una estrofa
de Lope de Vega. Discurso leído el
día 15 de febrero de 1948, en su
recepción pública [Real Academia]
... y contestación de N. Alonso
Cortés. Santander: Resma, 1948.
Pp. 56.

3848. Dorer, Edmund: Die Lope de
Vega-Literatur in Deutschland. Bi-
bliographische Uebersicht. Zürich:
Orell Füssli, 1885. Pp. 24.

3849. Entrambasaguas, J. de: Car-
dos del jardín de Lope. Madrid:
S. Aguirre, 1942. Pp. 72.
a) J. A. Tamayo, RFE, XXVI (1942),
370.
b) A. Z., Medit, I (1943), 122-23.

3850. Entrambasaguas, J. de: Estudios sobre Lope de Vega. Madrid:
C.S.I.C., 1946-58. 3 vols.
V. TEMAS, Blair (3011), Censura
(3056), Guerra literaria (3215),
Libelos (3261), Liñán de Riaza
(3263), Loa (3273), Metaforismo
(3304), Poesía (3379, 3386), Poeta
(3388), Reloj (3411), Restos (3414),
Romancero (3427), Salas Barbadillo
(3437), Toledo, Diego de (3492),
Traducciones (3497).
a) W. J. Entwistle, MLR, XLV (1950),
97-99.
b) W. L. Fichter, HR, XV (1947),
239-43.
c) L. G. Lefèvre, LR, IV (1950),
163-65.
d) G. Bleiberg, Arbor, V (1946),
463-64.
e) J. Simón Díaz, RyF, CXXXIV (1946),
260-61.
f) H. Cidade, RFLUL, XIII (1947),
no. 2, págs. 103-05.
g) A. F. G. Bell, BAbr, XXIII (1949),
141.
h) R. Benítez Claros, RBN, VII
(1946), 411-13.
i) E. Segura Covarsí, CuadLit, II
(1947), 162-65.

3851. Entrambasaguas, J. de: Flor
nueva del "Fénix." Poesías desconocidas y no recopiladas de Lope de
Vega. Madrid: C.S.I.C., 1942.
Pp. 193.
a) J. A. Tamayo, RFE, XXVI (1942),
121-22.
b) L. G., Medit, I (1943), 121-22.

3852. Entrambasaguas, J. de: Lope
de Vega, símbolo del temperamento
estético español. Murcia: Sucs.
de Nogues, 1936. Pp. 116.
[Incluye la traducción parcial de

Lepiorz (V. TEMAS, Poeta, núm. 3389), "Revisada y completada por Wilhelm Bierhenke—y otras: italiana, por Angela Mariutti; francesa, por Paulette Hanne, e inglesa, por Cyril P. Cule." La versión española, con artístico en vez de estético en el título, apareció primero en El Debate, 8 de junio de 1935; está reimpresa en sus Estudios sobre Lope de Vega, I, 3-20, con otro título (V. núms. 3388, 3850)].

3853. ENTRAMBASAGUAS, J. DE: Vida de Lope de Vega. Barcelona: Editorial Labor, 1936. Pp. 271 y 16 láms.
a) M. Romera-Navarro, HR, V (1937), 274-75.

3854. ENTRAMBASAGUAS, J. DE: Vivir y crear de Lope de Vega. Vol. I. Madrid: C.S.I.C., 1946. Pp. viii-571.
a) E. Segura Covarsí, CuadLit, II (1947), 162-65.
b) H. Cidade, RFLUL, XIII (1947), no. 2, págs. 103-05.
c) A. F. G. Bell, BAbr, XXIII (1949), 277.

3855. FARINELLI, ARTURO: Grillparzer und Lope de Vega. Berlin: Felber, 1894. Pp. xi-333.
a) M. Menéndez y Pelayo, EspMod, VI (1894), tomo 70 (oct.), págs. 167-81; tomo 72 (dic.), págs. 84-102. [Reimpreso en sus Estudios y discursos de crítica histórica y literaria, V, 393-405 y II, 27-43 respectivamente (V. GENERAL II, LIBROS, núm. 1701)].
b) M. Necker, BLU, (1894), 628-31.
c) D. Harnack, PrJ, LXXIX (1895), 350-51.
d) A. Morel-Fatio, RCHLP, ns XXXIX 1895), 413-14.
e) W. von Wurzbach, ZVL, X (1896), 496-99.
f) M. C. P. Schmidt, ASNSL, XCVII (1896), 400-01.
g) K. Pasch, OLB, V (1896), col.174.
h) J. Schmedes, ZdPh, XXVIII (1896), 419-20.
i) —, LitZent, Jg. 1895, col. 1249.
V.t. TEMAS, SHAKESPEARE (3452).

3856. FARINELLI, ARTURO: Lope de Vega en Alemania. Trad. Enrique Massaguer. Barcelona: Bosch, 1936. Pp. 325.
[Es traducción del núm. 3855].
a) R. J. Michels, Hisp, XIX (1936), 498.
b) —, Fénix, no. 6 (1935), 769.

3857. FERNÁNDEZ ALMUZARA, E.: Relaciones de la épica de Lope de Vega y la de Camões. Coimbra: Universidade de Coimbra, Biblioteca de la Universidad, 1936. Pp. 24.
a) J. M. Castro y Calvo, UnivZ, XIV (1937), 156-57.

3858. FIGUEROA Y MIRANDA, M.: El sentido barroco de la obra de Lope de Vega. La Habana: Cultural S.A., 1935. Pp. 186.
a) —, RABA, LXVI (1937), 167-68.

3859. FITZMAURICE-KELLY, J.: Lope de Vega and the Spanish Drama, being the Taylorian Lecture. Glasgow: Gowans; London: R. Brimley Johnson, 1902. Pp. 63.
a) H. A. Rennert, MLN, XIX (1904), 103-04.
b) W. von Wurzbach, ZRP, XXIX (1905), 626-27.
c) A. Morel-Fatio, BH, V (1903), 195.
d) J. U. S., Lect, III (1903), tomo I, pág. 458.

3860. FLORES, ÁNGEL: Lope de Vega, Monster of Nature. New York: Brentano's, 1930. Pp. iii-214.

3861. FLORES, ÁNGEL: Lope de Vega. Versión del inglés por Guillermo de Torre. Madrid: Editorial La Nave, 1936. Pp. 326.

3862. GARCÍA, FÉLIX: Lope de Vega místico. Palma de Mallorca: El Día, [¿1935?].
a) Manuel Bueno, RyCult, XXXII (1936), 250-52.

3863. GARCÍA FIGUERAS, TOMÁS: Lo africano en las comedias de Lope de Vega. Conferencia. Ceuta: Imp. "África," 1936. Pp. 50.
a) A. R. Rodríguez Moñino, RFE,

XXIII (1936), 209.

3864. GASPARETTI, ANTONIO: Las
"Novelas" de Mateo María Bandello
como fuentes del teatro de Lope de
Vega. Salamanca: Universidad
Imp. "Cervantes," 1939. Pp. 96.
[Estudia 15 comedias: (Carlos)
el perseguido, Castelvines y Monte-
ses, El Castigo sin Venganza, El
Desdén vengado, La Esclava de su
galán, El Genovés liberal, El Guan-
te de doña Blanca, La Mayor victo-
ria, El Mayordomo de la Duquesa de
Amalfi, El Padrino desposado, La
Quinta de Florencia, La Reina doña
María, ¡Si no vieran las mujeres!,
La Viuda valenciana].

3865. GATTI, JOSÉ FRANCISCO: El
teatro de Lope de Vega: Artículos
y estudios. Buenos Aires: EUDEBA
Editorial Universitaria de Buenos
Aires, 1962. Pp. 220.
V. OBRAS, PERIBÁÑEZ (3767, 3774),
EL VILLANO EN SU RINCÓN (3817).

GEERS, GERARDUS JOHANNES: Lope de
Vega; zijn geest en zijn werk.
V. TEMAS, GEEST (3198).

3866. GÓMEZ DE LA SERNA, RAMÓN:
Lope de Vega. Buenos Aires: Editorial La Universidad, 1945. Pp.
159.

3867. GONZÁLEZ RUIZ, NICOLÁS: Lope
de Vega. Biografía espiritual.
Madrid: Biblioteca "Pax," 1935.
Pp. 155.

3868. GOYRI DE MENÉNDEZ PIDAL, M.:
De Lope de Vega y del Romancero.
Zaragoza: Librería General, 1953.
Pp. 194.
V. TEMAS, CELIA (3055), ROMANCERO
(3430), URBINA (3506); LIBROS, núm.
3869.

3869. GOYRI DE MENÉNDEZ PIDAL, M.:
La difunta pleiteada. Madrid: V.
Suárez, 1909. Pp. 70.
[El estudio aparece también en De
Lope de Vega y del Romancero, págs.
7-59 (V. núm. 3868)].
a) J.D.M. Ford, RR, I (1910), 440-43.
b) R., GSLI, LVII (1911), 118-20.

3870. GÜNTHNER, ENGELBERT: Studien
zu Lope de Vega. Rottweil: Roth-
schild, 1895. Pp. 79.
a) A. L. Stiefel, LGRP, XX (1899),
col. 247-50.

3871. HÄMEL, ADALBERT: Studien zur
Lope de Vegas Jugenddramen, nebst
chronologischem Verzeichnis der comedias von Lope de Vega. Halle:
Niemeyer, 1925. Pp. vi-74.
a) H. C. Heaton, RR, XVIII (1927),
163-66.
b) J. F. Montesinos, RFE, XIV (1927),
78-82.
c) W. Mulertt, ZRP, LIV (1934), 125.
d) W. von Wurzbach, LGRP, XLVIII
(1927), col. 429-31.
e) J. Huber, NSpr, XXXIII (1925),
390-91.
f) A. Günther, ZNU, XXV (1926), 382.
g) G. J. Geers, Mus, XXXIII (1926),
col. 302-04.
h) V. Tarkiainen, NMit, XXVI (1925),
223-24.
i) E. Winkler, DLZ, XLVII (1926),
col. 1093-94.

3872. HENNIGS, WILHELM: Studien zu
Lope de Vega Carpio. Eine Klassi-
fikation seiner Comedias. Göttingen:
Dieterich, 1891. Pp. v-105.
a) A. L. Stiefel, LGRP, XII (1891),
277-79.
b) --, DLZ, XIII (1891), 662-63.
c) H. A. Rennert, MLN, VI (1891),
col. 433-35.
d) G. Steffens, RCHLP, ns XXXII
(1891), 83-84.

3873. HESELER, MARIA: Studien zur
Figur des "gracioso" bei Lope de
Vega und Vorgängeren. Hildesheim:
Borgmeyer, 1933. Pp. 132.
a) E. Seifert, ZRP, LIX (1939),
124-25.
b) E. Glässer, LGRP, LVII (1936),
col. 340-44.
c) W. C. Atkinson, MLR, XXX (1935),
560-61.

3874. HISPANIC REVIEW: Lope de
Vega Number [Vol. III, no. 3, July,
1935].
[Contiene los números 3127, 3204,
3316, 3426, 3504, 3570b, 3581,
3738a, 3777a].

a) L. Pfandl, ZRP, LIX (1939), 374-382.

HOLGADO Y GONZÁLEZ, JOSÉ: Número homenaje al III centenario...
V. TEMAS, CENTENARIO (3072).

3875. ICAZA, FRANCISCO A. DE: Lope de Vega, sus amores y sus odios. ("Obras completas," III). Madrid: Editorial Voluntad, 1926. Pp. xvi-305.

3875A. ICAZA, FRANCISCO A. DE: Lope de Vega, sus amores y sus odios y otros estudios. Prólogo, edición y notas de Ermilo Abreu Gómez. (Colección de Escritores Mexicanos, 82). México: Editorial Porrúa, 1962. Pp. xxxvi-348.
[Contiene también, en las págs. 147-268, Sucesos reales que parecen imaginados de Gutierre de Cetina, Juan de la Cueva y Mateo Alemán (V. núm. 422)].

3876. ICHASO, FRANCISCO: Lope de Vega, poeta de la vida cotidiana. La Habana: Cultural, 1935. Pp. 152.

JÖRDER, OTTO: Die Formen des Sonetts bei Lope de Vega.
V. TEMAS, SONETO (3475).

3876A. JORDAN, DANIEL: Cartas de amor [de Lope de Vega]. Prólogo y notas de Daniel Jordan. (Colección Espiga). Buenos Aires: Editorial Mundi-Lar, 1943. Pp. 73.
[Contiene 48 cartas que tratan de los amoríos de Lope].

3877. KLAUSNER, GERTRUD: Die drei Diamanten des Lope de Vega und die schöne Magelone. (Literarhistorische Forschungen, XXXIX). Berlin: Felber, 1909. Pp. 178.
a) A. Ludwig, ASNSL, CXXIII (1909), 220-22.
b) W. von Wurzbach, LGRP, XXX (1909), col. 237-39.
c) --, KJrP, XII (1909-10), Teil 2, pág. 366.
d) P. A. Becker, DLZ, XXXI (1910), col. 2666-67.

3878. LAFOND, ERNEST: Étude sur la vie et les oeuvres de Lope de Vega. Paris: Librairie Nouvelle, 1857. Pp. 489.
V. TEMAS, VIDA (3545).

3879. LAFUENTE FERRARI, E.: Los retratos de Lope de Vega. Madrid: Imprenta Helénica, 1935. Pp. 99 y 27 láms.
a) C. Pitollet, LMér, XXXI (1936), no. 89, págs. 28-30.
b) J. F. Montesinos, RFE, XXII (1935), 424.
c) P. Mérimée, BH, XXXVIII (1936), 407-09.
d) J. Domínguez Bordona, AEAA, XI (1935), 322-23.
e) --, Fénix, no. 6 (1935), 768.

3880. LEVI, EZIO: Lope de Vega e l'Italia. Firenze: Sansoni, 1935. Pp. 172.
[Contiene siete ensayos: 1) Lope de Vega e l'Italia, págs. 1-48 (V. núm. 3244A); 2) Il cenacolo italiano di Lope de Vega, 49-58; 3) La lingua italiana nel teatro di Lope de Vega, 59-69 (V. núm. 3244A); 4) Una famiglia di artisti italiani nel cenacolo di Lope de Vega, 71-93 (los Caxés o Cascesi, uno de los cuales era el dramaturgo Juan Caxés); 5) I sogni politici di un italiano amico di Lope, 95-121; Appendice: Una battaglia letteraria di Lope de Vega e di José Camerino, 121-23; 6) Il dramma spagnuolo preludio dei Promessi Sposi, 125-53 (V. GENERAL II, núm. 1236); 7) Il Re, l'onore e Dio nel dramma spagnuolo e nel romanzo manzoniano, 155-67].
a) R. J. Michels, Hisp, XVIII (1935), 495-97; XIX (1936), 149-50.
b) A. Giannini, LeoM, VII (1936), 159-60.
c) G. Cirot, BH, XXXIX (1937), 175-176.
d) J. G. Fucilla, BAbr, XI (1937), 102-03.
e) --, Fénix, no. 5 (1935), 657-58.

LINCOLN, J. N.: St. Ursula, the Infanta Isabel...
V. TEMAS, SAINT URSULA (3435).

LINS, IVAN.
V. MONTEIRO DE BARROS LINS, IVAN.

LÓPEZ MARTÍNEZ, CELESTINO.
V. GENERAL I, LIBROS, núm. 184.

3881. LORENZO CÁCERES, ANDRÉS: Las
Canarias de Lope de Vega. La Laguna: Instituto de Estudios Canarios,
1935. Pp. 28.
a) J. P. V., MusCan, III (1935),
99-100.

3882. LUDWIG, ALBERT: Lope de Vegas Dramen aus dem karolingischen
Sagenkreise. Berlin: Mayer und
Müller, 1898. Pp. 155.
a) A. Farinelli, ASNSL, CII (1899),
446-60. [Esta reseña se halla
también en su libro Aufsätze,
Reden und Characteristiken zur
Weltliteratur, págs. 349-65 (V.
GENERAL II, LIBROS, núm. 1628)].
b) --, LitZent, XLIX (1898), 910-11.
c) G. Paris, Rom, XXVII (1898),
524-25.
d) --, RCHLP, ns LI (1901), 36-37.
e) W. von Wurzbach, ZVL, XIII (1899),
408-10.
V.t. GENERAL II, CAROLINGIAN (891).

MARTÍNEZ RUIZ, JOSÉ.
V. AZORÍN.

3883. MEDINA, JOSÉ TORIBIO: Escritores hispanoamericanos celebrados
por Lope de Vega en el Laurel de
Apolo. Santiago de Chile: Imprenta Universitaria, 1922. Pp. 134.
[Incluye el texto de las partes
pertinentes del Laurel de Apolo.
V.t. TEMAS, AMARILIS INDIANA (2951)].

3884. MENÉNDEZ Y PELAYO, MARCELINO:
Estudios sobre el teatro de Lope de
Vega. Edición ordenada y anotada
por don Adolfo Bonilla y San Martín.
Madrid: Victoriano Suárez, 1919-27.
6 vols.
[Estos estudios son las "Observaciones preliminares" de su edición
de las obras de Lope, publicada por
la Real Academia Española (núm.
3568)].
a) A. Hämel, LGRP, XLIII (1922),
col. 387. [Vol. 1].

3885. MENÉNDEZ Y PELAYO, MARCELINO:
Estudios sobre el teatro de Lope de
Vega. (Edición nacional de las
Obras completas, XXIX-XXXIV). Madrid: C.S.I.C., 1949. 6 vols.
[Esta edición contiene un buen
índice, compilado por Luis M. González Palencia y Ramón González Pa-
lencia].
a) C. V. Aubrun, BH, LI (1949),
450-51.
b) A. G. Reichenberger, HR, XIX
(1951), 277-78.

3886. MONTEIRO DE BARROS LINS, IVAN:
Lope de Vega: Conferencias comemo-
rativas do tricentenário da sua morte, realizadas na Associação Brasileira de Educação, nos dias 24, 27
e 31 de Agosto de 1935. Rio de Janeiro: Oliveira, 1935. Pp. 210.
a) Camil van Hulse, BAbr, XI (1937),
116.
b) Samuel Putnam, BAbr, XII (1938),
518.

3887. MONTESINOS, JOSÉ F.: Estu-
dios sobre Lope. México: El Cole-
gio de México, 1951. Pp. 332.
V. GENERAL II, CUESTIÓN DE AMOR
(969); LOPE DE VEGA, TEMAS, BIBLIO-
GRAFÍA (3007), CELESTINA (3053),
CONTRIBUCIONES (3112, 3113), DONAI-
RE (3152, 3153), LÍRICA (3264), PO-
ESÍAS (3377); OBRAS, núm. 3569.

3888. MONTEVERDI, ANGELO: La leggenda di Bernardo del Carpio: es-
tratti di due drammi di Lope de
Vega. Roma: Libraria di Scienze
e Lettere, 1926. Pp. 60.

MONTOTO DE SEDAS, SANTIAGO: Contribución al vocabulario de Lope...
V. TEMAS, VOCABULARIO (3555).

MONTOTO DE SEDAS, SANTIAGO: Lope
de Vega y don Juan de Arguijo.
V. TEMAS, ARGUIJO (2977).

3889. MORCILLO, CASIMIRO: Lope de
Vega, sacerdote. Discurso leído en
la solemne apertura del curso académico 1934-35 en el Seminario Con-
ciliar, 18 septiembre 1934. Madrid:
Editorial Ibérica, 1934. Pp. 145.

MORÍNIGO, MARCOS A.: América en el teatro de Lope de Vega.
V. TEMAS, AMÉRICA (2958).

3890. MORLEY, S. G., y BRUERTON, C.: The Chronology of Lope de Vega's Comedias. New York: Modern Language Association, 1940. Pp. xiv-427.
[V.t. TEMAS, CRONOLOGÍA (3132), INTERPRETACIÓN (3243)].
a) --, Hisp, XXIV (1941), 249.
b) W. L. Fichter, RR, XXXIII (1942), 202-11.
c) C. E. Anibal, HR, XI (1943), 338-53.
d) W. J. Entwistle, MLR, XXXVI (1941), 418-19.
e) J. Romo Arregui, RFE, XXVI (1942), 505-21.
f) E. A. Peers, BSS, XVIII (1941), 158-60.
V.t. TEMAS, CRONOLOGÍA (3131).

3891. MUGURUZA OTAÑO, PEDRO: La casa de Lope de Vega. Prólogo de Agustín G. de Amezúa. Madrid: Centro de Estudios Históricos, 1935. Pp. 81. También publicado Madrid: Artes gráficas Faure, 1941. Pp. 48, con 58 grabados; Madrid: Real Academia Española, 1962. Pp. 186.
V. TEMAS, CASA (3045), HOGAR (3224).
a) J. de Entrambasaguas, RFE, XXVI (1942), 524-26.

3892. NAVARRA, TERESA: Un oscuro imitatore di Lope de Vega: Carlo Celano. Un documento della fama di Lope de Vega in Italia. Contributo alla storia delle relazioni letterarie italo-spagnuole nel secolo XVII. Bari: Soc. tip. Pugliese, 1919. Pp. 34.
[Pág. 8: "Quando il commediografo napoletano componeva per i suoi comici I disonori che onorano, Negli sdegni gli amori, Nelle cautele i danni, La forza della fedeltà, aveva sott' occhio la Quinta de Florencia, la Carbonera, Virtud, pobreza y mujer, e Despertar a quien duerme di Lope de Vega." Págs. 26-34: "II. Un documento della fama..." trata de la obra de Fabio Franchi, Esequie poetiche].

3893. OCHANDO, ANDRÉS: Lope de Vega. Semblanza y selección poética. Valencia: Miguel Grau, 1935. Pp. 72.
a) J. F. Montesinos, RFE, XXII (1935), 425-26.
b) X., GdL, II (1935), no. 9, pág. 2.

3894. PANARESE, LUIGI: Lope de Vega e Giambattista Marino. Maglie: A. Donadeo, 1935. Pp. 21.
a) J. G. Fucilla, HR, V (1937), 192.

3895. PEMÁN, JOSÉ MARÍA: Algunos valores fundamentales del teatro de Lope de Vega. Buenos Aires: Cumbre, 1942. Pp. 61.

PETROV, D. K.: Études sur Lope...
V. TEMAS, OCHERKI (3344).

3896. PFANDL, LUDWIG: Über das Märchendrama bei Lope de Vega. (Münchner Romanistische Arbeiten, 9). München: Max Hueber, 1942. Pp. 146.
a) H. Janner, RFE, XXVIII (1944), 487-89.
b) A. Rüegg, ZRP, LXIV (1944), 190-192.

POESSE, WALTER: The Internal Line Structure...
V. TEMAS, INTERNAL LINE (3242).

RENNERT, H. A.: Bibliography...
V. TEMAS, BIBLIOGRAFÍA (3003).

3897. RENNERT, H. A.: The Life of Lope de Vega. Glasgow: Gowans and Gray, 1904. Pp. xiii-587.
[Reproducción, New York: G. E. Stechert, 1937].
a) W. von Wurzbach, ZRP, XXIX (1905), 750-53.
b) A. L. Stiefel, LGRP, XXXII (1911), col. 15-20.
c) A. Morel-Fatio, DLZ, XXV (1904), col. 2299-2301.
d) P. F., LitZent, LVIII (1907), col. 131.

3898. RENNERT, H. A., y CASTRO, A.: Vida de Lope de Vega (1562-1635). Madrid: Imp. de los Sucs. de Hernando, 1919. Pp. viii-562.

[Traducción de la de Rennert, con adiciones. V. TEMAS, VIDA (3548A)].

3899. RESTORI, ANTONIO: Una collezione di commedie di Lope de Vega Carpio. Livorno: F. Vigo, 1891. Pp. 36.
a) A. L. Stiefel, LGRP, XIII (1892), col. 196-97.

3900. RESTORI, ANTONIO: Degli "autos" di Lope de Vega Carpio: prolusione letta nella R. Università di Messina il 31 gennaio 1898. Parma: R. Pellegrini, 1898. Pp. xxiv-43.

3901. REY SOTO, ANTONIO: Galicia en el tricentenario de Lope de Vega: Una apostilla al Laurel de Apolo (Fray Jerónimo Bermúdez y Antonio Ferreira). Madrid: Maestre, 1935. Pp. 59.

RIBAS Y CANFRANC, JOSÉ IBERO. V. ASENJO BARBIERI, FRANCISCO.

3902. RIVA-AGÜERO, JOSÉ DE LA: Lope de Vega. Milano: Fratelli Treves, 1937. Pp. 99.
a) Ross H. Ingersoll, Hisp, XXI (1938), 330-31.
[El libro es una traducción italiana abreviada de su discurso sobre alusiones a América en las obras de Lope].

3903. ROJO ORCAJO, TIMOTEO: El pajarillo en la enramada, o algo inédito y desconocido de Lope de Vega. (Las fuentes históricas de "El Isidro"). Madrid: Tipografía Católica, 1935. Pp. 47.
a) Arturo del Hoyo, RFE, XXIII (1936), 83-84.

3904. ROMERA-NAVARRO, M.: La preceptiva dramática de Lope de Vega. Madrid: Ediciones Yunque, 1935. Pp. 302.
V. TEMAS, AUTORIDAD (2992), LENGUAJE (3258-59), LÍRICA (3269), UNIDADES (3504); GENERAL II, DISFRAZ (991), DURACIÓN (1037).
a) R. J. Michels, Hisp, XIX (1936), 146-49.

b) R. Schevill, HR, V (1937), 94-96.

3905. ROMERO FLORES, H. R.: Estudio psicológico sobre Lope de Vega. Madrid: Sucs. de Rivadeneyra, 1936. Pp. 227.
a) O. H. Green, HR, V (1937), 370.

3906. ROSENBLAT, A.: Cartas completas de Lope de Vega. Ed. Ángel Rosenblat. (Biblioteca Emecé, nos. 95-96). Buenos Aires: Emecé, 1948. 2 vols. Pp. 478, 492.
[Las de la colección de Amezúa (núm. 3821) y una más].
a) H. K. L., BAbr, XXIII (1949), 285.

3907. RUBINOS, J.: Lope de Vega como poeta religioso. La Habana: Cultural, 1935. Pp. 110.
a) A. R. Rodríguez Moñino, RFE, XXII (1935), 425.

3907A. RUIZ MORCUENDE, F., y ENTRAMBASAGUAS, J. DE: Lope de Vega, 1635-1935. Madrid: Artes Gráficas Municipales, 1935. Pp. 28.
[Bosquejo biográfico de Ruiz Morcuende; Antología seleccionada por Entrambasaguas que representa "seis aspectos de la poesía de Lope": lo popular, lo culto, el amor, la vida, la muerte y lo divino].

3908. SAINZ DE ROBLES, F. C.: Jubileo y aleluyas de Lope de Vega. Madrid: Espasa-Calpe, 1936. Pp. 189.
a) Calvert J. Winter, BAbr, XI (1937), 93.
V.t. TEMAS, MADRID (3281).

3909. SAINZ DE ROBLES, F. C.: El "otro" Lope de Vega (Ensayo de conocimiento "por el envés"). Buenos Aires: Espasa-Calpe, 1940. Pp. 191.

3909A. SALVAT DALMAU, SANTIAGO: Cataluña en el teatro de Lope de Vega. El ambiente histórico catalán visto a través de algunos argumentos de sus comedias. Barcelona: Autor [Imprenta Hispano-Americana], 1945. Pp. 288.

3910. SAN JOSÉ, DIEGO: Las llamas
de "El Fénix." Breviario íntimo de
la vida de Frey Lope Félix de Vega
Carpio. Madrid: Editorial Pueyo,
1934. Pp. 248.
a) W. C. Atkinson, BSS, XII (1935),
246-47.
b) F. Douglas, Hisp, XVIII (1935),
489-90.

3911. SAN ROMÁN, FRANCISCO DE B.:
Lope de Vega, los cómicos toledanos
y el poeta sastre. Madrid: Imp.
Góngora, 1935. Pp. cviii-236.
a) J. F. Montesinos, RFE, XXII
(1935), 417-19.
b) A. de H., AUCh, año XCV, 3ª serie (1937), no. 25-26, pág. 253.
c) --, Fénix, no. 6 (1935), 768-69.

3912. SÁNCHEZ ESTEVAN, ISMAEL: Frey
Lope Félix de Vega Carpio (Semblanza). Madrid: Sindicato de Publi-
cidad, 1923. Pp. 101.
[Prólogo: El teatro español a
fines del siglo XVI. Cap. I: La
obra de Lope de Vega; II: Lances de
amor, de guerra y de fortuna; III:
Por do más pecado había; Epílogo:
El mayor imposible.]
Reimpreso en Barcelona: Sociedad
General de Publicaciones, 1931.
Pp. 192.
[Esta edición contiene dos capítulos más, omitidos de la primera
"por ser condición [del Concurso
Nacional de Literatura] que su extensión no habría de pasar de cien
cuartillas." Los capítulos son:
IV: Florilegio; V: Lo que nos queda
del teatro de Lope.].
a) J. F. Montesinos, RFE, XIV
(1927), 195.

3913. SOMOZA SILVA, LÁZARO: Lope
de Vega (Historia de un hombre apa-
sionado). México: Ediciones Nuevas, 1944. Pp. 126.

3914. SPITZER, LEO: Die Literarisierung des Lebens in Lopes Dorotea.
Bonn, Köln: Röhrscheid, 1932. Pp.
62.
a) V. Klemperer, DLZ, LIII (1932),
col. 2221-29.
b) B. Croce, Crit, XXXII (1934),
58-61.

c) G. Le Gentil, RCHLP, ns XCIX
(1932), 512-13.

3915. STEFFENS, GEORG: Rotrou-Stu-
dien. I. Jean de Rotrou als Nachahmer Lope de Vegas. Berlin: Gro-
nau; Oppeln: Franck, 1891. Pp.
104.
a) A. L. Stiefel, ZFSL, XV (1893),
Zweite Hälfte: Referate und Re-
zensionen, págs. 35-40.
b) H. A. Rennert, MLN, VIII (1893),
col. 305-08.

3916. TAURO, A.: Amarilis Indiana.
Lima: Ediciones Palabra, 1945.
Pp. 77.

3917. TIEMANN, HERMANN: Lope de
Vega in Deutschland. Kritisches
Gesamtverzeichnis der auf deutschen
Bibliotheken vorhandenen älteren
Lope-Drucke und -Handschriften,
nebst Versuch einer Bibliographie
der deutschen Lope-Literatur 1629
-1935. Hamburg: Lütcke und Wulff,
1939. Pp. xv-310.
a) W. Giese, ZRP, LXIV (1944), 189-
190.
b) A. Hämel, VKR, XIII (1940), 204-
206.
c) A. Kuhn, LGRP, LXIII (1942),
col. 184-87.
d) F. Rauhut, RFor, LIV (1940),
453-54.
e) F. Schalk, GGA, CCII (1940),
419-21.
f) W. Kalthoff, ASNSL, CLXXIX
(1941), 159.
g) W. Krauss, DLZ, LXI (1940), col.
803-04.
h) K. Wais, GArb, VII (1940), no.
19, pág. 4.
i) K. Höfner, ZBib, LVIII (1941),
56-58.
j) R. Fink, ZDG, III (1940-41), 238.
k) J. Rosette, ZNU, XXXIX (1940),
134-35.
m) L. Siebert, DKLV, XIV (1939),
465.
n) Eduard von Jan, GRM, XXVIII
(1940), 150.
p) W. L. Fichter, HR, X (1942),
179-80.

3918. TOMILLO, A., y PÉREZ PASTOR,
C.: Proceso de Lope de Vega por

libelos contra unos cómicos. Madrid: R. Fortanet, 1901. Pp. xv-371.
a) L. Rouanet, RevHisp, VIII (1901), 543-44.
b) E., RCont, CXXII (abr-jun, 1901), 445-46.
c) E. Gómez de Baquero, EspMod, XIII (1901), tomo 152, págs. 165-81.
d) M. Serrano y Sanz, RABM, VI (1902), 320-22.
e) C. E., RELHA, I (1901), 255.

3919. VIGIL, JOSÉ M.: Lope de Vega. Impresiones literarias. México: Imprenta de la Secretaría de Relaciones Exteriores, 1935. Pp. 182.
a) M. A. Suau, RFE, XXII (1935), 423.

VIQUEIRA BARREIRO, J. M.: El lusitanismo de Lope de Vega...
V. OBRAS, EL BRASIL RESTITUÍDO (3608).

3920. VOSSLER, KARL: Lope de Vega und sein Zeitalter. München: C. H. Beck, 1932. Pp. x-373.
a) W. J. Entwistle, MLR, XXVIII (1933), 400-04.
b) J. F. Montesinos, RFE, XX (1933), 303-08.
c) E. A. Peers, BSS, XI (1934), 103-08.
d) Paul Keins, ARom, XVI (1932), 575-76.
e) V. Klemperer, DLZ, LIII (1932), col. 2221-29.
f) Walter Pabst, Lit, XXXV (1932-1933), 234.
g) Otto Frhr. von Taube, DRund, Jg. LX, Bd. CCXXXVII (1933), 134-36.
h) F. Muckermann, Gral, XXVII (1932-33), 847-48.
i) E. Werner, BBGS, LXIX (1933), 205.
j) A. von Grolman, NeuLit, XXXIV (1933), 35.
k) Paul Keins, NMit, XXXIV (1933), 214-15.
m) Max J. Wolff, ASNSL, CLXV (1934), 278-81.
n) W. von Wurzbach, LGRP, LV (1934), col. 51-55.
p) L. Karl, BH, XXXVI (1934), 385-390.

r) R. Konetzke, HistZt, CLI (1934-1935), 610-13.
s) H. Becher, StdZ, CXXVIII (1935), 214-15.
t) Kurt D. Schmidt, ChrW, XLIX (1935), col. 812-13.
u) E. H. Templin, BAbr, VII (1933), 335.
v) J. M. de Estefanía, RyF, CII (1933), 408-12.
V.t. TEMAS, CENTENARIO (3061), DICHTER (3144), EHRBEGRIFF (3158), GOLDEN AGE (3204).

3920A. VOSSLER, KARL: Lope de Vega y su tiempo. Trad. Ramón de la Serna. Madrid: Revista de Occidente, 1933. Pp. 369.
V. GENERAL II, ESTILO (1062).

3921. WURZBACH, WOLFGANG VON: Lope de Vega und seine Komödien. Leipzig: Seele, 1899. Pp. 262.
a) P. F., LitZent, LIII (1902), col. 665.
b) K. Muth, ANW, XXXVI (1901), 30.
V.t. TEMAS, VEGA (3518).

3922. YURRAMENDI, MÁXIMO: Lope de Vega y la teología. Madrid: Ediciones Fax, 1935. Pp. 192.
a) A. R. Rodríguez Moñino, RFE, XXII (1935), 426.

3923. ZAMORA LUCAS, FLORENTINO: Lope de Vega, censor de libros. Colección de aprobaciones, censuras, elogios y prólogos del Fénix, que se hallan en los preliminares de algunos libros de su tiempo, con notas biográficas de sus autores. Larache: Artes Gráficas Boscá, 1941 [Colofón: 1943]. Pp. 183.

VELEZ, JUAN

V. GENERAL II, TERCER ORDEN (1455).

VÉLEZ DE GUEVARA, LUIS

V.t. GENERAL II: TEMAS, LITERA-
TURA DRAMATYCZNA (1220), NOTICIAS
(1302); LIBROS, FLORES GARCÍA (1636).

TEMAS

BIOGRAFÍA.
3924. Vidart, Luis: "Estudios biográficos. D. Luis Vélez de Guevara."
AméricaM, XV (1871), no. 18 (28 de
sept.), pág. 5.

————.

3925. Paz y Melia, A.: "Nuevos da-
tos para la vida de Luis Vélez de
Guevara."
RABM, VII (1902), 129-30.

————.

3926. Pérez y González, F.: "Luis
Vélez de Guevara. Nuevos datos para su biografía. Su partida de
bautismo."
IEA, XLVII (1903), t. 1, págs. 315,
318, 379, 382.

————.

3927. Pérez y González, F.: "Luis
Vélez de Guevara. Nuevos datos para su biografía. Sus ¿cuatro? mujeres.--Su pobreza.--Su testamento."
IEA, XLVII (1903), t. 2, págs. 102-
103, 106, 119, 122.

————.

3928. Gómez Ocerín, J.: "Un nuevo
dato para la biografía de Vélez de
Guevara."
RFE, IV (1917), 206-07.

CENTENARIO.
3929. Entrambasaguas, J. de: "Un
tricentenario; haz y envés de Luis
Vélez de Guevara."
Atenea, XCVI, no. 297 (mar, 1950),
págs. 188-203.
[Una semblanza].

CHARACTERISTIK.
V. GENERAL II, LIBROS, AHRENS
(1553).

ESTILO.
V. STYLE (3939).

FLAMENCO.
V. GENERAL II, núm. 1079.

OBRAS.
3930. Cotarelo y Mori, E.: "Luis
Vélez de Guevara y sus obras dramáticas."
BRAE, III (1916), 621-52; IV (1917),
137-71, 269-308, 414-44.

————.

3931. Spencer, F. E., y Schevill, R.:
"The Dramatic Works of Luis Vélez
de Guevara. Their Plots, Sources,
and Bibliography."
UCPMP, XIX (1937). Pp. xxvi-387.
a) J. M. Hill, RR, XXX (1939), 84-89.
b) R. J. Michels, Hisp, XXI (1938),
155-56.
c) W. C. Atkinson, MLR, XXXIII
(1938), 611-13.
d) E. H. Templin, MLF, XXIV (1939),
35.
e) C. E. Anibal, HR, VIII (1940),
170-77.
f) L. Pfandl, DLZ, LIX (1938), col.
1453-55.

ORTOEPÍA.
3932. Wade, Gerald E.: "The Orthoëpy
of the Holographic comedias of Vélez
de Guevara."
HR, IX (1941), 459-81.
[El Águila del agua, El Conde don
Pero Vélez, El Rey en su imaginación
y La Serrana de la Vera].

POESÍA.
3933. Bonilla y San Martín, A.:
"Algunas poesías inéditas de Luis
Vélez de Guevara, sacadas de varios
manuscritos."
RdA, III (1902), 573-83.

————.

3934. Rodríguez Marín, F.: "Cinco
poesías autobiográficas de Luis Vélez de Guevara."
RABM, XIX (1908), 62-78.

3935. Lacalle Fernández, A.: "Algunas poesías, en parte inéditas, de Luis Vélez de Guevara."
RevCritHisp, V (1919), 53-58.

————.

3936. Entrambasaguas, J. de: "Un olvidado poema de Vélez de Guevara."
RBN, II (1941), 91-176.
[Elogio del juramento del Seren. Príncipe don Felipe Domingo, quarto deste nombre.].

ROMANCE.
3937. Hill, John M.: "A Romance of Luis Vélez de Guevara."
Hisp, V (1922), 295-97.
["Al pie de una fuente clara"].

SONETO.
3938. Gómez Ocerín, J.: "Un soneto inédito de Luis Vélez."
RFE, III (1916), 69-72.

STYLE.
3939. Cirot, G.: "Le style de Vélez de Guevara."
BH, XLIV (1942), 175-80.

TEATRO.
3940. Mesonero Romanos, R. de: "Teatro de Vélez de Guevara."
SemPintEsp, (1852), 66-68.

TIEMPO.
3941. Cirre, José F.: "Luis Vélez de Guevara y su tiempo."
RdelasInd, XXII (1944), 337-48.

OBRAS

COLECCIONES

3942. Lacalle Fernández, A.: Luis Vélez de Guevara: Autos. Madrid: Hernando, 1931. Pp. 118.
a) A. del Saz, RBAM, IX (1932), 102-03.
b) E. F. Marqués, BUM, III (1931), 508-09.
c) J. M. Hernández, BAbr, VII (1933), 81.

3943. Muñoz Cortés, M.: Reinar después de morir, y El Diablo está en

Cantillana. ("Clásicos castellanos," 132). Madrid: Espasa-Calpe, 1948. Pp. lxxiii-204.
a) A. G. Reichenberger, HR, XVIII (1950), 185-87.
b) S. Gili Gaya, NRFH, III (1949), 196-97.
c) C. V. Aubrun, BH, LI (1949), 81-82.
d) A. B. Dellepiane, Filol, III (1951), 240-41.

OBRAS SUELTAS

ÁGUILA DEL AGUA, EL.
V.t. TEMAS, ORTOEPÍA (3932).

————.

3944. Paz y Melia, A.: "El Águila del agua de Luis Vélez de Guevara."
RABM, X (1904), 180-200, 307-25; XI (1904), 50-67.
[Es una edición].

CATALÁN SERRALLONGA Y VANDOS DE BARCELONA, EL.
V. COELLO, núms. 2397-98.

CONDE DON PERO VÉLEZ, EL.
V.t. TEMAS, ORTOEPÍA (3932).

————.

3945. Olmsted, Richard H.: El Conde don Pero Vélez y don Sancho el Deseado. Edición crítica de Richard Hubbell Olmsted. Minneapolis: The University of Minnesota Press, 1944. Pp. viii-189.
a) C. E. Anibal, HR, XIII (1945), 258-62.
b) W. J. Entwistle, MLR, XL (1945), 145-47.
c) John M. Hill, MLJ, XXIX (1945), 167-68.

LUNA DE LA SIERRA, LA.
V. GENERAL II, TEATRO ESPAÑOL (1454).

MÁS PESA EL REY QUE LA SANGRE, Y BLASÓN DE LOS GUZMANES.
V. GENERAL II, GUZMÁN EL BUENO (1129).

NOVIOS DE HORNACHUELOS, LOS.
3946. Hill, John M.: "Los Novios de Hornachuelos."

NOVIOS DE HORNACHUELOS (cont.).
RevHisp, LIX (1923), 105-295.
[Es una edición de la comedia].

REINAR DESPUÉS DE MORIR.
V.t. GENERAL II, CASTRO, INÉS DE
(898-99).

———.

3947. Montherlant, Henry de: Die
tote Königin [La Reine morte].
Trad. Christian Wegner. Hamburg:
Christian-Wegner-Verlag, ¿1950? Pp. 76.
[Basada en la comedia de Vélez].
a) Helmut Uhlig, NeuphZeit, II
(1950), no. 6, pág. 488.

REY EN SU IMAGINACIÓN, EL.
V.t. TEMAS, ORTOEPÍA (3932).

———.

3948. Gómez Ocerín, J.: El Rey en
su imaginación. (Teatro Antiguo
Español, III). Madrid: Centro de
Estudios Históricos, 1920. Pp. 158.
a) S. G. Morley, Hisp, V (1922),
115-17.
b) J. J. Oliver, RevHisp, XLVIII
(1920), 692-700.
c) W. von Wurzbach, ZRP, XLI (1921),
627-29.
d) V. Tarkiainen, NMit, XXIV (1923),
184-85.
e) L. Pfandl, ASNSL, CXLIV (1922),
132-33.
f) G. Cirot, BH, XXVII (1925), 170-
172.
g) L. Pfandl, LGRP, XLIII (1922),
col. 48-49.
h) —, BRAE, VIII (1921), 451-53.

SERRANA DE LA VERA, LA.
V.t. TEMAS, ORTOEPÍA (3932); GENE-
RAL II, núms. 1430-32.

———.

3949. Menéndez Pidal, R., y Goyri
de Menéndez Pidal, M.: La Serrana
de la Vera. (Teatro Antiguo Español, I). Madrid: Centro de Estudios Históricos, 1916. Pp. vii-176.
a) H. A. Rennert, RR, IX (1918),
238-39.
b) G. T. Northup, ModPhil, XV (1917-
1918), 447-48.
c) M. A. Buchanan, MLN, XXXII (1917),
423-26.

d) J. Gómez Ocerín, RFE, IV (1917),
411-14.
e) A. Bonilla y San Martín,
RevCritHisp, III (1917), 176-82.
f) Adolphe Coster, RCHLP, ns LXXXII
(1916), 162-63.
g) A. Pellizzari, Rass, II (1917),
374-75.
h) S. G. Morley, Hisp, I (1918),
185-88.
i) E. Mérimée, BH, XVIII (1916),
290-92.

VIRTUDES VENCEN SEÑALES.
3950. Schevill, R.: "Virtudes vencen señales and La Vida es sueño."
HR, I (1933), 181-95.

VERGARA, HIPÓLITO DE

REINA DE LOS REYES, LA.
V. GENERAL II, VIRGEN (1495B);
TIRSO DE MOLINA, ASTERISCOS (2675),
COMEDIA (2712).

VIRGEN SANTÍSIMA DE LOS REYES, LA.
V. REINA DE LOS REYES, LA.

VILLAIZÁN Y GARCÉS, JERÓNIMO DE

V. GENERAL II, TERCER ORDEN (1455);
LOPE DE VEGA, VILLAIZÁN (3553).

VILLAMEDIANA, JUAN DE TASSIS Y
PERALTA, CONDE DE.

V. GÓNGORA Y ARGOTE, núm. 2442.

VILLAVICIOSA, FRANCISCO DE

V. GENERAL II, TERCER ORDEN (1455).

ZABALETA, JUAN DE

V.t. GENERAL II, NOTICIAS (1302),
TERCER ORDEN (1455).

TEMAS

EHRE UND ADEL.
3951. Werner, Ernst: "Ehre und Adel
nach der Auffassung des Juan de Za-

baleta."
RevHisp, LXXXI (1933), pte. 2, págs.
261-81.

MOLIÈRE.
3952. Gillet, J. E.: "A Possible
New Source for Molière's Tartuffe."
MLN, XLV (1930), 152-54.
["El hipócrita" de El Día de
fiesta por la mañana].

OBRAS

DÍA DE FIESTA POR LA MAÑANA, EL.
3953. Doty, George Lewis: "Juan de
Zabaleta's Día de fiesta por la mañana. A Critical Annotated Edition."
RFor, XLI (1928), 147-400.

DÍA DE FIESTA POR LA TARDE, EL.
3954. Doty, George Lewis: El Día
de fiesta por la tarde. (Gesellschaft für romanische Literatur,
Band 50). Jena: Gesellschaft für
romanische Literatur, 1938. Pp. 182.

TROYA ABRASADA.
V. CALDERÓN, OBRAS, núm. 2217.

ZAMORA, ANTONIO DE

V.t. GENERAL II, GITANERÍA (1098),
GUZMÁN EL BUENO (1129), NOTICIAS
(1302).

BIOGRAFÍA.
3955. Mesonero Romanos, Ramón de:
"Teatro antiguo español. Zamora.
Cañizares."
SemPintEsp, (1853), 114-16.

DON JUAN.
V. TIRSO DE MOLINA, núm. 2730.

ZORRILLA, JOSÉ.
3956. Barlow, J. W.: "Zorrilla's
Indebtedness to Zamora."
RR, XVII (1926), 303-18.
[Sobre su comedia No hay deuda
que no se pague, y convidado de
piedra].

OBRAS

LUCERO DE MADRID, EL.
V. GENERAL II, SAN ISIDRO (1406).

NO HAY DEUDA QUE NO SE PAGUE, Y
CONVIDADO DE PIEDRA.
V. TEMAS, ZORRILLA (3956); TIRSO
DE MOLINA, DON JUAN (2730).

PONCELLA DE ORLEANS, LA.
V. GENERAL II, JEANNE D'ARC (1184).

ZÁRATE Y CASTRONOVO, FERNANDO DE

3957. Mesonero Romanos, Ramón de:
"Teatro de Zárate."
SemPintEsp, (1853), 41-43.

ADICIONES Y CORRECCIONES

ÍNDICE DE REVISTAS

BBMP--Añádase 3704Aa.

ChrW--(después de CFFLM) debe seguir a CyR.

HR--Añádanse 3461, 3885b.

GIL VICENTE

CÔRTES DE JÚPITER, AS.
741. Machado. Reimpreso en RdPort, XXX (1965), no. 238 (oct.), págs. 402-16.

792A. Este addendum no lo es, sino que repite el núm. 621.

GENERAL II, TEMAS

BARCELONA.
859A. Elías de Molíns, Antonio: "Noticias y documentos sobre el teatro castellano, italiano y catalán en Barcelona desde el siglo XIV a principios del XIX."
RCHLE, V (1900), 18-33, 71-87.

BORGO, PIO DAL.
V. ROJAS ZORRILLA, abajo, 2547A.

BORROW, GEORGE.
V. LOPE DE VEGA, GHOST STORY (3200).

CALINI, ORAZIO.
V. ROJAS ZORRILLA, abajo, 2547A.

CAMERINO, JOSÉ.
V. LOPE DE VEGA, LIBROS, LEVI (3880).

CICOGNINI, GIACINTO ANDREA.
V.t. ROJAS ZORRILLA, abajo, 2547A.

COLONNA, MARCO ANTONIO y VITTORIA.
V. TIRSO DE MOLINA, MATRIMONIO (2744).

DANZA DE LA MUERTE.
975. Más y Prat. Reimpreso en sus

Estudios literarios, págs. 107-29 (V. abajo, LIBROS, núm. 1697C).

DON JUAN.
1029A. Más y Prat, B.: "Don Miguel de Mañara."
En sus Estudios literarios, págs. 23-53 (V. abajo, LIBROS, núm. 1697C).

FRANCHI, FABIO.
(Después de FRAGMENTO). Debe seguir a FRANCIA, núm. 1090.

GALLEGO, JUAN NICASIO.
V. LOPE DE VEGA, núm. 3197.

GOLDONI, CARLO.
V.t. ROJAS ZORRILLA, abajo, 2547A.

GOZZI, CARLO.
V.t. ROJAS ZORRILLA, abajo, 2547A.

INGEMANN, BERNHARD SEVERIN.
V. ROJAS ZORRILLA, abajo, 2547A.

KANT, EMMANUEL.
V. CALDERÓN, OBRAS, LA VIDA ES SUEÑO (2245).

LESAGE, ALAIN RENÉ.
V. ROJAS ZORRILLA, abajo, 2547A.

MANZOLI DEL MONTE, VINCENZO.
V. ROJAS ZORRILLA, abajo, 2547A.

MAÑARA, MIGUEL DE.
V. DON JUAN.

MAYA, LA.
V. abajo, LIBROS, núm. 1648A.

NAPOLEONE, MARCO.
V. ROJAS ZORRILLA, abajo, 2547A.

OLIVERA, CASA DE LA.
1307A. Juliá Martínez, E.: "Nuevos datos sobre la casa de la Olivera de Valencia."
BRAE, XXX (1950), 47-85.

SAURIN, BERNARD JOSEPH.
V. ROJAS ZORRILLA, abajo, 2547A.

THOMSON, JAMES.
  V. ROJAS ZORRILLA, abajo, 2547A.

VALENCIA.
  V.t. OLIVERA, arriba, 1307A.

ZAHLHAS, J. B. VON.
  V. ROJAS ZORRILLA, abajo, 2547A.

GENERAL II, LIBROS

1648A. GONZÁLEZ PALENCIA, A., y
MELE, E.: La Maya, notas para su
estudio en España. (Biblioteca de
Tradiciones Populares, VII). Madrid: C. S. I. C., Instituto Antonio de Nebrija, 1944. Pp. 166.
  [Indicaciones de esta fiesta pri-
maveral folklórica en la historia y
la literatura italianas y españolas.
Hay referencias a piezas dramáticas
de Lope, Quiñones de Benavente, etc.].

1697C. MÍS Y PRAT, BENITO: Estudios literarios. Madrid: F. Fe,
1892. Pp. 301.
  V. TEMAS, DANZA DE LA MUERTE
(arriba, 975), DON JUAN (arriba,
1029A).

MORETO, AGUSTÍN

MORETO.
2491A. Armas y Cárdenas, José de:
"Moreto."

En sus Ensayos críticos de literatura inglesa y española, págs. 185-
195 (V. GENERAL II, LIBROS, núm.
1568).

ROJAS ZORRILLA, OBRAS

CASARSE POR VENGARSE.
2547A. Peter, Arthur: "Des Don
Francisco de Rojas Tragödie Casarse
por vengarse und ihre Bearbeitungen
in den anderen Litteraturen."
Jahresbericht des Gymnasiums zum
heiligen Kreuz in Dresden (Dresden:
Lehmannsche Buchdruckerei, 1898),
págs. iii-lii.
  [I: Napoleones und Cicogninis
Tragödien Il Maritarsi per vendetta;
II: Lesages Novelle Le Mariage de
vengeance: ihr Verhältnis zu Rojas
Tragödie und ihre dramatischen Bearbeitungen. El autor estudia los
dramaturgos y obras siguientes:
Carlo Goldoni, Enrico re di Sicilia;
James Thomson, Tancred and Sigis-
munda (1745); Bernard Joseph Saurin,
Blanche et Guiscard (1763); Pio dal
Borgo, Il Matrimonio di vendetta
(1751); Vincenzo Manzoli del Monte,
Bianca e Enrico (1771); Orazio Ca-
lini, La Zelinda (1772); Carlo Gozzi, Bianca Contessa di Melfi (1779);
Bernhard Severin Ingemann, Blanca
(1814); J. B. von Zahlhas, Heinrich
von Anjou (1814)].

ÍNDICE DE AUTORES

Los números ordinarios indican artículos y ediciones de obras dramáticas. Los números subrayados (<u>1573</u>) representan libros; los seguidos de asterisco (3475*) son o anejos de revistas o publicaciones seriales. Las reseñas se indican por una letra minúscula (<u>2315a</u>, 2908f); las intercalaciones tardías se señalan por letras mayúsculas (302A, 302B, <u>1574A</u>).

Bandeira, Manuel, 2421.
Banner, J. Worth, 1224.
Baralt, Luis A., 327, 1205*, 3188.
Barata, António Francisco, 774.
Barbazán, Julián, 3424, 3684.
Barberán, Cecilio, 3047.
Bardin, James C., 2956.
Baret, Eugène, 3561, 3562.
Barlow, Joseph W., 2374b, 3956.
Barrantes y Moreno, Vicente, 964,
  1124, 1430, 1573.
Barrau, Henriette C., 3743.
Barrera y Leirado, Cayetano Alberto
  de la, 508, 1574, 3830.
Barrett, Linton Lomas, 412, 2358.
Barton, Francis B., 1433.
Bataillon, Marcel, 171, 408, 581m,
  588c, 743e, 790d, 792b, 854, 986,
  987, 1277a, 1285, 1574A, 3131,
  3406, 3654, 3817, 3818, 3839h.
Batllori, Miguel, 920.
Battelli, Guido, 771.
Battistessa, Ángel José, 255e, 445,
  452, 1575, 3662c.
Baulier, F., 3306, 3778.
Baumgartner, Alexander, 1858, 1915,
  2126a, 2298f.
Bayle, Constantino, 825, 1367.
Bayo, Manuel José, 268.
Beau, Albin Edouard, 652, 658-59,
  705, 723.
Becker, Gustav, 1180.
Becker, Philipp August, 1008g, 1272,
  1778a, 2031a, 2092a, 2192a, 2223e,
  2839d, 3877d.
Beckmann, Emmy, 1133.
Becher, Hubert, 2022, 2093c, 3920s.
Beer, Rudolf, 1777a.
Behn, Irene, 3084, 3472, 3523.
Behnke, Fritz, 2452.
Beltrán, Juan Ramón, 3402.
Bell, Aubrey F. G. (V.t. Giráldez,
  Álvaro), 85, 350d, 387b, 581e, 609,
  621, 700-02, 712, 713a, 713c, 715,
  775-76, 788a, 790a, 790j, 792A,
  889, 1532, 1533, 2394a, 2760,
  2931a, 2931d, 3399, 3622a, 3808g,
  3850q, 3854c.
Bellessort, André, 1575A.
Benary, Walter, 3284.
Benavente, Jacinto, 836.
Benavente, Manuel, 2966, 3831.
Benítez Claros, Rafael, 1689b, 3019,
  3850h.
Berens, Peter, 2053.
Bergamín, José, 1361, 1576-77, 1933,
  2076, 3455, 3484, 3539.

Berger, H. A., 1922.
Berjano, Víctor F., 3674.
Bermejo, Luis, 816.
Bernard, G., 1578, 1710a.
Bernard, Henri, 3347.
Bernard, Thalès, 3545.
Bertana, Emilio, 1596b.
Bertini, Giovanni Maria, 1393, 1579,
  2857.
Bertoni, G., 185d.
Bertrand, Jean Jacques Achille,
  1101, 1580.
Berzunza, Julius, 115.
Besso, Henry V., 1197.
Betancur Cuartas, B., 2420a.
Bettencourt Ferreira, Júlio Guilher-
  me, 679.
Biblioteca Nacional (Lisboa), 777.
Biblioteca Nacional (Madrid), 3832.
Biedermann, Woldemar Freiherr von,
  1808a, 1809a.
Biedma, J. S., 885, 1461.
Bierhenke, Wilhelm, 3852.
Bigongiari, Dino, 103.
Biltz, Karl Peter, 1999.
Birch, Frank, 2222.
Birch, James N., 2168.
Birkhead, H., 2066.
Blair, J. M., 2908c.
Blanco, Ramiro, 1168.
Blanco y Claro, R., 3563.
Blasi, F., 802.
Blecua, José Manuel, 3017, 3167.
Bleiberg, Germán, 3850d.
Bobadilla, El Bachiller, 2550.
Bobbio, A., 1104.
Bock, N., 63.
Bock, Peter, 3097.
Boedo, Fernando, 3833.
Bohigas, Pedro, 1715d.
Bohning, William H., 3739.
Boinet, A., 316.
Bolando e Isla, Armando, 1044.
Bolte, Johannes, 1028, 1115, 1506,
  1657a, 1777c.
Bonelli, Maria Luisa, 2996.
Bonet, Carmelo M., 3665-66.
Bonilla y San Martín, Adolfo, 54,
  162, 172, 177a, 199, 224, 227, 286,
  347, 348, 353, 481, 503, 544-45,
  1581, 1581A, 2624, 2841, 2902,
  3493, 3595c, 3933, 3949e.
Borghini, Vittorio, 3834.
Bork, Albert William, 3659.
Bormann, Walter, 902.
Boselli, Carlo, 3211, 3489, 3530.
Bottacchiari, R., 1797d.

Dellepiane, Ángela Blanca, 1712a, 3943d.
Denis, Serge, 2589, 2631, 2645-46.
Denslow, Stewart, 1012.
Depta, Max Victor, 301, 351b, 380a, 2288, 3846.
Dessoff, Albert, 814-15.
Dias de Magalhães, António, 761.
Díaz Benjumea, Nicolás, 330.
Díaz de Escovar, Narciso, 1, 3, 4, 5, 384, 528, 827-32, 926, 933-34, 979, 1070, 1073-74, 1111, 1295, 1308, 1313, 1365, 1384, 1397, 1408, 1439, 1614-18, 1823, 1838, 2341, 2349, 2435, 2439, 2445, 2454, 2467.
Díaz Galdós, T., 1874.
Díaz-Jiménez y Molleda, Eloy, 438, 459, 564.
Díaz y Pérez, Nicolás, 838.
Díaz-Plaja, Guillem, 3265.
Diego, Gerardo, 3847.
Dieulafoy, Marcel, 75, 1619, 2027, 2368.
Díez-Canedo, Enrique, 150A, 372a, 1491, 1620-21, 2413, 2567, 2570, 2599, 3723.
Díez Crespo, Manuel, 911.
Díez Echarri, Emiliano, 1246*.
Díez Martínez, Antonio, 2943.
Dixon, Esther M., 1527.
Domblide, Vicente Guillermo, 1005a, 2094a, 2840a, 3566a.
Domínguez Bordona, J., 212, 3879d.
Dominici, Aníbal, 2378.
Donders, H., 2024.
Dorer, Edmund, 1155, 1622, 1965, 1992, 2289, 3848.
Dória, António Álvaro, 646, 775.
Dornhof, Johannes, 873*.
Dotor y Municio, A., 1229.
Doty, George Lewis, 3953-54.
Douglas, Frances, 3910b.
Douglass, Philip Earle, 123.
Doumic, René, 1458.
Doyle, Henry Grattan, 104p.
Draws-Tychsen, Hellmut, 2584-85, 2674.
Dreidennie, Oscar J., 1328.
Dubois, Louis, 1623, 2369.
Ducamin, J., 1623a.
Ducarme, Charles, 595.
Dumaine, C. B., 3663.
Dunin-Borkowski, Stanislaus von, 2191.
Duplessis, Gustavo, 1288.
Durán i Sanpere, Agustí, 19.
Durand, René L. F., 3671.

Duschinsky, W., 1117.

E., 587a, 3568b, 3918b.
E. A., 346a.
E. C., 20b, 1790a.
E. N., 657a.
E. S., 254.
E. V., 2486.
Eberle, Oskar, 2160.
Eckhardt, E., 1654c
Echalar, P. B. de, 239.
Echegaray y Eizaguirre, Miguel, 1624.
Egas Moniz, António Caetano de Abreu Freire, 651.
Eguía Ruiz, Constancio, 1429, 1625*, 1883, 3187.
Eichendorff, Joseph Freiherr von, 2108.
Eichengreen, W. A., 759.
Elías de Molins, José, 1995, Adiciones 859A (pág. 418).
Elwert, W. Theodor, 3475c.
Elze, Karl, 3619a.
Ellits, --, 2290.
Englekirk, John E., 1548a, 1717a.
Enk von der Burg, Michael, 1045.
Entrambasaguas, Joaquín de, 345, 378-79, 586c, 1398, 1626, 1792c, 1950-51, 2206, 2338a, 2338b, 2485, 2575, 2629a, 3001b, 3011, 3056, 3059, 3118, 3142, 3150, 3156-57, 3170, 3180, 3183, 3197, 3215, 3221, 3261, 3263, 3273, 3287-88, 3304, 3313, 3367, 3379, 3386, 3388-89, 3394, 3408-09, 3411, 3414, 3427, 3437, 3442, 3478, 3492, 3497, 3553, 3565f, 3610, 3626e, 3675a, 3685, 3700, 3821c, 3821g, 3849-54, 3891a, 3907A, 3929, 3936.
Entwistle, William J., 104b, 208c, 581f, 743a, 1163, 1355e, 1665a, 1715g, 1721b, 1749a, 1937-38, 2001, 2070, 2147, 2205, 2318a, 2482b, 2482d, 2958d, 3267, 3573c, 3767a, 3808c, 3850a, 3890d, 3920a, 3945b.
Eoff, Sherman H., 2110.
Escofet, Pilar, 1465.
Escosura, Patricio de la, 1143, 1953, 2016.
Escudero, Alfonso M., 2761.
Espín, Joaquín, 3353.
Espino Gutiérrez, Gabriel, 3099.
Espinós y Moltó, Víctor, 853, 3438.
Espinosa, Aurelio M., 148, 150, 1169.
Espinosa Maeso, Ricardo, 270, 436, 462, 507.

Frenck, Mariana, 2407-08.
Frey, Albert Romer, 1638.
Friedwagner, Matthias, 812.
Froberger, Josef, 1927.
Frost, Francis L., 2365a.
Frutos Cortés, Eugenio, 1870-71,
2085, 2295.
Fucilla, Joseph G., 1140*, 2256,
3289, 3378, 3656, 3704a, 3880d,
3894a.
Fuensanta del Valle, Marqués de la.
V. Ramírez de Arellano, Feliciano.
Fuente, Rafael de la. V. Adán,
Martín.
Fuentes, Magdalena S., 2813b.
Funes, Enrique, 2296.
Fúster Forteza, Gabriel, 1069.

G. B., 579b.
G. C., 3509.
G. Sch., 3433.
G. W., 2173a.
Gabinski, N., 3432.
Gabotto, Ferdinando, 53.
Gabriel y Ramírez de Arellano, Al-
fonso de, 2928.
Gago Coutinho, Carlos Viegas de,
650.
Galvão de Carvalho, Rui, 661.
García, Félix, 2249, 3458, 3862.
García, Manuel José, 385.
García Bacca, Juan David, 244.
García Blanco, Manuel, 441, 972,
2671, 2779, 2792, 2835.
García Boiza, Antonio, 560.
García Cruz, Jaime, 3170.
García Chico, E., 992.
García-Diego, Tomás, 3552.
García Figueras, Tomás, 1639-40,
3863.
García y García, José Antonio, 1238.
García Gómez, Emilio, 3842.
García Morales, Alfonso, 3438A.
García Morales, Justo, 117.
García Moré, Mireille, 526.
García Moreno, María Teresa, 1514.
García Nieto, José, 2754.
García Prada, Carlos, 3621.
García Rey, V., 3238.
García Solalinde, Antonio, 389, 817,
1348.
García Soriano, Justo, 922, 1641,
2654.
García Valdecasas, Alfonso, 1642.
García Villada, Zacarías, 1406.
Gard, Maurice Martin du, 3698.
Garrido, Antonio, 1495.

Garrison, Winfred Ernest, 62.
Garro, J. E., 252.
Garrone, M. A., 302A, 376.
Gasparetti, Antonio, 314, 1055,
1128, 1237, 1317, 2662, 3012, 3190,
3195, 3202, 3338, 3407, 3467a,
3592, 3704, 3732, 3864.
Gaspary, A., 1021.
Gassier, Alfred, 1643.
Gates, Eunice Joiner, 678, 1973,
1986, 2033-34, 2068.
Gatti, José Francisco, 452a, 2374a,
2633a, 2875a, 3865.
Gauthier, Marcel (seud. de Raymond
Foulché-Delbosc), 31, 1444.
Gavidia, Francisco Antonio, 1644,
3222.
Gaw, Allison, 2400*.
Geddes, James, 2113.
Geers, Gerardus Johannes, 2386a,
2620a, 3198, 3871g.
Geiger, Ludwig, 1190, 2055.
Gendarme de Bévotte, Georges, 1645,
1646.
Germond de Lavigne, Alfred, 215,
534.
Gérold, Th., 56.
Gerothwohl, Maurice A., 1010.
Gerould, G. Hall, 1131.
Gersão Ventura, Augusta Faria, 592,
756.
Gestoso y Pérez, José, 23-24, 182.
Giannini, Alfredo, 11, 324, 335,
348A, 363, 368, 382, 421b, 3880b.
Giese, Wilhelm, 3917a.
Gigas, Émile, 3178.
Gijón Zapata, Esmeralda, 2739.
Gil Álvarez, Felipe, 67, 707.
Gilder, Rosamond, 3485.
Gili Gaya, Samuel, 2958c, 3943b.
Gilman, Stephen, 284.
Gillet, Joseph E., 25e, 36a, 40, 52,
104g, 112a, 128, 161, 163a, 165b,
169a, 172b, 183b, 185b, 191b, 197,
200, 208, 350a, 393, 417, 428, 472,
474, 479, 483, 486, 494, 502, 514,
549, 556-57, 562, 570-72, 581-82,
585, 586d, 588a, 709, 790e, 945,
1079, 1084, 1110, 1223, 1388, 1522,
1613a, 1727a, 3465, 3598, 3952.
Giménez Caballero, E., 446.
Giménez Soler, Andrés, 1512.
Gimeno, Patricio, 3839d.
Ginard de la Rosa, Rafael, 1646A,
2304.
Giner de los Ríos, Francisco, 154.
Giráldez, Álvaro (seud. de Aubrey

Marquina, Rafael, 68.
Marsh, A. R., 3814.
Martel, José, 1562.
Martell, Daniel E., 2665.
Martí Grajales, Francisco, 516,
    1584, 1818, 2345.
Martí Ibáñez, Félix, 262.
Martija, Susana, 2910g.
Martín, Ángel, 2774.
Martin, H. M., 2157, 2973, 3184,
    3368, 3815.
Martín Gamero, Antonio, 2932.
Martín Martín, José María, 2819.
Martinenche, Ernest, 2, 215, 265,
    939e, 941, 946, 1016, 1266, 1364,
    1667b, 1667d, 1697, 3633.
Martínez Lage, Antonio, 1909.
Martínez y Martínez, Francisco,
    2351, 2388-89.
Martínez Ruiz, José. V. Azorín.
Martínez Sierra, Gregorio, 908,
    2118.
Martini, Ferdinando, 1697A, 1911.
Martins, Mário, 93, 1697B.
Más y Prat, Benito, 948, 975, Adi-
    ciones 975, 1029A, 1697C (págs.
    418-19).
Massa, Pedro, 3220.
Massaguer, Enrique, 3856.
Massarani, Tullo, 322.
Matos Sequeira, Gustavo de, 694.
Matthews, Brander, 1330-31.
Matulka, Barbara, 953, 1072, 2111,
    3091, 3482.
Maurer, Haseltine R., 2549a.
Maurício, Domingos, 591, 777a, 790n.
Maury, Lucien, 1645b.
Maynial, E., 1619a.
Maza Solano, Tomás, 3737.
Mazade, Charles de, 352a.
Mazzei, Pilade, 185, 259, 3577.
Mazzoni, Guido, 219, 750A.
McClelland, Ivy L., 2649d, 2801,
    2807, 2848, 2908d, 2910c, 2931.
McFadden, William, 2911.
McGarry, Francis de Sales, 1866*.
McKnight, William A., 1765f.
Medina, José Toribio, 819, 1698,
    2951, 3883.
Meier, Harri, 773, 1699, 1714,
    2925f.
Mejía Ricart, Gustavo Adolfo, 2722.
Mele, Eugenio, 288, 1097A, 1097B,
    1383, 2444, 3028-29, 3293, 3302,
    3374, 3440, 3471, Adiciones 1648A
    (pág. 419).
Mélida, José Ramón, 835.

Mellado, Andrés, 3329.
Mello de Mattos, Gastão de, 315.
Mendes, João R., 624.
Méndez Bejarano, Mario, 399, 1204,
    1700, 1829.
Méndez Plancarte, Alfonso, 2458.
Méndez Plancarte, Gabriel, 2583.
Menéndez y Pelayo, Marcelino, 218,
    504, 580, 587, 589, 862, 1596a,
    1701, 2312-13, 2327, 2686, 2763,
    3176, 3568, 3582, 3660, 3855a,
    3884-85.
Menéndez Pidal, Gonzalo, 3637.
Menéndez Pidal, Juan, 210.
Menéndez Pidal, Ramón, 147, 168a,
    266, 375, 1092, 1159-60, 1702-03,
    2813a, 2863-64, 2869, 2885, 2933,
    3010, 3027, 3224, 3239, 3949.
Menéndez Vives, Ángel, 1011.
Mensch, Louis, 1580e.
Meredith, Joseph A., 49*.
Merejkowski, Dmitri de (V.t. Merezh-
    kovsky), 1898.
Merezhkovsky, Dmitry Sergyeevich,
    2314.
Mérimée, Ernest, 415b, 904a, 1821e,
    2356, 2372, 2547a, 2620b, 3949i.
Mérimée, Henri, 186, 1584a, 1704-05,
    1815, 1839, 2346, 2362, 2363a,
    2938a, 3048, 3278, 3721a, 3760.
Mérimée, Paul, 870g, 2730, 3832a,
    3879c.
Merry y Colom, Manuel, 1706.
Mesonero Romanos, Ramón de, 1455,
    1825, 1832, 1908, 2077, 2360, 2433,
    2436, 2446-47, 2455, 2459, 2469,
    2493, 2516, 2544, 2616, 2660, 2809,
    3488, 3940, 3955, 3957.
Mestres, Apeles, 151.
Metford, J. C. J., 972A, 2765.
Mettmann, Walter, 2333e.
Mew, James, 297, 302.
Meyer, Wilhelm, 960, 2216.
Mézières, A., 1456.
Micinsky, Tadeusz, 2201.
Michaelis, Georg, 1707.
Michaëlis de Vasconcellos, Carolina,
    17, 214a, 218b, 272a, 450, 665-66,
    682, 731, 791a, 1708.
Michel, Hermann, 1009.
Michels, Ralph J., 194a, 870a, 1866a,
    2533, 2925b, 3668a, 3856a, 3880a,
    3903a, 3931b.
Michels, Wilhelm, 2057.
Mier, Eduardo de, 1772.
Miguélez, Manuel, 9.
Milá y Fontanals, Manuel, 74, 97,

Mounsey, G. A., 2314.
Muckermann, Friedrich, 3920h.
Müller, M. J., 1031.
Münch-Bellinghausen, Eligius Frei-
  herr von, 794, 916.
Münnig, Elisabeth, 2316.
Mugica, Pedro de, 532a.
Muguruza Otaño, Pedro, 3045, 3891.
Mulertt, Werner, 20e, 29, 152b, 724,
  726a, 767a, 1350, 3575j, 3622d,
  3871c.
Mulroney, M., 231.
Muñoz, Matilde, 1725.
Muñoz Cortés, Manuel, 713b, 3943.
Muñoz Morillejo, Joaquín, 1726.
Muñoz Peña, Pedro, 1156, 2934.
Muñoz Rojas, José A., 1869.
Muret, Ernest, 3043.
Murguía, Manuel, 1187.
Múrias de Freitas, Maria, 710.
Murphy, Elmer, 2083.
Mussafia, Adolfo, 144, 959.
Muth, K., 3921b.

N., 3661a.
N. H., 1940.
Napier, Arthur S., 962.
Nauta, G. A., 1316, 2903, 2970.
Navarra, Teresa, 3892.
Navarro Tomás, Tomás, 1231, 1500,
  1502.
Necker, Moritz, 3855b.
Nemtzow, Sarah, 1064.
Nicholson, Helen S., 1050.
Nicolau d'Olwer, Lluís, 319.
Nicolay, Clara Leonora, 209*.
Nolasco, Flérida de, 2795-97.
Nombela y Campos, Julio, 2025.
Nomland, John B., 2743.
Northup, George Tyler, 49c, 311,
  581d, 913, 980, 1094, 1526a, 1727,
  1762a, 1821a, 2041, 2102, 2213,
  2217, 2218a, 2280, 2536b, 2563b,
  2950, 3122a, 3658, 3949b.
Nunes, José Joaquim, 604, 714a.
Núñez, Estuardo, 2412, 2942.
Núñez de Arenas, M., 3839c.
Núñez Barbosa, Jacinto, 2697.
Núñez de Prado, Manuel, 404.
Nykl, Alois Richard, 790c, 3782-83.

Obregón Barreda, F., 3311.
Ochando, Andrés, 3345, 3893.
Ogara, F., 3235.
Oleza, J. de, 897.
Oliveira, César A. de, 747.
Oliver, J. J. (seud. de Raymond

Foulché-Delbosc), 3948b.
Oliver Asín, Juan, 364, 3054, 3314.
Olivier, Paul, 1004.
Olmedilla y Puig, Joaquín, 3448.
Olmedo, Félix G., 565, 2317, 3229.
Olmsted, Richard Hubbell, 3945.
Olschki, Leonardo, 512.
Onís, Federico de, 535a, 2938b,
  3609d.
Oppenheimer, Max, Jr., 1877, 2029,
  2130, 2132.
Oppenheimer, Ruth Annelise, 3804.
Oria, J. A., 1013.
Orico, Osvaldo, 1019.
Ormsby, John, 3517.
Oroz, François, 1623.
Orozco Díaz, Emilio, 864*, 925,
  1333, 2432.
Ortega, Teófilo, 290.
Ortiz, Fernando, 1296.
Ortiz Behety, Luis, 463, 553.
Ortiz Gallardo, Juan, 434.
Ortiz de Urbino, J., 1669b.
Orts González, Juan, 3390, 3419.
Ortúzar, Martín, 2898-99.
Osma, José María de, 1165, 1866b,
  2142, 2161, 2210*, 2211, 2218*,
  2477a, 2664c.
Ossorio y Bernard, Manuel, 1728,
  1859, 2790, 3317.
Ottavi, Mario, 2499.
Owen, Arthur L., 2563a, 2634, 2636a,
  2641.
Owen, John, 1729.
Owre, J. Riis, 2925a.
Oyuela, Calixto, 1730, 2117, 2162,
  2900, 2907.

P. B., 1810c.
P. F., 2283d, 3897d, 3921a.
P. R., 1519a.
Pabst, Walter, 3920f.
Padín, José, 318.
Pagano, Antonio, 2771.
Palacio, Timoteo Domingo, 1857.
Palacios, Leopoldo Eulogio, 1731,
  2240.
Palau y Marsá, Francisco, 2935.
Palmieri, R., 1523a.
Panarese, Luigi, 3894.
Papini, Giovanni, 1732-35, 1897.
Par, Alfonso, 1378.
Pardo Bazán, Emilia, 3009.
Pardo Manuel de Villena, Alfonso de
  (Marqués de Rafal), 1736.
Pardo Villar, Aureliano, 203.
Parducci, Amos, 875, 1311*, 1386,

563a, <u>797a</u>, 1123, 1260*, <u>1810a</u>, 3209, 3652a, 3738b.

Placer López, Gumersindo, 2532, 2668, 2678, 2715, 2720, 2734, 2742, 2791, 2793, 2798-99, 2808, 2837.

Plummer, L. Sue, 2578.

Poehl, Gertrud von, 3707.

Poesse, Walter, 3242*.

Poleró, V., 3165.

Pomès, Mathilde, 3094.

Poncet, Carolina, 3772-73.

Ponferrada, Juan Oscar, 2904.

Pons, Joseph S., 3254, 3600.

Ponzanelli, D., 2617.

Popek, Anton, <u>1748</u>.

Porena, M., 1946.

Porras Barrenechea, Raúl, 2854.

Porras Troconis, Gabriel, 1162, 3044.

Porterfield, Allen Wilson, 809.

Poston, Lawrence, 2910f.

Pothoff, Adolf, 2173.

Pound, Ezra, <u>1748A</u>, 3403A.

Powers, Perry J., 3662a.

Praag, Jonas Andries van, 1134, 1427, 1451-52, <u>1749</u>, 2183, 2250, 2517, 2625, 3356, 3708, 3709.

Prado, Norberto del, <u>2936.</u>

Prampolini, Giacomo, 2617.

Pratt, Óscar de, 690, 731, 754, <u>788</u>.

Praz, Mario, 2399a.

Prestage, Edgar, 695, 704, 753a.

Price, Eva R., 3364, 3604, 3768, 3813.

Prieto, C., <u>3820b</u>.

Probst [Laas], Ilsa G., 121*, 231.

Protzman, Merle I., 3808b.

Puente Ojea, M., 3808e.

Puiggarí, José, 1261.

Pujals, Esteban, 2193e.

Pulliero, Giulio, 1579.

Putman, Jacobus Josephus, <u>2323</u>.

Putnam, Samuel, <u>3827c</u>, <u>3886b</u>.

Puymaigre, Théodore-Joseph Boudet, Comte de, 1519d, 1634, <u>1767d</u>, 2104c, <u>2308a</u>, <u>2311a</u>, <u>2330b</u>, 2370e.

Puyol y Alonso, Julio. V. San Martín, Alonso de.

Quadra Salcedo, F. de la, 2411.

Quadrado, J. M., 74.

Qualia, Charles B., 942, 1298, 1360, 1497.

Queiroz, Francisco de, 639.

Queiroz Veloso, José Maria de, 672, <u>789</u>.

Quesnel, Léo, 1457, 2968.

Quintela, Paulo, 725-27, 729, 758a.

Quirarte, Clotilde Evelia, <u>2651</u>.

Quirino da Fonseca, Henrique, 630, 736.

Quirós Barreau, Josefina, 568.

R., 1910, 3377, <u>3869b</u>.

R. G., <u>3839b</u>.

R. L., 249.

Rada y Delgado, Juan de Dios de, 882-83.

Radoff, M. L., 2861.

Rafal, Marqués .de. V. Pardo Manuel de Villena.

Rambeau, A., 2225a.

Ramírez de Arellano, Feliciano (Marqués de la Fuensanta del Valle), 533, <u>1771</u>.

Ramírez de Arellano, Rafael, 527, <u>1750</u>, 3196.

Ramón y Fernández, José, 1282.

Ramos, J. M., 3563.

Rangel, Nicolás, 2561, 2574, <u>2652</u>.

Raposo, Hipólito, 3395.

Rapp, Moriz, <u>1751</u>.

Ratcliff, Dillwyn F., 137.

Rauhut, F., 248, <u>3917d</u>.

Ray, John Arthur, <u>1668a</u>, <u>1752</u>.

Reade, Hubert, 2064.

Real, J. Alonso del, <u>2323A</u>.

Reed, A. W., <u>196a</u>, 3435a.

Reed, Frank Otis, 1527, 2026*, 2113a, <u>2626a</u>, 3507, 3585d, 3744a.

Reichenberger, Arnold G., 2143a, 2908g, 2923b, 3608d, 3617a, <u>3885b</u>, 3943a.

Reid, John T., 104h, 1057, 1404.

Reiff, A., 1309.

Reinhardstoettner, Karl von, 511, 2114a.

Reischmann, Karl, <u>291</u>.

Remedios, Mendes dos, 714.

Remón, Augustín, 2833.

Remos, Juan J., 2526, 3046.

Rennert, Hugo Albert, 138, 139*, 478, 804, 958, <u>1743b</u>, <u>1753</u>, 2224a, 2365*, 2438, 2451a, 2656, 2658*, 2838a, 2876, 3003, 3214*, 3275, 3339, 3480, 3522, 3565a, 3629, 3780, 3786, 3805, 3809, 3810, <u>3822d</u>, <u>3859a</u>, <u>3872c</u>, <u>3897-98</u>, <u>3915b</u>, <u>3949a</u>.

Reparaz, Conde de. V. Herranz, Juan José.

Reparaz, Gonzalo de, <u>1766b</u>.

Restori, Antonio, 839, 918, 952A, 1042, 1086, 1096, 1097, <u>1738a</u>, <u>1743a</u>, <u>1754-55</u>, 2343, 2392, 2520,

Steffens, Georg, 3872d, 3915.
Steiger, Arnald, 3387.
Steinberger, H., 1878.
Steiner, Arpad, 2131.
Steinmetz, Bernard Michael, 2127a, 2336.
Stephenson, Robert C., 542.
Stevens, Charles H., 3757.
Stiefel, Arthur Ludwig, 173a, 424a, 478a, 478b, 493a, 519, 534a, 566, 580a, 587c, 589c, 699, 839a, 869, 1036, 1171-72, 1179, 1269, 1271, 1354a, 1390, 1399, 1400-01, 1416a, 1416d, 1417, 1446, 1601a, 1643a, 1721a, 1753d, 1767b, 1770a, 1773b, 1773c, 1774a, 1798a, 1833a, 2114b, 2144, 2153a, 2154-55, 2170b, 2223d, 2227b, 2283b, 2283e, 2298b, 2300a, 2343a, 2372a, 2476d, 2658b, 2838b, 3609a, 3661b, 3711d, 3714, 3744b, 3755, 3810a, 3822a, 3870a, 3872a, 3897b, 3899a, 3915a.
Stockmann, Alois, 3846g
Stone, Herbert K., 152c.
Stoudemire, Sterling A., 870c, 1366, 1766a, 2496a.
Stradeck, Fr., 1925-26.
Strassenberger, Georg, 1963.
Stuart, Donald Clive, 1157.
Stubenrauch, Herbert, 1363.
Stueber, Carl, 1425.
Sturdevant, Winifred, 152*.
Suárez Rivas, Carmen, 3225.
Suau, M. A., 3919a.
Subirá, José, 1135, 1291-92, 1787, 2475e.
Sussmann, J. H., 1851-52.
Swaen, A. E. H., 2399.
Świecicki, Juljan Adolf, 1034, 1034A, 1147.
Swiggett, Glen Levin, 1423.
Sylvia, Esther B., 1033, 1249.
Szyjkowski, Marjan, 2072.

Tabernig, Elsa, 3817.
Taboada, Jesús, 2906.
Tailhade, Laurent, 2146.
Taine, Hippolyte, 3453.
Tamayo, Juan Antonio, 2882, 2917, 2929a, 3678, 3800a, 3803, 3804b, 3804c, 3821d, 3849a, 3851a.
Tarancón y García, David, 3799.
Tarkiainen, V., 3640d, 3643d, 3871h, 3948d.
Tarr, F. Courtney, 1355d, 2911a.
Tárrago, Torcuato, 2465.
Taube, Otto Freiherr von, 3920g.

Tauro, Alberto, 3916.
Teixeira Botelho, General, 637.
Téllez, Tello, 2021, 3166.
Templin, Ernest H., 890-91, 1511*, 1765c, 2385, 2649b, 2701, 2758, 2778, 2867, 2884, 3316, 3542, 3713, 3920u, 3931d.
Tenner, Fritz, 1788.
Tenreiro, Ramón María, 3521, 3524, 3566, 3790.
Teresa León, Tomás, 156.
Terzano de Gatti, Enriqueta, 349a.
Tesán, J. M. Alda. V. Alda Tesán.
Teyssier, Paul, 750.
Teza, Emilio, 917, 1182.
Thomas, Henry, 1528-29, 3496.
Thomas, Lucien-Paul, 970b, 1224A*, 1721c, 1879, 2000, 2254, 2322d.
Tieghem, P. van, 1460.
Tiemann, Hermann, 1475, 2948, 3917.
Tietze, Maria, 3331.
Tobler, Adolf, 168d, 492a, 1773a, 2343b.
Todesco, Venanzio, 307, 1683a.
Toldo, Pietro, 1422, 1668d.
Toledano, J., 3775.
Toll, Klaus, 1480, 2655.
Tomillo, Atanasio, 3918.
Tonelli, Luigi, 1789, 2236.
Tormo, Antonio, 1520b, 1544b.
Tormo y Monzó, Elías, 459a.
Toro, Julio del, 2637.
Toro y Gisbert, Miguel de, 2079, 2105.
Toro y Gómez, Miguel de, 77.
Torre, Guillermo de, 343, 3244, 3322, 3396, 3861.
Torre, Lucas de, 558.
Torre Revello, José, 820, 924, 2124.
Torres García, Dámaso, 1514.
Torres Rioseco, Arturo, 167b, 469, 2618.
Torrinha, Francisco, 757.
Toussaint, Manuel, 2587.
Trench, Richard Chevenix, 2337.
Trend, John Brande, 94, 133, 770, 1053, 2047, 2222.
Trénor, Leopoldo, 2206.
Trenti Rocamora, J. Luis, 1151, 1221, 1336, 1374, 1790-91.
Tréverret, A. de, 2179.
Treviño, Salomón Narciso, 2086, 2135.
Turkevich, Ludmilla Buketoff, 2052.
Tyler, Richard W., 3133, 3728.
Tyre, Carl Allen, 169*.

PQ6104 A1 M3
+Bibliografía tem+McCready, Warren

0 00 02 0175029 6
MIDDLEBURY COLLEGE